Karl Otto Conrady
(Hrsg.)
Das große deutsche Gedichtbuch

Karl Otto Conrady
(Hrsg.)

Das große deutsche Gedichtbuch

Athenäum Verlag
1978

CIP-Kurztitelaufnahme der Deutschen Bibliothek
Das große Gedichtbuch
Karl Otto Conrady (Hrsg.)
– 2. Aufl. – Königstein/Ts. : Athenäum Verlag, 1978
 ISBN 3–7610–8006–9
NE: Conrady, Karl Otto (Hrsg.)

© 1978 Athenäum Verlag GmbH
Königstein/Ts.
Alle Rechte vorbehalten
Umschlaggestaltung Endrikat + Wenn, Aachen
Gesamtherstellung Friedrich Pustet, Regensburg
Printed in Germany
ISBN 3–7610–8006–9

Inhalt

Vorwort

Diese Gedichtsammlung will dem Liebhaber der Literatur eine möglichst große Fülle von Beispielen deutschsprachiger Lyrik von den Anfängen im Mittelalter bis zur Gegenwart in einem einzigen Band leicht zugänglich machen. Dem Herausgeber einer solchen Anthologie, die der Vielfalt der sprachlichen Äußerungen im Gedicht gerecht werden möchte, stellen sich freilich nicht geringe Probleme, die die Auswahl und die Anordnung der Gedichte betreffen. Er hat Dichtungen vieler Jahrhunderte zu sichten und muß dann entscheiden, welche Werke er in seine Sammlung aufnimmt. Bekannte und vertraute Verse dürfen nicht fehlen; denn der Leser erwartet sie mit Recht in einer Ausgabe, die den Titel „Das große deutsche Gedichtbuch" trägt. Aber auch Wiederentdeckungen, vielleicht gar persönliche Neuentdeckungen, sollen dem Benutzer dieses Buches möglich werden, ganz zu schweigen von den Anregungen zu weiterer Beschäftigung mit den übrigen Gedichten eines Autors, die hier keinen Platz gefunden haben.

Ich habe mich bemüht, jeweils solche Gedichte auszuwählen, die als charakteristisch für geschichtliche Phasen der deutschsprachigen Lyrik und/oder für den einzelnen Dichter gelten können. Selbstverständlich sind der Verwirklichung dieser Absicht Grenzen gesetzt. Auch eine umfangreiche Sammlung kann nicht alle Spielarten der Lyrik eines Autors oder eines Zeitabschnitts präsentierten, auch nicht alle Lyriker, und was der Herausgeber als charakteristisch ansieht, muß nicht auch von anderen Betrachtern so eingeschätzt werden. Doch läßt schon ein Blick auf das diesem Vorwort folgende „Verzeichnis der Autoren und ihrer Gedichte" erkennen, wie ausführlich hier zu dokumentieren versucht worden ist.

Gewiß bedarf es bei einer Gedichtauswahl, die nicht für literaturgeschichtliche Spezialinteressen eingerichtet ist, keiner besonderen Begründung, daß die Lyrik der neueren Zeit seit Goethe stärker vertreten ist als die früherer Jahrhunderte. Doch hoffe ich, auch aus jenen Zeiten so zahlreiche Beispiele geboten zu haben, daß der Leser wenigstens einen Eindruck von Stil und Thematik älterer Verskunst gewinnen kann und manchmal vielleicht auf überraschende Weise beeindruckt wird. Das 17. Jahrhundert, das sogenannte Barockjahrhundert der deutschen Literatur, wird beispielsweise durch immerhin rund vierzig Poetennamen repräsentiert, während für die Jahrhunderte zuvor, auch für die alt- und mittelhochdeutsche Zeit, verständlicherweise nur die Aufnahme relativ weniger Texte geboten schien, die den Leser aber auf reiche Vorräte alter Dichtung aufmerksam machen können.

Die Sammlung beginnt mit dem althochdeutschen „Wessobrunner Gebet" aus dem 9. Jahrhundert und führt bis in die unmittelbare Gegenwart. Die Autoren erscheinen in zeitlicher Reihenfolge, und ihre Gedichte bleiben beim jeweiligen Verfasser versammelt. Dieses Prinzip der Anordnung hat freilich insofern zeitliche Überschneidungen zur Folge, als Verse, die an einer späteren Stelle des Buches stehen, möglicherweise viel früher entstanden sind als vorher schon dargebotene Gedichte. Doch bietet solche Anordnung den Vorteil, daß der Leser die Gedichte eines Autors beieinander findet und daß ihm damit die Begegnung und Beschäftigung mit kennzeichnenden Ausprägungen des Gesamtwerks eines Lyrikers erleichtert wird. Das trifft vornehmlich dort zu, wo sich die Auswahl der Gedichte eines Verfassers zu einer eigenen kleinen Anthologie weitet; der Umfang dieses Bandes gestattet das glücklicherweise nicht selten. Allerdings bleibt es, wie schon angedeutet, das Risiko des Herausgebers, ,Charakteristisches' getroffen oder verfehlt zu haben.

Wenn die zeitliche Reihenfolge der Autoren als Anordnungsprinzip genannt worden ist, so ist doch zu bedenken, daß Abweichungen von dieser Regel unausweichlich sind. Es konnte nicht sinnvoll sein, die Aufeinanderfolge unerbittlich streng von den Geburtsjahren der Dichter bestimmen zu lassen. Behutsame Gruppierung war angezeigt, und zwar unter verschiedenen Gesichtspunkten. Einmal zeigen sich dann Ähnlichkeiten und Verwandtschaften – thematischer wie formaler Art –, die bestimmende Konturen einer Phase oder Richtung der Lyrik sichtbar werden lassen. Zum andern war es reizvoll, auch kontrastierende Zusammenstellungen zu wählen, bei denen sich durch die Nähe des Verschiedenen eine kritische

Kommentierung von selbst ergibt, ohne daß es des erläuternden Wortes eines Interpreten überhaupt bedürfte.

Gleiches gilt für die Gruppierung der Gedichte selbst. Auch hier habe ich nicht eine konsequente Chronologie gemäß erstem Erscheinen oder (falls überhaupt feststellbarer) Entstehung der Gedichte angestrebt, sondern bin unterschiedlich verfahren. Ein Lesebuch, wie es diese Auswahl sein soll, ist den Forderungen einer wissenschaftlichen historisch-kritischen Textausgabe nicht unterworfen. So finden sich sowohl Reihungen, die im großen und ganzen der Chronologie entsprechen (wo es das Gesamtwerk selbst nahelegte: etwa bei Goethe, Hölderlin, Heine, Brecht), als auch Zusammenrückungen nach thematischen Gesichtspunkten, und das auch dort, wo die Chronologie insgesamt bestimmend blieb. Wiederum kann bisweilen solche Anordnung bemerkenswerte Hinweise für das Verständnis eines Gedichts bieten, etwa wenn die Zusammenstellung von Hoffmann von Fallerslebens „Deutschland, Deutschland über alles" mit anderen Versen desselben Dichters unmittelbar deutlich macht, wie das Deutschlandlied eigentlich aufzufassen ist.

Auf Epochenbezeichnungen habe ich verzichtet. Barock, Aufklärung, Sturm und Drang, Klassik, Romantik: solche Begriffe sind zu vage und mit zuviel unterschiedlichen Bedeutungen besetzt, als daß sie für das Verständnis der Gedichte von vornherein etwas erbringen könnten, ganz abgesehen davon, daß solcher Gänsemarsch der Epochen zwar von klugen Geschichtsschreibern inszeniert wurde, manche Phänomene aber sich in ihn nur schwer einreihen lassen.

Man würde der Variationsbreite früherer und gegenwärtiger Aussagen in Gedichtform nicht gerecht, wollte man sich bei der Auswahl von Gedichten von dem leiten lassen, was mitunter gern als Merkmal eines lyrischen Gedichts angesehen wird (aber eben nur eines ‚lyrischen' Gedichts): Stimmungshaftes, Empfindsames, subjektiver Ausdruck seelischer Bewegtheit, Wohlklang und Geschmeidigkeit, zeitenthoben Allgemeines. Solche Bestimmungen mögen vielleicht für etliche Gedichte Goethes, für Verse der ‚Romantiker', auch Mörikes und einiger anderer gelten. Sie haben freilich die allgemeine Auffassung von Lyrik nicht wenig beeinflußt. Auch die selbstgenügsame Schönheit eines Kunstgebildes („Was aber schön ist, selig scheint es in ihm selbst", Mörike) kann nicht zum allein gültigen Gestaltungsprinzip eines Gedichts erklärt werden. Von solchen Anschauungen aus lassen sich angemessene Zugänge zu ebenso umfangreichen wie beachtenswerten Beständen der Lyrik nicht finden, zur Gedichtsprache des 17. Jahrhunderts ebensowenig wie zu bewußt zeitbezogenen und auf politische Wirkung bedachten Versen unterschiedlicher Herkunft und Absicht. Und viele Lyriker, die gemeinhin wegen ihrer melodisch wohllautenden, gefühlvollen Strophen bekannt sind, haben mit fragloser Selbstverständlichkeit auch Gedichte ganz anderen Zuschnitts geschrieben und sich solcherart eingemischt in Auseinandersetzungen der Zeit, nicht selten als Warnende, als Mahner, als Fürsprecher noch nicht errungener oder bedrohter Freiheit, als Hoffende, die ein Bild von Besserem zu entwerfen vermögen, und sei es nur im poetischen Vorgriff. August Graf von Platen ist nicht nur der Dichter der berühmten und berückenden „Tristan"-Verse „Wer die Schönheit angeschaut mit Augen / Ist dem Tode schon anheimgegeben", sondern auch der Verfasser von Polenliedern, die dem damaligen Freiheitskampf jenes Volkes und seiner Niederlage galten; und Nikolaus Lenau hat nicht nur die „Schilflieder" gedichtet, sondern auch zeitkritische Verse, die an Entschiedenheit nichts zu wünschen übrig lassen. Das trifft für andere Dichter nicht minder zu; wesentliche Strömungen zumal der Gegenwartslyrik sind von zeit- und gesellschaftskritischen Absichten geradezu gezeichnet. Auch die Arbeitswelt ist, allerdings in sehr unterschiedlicher Weise, seit dem 19. Jahrhundert Thema des Gedichts geworden. Aus all diesen Bereichen muß ein Gedichtbuch wenigstens einige Beispiele vorstellen, wenngleich es nicht mit Spezialsammlungen für bestimmte Themen und Formen der Lyrik konkurrieren kann und will.

Es ist in deutscher Lyrik auch an Lobgedichten auf Krieg und Heldentod, auf herrscherliche Macht und nationale Sendung kein Mangel. Sie mögen uns, besonders nach den Erfahrungen der neueren deutschen Geschichte, befremden und verstören; dennoch sind sie aus der Geschichte der Lyrik nicht einfach zu streichen, und so sind Verse solcher Art (wie sogar

Geibels unsäglich anmaßende und immer wieder zitierte von „Deutschlands Beruf") auch in diesem Buch zu finden. Es bedürfte gesonderter Abhandlungen, ihren historischen Stellenwert kritisch zu analysieren. Das gilt insbesondere für solche Gedichte, die die Nähe zum ‚Gedankengut' des Dritten Reiches und seiner Vorgeschichte nicht verleugnen können. Trotz des Wunsches, viele Erscheinungsformen deutscher Lyrik vorzuführen, konnte es jedoch nicht geraten erscheinen, kommentarlos auch Gedichte aus dem Geiste der nationalsozialistischen Parteiorganisationen anzubieten. Damit aber dennoch anklingt, welche Töne damals auch von zweifellos beachtlichen Autoren angestimmt worden sind, habe ich wenigstens ein paar einschlägige Verse von Heinrich Lersch („Morgenlied der neuen Arbeiter"), Agnes Miegel („Viktoria") und Josef Weinheber („Die deutschen Tugenden im Kriege", „Ewiges Deutschland") aufgenommen.

Aber auch in diesem ganzen Feld kann sich die durch andere Gedichte selbst geleistete kritische Kommentierung auswirken, so wenn, um nur ein Beispiel zu nennen, auf die rauschhafte Kriegsbegeisterung der Verse eines Walter Flex die desillusionierenden Gedichte Oskar Kanehls und Erich Mühsams direkt folgen. Und noch Franz Josef Degenhardt zitiert aus klärender Distanz („Die alten Lieder") der Flexschen Wildgänse „schrillen Schrei nach Norden".

Dieses Buch enthält Gedichte sehr verschiedener Art. Wie könnte es anders sein, wo es doch Gestaltungsversuche aus zwölf Jahrhunderten darbietet! Es fehlt weder an Figurengedichten des 17. Jahrhunderts (der ‚konkreten Dichtung' damaliger Zeit) noch an Beispielen konkreter Poesie aus unserem Jahrhundert, weder an liedhaften Strophen noch an weitgeschwungenen Elegien, weder an Balladen noch an Sprüchen und Epigrammen. Auch galante Poesie aus der Zeit des Barock mit ihren spielerischen Pikanterien ist nicht ausgespart und steht hart neben der Vergänglichkeitsdichtung. Von Volksliedern konnten freilich nur einige frühe als Beispiele für den Volksliedstil aufgenommen werden.

Dem Leser bleibt es überlassen, für sich auszuwählen, was er für gelungen hält, und sich mit dem auseinanderzusetzen, was seinen Widerspruch herausfordert oder ihn zunächst fremd und ungewohnt anmuten mag. Es konnte nicht heißen: Mörike *oder* Heine, Benn *oder* Brecht, Bergengruen *oder* Tucholsky, sondern nur: Mörike *und* Heine, Benn *und* Brecht, Bergengruen *und* Tucholsky. Gedichte können, wie andere Dichtung auch, Anstöße geben: zu neuen Erfahrungen, zu anderer Sicht des Altgewohnten, zum Nachdenken, vielleicht zu neuen Aktivitäten, – und es darf auch Anstoß genommen und widersprochen werden.

Leider konnten bei der Ausführung des Plans dieser Gedichtsammlung einige äußere Schwierigkeiten nicht überwunden werden. Manche Verlage der DDR haben, in der gegenwärtigen Phase der Politik offensichtlich auf strikte Abgrenzung und auf die Behauptung einer eigenständigen ‚sozialistischen' Kultur bedacht, die Abdruckgenehmigung für Gedichte, über deren Lizenzen sie verfügen, verweigert. Daher müssen bedauerlicherweise so bedeutende Lyriker fehlen wie Johannes R. Becher, Volker Braun, Franz Fühmann, Louis Fürnberg, Georg Maurer, Karl Mickel, Rudolf Leonhard, Paul Wiens. Das betrifft auch einzelne Gedichte von Hanns Cibulka und Günther Deicke. Erfreulicherweise erreichte uns noch während des Drucks die Genehmigung von Erich Arendt; allerdings mußten seine Gedichte aus technischen Gründen nun an den Schluß der Sammlung gesetzt werden.

Zur Textgestaltung

Dieses Gedichtbuch soll ein Lesebuch sein. Darum ist um der leichteren Lesbarkeit willen die Schreibweise der älteren Gedichte modernisiert worden. Den alt- und mittelhochdeutschen Gedichten sind sogar Übersetzungen beigegeben. Ihren Verfassern habe ich zu danken, daß sie den Abdruck so bereitwillig gestattet haben, Max Wehrli besonders dafür, daß er die schon früher veröffentlichten Texte und Übertragungen eigens für diese Ausgabe noch einmal kritisch durchgesehen hat.

IX

Damit der Leser jedoch auch einen Eindruck von der alten Schreibweise erhält, ist bei einigen Gedichten die ursprüngliche Orthographie bewahrt worden, z. B. bei den Fabeln des Burkhard Waldis und Erasmus Alberus, bei zwei Liedern Martin Luthers, bei dem Rosenlied Paul Schedes, bei den Tageszeiten-Sonetten des Andreas Gryphius und natürlich bei den Figurengedichten des 17. Jahrhunderts. Das alte Druckbild (Frakturschrift) ist jedoch nicht rekonstruiert worden.

Die Modernisierung der Schreibweise folgt keiner starren Regel. Das gilt auch für die Zeichensetzung, die durchweg modernisiert worden ist, und für die Weglassung der früher oft im Übermaß benutzten Auslassungszeichen ('). Sie sind stehengeblieben oder gesetzt worden, wo sie für das Verständnis der Wörter unerläßlich sind oder es erleichtern. Der ursprüngliche Lautstand der Wörter ist nach Möglichkeit beibehalten worden. Selbstverständlich sind die neueren Gedichte, wo die Eigenwilligkeit der Druckanordnung und der Zeichensetzung zum Charakter des Gedichts selbst gehört, getreu nach den Vorlagen wiedergegeben worden.

Im „Verzeichnis der Autoren und ihrer Gedichte" sind die Quellen genannt, nach denen gedruckt worden ist. Bei der Quellenangabe heißt es entweder „aus" oder „nach". Bei den mit „aus" gekennzeichneten Vorlagen sind die Gedichte wort- und zeichengetreu (mit Ausnahme offenkundiger Fehler) übernommen worden, während die Signatur „nach" darauf hinweist, daß der Herausgeber wegen der Modernisierung der Schreibweise usw. korrigierende Eingriffe hat vornehmen müssen, wenn auch oft nur ganz geringen Ausmaßes.

In eckige Klammern gesetzte Überschriften stammen nicht vom Dichter selbst, sind aber für das Verständnis des jeweiligen Gedichts erforderlich.

Dem Leser werden für die Lektüre der Texte einige Hilfen geboten. Wo es nötig schien, sind unter den Gedichten in eckigen Klammern kurze Erläuterungen einzelner Stellen angebracht worden. Außerdem finden sich Worterklärungen in einem alphabetisch geordneten Verzeichnis im Anhang des Bandes; denn es kann nicht vorausgesetzt werden, daß dem heutigen Leser z. B. die vielen Namen aus Mythologie und Geschichte samt ihren Bedeutungen vertraut sind.

Es sei noch der Hinweis gestattet, daß bei doppelspaltig gedruckten Gedichten Spalte für Spalte von oben nach unten zu lesen ist, jede Seite für sich.

Zum Schluß dieses Vorworts bleibt dem Verlag und dem Herausgeber die angenehme Pflicht, allen Verlagen, Rechtsinhabern und Autoren zu danken, die durch die Gewährung der Abdruckgenehmigung dieses Gedichtbuch ermöglicht haben. Mein persönlicher herzlicher Dank gebührt dem Athenäum Verlag, der den Band in dieser ansprechenden Form herausgebracht hat.

Rösrath b. Köln, im Sommer 1977

Karl Otto Conrady

Verzeichnis der Autoren und ihrer Gedichte

Abkürzungen

Barocklyrik: Barocklyrik, 3 Bände, hsg. v. H. Cysarz, DLE, Reihe: Barock, Philipp Reclam Verlag, Leipzig 1937.

BLV: Bibliothek des Literarischen Vereins Stuttgart, 1843 ff.

DLD: Deutsche Literaturdenkmale des 18. [seit 1894: des 18. und 19.] Jahrhunderts, begründet v. B. Seuffert, Verlag Gebr. Henninger, Heilbronn 1881 ff., ab Bd. 29: Göschen'sche Verlagshandlung, Stuttgart.

DLE: Deutsche Literatur. Sammlung literarischer Kunst- und Kulturdenkmäler in Entwicklungsreihen, hsg. v. H. Kindermann, Philipp Reclam Verlag, Leipzig 1928 ff.

DNL: Deutsche National-Literatur, hsg. v. J. Kürschner, Verlag von W. Spemann, Berlin 1882 ff.

NdL: Neudrucke deutscher Literaturwerke des 16. und 17. Jahrhunderts, begründet v. W. Braune, Max Niemeyer Verlag, Halle/Saale 1876 ff.

NdL N. F.: Neudrucke deutscher Literaturwerke. Neue Folge, hsg. v. R. Alewyn u. L. E. Schmitt, Max Niemeyer Verlag, Tübingen 1961 ff.

Zeitalter des Barock: Das Zeitalter des Barock. Texte und Zeugnisse, hsg. v. A. Schöne, 2. Aufl., C. H. Beck'sche Verlagsbuchhandlung, München 1968 (Die deutsche Literatur. Texte und Zeugnisse, hsg. v. W. Killy).

Zürich 1955; vorliegende Texte und Übersetzungen kritisch durchgesehen von Max Wehrli 1977.

Nach: Oden, hsg. v. F. Muncker u. J. Pawel, Stuttgart 1889.

Johann Friedrich von Cronegk * 1731 in Ansbach † 1758 in Nürnberg

Nach: Sämtliche Schriften, Reutlingen 1777.

Gottlieb Konrad Pfeffel * 1736 in Kolmar/Elsaß † 1809 in Kolmar/Elsaß

Nach: Poetische Versuche, 4. Aufl., Tübingen 1802 ff.

Matthias Claudius * 1740 in Reinfeld b. Lübeck † 1815 in Hamburg

Nach: Werke, J. G. Cotta'sche Buchhandlung, Stuttgart 1965.

Christian Friedrich Daniel Schubart * 1739 in Obersontheim/Württemberg † 1791 in Stuttgart

Nach: Sämtliche Gedichte, Frankfurt/Main 1825.

Johann Gottfried Herder * 1744 in Mohrungen/Ostpreußen † 1803 in Weimar

Friedrich Matthisson * 1761 in Hohendodeleben b. Magdeburg † 1831 in Wörlitz

Friederike Brun * 1765 in Gräfentonna/Thüringen † 1835 in Kopenhagen

Johann Gaudenz von Salis-Seewis * 1762 auf Schloß Bothmar b. Malans/Graubünden † 1834
in Malans

Johann Wolfgang Goethe * 1749 in Frankfurt/Main † 1832 in Weimar

Nach: Sämtliche Werke. Jubiläums-Ausgabe, J. G. Cotta'sche Buchhandlung, Stuttgart o. J. – Gedenkausgabe der Werke, Briefe und Gespräche, hsg. v. E. Beutler, Artemis Verlag, Zürich 1950 ff.

Friedrich Schiller * 1759 in Marbach/Neckar † 1805 in Weimar

Nach: Werke. Nationalausgabe, hsg. v. J. Petersen u. G. Fricke, Verlag Hermann Böhlaus Nachfolger, Weimar 1943 ff. – Sämtliche Werke, hsg. v. G. Fricke u. H. G. Göpfert, Carl Hanser Verlag, 3. Aufl., München 1962.

Johann Gottfried Seume * 1763 in Poserna b. Weißenfels † 1810 in Teplitz

Nach: Sämtliche Werke, Leipzig 1839.

Nach: Werke, hsg. v. H. Maync, Leipzig o. J.

Heinrich Heine * 1797 in Düsseldorf † 1856 in Paris

Nach: Sämtliche Werke, Bd. XX: Balladen und Gedichte, hsg. v. E. Groß u. K. Schreinert, Nymphenburger Verlagshandlung, München 1962.

Hermann Lingg * 1820 in Lindau/Bodensee † 1905 in München

Nach: Gedichte, hsg. v. E. Geibel, 2. Aufl., Stuttgart 1855.

Wilhelm Raabe * 1831 in Eschershausen/Weserland † 1910 in Braunschweig

Nach: Sämtliche Werke, hsg. v. K. Hoppe, Bd. 20, Vandenhoeck & Ruprecht Verlag, Göttingen 1968.

Wilhelm Busch * 1832 in Wiedensahl b. Hannover † 1908 in Mechtshausen (Harz)

Nach: Gesamtausgabe, hsg. v. F. Bohne, Emil Vollmer Verlag, Wiesbaden o. J.

Detlev von Liliencron * 1844 in Kiel † 1909 in Alt-Rahlstedt b. Hamburg

Rainer Maria Rilke * 1875 in Prag †1926 in Montreux (Wallis/Schweiz)

Rudolf Borchardt * 1877 in Königsberg † 1945 in Trins a. Brenner

L

Aus: Gedichte und Prosa, Suhrkamp Verlag, Frankfurt/Main 1958

Wilhelm Lehmann * 1882 in Puerto Cabello/Venezuela † 1968 in Eckernförde/Ostsee

Aus: Sämtliche Werke, Sigbert Mohn Verlag, Gütersloh 1962.

Max Herrmann-Neisse * 1886 in Neisse † 1941 in London

Aus: Eine Auswahl, Franz Steiner Verlag, Wiesbaden 1951.

Georg Kaiser * 1878 in Magdeburg † 1945 in Ascona

Aus: Stücke. Erzählungen. Aufsätze. Gedichte, Kiepenheuer und Witsch Verlag, Köln 1966.

Kurt Tucholsky * 1890 in Berlin † 1935 in Hindås b. Göteborg/Schweden

Aus: Gesammelte Werke, Rowohlt Verlag, Reinbek 1960.

Klabund (Alfred Henschke) * 1890 in Crossen/Oder † 1928 in Davos

Aus: Gesammelte Gedichte, Phaidon Verlag, Wien 1930.

Aus: Gesammelte Werke in acht Bänden, Suhrkamp Verlag, Frankfurt/Main 1967.

Berthold Viertel * 1885 in Wien † 1953 in Wien

Aus: Dichtungen und Dokumente, Kösel Verlag, München 1956.

Walter Mehring * 1896 in Berlin

Aus: Arche Noah SOS, Rowohlt Verlag, Hamburg 1951.

Hans Schiebelhuth * 1895 in Darmstadt † 1944 in East Hampton/USA

Aus: Werke (Dichtungen Prosa Briefe Übertragungen), hsg. v. M. Schlösser, Agora Verlag, Darmstadt 1966/67 (AGORA Schriftenreihe, Bd. 20/21).

Erich Kästner * 1899 in Dresden † 1974 in München

Aus: Gesammelte Schriften für Erwachsene, Droemer Knaur Verlag, München 1969.

Unbekannte Verfasser

Das Wessobrunner Gebet
(Vor 814)

De poeta

Dat gafregin ih mit firahim firiuuizzo meista,
Dat ero ni uuas noh ufhimil,
noh paum, noh pereg ni uuas,
ni sterro nohheinig, noh sunna ni scein,
noh mano ni liuhta, noh der mareo seo.
Do dar niuuiht ni uuas enteo ni uuenteo,
enti do uuas der eino almahtico cot,
manno miltisto, enti dar uuarun auh manake mit inan
cootlihhe geista, enti cot heilac.

Cot almahtico, du himil enti erda gauuorahtos enti du mannun so manac coot forgapi: for-
gip mir in dina ganada rehta galaupa enti cotan uuilleon, uuistóm enti spahida enti craft,
tiuflun za uuidarstantanne enti arc za piuuisanne enti dinan uuilleon za gauurchanne.

Übersetzung

Von einem Dichter

Das habe ich bei den Menschen als größtes Wunder erfahren: daß es die Erde nicht gab und
nicht den Himmel, es gab nicht den Baum und auch nicht den Berg, es schien nicht ein einzi-
ger Stern, nicht die Sonne, es leuchtete weder der Mond noch die glänzende See. Als es da
also nichts gab, was man als Anfang oder als Ende hätte verstehen können, gab es schon
lange den einen allmächtigen Gott, den reichsten an Gnade. Bei ihm waren auch viele Geister
voll Herrlichkeit, früher (als sie aber war) der heilige Gott.

Allmächtiger Gott, du hast Himmel und Erde erschaffen und den Menschen so manches
Gut verliehen: verleihe mir rechten Glauben an deine Gnade und guten Willen, Weisheit,
Klugheit und Kraft, den Teufeln zu widerstehen und das Böse zu meiden und deinen Willen
zu tun.

(Horst Dieter Schlosser)

Petruslied
(9. Jahrhundert)

Unsar trohtin hat farsalt sancte Petre giuualt,
daz er mac ginerian ze imo dingenten man.
 Kyrie eleyson, Christe eleyson.

Er hapet ouh mit uuortun himilriches portun.
dar in mach er skerian den er uuili nerian.
Kirie eleison, Christe eleyson.

Pittemes den gotes trut alla samant uparlut,
daz er uns firtanen giuuerdo ginaden!
Kirie eleyson, Christe eleison.

Übersetzung

Unser Herr hat dem heiligen Petrus die Macht verliehen,
den zu retten, der auf ihn hofft.
Herr erbarme dich, Christus erbarme dich.

Seinem Wort untersteht auch der Eingang ins Himmelreich.
Da kann er einlassen, wen er zu retten gedenkt.
Herr erbarme dich, Christus erbarme dich.

Laßt uns alle gemeinsam Gottes besonderen Freund mit lauter Stimme bitten, daß er sich unser, die wir gesündigt haben, gnädig wolle erbarmen!
Herr erbarme dich, Christus erbarme dich.

(Horst Dieter Schlosser)

Merseburger Zaubersprüche
(10. Jahrhundert)

Erster Spruch

Eiris sazun idisi, sazun hera duoder.
suma hapt heptidun, suma heri lezidun,
suma clubodun umbi cuoniouuidi:
insprinc haptbandun, inuar uigandun!

Zweiter Spruch

Phol ende Uuodan uuorun zi holza.
du uuart demo Balderes uolon sin uuoz birenkit.
thu biguol en Sinthgunt, Sunna era suister,
thu biguol en Friia, Uolla era suister,
thu biguol en Uuodan, so he uuola conda:
sose benrenki, sose bluotrenki,
sose lidirenki,
ben zi bena, bluot zi bluoda,
lid zi geliden, sose gelimida sin!

Übersetzung

Erster Spruch

Einst ließen sich die Idisen nieder, setzten sich hierhin und (setzten sich) dorthin. Einige fesselten (die Feinde), andere hemmten (das feindliche) Heer, wiederum andere lösten die Fesseln (des Freundes): löse dich aus den Fesseln, entflieh den Feinden!

Zweiter Spruch

Phol und Wodan ritten in den Wald. Da verrenkte sich Balders Fohlen einen Fuß. Da besprach ihn Sindgund (und) Sunna, ihre Schwester, da besprach ihn Frija (und) Volla, ihre Schwester, da besprach ihn Wodan, so gut wie (nur) er es konnte: wie die Verrenkung des Knochens, so die des Blutes, so die des ganzen Gliedes! Knochen an Knochen, Blut zu Blut, Glied an Glied, als ob sie zusammengeleimt wären!

(Horst Dieter Schlosser)

Lorscher Bienensegen
(10. Jahrhundert)

Kirst, imbi ist huze! nu fliuc du, uihu minaz, hera
fridu frono in godes munt heim zi commone gisunt.

sizi, sizi, bina: inbot dir sancte Maria
hurolob ni habe du zi holce ni fluc du,
noh du mir nindrinnes, noh du mir nintuuinest.
sizi uilu stillo, uuirki godes uuillon!

Übersetzung

Christus! das Bienenvolk ist ausgeschwärmt! Nun fliegt, meine Tiere, (wieder) her, damit ihr im Frieden des Herrn, in Gottes Schutz gesund heimkommt!
Sitz, sitz, Biene! Das hat dir die heilige Maria befohlen: du sollst keine Erlaubnis haben, in den Wald zu fliegen, du sollst mir weder entwischen noch entweichen! Sitz ganz still und tu, was Gott will!

(Horst Dieter Schlosser)

Unbekannte Verfasser

‚Floret silva nobilis
floribus et foliis.
ubi est antiquus
meus amicus?
hinc equitavit!
eia! quis me amabit?
 Floret silva undique,
 nâh mîme gesellen ist mir wê!

Gruonet der walt allenthalben.
wâ ist mîn geselle alsô lange?
der ist geriten hinnen.
owî! wer sol mich minnen?'

Übersetzung

„Es blüht der Wald herrlich
in Blumen und Blättern.
Wo ist mein
Freund von einst?
Von hinnen ist er geritten!
Ach, wer wird mich lieben?
 Ueberall blüht der Wald,
 Nach meinem Gesellen ist mir weh!

Es grünt der Wald allenthalben.
Wo ist mein Geselle so lange?
Der ist von hinnen geritten.
O weh! Wer wird mich lieben?“

(Max Wehrli)

Ich wil trûren varen lân;
vf die heide sul wir gân,
vil liebe gespilen mîn!
da seh wir der blumen schin.
 Ich sage dir, ih sage dir,
 mîn geselle, chum mit mir!

Suoziu Minne, raine Min,
mache mir ein chrenzelîn!
daz sol tragen ein stolzer man,
der wol wîben dienen chan!
 Ich sage dir, ih sage dir,
 mîn geselle, chum mit mir!

Übersetzung

Ich will das Trauern sein lassen.
Auf die Heide wollen wir gehn,
meine lieben Gespielen!
Da sehn wir das Leuchten der Blumen.
 Ich sage dir, ich sage dir,
 mein Geselle, komm mit mir!

Süße Minne, reine Minne,
mache mir ein Kränzlein!
Das soll ein stolzer Mann tragen,
der Frauen wohl zu dienen versteht!
 Ich sage dir, ich sage dir,
 mein Geselle, komm mit mir!

(Max Wehrli)

‚Dû bist mîn, ich bin dîn:
des solt dû gewis sîn.
dû bist beslozzen
in mînem herzen:
verlorn ist daz slüzzelîn:
dû muost immer drinne sîn.‘

Übersetzung

,Du bist mein, ich bin dein:
dessen sollst du gewiß sein.
Du bist verschlossen
in meinem Herzen:
verloren ist das Schlüsselein:
du mußt für immer drinnen sein.'

(*Max Wehrli*)

Der von Kürenberg
(2. Hälfte des 12. Jahrhunderts)

,Ich zôch mir einen valken mêre danne ein jâr.
dô ich in gezamete als ich in wolte hân
und ich im sîn gevidere mit golde wol bewant,
er huop sich ûf vil hôhe und flouc in anderiu lant.

Sît sach ich den valken schône fliegen:
er fuorte an sînem fuoze sîdîne riemen,
und was im sîn gevidere alrôt guldîn.
got sende si zesamene die gerne geliep wellen sîn!'

Übersetzung

,Ich zog mir einen Falken länger als ein Jahr.
Als ich ihn gezähmt, wie ich ihn haben wollte,
und sein Gefieder mit Gold geschmückt hatte,
hob er sich hoch auf und flog davon.

Seither sah ich den Falken schön fliegen:
er führte an seinem Fuß seidene Fesseln
und sein Gefieder war ganz rotgolden.
Gott sende sie zusammen, die einander gerne liebhaben wollen.'

(*Max Wehrli*)

Wîp unde vederspil diu werdent lîhte zam:
swer si ze rehte lucket, sô suochent si den man.
als warb ein schœne ritter umb eine frouwen guot.
als ich dar an gedenke, sô stêt wol hôhe mîn muot.

Übersetzung

Frauen und Falken, die lassen sich leicht zähmen: wer sie richtig lockt – so
kommen sie dem Mann entgegen.
So hat ein schöner Ritter um eine edle Dame geworben.
Denk ich daran, bin ich wohl hohen Mutes.

(Max Wehrli)

Dietmar von Eist
† vor 1171

Uf der linden obene dâ sanc ein kleinez vogellîn.
vor dem walde wart ez lût: dô huop sich aber daz herze mîn
an eine stat da'z ê dâ was. ich sach die rôsebluomen stân:
die manent mich der gedanke vil die ich hin zeiner frouwen hân.

‚Ez dunket mich wol tûsent jâr daz ich an liebes arme lac.
sunder âne mîne schulde fremedet er mich manegen tac.
sît ich bluomen niht entsach noch hôrte kleiner vogele sanc,
sît was mir mîn fröide kurz und ouch der jâmer alze lanc.'

Übersetzung

Oben auf der Linde, da sang ein feines Vögelchen.
Vor dem Walde ward es laut: da hob sich wieder mein Herz
an eine Stelle, wo es einst schon war. Ich sah die Rosenblüten stehn:
die erinnern mich der Gedanken, die ich zu einer Frau hin habe.

‚Es scheinen mir wohl tausend Jahr, daß ich am Arm des Liebsten lag.
Ohne alle meine Schuld entzieht er sich mir schon manchen Tag.
Seit ich Blumen nicht mehr sah, noch hörte feiner Vögel Gesang,
Seit da war mir meine Freude kurz, dafür mein Jammer allzu lang.'

(Max Wehrli)

‚Slâfest du, friedel ziere?
man weckt uns leider schiere:
ein vogellîn sô wol getân
daz ist der linden an daz zwî gegân.'

‚Ich was vil sanfte entslâfen:
nu rüefestu kint wâfen.
liep âne leit mac niht gesîn.
swaz du gebiutst, daz leiste ich,
 friundîn mîn.'

Diu frouwe begunde weinen.
‚du rîtst und lâst mich eine.
wenne wilt du wider her zuo mir?
owê du füerst mîn fröide samet dir!'

Übersetzung

‚Schläfst du, mein schöner Liebster?
Bald wird man uns leider wecken.
Ein Vögelchen, ein wohlgestaltes,
ist auf der Linde Zweig gekommen.'

‚Ich war sanft eingeschlafen:
nun rufst du, Kind, mich auf!
Lieb ohne Leid, das kann nicht sein.
Was immer du befiehlst, das tu ich,
 meine Freundin.'

Die Frau begann zu weinen.
‚Du reitest und läßt mich allein.
Wann willst du wieder her zu mir?
O weh, du nimmst mein Glück zugleich mit dir!'

(Max Wehrli)

Friedrich von Hausen
um 1150–1190

Mîn herze und mîn lîp diu wellent scheiden,
diu mit ein ander varnt nu mange zît.
der lîp wil gerne vehten an die heiden:
sô hât iedoch daz herze erwelt ein wîp
vor al der werlt. daz müet mich iemer sît,
daz si ein ander niene volgent beide.
mir habent diu ougen vil getân ze leide.
got eine müeze scheiden noch den strît.

Ich wânde ledic sîn von solher swære,
dô ich daz kriuze in gotes êre nam.
ez wære ouch reht deiz herze alsô dâ wære,
wan daz sîn stætekeit im sîn verban.
ich solte sîn ze rehte ein lebendic man,
ob ez den tumben willen sîn verbære.
nu sihe ich wol daz im ist gar unmære
wie ez mir an dem ende süle ergân.

Sît ich dich, herze, niht wol mac erwenden,
dun wellest mich vil trûreclîchen lân,
sô bite ich got daz er dich ruoche senden
an eine stat dâ man dich wohl enpfâ.
owê wie sol ez armen dir ergân!
wie torstest eine an solhe nôt
 ernenden?
wer sol dir dîne sorge helfen enden
mit solhen triuwen als ich hân getân?

Übersetzung

Mein Herz und mein Leib wollen sich trennen,
die miteinander lange Zeit gezogen sind.
Der Leib will gerne gegen die Heiden kämpfen:
dagegen hat das Herz eine Frau vorgezogen
vor der ganzen Welt. Es plagt mich seither,
daß sie nicht einig sind.
Mir haben meine Augen viel zuleid getan!
Gott allein mag den Streit noch schlichten!

Ich glaubte frei zu sein von solchem Kummer,
da ich das Kreuz zu Gottes Ehre nahm.
Es wäre auch richtig, daß das Herz dabei wäre,
nur daß ihm seine Treue das verbietet.
Ich würde recht ein lebendiger Mann sein,
wenn es seinen törichten Willen unterließe.
Nun seh ich wohl, daß ihm ganz gleichgültig ist,
wie es mir schließlich ergehen soll.

Da ich dich, Herz, nicht davon abbringen kann,
mich sehr schmerzlich zu verlassen,
so bitte ich Gott, er wolle dich senden
an einen Ort, da man dich wohl empfängt.
O weh, wie soll es dir, du Armes, gehen!
Wie durftest du allein dich zu solcher Gefahr
 erkühnen?
Wer soll dir helfen, deine Sorgen zu beenden,
mit solcher Treue, wie ich getan habe?

(Max Wehrli)

Heinrich von Morungen
† 1222

Ich hôrt ûf der heide
lûte stimme und süezen klanc.
dâ von wart ich beide
fröiden rîch und trûrens kranc.
nâch der mîn gedanc sêre ranc unde swanc,
die vant ich ze tanze dâ si sanc.
âne leide ich dô spranc.

Ich vant si verborgen
eine und ir wengel naz,
dô si an dem morgen
mînes tôdes sich vermaz.
der vil lieben haz tuot mir baz danne daz
dô ich vor ir kniete dâ si saz
und ir sorgen gar vergaz.

Ich vants an der zinnen,
eine, und ich was zir besant.
dâ moht ichs ir minnen
wol mit fuoge hân gepfant.
dô wând ich diu lant hân verbrant sâ zehant,
wan daz mich ir süezen minne bant
an den sinnen hât erblant.

Übersetzung

Ich hörte auf der Heide
helle Stimme und süßen Klang.
Davon ward zugleich ich
reich an Freude und arm an Trauer.
Nach der mein Gedanke sich gerungen und geschwungen hatte,
die fand ich beim Tanze, wo sie sang.
Ohne Leid sprang ich mit.

Ich fand sie verborgen
allein und ihre Wangen naß,
da sie am Morgen
mir den Tod geschworen hatte.
Der Geliebten Haß tut mir besser als das,
da ich vor ihr kniete, wo sie saß
und ihre Sorgen ganz vergaß.

Ich fand sie an der Zinne
allein; man hatte mich zu ihr gerufen.
Leicht hätt ich das Pfand
ihrer Liebe gewinnen können.
Da hätte ich das Land auf der Stelle verbrennen mögen.
Doch hat mir das Band ihrer süßen Liebe
die Sinne verdunkelt.

(Max Wehrli)

Owê, sol aber mir iemer mê
geliuhten dur die naht
noch wîzer danne ein snê
ir lîp vil wol geslaht?
der trouc diu ougen mîn:
ich wânde, ez solde sîn
des liehten mânen schîn,
 dô taget ez.

,Owê, sol aber er iemer mê
den morgen hie betagen?
als uns diu naht engê,
daz wir niht durfen klagen:
„owê, nu ist es tac“,
als er mit klage pflac
do ’r jungest bî mir lac.
 dô taget ez.‘

Owê, si kuste âne zal
in deme slâfe mich.
dô vielen hin ze tal
ir trêne nidersich,
iedoch getrôste ich sî,
daz si ir weinen lî
und mich al ummevî.
 dô taget ez.

,Owê, daz er sô dicke sich
bî mir ersêen hât!
als er endahte mich,
sô wolte er sunder wât
mîn arme schouwen blôz.
ez was ein wunder grôz
daz in des nie verdrôz.
 dô taget ez.‘

Übersetzung

O weh, soll mir denn nie mehr
leuchten durch die Nacht
noch weißer als Schnee
ihr schöngestalter Leib?
Der trog meine Augen:
ich wähnte, es sei
des lichten Mondes Schein –
 da ward es Tag.

9

‚O weh, wird er denn nie mehr
hier bis zum Morgen weilen?
So mög die Nacht vergehn,
daß wir nicht klagen müssen:
„O weh, nun ist es Tag",
wie er es klagend tat,
als er jüngst bei mir lag.
 Da ward es Tag.'

O weh, sie küßte ungezählt
im Schlafe mich.
Da fielen niederwärts
die Tränen ihr dahin,
doch tröstete ich sie,
daß sie ihr Weinen ließ
und mich ganz umfing.
 Da ward es Tag.

‚O weh, daß er so oft
in meinen Anblick sich verlor!
Wie er die Decke mir nahm,
da wollte er ohne Kleid
meine Arme sehn entblößt.
Es war ein Wunder groß,
daß er's nicht müde ward.
 Da ward es Tag.'

 (Max Wehrli)

Reinmar von Hagenau
um 1160 – um 1205

Niemen seneder suoche an mich deheinen rât:
ich mac mîn selbes leit erwenden niht.
nun wæn iemen græzer ungelücke hât,
und man mich doch sô frô dar under siht.
dâ merkent doch ein wunder an.
ich solte iu klagen die meisten nôt,
 niwan daz ich von wîben übel niht reden kan.

Spræche ich nu des ich si selten hân gewent,
dar an begienge ich grôze unstætekeit.
ich hân lange wîle unsanfte mich gesent
und bin doch in der selben arebeit.
bezzer ist ein herzesêr
dann ich von wîben misserede.
 ich tuon sîn niht: si sint von allem rehte hêr.

In ist liep daz man si stæteclîchen bite,
und tuot in doch sô wol daz si versagent.
hei wie mangen muot und wunderlîche site
si tougenlîche in ir herzen tragent!
swer ir hulde welle hân,
der wese in bî und spreche in wol.
　　daz tet ich ie: nu kan michs leider niht vervân.

Dâ ist doch mîn schulde entriuwen niht sô grôz
als rehte unsælic ich ze lône bin.
ich stân aller vröiden rehte hendeblôz
und gât mîn dienest wunderlîche hin.
daz geschach nie manne mê.
volende ich einest sende nôt,
　　sin tuot mir mê, mag ichz behüeten, wol noch wê.

Ich bin tump daz ich sô grôzen kumber klage
und ir des wil deheine schulde geben.
sît ichs âne ir danc in mînem herzen trage,
waz mac sie des, wil ich unsanfte leben?
daz wirt ir doch lîhte leit.
nu muoz ichz doch sô lâzen sîn.
　　mir machet niemen schaden wan mîn staetekeit.

Übersetzung

Kein Liebender soll bei mir irgend einen Rat suchen:
ich kann mein eigenes Leid nicht wenden.
Nun glaub ich nicht, daß jemand größeres Unglück hat
als ich, den man doch dabei so fröhlich sieht.
Da könnt ihr aber etwas Seltsames beobachten.
Ich müßte euch die höchste Not klagen –
　　nur daß ich von Frauen nicht übel reden kann.

Spräch ich nun aus, woran ich sie nie gewöhnt habe,
so würde ich damit große Untreue begehn.
Ich habe lange Zeit unglücklich geliebt
und bin noch in der selben Mühsal.
Besser ist ein Weh im Herzen,
als daß ich von Frauen schlecht rede.
　　Ich tue es nicht: sie sind mit vollem Recht untadelig.

Sie lieben es, daß man sie unablässig bitte,
und doch tut ihnen so wohl, nein zu sagen.
Ei, wie sie manche Laune und seltsame Sitten
heimlich im Herzen tragen!
Wer ihre Huld haben will,
der sei in ihrer Nähe und lobe sie.
　　Das tat ich immer: nun kann mir das leider nicht helfen.

Da ist doch meine Schuld wahrhaftig nicht so groß
wie meine Erfolglosigkeit.
Ich stehe aller Freuden bar und bloß,
und mein Dienst geht wunderlich dahin.
Das ist nie einem Mann so sehr geschehen.
Komme ich einst zu Ende mit meiner Liebesnot,
 so wird sie mir, gelingt's mir, weder wohl noch weh mehr tun.

Ich bin töricht, daß ich so großen Kummer klage
und ihr irgendeine Schuld dran geben will.
Wenn ich sie schon ohne ihren Willen im Herzen trage,
was kann sie dafür, will ich mühsam leben?
Vielleicht tut es ihr doch leid.
Aber nun muß ich es so bleibenlassen.
 Mir schadet nichts als meine Beständigkeit.

(Max Wehrli)

Wolfram von Eschenbach
um 1170 – um 1220

Ursprinc bluomen, loup ûz dringen
und der luft des meigen urbort vogel ir alten dôn:
etswenn ich kan niuwez singen,
sô der rîfe ligt, guot wìp, noch allez ân dîn lôn.
die waltsinger und ir sanc
nâch halben sumers teile in niemens ôre enklanc.

Der bliclîchen bluomen glesten
sol des touwes anehanc erliutern, swâ si sint:
vogel die hellen und die besten,
al des meigen zît si wegent mit gesange ir kint.
dô slief niht diu nahtegal:
nu wache abr ich und singe ûf berge und in dem tal.

Mîn sanc wil genâde suochen
an dich, güetlich wîp: nu hilf, sît helfe ist worden nôt.
dîn lôn dienstes sol geruochen,
daz ich iemer bite und biute unz an mînen tôt.
lâz mich von dir nemen den trôst,
daz ich ûz mînen langen clagen werde erlôst.

Guot wîp, mac mîn dienst ervinden,
ob dîn helfelîch gebot mich fröiden welle wern,
daz mîn trûren müeze swinden
und ein liebez ende an dir bejagen mîn langez gern?
dîn güetlich gelâz mich twanc,
daz ich dir beide singe al kurz oder wiltu lanc.

Werdez wîp, dîn süeze güete
und dîn minneclîcher zorn hât mir vil vröide erwert.
maht du trœsten mîn gemüete?
wan ein helfelîchez wort von dir mich sanfte ernert,
mache wendic mir mîn clagen,
sô daz ich werde grôz gemuot bî mînen tagen.

Übersetzung

Der Blumen Sprießen, des Laubs Hervordrängen
und die Maienluft verleihn den Vögeln ihre alte Weise:
ich kann manchmal Neues singen,
wenn der Reif liegt, edle Frau, noch ganz ohne deinen Lohn.
Die Waldsänger und ihr Lied
sind nach des Sommers Mitte in keinem Ohr mehr erklungen.

Wo immer sie sind, da wird der anhängende Tau
das Leuchten der blitzenden Blumen klarer machen:
die Vögel, die hellen und besten,
wiegen die ganze Zeit des Maien im Lied ihre Kinder.
Damals schlief die Nachtigall nicht:
nun aber bin ich wach und singe in Berg und Tal.

Mein Lied will Gnade suchen
bei dir, liebliche Frau: nun hilf, da Hilfe not geworden.
Dein Lohn soll den Dienst vergelten,
den ich immer bittend leiste bis zu meinem Tod.
Laß mich von dir Trost gewinnen,
daß ich erlöst werde aus meinen langen Klagen.

Edle Frau, kann meinem Dienst gelingen
– wenn deine Helfermacht mir Freude bringen will –,
daß mein Trauern schwinden und
mein langes Flehen liebes Ziel bei dir erjagen möge?
Deine liebliche Gestalt hat mich gezwungen,
daß ich dir singe, wie du willst, kurz oder lang.

Hohe Frau, dein süßes Wesen
und dein reizender Zorn hat mir viel Freude verwehrt.
Wirst du trösten mein Gemüt?
Denn ein helfend Wort von dir rettet mich sanft.
Verscheuche mir mein Klagen,
so daß ich frohen Mutes werde noch in diesem Leben.

(Max Wehrli)

Walther von der Vogelweide
um 1170 – um 1230

Ir sult sprechen willekomen:
der iu mære bringet, daz bin ich.
Allez daz ir habt vernomen,
daz ist gar ein wint: nû frâget mich.
Ich wil aber miete:
wirt mîn lôn iht guot,
ich gesage iu lîhte daz iu sanfte tuot.
seht waz man mir êren biete.

Ich wil tiuschen frouwen sagen
solhiu mære daz si deste baz
Al der werlte suln behagen:
âne grôze miete tuon ich daz.
Waz wold ich ze lône?
si sint mir ze hêr.
sô bin ich gefüege und bite si nihtes mêr
wan daz si mich grüezen schône.

Ich hân lande vil gesehen
unde nam der besten gerne war:
Übel müeze mir geschehen,
kunde ich ie mîn herze bringen dar
Daz im wol gevallen
wolde fremeder site.
nû waz hulfe mich, ob ich unrehte strite?
tiuschiu zuht gât vor in allen.

Von der Elbe unz an den Rîn
und her wider unz an Ungerlant
Mugen wol die besten sîn,
die ich in der werlte hân erkant.
Kan ich rehte schouwen
guot gelâz unt lîp,
sem mir got, sô swüere ich wol daz hie diu wîp
bezzer sint danne ander frouwen.

Tiusche man sint wol gezogen,
rehte als engel sint diu wîp getân.
Swer si schildet, derst betrogen:
ich enkan sîn anders niht verstân.
Tugent und reine minne,
swer die suochen wil,
der sol komen in unser lant: da ist wünne vil!
lange müeze ich leben dar inne!

Der ich vil gedienet hân
und iemer mêre gerne dienen wil,
Diust von mir vil unerlân.
iedoch sô tuot si leides mir sô vil.
Si kan mir versêren
herze und den muot.
nû vergebez ir got dazs an mir missetuot.
her nâch mac si sichs bekêren.

Übersetzung

Ihr sollt mir ein Willkommen sagen:
denn der Euch Neues bringt, das bin ich!
Alles was Ihr bisher gehört
ist ein Nichts: jetzt aber fragt mich!
Freilich verlange ich Botenlohn.
Fällt er einigermaßen reichlich aus,
werd ich Euch wohl verkünden was Euch Freude macht.
Seht zu was Ihr mir Ansehnliches zu bieten habt.

Ich will deutschen edlen Frauen
solches Loblied singen,
daß sie umso strahlender vor aller Welt dastehen werden.
Und natürlich will ich nicht groß belohnt werden.
Was denn könnte ich mir wünschen?
Sie stehen ja so hoch über mir.
So bin ich brav, und bitte sie um nicht mehr
als daß sie mir freundlich entgegenkommen.

Ich habe viele Länder bereist
und mich immer bemüht, die Besten kennenzulernen.
Alles Böse soll mich treffen,
könnte ich je mein Herz dazu bewegen,
daß ihm ausländische Sitte und Art
wohlgefielen.
Was nützte es mir, für falsche Behauptungen zu streiten?
Deutsche Lebensart und Bildung übertrifft sie alle.

Von der Elbe bis zum Rhein
und wieder hierher bis an Ungarns Grenze,
da leben gewiß die Besten
die ich je fand in der Welt.
Versteh ich mich recht auf die Beurteilung
von gutem Benehmen und Schönheit –
bei Gott, ich möchte wohl schwören daß hier die Frauen
besser sind als anderwärts.

Deutsche Männer sind wohlgebildet,
und recht wie die Engel sehen die Frauen aus.
Wer sie schmäht, der ist nicht bei Verstand –
anders kann ich ihn nicht verstehen.
Wer Reinheit des Wesens und der Liebe
finden will,
der möge in unser Land kommen: da ist alle Herrlichkeit!
Möchte ich ewig darin leben!

Sie, deren Dienst ich mich ganz hingegeben habe
und der ich mit Freuden immer dienen will,
sie gebe ich durchaus nicht frei.
Indessen, sie fügt mir nur Schmerz zu.
Denn sie weiß mir zu verletzen
Herz und Sinn.
Vergebe es ihr Gott, was sie an mir sündigt.
In Zukunft kann sie ja darin anderen Sinnes werden.

(Peter Wapnewski)

Muget ir schouwen waz dem meien	Uns wil schiere wol gelingen.
wunders ist beschert?	wir suln sîn gemeit,
Seht an pfaffen, seht an leien,	Tanzen lachen unde singen,
wie daz allez vert.	âne dörperheit.
Grôz ist sîn gewalt:	Wê wer wære unfrô?
ine weiz obe er zouber künne:	sît die vogele alsô schône
swar er vert in sîner wünne,	singent in ir besten dône –
dân ist niemen alt.	tuon wir ouch alsô!

Wol dir, meie, wie dû scheidest
allez âne haz!
Wie dû walt und ouwe kleidest,
und die heide baz!
Diu hât varwe mê.
,du bist kurzer, ich bin langer',
alsô strîtents ûf dem anger,
bluomen unde klê.

Rôter munt, wie dû dich swachest!
lâ dîn lachen sîn.
Scham dich daz dû mich an lachest
nâch dem schaden mîn!
Ist daz wol getân?
owê sô verlorner stunde,
sol von minneclîchem munde
solch unminne ergân!

Daz mich, frouwe, an fröiden irret,
daz ist iuwer lîp.
An iu einer ez mir wirret,
ungenædic wîp!
Wâ nemt ir den muot?
ir sît doch genâden rîche:
tuot ir mir ungnædeclîche,
sô sît ir niht guot.

Scheidet, frouwe, mich von sorgen,
liebet mir die zît!
Oder ich muoz an fröiden borgen,
daz ir sælic sît!
Muget ir umbe sehen?
sich fröit al diu welt gemeine:
möhte mir von iu ein kleine
fröidelîn geschehen!

Übersetzung

Seht nur, was dem Mai
an Herrlichkeiten beschert worden ist!
Seht alle Welt an,
wie es ihr ergeht!
Groß ist seine Gewalt:
mir scheint, er versteht zu zaubern;
denn wohin er fährt in seiner Pracht,
wird alles wieder jung.

Auch mit uns wird alles gut werden,
wir werden fröhlich sein,
werden tanzen, lachen, singen –
freilich fern aller bäurischen Grobheit.
Wer wollte jetzt nicht fröhlich sein?
Da doch alle Vögel so schön
ihre lieblichsten Melodien singen –
laßt es uns ihnen gleichtun!

Gelobt seist du, Mai, wie du richterlich
alles in Frieden schlichtest.
Wie du Wald und Aue mit Kleidern ausstattest,
und schöner noch die Heide:
denn sie ist die bunteste.
„Du bist kleiner, ich bin größer!" –
so streiten sie auf der Wiese,
der Klee und die Blumen.

Roter Mund, wie du dich entstellst!
Laß dein spöttisches Lachen!
Schäm dich daß du mich auslachst
schadenfroh.
Gehört sich das etwa?
Ach vertan ist die Zeit,
in der ein lieblicher Mund
Lieblosigkeit ausdrückt!

Denn was, Herrin, mich am Frohsein hindert,
das seid doch Ihr allein!
Ihr allein macht mich unglücklich,
die Ihr grausam seid.
Woher kommt euch solche Laune?
Ihr seid doch sonst so großmütig.
Wenn Ihr an mir kleinlich handelt,
handelt Ihr nicht recht.

Erlöst, Herrin, mich von meinem Kummer,
macht, daß auch für mich der Frühling blüht!
Sonst müßte ich mich anderwärts nach Beglückung
Dann: Gehabt Euch wohl! umsehen . . .
Aber seht Euch doch einmal um:
alle Welt ist voller Glück!
Könnte mir von Euch nicht ein kleines
Glückchen geschenkt werden?

(Peter Wapnewski)

Uns hât der winter geschât über al:
heide unde walt sint beide nû val,
dâ manic stimme vil suoze inne hal.
sæhe ich die megde an der strâze den bal
werfen: sô kæme uns der vogelé schal.

Möhte ich verslâfen des winters zît!
wache ich die wîle, sô hân ich sîn nît,
daz sîn gewalt ist sô breit und sô wît.
weiz got er lât ouch dem meien den strît!
sô lise ich bluomen dâ rîfe nû lît.

Übersetzung

Uns hat der Winter über alles Schaden zugefügt.
Heide und Wald sind fahl,
die einst so süß widerhallten von tausend Vogelstimmen.
Säh ich erst wieder die Mädchen auf der Straße den Ball
werfen, dann käme uns der Vogelsang zurück.

Könnte ich doch den Winter verschlafen!
Verwache ich ihn indessen, so hasse ich ihn,
weil seine Herrschaft sich weit und breit erstreckt.
Aber weiß Gott, eines Tages wird er doch dem Mai das Feld räumen.
Dann pflück ich Blumen dort, wo jetzt der Reif liegt.

(Peter Wapnewski)

In einem zwîvellîchen wân
was ich gesezzen und gedâhte,
Ich wolte von ir dienste gân;
wan daz ein trôst mich wider brâhte.
Trôst mag ez rehte niht geheizen, owê des!
ez ist vil kûme ein kleinez trœstelîn,
sô kleine, swenne ichz iu gesage, ir spottet mîn.
doch fröut sich lützel ieman, er enwizze wes.

Mich hât ein halm gemachet frô!
er giht, ich sül genâde vinden.
Ich maz daz selbe kleine strô,
als ich hie vor gesach von kinden.
Nû hœret unde merket ob siz denne tuo:
,si tuot, si entuot, si tuot, si entuot, si tuot!'
swie dicke ichz alsô maz, so was daz ende ie guot.
daz trœstet mich: dâ hœret ouch geloube zuo.

Übersetzung

In wägender Ungewißheit
saß ich da und spielte mit dem Gedanken,
mich von ihr loszusagen.
Da aber hielt mich ein Hoffnungstrost zurück.
Freilich: den Namen Trost verdient die Sache eigentlich nicht, leider! –
Kaum wird man es ein schwaches Tröstlein nennen,
so schwach, daß ihr – gesteh ich's euch – mich auslacht.
Und doch: ganz ohne Grund ist keine Freude.

Mich hat ein Strohhalm froh gemacht!
Er behauptet, ich werde Erhörung finden.
Diesen kleinen Halm maß ich ab,
wie ich es zuvor bei Kindern gesehen hatte.
Nun hört und gebt acht, ob sie es denn wirklich tun wird:
‚Sie liebt mich, sie liebt mich nicht, sie liebt mich, sie liebt mich nicht, sie liebt mich!'
Wie oft auch ich den Halm so maß, immer war das Ende gut!
Das ist mein Hoffnungstrost. – Allerdings: auch Glaube gehört dazu . . .

(Peter Wapnewski)

Herzeliebez frouwelîn,
got gebe dir hiute und iemer guot!
Kund ich baz gedenken dîn,
des hete ich willeclîchen muot.
Waz mac ich dir sagen mê,
wan daz dir nieman holder ist? owê, dâ von ist mir vil wê.

Sie verwîzent mir daz ich
ze nidere wende mînen sanc.
Daz si niht versinnent sich
waz liebe sî, des haben undanc!
Sie getraf diu liebe nie,
die nâch dem guote und nâch der schœne minnent, wê wie minnent die?

Bî der schœne ist dicke haz;
zer schœne niemen sî ze gâch.
Liebe tuot dem herzen baz:
der liebe gêt diu schœne nâch.
Liebe machet schœne wîp:
des mac diu schœne niht getuon, si machet niemer lieben lîp.

Ich vertrage als ich vertruoc
und als ich iemer wil vertragen.
Dû bist schœne und hâst genuoc:
waz mugen si mir dâ von sagen?
Swaz si sagen, ich bin dir holt,
und nim dîn glesîn vingerlîn für einer küneginne golt.

Hâst dû triuwe und stætekeit,
sô bin ich des ân angest gar
Daz mir iemer herzeleit
mit dînem willen widervar.
Hâst aber dû der zweier niht,
so müezest dû mîn niemer werden. owê danne, ob daz geschiht!

Übersetzung

Meine geliebte kleine Herrin,
Gott behüte dich heute und immer!
Könnte ich schöner meine Wünsche ausdrücken –
ich tät es wahrlich gern.
Was aber kann ich dir mehr sagen
als daß dich niemand lieber haben kann? Ach das macht mir manchen Kummer.

Sie werfen mir vor, daß ich
an niedrig Geborne richte meinen Sang.
Daß sie nicht begreifen
was wirkliche Liebe ist – dafür sollen sie verwünscht sein!
Nie hat wahre Liebe sie getroffen,
die nach dem Grad von Reichtum und Schönheit entflammt werden, – ach was für eine Liebe
ist das?

Hinter äußerer Schönheit verbirgt sich oft ein böses Herz.
Solcher Schönheit laufe niemand eilig nach.
Ein liebes Herz steht so viel höher,
und hinter ihm geht die Schönheit.
Ein liebes und liebendes Herz macht die Frau schön;
dergleichen kann die Schönheit nicht vollbringen: sie macht das Herz nicht gut.

Ich trage ihren Vorwurf wie ich ihn immer getragen habe
und ihn immer tragen werde.
Du bist schön, und du bist reich –
aber was können sie mir davon schon sagen?
Was immer sie sagen mögen – ich hab dich lieb,
und dein Ring mit dem Glasstein ist mir mehr als der Goldring der Königin.

Wenn du Beständigkeit und Treue hast,
so hab ich keine Sorge davor,
daß meinem Herzen je ein Leid
von deinem Herzen widerfahre.
Hast aber du sie nicht,
dann könntest du mir nie gehören. Ach, wenn es je so kommt . . .

(Peter Wapnewski)

‚Nemt, frouwe, disen kranz!'
alsô sprach ich zeiner wol getânen maget.
‚So zieret ir den tanz,
mit den schœnen bluomen, als irs ûffe traget.
Het ich vil edele gesteine,
daz müest ûf iur houbet,
obe ir mirs geloubet.
seht mîne triuwe, daz ichz meine.'

Si nam daz ich ir bôt
einem kinde vil gelîch daz êre hât.
Ir wangen wurden rôt
same diu rôse, dâ si bî der liljen stât.
Do erschampten sich ir liehten ougen:
doch neic si mir schône.
daz wart mir ze lône.
wirt mirs iht mêr, daz trage ich tougen.

‚Ir sît sô wol getân,
daz ich iu mîn schapel gerne geben wil,
So ichz aller beste hân.
wîzer unde rôter bluomen weiz ich vil.
Die stênt sô verre in jener heide.
dâ si schône entspringent
und die vogele singent,
dâ suln wir si brechen beide.'

Mich dûhte daz mir nie
lieber wurde, danne mir ze muote was.
Die bluomen vielen ie
von dem boume bî uns nider an daz gras.
Seht, dô muost ich von fröiden lachen,
do ich sô wünneclîche
was in troume rîche,
dô taget ez und muos ich wachen.

Mir ist von ir geschehen,
daz ich disen sumer allen meiden muoz
Vast under d'ougen sehen:
lîhte wirt mir einiu: so ist mir sorgen buoz.
Waz obe si gêt an disem tanze?
frouwe, dur iur güete
rucket ûf die hüete:
owê gesæhe ichs under kranze!

Übersetzung

„Nehmt, Herrin, diesen Kranz!"
So sagte ich zu einem schönen Mädchen.
„Dann schmückt Ihr den Tanz
mit den schönen Blumen in Euerm Haar.
Hätt ich Gold und Edelstein,
dann müßten sie auf Euer Haupt –
wie Ihr mir glauben werdet.
Wirklich, ich meine es ehrlich!"

Und sie nahm das Gebotene an
wie ein junges Mädchen annimmt, das wohlerzogen ist:
Sie errötete,
und die Farbe der Rose kam zu der der Lilie.
Schüchternheit ließ sie die Augen niederschlagen.
Doch dankte sie und neigte zart den Kopf.
Das war mein Lohn.
Schenkt sie mir noch mehr dafür, dann werde ich das heimlich für mich behalten.

„Ihr seid so schön,
daß ich Euch meinen Kranz schenken muß –
den schönsten den ich hab.
Ich weiß, wo viel weiße und rote Blumen stehn.
Die stehn da fern auf jener Heide.
Da wo sie blühen
und die Vögel singen,
da wollen wir sie brechen.“

Mir schien daß ich nie
glücklicher war als da.
Und immerfort rieselten die Blüten
der Bäume zu uns nieder aufs Gras.
Ja seht – da mußte ich lachen in all meinem Glück,
als ich so wunderbar
im Traum beschenkt wurde,
da kam der Tag und weckte mich.

Nun hat sie mich so weit gebracht,
daß ich diesen Sommer allen Mädchen
tief in die Augen sehen muß:
Vielleicht finde ich sie – dann bin ich allen Kummer los.
Wie, wenn sie diesen Tanz mitmachte?
Meine Damen, bitte,
rückt den Kopfschmuck ein wenig aus der Stirn!
Ach, erblickte ich sie doch unter dem Kranz!

(Peter Wapnewski)

‚Under der linden
an der heide,
dâ unser zweier bette was,
Dâ mugt ir vinden
schône beide
gebrochen bluomen unde gras.
Vor dem walde in einem tal,
tandaradei,
schône sanc diu nahtegal.

Ich kam gegangen
zuo der ouwe:
dô was mîn friedel komen ê.
Dâ wart ich enpfangen,
hêre frouwe,
daz ich bin sælic iemer mê.
Kuste er mich? wol tûsentstunt:
tandaradei,
seht wie rôt mir ist der munt.

Dô het er gemachet
alsô rîche
von bluomen eine bettestat.
Des wirt noch gelachet
inneclîche,
kumt iemen an daz selbe pfat.
Bî den rôsen er wol mac,
tandaradei,
merken wâ mirz houbet lac.

Daz er bî mir læge,
wessez iemen
(nu enwelle got!), sô schamt ich mich.
Wes er mit mir pflæge,
niemer niemen
bevinde daz wan er und ich –
Und ein kleinez vogellîn,
tandaradei,
daz mac wol getriuwe sîn‘.

Übersetzung

„Unter der Linde
auf der Heide,
wo unser beider Lager war,
da kann man sehn
liebevoll gebrochen
Blumen und Gras.
Vor dem Wald in einem Tal
tandaradei
sang schön die Nachtigall.

Ich kam gegangen
zu der Wiese,
da war mein Liebster schon vor mir gekommen.
Da wurde ich empfangen
– Heilige Jungfrau! –
daß es mich immer glücklich machen wird.
Ob er mich küßte? Wohl tausendmal,
tandaradei,
seht wie rot mein Mund ist.

Da hatte er bereitet
in aller Pracht
von Blumen ein Lager.
Daran wird sich freuen
von Herzen,
wer daran vorübergeht.
An den Rosen kann er noch
– tandaradei –
sehen wo mein Kopf lag.

Daß er bei mir lag,
wüßte es jemand
(da sei Gott vor!), so schämte ich mich.
Was er tat mit mir,
niemals soll jemand
das erfahren als er und als ich –
und die liebe Nachtigall,
tandaradei;
die wird gewiß verschwiegen sein".

(Peter Wapnewski)

Müeste ich noch geleben daz ich die rôsen
mit der minneclîchen solde lesen,
Sô wold ich mich sô mit ir erkôsen,
daz wir iemer friunde müesten wesen.
Wurde mir ein kus noch zeiner stunde
von ir rôten munde,
sô wær ich an fröiden wol genesen.

Waz sol lieblich sprechen? waz sol singen?
waz sol wîbes schœne? waz sol guot?
Sît man nieman siht nâch fröiden ringen,
sît man übel âne vorhte tuot,
Sît man triuwe milte zuht und êre
wil verpflegen sô sêre,
sô verzagt an fröiden maneges muot.

Übersetzung

Dürfte ich noch erleben daß ich die Rosen
mit der Geliebten pflückte,
dann würde unsere Unterhaltung so sein,
daß wir für immer zusammengehörten.
Gäbe mir einmal einen Kuß noch
ihr roter Mund,
dann sähe ich eine Möglichkeit zum Glück.

Was frommt die süße Rede? Was das Singen?
Was der Frauen Schönheit? Was Besitz?
Da niemand mehr der Seele Heiterkeit erstrebt,
und niemand Scheu hat, Böses zu begehn,
und da man Treue und Großmut, Haltung, Ehre
so ganz und gar vertut,
verzweifelt mancher an der Möglichkeit zum Glück.

(Peter Wapnewski)

Aller werdekeit ein füegerinne,
daz sît ir zewâre, frouwe Mâze:
er sælic man, der iuwer lêre hât!
Der endarf sich iuwer niender inne
weder ze hove schamen noch an der strâze:
dur daz sô suoche ich, frouwe, iuwern rât,
Daz ir mich ebene werben lêret.
wirbe ich nidere, wirbe ich hôhe, ich bin versêret.
ich was vil nâch ze nidere tôt,
nû bin ich aber ze hôhe siech:
unmâze enlât mich âne nôt.

Nideriu minne heizet diu sô swachet
daz der muot nâch kranker liebe ringet:
diu minne tuot unlobelîche wê.
Hôhiu minne heizet diu da machet
daz der muot nâch hôher wirde ûf swinget:
diu winket mir nû, daz ich mit ir gê.
Mich wundert wes diu mâze beitet.
kumet diu herzeliebe, ich bin jedoch verleitet.
mîn ougen hânt ein wîp ersehen,
swie minneclich ir rede sî,
mir mac wol schade von ir geschehen.

Übersetzung

Ordner aller Werte –
das wahrlich seid Ihr, frouwe Mâze:
glücklich, wer in Eure Schule ging!
Mit Eurer Lehre braucht man sich nirgend
zu schämen, bei Hofe nicht noch auf der Straße:
und darum such ich, Herrin, Euern Rat und Eure Hilfe,
daß Ihr mich lehrt, gemäß um Liebe zu werben.
Werbe ich nieder, werb ich hoch – es macht mir Schaden.
Niedere Minne hat mich fast umgebracht,
jetzt macht mich Hohe Minne krank:
Maßlosigkeit quält mich immerfort.

Niedere Minne heißt, die so erniedrigt,
daß der Sinn um nichts ringt als gemeine Lust:
der Schmerz aus solcher Minne bringt nur Verachtung ein.
Hohe Minne heißt, die da macht,
daß der Sinn sich aufschwingt zu den höchsten Werten.
Sie winkt mir jetzt, daß ich ihr folgen solle:
doch möcht ich wissen, worauf Frau Mâze noch wartet.
Kommt die Herzensneigung, dann bin ich doch wieder verführt.
Meine Augen haben eine Frau erblickt:
wie lieblich ihre Worte auch seien,
sie mag mir sehr wohl zum Unglück werden.

(Peter Wapnewski)

———

Owê war sint verswunden alliu mîniu jâr!
ist mir mîn leben getroumet, oder ist ez wâr?
daz ich ie wânde ez wære, was daz allez iht?
dar nâch hân ich geslâfen und enweiz es niht.
nû bin ich erwachet, und ist mir unbekant
daz mir hie vor was kündic als mîn ander hant.
liut unde lant, dar inn ich von kinde bin erzogen,
die sint mir worden frömde reht als ez sî gelogen.
die mîne gespilen wâren, die sint træge unt alt.
bereitet ist daz velt, verhouwen ist der walt:
wan daz daz wazzer fliuzet als ez wîlent flôz,
für wâr mîn ungelücke wânde ich wurde grôz.
mich grüezet maneger trâge, der mich bekande ê wol.
diu welt ist allenthalben ungenâden vol.
als ich gedenke an manegen wünneclîchen tac,
die mir sint enpfallen als in daz mer ein slac,
iemer mêre owê.

Owê wie jæmerlîche junge liute tuont,
den ê vil hovelîchen ir gemüete stuont!
die kunnen niuwan sorgen: owê wie tuont si sô?
swar ich zer werlte kêre, dâ ist nieman frô:
tanzen, lachen, singen zergât mir sorgen gar:
nie kristenman gesæhe sô jæmerlîche schar.
nû merket wie den frouwen ir gebende stât;
die stolzen ritter tragent dörpellîche wât.
uns sint unsenfte brieve her von Rôme komen,
uns ist erloubet trûren und fröide gar benomen.
daz müet mich inneclîchen (wir lebten ê vil wol),
daz ich nû für mîn lachen weinen kiesen sol.
die vogel in der wilde betrüebet unser klage:
waz wunders ist ob ich dâ von an fröiden gar verzage?
wê waz spriche ich tumber durch mînen bœsen zorn?
swer dirre wünne volget, hât jene dort verlorn,
iemer mêr owê.

Owê wie uns mit süezen dingen ist vergeben!
ich sihe die bittern gallen in dem honege sweben.
diu Welt ist ûzen schœne, wîz grüen unde rôt,
und innân swarzer varwe, vinster sam der tôt.
swen si nû habe verleitet, der schouwe sînen trôst:
er wirt mit swacher buoze grôzer sünde erlôst.
dar an gedenket, ritter: ez ist iuwer dinc.
ir traget die liehten helme und manegen herten rinc,
dar zuo die vesten schilte und diu gewîhten swert.
wolte got, wan wære ich der segenunge wert!
sô wolte ich nôtic armman verdienen rîchen solt.
joch meine ich niht die huoben noch der hêrren golt:
ich wolte sælden krône êweclîchen tragen:
die mohte ein soldenære mit sîme sper bejagen.
möht ich die lieben reise gevaren über sê,
sô wolte ich denne singen wol, und niemer mêr owê,
niemer mêr owê.

Übersetzung

Oweh wohin entschwanden alle meine Jahre!
War mein Leben ein Traum, oder ist es Wirklichkeit?
Was ich immer glaubte, es sei – war all das etwas?
Dann habe ich geschlafen, und weiß es nicht.
Nun bin ich erwacht, und ich kenne nicht mehr
was mir zuvor bekannt war wie meine eigene Hand.
Leute und Land, in deren Mitte ich von Kind an aufgezogen worden bin,
die sind mir fremd geworden, als hätte es sie gar nicht gegeben.
Mit denen ich gespielt habe, die sind jetzt müde und alt.
Bebaut ist das Land, gerodet der Wald.
Liefe der Fluß nicht wie er einstens lief –
glaubte ich wahrlich, mein Leid wäre groß.
So macher grüßt mich überhaupt nicht mehr, der mich einst sehr wohl kannte:
Die Welt ist überall voller Undank.
Wenn ich so manchen strahlenden Tags gedenke
der spurlos mir entglitten ist, wie ins Wasser ein Schlag –
immerdar: oweh.

Oweh wie kümmerlich geben die jungen Leute sich,
die einstmals fröhlich und wohlerzogen waren,
die verstehn sich nur noch auf Sorgen – ach warum sind sie so?
Wohin auch ich mich wende – niemand ist vergnügt:
Tanzen, Lachen, Singen vergehen ganz in Sorgen.
Nie hat ein Christenmensch eine derart klägliche Gesellschaft gesehn.
Man sehe nur, wie den Damen ihr Kopfschmuck steht;
und stolze Ritter tragen bäurische Kleidung!
Böse Briefe sind uns aus Rom gekommen.
Traurigsein ist uns gestattet, Frohsinn ganz genommen.
Das schmerzt mich zutiefst, (wir lebten einst nicht übel),
daß ich jetzt mein Lachen gegen Tränen eintauschen soll.

Selbst die Vögel im wilden Wald werden bedrückt von unsrer Klage:
was Wunder daß auch ich darob alle frohe Stimmung einbüße?
Aber ach, was sage ich Narr da in meiner schlimmen Empörung!
Wer dem Glück dieser Welt nachgeht hat das ewige schon eingebüßt,
immerdar oweh.

Oweh wie wir mit süßen Dingen vergiftet sind!
Ich sehe die bittere Galle inmitten des Honigs schwimmen.
Die Welt ist außen schön, weiß, grün und rot –
und innen von schwarzer Farbe und finster wie der Tod.
Wen aber sie verführt hat, der sehe jetzt auf seine Rettung:
mit geringer Bußleistung wird er von schwerer Sünde erlöst.
Daran denkt, ihr Ritter; es ist eure Sache.
Ihr tragt die strahlenden Helme und die harten Kettenhemden,
und dazu feste Schilde und geweihte Schwerter:
wollte Gott auch *ich* wäre solcher Segnung noch wert!
Dann würde ich in meiner Dürftigkeit mir reichen Lohn erdienen.
Doch damit meine ich keinen Landbesitz noch das Gold der Großen:
die Krone der Seligkeit wollte ich ewig tragen!
Die konnte einst schon ein Söldner mit seiner Lanze erringen.
Könnte ich den ersehnten Zug mitfahren übers Meer,
dann würde ich freudig singen, und niemals mehr oweh,
niemals mehr oweh!

(Peter Wapnewski)

Ich saz ûf eime steine
und dahte bein mit beine.
dar ûf satzt ich den ellenbogen.
ich hete in mîne hant gesmogen
daz kinne und ein mîn wange.
dô dâhte ich mir vil ange,
wie man zer welte solte leben.
deheinen rât kond ich gegeben,
wie man driu dinc erwurbe,
der keinez niht verdurbe.
diu zwei sint êre und varnde guot,
daz dicke ein ander schaden tuot:
daz dritte ist gotes hulde,
der zweier übergulde.
diu wolte ich gerne in einen schrîn:
jâ leider desn mac niht gesîn,
daz guot und weltlich êre
und gotes hulde mêre
zesamene in ein herze komen.
stîg unde wege sint in benomen:
untriuwe ist in der sâze,
gewalt vert ûf der strâze,
fride unde reht sint sêre wunt.
diu driu enhabent geleites niht, diu zwei enwerden ê gesunt.

Übersetzung

Ich saß auf einem Stein,
und schlug ein Bein über das andere.
Darauf stützte ich den Ellenbogen.
Ich hatte in meine Hand geschmiegt
das Kinn und meine eine Wange.
So erwog ich in aller Eindringlichkeit,
wie man auf dieser Welt zu leben habe.
Keinen Rat wußte ich zu geben
wie man drei Dinge erwerben könne
ohne daß eines von ihnen verlorenginge.
Zwei von ihnen sind Ehre und Besitz,
die einander oft Abbruch tun;
das dritte ist die Gnade Gottes,
weit höher geltend als die beiden andern.
Die wünschte ich in *ein* Gefäß zu tun.
Aber zu unserm Leid kann das nicht sein,
daß Besitz und Ehre in der Welt
und dazu Gottes Gnade
zusammen in ein Herz kommen.
Weg und Steg ist ihnen verbaut,
Verrat lauert im Hinterhalt,
Gewalttat zieht auf der Straße,
Friede und Recht sind todwund:
bevor diese beiden nicht gesunden, haben die Drei keine Sicherheit.

(Peter Wapnewski)

Vil wol gelobter got, wie selten ich dich prîse,
sît ich von dir beide wort hân unde wîse!
wie getar ich sô gefrevlen under dîme rîse?
Ichn tuon diu rehten werc, ichn hân die wâren minne
ze mînem ebenkristen, hêrre vater, noch ze dir:
sô holt enwart ich ir dekeinem nie sô mir.
Krist, vater unde sun, dîn geist berihte mîne sinne.
Wie solt ich den geminnen der mir übele tuot?
mir muoz der iemer lieber sîn der mir ist guot.
vergib mir anders mîne schulde, ich wil noch haben den muot.

Übersetzung

Du hochgelobter Gott, daß ich Dir nie einen Lobgesang singe,
nachdem ich doch Dir die Gabe des Worts wie der Melodie verdanke!
Wie wage ich solche Vermessenheit unter Deinem Herrschaftszepter?

27

Ich tue keine guten Werke, ich habe nicht die wahre Liebe
weder zu meinem Nächsten noch, Herr und Vater, zu Dir:
nie war ich ihrer einem so zugetan wie mir.
Christus, Vater und Sohn, Dein heiliger Geist führe mein Herz den rechten Weg.
Wie aber soll ich den lieben können der mir übel mitspielt?
Immer wird mir der lieber sein, der mir gut ist.
Vergib mir sonst meine Schuld – aber bei diesem Sinn will ich bleiben.

(Peter Wapnewski)

Von Rôme vogt, von Pülle künec, lât iuch erbarmen
daz man mich bî sô rîcher kunst lât alsus armen.
gerne wolde ich, möhte ez sîn, bî eigenem fiure erwarmen.
Zâhiu wiech danne sunge von den vogellînen,
von der heide und von den bluomen, als ich wîlent sanc!
swelch schœne wîp mir denne gæbe ir habedanc,
der liez ich liljen unde rôsen ûz ir wengel schînen.
Sus kume ich spâte und rîte fruo, ‚gast, wê dir, wê!':
sô mac der wirt baz singen von dem grüenen klê.
die nôt bedenket, milter künec, daz iuwer nôt zergê.

Übersetzung

Schirmherr Roms, König Apuliens, laßt es euch erbarmen,
daß man mich in allem Reichtum meiner Kunst so arm läßt.
Ich wünschte sehr, wenn es sein könnte, mich am eignen Feuer zu wärmen.
Ach, wie ich dann singen wollte von den Vögeln,
von der Heide und den Blumen, wie ich einstmals sang!
Der schönen Frau, die mir dann den Preis gäbe,
ließe ich Lilien und Rosen auf ihren Wangen erblühen.
So aber komme ich spät an und reite fort in der Frühe: „Fremdling, weh dir, weh!"
Der ein Haus hat, kann schöner singen von dem grünen Klee.
Solcher Bedrängnis nehmt euch an, großmütiger König, auf daß eure Bedrängnis vergehe!

(Peter Wapnewski)

Ich hân mîn lêhen, al die werlt, ich hân mîn lêhen.
nû entfürhte ich niht den hornunc an die zêhen,
und wil alle bœse hêrren dester minre flêhen.
Der edel künec, der milte künec hât mich berâten,
daz ich den sumer luft und in dem winter hitze hân.
mîn nâhgebûren dunke ich verre baz getân:
sie sehent mich niht mêr an in butzen wîs als sî wîlent tâten.
Ich bin ze lange arm gewesen ân mînen danc.
ich was sô voller scheltens daz mîn âten stanc:
daz hât der künec gemachet reine, und dar zuo mînen sanc.

Übersetzung

Ich hab mein Lehen, in alle Welt ruf ich's hinein: ich hab mein Lehen!
Nun fürchte ich nicht mehr den Februarfrost an den Füßen,
und werde künftig die geizigen Herren nicht mehr anflehen.
Der edelmütige König, der großmütige König hat mich versorgt,
so daß ich im Sommer kühlende Luft und im Winter Wärme habe.
Meiner Umwelt komme ich jetzt sehr viel feiner vor:
sie sehen mich nicht mehr an als ein Hausgespenst, wie sie bisher taten.
Ich bin zu lange arm gewesen, ohne dafür zu können.
Ich war so voller Scheltworte, daß mein Atem stank.
All dies hat der König rein gemacht und mein Singen dazu.

<div align="right">

(Peter Wapnewski)

</div>

Nieman kan mit gerten
kindes zuht beherten.
den man z'êren bringen mac,
dem ist ein wort als ein slac.
dem ist ein wort als ein slac,
den man z'êren bringen mac.
kindes zuht beherten
nieman kan mit gerten.

Hüetet iuwer zungen,
daz zimt wol den jungen.
stôz den rigel für die tür,
lâ kein bœse wort dar für.
lâ kein bœse wort dar für,
stôz den rigel für die tür.
das zimt wol den jungen.
hüetet iuwer zungen.

Hüetet iuwer ougen
offenbâr und tougen.
lât si guote site spehen
und die bœsen übersehen.
und die bœsen übersehen
lât si guote site spehen.
offenbâr und tougen
hüetet iuwer ougen.

Hüetet iuwer ôren,
oder ir sît tôren.
lât ir bœsiu wort dar in,
daz gunêret iu den sin.
daz gunêret iu den sin,
lât ir bœsiu wort dar in.
oder ir sît tôren,
hüetet iuwer ôren.

Hüetet wol der drîer
leider alze frîer.
zungen ougen ôren sint
dicke schalchaft, z'êren blint.
dicke schalchaft, z'êren blint,
zungen ougen ôren sint.
leider alze frîer
hüetet wol der drîer.

Übersetzung

Niemand vermag mit Ruten
Kindes Erziehung zu erzwingen.
Den man zu einem Mann von Ehre erziehen kann,
dem ist ein Wort wie ein Schlag.
. . . .
. . . .
. . . .
. . . .

Hütet eure Zungen,
das steht der Jugend wohl an.
Schieb den Riegel vor die Tür,
laß kein böses Wort heraus.
. . . .
. . . .
. . . .
. . . .

Hütet eure Augen
in der Öffentlichkeit wie in der Heimlichkeit.
Laßt sie das Gute beobachten
und das Schlechte übersehen.
. . . .
. . . .
. . . .
. . . .

Hütet eure Ohren,
oder ihr seid Toren.
Laßt ihr böse Worte herein,
so entehrt euch das euer Herz.
. . . .
. . . .
. . . .
. . . .

Hütet gut diese drei,
die schmerzlicherweise allzu locker sind.
Zungen Augen Ohren sind
oft niederträchtig, blind für das Ehrhafte.
. . . .
. . . .
. . . .
. . . .

(Peter Wapnewski)

Wer sleht den lewen? wer sleht den risen?
wer überwindet jenen unt disen?
daz tuot einer der sich selber twinget
und alliu sîniu lit in huote bringet
ûz der wilde in stæter zühte habe.
geligeniu zuht und schame vor gesten
mugen wol eine wîle erglesten:
der schîn nimt drâte ûf unt abe.

Übersetzung

Wer erschlägt den Löwen? Wer erschlägt den Riesen?
Wer überwindet jenen und diesen?
Das tut einer der sich selber bezwingt
und alle seine Glieder in Beherrschung nimmt
aus der Zügellosigkeit in den Hafen beständiger Selbstzucht.
Äußerlich angenommenes Wohlverhalten und Taktgefühl nur vor Fremden,
die können wohl eine Weile aufleuchten,
doch solcher Schein flackert schnell auf und erlischt dann wieder.

(Peter Wapnewski)

Neidhart von Reuental
um 1180 – um 1250

„Fröut iuch, junge und alte!
der meie mit gewalte
den winder hât verdrungen,
die bluomen sint entsprungen.
wie schôn diu nahtegal
ûf dem rîse ir süeze wîse singet, wünneclîchen schal!

Walt nu schône loubet.
mîn muoter niht geloubet,
der joch mit einem seile",
sô sprach ein maget geile,
„mir bunde einen fuoz,
mit den kinden zuo der linden ûf den anger ich doch muoz."

Daz gehôrte ir muoter:
„jâ swinge ich dir daz fuoter
mit stecken umbe den rugge,
vil kleine grasemugge.
wâ wilt dû hüpfen hin
ab dem neste? sitze und beste mir den ermel wider în!"

„Muoter, mit dem stecken
sol man die runzen recken
den alten als ein sumber.
noch hiuwer sît ir tumber,
dan ir von sprunge vart.
ir sît tôt vil kleiner nôt, ist iu der ermel abe gezart."

Ûf spranc sî vil snelle.
„der tievel ûz dir belle!
ich wil mich dîn verzîhen;
dû wilt vil übel gedîhen."
„muoter, ich lebe iedoch,
swie iu troume; bî dem soume durch den ermel gât daz loch."

Übersetzung

„Freut euch, alt und jung.
Der Mai mit Macht
hat den Winter vertrieben,
die Blumen sind aufgegangen.
Wie schön die Nachtigall
im Gezweig
ihre süße Weise singt,
herrlichen Gesang.

Der Wald belaubt sich schön.
Meine Mutter glaubt es nicht:
wenn einer mit einem Seil",
sprach ein munteres Mädchen,
„mir einen Fuß anbände,
mit den jungen Leuten
zu der Linde
auf die Wiese müßt ich doch!"

Das hörte ihre Mutter:
„Ja, ich streu dir das Futter
mit Stecken auf den Rücken,
Du kleine Grasmücke.
Wo willst du hinhüpfen
aus dem Nest?
Setz dich und schnüre
mir den Ärmel wieder an."

„Mutter, mit dem Stecken
soll man die Runzeln strecken
den Alten wie einer Trommel.
Dies Jahr seid ihr noch dümmer,
als ihr von Anfang seid.
Ihr seid betroffen
von geringer Not,
wenn euch der Ärmel abgerissen ist."

Auf sprang sie ganz schnell.
„Der Teufel soll aus dir bellen!
Ich will nichts mehr von dir wissen.
Du bist sehr übel gediehen."
„Mutter, ich bin bei Verstand,
was ihr auch träumt.
Beim Saume
durch den Ärmel geht das Loch."

(Max Wehrli)

Konrad von Würzburg
um 1225–1287

Tou mit vollen aber triufet
ûf die rôsen âne tuft.
ûzer bollen schône sliufet
manger lôsen blüete kluft.
dar în senkent sich diu vogellîn,
diu gedœne lûte erklenkent,
daz vil schœne kan gesîn.

Bi der wünne wol mit êren
sol sich kleiden mannes lîp,
daz im künne fröide mêren
ein bescheiden sælic wîp.
swer verschulden wîbes minne sol,
der muoz ringen nâch ir hulden
mit vil dingen tugende vol.

Swer mit sinne valsch kan üeben
als ein dieplich nâchgebûr,
der wil minne sô betrüeben,
daz ir lieplich lôn wirt sûr:
wan sol zwischen minne mit genuht
triuwe in glanzer stæte mischen:
daz birt ganzer fröiden fruht.

Übersetzung

Tau mit Fülle wieder trieft
auf die Rosen ohne Reif.
Aus den Knospen lieblich schlüpft
manch anmutiger Blüte Öffnung.
Darin lassen sich die kleinen Vögel nieder,
die ihr Tönen laut erklingen lassen,
das sehr schön zu sein vermag.

Bei dieser Lust soll sich mit Ehren
wohl bekleiden Mannes Wesen,
daß die Freude ihm zu mehren wisse
eine kluge schöne Frau.
Wer Frauenliebe verdienen will,
der muß nach ihrer Neigung streben
mit viel Eigenschaften vollen Werts.

Wer im Geiste Untreu übt
wie ein diebischer Nachbar,
der wird Liebe so verletzen,
daß ihr lieblicher Lohn sauer wird:
man soll die Liebe reich vermischen
mit Treu in leuchtender Beständigkeit:
das bringt ganzer Freude Frucht.

(Max Wehrli)

Unbekannte Verfasser

Nû biten wir den heiligen geist
umb den rehten glouben allermeist,
daz er uns behüete an unserm ende,
sô wir heim suln varn ûz disem ellende.
Kyrieleis.

Übersetzung

Nun bitten wir den Heiligen Geist
um den rechten Glauben vor allem,
daß er uns behüte bei unserm Ende,
wenn wir heimgehen werden aus diesem fremden Lande.
Kyrie eleison!

Christ ist erstanden
von der marter aller,
des schüll wir alleu fro sein,
christ scholl unser trost sein.
 Kirioleis.

Alleluia, alleluia, alleluia,
des schüll wir alleu fro sein,
christ soll unser trost sein.
 Kirioleis.

Übersetzung

Christus ist auferstanden
von aller Marter,
des sollen wir alle froh sein,
Christus soll unser Trost sein.
 Kyrie eleison!

Halleluia, halleluia, halleluia,
des sollen wir alle froh sein,
Christus soll unser Trost sein.
 Kyrie eleison!

Ave Maria, ain ros an alle dorn,
mit missetant han ich verlorn
din kind, das von dir ist geborn:
Maria, versien mich vor sinem zorn.

Ave Maria, durch dines kindes bluot,
deß schmertzen dir durch din sel wuot
als ain tieffe wages fluot,
hilf mir, das min end werd guot.

Ave Maria, durch dines kindes tod,
das vor dir hieng von bluot rot,
hilf das ich der engel brot
mit riuwen empfach in todes not.

Ave Maria, frow unwandelbar,
send mir den engel dar,
wenn ich von der welt far,
Maria, vor den bösen vinden mich bewar.

Übersetzung

Ave Maria, du Rose ohn alle Dornen,
mit Missetat hab ich verraten
dein Kind, das du geboren hast:
Maria, hilf mir vor seinem Zorn.

Ave Maria, um des Blutes deines Kindes willen,
dessen Schmerz dir durch deine Seele drang
wie eine Flutwelle,
hilf mir, daß mein Ende gut werde.

Ave Maria, um des Todes deines Kindes willen,
das vor dir hing, rot von Blut,
hilf, daß ich der Engel Brot
reuig empfange in der Not des Todes.

Ave Maria, Herrin unwandelbar,
sende mir den Engel her,
wenn ich die Welt verlasse,
Maria, vor den bösen Feinden bewahre mich.

(Max Wehrli)

Johannes Tauler
um 1300–1361

Es kumpt ein schiff geladen
recht vff sin höchstes port,
es bringt vns den sune des vatters,
das ewig wore wort.

Vff ainem stillen wage
kumpt vns das schiffelin,
es bringt vns riche gabe,
die heren künigin.

Maria, du edler rose,
aller sälden ain zwy,
du schöner zitenlose,
mach vns von sünden fry.

Das schifflin das gat stille
vnd bringt vns richen last,
der segel ist die minne,
der hailig gaist der mast.

Übersetzung

Es kommt ein Schiff, geladen
ganz bis zum höchsten Bord,
es bringt uns den Sohn des Vaters,
das ewig wahre Wort.

Auf einem stillen Wasser
kommt uns das kleine Schiff,
es bringt uns reiche Gabe,
die Heilige Königin.

Maria, du edle Rose,
aller Gnaden Reis,
du schöne Zeitlose,
mach uns von Sünden frei.

Das kleine Schiff geht stille
und bringt uns reiche Fracht,
das Segel ist die Liebe,
der Heilige Geist der Mast.

(Max Wehrli)

Oswald von Wolkenstein
1367–1445

Zergangen ist meins herzen we,
seid das nu fliessen wil der snee
ab Seuser alben und aus Flack,
hort ich den Mosmair sagen.
Erwachet sind der erden tünst,
des meren sich die wasser rünst
von Castellrut in den Isack,
das wil mir wol behagen.
Ich hör die voglin gros und klain
in meinem wald umb Hauenstain
die musick brechen in der kel,
durch scharpfe nötlin schellen,
Auf von dem ut hoch in das la,
und hrab zu tal schon auf das fa
durch manig süsse stimm so hel;
des freut eu, güt gesellen!

Was get die red den Plätscher an?
mein singen mag ich nicht gelan,
wem das missvall, der lass mich gan
und sei mir heur als verd!
Ob mir die vaigen sein gevar,
noch tröst ich mich der frummen zwar,
wie wol das heuer an dem jar
valsch böse munz hat werd.

Verswunden was meins herzen qual,
do ich die ersten nachtigal
hort lieplich singen nach dem pfluog
dort enhalb in der Matzen.
Da sach ich vierstund zwai und zwai
gewetten schon nach ainem rai,
die kuonden nach des Muotzen füg
wol durch die erden kratzen.
Wer sich den winder hat gesmuckt
und von der bösen welt verdruckt,
der freu sich gen der gruenen zeit,
die uns der mai wil pringen.
Ir armen tier, nu raumt eur hol,
get, suocht eur waid, gehabt eu wol!
perg, aw und tal ist rauch und weit,
des mag eu wolgelingen. *Repetitio ut supra*

Wolauf, ir frummen, und seit gail!
wer eren pfligt, der wünscht uns hail.
kain schand niemand glosieren mag,
wie scharpf man si betrachtet.
Es ist ain alt gesprochen wort,
recht tün, das sei ain grosser hort,
wann es kompt alles an den tag;
oft ainer des nicht achtet.
Herr Christan in der obern pfarr,
zwar der ist sicher nicht ain narr,
wer in wil teuschen auf dem stück,
der müss gar frü erwachen.
Er beit ain weil und doch nicht lang,
darnach so fiermt er aim ain wang,
das im vergen sein valsche tück,
des er nicht mag gelachen. *Repetitio Was get etc.*

Übersetzung

Vergangen ist meines Herzens Weh,
seit daß vergehn will nun der Schnee
von der Seiseralpe und von Flack herab,
hört ich den Mosmaier sagen.
Erwacht sind der Erde Dünste,

drum schwellen die Wasserläufe
von Kastelrutt in den Eisack,
das gefällt mir wohl.
Ich hör die Vöglein groß und klein
in meinem Wald um Hauenstein
Musik in ihrer Kehle lösen,
mit scharfen Nötlein läuten,
auf von dem Ut hoch ins La
und wieder hinab schön zum Fa
mit mancher süßen Stimme so hell –
freut euch, ihr guten Gesellen!
 Was geht diese Rede den Plätscher an?
 Mein Singen kann ich doch nicht lassen,
 Wem das mißfallen sollte, der laß mich gehn
 und sei mir in diesem Jahr soviel wie im letzten.
 Wenn mir die Bösen feindselig sind,
 so tröste ich mich mit den Rechten,
 wenn auch heuer im Jahr
 falsche, schlechte Münze gilt.

Verschwunden war meines Herzens Qual,
als ich die erste Nachtigall
lieblich nach dem Pfluge singen hörte
dort jenseits in der Matze.
Dort sah ich viermal zwei und zwei
schön zu einem Reigen treten,
die konnten nach des Mutzen Kunst
wohl über die Erde schleifen.
Wer sich im Winter hat geduckt
und von der bösen Welt gedrückt,
der freu sich auf die grüne Zeit,
die uns der Mai will bringen.
Ihr armen Tiere, nun räumt euer Loch,
geht, sucht eure Weide, laßt's euch wohl sein!
Berg, Au und Tal ist grün und weit,
da mögt ihr glücklich sein.
 Wiederholung wie oben:
 Was geht diese Rede etc.

Wohlauf, ihr rechten Leute, seid fröhlich!
Wer Ehre hat, der wünscht uns Heil.
Niemand kann eine Schande als gut erweisen,
wie scharf man sie auch betrachtet.
Es ist ein altes Sprichwort,
Rechttun, das sei ein großer Schatz,
denn es kommt alles an den Tag;
nur merkt das mancher nicht.
Herr Christian in der obern Pfarre,
der ist wahrhaftig nicht ein Narr,
wer ihn am Stück täuschen will,
der muß wirklich früh aufstehn.

Er wartet eine Weile, aber nicht lang,
dann firmt er einem eine Backe,
daß ihm seine falschen Ränke vergehen
und er nichts mehr zu lachen hat.
Wiederholung: Was geht diese Rede etc.

(Max Wehrli)

Ulrich Boner
um 1324–1349

Der Weihe und die Tauben

Es hub sich ein Krieg stark und groß,
Der manchen Vogel sehr verdroß,
Wie uns dies Beispiel hier besagt.
So hatt' der Weihe Krieg gemeld't
Den Tauben; da kamen sie in Not,
Sie fanden all den grimmen Tod;
Sie konnten nicht sicher sein
Vor ihm, des litten sie große Pein
Und Angst, in ihren Herzen
Trugen sie große Schmerzen.
Zu Rate gingen sie insgemein
Und kamen darin überein,
Daß sie sich möchten retten nicht
Ohn einen Vogt; und der Habicht
Sollt's sein, des Kraft wäre groß,
Den Weihen macht' er wohl sieglos
Und hülf' den Tauben aus der Not,
Daß sie nicht alle blieben tot.
Da der Habicht Vogt ward,
Schlug er bald in seine Art
Und erzeigte seinen Zorn.
Die Tauben waren all verlorn,
Ihrer alle litten Pein;
Er, der ihr Schirmer sollte sein,
Der war ihr Feind. Die Schaf sind verirrt,
Wo der Wolf zum Hirten wird.
Des Weihen Krieg war besser noch
Den Tauben als des Vogtes Haß.

Was der Mensch erwirken will,
Sieht er nur auf des Endes Ziel,
So mag es ihm kaum missegahn,
Es sei Frau oder Mann,
Wer unter zwei Übeln wählen soll,
Der wähl' das kleinst', so rat ich wohl.

Der Hund mit dem Fleische

Man liest von einem Hunde,
Der trug in seinem Munde
Ein Stück Fleisch, das war groß,
Was seine Art noch nie verdroß.
An einen Bach führt' ihn sein Weg,
Da fand er weder Brück noch Steg,
Da war auch weder Schiff noch Mann,
Zu Fuße mußt er hinübergahn.
Als er kam mitten in den Bach,
Den Schatten er des Fleisches sach,
Das er in seinem Munde trug.
Er sprach: „Ich hätte wohl genug,
Hätt' ich das Stück zu diesem noch."
Flugs er darnach zu gieren begann
Und wollt das Stück ergreifen;
Da mußt ihm das entgleiten,
Was er in dem Munde hat.
Da stand er betrübt und matt,
Daß er sein Stück hat verlorn
Durch Gierigkeit, das macht' ihm Zorn;
Der Schatten ihn betrogen hat.

Das geschieht noch an mancher Statt,
Daß gar oft ein dummer Wahn
Betrügt die Frau und den Mann.

Wer Sicheres um Unsicherheit
Läßt, dem wird gar oft das leid.
Wer das nimmt, das sein nicht ist,
Gar leicht des Seinen verlustig ist.
Gierigkeit wird nimmer gut,
Sie trübet manches Mannes Mut.
Gierigkeit, die schaffet das,
Daß Freund dem Freund erreget Haß.
Gierigkeit, die stiftet Zorn,
Durch sie wird manche Seel verlorn.
Gierigkeit viel Anhang hat,
In Burg, in Dorf und in der Stadt.
Der Vogt, der Schultheiß und der Rat,
Und was er Weibel und Boten hat,
Der Meier und der Richter,
Der Brückner und der Torwart,
Der Hirt und der Bannwart,
Pfaffen, Laien, jung und alt,
Mönch' und Nonnen mannigfalt,
Der Bischof und auch der Kaplan,
Der Abt, der Propst und der Dekan:
Was man singet und saget eben,
In Gierigkeit sie alle leben.

Burkhard Waldis
1490–1556

Vom Esel vnd dem Rinde

Der Esel vnd ein Rindt allbeyd
Giengen zusamen an der Weyd;
Da horten sie on als gefehr
In allen Dörffern weit umbher
Mit alln Glocken zu sturme leuten.
Der Esel sprach: „was mags bedeuten?"
Da antwort jm dasselbig Rindt:
„Die Feind vorwar fürhanden sindt.
Laß vns beid mit einander fliehen,
Biß das die Feindt furüber ziehen.
Wo sie uns beid allhie ergreiffen,
Müssen wir tantzen nach jrer Pfeiffen;

Gefangen führens vns dauon:
Wer weiß, wie mags vns dann ergohn?"
Da sprach zum Rindt der Esel nun:
„Wiltu fliehen, das magstu thun!
Dir ist leydt, das du wirdst erstochen,
Vnd sie dich schinden, schlachten, kochen:
Für dem allem bin ich gantz frey.
Eins gilt mir gleich, geb, wo ich sey.
Muß ich doch all mein lebetage
Holtz, Wasser, Seck zur Mülen tragen."

Hie werden glert die eygen Knechte,
Das sich nit wehrn mit widerfechten,
Zu einem andern Herrn zu wandern,
Den einen geben vmb den andern.
Denn wo sie kommen, müssen schaffen,
Vnd von den Herrn sich lassen straffen;
Doch also, das sie haben acht,
Das nit vbel werdt ärger gmacht,
Und das sie nit der letste zwinge,
Mehr denn der erst zur arbeit tringe.
Darumb erwechst groß widerwill:
Des vns erfahrnheit zeiget viel.

[geb, wo ich sey: wo ich auch sei. – tringe: dränge]

Vom jungen Gesellen vnd einem Wiert

Ein junger Gsell zohe vber Land
An örtern, da er vnbekant,
Vnd kert zu einem Wiertshauß ein,
Zu trincken da ein halb maß Wein,
Erquicken mit dem Safft von Reben,
Darnach wider zu weg begeben.
Er setzt sich bei der thür darnider;
Der Haußknecht bracht ein Wein, gieng wider
Sein weg; da kam der Wiert herfür,
Trat zu vnd seicht hinder die Thür
So viel, das ward im Hauß gar naß.
Der Gsell sprach: „warumb thut jr das?
Verunreinigt ewr eigen Hauß?"
Er sprach: „ich ziehe doch morgen auß.
Was leit daran? es ist mein nit;
Hab nur drinn gwohnt diß jar zur mith.

Wer denn rein kompt, mags wider fegen."
Der jung Gesell thet sich erwegen,
Ein grossen hauffen schiß dazu.
Da sprach der Wiert: „was machstu nu?"
Da sprach der Gast: „was leit daran?
Ich ziehe doch jetzt von stund davon."

Allhie siht man, wie die Welt thut
Bey frembdem oder gemietem gut.
Ein gmietes Roß man weidlich reit,
Auß frembder heut breit Riemen schneid;
Ins andern Ohr schneid man so sehr,
Als obs ein alter Filtzhut wer.

Erasmus Alberus
1500–1553

Von einem Vatter, vnd seinen Kindern

Es ligt ein stat bey Kautenbach,
Nicht ferrn vom Rhein heist Andernach,
Ein burger in derselben stadt,
Der klügsten einer auß dem Rhat,
Der hatt viel Sön, denselben er
Durch gleichnus gab ein solche ler,

Wann jhr wolt das euch wol soll gehn,
So müst jhr bey einander stehen,
Vnd keine zwitracht richten an,
Dann wann euch niemand trennen kan,
So werdt jhr euch sehr wol ernern,
Vnd wirdts euch niemandt können wern.

Wann jhr euch aber trennen last,
Vnd thut einander vberlast,
Als dann so ists vmb euch geschehn,
Des solt jhr hie ein beyspiel sehn.
Ein Besem mit eim starcken bandt
Gab er den Kindern in die handt,
Das jhe einr nach dem andern solt
Versuchen, ob er brechen wolt,
Der Besem war jhn viel zu sterck,
Er sprach, Dabey ein jeder merck,
Wann ihr euch fest zusamen halt,
So werdt jhr wol stehn für gewalt.
Da nam der Vatter in die handt,

Den Besem, vnd lößt auff das bandt,
Vnd jedem gab ein sonder reiß,
Versucht, sagt er, auff diese weiß,
Ob jhr dem besem seit zu schwach,
Ein jeder seine girt zubrach.
Sih also (sprach er) wirdts euch gehn,
Werdt jhr nicht bey einander stehn,
Vnd selbst euch vndernander hast,
Vnd ewer bandt zurtrennen last,
Wann jhr den Neidthart ladt zuhauß,
So müst jhr endtlich weichen drauß,
Mein liebe Sön wo dann hinauß?
Drumb ladt den Neidhart nicht zuhauß.

Morale.
Salustius.
Concordia parvae res crescunt, discordia maximae dilabuntur.
Durch eintracht wechst ein kleine hab,
Durch zwitracht nimpt ein groß gut ab.

Ulrich von Hutten
1488–1523

Ein neu Lied Herr Ulrichs von Hutten

Ich habs gewagt mit Sinnen
 Und trag des noch kein Reu,
Mag ich nit dran gewinnen,
 Noch muß man spüren Treu;
Darmit ich mein
 Nit eim allein,
Wenn man es wollt erkennen:
 Dem Land zu gut,
Wiewohl man tut
 Ein Pfaffenfeind mich nennen.

Umb Gnad will ich nit bitten,
 Dieweil ich bin ohn Schuld;
Ich hätt das Recht gelitten,
 So hindert Ungeduld,
Daß man mich nit
 Nach altem Sitt
Zu Ghör hat kummen lassen;
 Vielleicht wills Gott,
Und zwingt sie Not,
 Zu handlen diesermaßen.

Da laß ich jeden liegen
 Und reden was er will;
Hätt Wahrheit ich geschwiegen,
 Mir wären hulder viel.
Nun hab ichs gsagt,
 Bin drumb verjagt,
Das klag ich allen Frummen,
 Wiewohl noch ich
Nit weiter fleich,
 Vielleicht werd wiederkummen.

Nun ist oft diesergleichen
 Geschehen auch hie vor,
Daß einer von den Reichen
 Ein gutes Spiel verlor;
Oft großer Flamm
 Von Fünklin kam,
Wer weiß, ob ichs werd rächen;
 Staht schon im Lauf,
So setz ich drauf:
 Muß gahn oder brechen.

Darneben mich zu trösten
　Mit gutem Gwissen hab,
Daß keiner von den Bösten
　Mir Ehr mag brechen ab,
Noch sagen, daß
　Auf einig Maß
Ich anders sei gegangen
　Dann Ehren nach;
Hab diese Sach
　In gutem angefangen.

Will nun ihr selbs nit raten
　Dies frumme Nation,
Ihrs Schadens sich ergatten,
　Als ich vermahnet han:
So ist mir leid,
　Hiemit ich scheid,
Will mengen baß die Karten;
　Bin unverzagt,
Ich habs gewagt
　Und will des Ends erwarten.

Ob dann mir nach tut denken
　Der Kurtisanen List,
Ein Herz laßt sich nit kränken,
　Das rechter Meinung ist.
Ich weiß noch viel,
　Wölln auch ins Spiel,
Und solltens drüber sterben:
　Auf, Landsknecht gut
Und Reuters Mut,
　Laßt Hutten nit verderben!

[noch: dennoch. – fleich: fliehe. – auf einig Maß: nur einmal. – ergatten: erholen. – nachdenken: nachstellen]

Thomas Müntzer
um 1490–1525

Hymnus

Kumm zu uns, Schöpfer, Heil'ger Geist,
Erleucht dein arme Christenheit,
Erfüll unser Herz,
Das zu dir seufzet, mit innerlichem Schmerz.

Der du ein wahrer Tröster bist,
Lehr uns erkennen deinen Christ
Im rechten Glauben sicherlich,
Seiner zu genießen ewiglich.

Beweis uns deiner Gnaden Licht,
Laß uns den Finger Gottes richt,
Mit sieben Gaben schön geziert,
Welchs in uns dein Kraft recht gebiert.

Zünd an unser Herzen, so blöd,
Die von Adams Art seint so schnöd,
Stärk unser Schwachheit kräftiglich,
Daß sie zu leiden werd bereit.

Vertreib von uns der Seelen Feind
Mit allen, die seins Wesen seint,
Gib uns deinen heilsamen Fried
Mit rechtem Glauben, Hoffnung, Lieb.

Schaff in uns deins rechten Vaters Thron,
Zu empfahen den ewigen Lohn,
Der du dann reichlich selber bist
Mit dem Vater und Sohne Christ.

Tu uns kund Gott, des Vaters, Art
Und seins Christ, der gelitten hat
Mit der Kraft seins Geists,
Uns zu erleuchten stets und allermeist. Amen.

[richt: recht]

Martin Luther
1483–1546

Mitten wyr ym leben sind /
mit dem tod vmbfangen /
Wen suchen wyr der hulffe thu /
das wyr gnad erlangen /
Das bistu Herr alleyne /
vns rewet vnser missethat /
die dich Herr erzurnet hat /
Heyliger herre Gott /
Heyliger starcker Gott /
Heyliger barmhertziger Heyland /
du ewiger Gott /
las vns nicht versincken /
ynn des bittern todes not /
 Kyrieleyson.

Mitten ynn dem tod anficht /
vns der Hellen rachen /
Wer will vns aus solcher not /
frey vnd ledig machen /
Das thustu Herr alleyne /
Es iamert deyn barmhertzikeyt /
vnser klag vnd grosses leyd /

Heyliger Herre Gott /
Heyliger starcker Gott /
Heyliger barmhertziger Heyland
du ewiger Gott /
las vns nicht verzagen /
fur der tieffen hellen glut /
 Kyrieleyson.

Mitten ynn der Hellen angst /
vnser sund vns treyben /
Wo soln wyr denn flihen hyn /
da wyr mugen bleyben.
Zu dyr herr Christ alleyne /
Vergossen ist deyn thewres blut /
das gnug fur die sunde thut /
Heyliger Herre Gott /
Heyliger starcker Gott /
Heyliger barmhertziger Heyland /
du ewiger Gott /
las vns nicht entfallen /
von des rechten glaubens trost /
 Kyri.

Myt frid vnd freud ich far do hyn /
ynn Gotts wille /
Getrost ist myr meyn hertz vnd syn /
sanfft vnd stille /
Wie Gott myr verheyßen hat /
der tod ist meyn schlaff worden.

Das macht Christus wahr Gottes son /
der trew Heyland /
Den du mich Herr hast sehen lon /
vnd macht bekand /
Das er sey das leben /
vnd heyl / ynn nott vnd sterben.

Den hastu allen furgestellt /
mit gros gnaden /
Zu seynem reich die gantzen wellt /
heyssen laden /
Durch deyn thewr heylsams wort /
an allem ort erschollen.

Er ist das hell vnd selig licht /
fur die heyden /
Zur leuchten die dich kennen nicht /
vnd zu weyden /
Er ist deyns volcks Israel /
der preys / ehr / freud vnd wonne.

Aus tiefer Not schrei ich zu dir,
Herr Gott, erhör mein Rufen.
Dein gnädig Ohren kehr zu mir
Und meiner Bitt sie offen.
Denn so du willt das sehen an,
Was Sünd und Unrecht ist getan,
Wer kann, Herr, vor dir bleiben?

Bei dir gilt nichts denn Gnad und Gonst,
Die Sünden zu vergeben.
Es ist doch unser Tun umsonst
Auch in dem besten Leben.
Vor dir niemand sich rühmen kann.
Des muß dich fürchten jedermann
Und deiner Gnade leben.

Darum auf Gott will hoffen ich,
Auf mein Verdienst nicht bauen.
Auf ihn mein Herz soll lassen sich
Und seiner Güte trauen,
Die mir zusagt sein wertes Wort.
Das ist mein Trost und treuer Hort,
Des will ich allzeit harren.

Und ob es währt bis in die Nacht
Und wieder an den Morgen,
Doch soll mein Herz an Gottes Macht
Verzweifeln nicht noch sorgen.
So tu Israel rechter Art,
Der aus dem Geist erzeuget ward
Und seines Gotts erharre.

Ob bei uns ist der Sünden viel,
Bei Gott ist viel mehr Gnaden.
Sein Hand zu helfen hat kein Ziel,
Wie groß auch sei der Schaden.
Er ist allein der gute Hirt,
Der Israel erlösen wird
Aus seinen Sünden allen.

Ein feste Burg ist unser Gott,
Ein gute Wehr und Waffen.
Er hilft uns frei aus aller Not,
Die uns jetzt hat betroffen.
Der alt böse Feind,
Mit Ernst er's jetzt meint.
Groß Macht und viel List
Sein grausam Rüstung ist.
Auf Erd ist nicht seinsgleichen.

Mit unsrer Macht ist nichts getan,
Wir sind gar bald verloren.
Es streit't für uns der rechte Mann,
Den Gott hat selbst erkoren.
Fragst du, wer der ist?
Er heißt Jesus Christ,
Der Herr Zebaoth,
Und ist kein ander Gott.
Das Feld muß er behalten.

Und wenn die Welt voll Teufel wär
Und wollt uns gar verschlingen,
So fürchten wir uns nicht so sehr,
Es soll uns doch gelingen.
Der Fürst dieser Welt,
Wie saur er sich stellt,
Tut er uns doch nicht.
Das macht, er ist gericht't.
Ein Wörtlein kann ihn fällen.

Das Wort sie sollen lassen stahn
Und kein' Dank dazu haben.
Er ist bei uns wohl auf dem Plan
Mit seinem Geiste und Gaben.
Nehmen sie den Leib,
Gut, Ehr, Kind und Weib,
Laß fahren dahin.
Sie haben's kein Gewinn.
Das Reich muß uns doch bleiben.

Nicolaus Hermann
um 1480–1561

Hinunter ist der Sonnen Schein,
Die finstre Nacht bricht stark herein.
Leucht uns, Herr Christ, du wahres Licht,
Laß uns im Finstern tappen nicht.

Dir sei Dank, daß du uns den Tag
Für Schaden, Fahr und mancher Plag
Durch deine Engel hast behüt't
Aus Gnad und väterlicher Güt.

Womit wir han erzürnet dich,
Dasselb verzeih uns gnädiglich
Und rechn' es unser Seel nit zu,
Laß uns schlafen mit Fried und Ruh.

Durch dein' Engel die Wach bestell,
Daß uns der böse Feind nit fäll.
Für Schrecken, G'spenst und Feuers Not
Behüt uns heint, o lieber Gott.

[heint: heute nacht, heute]

Hans Sachs
1494–1576

Der fünft Psalm Davids, im Ton: Nun freut euch, ihr lieben etc.

Herr, hör mein Wort! Merk auf mein Not!
Vernimm mein Red gar eben!
Mein Künig und mein starker Gott,
Von dir hab ich das Leben.
Drum will ich für dir beten recht,
Früh wöllest hören deinen Knecht,
Wenn er früh zu dir kummet!

Du hassest, Herr, was übel tut;
Die Lügner wirst umbringen.
Was schalkhaft ist und dürst nach Blut,
Den' wird vor dir mißlingen.
Ich aber will in dein Haus gehn,
Mit Forcht gen deinem Tempel stehn,
Auf dein Gnad, Herr, zu beten.

Herr, leit mich gar in deinem Wort
Um meiner Feinde wille!
Richt deine Weg an alle Ort
Und steck mir selb das Ziele!
Ihr Mund und Herz kein Rechts je gab,
Ihr Rachen ist ein offens Grab,
Ihr Schlund auch voller Gallen.

Laß freuen sich all, die auf dich
Trauen und sich berühmen!
Beschirme sie, Herr, kräftiglich,
Gleich wie die Summersblumen!
Die Grechten du gesegnest, Herr,
Die deinen Namen lieben sehr,
Du krönest sie mit Gnaden.

Die Gefangen klagen

O Herre Gott, laß dich erbarmen
Unser Elend, – gefangen, armen,
Erwürgen sech wir unser Kinder,
Genummen sind uns Schaf und Rinder,
Haus unde Hof ist uns verbrennt
Und wir geführt in das Elend.

Weh, daß uns unser Mutter trug,
Erst müß wir ziehen in dem Pflug
Und Gersten essen, wie die Pferd,
Mit unserm Munde von der Erd.
Kumm, grimmer Tod, und uns erlös
Von dem grausamen Türken bös.

Klag der wilden Holzleut über die ungetreuen Welt

Ach Gott, wie ist verderbt all Welt!
Wie stark liegt die Untreu zu Feld!
Wie hart ist Grechtigkeit gefangen!
Wie hoch tut Ungrechtigkeit prangen!
Wie sitzt der Wucherer in Ehren!
Wie hart kann Arbeit sich ernähren!
Wie ist gemeiner Nutz so teuer!
Wie füllt der Eigennutz sein Scheuer!
Wie unverschämt geht Gwalt für Recht!
Wie hart die Wahrheit wird durchächt!
Wie wird Unschuld mit Füßen treten!

Wie weng tut man Laster ausjäten!
Wie führt Reichtum so großen Pracht!
Wie ist Armut so gar veracht!
Wie steht Weisheit hinter der Tür!
Wie dringt Reichtum mit Gwalt herfür!
Wie regiert der Neid mit Gewalt!
Wie ist brüderlich Lieb erkalt!
Wie ist Demut so gar verschwunden!
Wie hat der Glaub so viel der Wunden!
Wie ist Geduld so gar gewichen!
Wie ist Frummkeit so gar erblichen!

Wie ist die Zucht so gar ein Spott!
Wie ist Keuschheit so elend tot!
Wie ist Einfalt so gar verdorben!
Wie gar ist all Freundschaft gestorben!
Wie ist Leibes Wollust so mächtig!
Wie ist Hoffart so groß und prächtig!
Wie herrscht Schmeichlerei so gewaltig!
Wie ist Nachred so mannigfaltig!
Wie ist die Kunst so gar unwert!
Wie groß ist die Torheit auf Erd!
Wie findt man Mäßigkeit so selten!
Wie viel ist Füllerei jetzt gelten!
Wie gar ist Ehbruch mehr kein Schand!
Wie fleischlich ist der geistlich Stand!
Wie ungezogen ist die Jugend!
Wie gar lebt das Alter ohn Tugend!
Wie roh ist der Menschen Gewissen!
Wie ist alls Unglück eingerissen!
Wie weng hält man Gottes Gebot!
Wie unbereit ist man zum Tod!
Wie unwürdig hört man Gottes Wort!
Wie wenig lebt man darnach fort!

Seit nun die Welt ist so vertrogn,
Mit Untreu, List ganz überzogn,
So seien wir gangen daraus,
Halten im wilden Walde haus
Mit unsern unerzognen Kinden,
Daß uns die falsch Welt nit mög finden,
Da wir der wilden Frücht uns nährn,
Von den Würzlein der Erden zehrn
Und trinken ein lautern Brunnen.
Uns tut erwärmen die licht Sunnen.

Mies, Laub und Gras ist unser Gwand,
Davon wir auch Bett und Deck hant.
Ein steine Höhl ist unser Haus,
Da treibet keins das ander aus.
Unser Gsellschaft und Jubiliern
Ist im Holz mit den wilden Tiern.
So wir denselben nichts nit tan,
Lassens uns auch mit Frieden gahn.
Also wir in der Wüsten sind,
Gebären Kind und Kindeskind.
Einig und brüderlich wir lebn,
Kein Zank ist sich bei uns begebn.
Ein jedes tut, als es dann wollt,
Als ihm von je'm geschehen sollt.
Um kein Zeitliches tun wir sorgen,
Unser Speis find wir alle Morgen,
Nehm wir zur Notdurft und nicht mehr
Und sagen Gott drum Lob und Ehr.
Fällt uns zu Krankheit oder Tod,
Wiss' wir, daß es uns kommt von Gott,
Der alle Ding am besten tut.
Also in einfältigem Mut
Vertreiben wir hie unser Zeit,
Bis ein Änderung sich begeit
In weiter Welte um und um,
Daß jedermann wird treu und frumm,
Daß statt hat Armut und Einfalt,
Denn wöll wir wieder aus dem Wald
Und wohnen bei der Menschen Schar.
Wir haben hie gewart viel Jahr,
Wenn Tugnd und Redlichkeit aufwachs.
Daß bald geschech, wünscht uns Hans Sachs.

Ein Tischzucht

Hör, Mensch! wenn du zu Tisch willt gahn,
Dein Händ sollt du gewaschen han.
Lang Nägel ziemen gar nit wohl,
Die man heimlich abschneiden soll.
Am Tisch setz dich nit oben an,
Der Hausherr wölls dann selber han!
Der Benedeiung nit vergiß!
In Gottes Nam heb an und iß!
Den Ältisten anfahen laß!
Nach dem iß züchtiglichermaß!
Nit schnaude oder säuisch schmatz!
Nit ungestüm nach dem Brot platz,
Daß du kein Gschirr umstoßen tust!
Das Brot schneid nit an deiner Brust!

Das gschnitten Brote oder Weck
Mit deinen Händen nit verdeck
Und brock nit mit den Zähnen ein
Und greif auch für dein Ort allein!
Tu nicht in der Schüssel umstührn!
Darüberhalten will nit gebührn.
Nehm auch den Löffel nit zu voll!
Wenn du dich treffst, das steht nit wohl.
Greif auch nach keiner Speise mehr,
Bis dir dein Mund sei worden leer!
Red nicht mit vollem Mund! Sei mäßig!
Sei in der Schüssel nit gefräßig,
Der allerletzt drin ob dem Tisch!
Zerschneid das Fleisch und brich die Fisch

Und käue mit verschlossem Mund!
Schlag nit die Zung aus gleich eim Hund,
Zu ekeln! Tu nit geizig schlinken!
Und wisch den Mund, eh du willt trinken,
Daß du nit schmalzig machst den Wein!
Trink sittlich und nit hust darein!
Tu auch nit grölzen, oder kreisten!
Schütt dich auch nit, halt dich am weisten!
Setz hübschlich ungeschüttet nieder!
Bring keim andern zu bringen wieder!
Füll kein Glas mit dem andren nicht!
Wirf auch auf niemand dein Gesicht,
Als ob du merkest auf sein Essen!
Wer neben dir zu Tisch ist gsessen,
Den irre nit mit den Ellbogen!
Sitz aufgerichtet, fein geschmogen!
Ruck nit hin und her auf der Bank,
Daß du nit machest ein Gestank!
Dein Füß laß unterm Tisch nit gampern,
Und hüt dich auch vor allen schambern
Worten, Nachredn, Gespött, Tät, Lachen!
Sei ehrberlich in allen Sachen!
In Buhlerei laß dich nit merken!
Tu auch niemand auf Hader stärken!

Gezänk am Tisch gar übel staht.
Sag nichts, darob man Grauen hat,
Und tu dich auch am Tisch nit schneuzen,
Daß ander Leut an dir nit scheuzen!
Geh nit umzausen in der Nasen!
Des Zahnstührens sollt du dich maßen!
Im Kopf sollt du dich auch nit krauen!
Dergleichen Maid, Jungfrau und Frauen
Solln nach keim Floch hinunterfischen.
Ans Tischtuch soll sich niemand wischen.
Auch leg den Kopf nit in die Händ!
Leihn dich nit hinten an die Wänd,
Bis daß des Mahl hab sein Ausgang!
Denn sag Gott heimlich Lob und Dank,
Der dir dein Speise hat beschert,
Aus väterlicher Hand ernährt!
Nach dem sollt du vom Tisch aufstehn,
Dein Händ waschen und wieder gehn
An dein Gewerb und Arbeit schwer.
So sprichet Hans Sachs, Schuhmacher.

Der krank Esel
In der Hohnweis Wolfran

Ein Esel lag darnieder
In einem Wald sehr krank.
Ein Wolf der stellt sich bieder,
Nahm für ihn seinen Gang,
Tät ihm schmeichelnd zusprechen:
„Leid ist mir dein Unfall.
Sag, wo ist dein Gebrechen?"
Begriff ihn überall.

Der Esel lag in Sorgen,
Forcht des Wolfs Hinterlist,
Sprach zum Wolf unverborgen:
„Wo du mich greifen bist,
Ist am größten mein Schmerzen.
Ich bitt dich, geh von mir,
So wird Ruh meinem Herzen;
Das fürchtet sich vor dir." –

Also wo los Gesellen
Voll allerlei Bosheit
Sich freundlich gen eim stellen,
Der vertrau nit zu weit!
Sorgfältig sei einzogen,
Fürcht seine böse Tück.
Kummt er ab unbetrogen,
So sag er von Gelück.

Ein schöns Lied einer ehrlichen Jungfrauen
in eignem Ton mit ihrem Namen in fünf Buchstaben

Mein Herz hat mir umfangen
Mit süßer Liebe Brunst,
Mit Sehnen und Verlangen
In treuer Lieb und Gunst
Ein Jungfrau, schön und zart,
Ganz tugendhafter Art:
Dieweil ich lebt auf Erden,
Kein Mensch mir lieber ward.

Ach wollt Gott, daß die Reine
Erkennt mein Herz und Gmüt,
Daß ich begehr alleine
Gnad ihr mildreichen Güt.
Darauf tu hoffen ich,
Sie wird aufnehmen mich
Zu eim treuen Liebhaber
Hie und dort ewiglich.

Rein in ehlicher Treue,
In Lieb und Stetigkeit
Sich unser Lieb verneue
Unsers ganz Lebens Zeit,
Daß sich mehr' beidersam
Unser Geschlecht und Stamm,
Fruchtbar mit Heil und Glücke,
Mit untödlichem Nam.

Ich bitt, du einigs Eine,
Du mein herziges Herz,
Gib dein Willen dareine,
So nehmt ein End mein Schmerz.
Gut Hoffnung mich ernährt,
Dein Herz werd zu mir kehrt;
Wär mir die höchste Freude,
Würd mir das Heil beschert.

All Hoffnung tu ich setzen,
Mein höchster Schatz, auf dich,
Du werdst mich Leids ergetzen,
Günstig begnaden mich,
Daß du werdst ewig mein
Und ich werd ewig dein
In dem ehlichen Stande.
Wie möcht uns baß gesein?!

Alte Volksballaden und Volkslieder

Balladen

Tannhäuser

Nun wil ichs aber heben an
Von dem Danheuser zu singen
Und was er hat Wunders getan
Mit seiner Fraw Venußinnen.

Danheuser was ein Ritter gut,
Wann er wolt Wunder schawen,
Er wolt in Fraw Venus Berg
Zu andern schonen Frawen.

‚Herr Danheuser, ir seid mir lieb,
Daran solt ir mir gedenken:
Ir habt mir einen Aid geschworen,
Ir wolt von mir nit wenken.'

‚Fraw Venus, das enhab ich nit,
Ich wil das widersprechen,
Wann redt das iemand mer dan ir,
Got helf mirs an im rechen.'

,Herr Danheuser, wie redt ir nun,
Ir solt bei mir beleiben,
Ich will euch mein Gespilen geben
Zu einem steten Weibe.'

,Und nem ich nun ein ander Weib,
Ich hab in meinem Sinne,
So must ich in der Helle Glut
Auch ewiklich verbrinnen.'

,Ir sagt mir vil von der Helle Glut
Und habt es nie entpfunden:
Gedenkt an meinen roten Mund,
Der lachet zu allen Stunden.'

,Was hilfet mich ewer roter Mund,
Er ist mir gar unmere;
Nun gebt mir Urlaub, Frewlein zart,
Durch aller Frawen Ere.'

,Herr Danheuser, wolt ir Urlaub han,
In wil euch keinen geben;
Nun beleibent, edler Danheuser,
Und fristet ewer Leben.'

,Mein Leben das ist worden krank,
Ich mag nit lenger bleiben,
Nun gebt mir Urlaub, Frewlein zart,
Von ewrem stolzen Leibe.'

,Herr Danheuser, nit redet also,
Ir tut euch nit wol besinnen,
So geen wir in ein Kemerlein
Und spilen der edlen Minnen.'

,Gebrauch ich nun ein fremdes Weib,
Ich hab in meinem Sinne:
Fraw Venus, edle Frawe zart,
Ir seid ein Teufelinne.'

,Herr Danheuser, was redt ir nun,
Daß ir mich gunnet schelten;
Nun solt ihr lenger hierinne sein,
Ir mustent sein dick entgelten.'

,Fraw Venus, und das wil ich nit,
Ich mag nit lenger bleiben;
Maria, Mutter, reine Maid,
Nun hilf mir von den Weiben!'

,Herr Danheuser, ir solt Urlaub han,
Mein Lob das solt ir preisen,
Wo ir do in dem Land umbfart;
Nembt Urlaub von dem Greisen.'

Do schied er wider aus dem Berg
In Jamer und in Rewen:
,Ich wil gen Rom wol in die Stat
Auf eines Babstes Trawen.'

,Nun far ich frolich auf die Ban,
Got muß sein immer walten,
Zu einem Babst, der heist Urban,
Ob er mich mocht behalten.

,Ach Babst, lieber Herre mein,
Ich klag euch meine Sunde,
Die ich mein Tag begangen hab,
Als ich euchs wil verkunden.

,Ich bin gewesen auch ein Jar
Bei Venus einer Frawen,
So wolt ich Beicht und Buß entpfahen,
Ob ich mocht Got anschawen.'

Der Babst het ein Steblein in der Hand,
Das was sich also durre:
,Als wenig es begrunen mag,
Kumpst du zu Gottes Hulde!'

,Nun solt ich leben nur ein Jar,
Ein Jar auf diser Erden,
So wolt ich Beicht und Buß entpfahen
Und Gottes Trost erwerben.'

Do zog er wider aus der Stat
In Jammer und in Leiden:
,Maria, Mutter, reine Maid,
Muß ich nun von dir scheiden?'

Er zog do wider in den Berg
Und ewiklich on Ende:
,Ich wil zu Venus, meiner Frawen zart,
Wo mich Got wil hin senden.'

,Seid Gott wilkumen, Danheuser,
Ich hab ewer lang entporen,
Seid wilkumen, mein lieber Herr,
Zu einem Bulen auserkoren.'

Das weret bis an den dritten Tag,
Der Stab hub an zu grunen,
Der Babst schicket aus in alle Land,
Wo der Danheuser wer hin kumen.

Do was er wider in den Berg
Und het sein Lieb erkoren,
Des must der vierte Babst Urban
Auch ewiklich sein verloren.

[In wil: ich will nicht.]

Königskinder

Et wassen twee Künigeskinner,
De hadden eenander so leef,
De konnen ton anner nich kummen,
Dat Water was vil to breed.

„Leef Herte, kanst du der nich swemmen?
Leef Herte, so swemme to mi!
Ik will di twe Keskes upsteken,
Un de söllt loechten to di!“

Dat horde ne falske Nunne
Up ere Slopkammer, o we!
Se dey de Keskes utdömpen,
Leef Herte bleef in de See.

Et was up en Sundage Morgen,
De Lüde wören alle so fro;
Nich so de Künigesdochter,
De Augen de seten ehr to.

„O Moder“, säde se, „Moder,
Mine Augen doht mi der so we;
Mag ik der nich gohn spatzeren
An de Kant von de ruskende See?“

„O Dochter“, säde se, „Dochter,
Allene kanst du der nich gohn;
Weck up dine jüngste Süster,
Un de sall met di gohn.“

„Mine allerjüngste Süster
Is noch so’n unnüsel Kind,
Se plücket wol alle de Blömkes,
De an de Seekante sind.

Un plückt se auk men de wilden
Un lätt de tammen stohn,
So segget doch alle de Lüde:
Dat het dat Künigskind dohn!

O Modder“, sede se, „Moder,
Mine Augen daht mi der so we;
Mag ik der nich gohn spatzeren
An de Kant von de ruskende See?“

„O Dochter“, sede se, „Dochter,
Allene sast du der nich gohn;
Weck up dinen jüngsten Broder,
Un de sall met di gohn.“

„Min allerjüngsten Broder
Is noch so’n unnüsel Kind,
He schütt wull alle de Vügel,
De up de Seekante sind.

Und schütt he auk men de wilden
Un lätt de tammen gohn,
So segget doch alle Lüde:
Dat het dat Künigskind dohn.

O Moder“, sede se, „Moder,
Min Herte doht mi der so we,
Laet andere gohn tor Kerken,
Ik bed an de ruskende See!“

Da sat de Künigesdochter
Up’t Hoefd ere goldene Kron,
Se stack up eren Finger
En Rink von Demanten so schon.

De Moder genk to de Kerken,
De Dochter genk en de Seekant,
Se genk der so lange spatzeren,
Bes se enen Fisker fand.

„O Fisker, leeveste Fisker,
Si könnt verdeenen grot Lohn:
Settet jue Netkes to Water,
Fisket mi den Künigessohn!“

He sette sin Netkes to Water,
De Lotkes sünken to Grund,
He fiskde und fiskde so lange,
De Künigssohn wurde sin Fund.

Do nam de Künigesdochter
Von Hoefd ere goldene Kron:
„Sü do, woledele Fisker,
Dat ist ju verdeende Lohn."

Se trock von eren Finger
Den Rink von Demanten so schon:
„Sü do, woledele Fisker,
Dat is ju verdeende Lohn."

Se namm in ere blanke Arme
Den Künigssohn, o we!
Se sprank met em in de Wellen:
„O Vader un Moder, ade!"

[In westfälischer Mundart nach der handschriftlichen Aufzeichnung von Annette von Droste-Hülshoff. – Keskes: Kerzen. – utdömpen: auslöschen. – ruskende: rauschende. – Süster: Schwester. – unnüsel: unverständig, einfältig. – tammen: zahmen, hier: edlen. – sast: sollst. – schütt: schießt. – Hoefd: Haupt. – jue Netkes: eure Netze. – Lotkes: Lote. – trock: zog]

Waldvögelein

Es flog ein kleins Waldvögelein
Der Lieben fürs Fensterlein.
Es klopfet also leise
Mit seinem Goldschnäbelein:
„Stand auf, Herzlieb, und laß mich ein!
Ich bin so lang geflogen
Wohl durch den Willen dein."

„Bist du so lang geflogen
Wohl durch den Willen mein,
Komm heint um halber Mitternacht,
So will ich dich lassen ein;
Ich will dich decken also warm,
Ich will dich freundlich schließen
An mein schneeweiße Arm."

[heint: heute]

Geistliche Lieder

Winterrose

Es ist ein Ros entsprungen
Aus einer Wurzel zart.
Als uns die Alten sungen,
Aus Jesse kam die Art
Und hat ein Blümlein bracht
Mitten im kalten Winter
Wohl zu der halben Nacht.

Das Röslein, das ich meine,
Darvon Esaias sagt,
Hat uns gebracht alleine
Marie, die reine Magd:
Aus Gottes ewgem Rat
Hat sie ein Kind geboren
Wohl zu der halben Nacht.

Dies est laetitiae

Der Tag, der ist so freudenreich
Aller Creature
Denn Gottes Sohn von Himmelreich
Über die Nature
Von einer Jungfrau ist geborn.
Maria, du bist auserkorn,
Daß du Mutter wärest.
Was geschach so wunderleich?
Gottes Sohn von Himmelreich,
Der ist Mensch geboren.

Ein Kindelein so löbelich
Ist uns geboren heute
Von einer Jungfrau säuberlich
Zu Trost uns armen Leuten.
Wär uns das Kindlein nicht geborn,
So wär wir allzumal verlorn,
Das Heil ist unser alle.
Ei du süßer Jesu Christ,
Daß du Mensch geboren bist,
Behüt uns für der Hölle!

Als die Sonn durchscheint das Glas
Mit ihrem klaren Scheine
Und doch nicht versehret das,
So merket all gemeine:
Gleicherweis geboren ward
Von einer Jungfrau rein und zart
Gottes Sohn der werte;
In ein Kripp ward er geleit,
Große Marter für uns leit
Hie auf dieser Erde.

Die Hirten auf dem Felde warn,
Erfuhren neue Märe
Von den engelischen Scharn,
Wie Christ geboren wäre,
Ein König über alle König groß.
Herod die Red gar sehr verdroß,
Aus sandt er seine Boten;
Ei wie gar ein falsche List
Erdacht er wider Jesum Christ,
Die Kindlein ließ er töten!

Der Tod als Schnitter

Es ist ein Schnitter, der heißt Tod,
Hat G'walt vom großen Gott;
Heut wetzt er das Messer,
Es geht schon viel besser,
Bald wird er drein schneiden,
Wir müssen's nur leiden.
Hüt dich, schöns Blümelein!

Was heut noch grün und frisch da steht,
Wird morgen weggemäht.
Die edel Narzissel,
Die englische Schlüssel,
Die schön Hyazinthen,
Die türkischen Winden:
Hüt dich, schöns Blümelein!

Viel hunderttausend ungezählt,
Was nur unter die Sichel fällt:
Rot Rosen, weiß Lilien,
Beid' wird er austilgen,
Und ihr Kaiserkronen,
Man wird euch nicht verschonen:
Hüt dich, schöns Blümelein!

Das himmlische Ehrenpreis,
Die Tulpen gelb und weiß,
Die silbernen Glocken,
Die goldenen Flocken,
Senkt alles zur Erden,
Was wird daraus werden?
Hüt dich, schöns Blümelein!

Ihr hübsch Lavendel und Rosmarine,
Ihr vielfarbige Röselein,
Ihr stolze Schwertlilien,
Ihr krause Basilien,
Ihr zarte Violen,
Nun wird euch bald holen:
Hüt dich, schöns Blümelein!

Trutz, Tod! Komm her, ich fürcht dich nit!
Trutz, eil daher in einem Schnitt!
Wann Sichel mich letzet,
So werd ich versetzet
In den himmlischen Garten,
Darauf will ich warten.
Freu dich, schöns Blümelein!

Liebeslieder

Laß rauschen!

Ich hort ein Sichellin rauschen,
Wohl rauschen durch das Korn,
Ich hort ein feine Magd klagen,
Sie hätt' ihr Lieb verlorn.

„La rauschen, Lieb, la rauschen!
Ich acht nit, wie es geh:
Ich hab mir ein Buhlen erworben
In Veiel und grünem Klee."

„Hast du ein Buhlen erworben
In Veiel und grünem Klee:
So steh ich hie alleine,
Tut meinem Herzen weh!"

Verschneit

Es ist ein Schnee gefallen,
Und es ist doch nit Zeit,
Man wirft mich mit den Ballen,
Der Weg ist mir verschneit.

Mein Haus hat keinen Giebel,
Es ist mir worden alt,
Zerbrochen sind die Riegel,
Mein Stüblein ist mir kalt.

Ach Lieb, laß dich erbarmen,
Daß ich so elend bin,
Und schleuß mich in dein Arme,
So fährt der Winter dahin.

Das Mühlrad

Dort hoch auf jenem Berge,
Da geht ein Mühlerad,
Das mahlet nichts denn Liebe
Die Nacht bis an den Tag.
Die Mühle ist zerbrochen,
Die Liebe hat ein End,
So g'segn dich Gott, mein feines Lieb,
Jetzt fahr ich ins Elend.

Du mein einzig Licht

Du mein einzig Licht,
Die Lilg' und Ros' hat nicht,
Was an Farb und Schein
Dir möcht ähnlich sein;
Nur daß dein stolzer Mut
Der Schönheit Unrecht tut.

Meine Heimat du,
Von solcher Lust und Ruh
Ist der Himmel gar
Wie die Erde bar;
Nur daß dein strenges Wort
Mich wehrt vom süßen Port.

Drei Jungfräulein

Mit Lust tät ich ausreiten
Durch einen grünen Wald.
Darin da hört ich singen, ja singen
Drei Vöglein wohlgestalt.

So sein es nit drei Vögelein,
Es sein drei Jungfräulein;
Soll mir das ein nit werden, ja werden,
Gilt es das Leben mein.

Das erst das heißet Ursulein,
Das ander Bärbelein,
Das dritt hat keinen Namen, ja Namen,
Das soll des Jägers sein.

Goldmühle

Dort nieden in jenem Holze
Leit sich ein Mühlen stolz,
Sie mahlet uns alle Morgen
Das Silber und rote Gold.

Hätt ich des Goldes ein Stücke
Zu einem Ringelein,
Meinem Buhlen wollt ich's schicken
Zu einem Goldfingerlein.

Dort nieden in jenem Grunde
Schwemmt sich ein Hirschlein fein;
Was führt es in seim Munde?
Von Gold ein Ringelein.

Was schickt sie mir denn wieder?
Von Perlen ein Kränzelein:
„Sieh da, du feiner Ritter,
Darbei gedenk du mein!"

[leit: liegt.]

Lindenlaub

Drei Laub auf einer Linden
Blühen also wohl, ja wohl;
Sie tät viel tausend Sprünge,
Ihr Herz war freudenvoll,
Ich günns dem Maidlein wohl.

Das Maidlein, das ich meine,
Das ist so hübsch und fein, ja fein;
Wenn ich dasselb anblicke,
Sich freut das Herze mein,
Des eigen will ich sein.

Die Blumen

Weiß mir ein Blümli blaue
Von himmelblauem Schein,
Es steht in grüner Aue
Und heißt Vergißnitmein.
Ich kunnt es nirgend finden,
Was mir verschwunden gar;
Von Reif und kalten Winden
Ist es mir worden fahl.

Das Blümli, das ich meine,
Ist brun, staht auf dem Ried,
Von Art ist es so kleine,
Es heißt: Nun hab mich lieb!
Das ist mir abgemähet
Wohl in dem Herzen mein,
Mein Lieb hat mich verschmähet,
Wie mag ich fröhlich sein?

Das Blümli, das ich meine,
Das ist rosinenrot,
Ist Herzenstrost genennet,
Auf breiter Heid es staht.
Sein Farb ist ihm verblichen,
Der Wohlgemut hat verdorrt,
Mein Lieb ist mir entwichen,
Verloren han ich mein Hort.

Weiß mir ein Blümli weiße,
Staht mir im grünen Gras,
Gewachsen mit ganzem Fleiße,
Das heißt nun gar Schabab.
Dasselbig muß ich tragen
Wohl diesen Summer lang,
Viel lieber wöllt ich haben
Meins Buhlen Armumfang.

Der Rif mit seinem Zeichen
Verderbt manchs Blümli zart,
Kann sich dem Klaffer schmeichen
Mit ungetreuer Art.
Wohl auch nach diesem Summer
Kummt uns der lichte Mai,
Bringt uns die Blümli wieder,
Der Farben mancherlei.

Mein Herz, das leit in Kummer,
Daß mein vergessen ist.
So hoff ich auf den Summer
Und auf des Maien Frist.
Die Riefen sind vergangen,
Darzu der kalte Schnee,
Mein Lieb hat mich umfangen,
Das tut dem Klaffer weh.

[Schabab: eine Herbstblume, die als Symbol verächtlicher Abweisung galt. – Klaffer: Aushorcher, Verleumder]

Sommerlied

Herzlich tut mich erfreuen
Die fröhlich Sommerzeit,
All mein Geblüt verneuen,
Der Mai viel Wollust geit.
Die Lerch tut sich erschwingen
Mit ihrem hellen Schall,
Lieblich die Vöglein singen,
Voraus die Nachtigall.

Der Kuckuck mit seim Schreien
Macht fröhlich jedermann.
Des Abends fröhlich reihen
Die Meidlein wohlgetan.
Spazieren zu den Brunnen
Pflegt man in dieser Zeit,
All Welt sucht Freud und Wunne
Mit Reisen fern und weit.

Es grünet in den Wälden,
Die Bäume blühen frei,
Die Röslein auf den Felden
Von Farben mancherlei.
Ein Blümlein steht im Garten,
Das heißt: Vergiß nicht mein,
Das edle Kraut Wegwarten
Macht guten Augenschein.

Ein Kraut wächst in der Auen
Mit Namen Wohlgemut,
Liebt sehr den schönen Frauen,
Darzu die Holderblut,
Die weiß und roten Rosen
Hält man in großer Acht,
Kann Geld daraus gelosen,
Schön Kranz man daraus macht.

Das Kraut Jeländer jelieber
An manchem Ende blüht,
Bringt oft ein heimlich Fieber,
Wer sich nicht dafür hüt.
Ich hab es wohl vernommen,
Was dieses Kraut vermag,
Doch kann man dem vorkommen:
Wer Maßlieb braucht all Tag.

Der Morgens in dem Taue
Die Meidlein waschen gahn,
Gar lieblich sie anschauen
Die schönen Blümlein stahn,
Daraus sie Kränzlein machen
Und schenken ihrem Schatz,
Tun sie freundlich anlachen
Und geben ihn ein Schmatz.

Darum lob ich den Summer,
Darzu den Maien gut,
Der wendt uns allen Kummer
Und bringt uns Freud und Mut.
Der Zeit will ich genießen,
Dieweil ich Pfenning hab,
Und wen es tut verdrießen,
Der fall die Stiegen ab!

[geit: gibt.]

Laß ab, es ist umsonst!

Mit Lieb bin ich umfangen,
Herzallerliebste mein!
Nach dir steht mein Verlangen,
Wenn es nur könnt gesein!
Könnt ich dein Gunst erwerben,
Käm ich aus großer Not,
Viel lieber wollt ich sterben,
Wünschen mir selbs den Tod.

Herzlieb, gedenk an die Treue,
Die du mir verheißen hast!
Und laß dich's nit gereuen
Stetigs ohn Unterlaß.
Dein Treu hast mir versprochen
In rechter Stetigkeit;
Es bleibt seltn ungerochen,
Feinslieb, nit von mir scheid!

Wie soll ich von dir lassen?
Es kost mir meinen Leib;
Darzu bringt mich ohn Maßen,
Daß ich nit von dir scheid.
Dir hab ich mich ergeben,
Herzallerliebsten mein,
Dieweil ich hab das Leben:
Mein Schatz, vergiß nicht mein!

„Junger Gsell, laß doch dein Werben,
Du erlangest meiner nicht!
Wöllest du gleich darum sterben,
Es ist vergebens gewiß.
Du hast mich lieb im Herzen?
Da weiß ich wenig nur.
Fürwahr, es ist kein Scherzen:
Laß ab, es ist umsonst!"

Abschied

Innsbruck, ich muß dich lassen,
Ich fahr dahin mein Straßen,
In fremde Land dahin.
Mein Freud ist mir genommen,
Die ich nit weiß bekommen,
Wo ich im Elend bin.

Groß Leid muß ich ertragen,
Das ich allein tu klagen
Dem liebsten Buhlen mein.
Ach Lieb, nun laß mich Armen
Im Herzen dein erwarmen,
Daß ich muß dannen sein!

Mein Trost ob allen Weiben,
Dein tu ich ewig bleiben,
Stet, treu, der Ehren frumm.
Nun muß dich Gott bewahren,
In aller Tugend sparen,
Bis daß ich wiederkumm.

Landsknechtslieder

Landsknechtsmarsch

Unser lieben Fraue
Vom kalten Brunnen,
Bescher uns armen Landsknecht
Ein warme Sunnen,
Daß wir nit erfrieren!
Wohl in des Wirtes Haus
Trag wir ein vollen Säckel
Und ein leeren wieder aus.

Landsknechtorden

Gott gnad dem großmächtigen Kaiser frumme,
Maximilian! bei dem ist aufkumme
Ein Orden, durchzeucht alle Land
Mit Pfeifen und mit Trummen:
Landsknecht sind sie genannt.

Fasten und beten lassen sie wohl bleiben
Und meinen, Pfaffen und Münich sollen's treiben,
Die haben davon ihren Stift,
Des mancher Landsknecht frumme
Im Gartsegel umschifft.

In Wammes und Halbhosen muß er springe,
Schnee, Regen, Wind, alles achten geringe
Und hart liegen für gute Speis,
Mancher wollt gern schwitzen,
Wenn ihm möcht werden heiß.

Also muß er sich in dem Land umkehren,
Bis er hört von Krieg und Feindschaft der Herren,
Darnach ist ihm kein Land zu weit,
Darein lauft er mit Ehren,
Bis er auch findt Bescheid.

Erstlich muß er ein Weib und Flaschen haben,
Darbei ein Hund und einen Knaben:
Das Weib und Wein erfreut den Mann,
Der Knab und Hund soll spüren,
Was in dem Haus tut stan.

Das was der Brauch, Gewohnheit bei den Alten,
Also soll es ein jeder Landsknecht halten:
Würfel und Karten ist ihr Geschrei,
Wo man hat guten Weine,
Sollen sie sitzen bei.

Da sollen sie von Stürmen, Schlachten sage,
Des müssen sie warten Nacht und Tage,
Darum so tut ihn'n Lernens not,
Wie man mit langen Spießen
Prozessiones hat.

Wenn sie dann ihr Capitel wöllen halte
Mit Spieß und Helleparten, sieht mans balde
Zum Fähnlein in die Ordnung stan,
Dann tut der Hauptmann sagen:
„Die Feind wöll wir greifen an!"

Darnach hört man das groß Geschütz und kleine.
„Her, Her!" schreien die Frummen all gemeine.
So hebt sich an das Ritterspiel,
Mit Spieß und Helleparten
Sicht man ihr fechten viel.

„Lerman, lerman!" hört man die Trummen spechte,
Darbei setzens die ihren Rechte:
Eine grüne Heid ist's Richters Buch,
Darein schreibt man die Urteil,
Bis eim rinnts Blut in d'Schuch.

In dem Orden findt man gar seltsam Knaben,
Sie laufen an Stett und Schloß und Graben,
Des muß man jetzund haben acht:
Wo der Orden regieret,
werden leer Hofstett gmacht.

Wie möchtens doch ein härtern Orden trage?
Sie leiden groß Not bei Nacht und Tage,
Bis sie überkummen eines Herren Huld,
Darbei bleibt mancher tode,
Wollt b'halten seins Herrn Huld.

Erst hebt sich an die Klag der treuen Frauen,
Ein jede tut nach ihrem Mann umschauen;
Welcher der ihr ist blieben tot,
Darf nit vor Schanden lachen,
Bis sie ein andern hat.

Darnach helfen sie das Requiem singen,
Sie spricht: „Junger Mann, ich will euchs bringen!"
So hat dann alte Lieb ein End,
In dem Confessione
Wird ein neues Regiment.

Das ist der Kriegsleut Observanz und Rechte,
Sang Jörg Graff, ein Bruder aller Landsknechte,
Unfall hat ihm sein Freud gewendt,
Wär sunst im Orden blieben
Willig bis an sein End.

[Stift: ihr stiftmäßiges Einkommen. – garten: ‚auf die gart gehen‘, sich herumtreiben. – spechten: plaudern, plappern.]

Der Landsknecht auf den Stelzen

Der in den Krieg will ziehen,
Der soll gerüstet sein.
Was soll er mit ihm führen?
Ein schönes Fräuwelein,
Ein langen Spieß, ein kurzen Degen.
Ein Herren wöll wir suchen, ja suchen,
Der uns Geld und Bescheid soll gebn.

Und geit er uns dann kein Gelde,
Leit uns nit viel daran.
So laufen wir durch die Welde,
Kein Hunger faßt uns an:
Der Hühner, der Gäns hab wir so viel,
Das Wasser aus dem Brunnen
Trinkt der Landsknecht, wenn er will.

Und wird mir dann geschossen
Ein Flügel von meinem Leib,
So darf ich's niemand klagen,
Es schad mir nit ein Meit
Und nit ein Kreuz an meinem Leib.
Das Geld wöll wir verdemmen,
Das der Schweizer um Handschuh geit.

Und wird mir dann geschossen
Ein Schenkel von meinem Leib,
So tu ich's nachher kriechen,
Es schad mir nit ein Meit,
Ein hölzern Stelzen ist mir bereit.
Ja, eh das Jahr herumbe geit,
Gib ich's – ein Spittelknecht.

Ei, würd ich dann erschossen,
Erschossen auf breiter Heid,
So trägt man mich auf langen Spießen,
Ein Grab ist mir bereit;
So schlägt man mir den Pummerleinpum,
Der ist mir neunmal lieber
Denn aller Pfaffen Gebrumm.

Der uns das Liedlein neus gesang,
Von neuem gesungen hat,
Das hat geton ein Landsknecht,
Gott geb ihm ein fein gut Jahr!
Er singt uns das, er singt uns mehr,
Es muß mir noch wohl werden,
Der mir Gloch bezahlen muß.

[geit: gibt. – Welde: vielleicht Wälder. – Meit: kleine Münze. – verdemmen: vertun. – gib ich's: werde
Pummerleinpum: Trommelstückchen (hier: am Grabe). – Gloch: das Gelage, die Zeche.]

Trommelreim der Landsknechte auf die Schlacht bei Pavia (1525)

Herr Görg von Fronsperg,
Herr Görg von Fronsperg,
Der hat die Schlacht gewunnen,
Gewunnen hat er die Schlacht vor Pavia im Tiergart,
In neunthalb Stunden gewunnen Land und Leut.

Der König aus Frankreich,
Der König aus Frankreich,
Der hat die Schlacht vor Pavia verloren,
Verlorn hat er die Schlacht vor Pavia im Tiergart,
In neunthalb Stund verlor er Land und Leut.

Nun grüß dich Gott, du Königstöchterlein,
Im ganzen Frankenreich!
Eurem Vater hab ich abgewunnen
In neunthalb Stunden Land und Leut.
Ich hab's gewagt, frisch unverzagt.
Ich hab's gewagt, frisch unverzagt.
Eurem Vater hab ich abgewunnen
In neunthalb Stunden Land und Leut.

Im Blut mußten wir gan,
Im Blut mußten wir gan
Bis über, bis über die Schuch.
Barmherziger Gott, erkenn die Not!
Barmherziger Gott, erkenn die Not!
Wir müssen sonst verderben also.

Lermen, lermen, lermen!
Lermen, lermen, lermen!
Tät uns die Trummel und die Pfeifen sprechen;
Her, her, her –, ihr frummen deutschen Landsknecht gut!
Laßt uns in die Schlachtordnung stan,
Laßt uns in die Schlachtordnung stan,
Bis daß die Hauptleut sprechen: Jetzt wollen wir greifen an!
Reiter zum Pferd!
Sattel zum Zaum!
Der Feind ist vorhanden.

[Lerm: Trommelschlag.]

Paul Schede Melissus
1539–1602

Lied

Rot Röslein wolt ich brechen	O dorner krum' vnd zacket,
Zum hübschen Krentzelein:	Wie habt ihr mich zerschrunt?
Mich Dörner thaten stechen	Wer vnter euch kompt nacket,
Hart in die finger mein.	Der ist gar bald verwunt.
Noch wolt' ich nit lan ab.	Sonst zwar könt ihr nichts mehr
Ich gunt mich weiter stecken	Ihr keiner Haut thut schonen,
In Stauden und in Hecken:	Noch nitlicher Personen,
Darin mirs wunden gab.	Wans gleich ein Göttin wer.

Sie hats wol selbs erfahren,
Die schöne Venus zart,
Als sie stund in gefahren,
Vnd so zerritzet ward.
Daher die Röslein weis
Von Bluttrieffenden nerben
Begunten sich zu ferben:
Den man verieht den preis.

Ich thu ein Rose loben,
Ein Rose tugent voll.
Wolt mich mit ihr verloben,
Wans ihr gefiehle wol.
Ihrs gleichen find man nicht
In Schwaben vnd in Francken
Mich Schwachen vnd sehr Krancken
Sie Tag vnd nacht anficht.

Nach ihr steht mein verlangen,
Mein sehnlich hertzegird:
Am Creutz last sie mich hangen,
Meins lebens nimmer wird.
Zwar bald ich tod muß sein.
Je weiter sie mich neidet,
Je lenger mein Hertz leidet,
Ist das nit schwere pein?

Ach liebster Schatz auff Erden
Warumb mich quelest so?
Zutheil laß dich mir werden,
Vnd mach mich endlich fro.
Dein wil ich eigen sein:
In lieb vnd trew mich binde,
Mit deiner hand mir winde
Ein Rosenkrentzelein.

Jakob Regnart
um 1540 – um 1600

Venus, du und dein Kind

Venus, du und dein Kind,
Seid alle beide blind
Und pflegt auch zu verblenden,
Wer sich zu euch tut wenden,
Wie ich's wohl hab erfahren
In meinen jungen Jahren.

Amor, du Kindlein bloß,
Wem dein vergiftes Gschoß,
Das Herz einmal berühret,
Der wird alsbald verführet,
Wie ich wohl hab erfahren
In meinen jungen Jahren.

Für nur ein Freud allein
Gibst du viel tausend Pein,
Für nur ein freundlichs Scherzen
Gibst du viel tausend Schmerzen,
Wie ich wohl hab erfahren
In meinen jungen Jahren.

Drum rat ich jedermann:
Von Lieb bald abzustahn,
Dann nichts ist zu erjagen
In Lieb dann Weh und Klagen,
Das hab ich wohl erfahren
In meinen jungen Jahren.

Wer sehen will zween lebendige Brunnen,
Der soll mein zwei betrübte Augen sehen,
Die mir vor Weinen schier seind ausgerunnen.

Wer sehen will viel groß und tiefe Wunden,
Der soll mein sehr verwundtes Herz besehen,
Also hat's Lieb versehret oben und unten.

Wer sehen will ein Brunst groß Ungeheur,
Der soll allein mich armen Mann besehen;
Dann ich brinn ganz und gar von Liebesfeur.

Wer wissen will, wer mir auftu solch Plagen,
Soll nach der Schönsten auf der Erde fragen,
Sie ist allein Ursach all meiner Klagen.

Johann Hermann Schein
1586–1630

O Sternen Äugelein!
O Seiden Härelein!
O Rosen Wängelein!
Korallen Lippelein!
O Perlen Zähnelein!
O Honig Züngelein!
O Perlemutter Öhrelein!
O Elfenbeinen Hälselein!
O Pomeranzen Brüstelein!
Bisher an euch ist alles fein:
Abr O du steinern Herzelein!
Wie daß du tötst das Leben mein?

O grüne Wälderlein!
O Myrten Sträuchelein!
O kühle Brünnelein!
Kristallen Bächelein!
O grüne Wieselein!
O schöne Blümelein!
O Felsen, Kluft, O Berg und Tal,
O Echo, treuer Widerschall!
O Pan, O Schäfr und Schäferin!
Seht doch wie ich so elend bin!
Der grimmig Tod mich greifet an,
Ach helfet, wer da helfen kann!

O wahre Lieb und Treu!
O falsche Heuchelei!
O Hoffnung, Sicherheit!
O Furcht, Schwermütigkeit!
O süße Lust und Freud!
O Angst und Herzeleid!
O Musik, edler Freuden Schall!
O Seufzen, Heulen, Herzensknall!
O Leben lieb, O bitter Tod!
Ach wechselt um, es ist die Not!
Wie könnet ihr doch alle sehn
Ein liebend Herz zu Trümmern gehn?

O Filli, Schäfrin zart,
Wär ich eins deiner Schäfelein,
Würd ich nach Hirtenart
Dir besser angelegen sein;
Aber so tust du mich allweg meiden,
Das bringt mir unaussprechlich Leiden.

Ach Filli lobesan,
Wär ich ein grünes Bäumelein,
Würdst du dich zu mir nahn,
Unter meinem Schatten schlafen ein;
Aber so ich schlafen muß alleine,
Deswegen seufze, klag und weine.

Ach Filli hochgeborn,
Wär ich ein klein Waldvögelein,
Würd ich dein leise Ohrn
Bewegen mit meinem Stimmelein;
Aber so mein Seufzen, Klag und Flehen
Tut als in Wind vorübergehen.

Ach Filli, Wälder Zier,
Wär ich ein klares Brünnelein,
So badetst du an mir
Dein nackend zartes Leibelein;
Aber so mir nicht zu gut kann werden,
Daß ich dich bloß anseh auf Erden.

Drum, o Cupido blind,
Verwandel mich der Filli mein
Zum Schäfelein geschwind
Oder zu einem grünen Bäumelein,
Oder laß mich als ein Vöglein singen
Oder als ein Brünnlein entspringen.

Philipp Nicolai
1556–1608

Von der Stimm zu Mitternacht und von den klugen Jungfrauen, die ihrem himmlischen Bräutigam begegnen, Matth. 25.

Wachet auf, ruft uns die Stimme
Der Wächter sehr hoch auf der Zinnen,
Wach auf, du Stadt Jerusalem!
Mitternacht heißt diese Stunde,
Sie rufen uns mit hellem Munde,
Wo seid ihr klugen Jungfrauen?
Wohlauf, der Bräutigam kommt
Steht auf, die Lampen nimmt!
Halleluja!
Macht euch bereit zu der Hochzeit!
Ihr müsset ihm entgegengehn.

Zion hört die Wächter singen,
Das Herz tut ihr von Freuden springen,
Sie wachet und steht eilend auf:
Ihr Freund kommt vom Himmel prächtig,
Von Gnaden stark, von Wahrheit mächtig,
Ihr Licht wird hell, ihr Stern geht auf.
Nu komm, du werte Kron,
Herr Jesu, Gottes Sohn.
Hosianna!
Wir folgen all zum Freudensaal
Und halten mit das Abendmahl.

Gloria sei dir gesungen
Mit Menschen- und englischen Zungen,
Mit Harfen und mit Cymbeln schon!
Von zwölf Perlen sind die Pforten
An deiner Stadt, wir sind Konsorten
Der Engeln hoch um deinen Thron.
Kein Aug hat je gespürt,
Kein Ohr hat mehr gehört
Solche Freude:
Des sind wir froh, io, io!
Ewig in dulci jubilo.

Johann Heermann
1585–1647

In großem Ungewitter

Ach Gott, wie schrecklich ist dein Grimm,
Wann du stark auf den Wolken gehst
Und deine schwere Donnerstimm
Mit starkem Krachen von dir stößt!
Wir arme, blöde Menschenkind
Erkennen deine große Macht,
Drum wir in Furcht und Schrecken sind,
Weil's aus dem Himmel blitzt und kracht.

Die Erdkaul, die sich sonst nicht regt,
In großer Furcht erschüttert sich;
Wann du nur schnaubest, wird bewegt
Der Berge Grund und fürchtet dich.
Dein Arm ist stark, dein Hand ist schwer;
Wann du im Zorn sie hebest auf
Und wirfst die Strahlen hin und her,
Mit Zittern treten wir zu Hauf.

Wir hätten wohl verdient, o Gott,
Mit unsern Sünden schwer und viel,
Daß du uns schlügst mit Grimm zu Tod,
Weil fast niemand gehorchen will.
Doch weil wir deine Kinder seind,
Dein Volk und Schafe deiner Weid,
Das Volk, das seine Schuld beweint,
So hoffen wir Barmherzigkeit.

Wir wissen nichts und nirgends hin,
Wann wir durchlaufen alle Welt,
Zu dem wir sicher möchten fliehn;
All Kreatur zur Rach sich stellt.
Wir wissen nichts als deine Gnad,
Die alle Morgen neu aufgeht,
Die groß ist und kein Ende hat,
Die jedermann stets offensteht.

Wir schreien aus dem Jammertal
Durch Christum, deinen liebsten Sohn,
Hinauf zu dir ins Himmels Saal:
Um seinetwillen unser schon!
O Vater der Barmherzigkeit,
Straf uns ja nicht, wie wir verschuldt;
Uns ist die Sünde herzlich leid,
Kehr dich zu uns mit Gnad und Huld!

Laß nicht anzünden deinen Blitz,
Was du an Nahrung hast verehrt.
Für Donnerschlägen uns beschütz,
Laß unsern Leib sein unversehrt!
Sei du bei uns in dieser Not,
Zu dem all Hoffnung ist gericht't;
Behüt für bösem, schnellem Tod,
Mit deiner Hülf verlaß uns nicht.

Bedecke du mit deiner Hand
Leib, Leben, Haus, Vieh, Gut und Hab!
Erhalt die Früchte auf dem Land
Und was sonst mehr ist deiner Gab!
Für Schloßen, Hagel, Wasserflut,
Für Feur und anderm Wetterschad
Halt uns, o Gott, in deiner Hut!
Wir wollen rühmen deine Gnad.

Du bist allein der Herr und Gott,
Dem Donner, Blitz, Feur, Luft und Wind,
Dem alles stehet zu Gebot
Und seinen Willen tut geschwind.
Ach Herr, wo ist dir jemand gleich
Im Himmel und in aller Welt?
Wer hat ein solch gewaltig Reich,
Da alles stracks zu Fuße fällt?

Drum sprich ein Wort, so weichet bald
Des schweren Wetters Grausamkeit!
Dein Wort durchdringet mit Gewalt,
Drum uns zu retten sei bereit.
Ach komm! Ach komm und jetzt beweis,
Daß du der rechte Helfer seist,
So wollen wir dir singen Preis
Samt Christo und dem heilgen Geist!

Ursache des bittern Leidens Jesu Christi und Trost aus seiner Lieb und Gnade

Herzliebster Jesu, was hast du verbrochen,
Daß man ein solch scharf Urteil hat gesprochen?
Was ist die Schuld? In was für Missetaten
Bist du geraten?

Du wirst gegeißelt und mit Dorn gekrönet,
Ins Angesicht geschlagen und verhöhnet;
Du wirst mit Essig und mit Gall getränket
Ans Kreuz gehänget.

Was ist doch wohl die Ursach solcher Plagen?
Ach, meine Sünden haben dich geschlagen.
Ich, ach, Herr Jesu, habe dies verschuldet,
Was du erduldet.

Wie wunderbarlich ist doch diese Strafe!
Der gute Hirte leidet für die Schafe.
Die Schuld bezahlt der Herre, der Gerechte,
Für seine Knechte.

Der Fromme stirbt, der recht und richtig wandelt,
Der Böse lebt, der wider Gott mißhandelt.
Der Mensch verwirkt den Tod und ist entgangen,
Gott wird gefangen.

Ich war von Fuß auf voller Schuld und Sünden,
Bis zu der Scheitel war nichts Guts zu finden.
Dafür hätt' ich dort in der Hölle müssen
Ewiglich büßen.

O große Lieb, o Lieb ohn alle Maße,
Die dich gebracht auf diese Marterstraße!
Ich lebte mit der Welt in Lust und Freuden,
Und du mußt leiden!

Ach, großer König, groß zu allen Zeiten,
Wie kann ich gnugsam solche Treu ausbreiten?
Keins Menschen Herz vermag es auszudenken,
Was dir zu schenken.

Ich kann's mit meinen Sinnen nicht erreichen,
Womit doch dein Erbarmung zu vergleichen.
Wie kann ich dir denn deine Liebestaten
Im Werk erstatten?

Doch ist noch etwas, das dir angenehme:
Wann ich des Fleisches Lüsten dämpf und zähme,
Daß sie aufs neu mein Herze nicht entzünden
Mit alten Sünden.

Weil's aber nicht besteht in eignen Kräften,
Fest die Begierden an das Kreuz zu heften,
So gib mir deinen Geist, der mich regiere,
Zum Guten führe!

Alsdann so werd ich deine Huld betrachten,
Aus Lieb an dich die Welt für nichtes achten;
Bemühen werd ich mich, Herr, deinen Willen
Stets zu erfüllen.

Ich werde dir zu Ehren alles wagen,
Kein Kreuz nicht achten, keine Schmach und Plagen,
Nichts von Verfolgung, nichts von Todesschmerzen
Nehmen zu Herzen.

Dies alles, ob's für schlecht zwar ist zu schätzen,
Wirst du es doch nicht gar beiseite setzen.
Zu Gnaden wirst du dies von mir annehmen,
Mich nicht beschämen.

Wann, Herre Jesu, dort für deinem Throne
Wird stehn auf meinem Haupt die Ehrenkrone,
Da will ich dir, wann alles wird wohl klingen,
Lob und Dank singen.

Johann Matthäus Meyfart
1590–1642

Ein Lied vom himmlischen Jerusalem

Jerusalem, du hochgebaute Stadt,
Wollt Gott, ich wär in dir!
Mein sehnlich Herz so groß Verlangen hat
Und ist nicht mehr bei mir.
Weit über Berg und Tale,
Weit über blache Feld
Schwingt es sich über alle
Und eilt aus dieser Welt.

O schöner Tag und noch viel schönste Stund,
Wenn wirst du kommen schier,
Da ich mit Lust, mit freudenfreiem Mund
Die Seele geb von mir
In Gottes treue Hände
Zum auserwählten Pfand,
Daß sie mit Heil anlände
Bei jenem Vaterland!

Im Augenblick wird sie erheben sich
Bis an das Firmament,
Wann sie verläßt so sanft, so wunderlich
Die Stätt der Element,
Fährt auf Eliä Wagen,
Mit engelischer Schar,
Die sie in Händen tragen,
Umgeben ganz und gar.

O Ehrenburg, nun sei gegrüßet mir,
Tu auf der Gnaden Port!
Wie große Zeit hat mich verlangt nach dir,
Eh ich bin kommen fort
Aus jenem bösen Leben,
Aus jener Nichtigkeit
Und mir Gott hat gegeben
Das Erb der Ewigkeit.

Ein edles Volk und ein sehr werte Schar
Kömmt dann gezogen schon:
Was in der Welt von Auserwählten war,
Sicht sie, die beste Kron,
Die Jesus ihr, der Herre,
Entgegen hat gesandt,
Da sie noch war so ferre
In ihrem Tränenland.

Propheten groß und Patriarchen hoch,
Auch Christen in Gemein,
Die weiland dort trugen des Kreuzes Joch
Und der Tyrannen Pein,
Schaut sie in Ehren schweben,
In Freiheit überall,
Mit Klarheit hell umgeben,
Mit sonnenlichtem Strahl.

Wenn dann zuletzt sie ist gelanget hin
Ins schöne Paradeis,
Von höchster Freud erfüllet wird der Sinn,
Der Mund von Lob und Preis.
Das Halleluja reine
Man spielt in Heiligkeit,
Das Hosianna feine
Ohn End in Ewigkeit,

Mit Jubelklang, mit Instrumenten schon
Auf Choren ohne Zahl,
Daß von dem Schall und von dem süßen Ton
Sich regt der Freudensaal
Mit hunderttausend Zungen,
Mit Stimmen noch viel mehr,
Wie von Anfang gesungen
Das himmelische Heer.

Georg Rodolf Weckherlin
1584–1653

Tod

Das Leben, so ich führ, ist wie der wahre Tod,
Ja über den Tod selbst ist mein trostloses Leben:
Es endet ja der Tod des Menschen Pein und Leben,
Mein Leben aber kann nicht enden dieser Tod.

Bald kann ein Anblick mich verlötzen auf den Tod,
Ein andrer Anblick bald kann mich wiedrumb beleben,
Daß ich von Blicken muß dann sterben und dann leben,
Und bin in einer Stund bald lebendig, bald tot.

Ach, Lieb! verleih mir doch numehr ein anders Leben,
Wann ich ja leben soll, oder den andern Tod,
Denn weder diesen Tod lieb ich noch dieses Leben.

Verzeih mir, Lieb, ich bin dein lebendig und tot,
Und ist der Tod mit dir ein köstlich-süßes Leben,
Und Leben von dir fern ist ein ganz bittrer Tod.

Von ihren überschönen Augen

Ihr Augen, die ihr mich mit einem Blick und Plitz
Scharpf oder süß nach Lust könnt strafen und belohnen,
O liebliches Gestirn, Stern', deren Licht und Hitz
Kann, züchtigend den Stolz, der Züchtigen verschonen:

Und ihr, der Lieb Werkzeug, Kundschafter unsrer Witz,
Augbrauen, ja vielmehr Triumphbogen, nein, Kronen,
Darunter Lieb und Zucht in überschönem Sitz,
Mit brauner Klarheit Schmuck erleuchtet, leuchtend wohnen!

Wer recht kann eure Form, Farb, Wesen, Würkung, Kraft,
Der kann der Engeln Stand, Schein, Schönheit, Tun und Gehen,
Der kann der wahren Lieb Gewalt und Eigenschaft,

Der Schönheit Schönheit selbs, der Seelen Freud und Flehen
Und der Glückseligkeit und Tugenden Freundschaft
In euch (der Natur Kunst besehend) wohl verstehen.

Von dem König von Schweden
1631

O König, dessen Haupt, den Weltkreis zu regieren,
Und dessen Faust, die Welt zu siegen, allein gut,
O Herrscher, dessen Herz, Herr, dessen großen Mut
Gottsforcht, Gerechtigkeit, Stärk, Maß und Weisheit zieren,

O Held, für dessen Schwert die Verfolger die Wut,
Ihr Klagen, Forcht, Gefahr die Verfolgte verlieren,
Mars, göttlichen Geschlechts, von der Erretter Blut,
Wert, über Tyrannei und Stolz zu triumphieren!

Des Feinds Zorn, Hochmut, Haß, durch Macht, Betrug, Untreu,
Hat schier in Dienstbarkeit, Unrecht, Abgötterei
Des Teutschlands Freiheit, Recht und Gottesdienst verkehrt,

Als Euer Haupt, Herz, Hand, ganz weis, gerecht, bewehret,
Die Feind bald ihren Wahn und Pracht in Hohn und Reu,
Die Freund, ihr Leid in Freud zu verkehren, gelehrt.

An das Teutschland

Zerbrich das schwere Joch, darunter du gebunden,
O Teutschland, wach doch auf, faß wieder einen Mut,
Gebrauch dein altes Herz und widersteh der Wut,
Die dich und die Freiheit durch dich selbst überwunden.

Straf nu die Tyrannei, die dich schier gar geschunden,
Und lösch doch endlich aus die dich verzöhrend Glut,
Nicht mit dein eignem Schweiß, sondern dem bösen Blut,
Fließend aus deiner Feind und falschen Brüder Wunden.

Verlassend dich auf Gott, folg denen Fürsten nach,
Die sein gerechte Hand will, so du wilt, bewahren
Zu der Getreuen Trost, zu der Treulosen Rach:

So laß nun alle Forcht und nicht die Zeit hinfahren,
Und Gott wird aller Welt, daß nichts dann Schand und Schmach
Des Feinds Meineid und Stolz gezeuget, offenbaren.

Friedrich Spee von Langenfeld
1591–1635

Trauergesang von der Not Christi am Ölberg in dem Garten

Bei stiller Nacht, zur ersten Wacht,
Ein Stimm sich gunnt zu klagen.
Ich nahm in acht, was die da sagt,
Tat hin mit Augen schlagen.

Ein junges Blut, von Sitten gut,
Alleinig, ohn Gefährten,
In großer Not, fast halber tot,
Im Garten lag auf Erden.

Es war der liebe Gottessohn,
Sein Haupt er hatt in Armen;
Viel weiß – und bleicher dann der Mon,
Ei'm Stein es möcht erbarmen.

„Ach Vater, liebster Vater mein,
Und muß den Kelch ich trinken?
Und mag's dann ja nit anders sein,
Mein Seel nit laß versinken!"

„Ach liebes Kind, trink aus geschwind;
Dir's laß in Treuen sagen:
Sei wohlgesinnt, bald überwind,
Den Handel mußt du wagen."

„Ach Vater mein, und kanns nit sein?
Und muß ichs je dann wagen?
Will trinken rein den Kelch allein,
Kann dir's ja nit versagen.

Doch Sinn und Mut erschrecken tut,
Soll ich mein Leben lassen?
O bitter Tod! Mein Angst und Not
Ist über alle Maßen.

Maria zart, jungfräulich Art,
Sollt du mein Schmerzen wissen,
Mein Leiden hart zu dieser Fahrt,
Dein Herz wär schon zerrissen.

Ach Mutter mein, bin ja kein Stein,
Das Herz mir dörft zerspringen;
Sehr große Pein muß nehmen ein,
Mit Tod und Marter ringen.

Ade, ade zu guter Nacht,
Maria, Mutter milde!
Ist niemand, der dann mit mir wacht
In dieser Wüsten wilde?

Ein Kreuz mir für den Augen schwebt,
O weh der Pein und Schmerzen!
Dran soll ich morgen wer'n erhebt,
Das greifet mir zum Herzen.

Viel Ruten, Geißel, Skorpion
In meinen Ohren sausen,
Auch kommt mir vor ein dörnen Kron;
O Gott, wem wollt nit grausen!

Zu Gott ich hab gerufen zwar
Aus tiefen Todesbanden;
Dennoch ich bleib verlassen gar,
Ist Hilf noch Trost vorhanden.

Der schöne Mon will untergohn,
Für Leid nit mehr mag scheinen.
Die Sternen lan ihr Glitzen stahn,
Mit mir sie wollen weinen.

Kein Vogelsang noch Freudenklang
Man höret in den Luften,
Die wilden Tier traurn auch mit mir
In Steinen und in Kluften."

[sich gunnt: begann.]

Ein kurz poetisch Christgedicht vom Ochs und Eselein bei der Krippen

Der Wind auf leeren Straßen
Streckt aus die Flügel sein,
Streicht hin gar scharf ohn' Maßen
Zur Bethlems Krippen ein;
Er brummlet hin und wieder,
Der fliegend Winterbot,
Greift an die Gleich und Glieder
Dem frisch vermenschten Gott.

Ach, ach, laß ab von Brausen,
Laß ab, du schnöder Wind,
Laß ab von kaltem Sausen
Und schon dem schönen Kind!
Vielmehr du deine Schwingen
Zerschlag im wilden Meer,
Allda dich satt magst ringen,
Kehr nur nit wieder her!

Mit dir nun muß ich kosen,
Mit dir, o Joseph mein,
Das Futter misch mit Rosen
Dem Ochs und Eselein,
Mach deinen frommen Tieren
So lieblichs Mischgemüs,
Bald, bald, ohn Zeitverlieren
Mach ihn' den Atem süß!

Drauf blaset her, ihr beiden,
Mit süßem Rosenwind,
Ochs, Esel wohl bescheiden,
Und wärmet's nacket Kind.
Ach, blaset her und hauchet,
Ahà, ahà, ahà.
Fort, fort, euch weidlich brauchet,
Ahà, ahà, ahà.

[Gleich: Leib, Körper]

Martin Opitz
1597–1639

Morgenlied

O Licht, geboren aus dem Lichte,
O Sonne der Gerechtigkeit,
Du schickst uns wieder zu Gesichte
Die angenehme Morgenszeit.
Drum will uns gehören,
Dankbarlich zu ehren
Solche deine Gunst;
Gib auch unsern Sinnen,
Daß sie sehen können
Deiner Liebe Brunst.

Laß deines Geistes Morgenröte
In unsern tunkeln Herzen sein,
Daß sie mit ihren Strahlen töte
Der eitlen Werke kalten Schein.
Siehe, Herr, wir wanken,
Tun und auch Gedanken
Gehn auf falscher Bahn.
Du wollst unserm Leben
Deine Sonne geben,
Daß es wandeln kann.

Verknüpfe mit des Friedens Bande
Der armen Kirchen schwache Schar,
Nimm weg von unserm Vaterlande
Verfolgung, Trübsal und Gefahr.
Laß uns ruhig bleiben,
Unsern Lauf zu treiben
Diese kleine Zeit,
Bis du uns wirst bringen,
Wo man dir soll singen
Lob in Ewigkeit.

Ihr Himmel, Luft und Wind, ihr Hügel voll von Schatten,
Ihr Hainen, ihr Gebüsch und du, du edler Wein,
Ihr frischen Brunnen, ihr so reich am Wasser sein,
Ihr Wüsten, die ihr stets müßt an der Sonnen braten,

Ihr durch den weißen Tau bereiften schönen Saaten,
Ihr Höhlen voller Moos, ihr aufgeritzten Stein',
Ihr Felder, welche ziert der zarten Blumen Schein,
Ihr Felsen, wo die Reim' am besten mir geraten:

Weil ich ja Flavien, daß ich noch nie tun können,
Muß geben gute Nacht und gleichwohl Mut und Sinnen
Sich förchten allezeit und weichen hinter sich,

So bitt' ich Himmel, Lüft', Wind, Hügel, Hainen, Wälder,
Wein, Brunnen, Wüstenei, Saat, Höhlen, Steine, Felder
Und Felsen, sagt es ihr, sagt, sagt es ihr vor mich.

Ich will dies halbe Mich, was wir den Körper nennen,
Dies mein geringstes Teil verzehren durch die Glut,
Will wie Alkmenen Sohn mit unverwandtem Mut
Hier diese meine Last, den schnöden Leib, verbrennen,

Den Himmel auf zu gehn. Mein Geist beginnt zu rennen
Auf etwas Bessers zu. Dies Fleisch, die Hand voll Blut
Muß ausgetauschet sein für ein viel besser Gut,
Das sterbliche Vernunft und Fleisch und Blut nicht kennen.

Mein Licht, entzünde mich mit deiner Augen Brunst,
Auf daß ich dieser Haut, des finstern Leibes Dunst,
Des Kerkers voller Wust und Grauens, werd entnommen.

Und ledig, frei und los, der Schwachheit abgetan,
Weit über alle Luft und Himmel fliegen kann,
Die Schönheit anzusehn, von der die deine kommen.

Ich gleiche nicht mit dir des weißen Mondens Licht:
Der Monde fällt und steigt, du bleibst in einem Scheine;
Ja, nicht die Sonne selbst: die Sonn ist ganz gemeine,
Gemein auch ist ihr Glanz; du bist gemeine nicht.

Du zwingst durch Zucht den Neid, wie sehr er auf dich sticht.
Ich mag kein Heuchler sein, der bei mir selbst verneine
Das, was ich jetzt gesagt: Es gleichet sich dir keine,
Du bist dir ähnlich selbst; ein ander Bild gebricht,

Das dir dich zeigen kann; du bist dein eigen Glücke,
Dein eigenes Gestirn, der Schönheit Meisterstücke!
Du hättest sollen sein, wie noch die Tugend war

Geehret als ein Gott, in der Welt ersten Jugend,
So wäre wohl gewiß gewesen deine Tugend
Die Kirch und Opferung, der Weihrauch und Altar.

Ein jeder spricht zu mir, dein Lieb ist nicht dergleichen,
Wie du sie zwar beschreibst. Ich weiß es wahrlich nicht,
Ich bin fast nicht mehr klug; der scharfen Sinnen Licht
Vermag gar kaum, was weiß und schwarz ist, zu erreichen.

Der so im Lieben noch was weiß herauszustreichen,
Durch Urteil und Verstand, und kennt auch, was gebricht,
Der liebet noch nicht recht. Wo wahr ist, was man spricht,
So hat der, welcher liebt, der Sinnen gar kein Zeichen,

Und ist ein lauter Kind. Wer Schönheit wählen kann
und redet recht davon, der ist ein weiser Mann.
Ich weiß nicht, wie ich doch die Phantasie gelose

Und was die süße Sucht noch endlich aus mir macht.
Mein Wissen ist dahin, der Tag, der ist mir Nacht,
Und eine Distelblüt ist eine schöne Rose.

An die Bienen

Ihr Honigvögelein, die ihr von den Violen
Und Rosen abgemeit den wundersüßen Saft,
Die ihr dem grünen Klee entzogen seine Kraft,
Die ihr das schöne Feld so oft und viel bestohlen,

Ihr Feldeinwohnerin, was wollet ihr doch holen
Das, so euch noch zur Zeit hat wenig Nutz geschafft,
Weil ihr mit Dienstbarkeit des Menschen seid behaft'
Und ihnen mehrenteils das Honig müsset zollen?

Kommt, kommt zu meinem Lieb auf ihren Rosenmund,
Der mir mein krankes Herz hat inniglich verwundt,
Da sollt ihr Himmelspeis und überflüssig brechen:

Wann aber jemand sie will setzen in Gefahr
Und ihr ein Leid antun, dem sollt du starke Schar
Für Honig Galle sein und ihn zu Tode stechen.

Ich machte diese Vers' in meiner Pierinnen
Begrünten Wüstenei, wie Deutschland emsig war,
Sein Mörder selbst zu sein, da Herd und auch Altar
In Asche ward gelegt durch trauriges Beginnen

Der blutigen Begier, da ganzer Völker Sinnen
Und Tichten ward verkehrt, da aller Laster Schar,
Mord, Unzucht, Schwelgerei und Triegen ganz und gar
Den Platz der alten Ehr' und Tugend hielten innen.

Damit die böse Zeit nun würde hingebracht,
Hab' ich sie wollen hier an leichte Reime wenden.
Mars tut's der Liebe nach, daß er der Tränen lacht:

Mein Krieg ist lobenswert und seiner ist zu schänden;
Dann meiner wird gestillt durch zweier Leute Schlacht,
Den andern können auch viel Tausend noch nicht enden.

Ach Liebste, laß uns eilen,
 Wir haben Zeit:
Es schadet das Verweilen
 Uns beiderseit.
Der edlen Schönheit Gaben
 Fliehn Fuß für Fuß,
Daß alles, was wir haben,
 Verschwinden muß.
Der Wangen Zier verbleichet,
 Das Haar wird greis,
Der Äuglein Feuer weichet,
 Die Flamm wird Eis.
Das Mündlein von Korallen
 Wird ungestalt,
Die Händ als Schnee verfallen,
 Und du wirst alt.
Drum laß uns jetzt genießen
 Der Jugend Frucht,
Eh dann wir folgen müssen
 Der Jahre Flucht.
Wo du dich selber liebest,
 So liebe mich,
Gib mir, daß, wann du gibest,
 Verlier auch ich.

[Wir haben Zeit: es ist an der Zeit.]

Jetzund kömmt die Nacht herbei,
Vieh und Menschen werden frei,
Die gewünschte Ruh geht an,
Meine Sorge kömmt heran.

Schöne glänzt der Mondenschein
Und die gülden Sternelein;
Froh ist alles weit und breit,
Ich nur bin in Traurigkeit.

Zweene mangeln uberall
An der schönen Sternen Zahl;
Diese Sterne, die ich mein,
Ist der Liebsten Augenschein.

Nach dem Monden frag ich nicht,
Tunkel ist der Sternen Licht,
Weil sich von mir weggewendt
Asteris, mein Firmament.

Wann sich aber neigt zu mir
Dieser meiner Sonnen Zier,
Acht ich es das Beste sein,
Daß kein Stern noch Monde schein.

Vom Wolfesbrunnen bei Heidelberg

Du edler Brunnen du, mit Ruh und Lust umgeben,
Mit Bergen hier und da als einer Burg umringt,
Prinz aller schönen Quell', aus welchen Wasser dringt
Anmutiger dann Milch und köstlicher dann Reben,

Da unsers Landes Kron und Haupt mit seinem Leben,
Der werten Nymph oft selbst die lange Zeit verbringt,
Da das Geflügel ihr zu Ehren lieblich singt,
Da nur Ergetzlichkeit und keusche Wollust schweben:

Vergeblich bist du nicht in dieses grüne Tal
Beschlossen von Gebirg und Klippen uberall;
Die künstliche Natur hat darum dich umfangen

Mit Felsen und Gebüsch, auf daß man wissen soll,
Daß alle Fröhlichkeit sei Müh und Arbeit voll
Und daß auch nichts so schön, es sei schwer zu erlangen.

Uber den Turn zu Straßburg

Prinz aller hohen Türn', als jemals wird beschauen
Der Sonnen klarer Glanz und vor beschauet hat:
Wie recht, weil Straßburg ist dergleichen schöne Stadt,
Hat man dich nur in sie alleine müssen bauen.

Du rechtes Wunderwerk bist zierlich zwar gehauen,
Doch noch bei weitem nicht zu gleichen in der Tat
Der feinen Polizei, dem weisen Recht und Rat,
Der großen Höflichkeit der Männer und der Frauen,

Welch über deine Spitz an Lobe zu erhöhen:
Kein Ort wird irgend je gefunden weit und breit,
Der ihnen gleichen mag an Güt und Freundlichkeit.

Wie wohl gibt die Natur hiermit uns zu verstehen,
Daß, obgleich die Gebäu mehr steinern sind als Stein,
Der Menschen Herzen doch nicht sollen steinern sein.

Ich empfinde fast ein Grauen,
Daß ich, Plato, für und für
Bin gesessen über dir;
Es ist Zeit, hinauszuschauen
Und sich bei den frischen Quellen
In dem Grünen zu ergehn,
Wo die schönen Blumen stehn
Und die Fischer Netze stellen.

Worzu dienet das Studieren
Als zu lauter Ungemach?
Unterdessen läuft die Bach
Unsers Lebens, das wir führen,
Ehe wir es inne werden,
Auf ihr letztes Ende hin,
Dann kömmt ohne Geist und Sinn
Dieses alles in die Erden.

Holla, Junger, geh und frage,
Wo der beste Trunk mag sein,
Nimm den Krug und fülle Wein.
Alles Trauren, Leid und Klage,
Wie wir Menschen täglich haben,
Eh uns Klotho fortgerafft,
Will ich in den süßen Saft,
Den die Traube gibt, vergraben.

Kaufe gleichfalls auch Melonen
Und vergiß des Zuckers nicht;
Schaue nur, daß nichts gebricht.
Jener mag der Heller schonen,
Der bei seinem Gold und Schätzen
Tolle sich zu kränken pflegt
Und nicht satt zu Bette legt:
Ich will, weil ich kann, mich letzen.

Bitte meine gute Brüder
Auf die Musik und ein Glas:
Kein Ding schickt sich, dünkt mich, baß
Als ein Trunk und gute Lieder.
Laß ich schon nicht viel zu erben,
Ei, so hab ich edlen Wein,
Will mit andern lustig sein,
Wann ich gleich allein muß sterben.

Heinrich Albert
1604–1651

[Ein Kürbis spricht]

Mit der Zeit ich kommen bin,
Fall auch mit der Zeit dahin.

Mensch, hierinnen sind wir gleich,
Du magst schön sein, jung und reich:
Unsre Pracht kann nicht bestehn,
Beide müssen wir vergehn.

Nun ich jung noch bin und grüne,
O so hält man mich im Wert!
Bin ich welk und nicht mehr diene,
Wer ist dann, der mein begehrt?

Mensch, ich kann es leichtlich gläuben,
Daß du wünschst, ich möchte bleiben;
Nicht dein Will, auch meiner nicht,
Gottes Wille nur geschicht.

Wenn der rauhe Herbst nun kömmt,
Fall ich ab und muß verderben.
Wenn dein Ziel dir ist bestimmt,
Armer Mensch, so mußt du sterben.

Sieh mich an
Und denke dran:
Ich muß fort
Von diesem Ort!
Mit dir hält auch
Gott solchen Brauch.

Dem Herbst verlangt nach mir,
Mich zu verderben,
Dem Tod, o Mensch, nach dir,
Auch du mußt sterben.

Wer wird nach kurzen Tagen
Mich beklagen,
Wenn ich verwelkt nun bin?
Auch dir wird's widerfahren
Nach wenig Jahren,
Wenn dich der Tod nimmt hin.

Die Zeit und wir vergehn!
Was wir hie sehen stehn
In diesem grünen Garten,
Verwelkt in kurzer Zeit,
Weil schon des Herbstes Neid
Scheint drauf zu warten.

Ich und meine Blätter wissen,
Daß wir dann erst fallen müssen,
Wenn der rauhe Herbst nun kömmt.
Aber du, Mensch, weißt ja nicht,
Ob's nicht heute noch geschicht,
Daß dir Gott das Leben nimmt.

Ob ich gleich muß bald von hier,
Kriegst du dennoch Frucht von mir;
Wenn man dich, Mensch, wird begraben,
Was wirst du für Früchte haben?

O, ich habe schon vernommen,
Daß mein Feind, der Herbst wird kommen,
Dessen Raub ich werden soll.
Lieber Mensch, gehab dich wohl!

Cynthia tota furit

Cynthia, mein Leben,
Will sich nicht ergeben
In gewünschter Pflicht;
Ich soll von ihr stehen
Und sie lassen gehen,

Spricht sie selbst, mein Licht,
Daß mein Leid,
So jederzeit
Ich um sie ertragen müssen
Nimmer kann beschließen.

Nichts der süßen Freuden
Vor mein schmerzlich Leiden
Sie mir gönnen will;
Mein Angst und Beschweren
Müssen immer währen,
Ohne Maß und Ziel,
Ihre Zier
Will einig mir
Sich in allen Liebesfällen
Nur zuwider stellen.

Nichts vom Pracht und Prangen
Ihrer süßen Wangen,
Nicht der rote Mund,
Nicht die zarten Hände
Noch der Armen Bände
Sind mir mehr vergunnt:
Daß nun muß
Ein Überfluß
Aller widerlichen Sachen
Mich verdrossen machen.

Sind im Obst viel Kerne,
Viel am Himmel Sterne,
Wirft der Nord viel Schnee;
Sind viel rauhe Wellen,
Wenn die Winde bellen
Auf der wilden See:
Mehr sind Riss,
Ich weiß gewiß,
Mehr sind falscher Liebe Zeichen,
Die von ihr her reichen.

Sollt ich solchermaßen
Mich nicht reuen lassen
Meiner Sorg und Pein?
Wer auf sein Verdrießen
Mehr nicht zu genießen,
Mag ja Elend sein.
Elend dran
Ist ja der Mann,
Dem sein Lieb mit so viel Leiden
Lohnt anstatt der Freuden.

[Überschrift: Cynthia ist ganz besessen.]

Probitas Nymphae pulcherrima forma

Euer Pracht und stolzes Prangen,
Ihr Jungfrauen, so ihr führt
In den rosenroten Wangen,
In dem Haar, mit Gold geziert,
Würdigt keines Lobes nicht,
Wo euch Frömmigkeit gebricht.

Hat euch gleich das Glück erhaben
Und viel Geld und Gut beschert,
Daß ein jeder gleich im Traben
Nach euch rennt und euch begehrt:
Wo die Frömmigkeit gebricht,
Acht ich aller Schätze nicht.

Eure höfliche Gebärden,
Eurer schönen Rede Kunst,
Die zwar hoch gepriesen werden,
Sind ein eitler Dampf und Dunst
Und bestehen gänzlich nicht,
Wo euch Frömmigkeit gebricht.

Wärt ihr auch Geschlechtes wegen
Noch so sehr berühmt allhier,
Würd euch doch sein überlegen
Eines frommen Mädchens Zier:
Hoher Stand beliebt mir nicht,
Wo die Frömmigkeit gebricht.

Fromm sein ist die edle Gabe,
Tugend, Zucht und Ehrbarkeit,
Die ich mir erwählet habe.
Wenn der Himmel mir verleiht,
Daß mir solche werden soll,
Bin ich Glück und Reichtums voll.

[Überschrift: Die Tugend des Mädchens ist ihre größte Schönheit.]

Non qui certamina segnes aspiciunt, sed qui pugnant meruere coronas

Einen guten Kampf hab ich
Auf der Welt gekämpfet,
Denn Gott hat genädiglich
All mein Leid gedämpfet,
Daß ich meines Lebens Lauf
Seliglich vollendet,
Und die Seel im Himmel nauf
Gott, dem Herrn, gesendet.

Forthin ist mir beigelegt
Der Gerechten Krone,
Die mir wahre Freud erregt
In des Himmels Throne;
Forthin meines Lebens Licht,
Dem ich hier vertrauet,
Nämlich Gottes Angesicht
Meine Seele schauet.

Dieser schnöden, bösen Welt
Jämmerliches Leben
Mir nun länger nicht gefällt.
Drum ich mich ergeben
Meinem Jesu, da ich bin
Jetzt in lauter Freuden,
Denn sein Tod ist mein Gewinn,
Mein Verdienst sein Leiden.

Gute Nacht, ihr meine Freund,
Alle meine Lieben,
Alle, die ihr um mich weint,
Laßt euch nicht betrüben
Diesen Abtritt, den ich tu
In die Erde nieder!
Schaut: die Sonne geht zur Ruh,
Kömmt doch morgen wieder!

[Überschrift: Nicht wer den Kämpfen lässig zuschaut, sondern wer selbst kämpft, verdient den Siegeskranz.]

Simon Dach
1605–1659

Veris tempore fervet Hymen

Die Sonne rennt mit Prangen
Durch ihre Frühlingsbahn
Und lacht mit ihren Wangen
Den runden Weltkreis an.

Der Himmel kömmt zur Erden,
Erwärmt und macht sie naß,
Drum muß sie schwanger werden,
Gebieret Laub und Gras.

Der Westwind läßt sich hören,
Die Flora, seine Braut,
Aus Liebe zu verehren
Mit Blumen, Gras und Kraut.

Die Vögel kommen nisten
Aus fremden Ländern her
Und hängen nach den Lüsten,
Die Schiffe gehn ins Meer.

Der Schäfer hebt zu singen
Von seiner Phillis an,
Die Welt geht wie im Springen,
Es freut sich, was nur kann.

Drum wer anitzt zum Lieben
Ein gutes Mittel hat,
Der flieh, es aufzuschieben,
Und folge gutem Rat,

Weil alles, was sich reget,
Indem es sich verliebt
Und sich zu gleichem leget,
Hiezu uns Anlaß gibt.

[Überschrift: Zur Frühlingszeit braust der Hochzeitsgott.]

78

Horto recreamur amoeno

Der habe Lust zu Würfeln und zu Karten,
Der zu dem Tanz und der zum kühlen Wein.
Ich liebe nichts, als was in diesem Garten
Mein Drangsalstrost und Krankheitsarzt kann sein.
Ihr grünen Bäume,
Du Blumenzier,
Ihr Haus der Reime,
Ihr zwinget mir
Dies Lied herfür.

Mir mangelt nur mein Spiel, die süße Geige,
Die würdig ist, daß sie mit Macht erschall'
Hie, wo das Laub und die begrünten Zweige
Am Graben mich umschatten überall,
Hie, wo von weiten
Die Gegend lacht,
Wo an der Seiten
Der Wiesen Pracht
Mich fröhlich macht.

Was mir gebricht an Geld und großen Schätzen,
Muß mein Gemüt und dessen güldne Ruh
Durch freies Tun und Fröhlichkeit ersetzen,
Die schleußt vor mir das Haus der Sorgen zu.
Ich will es geben
Um keine Welt,
Daß sich mein Leben
Oft ohne Geld
So freudig hält.

Gesetzt, daß ich den Erdenkreis besäße
Und hätte nichts mit guter Lust gemein,
Wann ich der Zeit in Angst und Furcht genösse,
Was würd' es mir doch für ein Vorteil sein?
Weg mit dem allen,
Was Unmut bringt!
Mir soll gefallen,
Was lacht und singt
Und Freud erzwingt.

Ihr alten Bäum' und ihr noch jungen Pflanzen,
Ringsum verwahrt vor aller Winde Stoß,
Wo um und um sich Freud und Ruh verschanzen,
Senkt alle Lust herab in meinen Schoß.
Ihr sollt imgleichen
Durch dies mein Lied
Auch nicht verbleichen,
Solang man Blüt
Auf Erden sieht.

[Überschrift: Im lieblichen Garten erholen wir uns.]

Als ich Anno 1650 d. 25. Augstm. in der Nacht für großer Engbrüstigkeit nicht schlafen kunnte

Die Nacht, die unsre Sorgen
Durch süßen Schlaf bezwingt,
Ruft schon dem lichten Morgen,
Der sachtlich zu uns dringt;
Der Sternen Glanz muß weichen
Und macht dem Tage Bahn;
Ich habe noch für Keichen
Kein Auge zugetan!

Als alles ist entschlafen,
Kutsch ich mich gleichfalls ein,
Weiß aber nichts zu schaffen,
Zu ängstig ist die Pein;
Und darauf schlag ich Feuer
Und lese mit Verdruß,
Weil ich mein Ungeheuer
Nur so betriegen muß.

Die Glocken hör ich schlagen
Zwölf, eines, zwei, drei, vier,
Ich muß mich immer plagen,
Kein Schlafwunsch hülfet mir.
Mein Haupt sinkt oft danieder,
Die Augen mach ich zu,
Krieg Ohnmacht in die Glieder,
Nicht aber etwas Ruh.

Ist dies nicht großer Jammer?
Ein jedes hüllt sich ein
Und schläft in seiner Kammer,
Auch selbst der Mondenschein;
Kein Windchen ist vorhanden,
Der Pregel ruht begnügt,
Auch schläft in seinen Banden
Der, so gefangen liegt.

Nur ich sitz über Ende
Und nehme mit Beschwer
Mein Haupt in beide Hände
Und winsle so daher.
Sollt jemand jetzt mich schauen,
Er hätt ob meiner Qual
Mitleiden oder Grauen,
Auch wär er harter Stahl.

Erbarmt euch meiner Schmerzen,
Ihr Ärzte, kommt zuhauf,
Nehmt meine Not zu Herzen,
Schlagt eure Bücher auf;
Was euer Rat wird bringen,
Auch wär es Gassenkot,
Ich will ihn in mich schlingen,
So groß ist meine Not.

Ach, daß ich nur verdrossen
Mach eure Wissenschaft!
Ich hab umsonst genossen
So manchen Trank und Saft;
Mein Leid ist nicht zu heben,
Es kriegt den Siegespreis,
Ich muß verloren geben,
Umsonst ist Kunst und Fleiß.

Mein Fieber ist verschwunden,
Mich hungert allgemach,
Ich gebe den Gesunden
Fast nirgends etwas nach.
Mein Durst hat sich geleget,
Nur daß der zähe Wust
Die Atemskürz erreget
In meiner engen Brust.

Mein Amt muß ganz erliegen.
Vielleicht läßt manches Maul
Von mir ein Urteil fliegen:
Ich sei so arbeitsfaul.
Gott lasse mich genesen,
So soll es kundbar sein,
Wes hie die Schuld gewesen,
Der Krankheit oder mein.

Perstet amicitiae semper venerabile faedus!

Der Mensch hat nichts so eigen,
So wohl steht ihm nichts an,
Als daß er Treu erzeigen
Und Freundschaft halten kann;
Wann er mit seinesgleichen
Soll treten in ein Band,
Verspricht sich, nicht zu weichen,
Mit Herzen, Mund und Hand.

Die Red ist uns gegeben,
Damit wir nicht allein
Vor uns nur sollen leben
Und fern von Leuten sein;
Wir sollen uns befragen
Und sehn auf guten Rat,
Das Leid einander klagen,
So uns betreten hat.

Was kann die Freude machen,
Die Einsamkeit verhehlt?
Das gibt ein duppelt Lachen
Was Freunden wird erzählt;
Der kann sein Leid vergessen,
Der es von Herzen sagt,
Der muß sich selbst auffressen,
Der in geheim sich nagt.

Gott stehet mir vor allen,
Die meine Seele liebt:
Dann soll mir auch gefallen,
Der mir sich herzlich gibt;
Mit diesen Bundsgesellen
Verlach ich Pein und Not,
Geh auf dem Grund der Hellen
Und breche durch den Tod.

Ich hab, ich habe Herzen
So treue, wie gebührt,
Die Heuchelei und Scherzen
Nie wissentlich berührt!
Ich bin auch ihnen wieder
Von Grund der Seelen hold,
Ich lieb euch mehr, ihr Brüder,
Als aller Erden Gold!

[Überschrift: Bestehen soll der Freundschaft immer ehrenwerter Bund.]

Abschiedsliedchen

Meines Lebens Ziel ist hier,
Gott der Herr wird kommen,
Meine Seele soll von mir
Werden weggenommen.
Wie ein Faden leicht zerreißt,
Wenn man pflegt zu weben,
Und ein altes Kleid zerschleißt,
Endet sich mein Leben.

Meine Monden sind an Zahl
Klein und groß an Leiden,
Gott, du weißt dich meiner Qual
Gründlich zu bescheiden.
Pflag mein Auge nicht in Pein
Stets zu dir zu tränen
Und nach deiner Hülf allein
Ängstig sich zu sehnen?

Ist ein Wächter, welcher steht
Auf der Türne Zinnen,
Froh, wenn er der Morgenröt
Endlich noch wird innen,
Freut ein Tagelöhner sich,
Wenn der Tag sich neiget,
Ich nicht minder freue mich,
Nun mein Tod sich zeiget.

Da du mich der Leibeslast
Selig wirst entbinden
Und die wahre Himmelsrast
Lassen dort empfinden,
Wo Verdruß, Gefahr und List
Auch nicht sind zu nennen
Und du, Gott, gibst, was du bist,
Gründlich zu erkennen.

Jetzt komm mir nicht schrecklich vor
Meiner Sünden wegen,
Laß sich vor dem Totentor
Alles Grauen legen,
Führ mich durch das finstre Tal
Zu der rechten Sonnen,
Zeig mir in dem Himmelssaal
Alle deine Wonnen!

Kinder, Freunde, lebet wohl!
Habet meiner Schmerzen,
Aber wie ein Christ tun soll,
Mit bescheidnem Herzen:
Sehnt euch nach des Himmels Zier,
Werdet gram der Erden,
Also werdet ihr zu mir
Auch gesammlet werden.

Unbekannter Verfasser (Simon Dach?)

Anke van Tharaw öß, de my geföllt,
Se öß mihn Lewen, mihn Goet on mihn Gölt.

Anke van Tharaw heft wedder eer Hart
Op my geröchtet ön Löw' on ön Schmart.

Anke van Tharaw mihn Rihkdom, mihn Goet,
Du mihne Seele, mihn Fleesch on mihn Bloet.

Quöm' allet Wedder glihk ön ons tho schlahn,
Wy syn gesönnt by een anger tho stahn.

Kranckheit, Verfälgung, Bedröfnös on Pihn,
Sal vnsrer Löve Vernöttinge syn.

Recht as een Palmen-Bohm äver söck stöcht,
Je mehr en Hagel on Regen anföcht.

So wardt de Löw' ön onß mächtich on groht,
Dörch Kryhtz, dörch Lyden, dörch allerley Noht.

Wördest du glihk een mahl van my getrennt,
Leewdest dar, wor öm dee Sönne kuhm kennt;

Eck wöll dy fälgen dörch Wöler, dörch Mär,
Dörch Yhß, dörch Ihsen, dörch fihndlöcket Hähr.

Anke van Tharaw, mihn Licht, mihne Sönn,
Mihn Leven schluht öck ön dihnet henönn.

Wat öck geböde, wart van dy gedahn,
Wat öck verböde, dat lätstu my stahn.

Wat heft de Löve däch ver een Bestand,
Wor nich een Hart öß, een Mund, eene Hand?

Wor öm söck hartaget, kabbelt on schleyht,
On glihk den Hungen on Katten begeyht.

Anke van Tharaw dat war wy nich dohn,
Du böst mihn Dühfken myn Schahpken mihn Hohn.

Wat öck begehre, begehrest du ohck,
Eck laht den Rack dy, du lätst my de Brohk.

Dit öß dat, Anke, du söteste Ruh'
Een Lihf on Seele wart vht öck on Du.

Dit mahckt dat Lewen tom Hämmlischen Rihk,
Dörch Zancken wart et der Hellen gelihk.

Übersetzung von Johann Gottfried Herder

Annchen von Tharau ist, die mir gefällt;
Sie ist mein Leben, mein Gut und mein Geld.

Annchen von Tharau hat wieder ihr Herz
Auf mich gerichtet in Lieb' und in Schmerz.

Annchen von Tharau, mein Reichtum, mein Gut,
Du meine Seele, mein Fleisch und mein Blut!

Käm' alles Wetter gleich auf uns zu schlahn,
Wir sind gesinnet bei einander zu stahn.

Krankheit, Verfolgung, Betrübniß und Pein
Soll unsrer Liebe Verknotigung seyn.

Recht als ein Palmenbaum über sich steigt,
Je mehr ihn Hagel und Regen anficht;

So wird die Lieb' in uns mächtig und groß
Durch Kreuz, durch Leiden, durch allerlei Noth.

Würdest du gleich einmal von mir getrennt,
Lebtest, da wo man die Sonne kaum kennt;

Ich will dir folgen durch Wälder, durch Meer,
Durch Eis, durch Eisen, durch feindliches Heer.

Annchen von Tharau, mein Licht, meine Sonn,
Mein Leben schließ' ich um deines herum.

Was ich gebiete, wird von dir gethan,
Was ich verbiete, das läßt du mir stahn.

Was hat die Liebe doch für ein Bestand,
Wo nicht Ein Herz ist, Ein Mund, Eine Hand?

Wo man sich peiniget, zanket und schlägt,
Und gleich den Hunden und Katzen beträgt?

Annchen von Tharau, das woll'n wir nicht thun;
Du bist mein Täubchen, mein Schäfchen, mein Huhn.

Was ich begehre, ist lieb dir und gut;
Ich laß den Rock dir, du läßt mir den Hut!

Dies ist uns Annchen die süsseste Ruh.
Ein Leib und Seele wird aus Ich und Du.

Dies macht das Leben zum himmlischen Reich,
Durch Zanken wird es der Hölle gleich.

Paul Fleming
1609–1640

Wie er wolle geküsset sein

Nirgends hin als auf den Mund:
Da sinkt's in des Herzens Grund;
Nicht zu frei, nicht zu gezwungen,
Nicht mit gar zu fauler Zungen.

Nicht zuwenig, nicht zuviel:
Beides wird sonst Kinderspiel;
Nicht zu laut und nicht zu leise:
Bei dem Maß ist rechte Weise.

Nicht zu nahe, nicht zu weit:
Dies macht Kummer, jenes Leid;
Nicht zu trocken, nicht zu feuchte,
Wie Adonis Venus reichte.

Nicht zu harte, nicht zu weich,
Bald zugleich, bald nicht zugleich,
Nicht zu langsam, nicht zu schnelle,
Nicht ohn Unterschied der Stelle.

Halb gebissen, halb gehaucht,
Halb die Lippen eingetaucht,
Nicht ohn Unterschied der Zeiten,
Mehr alleine denn bei Leuten.

Küsse nun ein jedermann,
Wie er weiß, will, soll und kann!
Ich nur und die Liebste wissen,
Wie wir uns recht sollen küssen.

Auf ihr Abwesen

Ich irrte hin und her und suchte mich in mir
Und wußte dieses nicht, daß ich ganz war in dir.
Ach, tu dich mir doch auf, du Wohnhaus meiner Seelen!
Komm, Schöne, gib mich mir, benimm mir dieses Quälen!

Schau, wie er sich betrübt, mein Geist, der in dir lebt.
Tötst du den der dich liebt? Itzt hat er ausgelebt.
Doch gib mich nicht aus dir! Ich mag nicht in mich kehren.
Kein Tod hat Macht an mir, du kannst mich leben lehren.
Ich sei auch wo ich sei; bin ich, Schatz, nicht bei dir,
So bin ich nimmermehr selbest in und bei mir.

Elsgens treues Herz

Ein getreues Herze wissen,
Hat des höchsten Schatzes Preis.
Der ist selig zu begrüßen,
Der ein treues Herze weiß.
 Mir ist wohl bei höchstem Schmerze,
 Denn ich weiß ein treues Herze.

Läuft das Glücke gleich zuzeiten
Anders als man will und meint,
Ein getreues Herz hilft streiten
Wider alles, was ist feind.
 Mir ist wohl bei höchstem Schmerze,
 Denn ich weiß ein treues Herze.

Sein Vergnügen steht alleine
In des andern Redlichkeit,
Hält des andern Not für seine,
Weicht nicht auch bei böser Zeit.
 Mir ist wohl bei höchstem Schmerze,
 Denn ich weiß ein treues Herze.

Gunst, die kehrt sich nach dem Glücke,
Geld und Reichtum, das zerstäubt,
Schönheit läßt uns bald zurücke,
Ein getreues Herze bleibt.
 Mir ist wohl bei höchstem Schmerze,
 Denn ich weiß ein treues Herze.

Eins ist da sein und geschieden.
Ein getreues Herze hält,
Gibt sich allezeit zufrieden,
Steht auf, wenn es niederfällt.
 Ich bin froh bei höchstem Schmerze,
 Denn ich weiß ein treues Herze.

Nichts ist Süßers als zwei Treue,
Wenn sie eines worden sein.
Dies ist's, des ich mich erfreue,
Und sie gibt ihr Ja auch drein.
 Mir ist wohl bei höchstem Schmerze,
 Denn ich weiß ein treues Herze.

An Elsabe

Es ist umsonst das Klagen,
Das du um mich
Und ich um dich,
Wir umeinander tragen.
Sie ist umsonst, die harte Pein,
Mit der wir itzt umfangen sein.

Laß das Verhängnis walten!
Was dich dort ziert
Und mich hier führt,
Das wird uns doch erhalten.
Dies, was uns itzt so sehr betrübt,
Ist's dennoch, das uns Freude gibt.

Sei unterdessen meine,
Mein mehr als ich,
Und schau auf mich,
Daß ich bin ewig deine!
Vertraute Liebe weichet nicht,
Hält allzeit, was sie einmal spricht.

Auf alle meine Treue
Sag ich dir's zu:
Du bist es, du,
Der ich mich einig freue.
Mein Herze, das sich itzt so quält,
Hat dich und keine sonst erwählt.

Bleib, wie ich dich verlassen,
Daß ich dich einst,
Die du itzt weinst,
Mit Lachen mag umfassen!
Dies soll für diese kurze Pein
Uns ewig unsre Freude sein.

Eilt, lauft, ihr trüben Tage,
Eilt, lauft vorbei!
Eilt, macht mich frei
Von aller meiner Plage!
Eilt, kommt, ihr hellen Stunden ihr,
Die mich gewähren aller Zier.

Zur Zeit seiner Verstoßung

Ein Kaufmann, der sein Gut nur einem Schiffe traut,
Ist hochgefährlich dran, indem es bald kann kommen,
Daß ihm auf einen Stoß sein Ganzes wird genommen.
Der fehlt, der allzuviel auf ein Gelücke traut.

Gedenk ich nun an mich, so schauert mir die Haut;
Mein Schiff, das ist entzwei. Mein Gut ist weggeschwommen.
Nichts mehr, das ist mein Rest; das machet kurze Summen.
Ich habe Müh und Angst, ein andrer meine Braut.

Ich Unglückseliger! Mein Herze wird zerrissen,
Mein Sinn ist ohne sich. Mein Geist zeucht von mir aus.
Mein Alles wird nun nichts. Was wird doch endlich draus?

Wär eins doch übrig noch, so wollt ich alles missen.
Mein teuerster Verlust, der bin selbselbsten ich.
Nun bin ich ohne sie, nun bin ich ohne mich.

An den Mond

Du, die du standhaft bist in deinem Unbestande,
Steig, Hekate, herab; ich singe dir ein Lied,
Ein Lied von meiner Zier, die itzt auch nach dir sieht,
Ob ich schon bin sehr weit von ihr und ihrem Lande.

Komm, Berezynthie, zu dieses Stromes Rande,
An dem ich geh herum, da meine Hoffnung blüht;
Du weißt es, Delie, was itzt mit ihr geschieht,
Du weißt es, wie es steht um meine Salibande.

Komm, Phöbe, Tag der Nacht, Diane, Borgelicht,
Wahrsägrin, Liederfreund; komm, Lune, säume nicht!
Die ganze Welt, die schläft. Ich wache, dich zu loben.

Stromfürstin, Jägerfrau, Nachtauge, Horngesicht,
Herab! Itzt fang ich an das süße Lobgedicht.
Und kömmst du nicht herab, so hör es nur dort oben!

An den Fluß Moskaw, als er schiede
1636 Juni 25

Fließ sanfte, wie du tust, in beiden Ufern hin,
Fließ deine Stadt vorbei, die große, die gepreiste,
Die nun das ander Mal sich uns so gut erweiste,
Durch welcher Urlaub wir nun in den Aufgang ziehn.

Verbleib ich so gesund, als wie ich itzo bin,
Und komm ich wieder heim, als wie ich ab verreiste,
So sei dirs zugesagt mit Mund und ganzem Geiste,
Du sollst mir nimmermehr nicht kommen aus dem Sinn.

Ich will dich so bekannt als meine Mulde machen,
Die jetzund über mich nicht allzusehr wird lachen,
Weil ich fast nicht denk heim, ein halbverlorner Sohn.

Nimm diese Hand voll Klee, im Mangel der Violen,
Zu treuen Gunsten an. Ich dichte schon den Ton.
Lauf, Erato, alsbald, die Zither herzuholen!

Grabschrift eines jungen Bären, der gehetzet worden war

Ich, der ich klein und jung von meiner Mutter kam,
Von welcher mich die Macht der strengen Bauern nahm,
Ward in der Stadt verkauft, daselbsten mich zu üben,
Was in der Dienstbarkeit für Freiheit wird getrieben.
Für wilde ward ich zahm; begriffe manche Kunst,
Doch täte mir die Welt dafür gar kleine Gunst.
Ich weiß von keiner Schuld, als daß ich Allzukühner
Erhascht hab und verzehrt so manche schöne Hühner.
Mein ganzes Leben war ein steter, langer Tanz.
Zuletzte kriegt ich noch darvon den Märtrerkranz.
Soll euch nicht sein wie mir, ihr Brüder und ihr Schwestern,
So bleibet, wie ihr sollt, in euren wilden Nestern.

An einen guten Freund

Laß der Zeit nur ihren Willen
Und vergönn ihr ihren Lauf!
Sie wird sich selbst müssen stillen,
Wenn wir nichts nicht geben drauf.
Meistes Elend wird verschmerzet,
Wenn man's nicht zu sehr beherzet.

Ist es heute trübes Wetter,
Morgen wird es heiter sein!
Stimmen doch die großen Götter
Stets an Lust nicht überein.
Und wer weiß, wie lang er bleibet,
Der uns itzo so vertreibet?

Ob die Sonne gehet nieder
Und den Erdkreis traurig macht,
Doch so kömmt sie fröhlich wieder
Nach der überstandnen Nacht.
Herrschen itzund Frost und Winde,
Balde wird es sein gelinde.

Unterdessen sei der Deine!
Brich nicht ab der ersten Kost,
Labe dich mit altem Weine
Und versuch den jungen Most!
Laß uns einen Rausch noch kaufen,
Ehe denn wir müssen laufen!

MDCXXXII

Über Herrn Johann von Wangersheim erstgebornen Söhnleins Kunradens
Absterben an die Freundschaft

O du wohlgeplagtes Haus,
Wievielmal doch solt du weinen
Um die abgelebten Deinen,
Die man von dir träget aus
Und mit ungegläubter Not
Mehr im Tode sein als tot?

Fünfmal hat nun, als ich weiß,
Phöbe neue Hörner krieget,
Seit das dritte Kind erlieget
Und tut seinen Todesschweiß.
Seit der Zeit fühlst du die Qual
Itzund nun das dritte Mal.

Tu betrübt und schlag die Brust,
Doch gedenk in solchem Zagen,
Das dich fast kein Wort läßt sagen,
Ob du denn so recht dran tust,
Daß du dich, um das du liebst,
Aus der Weise so betrübst!

Weine, was du kannst und willst!
Er wird, wo er ist, wohl bleiben.
Willst denn du den Wehmut treiben,
Bis auch du die Erde füllst,
Dahin alles, Fuß für Fuß,
wider Willen eilen muß?

Was beseufzt man so ein Kind?
So viel tapfrer Helden sterben,
Ganze Länder, die verderben,
Manche Stadt fleugt in den Wind,
Und wie soll ein Mensch bestehen,
Muß dies Ganze doch vergehen?

Du klagst und bist doch ergetzt:
Wird schon eines itzt verloren,
So ist eines schon geboren,
Das den bittern Fall ersetzt.
So verzuckert dies dein Leid
Gott mit einer Süßigkeit.

Kleiner Sohn, was schadet's doch,
Daß die, so dir gab das Leben,
Dir nicht das Geleit hilft geben
Bis hin an dein enges Loch?
Ihrer Liebe Gegenwart
Wird doch mit dir eingescharrt.

Schlafe wohl! Wir Armen, wir
Bleiben, was wir anfangs waren,
Jung von Weisheit, alt von Jahren,
Unverständig für und für,
Stumm am Mund, an Augen blind,
Kinder, wie wir kommen sind.

Nach des VI. Psalmens Weise
1633 November

In allen meinen Taten
Laß ich den Höchsten raten,
Der alles kann und hat;
Er muß zu allen Dingen,
Soll's anders wohl gelingen,
Selbst geben Rat und Tat.

Nichts ist es spat und frühe
Um alle meine Mühe,
Mein Sorgen ist umsonst;
Er mag's mit meinen Sachen
Nach seinem Willen machen,
Ich stell's in seine Gunst.

Es kann mir nichts geschehen,
Als was er hat versehen
Und was mir selig ist.
Ich nehm es, wie er's gibet;
Was ihm von mir geliebet,
Das hab ich auch erkiest.

Ich traue seiner Gnaden,
Die mich für allem Schaden,
Für allem Übel schützt.
Leb ich nach seinen Sätzen,
So wird mich nichts verletzen,
Nichts fehlen, was mir nützt.

Er wolle meiner Sünden
In Gnaden mich entbinden,
Durchstreichen meine Schuld!
Er wird auf mein Verbrechen
Nicht stracks das Urteil sprechen
Und haben noch Geduld.

Ich zieh in ferne Lande,
Zu nützen einem Stande,
An den er mich bestellt.
Sein Segen wird mir lassen,
Was gut und recht ist, fassen,
Zu dienen seiner Welt.

Bin ich in wilder Wüsten,
So bin ich doch bei Christen,
Und Christus ist bei mir.
Der Helfer in Gefahren,
Der kann mich doch bewahren,
Wie dorte, so auch hier.

Er wird zu diesen Reisen
Gewünschten Fortgang weisen,
Wohl helfen hin und her,
Gesundheit, Heil und Leben,
Zeit, Wind und Wetter geben
und alles nach Begehr.

Sein Engel, der getreue,
Macht meine Feinde scheue,
Tritt zwischen mich und sie.
Durch seinen Zug, den frommen,
Sind wir so weit nun kommen
Und wissen fast nicht wie.

Leg ich mich späte nieder,
Erwach ich frühe wieder,
Lieg oder zieh ich fort,
In Schwachheit und in Banden,
Und was mir stößt zu Handen,
So tröstet mich sein Wort.

Hat er es denn beschlossen,
So will ich unverdrossen
An mein Verhängnis gehn;
Kein Unfall unter allen
Wird mir zu harte fallen,
Ich will ihn überstehn.

Ihm hab ich mich ergeben,
Zu sterben und zu leben,
Sobald er mir gebeut.
Es sei heut oder morgen,
Dafür laß ich ihn sorgen,
Er weiß die rechte Zeit.

Gefällt es seiner Güte
Und sagt mir mein Gemüte
Nicht was Vergeblichs zu,
So werd ich Gott noch preisen
Mit manchen schönen Weisen
Daheim in meiner Ruh.

Indes wird er den Meinen
Mit Segen auch erscheinen,
Ihr Schutz wie meiner sein,
Wird beiderseits gewähren,
Was unser Wunsch und Zähren
Ihn bitten überein.

So sei nun, Seele, deine
Und traue dem alleine,
Der dich geschaffen hat!
Es gehe, wie es gehe,
Dein Vater in der Höhe
Weiß allen Sachen Rat.

Er beklagt die Änderung und Furchtsamkeit itziger Deutschen

Itzt fällt man ins Konfekt, in unsre vollen Schalen,
Wie man uns längst gedräut. Wo ist nun unser Mut?
Der ausgestählte Sinn? das kriegerische Blut?
Es fällt kein Ungar nicht von unserm eiteln Prahlen.

Kein Busch, kein Schützenrock, kein buntes Fahnenmalen
Schreckt den Krabaten ab. Das Ansehn ist sehr gut,
Das Ansehn mein ich nur, das nichts zum Schlagen tut.
Wir feigsten Krieger wir, die Phöbus kann bestrahlen!

Was ängsten wir uns doch und legen Rüstung an,
Die doch der weiche Leib nicht um sich leiden kann?
Des großen Vatern Helm ist viel zu weit dem Sohne;

Der Degen schändet ihn. Wir Männer ohne Mann,
Wir Starken auf den Schein, so ist's um uns getan,
Uns Namensdeutsche nur! Ich sag's auch mir zum Hohne.

[Konfekt: gemeint ist das noch nicht ausgelaugte Sachsen. – Busch: Federbusch. – Krabaten: Kroaten.]

Laß dich nur nichts nicht tauren
Mit Trauren!
Sei stille!
Wie Gott es fügt,
So sei vergnügt,
Mein Wille!

Was willst du heute sorgen
Auf morgen?
Der Eine
Steht allem für;
Der gibt auch dir
Das Deine.

Sei nur in allem Handel
Ohn Wandel,
Steh feste!
Was Gott beschleußt,
Das ist und heißt
Das Beste.

Gedanken über der Zeit

Ihr lebet in der Zeit und kennt doch keine Zeit;
So wißt ihr Menschen nicht, von und in was ihr seid.
Dies wißt ihr, daß ihr seid in einer Zeit geboren
Und daß ihr werdet auch in einer Zeit verloren.
Was aber war die Zeit, die euch in sich gebracht?
Und was wird diese sein, die euch zu nichts mehr macht?
Die Zeit ist was und nichts, der Mensch in gleichem Falle,
Doch was dasselbe was und nichts sei, zweifeln alle.
Die Zeit, die stirbt in sich und zeugt sich auch aus sich.
Dies kömmt aus mir und dir, von dem du bist und ich.
Der Mensch ist in der Zeit; sie ist in ihm ingleichen,
Doch aber muß der Mensch, wenn sie noch bleibet, weichen.
Die Zeit ist, was ihr seid, und ihr seid, was die Zeit,
Nur daß ihr wen'ger noch, als was die Zeit ist, seid.
Ach daß doch jene Zeit, die ohne Zeit ist, käme
Und uns aus dieser Zeit in ihre Zeiten nähme,
Und aus uns selbsten uns, daß wir gleich könnten sein
Wie *der* itzt jener Zeit, die keine Zeit geht ein!

An sich

Sei dennoch unverzagt, gib dennoch unverloren,
Weich keinem Glücke nicht, steh höher als der Neid,
Vergnüge dich an dir und acht es für kein Leid,
Hat sich gleich wider dich Glück, Ort und Zeit verschworen.

Was dich betrübt und labt, halt alles für erkoren,
Nimm dein Verhängnis an, laß alles unbereut.
Tu, was getan muß sein, und eh man dir's gebeut.
Was du noch hoffen kannst, das wird noch stets geboren.

Was klagt, was lobt man doch? Sein Unglück und sein Glücke
Ist ihm ein jeder selbst. Schau alle Sachen an:
Dies alles ist in dir. Laß deinen eitlen Wahn,

Und eh du förder gehst, so geh in dich zurücke.
Wer sein selbst Meister ist und sich beherrschen kann,
Dem ist die weite Welt und alles untertan.

[Herrn Pauli Flemingi Grabschrift
so er ihm selbst gemacht in Hamburg, den 28. Tag des Märzen 1640 auf seinem
Todbette, drei Tage vor seinem seligen Absterben]

Ich war an Kunst und Gut und Stande groß und reich,
Des Glückes lieber Sohn, von Eltern guter Ehren,
Frei, meine, konnte mich aus meinen Mitteln nähren,
Mein Schall floh überweit, kein Landsmann sang mir gleich.

Von Reisen hochgepreist, für keiner Mühe bleich,
Jung, wachsam, unbesorgt. Man wird mich nennen hören,
Bis daß die letzte Glut dies alles wird verstören.
Dies, deutsche Klarien, dies Ganze dank ich euch.

Verzeiht mir, bin ich's wert, Gott, Vater, Liebste, Freunde,
Ich sag euch gute Nacht und trete willig ab.
Sonst alles ist getan bis an das schwarze Grab.

Was frei dem Tode steht, das tu er seinem Feinde.
Was bin ich viel besorgt, den Odem aufzugeben?
An mir ist minder nichts, das lebet, als mein Leben.

[ihm: in älterer Sprache oft = sich.]

Andreas Tscherning
1611–1659

Fah alles mit Gott an

Du sollst in allen Sachen
Von Gott den Anfang machen
Aus treuer Schuld und Pflicht.
Wem hast du Dank zu geben
Als ihm für Heil und Leben?
Von dir entspringt es nicht.

Was will dein kaltes Sinnen,
Du Staub der Zeit, beginnen,
Legt er nicht Hülfe bei?
Der Mensch mit seinem Tichten
Weiß wenig auszurichten,
Das gut zu heißen sei.

Drum sei nicht zu verwegen
Auf deines Amtes Stegen
Und bilde dir nicht ein,
Als könntest du Vertrauen
Auf deine Kräfte bauen,
Die doch kaum deine sein.

Schlag an die Himmelspforten
Mit starken Glaubensworten,
Da bitte Beistand aus.
Daher wird Segen fließen
Und reichlich sich ergießen
Auf deinen Hof und Haus.

Wo seine Hand gereget,
Den Grund zur Arbeit leget,
Da zeucht der Segen ein.
Verkehrt er sein Gesichte,
So wird das Werk zunichte,
Wie gut die Meister sein.

An eine Jungfrau, die einen Alten heiratet

Wo sind doch deine Sinnen?
Kannst du ein graues Haar,
O Jungfrau, liebgewinnen?
Nimm deiner besser wahr.

Ein Holz, das schon will fäulen,
Taugt auf die Feuerstatt,
Ein Hund kann nichts als heulen,
Der Zeiten auf sich hat.

Ein Haus, das erst erbauet,
Sieht einer lieber an
Als das vor Alter grauet
Und kaum noch stehen kann.

Du siehest, wie das Eisen
Vor Alter rosten muß:
So auch, wann Männer greisen
Verschrumpfet Hand und Fuß.

Will schon ein Widder alten
Und von der Herde ziehn,
Man wird dann höher halten
Sein Fell als selber ihn.

Wann alte Kreißer scherzen
Und stellen Buhlschaft an,
So lacht der Tod im Herzen,
Weiß, daß es sei getan.

Bei Alten ist nur Raten,
Ist hoher Worte Pracht.
Bei Jungen ist zu Taten
Und Lieben frische Macht.

Gottfried Finckelthaus
1614–1648

Sauflied

Ihr Brüder, singt und stimmt mit an,
 Rundadinellula.
Ein jeder schreie, was er kann,
 Rundadinellula.
Gut ist der Wirt, gut ist das Bier,
 Rundadinellula.
Ein Schelm ist's, der nicht schreit mit mir:
 Rundadinellula.
Das Glas soll nimmer stille stehn,
 Rundadinellula.
Auf G'sundheit soll es umher gehn,
 Rundadinellula.
Wer nicht die Liebste herzt und küßt,
 Rundadinellula,
Unwürdig seiner Liebsten ist,
 Rundadinellula.
Drum nehmt, ihr Brüder, acht der Chance,
 Rundadinellula.

Singt, springt, klingt, trinkt, herzt, scherzt und schreit
Rundadinellula.
Es ist versoffen alles Leid,
Rundadinellula.
Und wenn ihr dieses habt getan,
Rundadinellula.
So stimmt das Runda mit mir an,
Rundadinellula.
Runda, Runda, Runda, Rundadinellula.
Runda, Runda, Runda, Rundadinellula.

Friedrich von Logau
1604–1655

Heutige Weltkunst

Anders sein und anders scheinen;
Anders reden, anders meinen;
Alles loben, alles tragen,
Allen heucheln, stets behagen,
Allem Winde Segel geben,
Bös' und Guten dienstbar leben;
Alles Tun und alles Dichten
Bloß auf eignen Nutzen richten:
Wer sich dessen will befleißen,
Kann politisch heuer heißen.

Des Menschen Alter

Ein Kind vergißt sich selbst, ein Knabe kennt sich nicht,
Ein Jüngling acht' sich schlecht, ein Mann hat immer Pflicht,
Ein Alter nimmt Verdruß, ein Greis wird wieder Kind:
Was meinst du, was doch dies für Herrlichkeiten sind!

Asche und Kohle

Kohl' und Asche sind Geschwister; Holz ist Mutter, Vater Feuer;
Kohl' ist Bruder, Asche Schwester; beide sind ein Ungeheuer;
Denn der Vater wie die Mutter ist so bald durchaus verloren,
Wann der Sohn und seine Schwester werden zu der Welt geboren.
Doch zur Rache kümmt der Wirbel, treibt die Tochter in die Flüchte,
Und des Vaters Bruder kümmet, macht den Sohn noch auch zu nichte.

Die Zeit vertreiben

Daß der Tod uns übereile,
Lasse man die Klage bleiben;
Jeder sucht ja kurze Weile,
Jeder will die Zeit vertreiben.

Ein unruhig Gemüte

Ein Mühlstein und ein Menschenherz wird stets herumgetrieben.
Wo beides nicht zu reiben hat, wird beides selbst zerrieben.

Das Beste der Welt

Weißt du, was in dieser Welt
Mir am meisten wohlgefällt?
Daß die Zeit sich selbst verzehret
Und die Welt nicht ewig währet.

Der natürliche Mensch

Ein Maulwurf in dem Geistlichen, im Weltlichen ein Luchs,
Ein Esel in dem Nützlichen, im Schädlichen ein Fuchs
Ist jeder Mensch, der seinen Geist,
Der himmlisch ist, mit Erde speist.

Glauben

Luthrisch, Päpstisch und Calvinisch, diese Glauben alle drei
Sind vorhanden; doch ist Zweifel, wo das Christentum dann sei.

Ehstand des Herzens und der Zunge

Das Herz und Zung ist wie vermählt,
Die zeugen Kinder ungezählt.
Wann beide sie nicht eines sind,
Wird jedes Wort ein Hurenkind.

Klein- und große Welt

Ob die kleine Welt die große
Dieser Zeit darnieder stoße,
Oder ob die große Welt
Jetzt die kleine nieder fällt,
Wüßt ich gerne. Weil man fühlt,
Wie die klein' in großer wühlt,
Dürfte groß' in kurzen Tagen
Fallen und die klein erschlagen.

Große und kleine Welt

Die kleine Welt fällt täglich, die große bleibet stehn;
Die kleine wird erstehen, wann große wird vergehn.

Welt-Gunst

Manchen treibet große Brunst,
Durch geübte List und Kunst,
Welt, zu werben deine Gunst,
Die zu haben fast umsonst
Und für sich doch nichts als Dunst.

Ein Hofemann

Wer redlich ist im Herzen und mit dem Munde frei,
Der wisse, daß bei Hofe behäglich er nicht sei.
Wie man ihm vorgesaget, so sagt der Papagei;
Drum wer daselbst will gelten, der trete diesem bei.

Verstellung

Wer sich bei der Welt hoch bringt an durch Stellen,
Darf sich wohl bei Gott tief hinunter fällen.

Des Krieges Buchstaben

Kummer, der das Mark verzehret,
Raub, der Hab und Gut verheeret,
Jammer, der den Sinn verkehret,
Elend, das den Leib beschweret,
Grausamkeit, die Unrecht lehret,
Sind die Frucht, die Krieg gewähret.

Krieg und Friede

Der Welt hat Krieg geführt weit über zwanzig Jahr.
Nunmehr soll Friede sein, soll werden, wie es war.
Sie hat gekriegt um das, o lachenswerte Tat,
Was sie, eh sie gekriegt, zuvor besessen hat.

Abgedankte Soldaten

Würmer im Gewissen,
Kleider wohl zerrissen,
Wohlbenarbte Leiber,
Wohlgebrauchte Weiber,
Ungewisse Kinder,
Weder Pferd noch Rinder,
Nimmer Brot im Sacke,
Nimmer Geld im Packe,
Haben mitgenommen,
Die vom Kriege kommen:
Wer denn hat die Beute?
Eitel fremde Leute.

Daniel von Czepko
1605–1660

Angst und Hohn der Liebe Lohn

Nimm die Rose von den Dörnern,
Zeige dann den Frühling an;
Nimm die Ähren mit den Körnern,
Sage, was der Sommer kann.
Nimm der Trauben süßen Preis,
Sprich darauf, der Herbst ist kommen,
Nimm das Schmelzglas von dem Eis,
Auch der Winter wird genommen.
Nimm der Liebe Qual und Pein,
Liebe wird nicht Liebe sein.

Spiele wohl!
Das Leben ein Schauspiel

Was ist dein Lebenslauf und Tun, o Mensch? Ein Spiel.
Den Inhalt sage mir? Kinds, Weibs und Tods Beschwerde.
Was ist es vor ein Platz, darauf wir spieln? Die Erde.
Wer schlägt und singt dazu? Die Wollust ohne Ziel.

Wer heißt auf das Gerüst uns treten? Selbst die Zeit.
Wer zeigt die Schauer mir? Mensch, das sind bloß die Weisen.
Was ist vor Stellung hier? Stehn, schlafen, wachen, reisen.
Wer teilt Gesichter aus? Allein die Eitelkeit.

Wer macht den Schauplatz auf? Der wunderbare Gott.
Was vor ein Vorhang deckt's? Das ewige Versehen.
Wie wird es abgeteilt? Durch Leben, Sterben, Flehen.
Wer führt uns ab, wer zeucht uns Kleider aus? Der Tod.

Wo wird der Schluß erwart't des Spieles? In der Gruft.
Wer spielt am besten mit? Der wohl sein Amt kann führen.
Ist das Spiel vor sich gut? Das Ende muß es zieren.
Wenn ist es aus? O Mensch, wenn dir dein Jesus ruft.

Erkenntnis offenbaret Dreifaltigkeit

Wilt du immer dir allein
Eines und recht einig sein,
Einige der Sinnen Schar
Und nimm deiner selbst nicht wahr.

Wo du deiner recht vergißt,
Wirst du werden, der du bist;
Wenn die Seele lauter ist,
Hat sie Gottes Bild erkiest.

Ach, zwei Bilder siehst du hier,
Gott ist ihres, Gottes sie;
Doch das dritte sieht allein
Einmal eines eines sein.

Aus: *Monodisticha Sapientium*

Nicht in dir

Schau alle Ding in Gott und Gott in allen an.
Du siehst, daß alles sich in ihm vergleichen kann.

Jedes durchs andere

Die Ewigkeit durch Zeit, das Leben durch den Tod,
Durch Nacht das Licht und durch den Menschen seh ich Gott.

Der Unbewegliche

Wer in sich schaut, der schaut, was Sonn und Erde trägt.
Es regt sich alles zwar, doch er bleibt unbewegt.

Nach dem Wesen, nicht der Meinung

O Seele, schlag das Bild in deinem Grund entzwei –
Wie heilig du auch bist, du treibst Abgötterei.

Unterm Irrtum

Wie selig irrt der Mensch, der seinen Irrtum kennt
Und sieht, wie hell aus ihm das Licht der Wahrheit brennt.

Das Geistliche herrscht über das Irdische

Was sichtbar ist, bewegt bloß vom Unsichtbarn sich,
Vom Innren wirst du ausgeübt: Mensch, leide dich!

Überall Hölle, überall Himmel

O Ewigkeit! Voll Angst, voll Schmerzen, voll Entsetzen!
O Ewigkeit! Voll Ruh, voll Wonne, voll Ergötzen!

[Monodisticha Sapientium: Einzel-Zweizeiler der Weisen.]

Paul Gerhardt
1607–1676

Nun ruhen alle Wälder

Nun ruhen alle Wälder,
Vieh, Menschen, Städt und Felder,
Es schläft die ganze Welt;
Ihr aber, meine Sinnen,
Auf auf, ihr sollt beginnen,
Was eurem Schöpfer wohlgefällt.

Wo bist du, Sonne, blieben?
Die Nacht hat dich vertrieben,
Die Nacht, des Tages Feind;
Fahr hin! Ein ander Sonne,
Mein Jesus, meine Wonne,
Gar hell in meinem Herzen scheint.

Der Tag ist nun vergangen,
Die güldnen Sterne prangen
Am blauen Himmelssaal;
Also werd ich auch stehen,
Wenn mich wird heißen gehen
Mein Gott aus diesem Jammertal.

Der Leib eilt nun zur Ruhe,
Legt ab das Kleid und Schuhe,
Das Bild der Sterblichkeit;
Die zieh ich aus. Dagegen
Wird Christus mir anlegen
Den Rock der Ehr und Herrlichkeit.

Das Haupt, die Füß und Hände
Sind froh, daß nun zu Ende
Die Arbeit kommen sei;
Herz, freu dich, du sollst werden
Vom Elend dieser Erden
Und von der Sünden Arbeit frei.

Nun geht, ihr matten Glieder,
Geht hin und legt euch nieder,
Der Betten ihr begehrt;
Es kommen Stund und Zeiten,
Da man euch wird bereiten
Zur Ruh ein Bettlein in der Erd.

Mein Augen stehn verdrossen,
Im Hui sind sie geschlossen,
Wo bleibt denn Leib und Seel?
Nimm sie zu deinen Gnaden,
Sei gut für allem Schaden,
Du Aug und Wächter Israel.

Breit aus die Flügel beide,
O Jesu, meine Freude,
Und nimm dein Küchlein ein!
Will Satan mich verschlingen,
So laß die Englein singen:
Dies Kind soll unverletzt sein.

Auch euch, ihr meine Lieben,
Soll heute nicht betrüben
Ein Unfall noch Gefahr.
Gott laß euch selig schlafen,
Stell euch die güldnen Waffen
Ums Bett und seiner Engel Schar.

O Haupt voll Blut und Wunden

O Haupt voll Blut und Wunden,
Voll Schmerz und voller Hohn,
O Haupt, zu Spott gebunden
Mit einer Dornenkron!
O Haupt, sonst schön gezieret
Mit höchster Ehr und Zier,
Jetzt aber hoch schimpfieret,
Gegrüßet seist du mir!

Du edles Angesichte,
Davor sonst schrickt und scheut
Das große Weltgewichte,
Wie bist du so bespeit,
Wie bist du so erbleichet,
Wer hat dein Augenlicht,
Dem sonst kein Licht nicht gleichet,
So schändlich zugericht?

Die Farbe deiner Wangen,
Der roten Lippen Pracht
Ist hin und ganz vergangen,
Des blassen Todes Macht
Hat alles hingenommen,
Hat alles hingerafft,
Und daher bist du kommen
Von deines Leibes Kraft.

Nun, was du, Herr, erduldet,
Ist alles meine Last,
Ich hab es selbst verschuldet,
Was du getragen hast!
Schau her, hier steh ich Armer,
Der Zorn verdienet hat,
Gib mir, o mein Erbarmer,
Den Anblick deiner Gnad.

Erkenne mich, mein Hüter,
Mein Hirte, nimm mich an!
Von dir, Quell aller Güter,
Ist mir viel Guts getan.
Dein Mund hat mich gelabet
Mit Milch und süßer Kost;
Dein Geist hat mich begabet
Mit mancher Himmelslust.

Ich will hier bei dir stehen,
Verachte mich doch nicht!
Von dir will ich nicht gehen,
Wann dir dein Herze bricht.
Wann dein Haupt wird erblassen
Im letzten Todesstoß,
Alsdann will ich dich fassen
In meinen Arm und Schoß.

Es dient zu meinen Freuden
Und kommt mir herzlich wohl,
Wenn ich in deinem Leiden,
Mein Heil, mich finden soll.
Ach, möcht ich, o mein Leben,
An deinem Kreuze hier
Mein Leben von mir geben,
Wie wohl geschähe mir!

Ich danke dir von Herzen,
O Jesu, liebster Freund,
Für deines Todes Schmerzen,
Da du's so gut gemeint.
Ach gib, daß ich mich halte
Zu dir und deiner Treu
Und, wenn ich nun erkalte,
In dir mein Ende sei.

Wenn ich einmal soll scheiden,
So scheide nicht von mir;
Wenn ich den Tod soll leiden,
So tritt du dann herfür.
Wenn mir am allerbängsten
Wird um das Herze sein,
So reiß mich aus den Ängsten
Kraft deiner Angst und Pein.

Erscheine mir zum Schilde,
Zum Trost in meinem Tod
Und laß mich sehn dein Bilde
In deiner Kreuzesnot.
Da will ich nach dir blicken,
Da will ich glaubensvoll
Dich fest an mein Herz drücken.
Wer so stirbt, der stirbt wohl.

Danklied für die Verkündigung des Friedens

Gott Lob! Nun ist erschollen
Das edle Fried- und Freudenwort,
Daß nunmehr ruhen sollen
Die Spieß und Schwerter und ihr Mord.
Wohlauf und nimm nun wieder
Dein Saitenspiel hervor,
O Deutschland, und sing Lieder
Im hohen vollen Chor.
Erhebe dein Gemüte
Zu deinem Gott und sprich:
Herr, deine Gnad und Güte
Bleibt dennoch ewiglich!

Wir haben nichts verdienet
Als schwere Straf und großen Zorn,
Weil stets noch bei uns grünet
Der freche schnöde Sündendorn.
Wir sind fürwahr geschlagen
Mit harter, scharfer Rut,
Und dennoch muß man fragen:
Wer ist, der Buße tut?
Wir sind und bleiben böse,
Gott ist und bleibet treu,
Hilft, daß sich bei uns löse
Der Krieg und sein Geschrei.

Sei tausendmal willkommen,
Du teure werte Friedensgab!
Jetzt sehn wir, was für Frommen
Dein Bei-uns-wohnen in sich hab;
In dir hat Gott versenket
All unser Glück und Heil.
Wer dich betrübt und kränket,
Der drückt sich selbst den Pfeil
Des Herzleids in das Herze
Und löscht aus Unverstand
Die güldne Freudenkerze
Mit seiner eignen Hand.

Das drückt uns niemand besser
In unser Herz und Seel hinein
Als ihr zerstörten Schlösser
Und Städte voller Schutt und Stein;
Ihr vormals schönen Felder
Mit frischer Saat bestreut,
Jetzt aber lauter Wälder
Und dürre wüste Heid;
Ihr Gräber voller Leichen
Und blutgen Heldenschweiß
Der Helden, derengleichen
Auf Erden man nicht weiß.

Hier trübe deine Sinnen,
O Mensch, und laß die Tränenbach
Aus beiden Augen rinnen,
Geh in dein Herz und denke nach:
Was Gott bisher gesendet,
Das hast du ausgelacht,
Nun hat er sich gewendet
Und väterlich bedacht,
Vom Grimm und scharfen Dringen
Zu deinem Heil zu ruhn,
Ob er dich möchte zwingen
Mit Lieb und Gutestun.

Ach, laß dich doch erwecken,
Wach auf, wach auf, du harte Welt,
Eh als das harte Schrecken
Dich schnell und plötzlich überfällt!
Wer aber Christum liebet,
Sei unerschrocknes Muts,
Der Friede, den er gibet,
Bedeutet alles Guts.
Er will die Lehre geben:
Das Ende naht herzu,
Da sollt ihr bei Gott leben
In ewgem Fried und Ruh.

Johannes Rist
1607–1667

Auf die nunmehr angekommene kalte Winterszeit

Der Winter hat sich angefangen,
Der Schnee bedeckt das ganze Land,
Der Sommer ist hinweggegangen,
Der Wald hat sich in Reif verwandt.

Die Wiesen sind von Frost versehret,
Die Felder glänzen wie Metall,
Die Blumen sind in Eis verkehret,
Die Flüsse stehn wie harter Stahl.

Wohlan, wir wollen von uns jagen
Durchs Feu'r das kalte Winterleid!
Kommt, laßt uns Holz zum Herde tragen
Und Kohlen dran, jetzt ist es Zeit!

Laßt uns den Fürnewein hergeben
Dort unten aus dem großen Faß!
Das ist das rechte Winterleben:
Ein heiße Stub und kühles Glas.

Wohlan, wir wollen musizieren
Bei warmer Luft und kühlem Wein!
Ein ander mag sein Klagen führen,
Den Mammon nie läßt fröhlich sein.

Wir wollen spielen, scherzen, essen,
Solang uns noch kein Geld gebricht,
Doch auch der Schönsten nicht vergessen,
Denn wer nicht liebt, der lebet nicht.

Wir haben dennoch gnug zu sorgen,
Wann nun das Alter kommt heran.
Es weiß doch keiner, was ihm morgen
Noch vor ein Glück begegnen kann.

Drum will ich ohne Sorge leben,
Mit meinen Brüdren fröhlich sein.
Nach Ehr' und Tugend tu ich streben,
Den Rest befehl ich Gott allein.

Weisheit gehet über allen Reichtum

Weisheit ist der höchste Schatz,
Der auf Erden ist zu finden.
Sie allein behält den Platz,
Wenn sonst alles muß verschwinden,
Weisheit bleibt in aller Not,
Ja sogar bis in den Tod,
Gibt Leben, Ehr' und Brot.

Reichtum dient doch nirgends zu,
Als die Herzen zu beschweren.
Der viel hat, lebt ohne Ruh,
Tut sich nur mit Furcht ernähren.
Der ist ja ein armer Mann,
Der sein Geld nicht nützen kann,
Ja kaum darf greifen an.

Weisheit achtet keiner Gunst,
So von Fürsten pflegt zu kommen,
Hält nicht viel auf Liebesbrunst,
Die sonst bringet wenig Frommen.
Sie hat ihren Sinn gestellt
Nur auf Tugend, nicht aufs Geld,
Weil ihr der Geiz mißfällt.

Wer nur reich von Weisheit ist,
Kann die ganze Welt verlachen,
Das auch, was sich selber frißt,
Rach und Neid zuschanden machen.
Er kann trotzen, was er sicht,
Achtet Feu'r und Wasser nicht,
Die Weisheit ist sein Licht.

Suche, wer da suchen will,
Ehr' und Gut in diesem Leben,
Mir gefällt's, fein in der Still
Sich der Tugend zu ergeben.
Dann erfreuet Herz und Mut,
Wann der Schatz verschwinden tut.
Die Weisheit ist mein Gut.

Es ist doch alles vergänglich

Ist das nicht ein närrisch Leben,
Daß man sich der Eitelkeit
So ganz heftig tut ergeben?
Ach, bedenkt's zu jeder Zeit:
Wie der Schatten nicht bleibt stehen,
So muß auch der Mensch vergehen.

Alle, die ihr lebt auf Erden
Stets in Freuden, Ehr und Pracht,
Endlich müßt ihr Aschen werden.
Drum so nehmt es wohl in acht:
Wie der Schatten nicht bleibt stehen,
So muß auch der Mensch vergehen.

Die ihr täglich zankt und krieget,
Die kein Mensche stillen kann,
Die ihr in den Lüften flieget
Voller Ehrgeiz, denkt daran:
Wie der Schatten nicht bleibt stehen,
So muß auch der Mench vergehen.

O ihr karge Menschenschinder,
Die ihr sucht das schnöde Geld,
Schätzaufklauber, Mammons Kinder,
Es heißt doch in aller Welt:
Wie der Schatten nicht bleibt stehen,
So muß auch der Mensch vergehen.

Alle, die ihr Schönheit liebet,
Zart von Leib, in Kleidern rein,
Da ihr euch im Schminken übet,
Laßt es euch ein Warnung sein:
Wie der Schatten nicht bleibt stehen,
So muß auch der Mensch vergehen.

Die ihr Krösus' Güter habet
Und Darius' Herrlichkeit,
Die ihr prächtig einhertrabet,
Ihr seid auch noch nicht gefeit:
Wie der Schatten nicht bleibt stehen,
So muß auch der Mensch vergehen.

Die ihr euch so trotzig brüstet,
Groß von Mut, von Gliedern stark,
Die ihr heut zum Streit euch rüstet,
Morgen sieht man euch im Sarg:
Wie der Schatten nicht bleibt stehen,
So muß auch der Mensch vergehen.

Die ihr alle Welt durchlaufet,
Die ihr über Sand und Meer
Gut und Waren vor uns kaufet,
Morgen kommt der Tod daher:
Wie der Schatten nicht bleibt stehen,
So muß auch der Mensch vergehen.

Die ihr andern könnet raten,
Weil ihr ja verständig seid,
Die ihr auch von großen Taten
Seid berühmet weit und breit:
Wie der Schatten nicht bleibt stehen,
So muß auch der Mensch vergehen.

Es hilft weder Zank und Kriegen,
Wann der Tod vorhanden ist,
Den kann keine Pracht betriegen,
Keine Weisheit, Gold noch List:
Wie der Schatten nicht bleibt stehen,
So muß auch der Mensch vergehen.

Drum, ihr Menschen, tut's bedenken,
Weil ihr fröhlich lebet noch,
Bald wird sich's zum Ende lenken,
Und alsdenn so heißt es doch:
Wie der Schatten nicht bleibt stehen,
So muß auch der Mensch vergehen.

Eine sehr ernstliche und ausführliche Betrachtung der zukünftigen unendlichen Ewigkeit

O Ewigkeit, du Donnerwort,
O Schwert, das durch die Seele bohrt,
O Anfang sonder Ende!
O Ewigkeit, Zeit ohne Zeit,
Ich weiß für großer Traurigkeit
Nicht, wo ich mich hinwende!
Mein ganz erschrocknes Herz erbebt,
Daß mir die Zung am Gaumen klebt.

Kein Unglück ist in aller Welt,
Das endlich mit der Zeit nicht fällt
Und ganz wird aufgehoben.
Die Ewigkeit nur hat kein Ziel,
Sie treibet fort und fort ihr Spiel,
Läßt nimmer ab zu toben.
Ja, wie mein Heiland selber spricht:
Aus ihr ist kein Erlösung nicht.

O Ewigkeit, du machst mir bang,
O ewig, ewig ist zu lang,
Hie gilt fürwahr kein Scherzen!
Drüm, wenn ich diese lange Nacht
Zusamt der großen Pein betracht,
Erschreck ich recht von Herzen.
Nichts ist zu finden weit und breit
So schrecklich als die Ewigkeit.

Was acht ich Wasser, Feur und Schwert?
Dies alles ist kaum nennenswert,
Es kann nicht lange dauren.
Was wär es, wenn gleich ein Tyrann,
Der funfzig Jahr kaum leben kann,
Mich endlich ließ vermauren?
Gefängnis, Marter, Angst und Pein
Die können ja nicht ewig sein.

Wenn der Verdammten große Qual
So manches Jahr, als an der Zahl
Hie Menschen sich ernähren,
Als manchen Stern der Himmel hegt,
Als manches Laub das Erdreich trägt,
Noch endlich sollte währen,
So wäre doch der Pein zuletzt
Ihr recht bestimmtes Ziel gesetzt.

Nun aber, wenn du die Gefahr
Viel hundert tausend, tausend Jahr
Hast kläglich ausgestanden
Und von den Teufeln solcher Frist
Ganz grausamlich gemartert bist,
Ist doch kein Schluß vorhanden.
Die Zeit, so niemand zählen kann,
Die fänget stets vom neuen an.

Liegt einer krank und ruhet gleich
Im Bette, das vom Golde reich
Recht fürstlich ist gezieret,
So hasset er doch solchen Pracht
Auch so, daß er die ganze Nacht
Ein kläglichs Leben führet;
Er zählet alle Glockenschlag
Und seufzet nach dem lieben Tag.

Ach, was ist das! Der Höllen Pein
Wird nicht wie Leibes Krankheit sein
Und mit der Zeit sich enden;
Es wird sich der Verdammten Schar
Im Feur und Schwefel immerdar
Mit Zorn und Grimm ümwenden.
Und dies ihr unbegreiflichs Leid
Soll währen bis in Ewigkeit!

Ach Gott, wie bist du so gerecht,
Wie strafest du die bösen Knecht
Im heißen Pfuhl der Schmerzen!
Auf kurze Sünden dieser Welt
Hast du so lange Pein bestellt!
Ach, nimm dies wohl zu Herzen
Und merk auf dies, o Menschenkind:
Kurz ist die Zeit, der Tod geschwind!

Ach, fliehe doch des Teufels Strick!
Die Wollust kann ein' Augenblick
Und länger nicht ergetzen.
Dafür wilt du dein arme Seel
Hernachmals in des Teufels Höhl
Hin zur Vergeltung setzen!
Ja schöner Tausch, ja wohl gewagt,
Das bei den Teufeln wird beklagt.

Solang ein Gott im Himmel lebt
Und über alle Wolken schwebt,
Wird solche Marter währen.
Es wird sie plagen Kält und Hitz,
Angst, Hunger, Schrecken, Feur und Blitz
Und sie doch nie verzehren.
Denn wird sich enden diese Pein,
Wenn Gott nicht mehr wird ewig sein.

Die Marter bleibet immerdar,
Als anfangs sie beschaffen war,
Sie kann sich nicht vermindern.
Es ist ein Arbeit sonder Ruh,
Sie nimmt an Klag und Seufzen zu
Bei jenen Satanskindern.
O Sünder, deine Missetat
Empfindet weder Trost noch Rat!

Wach auf, o Mensch, vom Sündenschlaf,
Ermuntre dich verlornes Schaf
Und bessre bald dein Leben!
Wach auf, es ist doch hohe Zeit,
Es kommt heran die Ewigkeit,
Dir deinen Lohn zu geben!
Vieleicht ist heut der letzte Tag,
Wer weiß noch, wie man sterben mag?

Laß doch die Wollust dieser Welt,
Pracht, Hoffart, Reichtum, Ehr und Geld
Dir länger nicht gebieten!
Schau an die große Sicherheit,
Die falsche Welt und böse Zeit
Zusamt des Teufels Wüten!
Vor allen Dingen hab in acht
Die vorerwähnte lange Nacht!

O du verfluchtes Menschenkind,
Von Sinnen toll, von Herzen blind,
Laß ab die Welt zu lieben!
Ach ach, soll denn der Höllen Pein,
Da mehr denn tausend Henker sein,
Ohn Ende dich betrüben?
Wo lebt ein so beredter Mann,
Der dieses Werk aussprechen kann?

O Ewigkeit, du Donnerwort,
O Schwert, das durch die Seele bohrt,
O Anfang sonder Ende!
O Ewigkeit, Zeit ohne Zeit,
Ich weiß vor großer Traurigkeit
Nicht, wo ich mich hinwende.
Herr Jesu, wenn es dir gefällt,
Eil ich zu dir ins Himmelszelt.

*Als die wunderbare oder vielmehr ohnverhoffte Zeitung erschallete, daß der
Herzog von Friedland zu Eger wäre ermordet worden*

Was ist dies Leben doch? Ein Traurspiel ist's zu nennen,
Da ist der Anfang gut, auch wie wir's wünschen können,
Das Mittel voller Angst, das End ist Herzeleid,
Ja, wohl der bittre Tod: O kurze Fröhlichkeit!

Dies tut uns Wallenstein in seinem Spiel erweisen.
Der Kaiser pflag ihn selbst anfänglich hoch zu preisen
Als eine Säul des Reichs (so nannt' ihn Ferdinand),
Der Teutschen Furcht und Zwang, des Kaisers rechter Hand.

Bald aber, wie sein Glaub und Treu fing an zu wanken,
Verkehrte sich das Spiel, man wandte die Gedanken
Auf seinen Untergang, der Tag gebar die Nacht,
Das Traurspiel hatt' ein End und er ward umgebracht.

So tummlet sich das Glück, so läuft es hin und wieder,
Den einen macht es groß, den andren drückt es nieder,
Sein End ist oft der Tod. O selig ist der Mann,
Der sich der Eitelkeit des Glücks entschlagen kann.

Andreas Gryphius
1616–1664

Morgen Sonnet.

DIe ewig-helle Schaar wil nun ihr Licht verschlissen /
 Diane steht erblaßt; die Morgenrötte lacht
 Den grauen Himmel an / der sanffte Wind erwacht /
Vnd reitzt das Federvolck / den neuen Tag zu grüssen.
Das Leben diser Welt / eilt schon die Welt zu küssen /
 Vnd steckt sein Haupt empor / man siht der Stralen Pracht
 Nun blinckern auff der See: O dreymal höchste Macht
Erleuchte den / der sich itzt beugt vor deinen Füssen!
 Vertreib die dicke Nacht / die meine Seel umbgibt /
 Die Schmertzen Finsternüß / die Hertz und Geist betrübt /
Erquicke mein Gemütt / und stärcke mein Vertrauen.
 Gib / daß ich disen Tag / in deinem Dinst allein
 Zubring: und wenn mein End' und jener Tag bricht ein
Daß ich dich / meine Sonn / mein Licht mög ewig schauen.

Mittag.

AUff Freunde! last uns zu der Taffel eylen /
 In dem die Sonn ins Himmels Mittel hält
 Vnd der von Hitz und Arbeit matten Welt
Sucht ihren Weg / und unsern Tag zu theilen.

Der Blumen Zir wird von den flammen Pfeylen
 Zu hart versehrt / das außgedörte Feld
Wündscht nach dem Tau' / der Schnitter nach dem Zelt;
Kein Vogel klagt von seinen Libes Seilen.
 Itzt herrscht das Licht. Der schwartze Schatten fleucht
 In eine Höl / in welche sich verkreucht /
Den Schand und Furcht sich zu verbergen zwinget.
 Man kan dem Glantz des Tages ja entgehn!
 Doch nicht dem Licht / das / wo wir immer stehn /
Vns siht und richt / und Hell' und Grufft durchdringet.

Abend.

DEr schnelle Tag ist hin / die Nacht schwingt ihre Fahn /
Vnd führt die Sternen auff. Der Menschen müde Scharen
Verlassen Feld und Werck / wo Thir und Vögel waren
 Traurt itzt die Einsamkeit. Wie ist die Zeit verthan!
 Der Port naht mehr und mehr sich zu der Glider Kahn.
Gleich wie diß Licht verfil / so wird in wenig Jahren
Ich / du / und was man hat / und was man siht / hinfahren.
 Diß Leben kömmt mir vor als eine Renne-Bahn.
Laß höchster Gott / mich doch nicht auff dem Lauffplatz gleiten /
Laß mich nicht Ach / nicht Pracht / nicht Lust nicht Angst verleiten!
 Dein ewig-heller Glantz sey vor und neben mir /
Laß / wenn der müde Leib entschläfft / die Seele wachen
Und wenn der letzte Tag wird mit mir Abend machen /
 So reiß mich aus dem Thal der Finsternüß zu dir.

Mitternacht.

SChrecken / und Stille / und dunckeles Grausen / finstere Kälte bedecket das Land
Itzt schläfft was Arbeit und Schmertzen ermüdet / diß sind der traurigen Einsamkeit Stun-
 den.
Nunmehr ist / was durch die Lüffte sich reget / nunmehr sind Menschen und Thire ver-
 schwunden.
Ob zwar die immerdar schimmernde Lichter / der ewig schitternden Sternen entbrant!
Suchet ein fleissiger Sinn noch zu wachen? der durch Bemühung der künstlichen Hand /
Ihm / die auch nach uns ankommenden Seelen / Ihm / die anitzt sich hir finden verbunden?
Wetzet ein bluttiger Mörder die Klinge? wil er unschuldiger Hertzen verwunden?
Sorget ein Ehren-begehrend Gemütte / wie zu erlangen ein höherer Stand?
Sterbliche! Sterbliche! lasset diß dichten! Morgen! Ach Morgen! Ach muß man hinzihn!
Ach wir verschwinden gleich als die Gespenste / die umb die Stund uns erscheinen und
 flihn.
Wenn uns die finstere Gruben bedecket / wird / was wir wündschen und suchen zu nichte.
Doch / wie der gläntzende Morgen eröffnet / was weder Monde noch Fackel bescheint:
So / wenn der plötzliche Tag wird anbrechen / wird was geredet / gewürcket / gemeynt.
Sonder vermänteln eröffnet sich finden vor des erschrecklichen GOttes Gerichte.

Über die Geburt Jesu

Nacht, mehr denn lichte Nacht! Nacht, lichter als der Tag!
Nacht, heller als die Sonn, in der das Licht geboren,
Das Gott, der Licht in Licht wahrhaftig, ihm erkoren!
O Nacht, die alle Nächt und Tage trotzen mag!

O freudenreiche Nacht, in welcher Ach und Klag
Und Finsternis und was sich auf die Welt verschworen
Und Furcht und Höllenangst und Schrecken war verloren!
Der Himmel bricht; doch fällt nunmehr kein Donnerschlag.

Der Zeit und Nächte schuf, ist diese Nacht ankommen
Und hat das Recht der Zeit und Fleisch an sich genommen
Und unser Fleisch und Zeit der Ewigkeit vermacht.

Die jammertrübe Nacht, die schwarze Nacht der Sünden,
Des Grabes Dunkelheit muß durch die Nacht verschwinden.
Nacht, lichter als der Tag! Nacht, mehr denn lichte Nacht!

Vanitas! Vanitatum Vanitas!

Die Herrlichkeit der Erden
Muß Rauch und Aschen werden,
Kein Fels, kein Erz kann stehn.
Dies, was uns kann ergetzen,
Was wir für ewig schätzen,
Wird als ein leichter Traum vergehn.

Was sind doch alle Sachen,
Die uns ein Herze machen,
Als schlechte Nichtigkeit?
Was ist des Menschen Leben,
Der immer um muß schweben,
Als eine Phantasie der Zeit?

Der Ruhm, nach dem wir trachten,
Den wir unsterblich achten,
Ist nur ein falscher Wahn.
So bald der Geist gewichen
Und dieser Mund erblichen,
Fragt keiner, was man hier getan.

Es hilft kein weises Wissen,
Wir werden hingerissen
Ohn einen Unterscheid.
Was nützt der Schlösser Menge?
Dem hie die Welt zu enge,
Dem wird ein enges Grab zu weit.

Dies alles wird zerrinnen,
Was Müh und Fleiß gewinnen
Und saurer Schweiß erwirbt.
Was Menschen hier besitzen,
Kann für den Tod nicht nützen,
Dies alles stirbt uns, wenn man stirbt.

Ist eine Lust, ein Scherzen,
Das nicht ein heimlich Schmerzen
Mit Herzensangst vergällt?
Was ist's, womit wir prangen?
Wo wirst du Ehr erlangen,
Die nicht in Hohn und Schmach verfällt?

Was pocht man auf die Throne,
Da keine Macht noch Krone
Kann unvergänglich sein?
Es mag vom Totenreihen
Kein Szepter dich befreien,
Kein Purpur, Gold noch edler Stein.

Wie eine Rose blühet,
Wenn man die Sonne siehet
Begrüßen diese Welt,
Die, eh der Tag sich neiget,
Eh sich der Abend zeiget,
Verwelket und unversehns abfällt:

So wachsen wir auf Erden
Und hoffen groß zu werden
Und schmerz- und sorgenfrei.
Doch eh wir zugenommen
Und recht zur Blüte kommen,
Bricht uns des Todes Sturm entzwei.

Wir rechnen Jahr auf Jahre,
Indessen wird die Bahre
Uns für die Tür gebracht;
Drauf müssen wir von hinnen
Und, eh wir uns besinnen,
Der Erden sagen gute Nacht.

Weil uns die Lust ergetzet
Und Stärke freie schätzet
Und Jugend sicher macht,
Hat uns der Tod bestricket,
Die Wollust fortgeschicket
Und Jugend, Stärk und Mut verlacht.

Wie viel sind schon vergangen!
Wie viel liebreicher Wangen
Sind diesen Tag erblaßt,
Die lange Reitung machten
Und nicht einmal bedachten,
Daß ihn' ihr Recht so kurz verfaßt.

Auf Herz! Wach und bedenke,
Daß dieser Zeit Geschenke
Den Augenblick nur dein.
Was du zuvor genossen,
Ist als ein Strom verschossen,
Was künftig: wessen wird es sein?

Verlache Welt und Ehre,
Furcht, Hoffen, Gunst und Lehre,
Und fleuch den Herren an.
Der immer König bleibet,
Den keine Zeit vertreibet,
Der einig ewig machen kann.

Wohl dem, der auf ihn trauet!
Er hat recht fest gebauet,
Und ob er hier gleich fällt,
Wird er doch dort bestehen
Und nimmermehr vergehen,
Weil ihn die Stärke selbst erhält.

[Überschrift: Nichtigkeit! Der Nichtigkeiten Nichtigkeit!]

Tränen des Vaterlandes, anno 1636

Wir sind doch nunmehr ganz, ja mehr denn ganz verheeret!
Der frechen Völker Schar, die rasende Posaun,
Das vom Blut fette Schwert, die donnernde Kartaun
Hat aller Schweiß und Fleiß und Vorrat aufgezehret.

Die Türme stehn in Glut, die Kirch ist umgekehret,
Das Rathaus liegt im Graus, die Starken sind zerhaun,
Die Jungfraun sind geschänd't, und wo wir hin nur schaun,
Ist Feuer, Pest und Tod, der Herz und Geist durchfähret.

Hier durch die Schanz und Stadt rinnt allzeit frisches Blut.
Dreimal sind schon sechs Jahr, als unser Ströme Flut
Von Leichen fast verstopft, sich langsam fort gedrungen.

Doch schweig ich noch von dem, was ärger als der Tod,
Was grimmer denn die Pest und Glut und Hungersnot,
Daß auch der Seelenschatz so vielen abgezwungen.

Es ist alles eitel

Du siehst, wohin du siehst, nur Eitelkeit auf Erden,
Was dieser heute baut, reißt jener morgen ein;
Wo jetztund Städte stehn, wird eine Wiese sein,
Auf der ein Schäferskind wird spielen mit den Herden.

Was jetzund prächtig blüht, soll bald zutreten werden.
Was jetzt so pocht und trotzt, ist morgen Asch und Bein;
Nichts ist, das ewig sei, kein Erz, kein Marmorstein.
Jetzt lacht das Glück uns an, bald donnern die Beschwerden.

Der hohen Taten Ruhm muß wie ein Traum vergehn.
Soll denn das Spiel der Zeit, der leichte Mensch, bestehn?
Ach, was ist alles dies, was wir vor köstlich achten,

Als schlechte Nichtigkeit, als Schatten, Staub und Wind,
Als eine Wiesenblum, die man nicht wiederfindt!
Noch will, was ewig ist, kein einig Mensch betrachten.

Menschliches Elende

Was sind wir Menschen doch! Ein Wohnhaus grimmer Schmerzen,
Ein Ball des falschen Glücks, ein Irrlicht dieser Zeit,
Ein Schauplatz herber Angst, besetzt mit scharfem Leid,
Ein bald verschmelzter Schnee und abgebrannte Kerzen.

Dies Leben fleucht davon wie ein Geschwätz und Scherzen.
Die vor uns abgelegt des schwachen Leibes Kleid
Und in das Totenbuch der großen Sterblichkeit
Längst eingeschrieben sind, sind uns aus Sinn und Herzen.

Gleich wie ein eitel Traum leicht aus der Acht hinfällt
Und wie ein Strom verscheußt, den keine Macht aufhält,
So muß auch unser Nam, Lob, Ehr und Ruhm verschwinden.

Was itzund Atem holt, muß mit der Luft entfliehn,
Was nach uns kommen wird, wird uns ins Grab nachziehn.
Was sag ich? Wir vergehn wie Rauch von starken Winden.

Ebenbild unsers Lebens

Der Mensch, das Spiel der Zeit, spielt, weil er allhie lebt
Im Schauplatz dieser Welt; er sitzt, und doch nicht feste.
Der steigt, und jener fällt, der suchet die Paläste
Und der ein schlechtes Dach; der herrscht, und jener webt.

Was gestern war, ist hin; was itzt das Glück erhebt,
Wird morgen untergehn; die vorhin grüne Äste
Sind nunmehr dürr und tot; wir Armen sind nur Gäste,
Ob den' ein scharfes Schwert an zarter Seide schwebt.

Wir sind zwar gleich am Fleisch, doch nicht vom gleichen Stande:
Der trägt ein Purpurkleid, und jener gräbt im Sande,
Bis nach entraubtem Schmuck der Tod uns gleiche macht.

Spielt denn dies ernste Spiel, weil es die Zeit noch leidet,
Und lernt, daß, wenn man vom Bankett des Lebens scheidet,
Kron, Weisheit, Stärk und Gut sei eine leere Pracht!

Einsamkeit

In dieser Einsamkeit der mehr denn öden Wüsten,
Gestreckt auf wildes Kraut, an die bemooste See,
Beschau ich jenes Tal und dieser Felsen Höh,
Auf welchen Eulen nur und stille Vögel nisten.

Hier, fern von dem Palast, weit von des Pöbels Lüsten,
Betracht ich, wie der Mensch in Eitelkeit vergeh,
Wie auf nicht festem Grund all unser Hoffen steh,
Wie die vor Abend schmähn, die vor dem Tag uns grüßten.

Die Höhl, der rauhe Wald, der Totenkopf, der Stein,
Den auch die Zeit auffrißt, die abgezehrten Bein
Entwerfen in dem Mut unzählige Gedanken.

Der Mauren alter Graus, dies ungebaute Land
Ist schön und fruchtbar mir, der eigentlich erkannt,
Daß alles, ohn ein Geist, den Gott selbst hält, muß wanken.

An die Sternen

Ihr Lichter, die ich nicht auf Erden satt kann schauen,
Ihr Fackeln, die ihr Nacht und schwarze Wolken trennt,
Als Diamante spielt und ohn Aufhören brennt,
Ihr Blumen, die ihr schmückt des großen Himmels Auen,

Ihr Wächter, die, als Gott die Welt auf wollte bauen,
Sein Wort, die Weisheit selbst, mit rechten Namen nennt,
Die Gott allein recht mißt, die Gott allein recht kennt:
Wir blinden Sterblichen, was wollen wir uns trauen!

Ihr Bürgen meiner Lust! wie manche schöne Nacht
Hab ich, indem ich euch betrachtete, gewacht?
Herolden dieser Zeit, wenn wird es doch geschehen,

Daß ich, der euer nicht allhier vergessen kann,
Euch, derer Liebe mir steckt Herz und Geister an,
Von andern Sorgen frei werd unter mir besehen?

Tränen in schwerer Krankheit, anno 1640

Mir ist, ich weiß nicht wie; ich seufze für und für.
Ich weine Tag und Nacht, ich sitz in tausend Schmerzen
Und tausend fürcht ich noch; die Kraft in meinem Herzen
Verschwindt, der Geist verschmacht', die Hände sinken mir.

Die Wangen werden bleich, der muntern Augen Zier
Vergeht gleich als der Schein der schon verbrannten Kerzen.
Die Seele wird bestürmt gleichwie die See im Märzen.
Was ist dies Leben doch, was sind wir, ich und ihr?

Was bilden wir uns ein? was wünschen wir zu haben?
Itzt sind wir hoch und groß und morgen schon vergraben;
Itzt Blumen, morgen Kot; wir sind ein Wind, ein Schaum,

Ein Nebel und ein Bach, ein Reif, ein Tau, ein Schatten;
Itzt was und morgen nichts, und was sind unsre Taten
Als ein mit herber Angst durchaus vermischter Traum!

An sich selbst

Mir grauet vor mir selbst, mir zittern alle Glieder,
Wenn ich die Lipp und Nas und beider Augen Kluft,
Die blind vom Wachen sind, des Atems schwere Luft
Betracht und die nun schon erstorbnen Augenlider.

Die Zunge, schwarz vom Brand, fällt mit den Worten nieder
Und lallt, ich weiß nicht was; die müde Seele ruft
Dem großen Tröster zu, das Fleisch reucht nach der Gruft;
Die Ärzte lassen mich, die Schmerzen kommen wieder.

Mein Körper ist nicht mehr als Adern, Fell und Bein;
Das Sitzen ist mein Tod, das Liegen meine Pein;
Die Schenkel haben selbst nun Träger wohl vonnöten.

Was ist der hohe Ruhm und Jugend, Ehr und Kunst?
Wenn diese Stunde kommt, wird alles Rauch und Dunst,
Und eine Not muß uns mit allem Vorsatz töten.

Schluß des 1648sten Jahres

Zeuch hin, betrübtes Jahr! Zeuch hin mit meinen Schmerzen!
Zeuch hin mit meiner Angst und überhäuftem Weh!
Zeuch so viel Leichen nach! Bedrängte Zeit, vergeh
Und führe mit dir weg die Last von diesem Herzen!

Herr! vor dem unser Jahr als ein Geschwätz und Scherzen,
Fällt meine Zeit nicht hin wie ein verschmelzter Schnee?
Laß doch, weil mir die Sonn gleich in der Mittagshöh,
Mich noch nicht untergehn gleich ausgebrannten Kerzen!

Herr, es ist genung geschlagen,
Angst und Ach genung getragen,
Gib doch nun etwas Frist, daß ich mich recht bedenke!

Gib, daß ich der Handvoll Jahre
Froh werd eins vor meiner Bahre!
Mißgönne mir doch nicht dein liebliches Geschenke!

An einen unschuldigen Leidenden

Ein Brandpfahl und ein Rad, Pech, Folter, Blei und Zangen,
Strick, Messer, Hacken, Beil, ein Holzstoß und ein Schwert
Und siedend Öl und Blei, ein Spieß, ein glühend Pferd
Sind den'n nicht schrecklich, die, was schrecklich, nicht begangen.

Wer um die Tugend leid't, um Rechttun wird gefangen
Und, wenn es not, sein Blut, doch ohne Schuld, gewährt,
Dem wird für kurze Pein unendlich Preis beschert,
Er wird den Ehrenkranz, der nicht verwelkt, erlangen.

Er lebt, indem er stirbt; er steigt, indem er fällt;
Er pocht, was tödlich ist, und trotzt die große Welt
Und küßt die Ewigkeit, die er ihm anvertrauet.

Hat nicht der Höchste selbst sein höchstes Wunderwerk
Auf Salems Schädelberg vollbracht in höchster Stärk?
Der ist kein rechter Christ, dem vor dem Kreuze grauet.

An Eugenien

Was wundert ihr euch noch, Ihr Rose der Jungfrauen,
Daß dieses Spiel der Zeit, die Ros in eurer Hand,
Die alle Rosen trotzt, so unversehns verschwand?
Eugenie! so gehts, so schwindet, was wir schauen.

Sobald des Todes Sens wird diesen Leib abhauen,
Schaut man den Hals, die Stirn, die Augen, dieses Pfand
Der Liebe, diese Brust in nicht zu reinstem Sand,
Und dem, der euch mit Lieb itzt ehrt, wird für euch grauen.

Der Seufzer ist umsonst, nichts ist, das auf der Welt,
Wie schön es immer sei, Bestand und Farbe hält.
Wir sind von Mutterleib zum Untergang erkoren.

Mag auch an Schönheit was der Rosen gleiche sein,
Doch ehe sie recht blüht, verwelkt und fällt sie ein;
Nicht anders gehn wir fort, sobald wir sind geboren.

Auf Herrn Herings Hochzeit. An die Braut

Obzwar die schöne Zeit der Erden neues Leben,
Den Menschen neue Lust, den Bäumen neue Zier
Und Früchte wieder schenkt, doch traurt ihr für und für
Und wollt euch, Jungfrau Braut, zu keiner Lust erheben.

Wie, daß man euch doch sieht in steten Schmerzen schweben?
Wo rührt dies Übel her? Mich dünkt, ich merke schier
Den Ursprung aller Pein. Dir, dir, Cupido, dir
Schreibt man die Plage zu! Doch kann ich Rettung geben,

So sprach er und warf Pfeil und Fackel aus der Hand
Und wagt sich auf die See, der Mutter Vaterland,
Als da er (was ihr wünscht) den Hering hat gefangen.

O mehr denn fremder Fall! Soll dies ein Mittel sein,
Was Seuch und Feber bringt? Ja, schrie er, dies allein
Ist, was die Kranke sucht und was sie soll empfangen.

Betrachtung der Zeit

Mein sind die Jahre nicht, die mir die Zeit genommen;
Mein sind die Jahre nicht, die etwa möchten kommen;
Der Augenblick ist mein, und nehm ich den in acht,
So ist der mein, der Jahr und Ewigkeit gemacht.

Johann Klaj
1616–1656

Vorzug des Frühlings

Im Lenzen, da glänzen die blümigen Auen,
Die Auen, die bauen die perlenen Tauen,
Die Nymphen in Sümpfen ihr Antlitz beschauen.
Es schmilzet der Schnee,
Man segelt zur See,
Bricht güldenen Klee.

Die Erlen den Schmerlen den Schatten versüßen,
Sie streichen, sie laichen in blaulichten Flüssen,
Die Angel aus Mangel und Reißen beküssen.
Die Lerche, die singt,
Das Haberrohr klingt,
Die Schäferin springt.

Die Hirten in Hürden begehen den Maien,
Man zieret und führet den singenden Reihen,
Die Reihen, die schreien um neues Gedeihen.
Die Herde, die schellt,
Der Rüde, der bellt,
Das Euter, das schwellt.

Vorzug des Sommers

Der Sommer kein Kummer- noch Trauernis leidet,
Der Schläfer, der Schäfer, der pfeifet und weidet,
Der Bauer, der Lauer, der ernt't und schneidet.
Es grünet das Feld,
Es lachet die Welt,
Der Gärtner löst Geld.

Die Dörfer viel schärfer für Freuden aufschreien,
Sie klopfen, sie hupfen den Schnittertanzreihen,
Die Leiren nicht feiren, Schalmeier schalmeien.
Es jauchzet der Plan,
Der Sternen Altan
Beleuchtet die Bahn.

Wann grauet, wann blauet der tagende Himmel,
Wann lenken, sich senken die schwitzenden Schimmel,
Dann hallet, dann schallet das Freudengetümmel.
Da führet man ein,
Was Speise muß sein
Für Groß und für Klein.

Vorzug des Herbstes

Die Sonne mit Wonne den Tagewachs mindert,
Der Renner, der Brenner sein Strahlenheiß lindert,
Die Felder-, die Wälderlust nimmer verhindert.
Die Traube, die reift,
Der Winzer, der pfeift,
Zum Jagen man greift.

Man fället, man stellet den Vögeln der Lüfte,
Man jaget und plaget die Bürger der Klüfte,
Das helle Gebelle durchschrecket die Grüfte.
Der Wäldner, der eilt,
Sich nimmer verweilt,
Rotschwarzes Wild pfeilt.

Da leben und schweben in Freuden die Götter,
In Sausen und Brausen die falbigen Blätter,
Sie spielen, sich kühlen in laulichem Wetter,
Der Monde, der wacht,
Die Freude belacht
Bis mitten zur Nacht.

Vorzug des Winters

Ich stehe, kaum gehe, verfroren vom Eise,
Nur schleiche, nicht weiche nach Altertumsweise,
Ich lebe und gebe gesundeste Speise.
Am Ofen ohn Frost
Da schmecket der Most
Zu Federwildskost.

Laßt blasen, laßt rasen der Jägerfrau Hörner,
Den wacker im Acker zerstochen die Dörner,
Sie nähret, verzehret jetzt körnichte Körner.
Man schlachtet das Schwein
Und salzet es ein,
Das lange muß sein.

Der Lenzen zu Kränzen die Sommerblüh pflocke,
Zum Leben der Reben der Freudenherbst locke,
Du drehe, du wehe, mein Winter, und flocke!
Da ruhet das Feld,
Da schlafet die Welt
Im fedrigen Zelt.

[pflocke: pflücke.]

Spazierlust

Hellglänzendes Silber, mit welchem sich gatten
Der astigen Linden weitstreifende Schatten,
Deine sanftkühlend-geruhige Lust
Ist jedem bewußt.

Wie sollten kunst-ahmende Pinsel bemalen
Die Blätter, die schirmen vor brennenden Strahlen?
Keiner der Stämme, so grünlich beziert,
Die Ordnung verführt.

Es lispeln und wispeln die schlüpfrige Brunnen,
Von ihnen ist diese Begrünung gerunnen.
Sie schauren, betrauren und fürchten bereit
Die schneiichte Zeit.

[Teutschland betet]

Gott, du bester Kriegzerbrecher,
Mache Fried, Fried, es ist Zeit,
Mein Reich wird ja stündlich schwächer
Durch den Länderfresserstreit.
Ach, ich bin des Krieges müde,
Friedemacher, mache Friede!

Ihr, ihr hohen Potentaten,
Haupt und Glieder, groß und klein,
Helfet doch zum Friede raten,
Lasset doch die Titel sein.
Lasset alles ungerochen,
Was man hat bisher verbrochen.

Ich bitt euch um Gottes willen,
Stecket doch die Degen ein,
Daß sich Meer und Länder stillen,
Daß die Straßen werden rein,
Daß man kann zu Wasser handeln,
Sicher auf die Messen wandeln.

Seit man Kriegen hat getrieben,
Land und Stand geblasen an,
Sind nur auf der Walstatt blieben
Hundert tausend tausend Mann.
Was für Mord hat man erfahren
In den dreimal zehen Jahren?

Wieviel Tausend sind verloren
Hier zu Wasser, dar zu Land,
Wieviel Tausend sind erfroren,
Wieviel Tausend sind verbrannt,
Wieviel Tausend sind geblieben,
Die der Hunger aufgerieben?

Was ist sonst im Feld gestorben
Von der Peste, von der Ruhr,
Wieviel Tausend sind verdorben
Ohne Labsal, ohne Kur,
Wieviel haben auf der Straßen
Müssen Leib und Leben lassen?

Waisen, Witwen, Jammerlechzen
Ohne Vater, ohne Mann,
Witwen wie die Tauben ächzen,
Waisen, Fremden untertan,
Essen Tränenbrot mit Wimmern
Und sich fast zu Tode kümmern.

Georg Philipp Harsdörffer
1607–1658

Das Leben des Menschen

Das Leben ist
Ein Laub, das grünt und falbt geschwind.
Ein Staub, den leicht vertreibt der Wind.
Ein Schnee, der in dem Nu vergehet.
Ein See, der niemals stille stehet.
Die Blum, so nach der Blüt verfällt.
Der Ruhm, auf kurze Zeit gestellt.
Ein Gras, das leichtlich wird verdrucket.
Ein Glas, das leichter wird zerstucket.
Ein Traum, der mit dem Schlaf aufhört.
Ein Schaum, den Flut und Wind verzehrt.
Ein Heu, das kurze Zeite bleibet.
Die Spreu, so mancher Wind vertreibet.

Ein Kauf, den man am End bereut.
Ein Lauf, der schnaufend schnell erfreut.
Ein Wasserstrom, der pfeilt geschwind.
Die Wasserblas', so bald zerrinnt.
Ein Schatten, der uns macht schabab.
Die Matten, so gräbt unser Grab.

[schabab: (schab ab!) geh weg!]

Die Liliennymphe

Gott hat mein Kleid gesticket ohn mein Sorgen,
Mit Silber mich beglücket spat und morgen;
Die Lilie, szeptergleich gestaltet,
Hoch über alle Blumen waltet, mit Pracht beschmücket.

Der weise König Salomon den Lilien weicht,
Sein hoher Thron und Königskron sich mir nicht gleicht;
Weil ihn der Weiber Lust verführet,
Ist er nicht wie ich bin gezieret, weiß, rein und schön.

Der in erhabnen Würden lebt und ist befleckt,
In dessen Herz und Munde schwebt, was ihn ersteckt.
Die aber reine Geister haben,
In denen sind des Höchsten Gaben bald aufgeweckt.

[Der Sonnenaufgang]

Es fliehet die düster geflügelte Nacht
Und weichet den bleichen safranen Strahlen,
Beginnend die Spitzen der Berge zu malen
Mit Rosenfarb, Purpur und guldenem Pracht:
　　Es steiget die Sonne,
　　Bezeuget die Wonne,
　　Erwecket die Schäfer
　　Und ruhenden Schläfer,
Beglänzet die Grenzen und alles erfreuet,
Bekränzet den Lenzen und alles erneuet.

Die Felder und Wälder erzeigen sich früh,
Es singen und klingen der Vögelein Lieder,
Man höret die Schellen der Schäfelein wieder,
Es springet und ringet das muntere Vieh:
　　Die Sonne besaftet,
　　Die Wärme bekraftet,
　　Erwecket, beglücket,
　　Bestärket, erquicket,
Sie pfleget mit völliger Wärme zu kochen
Die Kräuter, in nächtiger Kälte verkrochen.

So weichet die sündlich-verfinsterte Nacht,
Weil Christus, der Heiland der Heiden, erschienen,
Den Herzen mit leuchtenden Strahlen zu dienen,
Der alles Verlorene wiedergebracht.
　　Gerechtigkeit-Sonne,
　　Erfülle mit Wonne
　　Der Menschen Beginnen
　　Daß sündliches Sinnen
Uns völlig erleuchtend nicht völlig betrübe
Und jeder in göttlicher Liebe sich übe.

Sigmund von Birken
1626–1681

　　　　　†
　　　　Wo
　　　　Klug-
　*　　　Seyn　　　*
　Fr-　　und　　keit
　omm-　in　　Mildig
　　　　ei-
　　　　nem
　　　　Staat
　　　　das
　　　　Zepter
　　　　füh-
　　　　ren:
　　　　Dar
　　　　kan
　　　　man
　　　　nichts
　　　　als
　　　　Wolstand
　　　　spü-
　　　　ren / da
　　　　wird
　　　　GOTT
　　　　und
　　　　die
　　　　Welt
　　　　erfr-
　　　　eut.
　　　　*

Ach! diese Stätt
das Sterbe - Bett
von JEsu war /
der Creutz-Altar.
Hier er das Opfer ward für unsre Sünden.
Sein heiligs Haupt die Dornen mußt empfinden.
Die treue Händ' und Arme voll Erbarmen
Er breitet aus / uns Arme zu umarmen.
Es schreibt uns ein
den Händen sein /
der Nägel Stich.
Hier öffnet sich
das Herz / die Seit:
ist groß und weit
zur Zuflucht-Höl /
für deine Seel.
Hier briet das Lamm
am Creutzes-Stamm
in Liebes - Glut /
betrieft mit Blut:
es lädt uns ein
zu Brod und Wein.
Die schwache Knie
sich beugen hie:
weil sein Gebet
für dich abgeht.
Umfang die Füß /
die gehn gewiß
den Weg dir vor /
zum Himmels-Thor:
durch Creutz u. Leid
zur Himmels Freud.

Floridan bildet seine Gedanken aus in Form eines Hertzens:

Leib /
reise hin!
das Hertz soll
hier verbleiben.
Ich will sein Bild in
diese Rinden schreiben.
was aber ist in selbes eingeprägt /
weiß Zefyrus / der meine Seufzer trägt
Mit seinen hin. Der Sinn / der mich macht switzen /
soll noch mit meinem eine Flamme spitzen.
Schau hier u. lis; Tief ists getheilt;
das Hertz ist viel tieffer
selbst der ist die
Mund. Wund.

Philipp von Zesen
1619–1689

*Palm-baum
der höchst-löblichen Frucht-bringenden Geselschaft
zuehren aufgerichtet.*

übliche / liebliche
früchte mus allezeit bringen
des Palmen-baums ewige Zier /
darunter auch Fürsten selbst singen /
lehren und mehren mit heisser begier
die rechte der deutschen hoch-prächtigen zungen /
die sich mit ewigem preise geschwungen
hoch über die anderen sprachen empor:
wie fohr
dis land /
mit hand /
durch krieg /
durch sieg /
durch fleiß /
mit schweis /
den preis /
das pfand /
ent-wandt
der Welt;
wie aus der taht erhällt.

Lied

Halt, du schöner Morgenstern,
Bleibe fern!
Und du, güldne Nachtlaterne,
Halt der weißen Pferde Lauf
Itzund auf!
Steht ein wenig still, ihr Sterne!

Gönne mir die süße Ruh,
Sonne du,
Laß uns doch der Liebe pflegen,
Laß den kühlen Reif und Tau
Auf der Au
Noch ein wenig meinetwegen!

Ist doch meine Liebste mir
Sonn und Zier,
Die mich itzund in den Armen,
In den zarten Armen weiß,
Die mein Preis
Und mich also läßt erwarmen.

Und du, wunderschönes Licht,
Die ich nicht
Nach der Gnüge kann beschreiben,
Laß den hellen Augenschein
Bei mir sein,
Bis der Tag die Nacht wird treiben.

121

Wie hat mich dein roter Mund
Doch verwundt!
Das zweifache Schild mich zwinget,
Das vor deinem Herzen steht
Aufgebläht,
Da der Lilien Pracht aufspringet.

Ach, entschlage dich ja nicht,
Schönes Licht,
Dieser Lust in deiner Jugend,
Brauche deiner Lieblichkeit
Und der Zeit,
Schadt es doch nicht deiner Tugend.

Laß uns immer freudig sein!
Nacht und Wein
Reizen uns itzund zum Lieben.
Dann wenn Liebe, Wein und Nacht
Uns anlacht,
Kann uns Langmut nicht betrüben.

An die lieb- und freundselige schöne Adelmund

Wie ist es, hat Liebe mein Leben besessen,
Wie, oder befind't sie sich leiblich in mir?
O liebliches Leben, wem soll ich's zumessen,
Daß meine Gebeine so zittern vor ihr?
Ich gehe verirret, verwirret und trübe
Und stehe vertiefet in lieblicher Liebe.

Die ächzenden Lüfte, die seufzenden Winde,
Die lechzende Zunge, der Augen Gewirr,
Das Beben der Glieder macht, daß ich verschwinde,
Daß ich mich in meinen Gedanken verirr.
Ach Schöne, sie schone der schwächlichen Seelen,
Wenn sie das gebrechliche Herze will quälen!

Ihr übliches Lieblen, o liebliches Leben,
Der lieblenden Äugelein fröhlicher Blitz
Macht, daß ich verzücket herumher muß schweben,
Ja daß ich verliere Gedanken und Witz.
Das liebliche Singen der zitternden Zungen,
Das hat mir das Herze durchdrungen, bezwungen.

Sie lieb ich, sie lob ich, ihr leb ich zuliebe,
Sie ehr ich, sie hör ich, ihr kehr ich mich zu.
Sie machet es, daß ich im Leben mich übe
Und daß ich verscherze die herzliche Ruh.
Sie schreib ich, mich treib ich, ihr bleib ich ergeben,
Sie denk ich, mich kränk ich, ihr schenk ich mein Leben.

Johann Georg Greflinger
um 1620 – um 1677

An seine Gesellschaft

Lasset uns scherzen,
Blühende Herzen,
Lasset uns lieben
Ohne Verschieben!
Lauten und Geigen
Sollen nicht schweigen,
Kommet zum Tanze,
Pflücket vom Kranze!

Drücket die Hände,
Retschet zum Ende,
Gebet euch Küsse,
Tretet die Füße!
Machet euch fröhlich,
Machet euch ehlich,
Lasset die Narren
Länger verharren!

Ehlich zu werden
Dienet der Erden,
Ledige Leute
Mangeln der Freude.
Jeder muß sterben,
Machet euch Erben
Euerem Gute,
Namen und Blute.

Lasset der Grauen
Murren und Schauen!
Raten und Wissen
Wenig ersprießen.
Eben sie selber
Waren auch Kälber.
Blühende Herzen,
Lasset uns scherzen!

[retschet: schwätzet]

An eine vortreffliche, schöne und tugendbegabte Jungfrau

Gelbe Haare, güldne Stricke,
Taubenaugen, Sonnenblicke,
Schönes Mündlein von Korallen,
Zähnlein, die wie Perlen fallen,

Lieblichs Zünglein in dem Sprachen,
Süßes Zürnen, süßes Lachen,
Schnee- und lilienweiße Wangen,
Die voll roter Rosen hangen,

Weißes Hälslein gleich den Schwanen,
Ärmlein, die mich recht gemahnen
Wie ein Schnee, der frisch gefallen,
Brüstlein wie zween Zuckerballen,

Lebensvoller Alabaster,
Große Feindin aller Laster,
Frommer Herzen schöner Spiegel,
Aller Freiheit güldner Zügel,

Ausbund aller schönen Jugend,
Aufenthaltung aller Tugend,
Hofstatt aller edlen Sitten:
Ihr habt mir mein Herz bestritten!

123

Gegensatz
An eine sehr häßliche Jungfrau

Graues Haar voll Läus und Nisse,
Augen von Scharlach, voll Flüsse,
Blaues Maul voll kleiner Knochen,
Halb verrostet und halb zerbrochen.

Halshaut gleich den Morianen,
Arme, die mich recht gemahnen,
Wie ein Kind ins Kot gefallen,
Brüste wie zween Druckerballen.

Blatterzunge, krank zu Sprachen,
Affischs Zörnen, Narrenlachen,
Runzelvolle magre Wangen,
Die wie gelbe Blätter hangen.

Du bist so ein Alabaster
Als ein wohlberegntes Pflaster,
Aller Ungestalt ein Spiegel,
Aller Schönen Steigebügel.

Schimpf der Jungfern und der Jugend,
Unhuld aller lieben Tugend
Einöd aller plumpen Sitten,
Läßt du dich zum Freien bitten?

[Morian: dunkler Quarz]

Kaspar Stieler
1632–1707

Ein jeder, was ihm gefället

Wer will, kann ein gekröntes Buch
Von schwarzen Kriegeszeiten schreiben;
Ich will auf Venus Angesuch
Ihr süßes Liebeshandwerk treiben;
Ich brenne. Wer nicht brennen kann,
Fang' ein berühmter Wesen an.

Ich hätte die Gelegenheit
Ein neues Ilium zu melden;
Es gibt mir Anlaß mancher Streit
So vieler ritterlichen Helden;
Doch brenn' ich. Wer nicht brennen kann
Fang' ein berühmter Wesen an.

Ich sehe vor mir Blut und Staub,
Und tausend Mann gewaffnet liegen,
Ich sehe, wie auf Sieg und Raub
So viel vergöldete Fahnen fliegen;
Doch brenn' ich. Wer nicht brennen kann,
Fang' ein berühmter Wesen an.

Ich spür' auch hier Ulyssens Witz,
Mich reizen Hektors tapfre Taten;
Was hilfts? Mich läßt die Liebeshitz'
Auf andre Künste nicht geraten.
Ich brenne. Wer nicht brennen kann,
Fang' ein berühmter Wesen an.

Ich höre der Trompeten Schall,
Der Pauken Lärm, den Klang der Waffen,
Der schreckenden Kartaunen Knall,
Der Büchsen und Musketen Paffen
Und brenne. Wer nicht brennen kann,
Fang' ein berühmter Wesen an.

Was mein beflammtes Herze hegt,
Zieht meinen Geist von seiner Erden;
Hätt' Amors Glut mich nicht erregt,
Wie würd' ich je beschrieen werden?
Nun brenn' ich. Wer nicht brennen kann,
Fang' ein berühmter Wesen an.

Was mir die Venus predigt ein
Samt ihrem lieblichen Empusen,
Mag meines Namens Lorbeer sein;
Sonst brauch' ich keiner andern Musen.
Ich brenne. Wer nicht brennen kann,
Fang' ein berühmter Wesen an.

Was frag' ich nach der Alten Neid,
Was nach dem stumpfen Tadlerbesen!
Es ist genug, wenn nach der Zeit
Mich liebe Jungfern werden lesen.
Ich brenne. Wer nicht brennen kann,
Fang' ein berühmter Wesen an.

Ich weiß, wenn ich verweset bin,
Wird mich das junge Volk betrauern
Und sagen: Ach, daß der ist hin
Den Venus ewig hieße dauern!
Wer aber nimmer bringen kann,
Wird keine Venus fangen an.

[Empusen: Dämonen; hier wohl: Cupido.]

Felder-Freiheit

Die Freud hat sich aufs Land begeben.
Was mach ich in der Stadt?
Ein Narr ist, der allhier zu leben
Sich überredet hat.
Auf! Spannet an den leichten Wagen,
Ich will hin zu Rosillen jagen.

Das Lachgesicht der Charitinnen
Gibt ihr ein Lustgeleit.
Auf! Trag mich Pegasus von hinnen
Zu ihrer Freundlichkeit!
Was acht ich dieser öden Gassen,
Wenn sie die Rosilis nicht fassen?

Selbst Venus will zur Hirtin werden,
Nu sie der Schafe wacht.
Der Amor fleuget um die Herden
Und treibet ein zu Nacht.
Er weiß mit Melken umzugehen
Und lernt den schlanken Drüschel drehen.

Sollt ich mich denn des Pflügens schämen,
Wenn sie mir Essen bringt,
Mich um die Baurenarbeit grämen,
Wenn sie zu Abend singt
Ein Lied, das jene frohe Felder
Der Echo schicken in die Wälder?

Jetzt brennt der Sonnen heiße Kerze
Im wilden Hundesstern:
Was acht ich Hitze, Schrunden, Schwärze,
Ist nur mein Kind nicht fern?
Bei ihr und ihres Hammels Glocke
Schmeckt mir, was ich in Wasser brocke.

Zu Delphos schwieg die Pythe stille,
Als Phöbus war entbrannt,
Ihm lieb' Admetus' Schafgebrülle,
Als Amor ihn verband.
Aus Liebe pflegt ein Gott der Herden;
Sollt ich denn nicht ein Schäfer werden?

Um Rosilis, um meine Schöne,
Um welch ich eine Stadt
Nicht nur, besondern alles höhne,
Was Wäll und Mauren hat?
Weg, Memphis, weg! Weg alle Schlösser!
Rosillen Baurenhaus ist größer.

Die alte Welt wohnt' in den Hütten
Und aß die Eichelnuß;
Ihr Trunk stund allen in der Mitten
Ein Brunn und heller Fluß.
Da hat sich Fillis beigesetzet
Und frei mit Koridon ergetzet.

Da war kein Hüter, der die Pforten
In harte Riegel schloß;
Die Freiheit war an allen Orten
In ihrer Freiheit groß;
Es liebt' und herzte sich ein jeder.
Kommt, ihr Gebräuche, kommt doch wieder!

[Drüschel: Dreschflegel.]

Nacht-Glücke

Willkommen, Fürstin aller Nächte!
Prinz der Silber-Knechte,
 Willkommen, Mond, aus düstrer Bahn
 Vom Ozean!
Dies ist die Nacht, die tausend Tagen
Trotz kann sagen
 Weil mein Schatz
 Hier in Priapus' Platz
Erscheinen wird, zu stillen meine Pein.
Wer wird wie ich wohl so beglücket sein?

Beneidet, himmlische Laternen,
Weißgeflammte Sternen,
 Mit einem scheelen Angesicht,
 Ach, mich nur nicht!
Kein Mensch als ihr nur möget wissen,
Wie wir küssen.
 Alle Welt
 Hat seine Ruh bestellt,
Wir beide nur, ich und mein Kind, sind wach
Und Flammen, ihr, an Bronteus' Wolkendach.

Es säuselt Zephir aus dem Weste
Durch Pomonen Äste,
 Es seufzet sein verliebter Wind
 Nach meinem Kind.
Ich seh es gerne, daß er spielet
Und sie kühlet,
 Weil sie mir
 Folgt durch die Gartentür
Und doppelt den geschwinden Liebestritt.
Bringt, West, sie bald und tausend Küsse mit!

Was werd ich, wenn sie kömmt gegangen,
An- doch erstlichst -fangen?
 Küß ich die Hand, die Brust, den Mund
 Zur selben Stund?
Ich werd, ich weiß, kein Wort nicht machen!

So viel Sachen,
 Die an Zier
 Den Göttern gehen für
Und auf dies Schönchen sein gewendet an,
Erstaunen mich, daß ich nicht reden kann.

Komm, Flora, streue dein Vermügen
Darhin, wo wir liegen!
 Es soll ein bunter Rosenhauf
 Uns nehmen auf
Und, Venus, du sollst in den Myrten
Uns bewirten,
 Bis das Blut
 Der Röt herfür sich tut!
Was Schein ist das? Die Schatten werden klar.
Still, Lautenklang! Mein Liebchen ist schon dar.

Angelus Silesius (Johannes Scheffler)
1624–1677

Sie verspricht sich, ihn bis in den Tod zu lieben

Ich will dich lieben, meine Stärke
Ich will dich lieben, meine Zier,
Ich will dich lieben mit dem Werke
Und immerwährender Begier.
Ich will dich lieben, schönstes Licht,
Bis mir das Herze bricht.

Ich will dich lieben, o mein Leben,
Als meinen allerbesten Freund.
Ich will dich lieben und erheben,
Solange mich dein Glanz bescheint.
Ich will dich lieben, Gottes Lamm,
Als meinen Bräutigam.

Ach, daß ich dich so spät erkennet,
Du hochgelobte Schönheit du!
Und dich nicht eher mein genennet,
Du höchstes Gut und wahre Ruh!
Es ist mir leid und bin betrübt,
Daß ich so spät geliebt.

Ich lief verirrt und war verblendet,
Ich suchte dich und fand dich nicht;
Ich hatte mich von dir gewendet
Und liebte das geschaffne Licht;
Nun aber ist's durch dich geschehn,
Daß ich dich hab ersehn.

Ich danke dir, du wahre Sonne,
Daß mir dein Glanz hat Licht gebracht,
Ich danke dir, du Himmelswonne,
Daß du mich froh und frei gemacht.
Ich danke dir, du güldner Mund,
Daß du mich machst gesund.

Erhalte mich auf deinen Stegen
Und laß mich nicht mehr irregehn,
Laß meinen Fuß in deinen Wegen
Nicht straucheln oder stillestehn,
Erleucht mir Leib und Seele ganz,
Du starker Himmelsglanz!

Gib meinen Augen süße Tränen,
Gib meinem Herzen keusche Brunst,
Laß meine Seele sich gewöhnen,
Zu üben in der Liebe Kunst!
Laß meinen Sinn, Geist und Verstand
Stets sein zu dir gewandt!

Ich will dich lieben, meine Krone,
Ich will dich lieben, meinen Gott,
Ich will dich lieben ohne Lohne
Auch in der allergrößten Not,
Ich will dich lieben, schönstes Licht,
Bis mir das Herze bricht.

[Sie verspricht: die Seele]

Himmelfahrt

Nun fähret auf Marien Sohn
In Gottes und auch seinen Thron,
Er triumphieret wie ein Held,
Der alle Feinde hat gefällt.
Seid fröhlich, ihr Himmel,
Macht heilges Getümmel,
Eröffnet die Pforten
Mit jauchzenden Worten,
Laßt eure Trompeten aufs kräftigste hören,
Auf daß ihr empfahet den König der Ehren.

Er zeucht nun herrlich bei euch ein
Und bringt euch neuen Glanz und Schein;
Er bringet euch mit Göttlichkeit
Die menschliche Natur bekleidt.
Ihr könnet nu sehen,
Was vor nie geschehen,
Des Menschen Sohn sitzen
Im ewigen Blitzen,
Regiern und beherrschen mit Gotte zugleiche
Der ewigen Herrlichkeit ewige Reiche.

Betrübet euch, mein Augen, nicht,
Daß euch der liebste Schatz entbricht.
Es wird in kurzem bald geschehn,
Daß ihr ihn werdet wieder sehn.
Er will nur beizeiten
Die Bleibstatt bereiten,
In der er mit Freuden
Uns ewig wird weiden.
Bald wird er mit tausendmal Tausenden kommen
Viel herrlicher, als er itz Abschied genommen.

Ehr sei dir, Jesu, ewiglich,
Der du so auffährst wunderlich.
Zeuch auch mein Herz hinauf zu dir,
Daß es erhöht sei für und für.
Auf daß ich mit Wonne
Dir, ewige Sonne,
Am Ende der Erden
Mag zugetan werden
Und immer und ewig, im Himmel erhaben,
Mit deinen Verdiensten mich freuen und laben.

Aus: *Geistreiche Sinn- und Schlußreime*
(Cherubinischer Wandersmann)

Du mußt, was Gott ist, sein

Soll ich mein letztes End und ersten Anfang finden,
So muß ich mich in Gott und Gott in mir ergründen
Und werden das, was er: ich muß ein Schein im Schein,
Ich muß ein Wort im Wort, ein Gott in Gotte sein.

Der Mensch ist Ewigkeit

Ich selbst bin Ewigkeit, wenn ich die Zeit verlasse
Und mich in Gott und Gott in mich zusammenfasse.

Gott ergreift man nicht

Gott ist ein lauter Nichts, ihn rührt kein Nun noch Hier:
Je mehr du nach ihm greifst, je mehr entwird er dir.

Ein Abgrund ruft dem andern

Der Abgrund meines Geists ruft immer mit Geschrei
Den Abgrund Gottes an: Sag, welcher tiefer sei?

Das Bildnis Gottes

Ich trage Gottes Bild: wenn er sich will besehn,
So kann es nur in mir, und wer mir gleicht, geschehn.

Die Gottheit ist ein Nichts

Die zarte Gottheit ist ein Nichts und Übernichts:
Wer nichts in allem sieht, Mensch, glaube, dieser sicht's.

Zufall und Wesen

Mensch, werde wesentlich; denn wann die Welt vergeht,
So fällt der Zufall weg, das Wesen, das besteht.

Man weiß nicht, was man ist

Ich weiß nicht, was ich bin; ich bin nicht, was ich weiß;
Ein Ding und nit ein Ding, ein Stüpfchen und ein Kreis.

Die Gleichheit

Ich weiß nicht, was ich soll; es ist mir alles ein:
Ort, Unort, Ewigkeit, Zeit, Nacht, Tag, Freud und Pein.

Die Unruh kommt von dir

Nichts ist, das dich bewegt, du selber bist das Rad,
Das aus sich selbsten läuft und keine Ruhe hat.

Ohne Warum

Die Ros ist ohn Warum; sie blühet, weil sie blühet,
Sie acht' nicht ihrer selbst, fragt nicht, ob man sie siehet.

Das Bildnis halt in Ehren

Speist du die Bilder an und bist doch selbst ein Bild?
Was meinst du dann von dir, wie du bestehen wilt?

Auch unter Dornen blühen

Christ, so du unverwelkt in Leiden, Kreuz und Pein
Wie eine Rose blühst, wie selig wirst du sein!

Jetzt mußt du blühen

Blüh auf, gefrorner Christ, der Mai ist vor der Tür,
Du bleibest ewig tot, blühst du nicht jetzt und hier.

Der Leib ist Ehren wert

Halt deinen Leib in Ehrn, er ist ein edler Schrein,
In dem das Bildnis Gotts soll aufbehalten sein.

Was fein ist, das besteht

Rein wie das feinste Gold, steif wie ein Felsenstein,
Ganz lauter wie Kristall soll dein Gemüte sein.

Die Rose

Die Rose, welche hier dein äußres Auge sieht,
Die hat von Ewigkeit in Gott also geblüht.

Das schönste Ding

Kein Ding ist hier noch dort, das schöner ist als ich,
Weil Gott, die Schönheit selbst, sich hat verliebt in mich.

Das Geschöpf ist des Schöpfers Trost

Ich, sein Geschöpfe, bin des Sohnes Gottes Kron,
Die Ruhe seines Geists und seiner Leiden Lohn.

Der geistliche Krebsgang

Mensch, senke dich herab, so steigest du hinauf;
Laß ab von deinem Gehn, so fängt sich an dein Lauf.

Die Zeit, die ist nicht schnell

Man sagt, die Zeit ist schnell. Wer hat sie sehen fliegen?
Sie bleibt ja unverrückt im Weltbegriffe liegen.

Der Welt Tun ist ein Trauerspiel

Freund, gönn es doch der Welt; ihr geht's zwar, wie sie will,
Doch ist ihr ganzes Tun nichts als ein Trauerspiel.

Der Larvenmensch

Ein Mensch, der wie das Vieh in alle Lust ausbricht,
Ist nur ein Larvenmensch: er scheint und ist's doch nicht.

Der Bach wird das Meer

Hier fließ ich noch in Gott als eine Bach der Zeit,
Dort bin ich selbst das Meer der ewgen Seligkeit.

Der geheime Tod

Tod ist ein selig Ding: je kräftiger er ist,
Je herrlicher daraus das Leben wird erkiest.

Das immerwährende Sterben

Ich sterb und lebe Gott; will ich ihm ewig leben,
So muß ich ewig auch für ihn den Geist aufgeben.

Christian Hofmann von Hofmannswaldau
1617–1679

Auf den Mund

Mund! der die Seelen kann durch Lust zusammen hetzen,
Mund! der viel süßer ist als starker Himmelswein,
Mund! der du Alikant des Lebens schenkest ein,
Mund! den ich vorziehn muß der Inden reichen Schätzen,
Mund! dessen Balsam uns kann stärken und verletzen,
Mund! der vergnügter blüht als aller Rosen Schein,
Mund! welchem kein Rubin kann gleich und ähnlich sein,
Mund! den die Gratien mit ihren Quellen netzen;
Mund! ach Korallenmund, mein einziges Ergetzen!
Mund! laß mich einen Kuß auf deinen Purpur setzen.

[Alikant: dunkler spanischer Süßwein]

Albanie, gebrauche deiner Zeit
Und laß den Liebeslüsten freien Zügel.
 Wenn uns der Schnee der Jahre hat beschneit,
So schmeckt kein Kuß, der Liebe wahres Siegel.
 Im grünen Mai grünt nur der bunte Klee,
 Albanie.

Albanie, der schönen Augen Licht,
Der Leib und was auf den beliebten Wangen,
 Ist nicht vor dich, vor uns nur zugericht.
Die Äpfel, so auf deinen Brüsten prangen,
 Sind unsre Lust und süße Anmutssee,
 Albanie.

Albanie, was quälen wir uns viel
Und züchtigen die Nieren und die Lenden?
 Nur frisch gewagt das angenehme Spiel,
Jedwedes Glied ist ja gemacht zum Wenden,
 Und wendet doch die Sonn sich in die Höh.
 Albanie.

Albanie, soll denn dein warmer Schoß
So öd und wüst und unbebauet liegen?
 Im Paradies, da ging man nackt und bloß
Und durfte frei die Liebesäcker pflügen.
 Welch Menschensatz macht uns dies neue Weh?
 Albanie.

Albanie, wer kann die Süßigkeit
Der zwei vermischten Geister recht entdecken?
 Wenn Lieb und Lust ein Essen uns bereit,
Das wiederholt am besten pflegt zu schmecken,
 Wünscht nicht dein Herz, daß es dabei vergeh?
 Albanie.

Albanie, weil noch der Wollusttau
Die Glieder netzt und das Geblüte springet,
 So laß doch zu, daß auf der Venusau
Ein brünstger Geist dir knieend Opfer bringet,
 Daß er vor dir in voller Andacht steh.
 Albanie.

Er schauet der Lesbie durch ein Loch zu

Es dachte Lesbie, sie säße ganz allein,
Indem sie wohl verwahrt die Fenster und die Türen,
Doch ließ sich Sylvius den geilen Fürwitz führen
 Und schaute durch ein Loch in ihr Gemach hinein.

Auf ihrem linken Knie lag ihr das rechte Bein,
Die Hand war höchst bemüht, den Schuh ihr zuzuschnüren,
Er schaute, wie der Moos Zinnober weiß zu zieren,
 Und wo Cupido will mit Lust gewieget sein.

Es rufte Sylvius: wie zierlich sind die Waden
Mit warmem Schnee bedeckt, mit Elfenbein beladen!
 Er sahe selbst den Ort, wo seine Hoffnung stund.

Es lachte Sylvius. Sie sprach: Du bist verloren,
Zum Schmerze bist du dir und mir zur Pein erkoren,
 Denn deine Hoffnung hat ja gar zu schlechten Grund.

Die Wollust

Die Wollust bleibet doch der Zucker dieser Zeit,
Was kann uns mehr denn sie den Lebenslauf versüßen?
Sie lässet trinkbar Gold in unsre Kehle fließen
Und öffnet uns den Schatz beperlter Lieblichkeit.
In Tuberosen kann sie Schnee und Eis verkehren
Und durch das ganze Jahr die Frühlingszeit gewähren.

Es schaut uns die Natur als rechte Kinder an,
Sie schenkt uns ungespart den Reichtum ihrer Brüste,
Sie öffnet einen Saal voll zimmetreicher Lüste,
Wo aus des Menschen Wunsch Erfüllung quellen kann.
Sie legt als Mutter uns der Wollust in die Armen
Und läßt durch Lieb und Wein den kalten Geist erwarmen.

Nur das Gesetze will allzu tyrannisch sein.
Es zeiget jederzeit ein widriges Gesichte,
Es macht des Menschen Lust und Freiheit ganz zunichte
Und flößt für süßen Most uns Wermuttropfen ein.
Es untersteht sich, uns die Augen zu verbinden
Und alle Lieblichkeit aus unsrer Hand zu winden.

Die Ros entblößet nicht vergebens ihre Pracht,
Jasmin will nicht umsonst uns in die Augen lachen –
Sie wollen unsrer Lust sich dienst- und zinsbar machen.
Der ist sein eigen Feind, der sich zu plagen tracht;
Wer für die Schwanenbrust ihm Dornen will erwählen,
Dem muß es an Verstand und reinen Sinnen fehlen.

Was nutzet endlich uns doch Jugend, Kraft und Mut,
Wenn man den Kern der Welt nicht reichlich will genießen
Und dessen Zuckerstrom läßt unbeschifft verschießen;
Die Wollust bleibet doch der Menschen höchstes Gut,
Wer hier zu Segel geht, dem wehet das Gelücke
Und ist verschwenderisch mit seinem Liebesblicke.

Wer Epikuren nicht für seinen Lehrer hält,
Der hat den Weltgeschmack und allen Witz verloren,
Es hat ihr die Natur als Stiefsohn ihn erkoren,
Er muß ein Unmensch sein und Scheusal dieser Welt.
Der meisten Lehrer Wahn erregte Zwang und Schmerzen:
Was Epikur gelehrt, das kitzelt noch die Herzen.

Lobrede an das liebwerteste Frauenzimmer

Hochwertes Jungfernvolk, ihr holden Anmutssonnen,
 Ihr auserwählter Schmuck, der Haus und Gassen ziert.
Wer ist so steinern, der euch nicht hat lieb gewonnen?
 Und welchen habt ihr nicht mit Fesseln heimgeführt?
Wer ist so kühn, der darf für eure Augen treten,
 Wenn ihr die Waren habt der Schönheit ausgelegt?
Wer will euch, Liebste, nicht als einen Gott anbeten,
 Weil ihr das Bildnis seid, das Venus selbst geprägt?
Jedoch ich will nur bloß ein Teil von dem berühren,
 Mit welchem die Natur euch herrlich hat versehn.
Der Sinnen Schiff soll mich in solche Länder führen,
 Wo auf der See voll Milch nur Liebeswinde wehn.
Die Brüste sind mein Zweck, die schönen Marmelballen,
 Auf welchen Amor ihm ein Lustschloß hat gebaut,
Die durch das Atemspiel sich heben und auch fallen,
 Auf die der Sonne Gold wohlriechend Ambra taut.
Sie sind ein Paradies, in welchem Äpfel reifen,
 Nach derer süßen Kost jedweder Adam lechzt,
Zwei Felsen, um die stets des Zephirs Winde pfeifen,
 Ein Garten schöner Frucht, wo die Vergnügung wächst,
Ein überirdisch Bild, dem alle opfern müssen,
 Ein ausgeputzt Altar, für dem die Welt sich beugt,
Ein kristallinen Quell, aus welchem Ströme flüssen,
 Davon die Süßigkeit den Nektar übersteigt.
Sie sind zwei Schwestern, die in einem Bette schlafen,
 Davon die eine doch die andre keinmal drückt,
Zwei Kammern, welche voll von blanken Liebeswaffen,
 Aus denen Cypripor die göldnen Pfeile schickt.
Sie sind ein zäher Leim, woran die Sinnen kleben,
 Ein Feuer, welches macht die kälteste Herzen warm,
Ein Bezoar, der auch Entseelten gibt das Leben,
 Ein solcher Schatz, für dem das Reichtum selbst ist arm,
Ein kräftig Himmelbrot, das die Verliebten schmecken,
 Ein Alabasterhaus, so mit Rubinen prahlt,
Ein süßer Honigseim, den matte Seelen lecken,
 Ein Himmel, wo das Heer der Liebessterne strahlt,
Ein scharfgeschliffen Schwert, das tiefe Wunden hauet,
 Ein Rosenstrauch, der auch im Winter Rosen bringt,
Ein Meer, worauf man der Syrenen Kräfte schauet,
 Von denen der Gesang bis in die Seele dringt.
Sie sind ein Schneegebürg, in welchem Funken glimmen,
 Davon der härtste Stahl wie weiches Wachs zerfleußt,
Ein wasserreicher Teich, darinnen Fische schwimmen,
 Davon sich sattsam ein verliebter Magen speist.
Sie sind der Jugend Lust und aller Kurzweil Zunder,
 Ein Kranz, in welchem man die Keuschheitsblume sieht.
Sie kürzen lange Zeit und stiften eitel Wunder,
 Weil beides, Glut und Schnee, auf ihrem Throne blüht.
Sie sind ein runder Sarg, wo Liebe liegt begraben,
 Ein Dietrich, welcher auch des Herzens Grund aufschleußt,

Ein Ort, in dem nur Lust will Sitz und Wohnstatt haben,
 In dessen Höhlen Milch und Nektar häufig fleußt,
Zwei Fässer, welche sind mit Julepsaft erfüllet,
 Lockvögel, deren Ton ein freies Herze bind't,
Zwei Sonnen, welche zwar mit dünnem Flor umhüllet,
 Doch macht ihr heller Blitz die klärsten Augen blind.
Sie sind ein zart Gewand von schwanenweißer Seide,
 Daran man sehen kann, wie jeder Faden steht,
Zwei Hügel, derer Höh' bedecket ist mit Kreide,
 Zwei Fläschgen, denen nie der Wollust Milch entgeht,
Zwei Brünne, da nur stets gesunde Wasser quellen
 Und wo die Dürre nicht der Adern Mark aussaugt,
Zwei Jäger, welche zahm und wilde Tiere fällen,
 Wo keines wird verschont, was nur zu fangen taugt,
Zwei Schneeballn, welche doch unmöglich schmelzen können,
 Womit das Jungfernvolk der Männer Seelen schmeißt,
Zwei aufgestellte Garn und Schlingen freier Sinnen,
 Aus denen gar kein Mensch, wie klug er ist, entreißt,
Zwei Kräme, wo man Huld und Freundlichkeit ausleget
 Und wo ein roter Mund nur kann der Kaufmann sein,
Zwei Körb', in welchen man bloß Marzipan feil träget,
 Nach dessen Süßigkeit die Lippen lechzend schrei'n,
Zwei Türme, derer Pracht von Elfenbein vollführet,
 Darauf Cupidens Pfeil die Wache fleißig hält,
Zwei Kleinod, derer Glanz der Jungfern Leiber zieret,
 Wenn ihre Freundlichkeit den Männern Netze stellt.
Sie sind ein Blasebalg, ein Feuer aufzufachen,
 Das durch kein Mittel nicht kann werden ausgelöscht,
Zwei Bette, wo Rubin und Marmel Hochzeit machen,
 Wo süße Mandelmilch der Rosen Scharlach wäscht.
Sie sind ein Seekompaß, der hurtig rudern heißet,
 Eh' man in Hafen der Vergnügung wird gebracht,
Ein reiner Thron, auf dem der Lilien Silber gleißet,
 Worauf verliebtes Volk nur hat zu sitzen Macht,
Ein wertes Heiligtum, das keusche Lippen küssen,
 Für dem sich Herz und Knie in tiefster Demut neigt,
Ein Meer, aus dem sich Lust und Lieblichkeit ergießen,
 Ein Bergwerk, dessen Grund zwei Demantsteine zeigt.
Doch niemand lobt den Brauch, die Kugeln zu verdecken,
 Darauf man sehen kann, wo Lieb- und Lustland liegt.
Ach Schönste! glaubet mir, ihr möget sie verstecken,
 Ein Liebesauge hat dem allen obgesiegt.
Orontes selbst bezeugt, daß kein Verbergen nutze,
 Der Brüste Pharos hat durch zart Gewand geleucht't.
Er ruht im Liebesport jetzt unter ihrem Schutze,
 Wenn uns ein rauher Sturm noch um die Segel streicht.
Wohl dem nun, der wie er kann so vergnüget leben,
 Den so ein weißer Schild für Wehmutswunden schützt,
Der seinem Munde kann dergleichen Zucker geben,
 Der so vergnügt wie er im Liliengarten sitzt,
Der so die Blumen mag auf weißen Wiesen brechen,
 Der aus der Brüste Schacht Rubin und Demant gräbt,

Der Rosen sammlen kann ohn' einzig Dornenstechen,
 Der von der Speis und Kraft der süßen Äpfel lebt,
Dem so das Glücke blüht, den es so Bruder nennet,
 Dem eine runde Brust kann Pfühl und Polster sein,
Der in der Liebsten Schoß mit vollem Zügel rennet,
 Der seiner Venus so flößt Liebesbalsam ein!

Er liebt vergebens

Ich finde keinen Rat, die Liebe wächst alleine
Und wenig neben mir, es sei denn meine Not,
Die Brunst bestricket mich, warum nicht auch der Tod?
Frißt jene Mark und Fleisch, so fresse der die Beine.

Was aber hilft mein Wunsch, was hilft's mich, daß ich weine?
Der Tod hört nicht viel mehr als sonst der Liebesgott;
Wo sollte meine Qual und meines Lebens Spott
Nun besser sein bedeckt als unter einem Steine?

Und bin ich endlich tot, vergraben und verscharrt,
So schwatzt die Grabschrift noch, daß dieser Mensch genarrt,
Und sagt: Hier liegt ein Narr und läßt nicht wenig Erben.

Ach! daß den schwarzen Leib das erste Wasserbad,
So mir die Mutter gab, nicht bald ersäufet hat,
So dürft ich jetzt allhier nicht wie ein Narr verderben.

Beschreibung vollkommener Schönheit

Ein Haar, so kühnlich Trotz der Berenike spricht,
Ein Mund, der Rosen führt und Perlen in sich heget,
Ein Zünglein, so ein Gift vor tausend Herzen träget,
Zwo Brüste, wo Rubin durch Alabaster bricht,
Ein Hals, der Schwanenschnee weit, weit zurücke sticht,
Zwei Wangen, wo die Pracht der Flora sich beweget,
Ein Blick, der Blitze führt und Männer niederleget,
Zwei Armen, derer Kraft oft Leuen hingericht't,
Ein Herz, aus welchem nichts als mein Verderben quillet,
Ein Wort, so himmlisch ist und mich verdammen kann,
Zwei Hände, derer Grimm mich in den Bann getan
Und durch ein süßes Gift die Seele selbst umhüllet,
Ein Zierat, wie es scheint, im Paradies gemacht,
Hat mich um meinen Witz und meine Freiheit bracht.

Vergänglichkeit der Schönheit

Es wird der bleiche Tod mit seiner kalten Hand
Dir endlich mit der Zeit um deine Brüste streichen,
Der liebliche Korall der Lippen wird verbleichen,
Der Schultern warmer Schnee wird werden kalter Sand;

Der Augen süßer Blitz, die Kräfte deiner Hand,
Für welchen solches fällt, die werden zeitlich weichen.
Das Haar, das itzund kann des Goldes Glanz erreichen,
Tilgt endlich Tag und Jahr als ein gemeines Band.

Der wohlgesetzte Fuß, die lieblichen Gebärden,
Die werden teils zu Staub, teils nichts und nichtig werden,
Denn opfert keiner mehr der Gottheit deiner Pracht.

Dies und noch mehr als dies muß endlich untergehen.
Dein Herze kann allein zu aller Zeit bestehen,
Dieweil es die Natur aus Diamant gemacht.

Wo sind die Stunden
Der süßen Zeit,
Da ich zuerst empfunden,
Wie deine Lieblichkeit
Mich dir verbunden?
Sie sind verrauscht. Es bleibet doch dabei,
Daß alle Lust vergänglich sei.

Das reine Scherzen,
So mich ergetzt
Und in dem tiefen Herzen
Sein Merkmal eingesetzt,
Läßt mich in Schmerzen.
Du hast mir mehr als deutlich kund getan,
Daß Freundlichkeit nicht ankern kann.

Das Angedenken
Der Zuckerlust
Will mich in Angst versenken.
Es will verdammte Kost
Uns zeitlich kränken.
Was man geschmeckt und nicht mehr schmecken soll
Ist freudenleer und jammervoll.

Empfangne Küsse,
Ambrierter Saft,
Verbleibt nicht lange süße
Und kommt von aller Kraft;
Verrauschte Flüsse
Erquicken nicht. Was unsern Geist erfreut
Entspringt aus Gegenwärtigkeit.

Ich schwamm in Freude,
Der Liebe Hand
Spann mir ein Kleid von Seide;
Das Blatt hat sich gewandt,

Ich geh im Leide,
Ich wein itzund, daß Lieb und Sonnenschein
Stets voller Angst und Wolken sein.

Die Welt

Was ist die Welt und ihr berühmtes Glänzen?
Was ist die Welt und ihre ganze Pracht?
Ein schnöder Schein in kurzgefaßten Grenzen,
Ein schneller Blitz bei schwarzgewölkter Nacht,
Ein buntes Feld, da Kummerdisteln grünen,
Ein schön Spital, so voller Krankheit steckt,
Ein Sklavenhaus, da alle Menschen dienen,
Ein faules Grab, so Alabaster deckt.
Das ist der Grund, darauf wir Menschen bauen
Und was das Fleisch für einen Abgott hält.
Komm, Seele, komm und lerne weiter schauen,
Als sich erstreckt der Zirkel dieser Welt!
Streich ab von dir derselben kurzes Prangen,
Halt ihre Lust für eine schwere Last:
So wirst du leicht in diesen Port gelangen,
Da Ewigkeit und Schönheit sich umfaßt.

Gedanken bei Antretung des funfzigsten Jahres

Mein Auge hat den alten Glanz verloren,
Ich bin nicht mehr, was ich vor diesem war,
Es klinget mir fast stündlich in den Ohren:
Vergiß der Welt und denk auf deine Bahr!
Und ich empfinde nun aus meines Lebens Jahren,
Daß funfzig schwächer sind als funfundzwanzig waren.

Du hast, mein Gott, mich in des Vaters Lenden
Als rohen Zeug genädig angeschaut
Und nochmals auch in den verdeckten Wänden
Ohn alles Licht durch Allmacht aufgebaut,
Du hast als Steuermann und Leitstern mich geführet,
Wo man der Wellen Sturm und Berge Schrecken spüret.

Du hast den Dorn in Rosen mir verkehret
Und Kieselstein zu Kristallin gebracht,
Dein Segen hat den Unwert mir verzehret
Und Schlackenwerk zu gleichem Erz gemacht.
Du hast als Nulle mich den Zahlen zugesellet,
Der Welt Gepränge gilt nach dem es Gott gefället.

Ich bin zu schlecht, für dieses Dank zu sagen,
Es ist zu schlecht, was ich dir bringen kann.
Nimm diesen doch, den du hast jung getragen
Als Adlern itzt auch in dem Alter an.

Ach! stütze Leib und Geist und laß bei grauen Haaren
Nicht grüne Sündenlust sich meinem Herzen paaren.

Laß mich mein Amt mit Freudigkeit verwalten,
Laß Trauersucht nicht stören meine Ruh,
Laß meinen Leib nicht wie das Eis erkalten
Und lege mir noch etwas Kräfte zu!
Hilf, daß mich Siechtum nicht zu Last und Ekel mache,
Der Morgen mich bewein, der Abend mich verlache.

Laß mich die Lust des Feindes nicht berücken,
Die Wermut oft mit Zucker überlegt,
Verwirr ihn selbst in Garne seiner Tücken,
Daß der Betrug nach seinem Meister schlägt.
Laß mich bei guter Sach ohn alles Schrecken stehen
Und unverdienten Haß zu meiner Lust vergehen.

Verjüng in mir des schwachen Geistes Gaben,
Der ohne dich ohn alle Regung liegt,
Laß mit der Zeit mich diesen Nachklang haben:
Daß Eigennutz mich niemals eingewiegt,
Daß mir des Nächsten Gut hat keinen Neid erwecket,
Sein Ach mich nicht erreicht, sein Weinen nicht beflecket.

Hilf, daß mein Geist zum Himmel sich geselle
Und ohne Seid und Schmünke heilig sei;
Bist du doch, Herr, der gute reine Quelle;
So mache mich von bösen Flecken frei.
Wie leichtlich läßt sich doch des Menschen Auge blenden!
Du weißt, wie schwach es ist, es kommt aus deinen Händen.

Denn führe mich zu der erwählten Menge
Und in das Licht durch eine kurze Nacht:
Ich suche nicht ein großes Leichgepränge,
Aus Eitelkeit und stolzer Pracht erdacht.
Ich will kein ander Wort um meinen Leichstein haben
Als dies: Der Kern ist weg, die Schalen sind vergraben.

Grabschrift des Herzogs von Alba

Hier liegt der Wüterich, so nichts von Ruh gehört,
Bis ihm der bleiche Tod ein neues Wort gelehrt;
Er brach ihm seinen Hals und sprach: Du mußt erbleichen,
Sonst würd ich dir noch selbst im Würgen müssen weichen.

Grabschrift General Wallensteins

Hier liegt das große Haupt, so itzt wird ausgelacht;
Viel wissen mehr von mir, als ich jemals gedacht.
Doch wußt ich, daß ein Stein nicht leicht ein Stern kann werden,
Ein Stein, wie hoch er steigt, fällt endlich zu der Erden.

Hans Jakob Christoffel von Grimmelshausen
1621/22–1676

Komm, Trost der Nacht, o Nachtigall,
Laß deine Stimm mit Freudenschall
Aufs lieblichste erklingen;
Komm, komm, und lob den Schöpfer dein,
Weil andre Vöglein schlafen sein
Und nicht mehr mögen singen!
Laß dein Stimmlein
Laut erschallen, dann vor allen
Kannst du loben
Gott im Himmel hoch dort oben.

Obschon ist hin der Sonnenschein
Und wir im Finstern müssen sein,
So können wir doch singen
Von Gottes Güt und seiner Macht,
Weil uns kann hindern keine Nacht,
Sein Lob zu vollenbringen.
Drum dein Stimmlein
Laß erschallen, dann vor allen
Kannst du loben
Gott im Himmel hoch dort oben.

Echo, der wilde Widerhall,
Will sein bei diesem Freudenschall
Und lässet sich auch hören,
Verweist uns alle Müdigkeit,
Der wir ergeben allezeit,
Lehrt uns den Schlaf betören.
Drum dein Stimmlein
Laß erschallen, dann vor allen
Kannst du loben
Gott im Himmel hoch dort oben.

Die Sterne, so am Himmel stehn,
Lassen sich zum Lob Gottes sehn
Und tun ihm Ehr beweisen;
Auch die Eul, die nicht singen kann,
Zeigt doch mit ihrem Heulen an,
Daß sie Gott auch tu preisen.
Drum dein Stimmlein
Laß erschallen, dann vor allen
Kannst du loben
Gott im Himmel hoch dort oben.

Nur her, mein liebstes Vögelein,
Wir wollen nicht die fäulste sein
Und schlafend liegen bleiben,
Sondern bis daß die Morgenröt
Erfreuet diese Wälder öd,
Im Lob Gottes vertreiben.
Laß dein Stimmlein
Laut erschallen, dann vor allen
Kannst du loben
Gott im Himmel hoch dort oben.

Anton Ulrich von Braunschweig-Wolfenbüttel
1633–1714

Sterblied

Es ist genug! mein matter Sinn
Sehnt' sich dahin,
Wo meine Väter schlafen.
Ich hab es endlich guten Fug:
Es ist genug!
Ich muß mir Rast verschaffen.

Ich bin ermüdt, ich hab geführt
Die Tagesbürd;
Es muß einst Abend werden.
Erlös mich, Herr, spann aus den Pflug.
Es ist genug!
Nimm von mir die Beschwerden!

Die große Last hat mich gedrückt,
Ja schier erstickt
So viele lange Jahre.
Ach laß mich finden, was ich such.
Es ist genug!
Mit solcher Kreuzesware.

Nun gute Nacht, ihr meine Freund',
Ihr meine Feind',
Ihr Guten und ihr Bösen!
Euch folg die Treu, euch folg der Trug.
Es ist genug!
Mein Gott will mich auflösen.

So nimm nun, Herr! hin meine Seel,
Die ich befehl
In deine Händ' und Pflege.
Schreib sie ein in dein Lebensbuch.
Es ist genug!
Daß ich mich schlafen lege.

Nicht besser soll es mir ergehn,
Als wie geschehn
Den Vätern, die erworben
Durch ihren Tod des Lebens Ruch.
Es ist genug!
Es sei also gestorben!

[guten Fug: es fügt sich endlich so. – Ruch: Geruch]

Joachim Neander
1650–1680

Der Lobende

Lobe den Herren, den mächtigen König der Ehren,
Meine geliebete Seele, das ist mein Begehren,
Kommet zu Hauf,
Psalter und Harfe wacht auf,
Lasset die Musicam hören.

Lobe den Herren, der alles so herrlich regieret,
Der dich auf Adelers Fittichen sicher geführet,
Der dich erhält,
Wie es dir selber gefällt,
Hast du nicht dieses verspüret?

Lobe den Herren, der künstlich und fein dich bereitet,
Der dir Gesundheit verliehen, dich freundlich geleitet,
In wieviel Not
Hat nicht der gnädige Gott
Über dir Flügel gebreitet.

Lobe den Herren, der deinen Stand sichtbar gesegnet,
Der aus dem Himmel mit Strömen der Liebe geregnet,
Denke daran,
Was der Allmächtige kann,
Der dir mit Liebe begegnet.

Lobe den Herren, was in mir ist, lobe den Namen,
Alles was Odem hat, lobe mit Abrahams Samen,
Er ist dein Licht,
Seele vergiß es ja nicht,
Lobende, schließe mit Amen.

Catharina Regina von Greiffenberg
1633–1694

Eifrige Lobesvermahnung

Ach lobe, lobe, lob ohn Unterlaß und Ziel
Den, den zu loben du, o meine Seel, geboren!
Zu diesen Engelwerk bist du von Gott erkoren,
Daß du ihm dienen sollst im Wunderpreisungsspiel.

Das kleine Scherflein ihm von jenem Weib gefiel;
Dein Einfalt klinget wohl in seinen Demut-Ohren.
Er geht sanftmütig um mit den zubrochnen Rohren.
Wie schwach und bebend auch, beliebt ihm doch dein Kiel.

Rühm, weil du Othem hast, dieweil du ihn empfangen
Allein zu diesem Ziel. Des Lebens unwert ist,
Aus dessen Mund so viel nicht Lob als Luft gegangen.

Weil du der Gottes Güt ein Wunderspiegel bist,
So laß den Strahl zurück in deine Sonn gelangen.
Weil du dazu, so sei es auch von dir, erkiest!

Das beglückende Unglück

Es dunken uns zwar schwer die Kreuz- und Trübsalzeiten,
Jedoch sie nach dem Geist sehr nutzlich seind und gut,
Dieweil, den Palmen gleich, der christlich Heldenmut
Sich schwinget hoch empor in Widerwärtigkeiten.

Man pflegt mit großer Müh die Kräuter zu bereiten,
Eh man das Öl erlangt, der Kräuter Geist und Blut;
Man brennt und läutert sie bei mancher heißer Glut.
So will uns Gottes Rat auch zu der Tugend leiten.

Es muß das Spiegelglas sehr wohl geschliffen sein,
Sonst ist es nicht gerecht und wirfet falschen Schein.
Der Mensch, in dem sich Gott bespiegelt, soll er leuchten,

So muß durch Kreuzesstahl er werden zugericht.
Allein in Unglücksnacht sieht man das Licht im Licht.
Uns nutzt das Kreuz als wie dem Feld das Taubefeuchten.

Auf die liebliche Sommer- und Erntezeit

Du tägliches Wunder und Gnadenbeginnen,
Du Erde voll heimlich- und himmlischer Kraft,
Voll unseres Lebens und Hortes Wortsaft!
Die göttlichen Strahlen liebwallen darinnen,

Bis daß sie gekörnet den Ausgang gewinnen,
Mit sättigem Segen und Leben behaft,
Den unsere sichere Sichel wegrafft.
Sein Gnadenlob lässet sich niemal aussinnen.

Man fühlet mit Essen sein Lieblichkeitslust,
In jeglichem Bröslein ist Allmacht vorhanden.
Es wär uns kein Segen noch Leben bewußt,

Wann jene nicht neben den Speisen gestanden.
Das Sichtbare weiset unsichtbare Ding,
Daß jenes aus diesem unmerkbar entspring.

Auf die fruchtbringende Herbstzeit

Freuderfüller, Früchtebringer, vielbeglückter Jahreskoch,
Grünung-, Blüh- und Zeitungziel, werkbeseeltes Lustverlangen!
Lange Hoffnung ist in dir in die Taterweisung gangen.
Ohne dich wird nur beschauet, aber nichts genossen noch.

Du Vollkommenheit der Zeiten, mache bald vollkommen doch,
Was von Blüh- und Wachstumskraft halbes Leben schon empfangen!
Deine Wirkung kann allein mit der Werkvollziehung prangen.
Werter Zeitenschatz, ach, bringe jenes Blühen auch so hoch,

Schütt aus deinem reichen Horn hochverhoffte Freudenfrüchte!
Lieblich süßer Mundergetzer, lab auch unsern Geist zugleich,
So erhebt mit jenen er deiner Früchte Ruhmgerüchte.

Zeitig' die verlangten Zeiten in dem Oberherrschungsreich,
Laß die Anlaßkerne schwarz, Schickungsäpfel saftig werden,
Daß man Gottes Gnadenfrücht froh genießt und ißt auf Erden!

Quirinus Kuhlmann
1651–1689

Der XXXVIII. Liebeskuß
Das unbegreifliche Jesusgrab

O Grab! o Wundergrab! dem alle Gräber weichen!
O Grab! des Himmels Sitz! du Burg der Ewigkeit!
O Grab! das einst begrub die Leiche aller Leichen!
O Grab! du Gräbergrab! o Grab! du Grab der Zeit!

O Grab! als Gott im Grab vor Menschen wollt erbleichen!
O Grab! das von dem Grab uns auserwünscht befreit!
O Grab! ja Thron! und Thron, dem nie ein Thron wird gleichen!
O Grab! das stracks vergrub den Grab- und Todesstreit!

O Grab! das uns aufgrub ein Leben aller Leben!
O Grab! du Gräberruhm! O Lust! die Lust erhält!
O Grab! das ewig bleibt! und ewig Trost mag geben!

O Grab! das uns belebt, wann Sonn und Weltkreis fällt!
O Grab! wann mich ein Grab im Grabe wird begraben,
Werd ich von deinem Grab das schönste Grabmal haben.

Der XLI. Liebeskuß
Der Wechsel menschlicher Sachen

Auf Nacht, Dunst, Schlacht, Frost, Wind, See, Hitz, Süd, Ost, West, Nord, Sonn, Feur und
Plagen
Folgt Tag, Glanz, Blut, Schnee, Still, Land, Blitz, Wärm, Hitz, Lust, Kält, Licht, Brand und
Not.
Auf Leid, Pein, Schmach, Angst, Krieg, Ach, Kreuz, Streit, Hohn, Schmerz, Qual, Tück,
Schimpf als Spott
Will Freud, Zier, Ehr, Trost, Sieg, Rat, Nutz, Fried, Lohn, Scherz, Ruh, Glück, Glimpf stets
tagen.

Der Mond, Glunst, Rauch, Gems, Fisch, Gold, Perl, Baum, Flamm, Storch, Frosch, Lamm,
Ochs und Magen
Liebt Schein, Stroh, Dampf, Berg, Flut, Glut, Schaum, Frucht, Asch, Dach, Teich, Feld, Wies
und Brot.
Der Schütz, Mensch, Fleiß, Müh, Kunst, Spiel, Schiff, Mund, Prinz, Rach, Sorg, Geiz, Treu
und Gott
Sucht's Ziel, Schlaf, Preis, Lob, Gunst, Zank, Port, Kuß, Thron, Mord, Sarg, Geld, Hold,
Danksagen.

Was gut, stark, schwer, recht, lang, groß, weiß, eins, ja, Luft, Feur, hoch, weit genennt,
Pflegt bös, schwach, leicht, krumm, breit, klein, schwarz, drei, nein, Erd, Flut, tief, nah zu
meiden.
Auch Mut, lieb, klug, Witz, Geist, Seel, Freund, Lust, Zier, Ruhm, Fried, Scherz, Lob muß
scheiden,

Wo Furcht, Haß, Trug, Wein, Fleisch, Leib, Feind, Weh, Schmach, Angst, Streit, Schmerz,
Hohn schon rennt.
Alles wechselt, alles liebet, alles scheinet was zu hassen:
Wer nur diesem nach wird denken, muß der Menschen Weisheit fassen.

[Glunst: noch glühende Asche]

Christian Knorr von Rosenroth
1636–1689

Morgenandacht

Morgenglanz der Ewigkeit,
Licht vom unerschöpften Lichte,
Schick uns diese Morgenzeit
Deine Strahlen zu Gesichte
Und vertreib durch deine Macht
Unsre Nacht.

Die bewölkte Finsternis
Müsse deinem Glanz entfliegen,
Die durch Adams Apfelbiß
Uns, die kleine Welt, bestiegen,
Daß wir, Herr, durch deinen Schein
Selig sein.

Deiner Güte Morgentau
Fall auf unser matt Gewissen:
Laß die dürre Lebensau
Lauter süßen Trost genießen
Und erquick uns, deine Schar,
Immerdar.

Gib, daß deiner Liebe Glut
Unsre kalten Werke töte
Und erweck uns Herz und Mut
Bei entstandner Morgenröte,
Daß wir, eh wir gar vergehn,
Recht aufstehn.

Laß uns ja das Sündenkleid
Durch des Bundes Blut vermeiden,
Daß uns die Gerechtigkeit
Mög als wie ein Rock bekleiden
Und wir so vor aller Pein
Sicher sein.

Ach! du Aufgang aus der Höh,
Gib, daß auch am Jüngsten Tage
Unser Leichnam aufersteh
Und, entfernt von aller Plage,
Sich auf jener Freudenbahn
Freuen kann.

Leucht uns selbst in jener Welt,
Du verklärte Gnadensonne;
Führ uns durch das Tränenfeld
In das Land der süßen Wonne,
Da die Lust, die uns erhöht,
Nie vergeht.

Christian Weise
1642–1708

Er ist fromm, aber wenn er schläft

Als ich meiner Rosilis
Neulich an die Schürze griffe,
Sagte sie mir gar gewiß,
Ich wär fromm, doch wann ich schliefe,
Sonsten wär ich in der Haut
Ein rechtschaffen böses Kraut.

Ja, mein Liebchen, fing ich an,
Ich gesteh es, wenn ich wache,
Daß ich es nicht lassen kann,
Doch es ist so eine Sache:
Stelle deine Schönheit ein,
So will ich nicht lose sein.

Über dieses bin ich doch
In dem Schlafe fromm und stille;
Drum, mein Engel, ist es noch
Dein und mein beliebter Wille,
Suchst du die Gewogenheit
Bloß in meiner Frömmigkeit,

Ei, so schlaf einmal bei mir;
Sonsten muß ich es gestehen,
Daß ich niemals kann zu dir
Fromm und eingezogen gehen.
Soll ich fromm sein, meine Zier,
Ei, so schlaf einmal bei mir.

Der getreue Hausknecht

Ich armer Hausknecht habe nun
Mein Ämtchen angenommen,
Nun muß ich helfen wirtlich tun,
Wenn fremde Gäste kommen,
Sonst werd ich wieder weggejagt
Von meiner lieben jungen Magd.

Ich geh und lasse mich durchaus
Die Mühe nicht beschweren,
Und sollt ich funfzehnmal das Haus
In einem Tage kehren;
Denn wenn mich ja die Arbeit plagt,
So denk ich an die junge Magd.

Die Köchin mag, so oft sie will,
Mich etwas anders heißen,
Die Frau, die mag den Besenstiel

Mir um die Ohren schmeißen;
Ich bleibe dennoch unverzagt
Bei meiner lieben jungen Magd.

Wenn sie mir an der Seiten steht,
So hab ich schon gewonnen,
Und alle Traurigkeit vergeht
Wie Butter an der Sonnen,
Ich bin ihr Knecht, der ihr behagt,
Sie meine liebe junge Magd.

Wir stecken fast den ganzen Tag
Beisammen in der Küchen,
Und wann ich Possen treiben mag,
So ist sie auch vergliechen,
Doch ist kein Mensch, der mich verklagt
Mit meiner lieben jungen Magd.

Ich geh in Keller, hole Bier,
Und wenn ich nunter schreite,
So kommt die Magd und gibet mir
Fein sauber das Geleite,
Doch niemand in dem Hause fragt,
Was machst du mit der jungen Magd?

Der Boden und der Obersaal
Die stehn uns allzeit offen,
Da haben sie uns hundertmal
Beisammen angetroffen,
Doch hat der Herr noch nie gesagt:
Geh, pack dich von der jungen Magd!

Ich wollt auch wohl kein Hausknecht sein,
Wann ich nit eben wüßte,
Daß ich das liebe Mägdelein
Sonst gar entraten müßte;
So bleib ich gleichwohl ungeplagt
Bei meiner lieben jungen Magd.

Die schönen Jungfern mögen nun
Aus meinem Herzen weichen,
Dann wann ich ja will freundlich tun,
Geh ich zu meinesgleichen.
Ich armer Hausknecht hab's gewagt
Und löffle mit der jungen Magd.

[vergliechen = bereit]

Unvermutete Betrachtung des hereinbrechenden Alters

Ich wollte nächst mein Gartenhaus besehn,
Weil da und hier viel Schaden war geschehn:
Die Türe war entzwei, der Pfosten war gesprungen,
Der falsche Regen war fast durch die Wand gedrungen.
Als ich den Pachtmann schalt,
So sagt er: Es ist alt.
Nun konnte mich die Zeit gedenken,
Da ich den ersten Grund ließ senken.
Geht nun dies Haus vor Alter ein,
So werd ich wohl kein Jüngling sein.

Ich suchte bald den schönsten Apfelbaum,
Allein ich fand die halben Äste kaum.
Die Planke lag dahin, die Gänge stunden wüste,
Die Rose war verdorrt, das Holzwerk ward zu Miste.
Als ich noch einmal schalt,
So sagt er: Es ist alt.
Nun hatt ich erst bei meinem Leben
Die Gartenordnung angegeben.
Ach, geht dies schon vor Alter ein,
So werd ich wohl kein Jüngling sein.

Nicht weit davon, da saß ein altes Weib
Und spann den Flachs zu ihrem Zeitvertreib.
Ich fragte, wer sie wär? Ich ließ mich unterweisen,
Es war des Pachtmanns Frau, die kam zum alten Eisen.
Wie seid Ihr so gestalt'?
Sie sprach: Herr, ich bin alt.
Nun hatt ich ja beim Hochzeitsessen
Schon an dem Tische mit gesessen.
Ach, tritt sie nun ins Alter ein,
So werd ich wohl kein Jüngling sein.

Nun, gute Nacht, mein lieber Gartenbau!
Je länger ich in deine Felder schau,
Um so viel deutlicher muß ich die Jahre zählen,
Die künftig alle Kraft aus meinem Leibe stehlen.
Die Stunde folget bald,
Ich bin unwissend alt;
Wer weiß, wie lang ich werde gehen,
So wird der Tod vorm Bette stehen.
Ach, Herr des Lebens, steh mir bei,
Daß ich kein Kind im Tode sei!

[nächst: vor kurzem]

Michael Kongehl
1646–1710

Die erwünschte Heimat

Geister, die die Welt durchreisen,
Fürchten keiner Skythen Eisen,
Achten nichts den blanken Stahl;
Halbbemondte Partisanen,
Blutbespritzte Martisfahnen
Stürzen sie in keine Qual.

Des entbrannten Ätnas Spitzen
Und die zwei erhöhte Stützen,
Die Alkmenen Sohn erbaut,
Werden oftmals überstiegen;
Thule bleibt dahinten liegen,
Und Peru wird selbst durchschaut.

Aber wann das Rund der Erden
Mit viel tausend Angstbeschwerden
Endlich überstiegen ist,
Mußt du doch zurückgedenken
Und die Sinnen heimwärts lenken,
Wo du nicht von Marmor bist.

Du wirst schlechte Ruh empfinden,
Bis du von den Äolswinden
Wirst getrieben seewärts ein,
Daß du kannst aus fremden Landen
Fröhlich an dem Ufer stranden,
Da dein Herz zu Haus mag sein.

Der alte Junggesell
Auf eine Hochzeit in Nürnberg

Ein Junger ist von leichten Sinnen,
Der Alte pranget mit Verstand.
Was dieser durch und durch hat innen,
Ist jenem kaum von fern bekannt.
Der bläht sich auf mit leeren Dingen,
Die dieser kann im Werk verbringen.

Der junge Met taugt nicht zum Trinken,
Ein alter Wein ist Lobens wert.
Der Junge läßt sich viel bedünken
Und ist oft dummer als ein Pferd.
Weg mit den albern Jugendpossen!
Das Alter ist mit Witz umflossen.

Was weiß ein junger Kerl vom Lieben,
Der nie das Ding versuchet hat?
Ein alter, der es lang getrieben,
Versteht sich recht aufs Liebesrad.
Ein alter Fuchs ist durchgegangen,
Da oft ein junger wird gefangen.

Ein Kind zum Kind sich nicht wohl schicket,
Das noch der Lehr bedürftig ist.
Ein alter Vater wird erquicket,
Wenn ihn ein junges Magdchen küßt.
Ein dürres Holz viel leichter flammet,
Als das noch aus den Wurzeln stammet.

Die alte Treu wird noch gesuchet.
Von wem wird wohl das alte Gold
Zusamt dem alten Recht verfluchet?
Ein Junger ist der Torheit hold,
Der Alte kann mit klugen Sachen
Sich und die Liebste lustig machen.

Die alten Ziegen lieber lecken
Als junge die gesalzne Speis.
Sich in den alten Wannen strecken
Zu baden hat vielmehr den Preis
Als in den neuen, weil in diesen
Oft mancher Splitter wird gewiesen.

Wer ist dann, der die Braut verdenket,
Daß sie den neu-verliebten Sinn
Auf einen alten Jungmann lenket
Und läßt die Jungen fahren hin!
Ich lob ihr klugersinntes Wesen,
Daß sie was Altes auserlesen.

Der alte Gott wird seinen Segen
Wie auf den alten Abraham
Auf sie und ihren Liebsten legen,
Daß die so lang verschlossne Flamm
In kurzer Zeit so aus wird schlagen,
Daß sie muß nach der Ammen fragen.

Hans Assmann Freiherr von Abschatz
1646–1699

Aus dem 20. Psalm

Es höre der Herr dein Klagen in Not,
Es schütze dich Jakobs gewaltiger Gott,
Er sende dir Hülfe vom heiligen Thron
Und Labsal und Stärke vom Berge Zion.
Er denke genädig an dein Geschrei,
Dein Opfer der Lippen ihm angenehm sei.
Er gebe dir, was dein Herze begehrt,
Und mache dein christliches Wünschen gewährt,
Damit du nach selig vollendeter Zeit
Ihn lobest und rühmest in Ewigkeit.

Wie ist die deutsche Welt in Neuigkeit ersoffen!
Man deckt und kleidet sich, man schreibet, singt und spricht,
Man reiset, schläft und ißt, man reitet, tanzt und ficht
Nach neu erwählter Art. Wer Glück und Gunst will hoffen,
Muß sich in allem Tun der Neuigkeit bequemen,
Sonst wird ihn Überwitz mit Hohn und Spott beschämen.

Es bleibet nicht darbei: Man ändert auch die Sitten,
Der Kittel alter Treu und deutscher Redlichkeit
Ist unsrer Modewelt ein viel zu schlechtes Kleid,
Die junge Neuigkeit will überall gebieten.
Was Wunder, wenn nun auch in manchem deutschen Lande
Der neue vor will gehn dem alten Adelstande!

Das Alter wird veracht, das doch so viel' begehren:
Doch will ich lieber alt- als junggeboren sein.
Mit Aufgeld tauschet man die alten Münzen ein;
Der Firnewein gilt mehr, als der noch soll verjähren.
Man sieht die Aloe nach hundert Jahren blühen,
Der jungen Tulpe Pracht in kurzer Zeit entfliehen.

Monde, du Fürste der blinkenden Sternen,
Welcher mein Sehnen und Tränen beschaut,
Glänzende Paphie, der ich von fernen
Meine betrübte Gedanken vertraut,
Ziehe dein strahlendes Silber nur ein,
Schwärze mit Wolken den spielenden Schein.

Himmel, für dem ich mein Leiden nicht hehle,
Lüfte, mit Seufzen und Klagen erfüllt,
Erde, bei der ich mit Weinen erzähle,
Wie mir in Stücke mein Herze zerspillt,
Führet mein Ächzen in einsame Kluft,
Berget mein Lechzen in finsterer Gruft.

Zeugin der stündlich empfindenden Schmerzen,
Tunkele Finsternis, traurige Nacht,
Welche mein tränendes Auge den Kerzen
Himmlischer Lichter zur Wette durchwacht,
Decke mit ewig vergessener Ruh
Meine gehäufte Bekümmernis zu.

Schweigende Qualen, verborgenes Leiden,
Unter der Asche begrabene Glut
Müssen die schmachtende Seele durchschneiden,
Kochen in Adern das siedende Blut,
Bitterer Tränen verschlossene See
Kränket mein Herze mit Jammer und Weh.

Meine von Sorgen erblassete Wangen,
Meiner Korallen erstorbener Schein,
Meine Karfunkel, mit Nebel umfangen,
Werden Verräter der heimlichen Pein;
Aber der Lippen geschlossenes Tor
Darf doch mein Leiden nicht geben hervor.

Meine von Kummer verzehrende Jugend,
Welche kein freudiges Hoffen ergötzt,
Meine vom Unglück verfolgete Tugend,
Aller Vergnügung und Freuden entsetzt,
Müssen zum öftern durch lachenden Mund
Bergen des Herzens blutweinenden Grund.

Himmel, was soll ich noch endlich beginnen,
Wenn mir nicht einsten zu klagen erlaubt!
Meine von Schmerzen durchächtete Sinnen,
Mein von Betrübnis ermattetes Haupt
Danken mit Freuden der Eitelkeit ab,
Wünschen zu kommen ins ruhige Grab.

Beschwer über den Bart

Was ist bei schönem Mund ein stark gewachsner Bart?
Der Liebe Wespennest, ein Dornstrauch um die Rosen,
Ein Stoppel süßer Frucht, ein scharfer Distelzaun,
Ein Schranken, welchen wir den Hafen sperren schaun,
Ein spitzer Schieferfels in stiller Venus' Fahrt.
Wer preist die Käste, so die Stachelschale deckt,
Die Perle, welche noch in rauher Muschel steckt?
Mit was für Anmut ist dem Barte liebzukosen?

Antwort

Spotte, wer da will, den Bart:
Knaben bleiben unvollkommen,
Bis der Bart hat zugenommen;
Kahle Jugend muß sich schämen,
Glattes Mauls ein Weib zu nehmen,
Bis sich Bart und Witz gepaart.

Wenn der Bart den Mund schattiert
Und die linden Haare stechen,
Muß der Mädchen Herze brechen.
Kömmt Cupido aufgezogen,
Pfeile, Schlingen, Sehn und Bogen
Sind von Bärten, die er führt.

Bärte sind der Helden Pracht.
Wer nicht viel ums Maul kann leiden,
Läßt ihm nicht leicht Ehr abschneiden.
Simsons Stärke wohnt' in Haaren,
Weil kein Stahl sein Haupt befahren,
Der ihn blind und schwach gemacht.

Herzog Heinrichs Bart und Mut
Macht ihn weit berühmt in Polen.
Soll man weiter Zeugnis holen,
Friedrich Rotbarts Heldensiege
Kennt der Welsche zur Genüge,
Zeugt der Sarazenen Blut.

Den geförchten Janitschar
Zieret der beraste Knebel,
Wenn bei dem geschärften Säbel
Die gekrümmten Haar aufsteigen,
Sich als Igelstacheln zeigen,
Steht sein Gegner in Gefahr.

Sieht man nicht ganz Morgenland
Nur die Hut der blöden Frauen
Glatt bemäulter Wacht vertrauen,
Bärte Land und Haar regieren,
Weil, die keine Bärte führen,
Nicht verdienen bessern Stand?

Haare sind der Weisheit Nest,
Sokraten und viel Gesellen
Will ich dir zu Zeugen stellen,
Daß im klugen Greichenlande
Langer Bart beim Weisenstande
Sei der beste Schmuck gewest.

Nichts zeugt die Natur umsonst.
Bärte können manche Flecken,
Manches Mal und Runzel decken.
Fehlten Bärte den Balbieren,
Würden sie viel Brot verlieren,
Lieber trag den Bärten Gunst.

Bellhumor im Garten begraben

Windfänger, Steigedach, Teichmesser, Entenfechter,
Luftspringer, Wagehals, Grundfischer, Flutverächter,
Steinträger, Büchsenhold, Nachtwächter, Bettlerfeind,
Zeitkürzer, Stundendieb, Lustmacher, Gästefreund,
Bringwieder, Tragenach, Postrenner, Suchverloren,
Klug von Verstande, zart von Nas und schön von Ohren,
Türöffner, Sperretor, Feldmauser, Schüsselheld,
Wildstörer, Katzenmord, Wettlaufer, Springinsfeld:
Dies war mein wahrer Ruhm. Doch werden, die mich missen,
Noch mehr von kluger Treu mir nachzusagen wissen.
Als ich von Jahren satt mein müdes Leben schloß,
Gab mir Pomona selbst ein Grab in ihrem Schoß.

Johann Christian Günther
1695–1723

Trostaria

Endlich bleibt nicht ewig aus,
Endlich wird der Trost erscheinen;
Endlich grünt der Hoffnungsstrauß,
Endlich hört man auf zu weinen.
Endlich bricht der Tränenkrug,
Endlich spricht der Tod: Genug!

Endlich, endlich kann der Neid,
Endlich auch Herodes sterben,
Endlich Davids Hirtenkleid
Seinen Saum in Purpur färben;
Endlich macht die Zeit den Saul
Zur Verfolgung schwach und faul.

Endlich wird aus Wasser Wein,
Endlich kommt die rechte Stunde,
Endlich fällt der Kerker ein,
Endlich heilt die tiefste Wunde;
Endlich macht die Sklaverei
Den gefangnen Joseph frei.

Endlich nimmt der Lebenslauf
Unsers Elends auch ein Ende,
Endlich steht der Heiland auf,
Der das Joch der Knechtschaft wende!
Endlich machen vierzig Jahr
Die Verheißung zeitig wahr.

Endlich blüht die Aloe.
Endlich trägt der Palmbaum Früchte,
Endlich schwindet Furcht und Weh,
Endlich wird der Schmerz zunichte,
Endlich sieht man Freudental:
Endlich endlich kommt einmal.

Abendlied

Der Feierabend ist gemacht,
Die Arbeit schläft, der Traum erwacht,
Die Sonne führt die Pferde trinken;
Der Erdkreis wandert zu der Ruh,
Die Nacht drückt ihm die Augen zu,
Die schon dem süßen Schlafe winken.

Ich, Schöpfer, deine Kreatur,
Bekenne, daß ich auf der Spur
Der Sünder diesen Tag gewandelt;
Ich habe dein Verbot verletzt,
Mich dir in allem widersetzt
Und wider meine Pflicht gehandelt.

Doch weil ein Quintchen Vaterhuld
Viel tausend Zentner meiner Schuld
Durch dein Erbarmen überwieget,
So gib Genade vor das Recht
Und zürne nicht auf deinen Knecht,
Der sich an deinen Füßen schmieget.

Der Beichte folgt das Gnadenwort:
Steh auf, mein Sohn, und wandre fort,
Die Missetat ist dir erlassen.
Drum kann mein Glaube ganz getrost,
Ist Welt und Satan schon erbost,
Bei deiner Wahrheit Anker fassen.

Mein Abendopfer ist ein Lied,
Das dir zu danken sich bemüht,
Die Brust entzündet Andachtskerzen;
Gefällt dir dieser Brandaltar,
So mache die Verheißung wahr:
Gott heilet die zerschlagne Herzen.

Du bester Anwalt, Jesu Christ,
Der in den Schwachen mächtig ist,
Komm und vollführe meine Sache!
Beweise, daß dein teures Blut,
Was ich verbrochen, wieder gut
Und auch die Sünder selig mache!

Du Geist der Wahrheit, breite dich
Mit deinen Gaben über mich;
Dein Wort sei meines Fußes Leuchte.
Vergönne mir dein Gnadenlicht
Auf meinen Wegen, daß ich nicht
Mir selber zur Verdammnüs leuchte.

Herr, deine Hand sei mein Panier,
Dein Antlitz aber zeige mir
Auch in dem Traume mein Vergnügen.
Die Einsamkeit betrübt den Geist,
Doch, wo du meine Seite schleußt,
So darf ich nicht alleine liegen.

Das müde Haupt sinkt auf den Pfühl,
Doch wo ich ruhig schlafen will,
So muß ich deinen Engel bitten;
Der kann durch seine starke Wacht
Mich vor dem Ungetüm der Nacht
Und meine Lagerstatt behüten.

Soll mir der Pfühl ein Leichenstein,
Der Schlaf ein Schlaf zum Tode sein,
Ja, soll das Bette mich begraben,
So laß den Leichnam in der Gruft,
Bis ihn die letzte Stimme ruft,
Den Geist im Himmel Friede haben.

Will aber deine Gütigkeit,
Die alle Morgen sich verneut,
Mir heute noch das Leben borgen,
So wecke zeitlich mich darauf,
Nicht aber durch ein Unglück, auf
Und laß mich vor das Danklied sorgen.

An Leonoren

Gedenk an mich und meine Liebe,
Du mit Gewalt entrissnes Kind,
Und glaube, daß die reinen Triebe
Dir jetzt und allzeit dienstbar sind
Und daß ich ewig auf der Erde
Sonst nichts als dich verehren werde.

Gedenk an mich in allem Leiden
Und tröste dich mit meiner Treu!
Die Luft mag jetzt empfindlich schneiden,
Die Wetter gehn doch all vorbei,
Und nach dem ungeheuren Knallen
Wird auch ein fruchtbar Regen fallen.

Gedenk an mich in deinem Glücke,
Und wenn es dir nach Wunsche geht,
So setze nie den Freund zurücke,
Der bloß um dich in Sorgen steht!
Auch mir kann bei dem besten Leben
Nichts mehr als du Entzückung geben.

Gedenk an mich in deinem Sterben;
Der Himmel halte dies noch auf,
Doch sollen wir uns nicht erwerben
Und zürnt der Sterne böser Lauf,
So soll mir auch das Sterbekissen
Die Hinfahrt durch dein Bild versüßen.

Gedenk an mich und meine Tränen,
Die dir so oft das Herz gerührt
Und die dich durch mein kräftig Sehnen
Zum ersten auf die Bahn geführt,
Wo Kuß und Liebe treuer Herzen
Des Lebens Ungemach verschmerzen.

Gedenk auch endlich an die Stunde,
Die mir das Herz vor Wehmut brach,
Als ich wie du mit schwachem Munde
Die letzten Abschiedsworte sprach,
Gedenk an mich und meine Plagen!
Mehr will und kann ich jetzt nicht sagen.

An seine Leonore

Schicke dich, geliebtes Kind,
In die unruhvollen Zeiten;
Dann und wann kann Sturm und Wind
Unverhofft in Hafen leiten.
Nun ist wohl niemand besser dran,
Als wer getreu und klug und ewig lieben kann.

Als er sie seiner beständigen Treue versicherte

Weine nicht, mein Kind, ich bleibe
Dir bis in den Tod getreu.
Glaube, was ich denk und schreibe,
Ist und heißt stets einerlei,
Weil die Redlichkeit zum Lieben
Mir Gesetze vorgeschrieben.

Gott und Himmel können zeugen,
Daß ich dir beständig bin;
Eher wird die Wahrheit schweigen,
Als mein falsch- und leichter Sinn
Das geknüpfte Band zerreißen
Und des Meineids schuldig heißen.

Laß die Wetter unterdessen
Über unsrer Unschuld stehn!
Mußt du bittre Mandeln essen
Und vor jetzt auf Dornen gehn,
So bedenke, das Vergnügen
Wird uns einst zusammenfügen.

Warte mit Geduld der Freude
Und der ungemeinen Lust,
Welche du mit diesem Leide
Dir zuvor verdienen mußt;
Endlich werden deine Tränen
Dir den Weg zur Wollust bähnen.

Jetzo geb ich deinem Kusse
Eine kurze gute Nacht
Und gehorche diesem Schlusse,
Welchen das Verhängnis macht;
Doch will ich in wenig Tagen
Dir die Ankunft wieder sagen.

Lebe wohl! Die Zunge stammelt,
Und der Augen nasses Heer,
Das die Wehmut schon versammelt,
Macht so Hand als Feder schwer
Und verbietet meinem Willen,
Diesen Bogen anzufüllen.

Als er der Phyllis einen Ring mit einem Totenkopf überreichte

Erschrick nicht vor dem Liebeszeichen,
Es träget unser künftig Bild,
Vor dem nur die allein erbleichen,
Bei welchen die Vernunft nichts gilt.
Wie schickt sich aber Eis und Flammen?
Wie reimt sich Lieb und Tod zusammen?
Es schickt und reimt sich gar zu schön,
Denn beide sind von gleicher Stärke
Und spielen ihre Wunderwerke
Mit allen, die auf Erden gehn.

Ich gebe dir dies Pfand zur Lehre:
Das Gold bedeutet feste Treu,
Der Ring, daß uns die Zeit verehre,
Die Täubchen, wie vergnügt man sei,
Der Kopf erinnert dich des Lebens;
Im Grab ist aller Wunsch vergebens,
Drum lieb und lebe, weil man kann,
Wer weiß, wie bald wir wandern müssen!
Das Leben steckt im treuen Küssen,
Ach, fang den Augenblick noch an!

Ich schlafe zwar, ihr werten Brüder,
Ich schlafe zwar, so denkt ihr noch;
Ihr haltet meine schlechten Lieder
Vor ein vor mich gezwungnes Joch.
Doch aber sollt ihr dieses wissen:
Ich handle nicht mit Joabs Küssen.

Ich glaube so, so wie ich's meine,
Eine andrer glaube, wie er will.
Die Kirschen sind zwar etwas kleine,
Doch jede Frucht wächst in der Still;
Und hält man sie vor Stachelbeeren,
Was tut's? Man mag sie auch verzehren.

Das weiß ich, daß mein treu Gemüte,
Dem Pöbel ein Gelächter macht;
Ich weiß auch, daß des Himmels Güte

So gut vor mich als alle wacht,
Und darum wird mir mein Gewissen
Auch wider Narren zeugen müssen.

Die Welt ist jetzo voller Narren,
Und darum bin ich einer mit,
Und der hat wohl den größten Sparren,
Der aus gemeinem Gleise tritt;
Indessen wird der Schluß nicht trügen,
Daß mancher auch kann wacker lügen.

Man leugt bisweilen nach der Mode,
Und nach der Mode lüg auch ich;
Ein jeder schwimmt im Narrensode,
Ihr Narren, was verdenkt ihr mich?
Ihr Narren lügt, so will ich lügen,
Bis daß wir alle Kappen kriegen.

Die Kappe, die ich jetzo trage,
Steht mir wie Eulenspiegeln an;
Doch dies ist die gewisse Plage,
Daß ich sie nicht vertragen kann;
Sonst würden auf den Pfaffenmützen
Die Schellen wahrlich besser sitzen.

Was wollt ihr mehr? Der Streusand rüselt,
Und ob gleich bei dergleichen Art
Ein toller Schädel altklug grüselt,
So bin ich doch wie er verwahrt,
Weil, wenn mich stumme Würmer reißen,
Auch ihn die stummen Würmer beißen.

Die stummen Würmer beißen alle;
Der Klügste scheint, wer sie verhält;
Und wem die Frucht von Adams Falle
Noch jetzo den Geschmack vergällt,
Der wird vorwahr am besten schließen,
Wenn ihn die Stiche nicht verdrießen.

Unbekannte Verfasser

Komm, braune Nacht, umhülle mich mit Schatten
Und decke den mit deiner Schwärze zu,
Der ungestört sich will mit Sonnen gatten
Und im Bezirk der Engel suchet Ruh,
Ja, hilf mein Ach! eh du noch wirst entschwinden,
Mit linder Hand von meiner Seele binden.

Wie? Hör ich nicht, willkommen, mein Verlangen!
Schon im Gemach mit leiser Stimme gehn?
Fühl ich mich nicht mit Lilien umfangen
Und meinen Fuß auf diesen Grenzen stehn,
Wo mir Celinde wird aus Tränen lachen,
Aus Flammen Eis, dem Bette Himmel machen?

So tilge nun, o Heldin! meine Schmerzen,
Wirf mit dem Flor die leichte Zagheit hin,
Laß meine Hand mit deinem Reichtum scherzen
Und mich entzückt das schöne Tal beziehn,
Da sich im Tau die stummen Lüste kühlen
Und Tag und Nacht mit ihren Farben spielen.

Dein heißer Mund beseele mich mit Küssen,
Hilf, wenn ich soll an dieser Brust versehrn,
Durch linden Biß der flüchtigen Narzissen
Mir ausgestreckt die stille Freude mehrn,
Und möchtest du ja deinen Kranz verlieren,
Solln Perlen doch die schönen Haare zieren.

Mein Wort erstirbt, die Seele will entweichen,
Ach laß sie doch in enge Himmel ein!
Laß Schiff und Mast in deinen Hafen schleichen
Und deine Hand selbst meinen Leitstern sein!
Du sollst alsbald die eingeladne Gaben
Nebst voller Fracht statt der Belohnung haben.

Scherzlied

Als die Venus neulich saße
In dem Bade nackt und bloß
Und Cupido auf dem Schoß
Von dem Liebeszucker aße,
Zeigte sie dem kleinen Knaben
Alles, was die Frauen haben.

Marmorhügel sah er liegen,
Von Begierden aufgebaut;
Sprach zur Mutter überlaut:
Wann werd ich dergleichen kriegen,
Daß mich auch die Schäferinnen
Und die Damen liebgewinnen?

Venus lacht aus vollem Munde
Über ihren kleinen Sohn;
Denn sie sah und merkte schon,
Daß er was davon verstunde.
Sprach: du hast wohl andre Sachen,
Die verliebter können machen.

Unterdessen ließ sie spielen
Seine Hand auf ihrer Brust,
Denn sie merkte, daß er Lust
Hatte, weiter nachzufühlen,
Bis ihr endlich dieser Kleine
Kam an ihre zarte Beine.

Als er sich an sie geschmieget,
Sprach er: Liebes Mütterlein,
Wer hat an das dicke Bein
Euch die Wunde zugefüget?
Müßt ihr Weiber denn auf Erden
Alle so verwundet werden?

Venus konnte nichts mehr sagen
Als: du kleiner Bösewicht,
Packe dich, du sollst noch nicht
Nach dergleichen Sachen fragen.
Wunden, die von Liebespfeilen
Kommen, die sind nicht zu heilen.

Benjamin Neukirch
1665–1729

An Florinden

Florinde, soll ich dich ersuchen
Und hab ich nicht zu grob gespielt,
So sage doch nur, ob dein Fluchen
Auf Freundschaft oder Feindschaft zielt.
Sonst muß ich fort, sonst muß ich fliehn
Und dir aus deinen Augen ziehn.

Ein Griff wird dich ja nicht verdrießen,
Greift man doch wohl den Kaiser an;
Du weißt ja, daß aus Griff und Küssen
Kein kranker Leib entstehen kann;
Denn was von außen nur geschehn,
Läßt keine große Flecken sehn.

Ein Feigenbaum ist aufgeschossen,
Daß man ihn endlich brechen soll;
Ein Apfel, den kein Mund genossen,
Schmeckt auch nicht in den Augen wohl.
So quillt aus überdeckter Brust
Auch keine rechte Liebeslust.

Drum laß den Marmel deiner Brüste
Mir länger nicht verschlossen sein;
Nimm die Begierden meiner Lüste
Zu deinen engen Pforten ein,
Und mache meine schwarze Hand
Mit deiner weißen Haut bekannt.

Ich werfe meine Liebesflammen
In deinen aufgeblähten Schnee;
Streich du nur alle Kraft zusammen
Und kühle meines Herzens Weh.
So lieb ich dich, so liebst du mich,
So lieben wir uns inniglich.

Jedoch verzeihe mir, Florinde,
Daß ich so frei mit dir gescherzt;
Du fühlest nicht, was ich empfinde,
Noch was mich in der Seele schmerzt.
Du siehst zwar meiner Liebe Wahn,
Nicht aber meine Krankheit an.

Was Fleisch ist, muß vom Fleische leben;
Ich bin kein Engel oder Geist.
Drum wundre dich nicht, daß mich eben
Ein Trieb auf deine Brüste reißt,
Und denke, wer du auch schon bist,
Daß nichts umsonst gewachsen ist.

An Sylvien

Was fluchst du, Sylvia, wenn meine schwarze Hand
Um deinen Busen spielet?
Sie war so weiß als du, eh sie der Liebe Brand
Und deine Macht gefühlet.
Flößt du das Feuer nun in meine Glieder ein,
So kann ja meine Hand nicht Schnee und Marmel sein.
Du sprichst: sie hat hier nichts zu suchen und zu tun.
Gar recht. Es soll auch bleiben.
Sie suchet nichts als dich, sie wünschet bloß zu ruhn
Und ihren Scherz zu treiben.
Was Ursach hast du dann, daß du dich so beklagst,
Da du doch diese Gunst den Flöhen nicht versagst?

Barthold Heinrich Brockes
1680–1747

Kirschblüte bei der Nacht

Ich sahe mit betrachtendem Gemüte
Jüngst einen Kirschbaum, welcher blühte,
In kühler Nacht beim Mondenschein;
Ich glaubt', es könne nichts von größrer Weiße sein.
Es schien, ob wär ein Schnee gefallen.
Ein jeder, auch der kleinste Ast
Trug gleichsam eine rechte Last
Von zierlich-weißen runden Ballen.
Es ist kein Schwan so weiß, da nämlich jedes Blatt,
Indem daselbst des Mondes sanftes Licht
Selbst durch die zarten Blätter bricht,
Sogar den Schatten weiß und sonder Schwärze hat.
Unmöglich, dacht ich, kann auf Erden
Was Weißers ausgefunden werden.
Indem ich nun bald hin, bald her
Im Schatten dieses Baumes gehe,
Sah ich von ungefähr
Durch alle Blumen in die Höhe
Und ward noch einen weißern Schein,
Der tausendmal so weiß, der tausendmal so klar,
Fast halb darob erstaunt, gewahr.
Der Blüte Schnee schien schwarz zu sein
Bei diesem weißen Glanz. Es fiel mir ins Gesicht
Von einem hellen Stern ein weißes Licht,
Das mir recht in die Seele strahlte.

Wie sehr ich mich an Gott im Irdischen ergetze,
Dacht ich, hat Er dennoch weit größre Schätze.
Die größte Schönheit dieser Erden
Kann mit der himmlischen doch nicht verglichen werden.

Die Traubenhyazinthe

Angenehmes Frühlingskindchen,
Kleines Traubenhyazinthchen,
Deiner Farb und Bildung Zier
Zeiget mit Verwundrung mir
Von der bildenden Natur
Eine neue Schönheitsspur.
An des Stengels blauer Spitzen
Sieht man, wenn man billig sieht,
Deiner sonderbaren Blüt
Kleine blaue Kugeln sitzen,
Dran, so lange sich ihr Blatt
Noch nicht aufgeschlossen hat,
Wie ein Purpurstern sie schmücket,
Man nicht sonder Lust erblicket.
Aber wie von ungefähr
Meine Blicke hin und her
Auf die offnen Blumen liefen,
Konnt ich in den blauen Tiefen
Wie aus himmelblauen Höhen
Silberweiße Sternchen sehen,

159

Die in einer blauen Nacht,
So sie rings bedeckt, im Dunkeln
Mit dadurch erhöhter Pracht
Noch um desto heller funkeln.
Ihr so zierliches Gepränge,
Ihre Nettigkeit und Menge,
Die die blauen Tiefen füllt,
Schiene mir des Himmels Bild,
Welches meine Seele rührte
Und durch dieser Sternen Schein,
Die so zierlich, rein und klein,
Mich zum Herrn der Sterne führte,
Dessen unumschränkte Macht
Aller Himmel tiefe Meere,
Aller Welt- und Sonnen Heere

Durch ein Wort hervorgebracht;
Dem es ja so leicht, die Pracht
In den himmlischen Gefilden
Als die Sternchen hier zu bilden.
Durch dein sternenförmig Wesen
Gibst du mir, beliebte Blume,
Dem, der Sterne macht, zum Ruhme
Ein' Erinnerung zu lesen,
Daß wir seiner nicht vergessen,
Sondern in den schönen Werken
Seine Gegenwart bemerken,
Seine weise Macht ermessen,
Und sie wie in jenen Höhen
So auf Erden auch zu sehen.

Das Eulchen

Am Abend saß ich jüngst, gelassen und in Ruh,
In einem kleinen Gartenzimmer
Und sah durchs Fensterglas, wie sich des Tages Schimmer
Gemach verringerte, die Schatten nahmen zu.
Indem erblicket ich ein emsiges Geschwebe.
Von einer Spinnen war ein ziemlich stark Gewebe
Im Zimmer vor den Scheiben her gespannt,
Und zwischen dieser falschen Wand
Sah ich am Scheibenglas ein weißes Eulchen fliegen
Stets auf und nieder, hin und her.
Es schien, ob sucht' es bloß am Lichte sein Vergnügen
Und daß es bloß dadurch gesichert wär.
Ihr schwarzer Feind, die Spinne, ruhte nicht,
Sie lief bald in die Läng, bald in die Quer
Mit offnen Klauen, doch des Himmels Licht,
Des Eulchens Augenmerk, wodurch es nicht zurücke
Und nur stets vorwärts flog, befreit' es von dem Stricke
Und seinem Untergang, indem es ungefähr
Nach langem Flattern in der Scheibe
An eine Spalte kam
Und durch dieselbige sich seinem Tod entzog,
Die Freiheit fröhlich nahm
Und nach dem lang gesuchten Lichte flog.

Der Zufall rührte mich, und glaubt' ich, daß zur Lehre
Er nützlich anzuwenden wäre.

Das Eulchen schiene mir der Seelen Bild zu sein,
Das Scheibenglas des Körpers, durch den Schein
Des Lichtes schiene mir die Gottheit, Sünd und Welt
Durch das Geweb und durch die Spinne vorgestellt.

Gerhard Tersteegen
1697–1769

Herzensseufzer bei dem Genuß der Kreaturen

Gib, Jesu, daß ich dich genieß
In allen deinen Gaben,
Bleib du mir einzig ewig süß,
Du kannst den Geist nur laben;
Mein Hunger geht in dich hinein,
Mach du dich innig mir gemein,
O Jesu, mein Vergnügen!

O Lebenswort, o Seelenspeis,
Mir Kraft und Leben schenke,
O Brunnquell reiner Liebe, fleuß,
Mein schmachtend Herze tränke,
So leb und freu ich mich in dir!
Ach, hab auch deine Lust in mir
Bis in die Ewigkeiten!

Abendopfer

Nun sich der Tag geendet,
Mein Herz zu dir sich wendet
Und danket inniglich.
Dein holdes Angesichte
Zum Segen auf mich richte,
Erleuchte und entzünde mich.

Daß du mich stets umgibest,
Daß du mich herzlich liebest
Und rufst zu dir hinein,
Daß du vergnügst alleine,
So wesentlich, so reine,
Laß früh und spät mir wichtig sein!

Ich schließe mich aufs neue
In deine Vatertreue
Und Schutz und Herze ein.
Die fleischlichen Geschäfte
Und alle finstern Kräfte
Vertreibe durch dein Nahesein.

Ein Tag, der sagt dem andern,
Mein Leben sei ein Wandern
Zur großen Ewigkeit.
O Ewigkeit, so schöne,
Mein Herz an dich gewöhne,
Mein Heim ist nicht in dieser Zeit.

Wo Gott zu finden sei

Gott ist ein stiller Geist, der überall zugegen;
Drum, wer ihm nahen will, darf sich nicht viel bewegen;
Verlier, was bildlich ist, und brauch nicht viel Gewalt,
Kehr sanft in stillen Geist: Ich weiß, du findst ihn bald.

Heiterkeit des Gemüts

Gleich wie die Luft erscheint bei angenehmen Tagen,
So heiter, rein und still soll dein Gemüte sein.
So schaust du Gott in dir und wirst auch ihm behagen,
Sein wonnereiches Licht macht sich dem Geist gemein.

Albrecht von Haller
1708–1777

Trauerode beim Absterben seiner geliebten Mariane

Soll ich von deinem Tode singen?
O Mariane, welch ein Lied!
Wann Seufzer mit den Worten ringen
Und ein Begriff den andern flieht!
Die Lust, die ich an dir empfunden,
Vergrößert jetzund meine Not;
Ich öffne meines Herzens Wunden
Und fühle nochmals deinen Tod.

Doch meine Liebe war zu heftig,
Und du verdienst sie allzu wohl,
Dein Bild bleibt in mir viel zu kräftig,
Als daß ich von dir schweigen soll.
Es wird im Ausdruck meiner Liebe
Mir etwas meines Glückes neu,
Als wann von dir mir etwas bliebe,
Ein zärtlich Abbild unsrer Treu.

Nicht Reden, die der Witz gebieret,
Nicht Dichterklagen fang ich an;
Nur Seufzer, die ein Herz verlieret,
Wann es sein Leid nicht fassen kann.
Ja, meine Seele will ich schildern,
Von Lieb und Traurigkeit verwirrt,
Wie sie, ergötzt an Trauerbildern,
In Kummerlabyrinthen irrt.

Ich seh dich noch, wie du erblaßtest,
Wie ich verzweifelnd zu dir trat,
Wie du die letzten Kräfte faßtest
Um noch ein Wort, das ich erbat.
O Seele voll der reinsten Triebe!
Wie ängstig warst du für mein Leid!
Dein letztes Wort war Huld und Liebe,
Dein letztes Tun Gelassenheit.

Wo flieh ich hin? In diesen Toren
Hat jeder Ort, was mich erschreckt!
Das Haus hier, wo ich dich verloren;
Der Tempel dort, der dich bedeckt;
Hier Kinder – – – Ach! mein Blut muß lodern
Beim zarten Abdruck deiner Zier,
Wann sie dich stammelnd von mir fodern;
Wo flieh ich hin? Ach! Gern zu dir.

O soll mein Herz nicht um dich weinen?
Hier ist kein Freund dir nah als ich.
Wer riß dich aus dem Schoß der Deinen?
Du ließest sie und wähltest mich.
Dein Vaterland, dein Recht zum Glücke,
Das dein Verdienst und Blut dir gab,
Die sind's, wovon ich dich entrücke;
Wohin zu eilen? In dein Grab.

Dort in den bittern Abschiedsstunden,
Wie deine Schwester an dir hing,
Wie, mit dem Land gemach verschwunden,
Sie unserm letzten Blick entging,
Sprachst du zu mir mit holder Güte,
Die mit gelassner Wehmut stritt:
Ich geh mit ruhigem Gemüte,
Was fehlt mir? Haller kömmt ja mit.

Wie kann ich ohne Tränen denken
An jenen Tag, der dich mir gab?
Noch jetzt mischt Lust sich mit dem Kränken,
Entzückung löst mit Wehmut ab.
Wie zärtlich war dein Herz im Lieben,
Das Schönheit, Stand und Gut vergaß
Und mich allein nach meinen Trieben
Und nicht nach meinem Glücke maß.

Wie bald verließest du die Jugend
Und flohst die Welt, um mein zu sein;
Du miedst den Weg gemeiner Tugend
Und warest schön für mich allein.
Dein Herz hing ganz an meinem Herze
Und sorgte nicht für dein Geschick;
Voll Angst bei meinem kleinsten Schmerze,
Entzückt auf einen frohen Blick.

Ein nie am Eiteln fester Wille,
Der sich nach Gottes Fügung bog;
Vergnüglichkeit und sanfte Stille,
Die weder Glück noch Leid bewog;
Ein Vorbild kluger Zucht an Kindern,
Ein ohne Blindheit zartes Herz;
Ein Herz, gemacht, mein Leid zu lindern,
War meine Lust und ist mein Schmerz.

Ach! Herzlich hab ich dich geliebet,
Weit mehr als ich dir kund gemacht,
Mehr als die Welt mir Glauben gibet,
Mehr als ich selbst vorhin gedacht.
Wie oft, wann ich dich innigst küßte,
Erzitterte mein Herz und sprach:
Wie! Wann ich Sie verlassen müßte!
Und heimlich folgten Tränen nach.

Ja, mein Betrübnis soll noch währen,
Wann schon die Zeit die Tränen hemmt;
Das Herz kennt andre Arten Zähren,
Als die die Wangen überschwemmt.
Die erste Liebe meiner Jugend,
Ein innig Denkmal deiner Huld
Und die Verehrung deiner Tugend
Sind meines Herzens stete Schuld.

Im dicksten Wald, bei finstern Buchen,
Wo niemand meine Klagen hört,
Will ich dein holdes Bildnis suchen,
Wo niemand mein Gedächtnis stört.
Ich will dich sehen, wie du gingest,
Wie traurig, wann ich Abschied nahm;
Wie zärtlich, wann du mich umfingest;
Wie freudig, wann ich wieder kam.

Auch in des Himmels tiefer Ferne
Will ich im Dunkeln nach dir sehn
Und forschen, weiter als die Sterne,
Die unter deinen Füßen drehn.
Dort wird an dir die Unschuld glänzen
Vom Licht verklärter Wissenschaft;
Dort schwingt sich aus den alten Grenzen
Der Seele neu entbundne Kraft.

Dort lernst du Gottes Licht gewöhnen,
Sein Rat wird Seligkeit für dich;
Du mischest mit der Engel Tönen
Dein Lied und ein Gebet für mich.
Du lernst den Nutzen meines Leidens,
Gott schlägt des Schicksals Buch dir auf;
Dort steht die Absicht unsers Scheidens
Und mein bestimmter Lebenslauf.

Vollkommenste, die ich auf Erden
So stark und doch nicht gnug geliebt;
Wie liebenswürdig wirst du werden,
Nun dich ein himmlisch Licht umgibt.
Mich überfällt ein brünstigs Hoffen,
O sprich zu meinem Wunsch nicht nein!
O halt die Arme für mich offen!
Ich eile, ewig dein zu sein.

Gedanken bei einer Begebenheit

Vergnüge dich, mein Sinn, und laß dein Schicksal walten,
 Es weiß, worauf du warten sollst:
Das wahre Glück hat doch verschiedene Gestalten
 Und kleidet sich nicht nur in Gold.

Dein Geist würkt ja noch frei in ungekränkten Gliedern,
 Du hast noch Haus und Vaterland:
Worüber klagst du denn? Nur Stolz schämt sich im Niedern
 Und Übermut im Mittelstand.

Was hülfe dich zuletzt der Umgang jener Weisen,
 Die unerblaßt zum Tode gehn:
Sollst du Beständigkeit in fremdem Beispiel preisen,
 In deinem dir entgegen stehn?

Nein, bettle, wer da will, des Glückes eitle Gaben,
 Im Wunsche groß, klein im Genuß;
Von mir soll das Geschick nur diese Bitte haben:
 Gleich fern von Not und Überfluß.

Friedrich von Hagedorn
1708–1754

An die Dichtkunst

Gespielin meiner Nebenstunden,
Bei der ein Teil der Zeit verschwunden,
Die mir, nicht andern, zugehört:
O Dichtkunst, die das Leben lindert!
Wie manchen Gram hast du vermindert,
Wie manche Fröhlichkeit vermehrt!

Die Kraft, der Helden Trefflichkeiten
Mit tapfern Worten auszubreiten,
Verdankt Homer und Maro dir.
Die Fähigkeit, von hohen Dingen
Den Ewigkeiten vorzusingen,
Verliehst du ihnen und nicht mir.

Die Lust, vom Wahn mich zu entfernen
Und deinem Flaccus abzulernen,
Wie man durch echten Witz gefällt,
Die Lust, den Alten nachzustreben,
Ist mir im Zorn von dir gegeben,
Wenn nicht mein Wunsch das Ziel erhält.

Zu eitel ist das Lob der Freunde;
Uns drohen in der Nachwelt Feinde,
Die finden unsre Größe klein.
Den itzt an Liedern reichen Zeiten
Empfehl ich diese Kleinigkeiten:
Sie wollen nicht unsterblich sein.

Anakreon

In Tejos und in Samos
Und in der Stadt Minervens
Sang ich von Wein und Liebe,
Von Rosen und vom Frühling,
Von Freundschaft und von Tänzen;
Doch höhnt ich nicht die Götter,
Auch nicht der Götter Diener,
Auch nicht der Götter Tempel;
Wie hieß ich sonst der Weise?

Ihr Dichter voller Jugend,
Wollt ihr bei froher Muße
Anakreontisch singen,
So singt von milden Reben,
Von rosenreichen Hecken,
Vom Frühling und von Tänzen,
Von Freundschaft und von Liebe;
Doch höhnet nicht die Gottheit,
Auch nicht der Gottheit Diener,
Auch nicht der Gottheit Tempel.
Verdienet, selbst im Scherzen,
Den Namen echter Weisen.

An die Freude

Freude, Göttin edler Herzen!
 Höre mich.
Laß die Lieder, die hier schallen,
Dich vergrößern, dir gefallen;
Was hier tönet, tönt durch dich.

Muntre Schwester süßer Liebe!
 Himmelskind!
Kraft der Seelen! Halbes Leben!
Ach, was kann das Glück uns geben,
Wenn man dich nicht auch gewinnt?

Stumme Hüter toter Schätze
 Sind nur reich.
Dem, der keinen Schatz bewachet,
Sinnreich scherzt und singt und lachet,
Ist kein karger König gleich.

Gib den Kennern, die dich ehren,
 Neuen Mut,
Neuen Scherz den regen Zungen,
Neue Fertigkeit den Jungen
Und den Alten neues Blut.

Du erheiterst, holde Freude,
 Die Vernunft!
Flieh auf ewig die Gesichter
Aller finstern Splitterrichter
Und die ganze Heuchlerzunft!

Die Alster

Beförderer vieler Lustbarkeiten
Du angenehmer Alsterfluß!
Du mehrest Hamburgs Seltenheiten
Und ihren fröhlichen Genuß.
Dir schallen zur Ehre,
Du spielende Flut,
Die singenden Chöre,
Der jauchzende Mut.

Der Elbe Schiffahrt macht uns reicher;
Die Alster lehrt gesellig sein!
Durch jene füllen sich die Speicher;
Auf dieser schmeckt der fremde Wein.
In treibenden Nachen
Schifft Eintracht und Lust,
Und Freiheit und Lachen
Erleichtern die Brust.

Das Ufer ziert ein Gang von Linden
In dem wir holde Schönen sehn,
Die dort, wann Tag und Hitze schwinden,
Entzückend auf und nieder gehn.
Kaum haben vorzeiten
Die Nymphen der Jagd
Dianen zur Seiten
So reizend gelacht.

O siehst du jemals ohn Ergetzen,
Hammonia, des Walles Pracht,
Wann ihn die blauen Wellen netzen
Und jeder Frühling schöner macht?
Wann jenes Gestade,
Das Flora geschmückt,
So manche Najade
Gefällig erblickt?

Ertönt, ihr scherzenden Gesänge,
Aus unserm Lustschiff um den Strand!
Den steifen Ernst, das Wortgepränge
Verweist die Alster auf das Land.
Du leeres Gewäsche,
Dem Menschenwitz fehlt!
O fahr in die Frösche,
Nur uns nicht gequält!

Hier lärmt in Nächten voll Vergnügen
Der Pauken Schlag, des Waldhorns Schall;
Hier wirkt bei Wein und süßen Zügen
Die rege Freiheit überall.
Nichts lebet gebunden,
Was Freundschaft hier paart.
O glückliche Stunden!
O liebliche Fahrt!

Der Morgen

Uns lockt die Morgenröte
 In Busch und Wald,
Wo schon der Hirten Flöte
 Ins Land erschallt.
Die Lerche steigt und schwirret,
 Von Lust erregt;
Die Taube lacht und girret,
 Die Wachtel schlägt.

Die Hügel und die Weide
 Stehn aufgehellt,
Und Fruchtbarkeit und Freude
 Beblümt das Feld.
Der Schmelz der grünen Flächen
 Glänzt voller Pracht,
Und von den klaren Bächen
 Entweicht die Nacht.

Der Hügel weiße Bürde,
 Der Schafe Zucht,
Drängt sich aus Stall und Hürde
 Mit froher Flucht.
Seht, wie der Mann der Herde
 Den Morgen fühlt
Und auf der frischen Erde
 Den Buhler spielt!

Der Jäger macht schon rege
 Und hetzt das Reh
Durch blutbetriefte Wege,
 Durch Busch und Klee.
Sein Hifthorn gibt das Zeichen;
 Man eilt herbei:
Gleich schallt aus allen Sträuchen
 Das Jagdgeschrei.

Doch Phyllis' Herz erbebet
 Bei dieser Lust;
Nur Zärtlichkeit belebet
 Die sanfte Brust.
Laß uns die Täler suchen,
 Geliebtes Kind,
Wo wir von Berg und Buchen
 Umschlossen sind!

Erkenne dich im Bilde
 Von jener Flur!
Sei stets, wie dies Gefilde,
 Schön durch Natur,
Erwünschter als der Morgen,
 Hold wie sein Strahl,
So frei von Stolz und Sorgen
 Wie dieses Tal!

Die Alte

Zu meiner Zeit
Bestand noch Recht und Billigkeit.
Da wurden auch aus Kindern Leute;
Da wurden auch aus Jungfern Bräute:
Doch alles mit Bescheidenheit.
Es ward kein Liebling zum Verräter,
Und unsre Jungfern freiten später,
Sie reizten nicht der Mütter Neid.
 O gute Zeit!

Zu meiner Zeit
Befliß man sich der Heimlichkeit.
Genoß der Jüngling ein Vergnügen,
So war er dankbar und verschwiegen,
Und itzt entdeckt er's ungescheut.
Die Regung mütterlicher Triebe,
Der Fürwitz und der Geist der Liebe
Fährt oftmals schon ins Flügelkleid.
 O schlimme Zeit!

Zu meiner Zeit
Ward Pflicht und Ordnung nicht entweiht.
Der Mann ward, wie es sich gebühret,
Von einer lieben Frau regieret
Trotz seiner stolzen Männlichkeit.
Die fromme herrschte nur gelinder,
Uns blieb der Hut und ihm die Kinder.
Das war die Mode weit und breit.
 O gute Zeit!

Zu meiner Zeit
War noch in Ehen Einigkeit.
Itzt darf der Mann uns fast gebieten,
Uns widersprechen und uns hüten,
Wo man mit Freunden sich erfreut.
Mit dieser Neuerung im Lande,
Mit diesem Fluch im Ehestande
Hat ein Komet uns längst bedräut.
 O schlimme Zeit!

Johann Wilhelm Ludwig Gleim
1719–1803

Trinklied

Seht den jungen Bacchus an!
Seht doch, wie er trinken kann!
Seht, die Augen, die Gebärden
Sollen unsre Muster werden,
Wenn die Gläser voll von Wein
Aug und Herz und Geist erfreun.

Treue Brüder, laßt euch raten!
Tut doch, was die Alten taten,
Gebt Verdiensten ihren Lohn,
Krönet diesen Bacchussohn,
Daß die Tugend auf der Erde
Lieblich und erkennet werde!

Den die Weisheit sichtbar schmückt,
Der sich doch zum Bacchus schickt,
Den man sieht sein Amt verwalten
Und des Abends Picknick halten,
Der noch nie bestrafet ist,
Weil man ihn dabei vermißt;

Der noch keinen Trunk vermieden,
Der sich selbst dazu beschieden,
Den kein voller Römer schreckt,
Dem der Wein am besten schmeckt,
Der verdient zum rechten Lohne
Von den Brüdern eine Krone.

Brüder, seht den Bruder an,
Wie der Bruder trinken kann!
Unter allen Bacchussöhnen
Muß man ihn zum König krönen;
Brüder, ja, er muß es sein:
Seht, er schenkt schon wieder ein!

An den Mond

Dein stilles Silberlicht
Erquickt mir mein Gesicht.
O Mond, Gedankenfreund, ich sehe dich von weiten
Und winke dich zu mir
Und bin nicht weit von dir
Und denk an schönre Zeiten.

Wer einst, du lieber Mond,
In diesem Hüttchen wohnt
Und sieht dein Silberlicht, dem magst du keine Falten
Auf seiner Stirne sehn,
Magst still vorübergehn
Und ihn für glücklich halten.

Daß ich's nicht bin, sag ich
Nur dir und tröste mich, –
O Mond, Gedankenfreund, – daß stille Nächte kommen!
Dir nur vertrau ich's, dir:
Schon manche Nacht hat mir
Des Tages Gram genommen!

Der Hirsch, der sich im Wasser sieht

Ein Hirsch bewunderte sein prächtiges Geweih
Am Spiegel einer klaren Quelle.
Wie prächtig! Auf derselben Stelle,
Wo Königskronen stehn! Und wie so stolz, so frei!
Auch ist mein ganzer Leib vollkommen, nur allein
Die Beine nicht, die sollten stärker sein!

Und als er sie besieht mit ernstlichem Gesicht,
Hört er im nahen Busch ein Jägerhorn erschallen,
Sieht eine Jagd von dem Gebirge fallen,
Erschrickt und flieht! Nun aber hilft ihm nicht
Das prächtige Geweih dem nahen Tod entfliehn,
Nicht sein vollkommner Leib, die Beine retten ihn!
Die reißen wie ein Pfeil die prächtige Gestalt
Mit sich durchs weite Feld und fliegen in den Wald!
Hier aber halten ihn im vogelschnellen Lauf
An starken Zweigen oft die vierzehn Enden auf.
Er reißt sich los und flucht darauf,
Lobt seine Beine nun und lernet noch im Fliehn,
Das Nützliche dem Schönen vorzuziehn!

Das Pferd. Der Esel

Einst trug auf seinem schmalen Rücken
Ein Esel eine schwere Last,
Die fähig war, ihn tot zu drücken.
Ein ledig Pferd ging neben ihm.

 „Du hast
Auf deinem Rücken nichts", sprach das geplagte Tier,
„Hilf, liebes Pferdchen, hilf! Ich bitte dich, hilf mir!" –
„Was helfen!" sagt der grobe Gaul,
„Du bist der rechte Gast, du bist ein wenig faul;
Trag zu! – –"

 „Ich sterbe, liebes Pferd –
Die Last erdrückt mich, rette mich!
Die Hälfte wär ein Spiel für dich!"

„Ich kann nicht!" sprach das Pferd.
Kurz, unter dem zu schweren Sack
Erlag der Esel. Sack und Pack
Schmiß man sogleich dem Rappen auf,
Des Esels Haut noch oben drauf.

Bei Eröffnung des Feldzuges 1756

Krieg ist mein Lied! Weil alle Welt
Krieg will, so sei es Krieg!
Berlin sei Sparta! Preußens Held
Gekrönt mit Ruhm und Sieg!

Gern will ich seine Taten tun,
Die Leier in der Hand,
Wenn meine blutgen Waffen ruhn
Und hangen an der Wand.

Auch stimm ich hohen Schlachtgesang
Mit seinen Helden an
Bei Pauken- und Trompetenklang,
Im Lärm von Roß und Mann;

Und streit, ein tapfrer Grenadier,
Von Friedrichs Mut erfüllt!
Was acht ich es, wenn über mir
Kanonendonner brüllt?

Ein Held fall ich; noch sterbend droht
Mein Säbel in der Hand!
Unsterblich macht der Helden Tod,
Der Tod fürs Vaterland!

Auch kömmt man aus der Welt davon
Geschwinder wie der Blitz;
Und wer ihn stirbt, bekömmt zum Lohn
Im Himmel hohen Sitz!

Wenn aber ich als solch ein Held
Dir, Mars, nicht sterben soll,
Nicht glänzen soll im Sternenzelt,
So leb ich dem Apoll!

So werd aus Friedrichs Grenadier,
Dem Schutz, der Ruhm des Staats;
So lern er deutscher Sprache Zier
Und werde sein Horaz.

Dann singe Gott und Friederich,
Nichts Kleiners, stolzes Lied!
Dem Adler gleich erhebe dich,
Der in die Sonne sieht!

Lied nach der Schlacht bei Kolin, den 18ten Junius 1757

Zurück, rief Vater Friederich,
Zurück, rief er, zurück!
Nachdenkend dacht er schon bei sich:
Gott gib dem Feinde Glück.

Wir aber stürmten noch das Nest,
Wir wollten noch hinan!
Wir kletterten, wir hielten fest
Uns aneinander an.

Und sagten dem, der oben stand:
Wie kommen wir herauf?
Und schlugen tapfer Hand in Hand
Und halfen uns hinauf.

Da stürzte, von Kartätschensaat
Getroffen, eine Schar
Von Helden, ohne Heldentat,
Die halb schon oben war.

Das sahe Friedrich. Himmel! Ach!
Wie blutete sein Herz!
Wie stand bei mitleidsvollem Ach
Sein Auge himmelwärts!

Was für sanftmütge Blicke gab
Sein Heldenangesicht!
Laßt, rief er, Kinder, laßt doch ab!
Mit uns ist Gott heut nicht.

Da ließen wir den blöden Feind
In seinem Felsennest.
Nun jubelt er; o Menschenfreund!
Nun hat er Siegesfest.

Wie kann er aber? Brüder, sagt!
Er kann ja nicht, fürwahr!
Denn haben wir ihn nicht gejagt,
So weit zu jagen war?

Wir stritten, nicht mit Roß und Mann,
Mit Felsen stritten wir.
Hier, Heldenbrüder, bind er an,
Hier, Brüder, sieg er! Hier!

Du Feind! Herab in grünes Feld
Und weise freie Brust,
Und streit und sieg und stirb ein Held!
Hier ist zu sterben Lust!

Allein der blöde wagt es nicht,
Wir mögen lange stehn
Und auf ihn warten. Friedrich spricht:
Geht, Kinder! Laßt uns gehn!

Volkslied

Bitte um Frieden

Soll denn gar kein Frieden werden,
Nimmt der Krieg denn noch kein End?
Unsre Länder sind verheeret,
Städt' und Dörfer abgebrannt;
Jammer überall und Not
Und dazu auch mehr kein Brot.

Friedrich, o du großer König,
Stecke doch dein Schwert nun ein,
Denn wir haben nur noch wenig,
Was dir könnte dienlich sein:
Alles wüste, alles leer –
Länger geht das so nicht mehr.

[1762]

Johann Peter Uz
1720–1796

Der Schäfer

Arkadien, sei mir gegrüßt!
Du Land beglückter Hirten,
Wo unter unentweihten Myrten
Ein zärtlich Herz allein noch rühmlich ist!

Ich will mit sanftem Hirtenstab
Hier meine Schafe weiden.
Hier, Liebe! schenke mir die Freuden,
Die mir die Stadt, die stolze Stadt nicht gab.

Wie schäfermäßig, wie getreu
Will ich Climenen lieben,
Bis meinen ehrfurchtvollen Trieben
Ihr Mund erlaubt, daß ich ihr Schäfer sei.

Welch süßem Traume geb ich Raum,
Der mich zum Schäfer machet!
Die traurige Vernunft erwachet;
Das Herz träumt fort und liebet seinen Traum.

Der Weise auf dem Lande

O Wald! O Schatten grüner Gänge!
Geliebte Flur voll Frühlingspracht!
Mich hat vom städtischen Gedränge
Mein günstig Glück zu euch gebracht,
Wo ich nach unruhvollen Stunden
Die Ruhe, die dem Weisen lacht,
Im Schoße der Natur gefunden.

Ich fühle mich wie neugeboren
Und fang erst nun zu leben an,
Seit, fern vom Trotze reicher Toren,
Ich hier in Freiheit atmen kann.
Es krieche, wer nach Ehre flieget!
Ich werde nie ein großer Mann,
Weil ich mich knechtisch nicht geschmieget.

Es mögen andre höher trachten;
Sie mögen, hungrig nach Gewinn,
Im Joche der Geschäfte schmachten,
Da ich der Knechtschaft müde bin.
Sie drängen sich durch List und Gaben
An ihre Ruderbänke hin,
Dieweil sie Sklavenseelen haben.

Du glänzend Nichts! O Rauch der Ehre!
Dich kauf ich nicht mit wahrem Weh.
Mein Geist sei nach der Weisheit Lehre
So stille wie die Sommersee,
So ruhig im Genuß der Freuden,
Als dort im perlenreichen Klee
Die unschuldvollen Lämmer weiden.

O seht, wie über grüne Hügel
Der Tag, bekränzt mit Rosen, naht!
Ihn kühlen Zephirs linde Flügel,
Vom Tau glänzt sein beblümter Pfad.
Wie taumelt Flora durch die Triften!
Die Lerche steigt aus trunkner Saat
Und singt in unbewölkten Lüften.

Dort, wo im Schatten schlanker Buchen
Die Quelle zwischen Blumen schwätzt,
Seh ich die Muse mich besuchen
Und werde durch ihr Lied ergetzt.
Sie singt entzückt in güldne Saiten,
Indes, von Morgentau benetzt,
Die Haare flatternd sich verbreiten.

Noch süßer tönt um frische Rosen
Ihr angenehmes Hirtenrohr,
Und Amor kömmt, ihr liebzukosen,
Und jeder Ton entzückt sein Ohr.
Auch er versucht, wie's ihm gelinget,
Ein schwaches Murmeln quillt hervor,
Das ungeübte Hand erzwinget.

Geht hin, die ihr nach Golde schnaubet!
Sucht Freude, die mein Herz verschmäht!
Betrügt, verratet, plündert, raubet
Und erntet, was die Witwe sät!
Damit, wann ihr in Gold und Seide
Euch unter klugen Armen bläht,
Der dumme Pöbel euch beneide.

Dem Reichtum, bleicher Sorgen Kinde,
Schleicht stets die bleiche Sorge nach;
Sie braust wie ungestüme Winde
Durch euer innerstes Gemach.
Der sanfte Schlummer flieht Paläste
Und schwebet um den kühlen Bach
Und liebt das Lispeln junger Weste.

Mir gnüget ein zufriednes Herze
Und was ich hab und haben muß
Und, kann es sein, bei freiem Scherze
Ein kluger Freund und reiner Kuß:
Dies kleine Feld und jene Schafe,
Wo sonder stolzen Überfluß
Ich singe, scherze, küsse, schlafe.

Christian Fürchtegott Gellert
1715–1769

Preis des Schöpfers

Wenn ich, o Schöpfer, deine Macht,
Die Weisheit deiner Wege,
Die Liebe, die für alle wacht,
Anbetend überlege,
So weiß ich, von Bewundrung voll,
Nicht, wie ich dich erheben soll,
Mein Gott, mein Herr und Vater!

Mein Auge sieht, wohin sie blickt,
Die Wunder deiner Werke.
Der Himmel, prächtig ausgeschmückt,
Preist dich, du Gott der Stärke!
Wer hat die Sonn an ihm erhöht!
Wer kleidet sie mit Majestät?
Wer ruft dem Heer der Sterne?

Wer mißt dem Winde seinen Lauf?
Wer heißt die Himmel regnen?
Wer schließt den Schoß der Erden auf,
Mit Vorrat uns zu segnen?
O Gott der Macht und Herrlichkeit!
Gott, deine Güte reicht so weit,
So weit die Wolken reichen!

Dich predigt Sonnenschein und Sturm,
Dich preist der Sand am Meere.
Bringt, ruft auch der geringste Wurm,
Bringt meinem Schöpfer Ehre!
Mich, ruft der Baum in seiner Pracht,
Mich, ruft die Saat, hat Gott gemacht;
Bringt unserm Schöpfer Ehre!

Der Mensch, ein Leib, den deine Hand
So wunderbar bereitet;
Der Mensch, ein Geist, den sein Verstand,
Dich zu erkennen, leitet;
Der Mensch, der Schöpfung Ruhm und Preis,
Ist sich ein täglicher Beweis
Von deiner Güt und Größe.

Erheb ihn ewig, o mein Gott.
Erhebe seinen Namen!
Gott, unser Vater, sei gepreist,
Und alle Welt sag Amen!
Und alle Welt fürcht ihren Herrn
Und hoff auf ihn und dien ihm gern!
Wer wollte Gott nicht dienen?

Der Schatz

Ein kranker Vater rief den Sohn.
Sohn! sprach er, um dich zu versorgen,
Hab ich vor langer Zeit einst einen Schatz verborgen;
Er liegt – – Hier starb der Vater schon.
Wer war bestürzter als der Sohn?
Ein Schatz! (so waren seine Worte),
Ein Schatz! Allein an welchem Orte?
Wo find ich ihn? Er schickt nach Leuten aus,
Die Schätze sollen graben können,
Durchbricht der Scheuern harte Tennen,
Durchgräbt den Garten und das Haus
Und gräbt doch keinen Schatz heraus.
Nach viel vergeblichem Bemühen
Hieß er die Fremden wieder ziehen,
Sucht selber in dem Hause nach,
Durchsucht des Vaters Schlafgemach
Und find't mit leichter Müh (wie groß war sein Vergnügen!)
Ihn unter einer Diele liegen.

Vielleicht, daß mancher eh' die Wahrheit finden sollte,
Wenn er mit mindrer Müh die Wahrheit suchen wollte;
Und mancher hätte sie wohl zeitiger entdeckt,
Wofern er nicht geglaubt, sie wäre tief versteckt.
Verborgen ist sie wohl, allein nicht so verborgen,
Daß du der finstern Schriften Wust,
Um sie zu sehn, mit tausend Sorgen
Bis auf den Grund durchwühlen mußt.
Verlaß dich nicht auf fremde Müh,
Such selbst, such aufmerksam, such oft; du findest sie.
Die Wahrheit, lieber Freund, die alle nötig haben,
Die uns als Menschen glücklich macht,
Ward von der weisen Hand, die sie uns zugedacht,
Nur leicht verdeckt, nicht tief vergraben.

Der Blinde und der Lahme

Von ungefähr muß einen Blinden
Ein Lahmer auf der Straße finden,
Und jener hofft schon freudenvoll,
Daß ihn der andre leiten soll.

Dir, spricht der Lahme, beizustehen?
Ich armer Mann kann selbst nicht gehen;
Doch scheint's, daß du zu einer Last
Noch sehr gesunde Schultern hast.

Entschließe dich, mich fortzutragen,
So will ich dir die Stege sagen:
So wird dein starker Fuß mein Bein,
Mein helles Auge deines sein.

Der Lahme hängt, mit seinen Krücken,
Sich auf des Blinden breiten Rücken.
Vereint wirkt also dieses Paar,
Was einzeln keinem möglich war.

Du hast das nicht, was andre haben,
Und andern mangeln deine Gaben;
Aus dieser Unvollkommenheit
Entspringet die Geselligkeit.

Wenn jenem nicht die Gabe fehlte,
Die die Natur für mich erwählte,
So würd er nur für sich allein
Und nicht für mich bekümmert sein.

Der Tanzbär

Ein Bär, der lange Zeit sein Brot ertanzen müssen,
Entrann und wählte sich den ersten Aufenthalt.
Die Bären grüßten ihn mit brüderlichen Küssen
Und brummten freudig durch den Wald,
Und wo ein Bär den andern sah,
So hieß es: Petz ist wieder da!
Der Bär erzählte drauf, was er in fremden Landen
Für Abenteuer ausgestanden,
Was er gesehn, gehört, getan!
Und fing, da er vom Tanzen red'te,
Als ging er noch an seiner Kette,
Auf polnisch schön zu tanzen an.

Die Brüder, die ihn tanzen sahn,
Bewunderten die Wendung seiner Glieder,
Und gleich versuchten es die Brüder;
Allein anstatt wie er zu gehn,
So konnten sie kaum aufrecht stehn,
Und mancher fiel die Länge lang darnieder.
Um desto mehr ließ sich der Tänzer sehn;
Doch seine Kunst verdroß den ganzen Haufen.
Fort, schrieen alle, fort mit dir!
Du Narr willst klüger sein als wir?
Man zwang den Petz, davon zu laufen.

Sei nicht geschickt, man wird dich wenig hassen,
Weil dir dann jeder ähnlich ist;
Doch je geschickter du vor vielen andern bist,
Je mehr nimm dich in acht, dich prahlend sehn zu lassen.
Wahr ist's, man wird auf kurze Zeit
Von deinen Künsten rühmlich sprechen;
Doch traue nicht, bald folgt der Neid
Und macht aus der Geschicklichkeit
Ein unvergebliches Verbrechen.

Das Kutschpferd

Ein Kutschpferd sah den Gaul den Pflug im Acker ziehn
Und wieherte mit Stolz auf ihn.
Wenn, sprach es und fing an, die Schenkel schön zu heben,
Wenn kannst du dir ein solches Ansehn geben
Und wenn bewundert dich die Welt?
Schweig, rief der Gaul, und laß mich ruhig pflügen;
Denn baute nicht mein Fleiß das Feld,
Wo würdest du den Haber kriegen,
Der deiner Schenkel Stolz erhält?

Die ihr die Niedern so verachtet,
Vornehme Müßiggänger, wißt,
Daß selbst der Stolz, mit dem ihr sie betrachtet,
Daß euer Vorzug selbst, aus dem ihr sie verachtet,
Auf ihren Fleiß gegründet ist!
Ist der, der sich und euch durch seine Händ' ernährt,
Nichts Bessers als Verachtung wert?
Gesetzt, du hättest bessre Sitten,
So ist der Vorzug doch nicht dein.
Denn stammtest du aus ihren Hütten,
So hättest du auch ihre Sitten,
Und was du bist, und mehr, das würden sie auch sein,
Wenn sie wie du erzogen wären.
Dich kann die Welt sehr leicht, ihn aber nicht entbehren.

Anna Louisa Karsch
1722–1791

Lob der schwarzen Kirschen

Des Weinstocks Saftgewächse ward
Von tausend Dichtern laut erhoben;
Warum will denn nach Sängerart
Kein Mensch die Kirsche loben?

O die karfunkelfarbne Frucht
In reifer Schönheit ward vor diesen
Unfehlbar von der Frau versucht,
Die Milton hat gepriesen.

Kein Apfel reizet so den Gaum
Und löschet so des Durstes Flammen,
Er mag gleich vom Chineserbaum
In echter Abkunft stammen.

Der ausgekochte Kirschensaft
Gibt aller Sommersuppen beste,
Verleiht der Leber neue Kraft
Und kühlt der Adern Äste;

Und wem das schreckliche Verbot
Des Arztes jeden Wein geraubet,
Der mischt ihn mit der Kirsche rot,
Dann ist er ihm erlaubet;

Und wäre seine Lunge wund
Und seine ganze Brust durchgraben,
So darf sich doch sein matter Mund
Mit diesem Tranke laben.

Wenn ich den goldnen Rheinstrandwein
Und silbernen Champagner meide,
Dann, Freunde, mischt mir Kirschblut drein
Zur Aug- und Zungenweide;

Dann werd ich ebenso verführt
Als Eva, die den Baum betrachtet,
So schön gewachsen und geziert,
Und nach der Frucht geschmachtet.

Ich trink und rufe dreimal Hoch!
Ihr Dichter singt im Ernst und Scherze
Zu oft die Rose; singet doch
Einmal der Kirschen Schwärze!

Christian Felix Weisse
1726–1804

Die schöne Aussicht

Wie reizend schön ist diese Flur!
Hier prangt die Kunst, dort lächelt die Natur;
Hier blüht ein junger Maienwald,
Der von Gesängen widerschallt;

Dort irrt ein silberheller Bach
Dem krausen Labyrinth der Brombeerbüsche nach;
Hier strahlt die bunte Wiese vor;
Dort schwillt ein stolzer Berg empor.

Hier glühen Blumen ohne Zahl,
Die Ros auf dieser Höh, das Veilchen dort im Tal; –
Doch laßt mich hier erst Daphnen sehn:
Ist ohne Daphnen etwas schön?

Die Nacht

Der schöne Mond! Still grüßt er mich!
Die jungen Blumen schließen sich,
Der Büsche kleine Sänger schweigen;
Nur an dem nahen Wasserfall
Schlägt die verliebte Nachtigall;
O möchte sich jetzt Thyrsis zeigen!

Doch nein: – – welch einen süßen Schmerz
Singt Philomel schon in mein Herz,
Es schmilzt bei ihren sanften Klagen;
Wenn Thyrsis käm, ach wenn er käm,
Mich küssend in die Arme nähm,
Was könnt er jetzt, ach käm er! wagen?

Der Inhalt meiner Lieder
Nach des zweiten Buchs zwölfter Ode des Horaz

Ich singe nicht der deutschen Adler Kriege,
Den Stolz der Könige, der Weltbezwinger Siege,
Nicht jenes Meer, von Blut und Tod
Erwürgter Europäer rot!

Nicht jen' Gebirg von Schlössern und Palästen,
Wo unter Reigen sich unnütze Schmeichler mästen,
Indes des Bürgers Träne fließt
Und sein erkargtes Brot begießt.

O nein! Es mag der Nachwelt späten Tagen
Einst der Geschichte Buch die Nationen sagen,
Die jener Held im Würgen groß
An seinen Siegeswagen schloß.

Ich will entzückt mein Mädchen singen,
Der schwarzen Augen Macht, die jedes Herz bezwingen,
Die Brust von Lieb und Treu beseelt,
Die mir noch keinen Wunsch verhehlt!

Den kleinen Fuß, wann er im Tanz sich schwinget,
Den weißen Arm, der sich um die Gefährtin schlinget,
Die sie, von ihr im Scherz bekriegt,
An Witz so wie an Reiz besiegt.

Ich tauschte nicht die Flotten aller Meere,
Und wenn auch jedes Schiff mit Gold beladen wäre,
Nicht Perus reiche Länderein
Für eine Locke Chloens ein.

Wie schön! wenn sie, den Nacken abgekehret,
Mit leichtem Grimm den Kuß versagt, den sie begehret,
Den sie sich gern itzt rauben sieht,
Itzt selbst zu rauben sich bemüht.

An den Schlaf

Komm, süßer Schlaf, erquicke mich!
Mein müdes Auge sehnet sich,
Der Ruhe zu genießen.
Komm, sanft es zuzuschließen!

Wie aber, Freund, o schlössest du
Von nun an es auf ewig zu
Und diese Augenlider
Sähn nie den Morgen wieder?

So weiß ich, daß ein schöner Licht
Einst meinen Schlummer unterbricht,
Das ewig, ewig glänzet
Und keine Nacht begrenzet.

Magnus Gottfried Lichtwer
1719–1783

Die Katzen und der Hausherr

Murner, eine Zyperkatze,
Gab unlängst den Güldeschmaus,
Und er sahe sich zum Platze
Eines Bürgers Wohnung aus.

Mensch und Tiere schliefen feste,
Selbst der Hausprophete schwieg,
Als ein Schwarm geschwänzter Gäste
Von den nächsten Dächern stieg.

Murner kömmt, sie zu begrüßen,
Führt sie drauf in einen Saal
Und setzt jeden auf ein Küssen
Von dem feinsten Katzenzahl.

Sechzig feiste Mäusezimmel
Machten die Versammlung satt,
Ob gespickt, das weiß der Himmel,
Jeder gibt, so gut er's hat.

Von der Mahlzeit ging's zum Tanze,
Wo der Wirt sich hören ließ
Und auf einem Rattenschwanze
Manch verliebtes Stückchen blies.

Hinz, des ersten Schwiegervater,
Sang darein erbärmlich schön,
Und zween abgelebte Kater
Quälten sich, ihm beizustehn.

Itzo tanzen alle Katzen,
Poltern, lärmen, daß es kracht,
Zischen, heulen, sprudeln, kratzen,
Bis der Herr im Haus erwacht.

Dieser springt mit einem Stecken
In den finstern Saal hinein,
Schlägt um sich, sie zu erschrecken,
Schmeißet einen Spiegel ein,

Stolpert über einge Späne,
Stürzt im Fallen auf die Uhr
Und zerbricht zwo Reihen Zähne:
Blinder Eifer schadet nur!

Der unschuldige Dichter

Ein König stellte sich selbst die Nativität
Und fand, daß seine Majestät
Dereinst vom Gähnen sterben sollte;
Und weil der gute Herr nicht sterben wollte
(Denn auch die Großen schreckt der Tod),
So gab er ein Gesetz, das denen,
Die um ihn waren, alles Gähnen
Und alle Schläfrigkeit verbot,

Wie wachsam ward der Hof! Ein aufgeräumtes Wesen
Belebt' das Land, beseelt' die Stadt,
Gebärde, Rede, Gang war munter, niemals matt.
Nur rasche Jugend ward zum Hofdienst auserlesen.

Ein Dichter, dessen Witz des Königs Huld erwarb,
Kam an den Hof und las, o klägliche Geschichte,
Vor seiner Majestät ein tragisches Gedichte.
Er las, der König gähnt' und starb.
Man zieht den Dichter ein, er soll den Kopf verlieren,
Weil er der Königsmörder sei,
Und um ihn selbst zu überführen,
Holt man sein Trauerspiel herbei.

Hier, um vor dem Gericht erst den Versuch zu machen,
Verliest er auf Befehl selbst das fatale Blatt,
Wobei der Fürst gegähnet hat.
Er liest, und alle Richter lachen.
Nein, sagten sie, das ist ein lustiges Gedicht.
Unschuldig sprach ihn das Gericht.

[Nativität: Stand der Sterne bei der Geburt.]

Karl Wilhelm Ramler
1725–1798

An den Frieden

Wo bist du hingeflohn, geliebter Friede?
Gen Himmel, in dein mütterliches Land?
Hast du dich, ihrer Ungerechtigkeiten müde,
Ganz von der Erde weggewandt?

Wohnst du nicht noch auf einer von den Fluren
Des Ozeans, in Klippen tief versteckt,
Wohin kein Wuchrer, keine Missetäter fuhren,
Die kein Eroberer entdeckt?

Nicht, wo, mit Wüsten rings umher bewehret,
Der Wilde sich in deinem Himmel dünkt?
Sich ruhig von den Früchten seines Palmbaums nähret?
Vom Safte seines Palmbaums trinkt?

O! wo du wohnst, laß endlich dich erbitten:
Komm wieder, wo dein süßer Feldgesang
Von herdevollen Hügeln und aus Weinbeerhütten
Und unter Kornaltären klang.

Sieh diese Schäfersitze, deine Freude,
Wie Städte lang, wie Rosengärten schön,
Nun sparsam, nun wie Bäumchen auf verbrannter Heide,
Wie Gras auf öden Mauern stehn.

Die Winzerinnen halten nicht mehr Tänze;
Die jüngst verlobte Garbenbinderin
Trägt ohne Saitenspiel und Lieder ihre Kränze
Zum Dankaltare weinend hin.

Denn ach! der Krieg verwüstet Saat und Reben
Und Korn und Most, vertilget Frucht und Stamm,
Erwürgt die frommen Mütter, die die Milch uns geben,
Erwürgt das kleine fromme Lamm.

Mit unsern Rossen fährt er Donnerwagen,
Mit unsern Sicheln mäht er Menschen ab;
Den Vater hat er jüngst, er hat den Mann erschlagen,
Nun fodert er den Knaben ab.

Erbarme dich des langen Jammers! Rette
Von deinem Volk den armen Überrest!
Bind an der Hölle Tor mit siebenfacher Kette
Auf ewig den Verderber fest.

Friedrich Gottlieb Klopstock
1724–1803

Der Zürchersee

Schön ist, Mutter Natur, deiner Erfindung Pracht
Auf die Fluren verstreut, schöner ein froh Gesicht,
Das den großen Gedanken
Deiner Schöpfung noch einmal denkt.

Von des schimmernden Sees Traubengestaden her
Oder, flohest du schon wieder zum Himmel auf,
Komm in rötendem Strahle
Auf dem Flügel der Abendluft,

Komm und lehre mein Lied jugendlich heiter sein,
Süße Freude, wie du, gleich dem beseelteren
Schnellen Jauchzen des Jünglings,
Sanft, der fühlenden Fanny gleich.

Schon lag hinter uns weit Uto, an dessen Fuß
Zürich in ruhigem Tal freie Bewohner nährt;
Schon war manches Gebirge
Voll von Reben vorbeigeflohn.

Jetzt entwölkte sich fern silberner Alpen Höh,
Und der Jünglinge Herz schlug schon empfindender,
Schon verriet es beredter
Sich der schönen Begleiterin.

Hallers Doris, die sang, selber des Liedes wert,
Hirzels Daphne, den Kleist innig wie Gleimen liebt;
Und wir Jünglinge sangen
Und empfanden wie Hagedorn.

Jetzo nahm uns die Au in die beschattenden
Kühlen Arme des Walds, welcher die Insel krönt;
Da, da kamest du, Freude,
Volles Maß auf uns herab!

Göttin Freude, du selbst! Dich, wir empfanden dich!
Ja, du warest es selbst, Schwester der Menschlichkeit,
Deiner Unschuld Gespielin,
Die sich über uns ganz ergoß!

Süß ist, fröhlicher Lenz, deiner Begeistrung Hauch,
Wenn die Flur dich gebiert, wenn sich dein Odem sanft
In der Jünglinge Herzen
Und die Herzen der Mädchen gießt.

Ach, du machst das Gefühl siegend, es steigt durch dich
Jede blühende Brust schöner und bebender,
Lauter redet der Liebe
Nun entzauberter Mund durch dich!

Lieblich winket der Wein, wenn er Empfindungen,
Bessre, sanftere Lust, wenn er Gedanken winkt,
Im sokratischen Becher
Von der tauenden Ros umkränzt,

Wenn er dringt bis ins Herz und zu Entschließungen,
Die der Säufer verkennt, jeden Gedanken weckt,
Wenn er lehret verachten,
Was nicht würdig des Weisen ist.

Reizvoll klinget des Ruhms lockender Silberton
In das schlagende Herz, und die Unsterblichkeit

Ist ein großer Gedanke,
Ist des Schweißes der Edlen wert!

Durch der Lieder Gewalt bei der Urenkelin
Sohn und Tochter noch sein, mit der Entzückung Ton
Oft beim Namen genennet,
Oft gerufen vom Grabe her,

Dann ihr sanfteres Herz bilden und, Liebe, dich,
Fromme Tugend, dich auch gießen ins sanfte Herz,
Ist, beim Himmel, nicht wenig,
Ist des Schweißes der Edlen wert!

Aber süßer ist noch, schöner und reizender,
In dem Arme des Freunds wissen, ein Freund zu sein,
So das Leben genießen,
Nicht unwürdig der Ewigkeit.

Treuer Zärtlichkeit voll, in den Umschattungen,
In den Lüften des Waldes und mit gesenktem Blick
Auf die silberne Welle,
Tat ich schweigend den frommen Wunsch:

Wäret ihr auch bei uns, die ihr mich ferne liebt,
In des Vaterlands Schoß einsam von mir verstreut,
Die in seligen Stunden
Meine suchende Seele fand:

Oh, so bauten wir hier Hütten der Freundschaft uns!
Ewig wohnten wir hier, ewig! Der Schattenwald
Wandelt' uns sich in Tempe,
Jenes Tal in Elysium!

[Hallers Doris: A. v. Haller schrieb 1730 das Gedicht *Doris*. – Hirzels Daphne: anakreontischer Name
für die Frau des Zürcher Arztes Hans Kaspar Hirzel (1725–1803), der die Fahrt arrangiert hat. – Kleist:
Ewald von Kleist (1715–1759), Dichter und preuß. Offizier. – Au: Insel im Zürcher See.]

Das Rosenband

Im Frühlingsschatten fand ich sie;
Da band ich sie mit Rosenbändern:
Sie fühlt' es nicht und schlummerte.

Ich sah sie an; mein Leben hing
Mit diesem Blick an ihrem Leben:
Ich fühlt' es wohl und wußt es nicht.

Doch lispelt' ich ihr sprachlos zu
Und rauschte mit den Rosenbändern:
Da wachte sie vom Schlummer auf.

Sie sah mich an; ihr Leben hing
Mit diesem Blick an meinem Leben,
Und um uns ward's Elysium.

Die Frühlingsfeier

Nicht in den Ozean der Welten alle
Will ich mich stürzen! schweben nicht,
Wo die ersten Erschaffnen, die Jubelchöre der Söhne des Lichts,
Anbeten, tief anbeten und in Entzückung vergehn!

Nur um den Tropfen am Eimer,
Um die Erde nur will ich schweben und anbeten!
Halleluja! Halleluja! Der Tropfen am Eimer
Rann aus der Hand des Allmächtigen auch!

Da der Hand des Allmächtigen
Die größeren Erden entquollen,
Die Ströme des Lichts rauschten und Siebengestirne wurden,
Da entrannest du, Tropfen, der Hand des Allmächtigen!

Da ein Strom des Lichts rauscht' und unsre Sonne wurde,
Ein Wogensturz sich stürzte wie vom Felsen
Der Wolk' herab und den Orion gürtete,
Da entrannest du, Tropfen, der Hand des Allmächtigen!

Wer sind die tausendmal Tausend, wer die Myriaden alle,
Welche den Tropfen bewohnen und bewohnten? Und wer bin ich?

Halleluja dem Schaffenden! mehr wie die Erden, die quollen,
Mehr wie die Siebengestirne, die aus Strahlen zusammenströmten!

Aber du, Frühlingswürmchen,
Das grünlichgolden neben mir spielt,
Du lebst – und bist vielleicht,
Ach, nicht unsterblich!

Ich bin herausgegangen, anzubeten,
Und ich weine? Vergib, vergib
Auch diese Träne dem Endlichen,
O du, der sein wird!

Du wirst die Zweifel alle mir enthüllen,
O du, der mich durch das dunkle Tal
Des Todes führen wird! Ich lerne dann,
Ob eine Seele das goldene Würmchen hatte.

Bist du nur gebildeter Staub,
Sohn des Mais, so werde denn
Wieder verfliegender Staub,
Oder was sonst der Ewige will!

Ergeuß von neuem du, mein Auge,
Freudentränen!
Du, meine Harfe,
Preise den Herrn!

Umwunden wieder, mit Palmen
Ist meine Harf umwunden! Ich singe dem Herrn!
Hier steh ich. Rund um mich
Ist alles Allmacht und Wunder alles!

Mit tiefer Ehrfurcht schau ich die Schöpfung an,
Denn du,
Namenloser, du
Schufest sie!

Lüfte, die um mich wehn und sanfte Kühlung
Auf mein glühendes Angesicht hauchen,
Euch, wunderbare Lüfte,
Sandte der Herr, der Unendliche!

Aber jetzt werden sie still, kaum atmen sie,
Die Morgensonne wird schwül!
Wolken strömen herauf!
Sichtbar ist, der kommt, der Ewige!

Nun schweben sie, rauschen sie, wirbeln die Winde!
Wie beugt sich der Wald! Wie hebt sich der Strom!
Sichtbar, wie du es Sterblichen sein kannst,
Ja, das bist du sichtbar, Unendlicher!

Der Wald neigt sich, der Strom fliehet, und ich
Falle nicht auf mein Angesicht!
Herr! Herr! Gott! barmherzig und gnädig!
Du Naher, erbarme dich meiner!

Zürnest du, Herr,
Weil Nacht dein Gewand ist?
Diese Nacht ist Segen der Erde.
Vater, du zürnest nicht!

Sie kommt, Erfrischung auszuschütten
Über den stärkenden Halm,
Über die herzerfreuende Traube.
Vater, du zürnest nicht!

Alles ist still vor dir, du Naher!
Ringsumher ist alles still!
Auch das Würmchen, mit Golde bedeckt, merkt auf!
Ist es vielleicht nicht seelenlos? Ist es unsterblich?

Ach, vermöcht ich dich, Herr, wie ich dürste, zu preisen!
Immer herrlicher offenbarest du dich!
Immer dunkler wird die Nacht um dich
Und voller von Segen!

Seht ihr den Zeugen des Nahen, den zückenden Strahl?
Hört ihr Jehovas Donner?
Hört ihr ihn? Hört ihr ihn,
Den erschütternden Donner des Herrn?

Herr! Herr! Gnädig!
Barmherzig und gnädig!
Angebetet, gepriesen
Sei dein herrlicher Name!

Und die Gewitterwinde? Sie tragen den Donner!
Wie sie rauschen! Wie sie mit lauter Woge den Wald durchströmen!
Und nun schweigen sie. Langsam wandelt
Die schwarze Wolke.

Seht ihr den neuen Zeugen des Nahen, den fliegenden Strahl?
Höret ihr hoch in der Wolke den Donner des Herrn?
Er ruft: Jehova! Jehova!
Und der geschmetterte Wald dampft!

Aber nicht unsere Hütte!
Unser Vater gebot
Seinem Verderber,
Vor unsrer Hütte vorüberzugehn.

Ach, schon rauscht, schon rauscht
Himmel und Erde vom gnädigen Regen!
Nun ist, wie dürstete sie! die Erd' erquickt
Und der Himmel der Segensfüll' entlastet!

Siehe, nun kommt Jehova nicht mehr im Wetter,
In stillem, sanftem Säuseln
Kommt Jehova,
Und unter ihm neigt sich der Bogen des Friedens!

Dem Unendlichen

Wie erhebt sich das Herz, wenn es dich,
Unendlicher, denkt! Wie sinkt es,
Wenns auf sich herunterschaut!
Elend schauts wehklagend dann und Nacht und Tod!

Allein du rufst mich aus meiner Nacht, der im Elend, der im Tod hilft!
Dann denk ich es ganz, daß du ewig mich schufst,
Herrlicher! den kein Preis, unten am Grab, oben am Thron,
Herr, Herr, Gott! den dankend entflammt kein Jubel genug besingt.

Weht, Bäume des Lebens, ins Harfengetön!
Rausche mit ihnen ins Harfengetön, kristallner Strom!
Ihr lispelt und rauscht und, Harfen, ihr tönt
Nie es ganz! Gott ist es, den ihr preist!

Donnert, Welten, in feierlichem Gang, in der Posaunen Chor!
Du Orion, Wage, du auch!
Tönt all' ihr Sonnen auf der Straße voll Glanz,
In der Posaunen Chor!

Ihr Welten, donnert,
Und du, der Posaunen Chor, hallest
Nie es ganz, Gott, nie es ganz, Gott,
Gott, Gott ist es, den ihr preist!

Der Tod

O Anblick der Glanznacht, Sternheere,
Wie erhebt ihr! Wie entzückst du, Anschauung
Der herrlichen Welt! Gott Schöpfer!
Wie erhaben bist du, Gott Schöpfer!

Wie freut sich des Emporschauns zum Sternheer, wer empfindet,
Wie gering er, und wer Gott, welch ein Staub er, und wer Gott,
Sein Gott ist! O sei dann, Gefühl
Der Entzückung, wenn auch ich sterbe, mit mir!

Was erschreckst du denn so, Tod, des Beladnen Schlaf?
O bewölke den Genuß himmlischer Freude nicht mehr!
Ich sink in den Staub, Gottes Saat! Was schreckst
Den Unsterblichen du, täuschender Tod?

Mit hinab, o mein Leib, denn zur Verwesung!
In ihr Tal sanken hinab die Gefallnen
Vom Beginn her! Mit hinab, o mein Staub,
Zur Heerschar, die entschlief!

Die frühen Gräber

Willkommen, o silberner Mond,
Schöner, stiller Gefährt' der Nacht!
Du entfliehst? Eile nicht, bleib, Gedankenfreund!
Sehet, er bleibt, das Gewölk wallte nur hin.

Des Maies Erwachen ist nur
Schöner noch wie die Sommernacht,
Wenn ihm Tau, hell wie Licht, aus der Locke träuft,
Und zu dem Hügel herauf rötlich er kömmt.

Ihr Edleren, ach, es bewächst
Eure Male schon ernstes Moos!
O, wie war glücklich ich, als ich noch mit euch
Sahe sich röten den Tag, schimmern die Nacht!

Die Sommernacht

Wenn der Schimmer von dem Monde nun herab
In die Wälder sich ergießt und Gerüche
Mit den Düften von der Linde
In den Kühlungen wehn:

So umschatten mich Gedanken an das Grab
Der Geliebten, und ich seh in dem Walde
Nur es dämmern, und es weht mir
Von der Blüte nicht her.

Ich genoß einst, o ihr Toten, es mit euch!
Wie umwehten uns der Duft und die Kühlung,
Wie verschönt warst von dem Monde
Du, o schöne Natur!

Fürstenlob

Dank dir, mein Geist, daß du seit deiner Reife Beginn
Beschlossest, bei dem Beschluß verharrtest:
Nie durch höfisches Lob zu entweihn
Die heilige Dichtkunst,

Durch das Lob lüstender Schwelger oder eingewebter
Fliegen, Eroberer, Tyrannen ohne Schwert,
Nicht grübelnder, handelnder Gottesleugner,
Halbmenschen, die sich, in vollem dummen Ernst, für höhere

Wesen halten als uns. Nicht alte Dichtersitte,
Nicht Schimmer, der Licht log,
Freunde nicht, die geblendet bewunderten,
Vermochten deinen Entschluß zu erschüttern.

Denn du, ein biegsamer Frühlingssproß
Bei kleineren Dingen,
Bist, wenn es größere gilt,
Eiche, die dem Orkane steht.

Und deckte gebildeter Marmor euch das Grab:
Schandsäul ist der Marmor, wenn euer Gesang
Kakerlaken oder Orang-Utane
Zu Göttern verschuf.

Ruhe nicht sanft, Gebein der Vergötterer! Sie sind's,
Sie haben's gemacht, daß nun die Geschichte nur
Denkmal ist, die Dichtkunst
Nicht Denkmal ist!

Gemacht, daß ich mit zitternder Hand
Die Saite von Daniens Friederich rührte,

Sie werde von Badens Friederich rühren
Mit zitternder Hand.

Denn o, wo ist der sorgsame Wahrheitsforscher,
Der geht und die Zeugen verhört? Geh hin, noch leben die Zeugen,
Und halte Verhör und zeih, wenn du kannst,
Auch mich der Entweihung!

[Daniens Friedrich: Dänemarks Friedrich V. (gest. 1766). – Badens Friederich: Markgraf Karl Friedrich v. Baden, lud
Klopstock 1774 nach Karlsruhe ein.]

Kennet euch selbst

Frankreich schuf sich frei. Des Jahrhunderts edelste Tat hub
 Da sich zu dem Olympus empor!
Bist du so eng begrenzt, daß du sie verkennest, umschwebet
 Diese Dämmerung dir noch den Blick,
Diese Nacht: so durchwandre die Weltannalen und finde
 Etwas darin, das ihr ferne nur gleicht,
Wenn du kannst. O Schicksal! das sind sie also, das sind sie,
 Unsere Brüder, die Franken; und wir?
Ach ich frag' umsonst; ihr verstummt, Deutsche! Was zeiget
 Euer Schweigen? bejahrter Geduld
Müden Kummer? Oder verkündet es nahe Verwandlung
 Wie die schwüle Stille den Sturm,
Der vor sich her sie wirbelt, die Donnerwolken, bis Glut sie
 Werden, und werden zerschmetterndes Eis?
Nach dem Wetter atmen sie kaum, die Lüfte, die Bäche
 Rieseln, vom Laube träufelt es sanft,
Frische labet, Gerüch' umduften, die bläuliche Heitre
 Lächelt, das Himmelsgemälde mit ihr;
Alles ist reg' und ist Leben und freut sich! Die Nachtigall flötet
 Hochzeit! Liebender singet die Braut!
Knaben umtanzen den Mann, den kein Despot mehr verachtet,
 Mädchen das ruhige, säugende Weib!

 [1789]

Mein Irrtum

Lange hatt' ich auf sie forschend geschaut,
Auf die Redenden nicht, die Täter! war,
Bei den Malen der Geschichte
Wandelnd, den Franken gefolgt.

Die an Völkern du rächst, Königen rächst,
Priestern, die Menschheit, wie war's, Geschichte, voll
Von Gemälden, die der Gute,
Bleich vor Entsetzen erblickt?

Dennoch glaubt' ich, und ach, Wonne war mir,
Morgenrötlicher Glanz der goldne Traum!
War ein Zauber, wie gehoffter
Liebe, dem trunkenen Geist.

Freiheit, Mutter des Heils, daucht' es mich, du
Würdest Schöpferin sein, die Glücklichen,
Die so ganz du dir erkorest,
Umzuschaffen gesandt!

Bist du nicht Schöpferin mehr? Oder sind sie
Nicht umschaffbar, die du entfesseltest?
Ist ihr Herz Fels und ihr Auge
Nacht, zu sehn, wer du bist?

Deine Seel ist Gesetz! Aber ihr Blick
Wird des Falken, ihr Herz wird Feuerstrom;
Ha, er funkelt und es glühet,
Wenn das Ungesetz winkt.

Dieses kennen sie, dich kennen sie nicht!
Das da lieben sie! Doch dein Name tönt.
Wenn die Guten das verruchte
Schwert trifft, schallt es von dir!

Freiheit, Mutter des Heils, nannten sie dich
Nicht selbst da noch, als nun Erobrungskrieg,
Mit dem Bruch des gegebnen
Edlen Wortes, begann?

Ach, des goldenen Traums Wonn' ist dahin,
Mich umschwebet nicht mehr sein Morgenglanz,
Und ein Kummer wie verschmähter
Liebe kümmert mein Herz.

Müde labet auch wohl Schatten am Weg
In der Öde, der weit umher sich krümmt;
So hat jüngst mich die erhabne
Männin Corday gelabt.

Richter schändeten sich, sprachen es los,
's Ungeheuer: sie sprach nicht los und tat,
Was mit Glut einst auf der Wange,
Tränen, der Enkel erzählt.

[1793]

Das Wiedersehn

Der Weltraum fernt mich weit von dir,
So fernt mich nicht die Zeit.
Wer überlebt das Siebzigste
Schon hat, ist nah bei dir.

Lang sah ich, Meta, schon dein Grab
Und seine Linde wehn;
Die Linde wehet einst auch mir,
Streut ihre Blum' auch mir.

Nicht mir! Das ist mein Schatten nur,
Worauf die Blüte sinkt,
So wie es nur dein Schatten war,
Worauf sie oft schon sank.

Dann kenn' ich auch die höhre Welt,
In der du lange warst;
Dann sehn wir froh die Linde wehn,
Die unsre Gräber kühlt.

Dann . . . Aber, ach, ich weiß ja nicht,
Was du schon lange weißt;
Nur daß es, hell von Ahndungen,
Mir um die Seele schwebt,

Mit wonnevollen Hoffnungen
Die Abendröte kommt,
Mit frohem, tiefem Vorgefühl
Die Sonnen auferstehn!

[Meta: Klopstocks erste Ehefrau Margarethe, geb. Moller, † 1758.]

Johann Friedrich von Cronegk
1731–1758

Das glückliche Leben

Der Gram läßt nicht den Fürsten schlafen,
Der in Palästen wachsam irrt;
Wie ruhig schläft bei seinen Schafen,
Wie glücklich lebt und liebt ein Hirt!
Kein Sturm wird niedres Rohr verletzen,
Nur stolzen Eichen droht Gefahr.
Das reiche Peru prangt mit Schätzen;
Der Himmel stürmet, Lima war.

Der Krieger färbt im wilden Rasen
Mit Blut das grün gewesne Feld;
Der hitz'gen Pferde schäumend Blasen
Erschüttert und erschreckt die Welt.
Er eilet, Länder zu zerstören;
Im Blicke glüht die Grausamkeit.
Wo Troja war, da wallen Ähren;
Karthago liegt am Strand zerstreut.

Wie glücklich lebt in niedern Hütten,
Wer ferner Städte Lärm verlacht,
Wer nicht mit unzufriednen Bitten
Die weise Vorsicht müde macht!
Wie glücklich ist, wer an dem Strande
Des Meeres Unbestand erblickt,
Eh ihn in weit entfernte Lande
Gewinnsucht oder Ehrsucht schickt!

Wie glücklich ist, wer ohne Sorgen
Des Lebens, weil er lebt, genießt,
Dem, vor der Neider Blick verborgen,
Die Zeit uneingeschränkt verfließt!
Wie glücklich ist, wer einsam lebet,
Vom rauhen Pöbel abgetrennt,
Sich selbsten kennt, nach nichts mehr strebet
Und nur in Gott sein Glück erkennt!

Trost

Die Flucht der Zeit hemmt Gram und Wunsch vergebens;
Ein Weiser nur allein
Weiß den unsichern Pfad des traumerfüllten Lebens
Mit Rosen zu bestreun.

Das Glücke spielt mit allen unsern Sorgen;
Der Lust folgt Traurigkeit;
Ein Weiser trauet nie dem ungewissen Morgen
Und braucht das kurze Heut.

Es quält das Glück zwar oft die größten Herzen;
Doch die verzagen nie.
Für Toren ist die Lust, für Weise sind die Schmerzen;
Denn die besiegen sie.

Ein fühllos Herz will oft den Weisen höhnen,
Der stets sich selbsten gleicht;
Doch stolz in seinem Schmerz, stolz auf die edlen Tränen
Empfindet er und schweigt.

Die Tugend ist's, die, ohne stolz zu prangen,
Ihn schon zu Engeln setzt;

Sie ist es auch, o Freund, die itzo deine Wangen
Mit sanften Zähren netzt.

Ja, Freund, uns trennt das herrschende Geschicke,
Sobald der Lenz erscheint;
Dann denk an diese Zeit, die itzt verflog, zurücke,
Dann denk an deinen Freund.

So liebt ein Freund, versetzt in bessre Sterne,
Wo er belohnet wird,
Den traurgen Sterblichen, der in der öden Ferne
Auf unserm Erdball irrt.

Gottlieb Konrad Pfeffel
1736–1809

Die Tobakspfeife

„Gott grüß euch, Alter! – Schmeckt das Pfeifchen?
Weist her! – Ein Blumentopf
Von rotem Ton, mit goldnen Reifchen! –
Was wollt ihr für den Kopf?"

O Herr, den Kopf kann ich nicht lassen!
Er kömmt vom brävsten Mann,
Der ihn, Gott weiß es, einem Bassen
Bei Belgrad abgewann.

Da, Herr, da gab es rechte Beute!
Es lebe Prinz Eugen!
Wie Grummet sah man unsre Leute
Der Türken Glieder mähn. –

„Ein andermal von euren Taten,
Hier, Alter, seid kein Tropf,
Nehmt diesen doppelten Dukaten
Für euern Pfeifenkopf."

Ich bin ein armer Kerl und lebe
Von meinem Gnadensold;
Doch, Herr, den Pfeifenkopf, den gebe
Ich nicht um alles Gold.

Hört nur: Einst jagten wir Husaren
Den Feind nach Herzenslust,
Da schoß ein Hund von Janitscharen
Den Hauptmann in die Brust.

Ich heb ihn flugs auf meinen Schimmel,
Er hätt es auch getan,
Und trag ihn sanft aus dem Getümmel
Zu einem Edelmann.

Ich pflegte sein. Vor seinem Ende
Reicht er mir all sein Geld
Und diesen Kopf, drückt mir die Hände
Und blieb im Tod noch Held.

Das Geld mußt du dem Wirte schenken,
Der dreimal Plündrung litt,
So dacht ich, und zum Angedenken
Nahm ich die Pfeife mit.

Ich trug auf allen meinen Zügen
Sie wie ein Heiligtum,
Wir mochten weichen oder siegen,
Im Stiefel mit herum.

Vor Prag verlor ich auf der Streife
Das Bein durch einen Schuß,
Da griff ich erst nach meiner Pfeife
Und dann nach meinem Fuß.

„Ihr rührt mich, Freund, bis zu den Zähren.
O sagt, wie hieß der Mann,
Damit auch mein Herz ihn verehre
Und ihn beneiden kann."

Man hieß ihn nur den tapfern Walter;
Dort lag sein Gut am Rhein...
„Das war mein Ahne, lieber Alter,
Und jenes Gut ist mein.

Kommt, Freund, ihr sollt bei mir nun leben!
Vergesset eure Not,
Kommt, trinkt mit mir von Walters Reben
Und eßt von Walters Brot."

Nun top! Ihr seid sein wahrer Erbe!
Ich ziehe morgen ein,
Und eurer Dank soll, wenn ich sterbe,
Die Türkenpfeife sein.

[Bassen: türkischer Heerführer oder Statthalter. – Janitscharen: türkische Kerntruppe.]

Jost

Von seinem milden Landesvater
Durch Fronen abgezehrt, lag Jost
Auf faulem Moos. Ein frommer Pater
Gab in dem letzten Kampf ihm Trost:
Bald, sprach er, wird euch Gott entbinden
Vom Joch, das euch so hart gedrückt;
Die Ruhe, die euch nie beglückt,
Freund, werdet ihr im Himmel finden.
Ach, Herr! rief Jost so dumpf und hohl
Wie aus dem Grab, wer kann das wissen?
Wir armen Bauren werden wohl
Im Himmel fronweis donnern müssen.

Der kranke Löwe

Der Tiere Großsultan lag auf dem Krankenbette;
Er war vom Kopf bis auf den Schwanz
So dürr als Bruder Hein im Basler Totentanz.
Da war kein Vieh, das ihm nicht was geraten hätte.
Der Schwindsucht sichre Kur, die ein Franzos erfand,
Die Kur im Ochsenstall war damals unbekannt.
Die Gerste, sprach das Pferd, ist trefflich für die Lunge,
Sie kühlet das Geblüt und reiniget die Zunge.
Nicht doch, versetzt der Bär, der wilde Honigseim
Ist Balsam für die Brust und löst den Schleim.
Freund, rief ein weiser Wolf, ich wette hundert Kronen,
Mein sympathetisches Arkan
Erhält den Preis: Neun frische Ziegenbohnen,
Im Vollmond angehängt, ziehn alle Seuchen an.
Pfui, sprach der Leopard, man möchte flugs purgieren,
Der Henker brauche diesen Quark.
Ich lobe mir das Menschenmark,
Um einen Fürsten zu kurieren.
Ein Pfund des Tags in Tränen aufgelöst
Hilft ganz gewiß, probatum est.

Dies, Vetter, will ich gleich probieren,
Versetzt der Patient, der Rat ist Goldes Wert.
Ich selber habe längst gehört,
Daß viele große Herrn auf Erden
Durch dieses Mittel fett als wie die Dachse werden.

[Arkan: Geheimmittel. – purgieren: reinigen, abführen. – probatum est: es ist bewährt.]

Der tolle Hund

Flieht, Leute, flieht den tollen Hund!
So rief zu Neros Zeit ein Rudel blasser Jungen,
Die mit genauer Not des Untiers Wut entsprungen.
Die Warnung floh von Mund zu Mund
Durchs halbe Rom. Es lief, was laufen konnte.
Ein rascher Veteran, der auf dem Markt sich sonnte,
Blieb ruhig stehen, wie er stund.
Das Beest kam auf ihn los. Mit seinem Knotenstecken
Schlug er auf einen Hieb ihm das Genick entzwei
Und sprach zum frohen Volk: Was floht ihr? Feiger Schrecken
Macht euch von keinem Wütrich frei;
Den Schädel müßt ihr ihm zerschmeißen,
Alsdann erst hört er auf zu beißen.

Der Junker und der Bauer

Halb tot vor Schrecken kam zum Junker Sigismund
Sein Pächter Hintz: Ach! Euer Gnaden,
Ein großes Unglück! – Ein großer Schaden!
So rede, Pinsel! – Euer Hund . . .
Mein junger Eber, ach! er hat ihn tot gebissen.
Was! fuhr der Junker ihn wie Zeus im Donner an,
Dein Eber meinen Tamerlan?
Weit lieber wollt ich zwanzig Gulden missen;
Die zahlst du mir. – Gestrenger Herr! ihr irrt. –
Wer? ich! – Verzeiht, so hat der Schrecken mich verwirrt,
Den Eber hat Herr Tamerlan zerrissen. –
Je! so beleidigte dein Eber ihn.
Den Unfug darf ich ungestraft nicht dulden.
Als Buße zahle mir die zwanzig Gulden
Und lerne deine Schweine besser ziehn.

Seufzer eines Dorfwirts

Die Sau muß ich mit Eicheln mästen,
Mit meinem Schweiß den Amtshauptmann.
Ha! Schade, daß ich meinen Gästen
Sein Fett nicht auch verspicken kann.

Der Reisende und der Cicerone

Ein Fremder ging mit seinem Cicerone
Durch ein gewundnes Felsental,
In dem das Echo siebenmal
Die Worte wiedergab. Im Dithyrambentone
Erhob der Mann die Seltenheit.
Freund, das ist eine Kleinigkeit,
Sprach jener, in dem Land, das ich bewohne,
Besitzt der König einen Saal,
Der seine Worte hundertmal
Und mehr noch wiederholt. Herr, sprach der Cicerone,
Ihr spaßet, oder hält sich der Regent
Vielleicht ein Parlament?

[Cicerone: redseliger Fremdenführer.]

Der Papagei

Ein Papagei, der manches Jahr
Der Lehrling eines Rektors war,
Um welchen Tag für Tag ein Dutzend Schüler saßen,
Die laut im Cicero, Virgil und Cäsar lasen,
Magister Psittacus, so hieß ihn sein Patron,
Entfloh, des ewigen Studierens müde,
In einen Wald, wo eine Legion
Von Vögeln ihn mit einem Jubelliede
Willkommen hieß. Der Mann in Us
Erwiderte den brüderlichen Gruß
Mit sieben Versen aus der Aeneide.
Beim Vater Pan! rief groß und klein,
Freund! wir verstehn dich nicht. Das macht, ich sprach Latein,
Und das verstehn nur wir Gelehrten.
Latein? Erklär uns doch, versetzt ein alter Häh'r,
Den Sinn des Spruches, den wir hörten.
Je nun! es war Latein, entgegnet er,
Ich hab es schon gesagt. Das ist's nicht, was wir fragen,
Den Sinn, der aus den Worten spricht,
Den bitten wir dich uns zu sagen.
Den Sinn? . . . Den Sinn? . . . Je nun, den weiß ich nicht,
So stotterte der arme Wicht,
Indes die Frager ihm mit Hohn den Rücken kehrten.
Von nun an gab im ganzen Hain
Das Vögelchor den Papagei'n
Den Übernamen der Gelehrten.

[Psittacus: Papagei.]

Der freie Mann
Ein Volkslied

Wer ist ein freier Mann?
Der, dem nur eigner Wille
Und keines Zwingherrn Grille
Gesetze geben kann;
Der ist ein freier Mann.

Wer ist ein freier Mann?
Der das Gesetz verehret,
Nichts tut, was es verwehret,
Nichts will, als was er kann;
Der ist ein freier Mann.

Wer ist ein freier Mann?
Wem seinen hellen Glauben
Kein frecher Spötter rauben,
Kein Priester meistern kann;
Der ist ein freier Mann.

Wer ist ein freier Mann?
Der auch in einem Heiden
Den Menschen unterscheiden,
Die Tugend schätzen kann;
Der ist ein freier Mann.

Wer ist ein freier Mann?
Dem nicht Geburt noch Titel,
Nicht Sammetrock noch Kittel
Den Bruder bergen kann;
Der ist ein freier Mann.

Wer ist ein freier Mann?
Wem kein gekrönter Würger
Mehr, als der Name Bürger
Ihm wert ist, geben kann;
Der ist ein freier Mann.

Wer ist ein freier Mann?
Der, in sich selbst verschlossen,
Der feilen Gunst der Großen
Und Kleinen trotzen kann;
Der ist ein freier Mann.

Wer ist ein freier Mann?
Der fest auf seinem Stande
Auch selbst vom Vaterlande
Den Undank dulden kann;
Der ist ein freier Mann.

Wer ist ein freier Mann?
Der, muß er Gut und Leben
Zum Raub Tyrannen geben,
Doch nichts verlieren kann;
Der ist ein freier Mann.

Wer ist ein freier Mann?
Der bei des Todes Rufe
Keck auf des Grabes Stufe
Und rückwärts blicken kann;
Der ist ein freier Mann.

Matthias Claudius
1740–1815

Täglich zu singen

Ich danke Gott und freue mich
Wie 's Kind zur Weihnachtgabe,
Daß ich bin, bin! Und daß ich dich,
Schön menschlich Antlitz! habe,

Daß ich die Sonne, Berg und Meer
Und Laub und Gras kann sehen
Und abends unterm Sternenheer
Und lieben Monde gehen,

Und daß mir denn zu Mute ist,
Als wenn wir Kinder kamen
Und sahen, was der heilge Christ
Bescheret hatte, Amen!

Ich danke Gott mit Saitenspiel,
Daß ich kein König worden;
Ich wär geschmeichelt worden viel
Und wär vielleicht verdorben.

Auch bet ich ihn von Herzen an,
Daß ich auf dieser Erde
Nicht bin ein großer reicher Mann
Und auch wohl keiner werde.

Denn Ehr und Reichtum treibt und bläht,
Hat mancherlei Gefahren,
Und vielen hat's das Herz verdreht,
Die weiland wacker waren.

Und all das Geld und all das Gut
Gewährt zwar viele Sachen;
Gesundheit, Schlaf und guten Mut
Kann's aber doch nicht machen.

Und die sind doch, bei Ja und Nein!
Ein rechter Lohn und Segen!
Drum will ich mich nicht groß kastei'n
Des vielen Geldes wegen.

Gott gebe mir nur jeden Tag,
So viel ich darf, zum Leben.
Er gibt's dem Sperling auf dem Dach;
Wie sollt er's mir nicht geben!

Der Mensch

Empfangen und genähret
Vom Weibe wunderbar
Kömmt er und sieht und höret
Und nimmt des Trugs nicht wahr,
Gelüstet und begehret
Und bringt sein Tränlein dar,
Verachtet und verehret,
Hat Freude und Gefahr,
Glaubt, zweifelt, wähnt und lehret,
Hält nichts und alles wahr,
Erbauet und zerstöret
Und quält sich immerdar,
Schläft, wachet, wächst und zehret,
Trägt braun und graues Haar.
Und alles dieses währet,
Wenn's hoch kommt, achtzig Jahr.
Denn legt er sich zu seinen Vätern nieder,
Und er kömmt nimmer wieder.

An – als Ihm die – starb

Der Säemann säet den Samen,
Die Erd empfängt ihn, und über ein kleines
Keimet die Blume herauf –

Du liebtest sie. Was auch dies Leben
Sonst für Gewinn hat, war klein Dir geachtet.
Und sie entschlummerte Dir!

Was weinst Du neben dem Grabe
Und hebst die Hände zur Wolke des Todes
Und der Verwesung empor?

Wie Gras auf dem Felde sind Menschen
Dahin, wie Blätter! Nur wenige Tage
Gehn wir verkleidet einher!

Der Adler besuchet die Erde,
Doch säumt nicht, schüttelt vom Flügel den Staub und
Kehrt zur Sonne zurück!

Ein Wiegenlied, bei Mondschein zu singen

So schlafe nun, du Kleine!
Was weinest du?
Sanft ist im Mondenscheine
Und süß die Ruh.

Auch kommt der Schlaf geschwinder
Und sonder Müh;
Der Mond freut sich der Kinder
Und liebet sie.

Er liebt zwar auch die Knaben,
Doch Mädchen mehr,
Gießt freundlich schöne Gaben
Von oben her

Auf sie aus, wenn sie saugen,
Recht wunderbar,
Schenkt ihnen blaue Augen
Und blondes Haar.

Alt ist er wie ein Rabe,
Sieht manches Land;
Mein Vater hat als Knabe
Ihn schon gekannt.

Und bald nach ihren Wochen
Hat Mutter 'mal
Mit ihm von mir gesprochen,
Sie saß im Tal,

In einer Abendstunde,
Den Busen bloß,
Ich lag mit offnem Munde
In ihrem Schoß.

Sie sah mich an, für Freude
Ein Tränchen lief,
Der Mond beschien uns beide,
Ich lag und schlief;

Da sprach sie: „Mond, o! scheine,
Ich hab sie lieb,
Schein Glück für meine Kleine!"
Ihr Auge blieb

Noch lang am Monde kleben
Und flehte mehr.
Der Mond fing an zu beben,
Als hörte er.

Und denkt nun immer wieder
An diesen Blick
Und scheint von hoch hernieder
Mir lauter Glück.

Er schien mir unterm Kranze
Ins Brautgesicht
Und bei dem Ehrentanze;
Du warst noch nicht.

Abendlied eines Bauersmanns

Das schöne große Tag-Gestirne
Vollendet seinen Lauf;
Komm, wisch den Schweiß mir von der Stirne,
Lieb Weib, und denn tisch auf!

Kannst hier nur auf der Erde decken,
Hier unterm Apfelbaum;

Da pflegt es abends gut zu schmecken
Und ist am besten Raum.

Und rufe flugs die kleinen Gäste,
Denn hör, mich hungert's sehr;
Bring auch den kleinsten aus dem Neste,
Wenn er nicht schläft, mit her.

Dem König bringt man viel zu Tische;
Er, wie die Rede geht,
Hat alle Tage Fleisch und Fische
Und Panzen und Pastet,

Und ist ein eigner Mann erlesen,
Von andrer Arbeit frei,
Der ordert ihm sein Tafelwesen
Und präsidiert dabei.

Gott laß ihm alles wohl gedeihen!
Er hat auch viel zu tun
Und muß sich Tag und Nacht kasteien,
Daß wir in Frieden ruhn.

Und haben wir nicht Herrenfutter,
So haben wir doch Brot
Und schöne, frische, reine Butter
Und Milch, was denn für Not?

Das ist genug für Bauersleute,
Wir danken Gott dafür
Und halten offne Tafel heute
Vor allen Sternen hier.

Es präsidiert bei unserm Mahle
Der Mond, so silberrein!
Und kuckt von oben in die Schale
Und tut den Segen h'nein.

Nun Kinder esset, eßt mit Freuden,
Und Gott gesegn' es euch!
Sieh, Mond! ich bin wohl zu beneiden,
Bin glücklich und bin reich!

Abendlied

Der Mond ist aufgegangen,
Die goldnen Sternlein prangen
Am Himmel hell und klar;
Der Wald steht schwarz und schweiget,
Und aus den Wiesen steiget
Der weiße Nebel wunderbar.

Wie ist die Welt so stille
Und in der Dämmrung Hülle
So traulich und so hold,
Als eine stille Kammer,
Wo ihr des Tages Jammer
Verschlafen und vergessen sollt.

Seht ihr den Mond dort stehen? –
Er ist nur halb zu sehen
Und ist doch rund und schön!
So sind wohl manche Sachen,
Die wir getrost belachen,
Weil unsre Augen sie nicht sehn.

Wir stolze Menschenkinder
Sind eitel arme Sünder
Und wissen gar nicht viel;
Wir spinnen Luftgespinste
Und suchen viele Künste
Und kommen weiter von dem Ziel.

Gott, laß uns dein Heil schauen,
Auf nichts Vergänglichs trauen,
Nicht Eitelkeit uns freun!
Laß uns einfältig werden
Und vor dir hier auf Erden
Wie Kinder fromm und fröhlich sein!

Wollst endlich sonder Grämen
Aus dieser Welt uns nehmen
Durch einen sanften Tod!
Und, wenn du uns genommen,
Laß uns in Himmel kommen,
Du unser Herr und unser Gott!

So legt euch denn, ihr Brüder,
In Gottes Namen nieder;
Kalt ist der Abendhauch.
Verschon uns, Gott! mit Strafen,
Und laß uns ruhig schlafen
Und unsern kranken Nachbar auch!

Ein Lied hinterm Ofen zu singen

Der Winter ist ein rechter Mann,
Kernfest und auf die Dauer;
Sein Fleisch fühlt sich wie Eisen an
Und scheut nicht süß noch sauer.

War je ein Mann gesund, ist er's;
Er krankt und kränkelt nimmer,
Weiß nichts von Nachtschweiß noch Vapeurs
Und schläft im kalten Zimmer.

Er zieht sein Hemd im Freien an
Und läßt's vorher nicht wärmen
Und spottet über Fluß im Zahn
Und Kolik in Gedärmen.

Aus Blumen und aus Vogelsang
Weiß er sich nichts zu machen,
Haßt warmen Drang und warmen Klang
Und alle warmen Sachen.

Doch wenn die Füchse bellen sehr,
Wenn's Holz im Ofen knittert
Und um den Ofen Knecht und Herr
Die Hände reibt und zittert,

Wenn Stein und Bein vor Frost zerbricht
Und Teich' und Seen krachen,
Das klingt ihm gut, das haßt er nicht,
Denn will er sich tot lachen. –

Sein Schloß von Eis liegt ganz hinaus
Beim Nordpol an dem Strande;
Doch hat er auch ein Sommerhaus
Im lieben Schweizerlande.

Da ist er denn bald dort, bald hier,
Gut Regiment zu führen.
Und wenn er durchzieht, stehen wir
Und sehn ihn an und frieren.

[Vapeurs: Blähungen.]

Kriegslied

's ist Krieg! 's ist Krieg! O Gottes Engel wehre,
Und rede Du darein!
's ist leider Krieg – und ich begehre
Nicht schuld daran zu sein!

Was sollt ich machen, wenn im Schlaf mit Grämen
Und blutig, bleich und blaß
Die Geister der Erschlagnen zu mir kämen
Und vor mir weinten, was?

Wenn wackre Männer, die sich Ehre suchten,
Verstümmelt und halb tot
Im Staub sich vor mir wälzten und mir fluchten
In ihrer Todesnot?

Wenn tausend, tausend Väter, Mütter, Bräute,
So glücklich vor dem Krieg,
Nun alle elend, alle arme Leute,
Wehklagten über mich?

Wenn Hunger, böse Seuch und ihre Nöten
Freund, Freund und Feind ins Grab
Versammleten und mir zu Ehren krähten
Von einer Leich' herab?

Was hülf mir Kron und Land und Gold und Ehre?
Die könnten mich nicht freun!
's ist leider Krieg – und ich begehre
Nicht schuld daran zu sein!

Der Tod

Ach, es ist so dunkel in des Todes Kammer,
Tönt so traurig, wenn er sich bewegt
Und nun aufhebt seinen schweren Hammer
Und die Stunde schlägt.

Die Liebe

Die Liebe hemmet nichts; sie kennt nicht Tür noch Riegel
Und dringt durch alles sich;
Sie ist ohn Anbeginn, schlug ewig ihre Flügel
Und schlägt sie ewiglich.

Rheinweinlied

Bekränzt mit Laub den lieben vollen Becher
Und trinkt ihn fröhlich leer!
In ganz Europia, ihr Herren Zecher,
Ist solch ein Wein nicht mehr!

Er kommt nicht her aus Hungarn noch aus Polen,
Noch wo man franzmänn'sch spricht;
Da mag Sankt Veit, der Ritter, Wein sich holen,
Wir holen ihn da nicht.

Ihn bringt das Vaterland aus seiner Fülle;
Wie wär er sonst so gut!
Wie wär er sonst so edel, wäre stille
Und doch voll Kraft und Mut!

Er wächst nicht überall im deutschen Reiche,
Und viele Berge, hört,
Sind, wie die weiland Kreter, faule Bäuche
Und nicht der Stelle wert.

Thüringens Berge zum Exempel bringen
Gewächs, sieht aus wie Wein,
Ist's aber nicht. Man kann dabei nicht singen,
Dabei nicht fröhlich sein.

Im Erzgebirge dürft ihr auch nicht suchen,
Wenn ihr Wein finden wollt.

Das bringt nur Silbererz und Koboltkuchen
Und etwas Lausegold.

Der Blocksberg ist der lange Herr Philister,
Er macht nur Wind wie der;
Drum tanzen auch der Kuckuck und sein Küster
Auf ihm die Kreuz und Quer.

Am Rhein, am Rhein, da wachsen unsre Reben;
Gesegnet sei der Rhein!
Da wachsen sie am Ufer hin und geben
Uns diesen Labewein.

So trinkt ihn denn und laßt uns alle Wege
Uns freun und fröhlich sein!
Und wüßten wir wo jemand traurig läge,
Wir gäben ihm den Wein.

[Blocksberg: der Brocken im Harz.]

Urians Reise um die Welt

Wenn jemand eine Reise tut,
So kann er was erzählen;
Drum nahm ich meinen Stock und Hut
Und tät das Reisen wählen.

Tutti
Da hat Er gar nicht übel dran getan;
Verzähl Er doch weiter, Herr Urian!

Zuerst ging's an den Nordpol hin;
Da war es kalt, bei Ehre!
Da dacht' ich denn in meinem Sinn,
Daß es hier besser wäre.

Tutti
Da hat Er gar nicht übel dran getan;
Verzähl Er doch weiter, Herr Urian!

In Grönland freuten sie sich sehr,
Mich ihres Orts zu sehen,
Und setzten mir den Trankrug her;
Ich ließ ihn aber stehen.

Tutti
Da hat Er gar nicht übel dran getan;
Verzähl Er doch weiter, Herr Urian!

Die Esquimaux sind wild und groß,
Zu allem Guten träge;

Da schalt ich Einen einen Kloß
Und kriegte viele Schläge.

Tutti
Da hat Er gar nicht übel dran getan;
Verzähl Er doch weiter, Herr Urian!

Nun war ich in Amerika;
Da sagt' ich zu mir: Lieber!
Nordwestpassage ist doch da;
Mach dich einmal darüber!

Tutti
Da hat Er gar nicht übel dran getan;
Verzähl Er doch weiter, Herr Urian!

Flugs ich an Bord und aus ins Meer,
Den Tubus festgebunden,
Und suchte sie die Kreuz und Quer,
Und hab sie nicht gefunden.

Tutti
Da hat Er gar nicht übel dran getan;
Verzähl Er doch weiter, Herr Urian!

Von hier ging ich nach Mexiko;
Ist weiter als nach Bremen,
Da, dacht' ich, liegt das Gold wie Stroh;
Du sollst 'n Sack voll nehmen.

Tutti
Da hat Er gar nicht übel dran getan;
Verzähl Er doch weiter, Herr Urian!

Allein, allein, allein, allein,
Wie kann ein Mensch sich trügen!
Ich fand da nichts als Sand und Stein
Und ließ den Sack da liegen.

Tutti
Da hat Er gar nicht übel dran getan;
Verzähl Er doch weiter, Herr Urian!

Drauf kauft' ich etwas kalte Kost
Und Kieler Sprott und Kuchen
Und setzte mich auf Extrapost,
Land Asia zu besuchen.

Tutti
Da hat Er gar nicht übel dran getan;
Verzähl Er doch weiter, Herr Urian!

Der Mogul ist ein großer Mann
Und gnädig über Maßen
Und klug; er war itzt eben dran,
'n Zahn ausziehn zu lassen.

Tutti
Da hat Er gar nicht übel dran getan;
Verzähl Er doch weiter, Herr Urian!

Hm! dacht' ich, der hat Zähnepein,
Bei aller Größ' und Gaben!

Was hilft's denn auch noch: Mogul sein?
Die kann man so wohl haben.

Tutti
Da hat Er gar nicht übel dran getan;
Verzähl Er doch weiter, Herr Urian!

Ich gab dem Wirt mein Ehrenwort,
Ihn nächstens zu bezahlen;
Und damit reist' ich weiter fort
Nach China und Bengalen.

Tutti
Da hat Er gar nicht übel dran getan;
Verzähl Er doch weiter, Herr Urian!

Nach Java und nach Otaheit
Und Afrika nicht minder
Und sah bei der Gelegenheit
Viel Städt' und Menschenkinder;

Tutti
Da hat Er gar nicht übel dran getan;
Verzähl Er weiter doch, Herr Urian!

Und fand es überall wie hier,
Fand überall 'n Sparren,
Die Menschen grade so wie wir
Und eben solche Narren.

Tutti
Da hat Er übel übel dran getan;
Verzähl Er nicht weiter, Herr Urian!

Der große und der kleine Hund
oder
Packan und Alard

Ein kleiner Hund, der lange nichts gerochen
Und Hunger hatte, traf es nun
Und fand sich einen schönen Knochen
Und nagte herzlich dran, wie Hunde denn wohl tun.

Ein großer nahm sein wahr von fern:
„Der muß da was zum Besten haben,
Ich fresse auch dergleichen gern,
Will doch des Wegs einmal hintraben.“

Alard, der ihn des Weges kommen sah,
Fand es nicht ratsam, daß er weilte
Und lief betrübt davon und heulte
Und seinen Knochen ließ er da.

Und Packan kam in vollem Lauf
Und fraß den ganzen Knochen auf.

Ende der Fabel.

„Und die Moral"? Wer hat davon gesprochen? –
Gar keine! Leser, bist du toll?
Denn welcher arme Mann nagt wohl an einem Knochen,
Und welcher reiche nähm ihn wohl?

Der Schwarze in der Zuckerplantage

Weit von meinem Vaterlande
Muß ich hier verschmachten und vergehn,
Ohne Trost, in Müh und Schande;
Ohhh die weißen Männer!! klug und schön!
Und ich hab den Männern ohn Erbarmen
Nichts getan.
Du im Himmel! hilf mir armen
Schwarzen Mann!

Fuchs und Bär

Kam einst ein Fuchs vom Dorfe her,
Früh in der Morgenstunde,
Und trug ein Huhn im Munde;
Und es begegnet' ihm ein Bär.
„Ah! guten Morgen, gnäd'ger Herr!
Ich bringe hier ein Huhn für Sie;
Ihr Gnaden promenieren ziemlich früh,
Wo geht die Reise hin?"
„Was heißest du mich gnädig, Vieh!
Wer sagt dir, daß ich's bin?"
„Sah Dero Zahn, wenn ich es sagen darf,
Und Dero Zahn ist lang und scharf."

Christian Friedrich Daniel Schubart
1739–1791

Die Forelle

In einem Bächlein helle,
Da schoß in froher Eil
Die launige Forelle
Vorüber wie ein Pfeil.
Ich stand an dem Gestade
Und sah in süßer Ruh
Des muntern Fisches Bade
Im klaren Bächlein zu.

Ein Fischer mit der Rute
Wohl an dem Ufer stand
Und sah's mit kaltem Blute
Wie sich das Fischlein wand.
So lang dem Wasser Helle,
So dacht ich, nicht gebricht,
So fängt er die Forelle
Mit seiner Angel nicht.

Doch plötzlich ward dem Diebe
Die Zeit zu lang. Er macht
Das Bächlein tückisch trübe,
Und eh ich es gedacht,
So zuckte seine Rute,
Das Fischlein zappelt dran,
Und ich mit regem Blute
Sah die Betrogne an.

Die ihr am goldnen Quelle
Der sichern Jugend weilt,
Denkt doch an die Forelle;
Seht ihr Gefahr, so eilt!
Meist fehlt ihr nur aus Mangel
Der Klugheit. Mädchen, seht
Verführer mit der Angel!
Sonst blutet ihr zu spät.

Der Bettelsoldat

Mit jammervollem Blicke,
Von tausend Sorgen schwer,
Hink ich an meiner Krücke
In weiter Welt umher.

Gott weiß, hab viel gelitten,
Ich hab so manchen Kampf
In mancher Schlacht gestritten,
Gehüllt in Pulverdampf.

Sah manchen Kameraden
An meiner Seite tot,
Und mußt' im Blute waten,
Wenn es mein Herr gebot.

Mir drohten oft Geschütze
Den fürchterlichsten Tod,
Oft trank ich aus der Pfütze,
Oft aß ich schimmlicht Brot.

Ich stand in Sturm und Regen
In grauser Mitternacht,

Bei Blitz und Donnerschlägen
Oft einsam auf der Wacht.

Und nun nach mancher Schonung,
Noch fern von meinem Grab,
Empfang ich die Belohnung
Mit diesem Bettelstab.

Bedeckt mit dreizehn Wunden,
An meiner Krück gelehnt,
Hab ich in manchen Stunden
Mich nach dem Tod gesehnt.

Ich bettle vor den Türen,
Ich armer lahmer Mann!
Doch ach! wen kann ich rühren?
Wer nimmt sich meiner an?

War einst ein braver Krieger,
Sang manch Soldatenlied
Im Reihen froher Sieger;
Nun bin ich Invalid.

Ihr Söhne, bei der Krücke,
An der mein Leib sich beugt,
Bei diesem Tränenblicke,
Der sich zum Grabe neigt,

Beschwör ich euch – ihr Söhne!
O flieht der Trommel Ton
Und Kriegstrommetentöne!
Sonst kriegt ihr meinen Lohn.

Die Fürstengruft

Da liegen sie, die stolzen Fürstentrümmer,
Ehmals die Götzen ihrer Welt!
Da liegen sie, vom fürchterlichen Schimmer
Des blassen Tags erhellt!

Die alten Särge leuchten in der dunkeln
Verwesungsgruft wie faules Holz.
Wie matt die großen Silberschilde funkeln,
Der Fürsten letzter Stolz!

Entsetzen packt den Wandrer hier am Haare,
Geußt Schauer über seine Haut,
Wo Eitelkeit, gelehnt an eine Bahre,
Aus hohlen Augen schaut.

Wie fürchterlich ist hier des Nachhalls Stimme!
Ein Zehentritt stört seine Ruh.
Kein Wetter Gottes spricht mit lauterm Grimme:
O Mensch, wie klein bist du!

Denn ach! hier liegt der edle Fürst, der gute!
Zum Völkersegen einst gesandt
Wie der, den Gott zur Nationenrute
Im Zorn zusammenband.

An ihren Urnen weinen Marmorgeister;
Doch kalte Tränen nur von Stein,
Und lachend grub, vielleicht ein welscher Meister
Sie einst dem Marmor ein.

Da liegen Schädel mit verloschnen Blicken,
Die ehmals hoch herabgedroht,
Der Menschheit Schrecken! – Denn an ihrem Nicken
Hing Leben oder Tod.

Nun ist die Hand herabgefault zum Knochen,
Die oft mit kaltem Federzug
Den Weisen, der am Thron zu laut gesprochen,
In harte Fesseln schlug.

Zum Totenbein ist nun die Brust geworden,
Einst eingefüllt in Goldgewand,
Daran ein Stern und ein entweihter Orden
Wie zween Kometen stand.

Vertrocknet und verschrumpft sind die Kanäle,
Drin geiles Blut wie Feuer floß,
Das schäumend Gift der Unschuld in die Seele
Wie in den Körper goß.

Sprecht, Höflinge, mit Ehrfurcht auf der Lippe
Nun Schmeichelein ins taube Ohr!
Beräuchert das durchlauchtige Gerippe
Mit Weihrauch wie zuvor!

Er steht nicht auf, euch Beifall zuzulächeln,
Und wiehert keine Zoten mehr,
Damit geschminkte Zofen ihn befächeln,
Schamlos und geil wie er.

Sie liegen nun, den eisern Schlaf zu schlafen,
Die Menschengeißeln, unbetraurt,
Im Felsengrab, verächtlicher als Sklaven,
In Kerker eingemaurt.

Sie, die im ehrnen Busen niemals fühlten
Die Schrecken der Religion,
Und gottgeschaffne, bessre Menschen hielten
Für Vieh, bestimmt zur Fron;

Die das Gewissen, jenen mächtgen Kläger,
Der alle Schulden niederschreibt,
Durch Trommelschlag, durch welsche Trillerschläger
Und Jagdlärm übertäubt;

Die Hunde nur und Pferd und fremde Dirnen
Mit Gnade lohnten und Genie
Und Weisheit darben ließen; denn das Zürnen
Der Geister schreckte sie.

Die liegen nun in dieser Schauergrotte
Mit Staub und Würmern zugedeckt,
So stumm! so ruhmlos! noch von keinem Gotte
Ins Leben aufgeweckt.

Weckt sie nur nicht mit eurem bangen Ächzen,
Ihr Scharen, die sie arm gemacht,
Verscheucht die Raben, daß von ihrem Krächzen
Kein Wütrich hier erwacht!

Hier klatsche nicht des armen Landmanns Peitsche,
Die nachts das Wild vom Acker scheucht!
An diesem Gitter weile nicht der Deutsche,
Der sich vorüberkeucht!

Hier heule nicht der bleiche Waisenknabe,
Dem ein Tyrann den Vater nahm;
Nie fluche hier der Krüppel an dem Stabe,
Von fremdem Solde lahm.

Damit die Quäler nicht – zu früh erwachen,
Seid menschlicher, erweckt sie nicht.
Ha! früh genug wird über ihnen krachen
Der Donner am Gericht,

Wo Todesengel nach Tyrannen greifen,
Wenn sie im Grimm der Richter weckt,
Und ihre Greul zu einem Berge häufen,
Der flammend sie bedeckt.

Ihr aber, bessre Fürsten, schlummert süße
Im Nachtgewölbe dieser Gruft!
Schon wandelt euer Geist im Paradiese,
Gehüllt in Blütenduft.

Jauchzt nur entgegen jenem großen Tage,
Der aller Fürsten Taten wiegt;
Wie Sternenklang tönt euch des Richters Waage,
Drauf eure Tugend liegt.

Ach, unterm Lispel eurer frohen Brüder –
Ihr habt sie satt und froh gemacht,
Wird eure volle Schale sinken nieder,
Wenn ihr zum Lohn erwacht.

Wie wird's euch sein, wenn ihr vom Sonnenthrone
Des Richters Stimme wandeln hört:
„Ihr Brüder, nehmt auf ewig hin die Krone,
Ihr seid zu herrschen wert."

Die Aussicht

Schön ist's, von des Tränenberges Höhen
Gott auf seiner Erde wandeln sehen,
Wo sein Odem die Geschöpfe küßt,
Auen sehen, drauf Natur, die treue,
Eingekleidet in des Himmels Bläue,
Schreitet und wo Milch und Honig fließt.

Schön ist's, in des Tränenberges Lüften
Bäume sehn in silberweißen Düften,
Die der Käfer wonnesummend trinkt,
Und die Straße sehn im weiten Lande,
Menschenwimmelnd wie vom Silbersande
Sie, der Milchstraß gleich am Himmel, blinkt,

Und der Neckar, blau vorüberziehend,
In dem Gold der Abendsonne glühend,
Ist dem Späherblicke Himmelslust,
Und den Wein, des siechen Wandrers Leben,
Wachsen sehn an mütterlichen Reben
Ist Entzücken für des Dichters Brust.

Aber, armer Mann, du bist gefangen.
Kannst du trunken an der Schönheit hangen?
Nichts auf dieser schönen Welt ist dein!
Alles, alles ist in tiefer Trauer
Auf der weiten Erde; denn die Mauer
Meiner Feste schließt mich Armen ein!

Doch herab von meinem Tränenberge
Seh ich dort den Moderplatz der Särge;
Hinter einer Kirche streckt er sich
Grüner als die andern Plätze alle: –
Ach, herab von meinem hohen Walle
Seh ich keinen schönern Platz für mich.

An die Freiheit

O Freiheit, Freiheit! Gottes Schoß entstiegen,
Du aller Wesen seligstes Vergnügen,
An tausendfachen Wonnen reich,
Machst du die Menschen Göttern gleich.

Wo find ich dich, wo hast du deine Halle?
Damit auch ich anbetend niederfalle,
Dann ewig glücklich, ewig frei
Ein Priester deines Tempels sei.

Einst walltest du so gern in Deutschlands Hainen
Und ließest dich vom Mondenlicht bescheinen
Und unter Wodans Eichen war
Dein unentweihtester Altar.

Es sonnte Hermann sich in deinem Glanze,
An deiner Eiche lehnt' er seine Lanze
Und ach, mit mütterlicher Lust
Nahmst du den Deutschen an die Brust.

Bald aber scheuchten Fürsten deinen Frieden
Und Pfaffen, die so gerne Fesseln schmieden;
Da wandtest du dein Angesicht:
Wo Fesseln rasseln, bist du nicht.

Dann flogst du zu den Schweizern, zu den Briten,
Warst seltner in Palästen als in Hütten;
Auch bautest du ein leichtes Zelt
Dir in Kolumbus' neuer Welt.

Und endlich, allen Völkern zum Erstaunen,
Als hätt' auch eine Göttin ihre Launen,
Hast du dein Angesicht verklärt
Zu frohen Galliern gekehrt.

[1789]

Freiheit

Wie wenig weiß ein Volk die Freiheit zu gebrauchen!
Es wähnt, wenn nur von Blut die Mörderfäuste rauchen,
Wenn es den Peiniger mit Tigergrimm zerfleischt,
So sei es frei. O Volk, du hast dich selbst getäuscht!
Die Freiheit, die *du* suchst, ist Wut, ist Mordgetümmel;
Sie wird verflucht von Gott, verflucht vom ganzen Himmel.
Ein Volk, bespritzt mit Blut, verdient nicht frei zu sein,
In härtre Sklaverei stürzt es sich selbst hinein.

[1789]

Johann Georg Jacobi
1740–1814

Abend

Komm, Liebchen, es neigen
Die Wälder sich dir,
Und alles mit Schweigen
Erwartet dich hier.

Der Himmel, ich bitte,
Von Wölkchen wie leer!
Der Mond in der Mitte,
Die Sternlein umher!

Der Himmel im glatten
Umdämmerten Quell!
Dies Plätzchen im Schatten,
Dies andre so hell!

Im Schatten der Liebe
Dich lockendes Glück,
Dir flüsternd: es bliebe
Noch vieles zurück.

Es blieben der süßen
Geheimnisse viel,
So festes Umschließen,
So wonniges Spiel!

Da rauscht es! Da wanken
Auf jeglichem Baum
Die Äste, da schwanken
Die Vögel im Traum.

Dies Wanken, dies Zittern
Der Blätter im Teich –
O Liebe, dein Wittern!
O Liebe, dein Reich!

In der Mitternacht

Todesstille deckt das Tal
Bei des Mondes halbem Strahl;
Winde flüstern dumpf und bang
In des Wächters Nachtgesang.

Leiser, dumpfer tönt es hier
In der bangen Seele mir,
Nimmt den Strahl der Hoffnung fort
Wie den Mond die Wolke dort.

Hüllt, ihr Wolken, hüllt den Schein
Immer tiefer, tiefer ein!
Vor ihm bergen will mein Herz
Seinen tiefen, tiefen Schmerz.

Nennen soll ihn nicht mein Mund;
Keine Träne mach ihn kund;
Senken soll man ihn hinab
Einst mit mir ins kühle Grab.

O der schönen langen Nacht,
Wo nicht Erdenliebe lacht,
Wo verlassne Treue nicht
Ihren Kranz von Dornen flicht!

An des Todes milder Hand
Geht der Weg ins Vaterland;
Dort ist Liebe sonder Pein;
Selig, selig werd ich sein.

Friedrich Wilhelm Gotter
1746–1797

Elegie bei einer Wiege

Schlaf immerhin die erste Zeit des Lebens!
Dir gab die gütige Natur
Den süßen Hang zur Ruhe nicht vergebens;
Drum schlafe, Knabe, schlafe nur!

Noch atmest du frei von der Erde Sorgen
Und fühllos gegen ihr Pracht;
Willkommen gleich dem frischbekränzten Morgen
Ist dir die sternenlose Nacht.

Auf deinen Lippen schwebt der Unschuld Lächeln,
Sie wachet über deiner Ruh,
Und ihre Genien, dir ähnlich, fächeln
Mit Rosen dir Erfrischung zu.

Ach, allzubald entreißt sich, pflichtvergessen,
Der Jüngling ihrer frommen Hut
Und wählt, der Leidenschaften Bahn zu messen,
Zu seinem Führer – Übermut.

Schon schmücket sich die Lieb, ihn zu empfangen,
Reicht ihm den Taumelkelch der Lust;
Er leeret ihn mit glühendem Verlangen
Und trinkt den Tod, sich unbewußt.

Nun foltern ihn Verzweiflung, Reue, Sorgen,
Tot ist er für der Schöpfung Pracht;
Nun trauert ihm der frischbekränzte Morgen,
Schreckt ihn die sternenlose Nacht.

Schlaf immerhin, weil mit geheimen Bissen
Kein Gram den stillen Busen nagt,
Weil noch das unversöhnliche Gewissen
Vor keinem Richter dich verklagt!

Ich schlief wie du. Jetzt meidet mich der Schlummer;
Bang irrt im Lebenslabyrinth
Mein Fuß umher; tief seufzt aus mir der Kummer:
O Himmel, wär ich noch ein Kind!

Lied in einer Sommernacht gesungen

Schlafe nicht! Die Liebe harrt, Amoene,
Wachsam noch auf deine Silbertöne.
Holde Ruh schwebt schattend auf der Flur;
Singe noch ein Schlaflied der Natur!

Ach! es schwieg schon lange Philomele;
Singe mir Entzücken in die Seele!
Sorgen fliehn mit flügelschnellem Lauf –
Löse mich in Lieb und Wollust auf!

Jeden Ton laß mich Berauschten trinken,
Schmachtend dann an deinen Busen sinken,
Bis die Flur mit lautem Dank erwacht
Und der Tag im güldnen Osten lacht!

Schlafe, mein Prinzchen! es ruhn
Schäfchen und Vögelchen nun.
Garten und Wiese verstummt,
Auch nicht ein Bienchen mehr summt;
Luna mit silbernem Schein
Gucket zum Fenster herein.
Schlafe beim silbernen Schein,
Schlafe, mein Prinzchen, schlaf ein!

Auch in dem Schlosse schon liegt
Alles in Schlummer gewiegt;
Reget kein Mäuschen sich mehr,
Keller und Küche sind leer.
Nur in der Zofe Gemach
Tönet ein schmelzendes Ach!
Was für ein Ach mag das sein?
Schlafe, mein Prinzchen, schlaf ein!

Wer ist beglückter als du?
Nichts als Vergnügen und Ruh!
Spielwerk und Zucker vollauf
Und noch Karessen im Kauf!
Alles besorgt und bereit,
Daß nur mein Prinzchen nicht schreit!
Was wird das künftig erst sein?
Schlafe, mein Prinzchen, schlaf ein!

[Karessen: Liebkosungen.]

Leopold Friedrich Günther von Goeckingk
1748–1828

Der Winterabend
Vor einer Reise zu Nantchen

Welch ein Wetter! – Soll ich fort?
Oder soll ich bleiben?
Wie die düstern Wolken dort
Sich einander treiben!
Wie der Knopf am Kirchenturm
Schwankt auf seiner Stange!
Horch! wie, mehr vor Schnee und Sturm
Als vor Menschen bange,
Aller Raben Angstgeschrei
Um ein Obdach flehet
Und der Kauz im Turme frei
Gegen sie sich blähet;
Wie von meinen Fenstern ab
Dicke Schloßen prallen,
Rasselnd von dem Dach herab
Morsche Ziegel fallen,
Und noch lauter als das Horn,
Das den Schlaf zerstreuet,
Straf mich nicht in deinem Zorn!
Kunz, der Heuchler, schreiet!
Sieh! wie selbst die Rosse dort
Fortzugehn sich sträuben!
Welch ein Wetter! – Soll ich fort?
Oder soll ich bleiben? –

Was besinnen! – Heinrich! he!
Sattle noch den Rappen!
Sollt ich auch in tiefem Schnee
Nach dem Wege tappen,
Sollt ich auch an starrer Hand
Meinen Renner leiten
Und zuerst vom Felsenrand
In die Tiefe gleiten.
Mag ich ganze Meilen mich
In dem Forst verirren,
Mag der Schuhuh fürchterlich
Überm Kopf mir schwirren
Und der Wind durchs trockne Laub
Alter Eichen rauschen
Und ein Räuber auf den Raub
In dem Dickicht lauschen,
Mir mit aufgespanntem Hahn
Nach der Kehle greifen
Und auf einem Wolfeszahn
Seiner Bande pfeifen.
Was sind Räuber, Schnee und Wind!
Sie ist mein gewärtig!
Heinrich! Heinrich! o geschwind!
Ist der Rappe fertig?

Vergessenheit

Wenn die Hühner sich auf ihren Latten
Eine Schlafbank wählen für die Nacht
Und die Sonn aus meinem Schatten
Einen ackerlangen Riesen macht,

Husch ich in den Garten – deine Lieder
Gehen mit in meinem Pompadour –
Werfe lang ins Gras mich nieder
Und vergesse Menschen und Natur.

Alle die Aurikeln, Nelk und Rosen,
Die ich sonst – wie meine Mutter mich –
Anzusehn und liebzukosen
Und zu warten pflegte, missen mich.

Und mein Lämmchen, das ich sonst zu füttern
Über kein Vergnügen je vergaß,
Blöket an den Gartengittern
Oft umsonst nach einer Hand voll Gras.

Und mein Papchen, dem ich auf der Gabel
Zucker durch des Käfigs Stäbe gab,
Wetzt umsonst den krummen Schnabel
An dem glatten Ringe schaukelnd ab.

Sollen meine Blumen nicht verwelken,
Lamm und Vogel schmachten? Komm, o Mann!
Lobe Vogel, Lamm und Nelken!
Lämmchen, hüpfe! Papchen, schwatze, und ihr Blumen, blühet dann!

Als der erste Schnee fiel

Gleich einem König, der in seine Staaten
Zurück als Sieger kehrt, empfängt ein Jubel dich!
Der Knabe balgt um deine Flocken sich
Wie bei der Krönung um Dukaten.

Selbst mir, obschon ein Mädchen und der Rute
Lang nicht mehr untertan, bist du ein lieber Gast;
Denn siehst du nicht, seit du die Erde hast
So weich belegt, wie ich mich spute?

Zu fahren ohne Segel, ohne Räder,
Auf einer Muschel hin durch deinen weißen Flor,
So sanft und doch so leicht, so schnell wie vor
Dem Westwind eine Flaumenfeder.

Aus allen Fenstern und aus allen Türen
Sieht mir der bleiche Neid aus hohlen Augen nach;
Selbst die Matrone wird ein leises Ach!
Und einen Wunsch um mich verlieren.

Denn der, um den wir Mädchen oft uns stritten,
Wird hinter mir, so schlank wie eine Tanne, stehn
Und sonst auf nichts mit seinen Augen sehn
Als auf das Mädchen in dem Schlitten.

Erkannte Wohltat

Ich danke Gott, daß ich zu Fuß muß gehen,
Nicht fahren und nicht reiten kann!
Der Gemse Klippen und des Adlers Höhen
Klimmt keines Fürsten Roß hinan.

Ich aber höre auf des Brockens Spitze
Von meinem Fuß hinab ins Land
Die Donner rollen, und die Blitze
Greif ich am Saum mit meiner Hand.

Mir ist, als müßt ich mich an diese hangen,
Als sollten sie mich nach sich ziehn;
Denn jeder Erdenwunsch ist mir vergangen
Und klein, was sonst so groß mir schien.

Wie magst du dieses nur einmal verstehen,
Wie vollends fühlen, reicher Mann?
Drum dank ich Gott, daß ich zu Fuß muß gehen,
Nicht fahren und nicht reiten kann.

Ludwig Christoph Heinrich Hölty
1748–1776

Mailied

Willkommen, liebe Sommerzeit,
Willkommen, schöner Mai,
Der Blumen auf den Anger streut
Und alles machet neu.

Die Vögel höhen ihren Sang,
Der ganze Buchenhain
Wird süßer, süßer Silberklang,
Und Bäche murmeln drein.

Rot stehn die Blumen, weiß und blau,
Und Mädchen pflücken sie,
Bald auf der Flur, bald auf der Au,
Ahi, Herr Mai, ahi!

Ihr Busen ist von Blümchen bunt,
Ich sah ihn schöner nie,
Es lacht ihr rosenroter Mund,
Ahi, Herr Mai, ahi!

Die Liebe

Eine Schale des Harms, eine der Freuden wog
Gott dem Menschengeschlecht; aber der lastende
 Kummer senket die Schale;
 Immer hebet die andre sich.

Irren, traurigen Tritts wanken wir unsern Weg
Durch das Leben hinab, bis sich die Liebe naht,
 Eine Fülle der Freuden
 In die steigende Schale geußt.

Wie dem Pilger der Quell silbern entgegenrinnt,
Wie der Regen des Mais über die Blüten träuft,
 Naht die Liebe; des Jünglings
 Seele zittert und huldigt ihr!

Nähm er Kronen und Gold, mißte der Liebe? Gold
Ist ihm fliegende Spreu, Kronen ein Flittertand,
 Alle Hoheit der Erde,
 Sonder herzliche Liebe, Staub!

Los der Engel! Kein Sturm düstert die Seelenruh
Des Beglückten! Der Tag hüllt sich in lichters Blau;
 Kuß und Flüstern und Lächeln
 Flügelt Stunden an Stunden fort.

Herrscher neideten ihn, kosteten sie des Glücks,
Das dem Liebenden ward, würfen den Königsstab
 Aus den Händen und suchten
 Sich ein friedliches Hüttendach.

Unter Rosengesträuch spielet ein Quell und mischt
Zum begegnenden Bach Silber. So strömen flugs
 Seel und Seele zusammen,
 Wann allmächtige Liebe naht.

Die Mainacht

Wenn der silberne Mond durch die Gesträuche blickt
Und sein schlummerndes Licht über den Rasen geußt
 Und die Nachtigall flötet,
 Wandl' ich traurig von Busch zu Busch.

Selig preis ich dich dann, flötende Nachtigall,
Weil dein Weibchen mit dir wohnet in einem Nest,
 Ihrem singenden Gatten
 Tausend trauliche Küsse gibt.

Überschattet von Laub, girret ein Taubenpaar
Sein Entzücken mir vor; aber ich wende mich,
 Suche dunkle Gesträuche,
 Und die einsame Träne rinnt.

Wann, o lächelndes Bild, welches wie Morgenrot
Durch die Seele mir strahlt, find ich auf Erden dich?
 Und die einsame Träne
 Bebt mir heißer die Wang herab.

Lebenspflichten

Rosen auf den Weg gestreut
Und des Harms vergessen!
Eine kleine Spanne Zeit
Ward uns zugemessen.

Heute hüpft im Frühlingstanz
Noch der frohe Knabe;
Morgen weht der Totenkranz
Schon auf seinem Grabe.

Wonne führt die junge Braut
Heute zum Altare;
Eh die Abendwolke taut,
Ruht sie auf der Bahre.

Ungewisser, kurzer Daur
Ist dies Erdeleben
Und zur Freude, nicht zur Traur,
Uns von Gott gegeben.

Gebet Harm und Grillenfang,
Gebet ihn den Winden,
Ruht bei frohem Becherklang
Unter grünen Linden!

Lasset keine Nachtigall
Unbehorcht verstummen,
Keine Bien im Frühlingstal
Unbelauschet summen!

Fühlt, solang es Gott erlaubt,
Kuß und süße Trauben,
Bis der Tod, der alles raubt,
Kommt, sie euch zu rauben.

Unser schlummerndes Gebein,
In die Gruft gesäet,
Fühlet nicht den Rosenhain,
Der das Grab umwehet,

Fühlet nicht den Wonneklang
Angestoßner Becher,
Nicht den frohen Rundgesang
Weingelehrter Zecher.

Das Landleben

Flumina amem silvasque inglorius.
Virgil

Wunderseliger Mann, welcher der Stadt entfloh!
Jedes Säuseln des Baums, jedes Geräusch des Bachs,
 Jeder blinkende Kiesel
 Predigt Tugend und Weisheit ihm!

Jedes Schattengesträuch ist ihm ein heiliger
Tempel, wo ihm sein Gott näher vorüberwallt;
 Jeder Rasen ein Altar,
 Wo er vor dem Erhabnen kniet!

Seine Nachtigall tönt Schlummer herab auf ihn,
Seine Nachtigall weckt flötend ihn wieder auf,
 Wann das liebliche Frührot
 Durch die Bäum' auf sein Bette scheint.

Dann bewundert er dich, Gott, in der Morgenflur,
In der steigenden Pracht deiner Verkünderin,
 Deiner herrlichen Sonne,
 Dich im Wurm und im Knospenzweig;

Ruht im wehenden Gras, wann sich die Kühl' ergießt,
Oder strömet den Quell über die Blumen aus,
 Trinkt den Atem der Blüte,
 Trinkt die Milde der Abendluft.

Sein bestrohetes Dach, wo sich das Taubenvolk
Sonnt und spielet und hüpft, winket ihm süßre Rast
 Als dem Städter der Goldsaal,
 Als der Polster der Städterin.

Und der spielende Trupp schwirret zu ihm herab,
Gurrt und säuselt ihn an, flattert ihm auf den Korb,
 Picket Krumen und Erbsen,
 Picket Körner ihm aus der Hand.

Einsam wandelt er oft, Sterbegedanken voll,
Durch die Gräber des Dorfs, setzet sich auf ein Grab
 Und beschauet die Kreuze
 Und den wehenden Totenkranz.

Wunderseliger Mann, welcher der Stadt entfloh!
Engel segneten ihn, als er geboren ward,
 Streuten Blumen des Himmels
 Auf die Wiege des Knaben aus.

[Motto: Die Flüsse will ich lieben und die Wälder, unberühmt.]

Der alte Landmann an seinen Sohn

Üb immer Treu und Redlichkeit
Bis an dein kühles Grab
Und weiche keinen Finger breit
Von Gottes Wegen ab;
Dann wirst du wie auf grünen Aun,
Durchs Pilgerleben gehn,
Dann kannst du sonder Furcht und Graun
Dem Tod ins Auge sehn.

Dann wird die Sichel und der Pflug
In deiner Hand so leicht,
Dann singest du beim Wasserkrug,
Als wär dir Wein gereicht.
Dem Bösewicht wird alles schwer,
Er tue, was er tu.
Der Teufel treibt ihn hin und her
Und läßt ihm keine Ruh.

Der schöne Frühling lacht ihm nicht,
Ihm lacht kein Ährenfeld;
Er ist auf Lug und Trug erpicht
Und wünscht sich nichts als Geld.
Der Wind im Hain, das Laub am Baum
Saust ihm Entsetzen zu;
Er findet nach des Lebens Traum
Im Grabe keine Ruh.

Dann muß er in der Geisterstund
Aus seinem Grabe gehn
Und oft als schwarzer Kettenhund
Vor seiner Haustür stehn.
Die Spinnerinnen, die, das Rad
Im Arm, nach Hause gehn,
Erzittern wie ein Espenblatt,
Wenn sie ihn liegen sehn.

Und jede Spinnestube spricht
Von diesem Abenteur
Und wünscht den toten Bösewicht
Ins tiefste Höllenfeur.
Der alte Kunz war bis ans Grab
Ein rechter Höllenbrand;
Er pflügte seinem Nachbar ab
Und stahl ihm vieles Land.

Nun pflügt er als ein Feuermann
Auf seines Nachbars Flur
Und mißt das Feld hinab, hinan
Mit einer glühnden Schnur;
Er brennet wie ein Schober Stroh
Dem glühnden Pfluge nach
Und pflügt und brennet lichterloh
Bis an den hellen Tag.

Der Amtmann, der im Weine floß,
Der Bauern schlug halbkrumm,
Trabt nun auf einem glühnden Roß
In jenem Wald herum.
Der Pfarrer, der aufs Tanzen schalt
Und Filz und Wuchrer war,
Steht nun als schwarze Spukgestalt
Am nächtlichen Altar.

Üb immer Treu und Redlichkeit
Bis an dein kühles Grab,
Und weiche keinen Finger breit
Von Gottes Wegen ab;
Dann suchen Enkel deine Gruft
Und weinen Tränen drauf,
Und Sommerblumen, voll von Duft,
Blühn aus den Tränen auf.

Johann Martin Miller
1750–1814

Die Zufriedenheit

Was frag ich viel nach Geld und Gut,
Wenn ich zufrieden bin!
Gibt Gott mir nur gesundes Blut,
So hab ich frohen Sinn
Und sing aus dankbarem Gemüt
Mein Morgen- und mein Abendlied.

So mancher schwimmt im Überfluß,
Hat Haus und Hof und Geld
Und ist doch immer voll Verdruß
Und freut sich nicht der Welt.
Je mehr er hat, je mehr er will;
Nie schweigen seine Klagen still.

Da heißt die Welt ein Jammertal
Und deucht mir doch so schön,
Hat Freuden ohne Maß und Zahl,
Läßt keinen leer ausgehn.
Das Käferlein und Vögelein
Darf sich ja auch des Maien freun.

Und uns zuliebe schmücken ja
Sich Wiese, Berg und Wald;
Und Vögel singen fern und nah,
Daß alles widerhallt. –
Bei 'r Arbeit singt die Lerch uns zu,
Die Nachtigall bei 'r süßen Ruh.

Und wenn die goldne Sonn aufgeht
Und golden wird die Welt
Und alles in der Blüte steht
Und Ähren trägt das Feld,
Dann denk ich: Alle diese Pracht
Hat Gott zu meiner Lust gemacht.

Dann preis ich Gott und lobe Gott
Und schweb in hohem Mut
Und denk, es ist ein lieber Gott
Und meint's mit Menschen gut.
Drum will ich immer dankbar sein
Und mich ob seiner Güte freun!

Der Patriot an sein Vaterland

Süß ist der Name Vaterland,
Wo Einigkeit mit festem Band
Die Bürgerherzen kettet,
Wo jeder gern durch eignes Blut
Des Nebenbürgers Hab und Gut
Von Räuberhänden rettet,

Wo auf dem Thron Gerechtigkeit
Den Armen, der um Hülfe schreit,
Vor Unterdrückung schützet
Und, von der Unschuld Wehr umschanzt,
In Lauben, die er selbst gepflanzt,
Der greise Bürger sitzet,

Wo alle Priester Christen sind
Und kein Verführer unser Kind
Zu niedern Lüsten reizet,
Wo nur allein nach Sittsamkeit
Und Unschuld und Bescheidenheit
Das zarte Mädchen geizet,

Wo man das graue Alter ehrt,
Auf Männerrat und Warnung hört
Und offenherzig handelt,
Auf guten, strengen Sitten hält
Und nicht die Einfalt erster Welt
In neuern Prunk verwandelt.

O welch ein Bild! O Vaterland!
Ich seh, das Auge weggewandt,
Auf ewig dich nicht wieder
Und flieh und bete noch für dich.
O, senkten meine Wünsche sich
Doch bald auf dich hernieder!

Friedrich Leopold Graf zu Stolberg
1750–1819

Lied

Ich ging unter Erlen am kühligen Bach
Und dachte wohl manchem und manchem wohl nach;
Es war mir im Herzen so leicht und so wohl;
Doch wurden von Tränen die Augen mir voll.

Es entschwebte den säuselnden Wellen das Bild
Von meiner Geliebten, holdselig und mild;
Da sank ich ans Ufer ins schwellende Moos,
Mir stürzten die Tränen hinab in den Schoß.

Nun lag ich im Schatten am kühligen Bach
Und dachte wohl manchem und manchem wohl nach;
Die Nachtigall sang, und es rauschte der Bach;
Ich dachte dem einen und einen nur nach.

Schon flammten die Wolken im rötenden Strahl,
Schon senkten sich bräunere Schatten ins Tal,
Schon bebte durch Erlen der Mond auf dem Bach;
Ich dachte dem einen und einen nur nach.

Nun wankt ich von dannen mit weinendem Blick
Und sah nach dem Bach und den Erlen zurück;
Sie schwanden; es schwand nicht das liebliche Bild,
Das immer und immer die Seele mir füllt.

Lied auf dem Wasser zu singen
für meine Agnes

Mitten im Schimmer der spiegelnden Wellen
Gleitet wie Schwäne der wankende Kahn;
Ach, auf der Freude sanftschimmernden Wellen
Gleitet die Seele dahin wie der Kahn;
Denn von dem Himmel herab auf die Wellen
Tanzet das Abendrot rund um den Kahn.

Über den Wipfeln des westlichen Haines
Winket uns freundlich der rötliche Schein;
Unter den Zweigen des östlichen Haines
Säuselt der Kalmus im rötlichen Schein;
Freude des Himmels und Ruhe des Haines
Atmet die Seel im errötenden Schein.

Ach, es entschwindet mit tauigem Flügel
Mir auf den wiegenden Wellen die Zeit.
Morgen entschwinde mit schimmerndem Flügel
Wieder wie gestern und heute die Zeit,
Bis ich auf höherem strahlenden Flügel
Selber entschwinde der wechselnden Zeit.

[Kalmus: Schilfrohr]

An die Natur

Süße, heilige Natur,
Laß mich gehn auf deiner Spur!
Leite mich an deiner Hand
Wie ein Kind am Gängelband!

Wenn ich dann ermüdet bin,
Rück ich dir am Busen hin,
Atme süße Himmelslust,
Hangend an der Mutter Brust.

Ach, mir ist so wohl bei dir!
Will dich lieben für und für.
Laß mich gehn auf deiner Spur,
Süße, heilige Natur!

Die Freiheit

Freiheit! Der Höfling kennt den Gedanken nicht!
Der Sklave! Ketten rasseln ihm Silberton!
 Gebeugt das Knie, gebeugt die Seele,
 Reicht er dem Joch den erschlafften Nacken!

Uns, uns ein hoher seelenverklärender
Gedanke! Freiheit! Freiheit! Wir fühlen dich!
 Du Wort, du Kraft, du Lohn von Gott uns!
 O! wo noch voller ins Herz der Helden

Dein Nektar strömte, jener, an deren Grab
Nachwelten staunen; ström! O entflamm uns ganz!
 Denn sieh, in deutscher Sklaven Händen
 Rostet der Stahl, ist entnervt die Harfe!

Nur Freiheitsharf ist Harfe des Vaterlands!
Wer Freiheitsharfe schlägt, ist wie Nachtorkan
 Vor Donnerwettern! Donnre! Schlachtruf!
 Schwerter, fliegt auf, dem Gesandten Gottes!

Nur Freiheitsschwert ist Schwert für das Vaterland!
Wer Freiheitsschwert hebt, flammt durch das Schlachtgewühl,

Wie Blitz des Nachtsturms! Stürzt, Paläste!
Stürze, Tyrann, dem Verderber Gottes!

O Namen! Namen! festlich, wie Siegsgesang!
Tell! Hermann! Klopstock! Brutus! Timoleon!
O ihr, wem freie Seele Gott gab,
Flammend ins eherne Herz gegraben!

Johann Heinrich Voss
1751–1826

Der Herbstgang

Die Bäume stehn der Frucht entladen,
Und gelbes Laub verweht ins Tal;
Das Stoppelfeld in Schimmerfaden
Erglänzt am niedern Mittagsstrahl.
Es kreist der Vögel Schwarm und ziehet;
Das Vieh verlangt zum Stall und fliehet
Die magern Aun, vom Reife fahl.

O, geh am sanften Scheidetage
Des Jahrs zu guter Letzt hinaus
Und nenn ihn Sommertag und trage
Den letzten, schwer gefundnen Strauß.
Bald steigt Gewölk und schwarz dahinter
Der Sturm und sein Genoß, der Winter,
Und hüllt in Flocken Feld und Haus.

Ein weiser Mann, ihr Lieben, haschet
Die Freuden im Vorüberfliehn,
Empfängt, was kommt, unüberraschet,
Und pflückt die Blumen, weil sie blühn.
Und sind die Blumen auch verschwunden,
So steht am Winterherd umwunden
Sein Festpokal mit Immergrün.

Noch trocken führt durch Tal und Hügel
Der längst vertraute Sommerpfad.
Nur rötlich hängt am Wasserspiegel
Der Baum, den grün ihr neulich saht.
Doch grünt der Kamp von Winterkorne;
Doch grünt beim Rot der Hagedorne
Und Spillbeern unsre Lagerstatt!

So still an warmer Sonne liegend,
Sehn wir das bunte Feld hinan
Und dort auf schwarzer Brache pflügend
Mit Lustgepfeif den Ackermann;
Die Krähn in frischer Furche schwärmen
Dem Pfluge nach und schrein und lärmen,
Und dampfend zieht das Gaulgespann.

Natur, wie schön in jedem Kleide!
Auch noch im Sterbekleid wie schön!
Sie mischt in Wehmut sanfte Freude
Und lächelt tränend noch im Gehn.
Du, welkes Laub, das niederschauert,
Du, Blümchen, lispelst: Nicht getrauert!
Wir werden schöner auferstehn!

Die Kartoffelernte

Kindlein, sammelt mit Gesang
Der Kartoffeln Überschwang!
Ob wir voll bis oben schütten
Alle Mulden, Körb und Bütten,
Noch ist immer kein Vergang.

Wo man nur den Bulten hebt,
Schaut, wie voll es lebt und webt!
O die schöngekerbten Knollen,
Weiß und rot und dick geschwollen!
Immer mehr, je mehr man gräbt.

Nicht umsonst in bunter Schau
Blüh' es rötlich, weiß und blau,
Ward gejätet, ward gehäufet:
Kindlein, Gottes Segen reifet!
Rief ich oft und traf's genau.

Einst vom Himmel schaute Gott
Auf der Armen bittre Not.
Nahe ging's ihm; und was tat er
Uns zum Trost, der gute Vater?
Regnet' er uns Mannabrot?

Nein, ein Mann ward ausgesandt,
Der die neue Welt erfand.
Reiche nennens Land des Goldes;
Doch der Arme nennts sein holdes,
Nährendes Kartoffelland.

Nur ein Knöllchen eingesteckt
Und mit Erde zugedeckt.
Unten treibt dann Gott sein Wesen.
Kaum sind Hände gnug zum Lesen,
Wie es unten wühlt und heckt.

Was ist nun für Sorge noch?
Klar im irdnen Napf und hoch
Dampft Kartoffelschmaus für alle.
Unsre Milchkuh auch im Stalle
Nimmt ihr Teil und brummt am Trog.

Aber, Kindlein, hört! Ihr sollt
Nicht verschmähn das liebe Gold!
Habt ihr Gold, ihr könnt bei Haufen
Schöne Saatkartoffeln kaufen,
Grad aus Holland, wenn ihr wollt!

[Bulten: die aufgehäufte Erde um die Kartoffelpflanze samt den Wurzeln]

Klingsonate

Grave

Mit
Prall-
Hall
Sprüht
Süd
Tral-
Lal-
Lied.
Kling-
Klang
Singt;
Sing-
Sang
Klingt.

Scherzando

Aus Moor-
Gewimmel
Und Schimmel
Hervor
Dringt, Chor,
Dein Bimmel-
Getümmel
Ins Ohr.
O höre
Mein kleines
Sonett.
Auf Ehre!
Klingt deines
So nett?

Maestoso

Was singelt ihr und klingelt im Sonetto,
Als hätt im Flug euch grade von Toskana
Geführt zur heimatlichen Tramontana
Ein kindlich Englein, zart wie Amoretto?

Auf, Klingler, hört von mir ein andres Detto!
Klangvoll entsteigt mir echtem Sohn von Mana
Geläut der pomphaft hallenden Kampana,
Das summend wallt zum Elfenminuetto.

Mein Haupt, des Siegers, krönt mit Ros und Lilie
Des Rhythmos und des Wohlklangs holde Charis,
Achtlos, o Kindlein, eures Larifaris.

Euch kühl ein Kranz hellgrüner Petersilie!
Von schwülem Anhauch ward euch das Gemüt heiß
Und fiebert, ach! in unheilbarem Südschweiß.

[Toskana: Gegend in Italien. – Tramontana: Nordwind. – Amoretto: Figur eines Liebesgotts. – Detto: ‚Besagtes‘, dasselbe. – Mana: römische Göttin. – Kampana: ital. ‚Glocke‘.]

An Hahn, als F. L. Gr. z. Stolberg
die Freiheit sang

Schlag lauter deine Saiten an,
 Du Sohn des Vaterlands!
 Und sing dem Briten Trotz und Hohn
 Dem Gallier!

Viel sind der Enkel Hermanns noch,
 Sind bieder, edel, gut
 Und unsers hohen Stolzes wert,
 Wert unsers Bunds!

Hast du's gehört, wie heiß, wie laut
 Er Freiheit! Freiheit! rief?
 Wie feil die goldne Fessel ihm
 Des Höflings klirrt?

O sag's dem Briten an, sag's an
 Dem schielen Gallier,
 Wie Stolberg Freiheit rief, wie ihm
 Die Fessel klirrt!

Sag's allen ihren Sängern kühn,
 Wer Freiheit! Freiheit! rief,
 Und allen ihren Feldherrn kühn,
 Wer Freiheit rief.

Ach! Nah ich mich dem edlen Mann?
 Ich zittr! Umarm ich ihn,
 Den Freiheitsrufer? Ich? den Mann,
 Den Klopstock liebt?

Ich tu's, und sag's umarmend ihm,
 Nicht fein, nach Franzenbrauch!
 Nein! frei und deutsch: Dich liebt mein Herz
 Und ist dein wert!

Gottfried August Bürger
1747–1794

An die Menschengesichter

Ich habe was Liebes, das hab ich zu lieb;
Was kann ich, was kann ich dafür?
Drum sind mir die Menschengesichter nicht hold:
Doch spinn ich ja leider nicht Seide noch Gold,
Ich spinne nur Herzeleid mir.

Auch mich hat was Liebes im Herzen zu lieb;
Was kann es, was kann es fürs Herz?
Auch ihm sind die Menschengesichter nicht hold:
Doch spinnt es ja leider nicht Seide noch Gold,
Es spinnt sich nur Elend und Schmerz.

Wir seufzen und sehnen, wir schmachten uns nach,
Wir sehnen und seufzen uns krank.
Die Menschengesichter verargen uns das;
Sie reden, sie tun uns bald dies und bald das
Und schmieden uns Fessel und Zwang.

Wenn ihr für die Leiden der Liebe was könnt,
Gesichter, so gönnen wir's euch.
Wenn wir es nicht können, so irr es euch nicht!
Wir können, ach leider! wir können es nicht,
Nicht für das Mogolische Reich!

Wir irren und quälen euch andre ja nicht;
Wir quälen ja uns nur allein.
Drum, Menschengesichter, wir bitten euch sehr,
Drum laßt uns gewähren und quält uns nicht mehr,
O laßt uns gewähren allein!

Was dränget ihr euch um die Kranken herum
Und scheltet und schnarchet sie an?
Von Schelten und Schnarchen genesen sie nicht.
Man liebet ja Tugend, man übet ja Pflicht;
Doch keiner tut mehr, als er kann.

Die Sonne, sie leuchtet; sie schattet, die Nacht;
Hinab will der Bach, nicht hinan;
Der Sommerwind trocknet; der Regen macht naß;
Das Feuer verbrennet. – Wie hindert ihr das? –
O laßt es gewähren, wie's kann!

Es hungert den Hunger, es dürstet den Durst;
Sie sterben von Nahrung entfernt.
Naturgang wendet kein Aber und Wenn. –
O Menschengesichter, wie zwinget ihr's denn,
Daß Liebe zu lieben verlernt?

Naturrecht

Von Blum und Frucht, so die Natur erschafft,
Darf ich zur Lust wie zum Bedürfnis pflücken.
Ich darf getrost nach allem Schönen blicken,
Und atmen darf ich jeder Würze Kraft.

Ich darf die Traub, ich darf der Biene Saft,
Des Schafes Milch in meine Schale drücken.
Mir front der Stier; mir beut das Roß den Rücken.
Der Seidenwurm spinnt Atlas mir und Taft.

Es darf das Lied der holden Nachtigallen
Mich, hingestreckt auf Flaumen oder Moos,
Wohl in den Schlaf, wohl aus dem Schlafe hallen.

Was wehrt es denn mir Menschensatzung bloß
Aus blödem Wahn, in Mollys Wonneschoß,
Von Lieb und Lust bezwungen, hinzufallen?

Ständchen

Trallirum larum höre mich!
Trallirum larum leier!
Trallirum larum das bin ich,
Schön Liebchen, dein Getreuer!
Schleuß auf den hellen Sonnenschein
In deinen zwei Guckäugelein!

Durch Nacht und Dunkel komm ich her
Zur Stunde der Gespenster.
Es leuchtet längst kein Lämpchen mehr
Durch stiller Hütten Fenster.
Nichts wachet mehr, was schlafen kann,
Als ich und Uhr und Wetterhahn.

Auf seiner Gattin Busen wiegt
Sein müdes Haupt der Gatte;
Wohl bei der Henne ruht vergnügt
Der Hahn auf seiner Latte;
Der Sperling unterm Dache sitzt
Bei der geliebten Sie anitzt.

Wann, o wann ist auch mir erlaubt,
Daß ich zu dir mich füge?
Daß ich in süßer Ruh mein Haupt
Auf deinem Busen wiege?
O Priesterhand, wann führest du
Mich meiner Herzgeliebten zu?

Wie wollt ich dann herzinniglich
So lieb, so lieb dich haben!
Wie wollt ich, o wie wollt ich mich
In deinen Armen laben!
Geduld! Die Zeit schleicht auch herbei.
Ach, Trautchen, bleib mir nur getreu!

Nun lirum larum gute Nacht!
Gott mag dein Herz bewahren! –
Was Gott bewahrt, ist wohl bewacht,
Daß wir kein Leid erfahren.
Ade! schleuß wieder zu den Schein
In deinen zwei Guckäugelein!

Spinnerlied

Hurre, hurre, hurre!
Schnurre, Rädchen, schnurre!
Trille, Rädchen, lang und fein,
Trille fein ein Fädelein,
Mir zum Busenschleier.

Hurre, hurre, hurre!
Schnurre, Rädchen, schnurre!
Weber, webe zart und fein,
Webe fein das Schleierlein
Mir zur Kirmesfeier.

Hurre, hurre, hurre!
Schnurre, Rädchen, schnurre!
In und außen blank und rein
Muß des Mädchens Busen sein,
Wohl deckt ihn der Schleier.

Hurre, hurre, hurre!
Schnurre, Rädchen, schnurre!
In und außen blank und rein,
Fleißig, fromm und sittsam sein
Locket wackre Freier.

Der Entfernten
1. Sonett

O wie soll ich Kunde zu ihr bringen,
Kunde dieser ruhelosen Pein,
Von der Holden so getrennt zu sein,
Da Gefahren lauernd mich umringen?

Hüll ich, der Entfernten sie zu singen,
In den Flor der Heimlichkeit mich ein,
Ach! so achtet sie wohl schwerlich mein,
Und vergebens muß mein Lied verklingen.

Doch getrost! Zerriß nicht, als sie schied,
Laut ihr Schwur die Pause stummer Schmerzen:
„Mann, du wohnest ewig mir im Herzen"? –

Diesem Herzen brauchest du, o Lied,
Des Verhüllten Namen nicht zu nennen:
An der Stimme wird es ihn erkennen.

Der Bauer
an seinen Durchlauchtigen Tyrannen

Wer bist du, Fürst, daß ohne Scheu
Zerrollen mich dein Wagenrad,
Zerschlagen darf dein Roß?

Wer bist du, Fürst, daß in mein Fleisch
Dein Freund, dein Jagdhund, ungebleut
Darf Klau und Rachen haun?

Wer bist du, daß durch Saat und Forst
Das Hurra deiner Jagd mich treibt,
Entatmet wie das Wild? –

Die Saat, so deine Jagd zertritt,
Was Roß und Hund und du verschlingst,
Das Brot, du Fürst, ist mein.

Du Fürst hast nicht bei Egg und Pflug,
Hast nicht den Erntetag durchschwitzt.
Mein, mein ist Fleiß und Brot! –

Ha! du wärst Obrigkeit von Gott?
Gott spendet Segen aus; du raubst!
Du nicht von Gott, Tyrann!

Der Edelmann und der Bauer

„Das schwör ich dir, bei meinem hohen Namen,
Mein guter Klaus, ich bin aus altem Samen!"
„Das ist nicht gut," erwidert Klaus,
„Oft artet alter Samen aus."

Mittel gegen den Hochmut der Großen

Viel Klagen hör ich oft erheben
Vom Hochmut, den der Große übt.
Der Großen Hochmut wird sich geben,
Wenn unsre Kriecherei sich gibt.

Prometheus

Prometheus hatte kaum herab in Erdennacht
Den Quell des Lichts, der Wärm und alles Lebens,
Das Feuer vom Olymp gebracht,

Sieh, da verbrannte sich – denn Warnen war vergebens –
Manch dummes Jüngelchen die Faust aus Unbedacht.
Mein Gott! Was für Geschrei erhuben
Nicht da so manches dummen Buben
Erzdummer Papa,
Erzdumme Mama,
Erzdumme Leibs- und Seelenamme,
Welch Gänsegeschnatter die Klerisei,
Welch Truthahnsgekoller die Polizei!

Ist's weise, daß man dich verdamme,
Gebenedeite Gottesflamme,
Allfreie Denk- und Druckerei?

Trost

Wann dich die Lästerzunge sticht,
So laß dir dies zum Troste sagen:
Die schlechtsten Früchte sind es nicht,
Woran die Wespen nagen.

Lenore

Lenore fuhr ums Morgenrot
Empor aus schweren Träumen:
„Bist untreu, Wilhelm, oder tot?
Wie lange willst du säumen?"
Er war mit König Friedrichs Macht
Gezogen in die Prager Schlacht
Und hatte nicht geschrieben,
Ob er gesund geblieben.

Der König und die Kaiserin,
Des langen Haders müde,
Erweichten ihren harten Sinn
Und machten endlich Friede;
Und jedes Heer, mit Sing und Sang,
Mit Paukenschlag und Kling und Klang,
Geschmückt mit grünen Reisern,
Zog heim zu seinen Häusern.

Und überall all überall,
Auf Wegen und auf Stegen,
Zog alt und jung dem Jubelschall
Der Kommenden entgegen.
Gottlob! rief Kind und Gattin laut,
Willkommen! manche frohe Braut.
Ach! aber für Lenoren
War Gruß und Kuß verloren.

Sie frug den Zug wohl auf und ab,
Und frug nach allen Namen;
Doch keiner war, der Kundschaft gab,
Von allen, so da kamen.
Als nun das Heer vorüber war,
Zerraufte sie ihr Rabenhaar
Und warf sich hin zur Erde
Mit wütiger Gebärde.

Die Mutter lief wohl hin zu ihr:
„Ach, daß sich Gott erbarme!
Du trautes Kind, was ist mir dir?"
Und schloß sie in die Arme. –
„O Mutter, Mutter! Hin ist hin!
Nun fahre Welt und alles hin!
Bei Gott ist kein Erbarmen.
O weh, o weh mir Armen!"

„Hilf, Gott, hilf! Sieh uns gnädig an!
Kind, bet ein Vaterunser!
Was Gott tut, das ist wohlgetan.
Gott, Gott erbarmt sich unser!" –
„O Mutter, Mutter! Eitler Wahn!
Gott hat an mir nicht wohlgetan!
Was half, was half mein Beten?
Nun ist's nicht mehr vonnöten." –

„Hilf, Gott, hilf! Wer den Vater kennt,
Der weiß, er hilft den Kindern.
Das hochgelobte Sakrament
Wird deinen Jammer lindern." –
„O Mutter, Mutter! Was mich brennt,
Das lindert mir kein Sakrament!
Kein Sakrament mag Leben
Den Toten wiedergeben." –

„Hör, Kind! Wie, wenn der falsche Mann
Im fernen Ungerlande,
Sich seines Glaubens abgetan
Zum neuen Ehebande?
Laß fahren, Kind, sein Herz dahin!
Er hat es nimmermehr Gewinn!
Wann Seel und Leib sich trennen,
Wird ihn sein Meineid brennen." –

„O Mutter, Mutter! Hin ist hin!
Verloren ist verloren!
Der Tod, der Tod ist mein Gewinn!
O wär ich nie geboren!
Lisch aus, mein Licht, auf ewig aus!
Stirb hin, stirb hin in Nacht und Graus!
Bei Gott ist kein Erbarmen.
O weh, o weh mir Armen!" –

„Hilf, Gott, hilf! Geh nicht ins Gericht
Mit deinem armen Kinde!
Sie weiß nicht, was die Zunge spricht.
Behalt ihr nicht die Sünde!
Ach, Kind, vergiß dein irdisch Leid
Und denk an Gott und Seligkeit,
So wird doch deiner Seelen
Der Bräutigam nicht fehlen." –

„O Mutter! Was ist Seligkeit?
O Mutter! Was ist Hölle?
Bei ihm, bei ihm ist Seligkeit,
Und ohne Wilhelm Hölle! –
Lisch aus, mein Licht, auf ewig aus!
Stirb hin, stirb hin in Nacht und Graus!
Ohn ihn mag ich auf Erden,
Mag dort nicht selig werden." – – –

So wütete Verzweifelung
Ihr in Gehirn und Adern.
Sie fuhr mit Gottes Vorsehung
Vermessen fort zu hadern,
Zerschlug den Busen und zerrang
Die Hand bis Sonnenuntergang,
Bis auf am Himmelsbogen
Die goldnen Sterne zogen.

Und außen, horch! ging's trapp trapp trapp,
Als wie von Rosseshufen,
Und klirrend stieg ein Reiter ab,
An des Geländers Stufen.
Und horch! und horch! den Pfortenring,
Ganz lose, leise, klinglingling!
Dann kamen durch die Pforte
Vernehmlich diese Worte:

„Holla, Holla! Tu auf, mein Kind!
Schläfst, Liebchen, oder wachst du?
Wie bist noch gegen mich gesinnt?
Und weinest oder lachst du?" –
„Ach, Wilhelm du? – So spät bei Nacht? –
Geweinet hab ich und gewacht;
Ach, großes Leid erlitten!
Wo kommst du hergeritten?" –

„Wir satteln nur um Mitternacht.
Weit ritt ich her von Böhmen.
Ich habe spät mich aufgemacht
Und will dich mit mir nehmen." –
„Ach, Wilhelm, erst herein geschwind!
Den Hagedorn durchsaust der Wind,
Herein, in meinen Armen,
Herzliebster, zu erwarmen!" –

„Laß sausen durch den Hagedorn,
Laß sausen, Kind, laß sausen!
Der Rappe scharrt; es klirrt der Sporn.
Ich darf allhier nicht hausen.
Komm, schürze, spring und schwinge dich
Auf meinen Rappen hinter mich!
Muß heut noch hundert Meilen
Mit dir ins Brautbett eilen." –

„Ach, wolltest hundert Meilen noch
Mich heut ins Brautbett tragen?
Und horch! Es brummt die Glocke noch,
Die elf schon angeschlagen." –
„Sieh hin, sieh her! der Mond scheint hell.
Wir und die Toten reiten schnell.
Ich bringe dich, zur Wette,
Noch heut ins Hochzeitbette." –

„Sag an, wo ist dein Kämmerlein?
Wo? Wie dein Hochzeitbettchen?" –
„Weit, weit von hier! – Still, kühl und klein! –
Sechs Bretter und zwei Brettchen!" –
„Hat's Raum für mich?" – „Für dich und mich!
Komm, schürze, spring und schwinge dich!
Die Hochzeitsgäste hoffen;
Die Kammer steht uns offen." –

Schön Liebchen schürzte, sprang und schwang
Sich auf das Roß behende;
Wohl um den trauten Reiter schlang
Sie ihre Lilienhände;
Und hurre hurre, hopp hopp hopp!
Ging's fort in sausendem Galopp,
Daß Roß und Reiter schnoben
Und Kies und Funken stoben.

Zur rechten und zur linken Hand,
Vorbei vor ihren Blicken,
Wie flogen Anger, Heid und Land!
Wie donnerten die Brücken! –
„Graut Liebchen auch? – Der Mond scheint hell!
Hurra! Die Toten reiten schnell!
Graut Liebchen auch vor Toten?" –
„Ach nein! – Doch laß die Toten!" –

Was klang dort für Gesang und Klang?
Was flatterten die Raben? –
Horch, Glockenklang! Horch, Totensang:
„Laßt uns den Leib begraben!"
Und näher zog ein Leichenzug,
Der Sarg und Totenbahre trug.
Das Lied war zu vergleichen
Dem Unkenruf in Teichen.

„Nach Mitternacht begrabt den Leib
Mit Klang und Sang und Klage!
Jetzt führ ich heim mein junges Weib.
Mit, mit zum Brautgelage!
Komm, Küster, hier! Komm mit dem Chor,
Und gurgle mir das Brautlied vor!
Komm, Pfaff, und sprich den Segen,
Eh wir zu Bett uns legen!" –

Still Klang und Sang. – Die Bahre schwand. –
Gehorsam seinem Rufen,
Kam's, hurre, hurre! nachgerannt,
Hart hinters Rappen Hufen.
Und immer weiter, hopp hopp hopp!
Ging's fort in sausendem Galopp,
Daß Roß und Reiter schnoben
Und Kies und Funken stoben.

Wie flogen rechts, wie flogen links
Gebirge, Bäum und Hecken!
Wie flogen links und rechts und links
Die Dörfer, Städt und Flecken! –
„Graut Liebchen auch? – Der Mond scheint hell!
Hurra! Die Toten reiten schnell!
Graut Liebchen auch vor Toten?" –
„Ach! Laß sie ruhn, die Toten!" –

Sieh da! sieh da! Am Hochgericht
Tanzt um des Rades Spindel,
Halb sichtbarlich bei Mondenlicht,
Ein luftiges Gesindel. –
„Sasa! Gesindel, hier! Komm hier!
Gesindel, komm und folge mir!
Tanz uns den Hochzeitreigen,
Wann wir zu Bette steigen!" –

Und das Gesindel, husch husch husch!
Kam hinten nachgeprasselt,
Wie Wirbelwind am Haselbusch
Durch dürre Blätter rasselt.
Und weiter, weiter, hopp hopp hopp!
Ging's fort in sausendem Galopp,
Daß Roß und Reiter schnoben
Und Kies und Funken stoben.

Wie flog, was rund der Mond beschien,
Wie flog es in die Ferne!
Wie flogen oben über hin
Der Himmel und die Sterne! –
„Graut Liebchen auch? – Der Mond scheint hell!
Hurra! Die Toten reiten schnell!
Graut Liebchen auch vor Toten?" –
„O weh! Laß ruhn die Toten!" –

„Rapp'! Rapp'! Mich dünkt, der Hahn schon ruft. –
Bald wird der Sand verrinnen –
Rapp'! Rapp'! Ich wittre Morgenluft –
Rapp'! Tummle dich von hinnen! –
Vollbracht, vollbracht ist unser Lauf!
Das Hochzeitbette tut sich auf!
Die Toten reiten schnelle!
Wir sind, wir sind zur Stelle." – – –

Rasch auf ein eisern Gittertor
Ging's mit verhängtem Zügel.
Mit schwanker Gert ein Schlag davor
Zersprengte Schloß und Riegel.
Die Flügel flogen klirrend auf,
Und über Gräber ging der Lauf.
Es blinkten Leichensteine
Rundum im Mondenscheine.

Ha sieh! Ha sieh! Im Augenblick,
Huhu! ein gräßlich Wunder!
Des Reiters Koller, Stück für Stück,
Fiel ab wie mürber Zunder.
Zum Schädel ohne Zopf und Schopf,
Zum nackten Schädel ward sein Kopf,
Sein Körper zum Gerippe
Mit Stundenglas und Hippe.

Hoch bäumte sich, wild schnob der Rapp'
Und sprühte Feuerfunken;
Und hui! war's unter ihr hinab
Verschwunden und versunken.
Geheul! Geheul aus hoher Luft,
Gewinsel kam aus tiefer Gruft.
Lenorens Herz mit Beben
Rang zwischen Tod und Leben.

Nun tanzten wohl bei Mondenglanz
Rundum herum im Kreise
Die Geister einen Kettentanz,
Und heulten diese Weise:
„Geduld! Geduld! Wenn's Herz auch bricht!
Mit Gott im Himmel hadre nicht!
Des Leibes bist du ledig;
Gott sei der Seele gnädig!"

Johann Gottfried Herder
1744–1803

Das Flüchtigste

Tadle nicht der Nachtigallen
Bald verhallend-süßes Lied;
Sieh, wie unter allen, allen
Lebensfreuden, die entfallen,
Stets zuerst die schönste flieht.

Und die Frische dieser Wangen,
Deines Herzens rege Glut
Und die ahnenden Verlangen,
Die am Wink der Hoffnung hangen:
Ach, ein fliehend, fliehend Gut!

Sieh, wie dort im Tanz der Horen
Lenz und Morgen schnell entweicht,
Wie die Rose, mit Auroren
Jetzt im Silbertau geboren,
Jetzt Auroren gleich erbleicht.

Selbst die Blüte deines Strebens,
Aller Musen schönste Gunst,
Jede höchste Kunst des Lebens,
Freund, du fesselst sie vergebens;
Sie entschlüpft, die Zauberkunst.

Höre, wie im Chor der Triebe
Bald der zarte Ton verklingt.
Sanftes Mitleid, Wahn der Liebe,
Ach, daß er uns ewig bliebe!
Aber ach, sein Zauber sinkt.

Aus dem Meer der Götterfreuden
Ward ein Tropfen uns geschenkt,
Ward gemischt mit manchem Leiden,
Leerer Ahnung, falschen Freuden,
Ward im Nebelmeer ertränkt;

Aber auch im Nebelmeere
Ist der Tropfe Seligkeit;
Einen Augenblick ihn trinken,
Rein ihn trinken und versinken
Ist Genuß der Ewigkeit.

An die Mitternacht

Jetzt in der Mitternacht,
Die mich erzeugte, reifte und gebar,
Will ich mich fragen, wer ich war!

Auf meiner Stirn ist Nacht!
Ist's Wasser denn, was mir in Adern fleußt?
Ist Fleisch mein Herz und Staub mein Geist?

Ach du! (dir fluch ich, Nacht!)
Schriebst meinen Nam', wo goldne Namen glühn,
Mit Lethens schwarzen Tropfen hin:

Schwarz ist mein Los wie du!
Mein Bücherkreis nur eine Milbensphär,
Und Feinde glänzen um mich her:

Nur meine Knospe, sinkt
Sie kaum geweckt vom frühsten Morgenstrahl,
Kaum zweier Freunde Reiz dreimal,

Sinkt, stirbt, verwest: o Nacht,
Sprich, wo noch Geist in ihrer Asche glüht,
Daß sie zu deiner Blum aufblüht,

Die stillen Frühlingstau
Zum Ambra vor den matten Wandrer trinkt,
Wenn Philomele hoch ihm singt.

Erlkönigs Tochter

Herr Oluf reitet spät und weit,
Zu bieten auf seine Hochzeitleut;

Da tanzen die Elfen auf grünem Land,
Erklönigs Tochter reicht ihm die Hand.

„Willkommen, Herr Oluf! Was eilst von hier?
Tritt her in den Reihen und tanz mit mir."

„Ich darf nicht tanzen, nicht tanzen ich mag,
Frühmorgen ist mein Hochzeittag."

„Hör an, Herr Oluf, tritt tanzen mit mir,
Zwei güldne Sporne schenk ich dir.

Ein Hemd von Seide so weiß und fein,
Meine Mutter bleicht's mit Mondenschein."

„Ich darf nicht tanzen, nicht tanzen ich mag,
Frühmorgen ist mein Hochzeittag."

„Hör an, Herr Oluf, tritt tanzen mit mir,
Einen Haufen Goldes schenk ich dir."

„Einen Haufen Goldes nähm ich wohl;
Doch tanzen ich nicht darf noch soll."

„Und willt, Herr Oluf, nicht tanzen mit mir,
Soll Seuch und Krankheit folgen dir."

Sie tät einen Schlag ihm auf sein Herz,
Noch nimmer fühlt er solchen Schmerz.

Sie hob ihn bleichend auf sein Pferd.
„Reit heim nun zu dein'm Fräulein wert."

Und als er kam vor Hauses Tür,
Seine Mutter zitternd stand dafür.

„Hör an, mein Sohn, sag an mir gleich,
Wie ist dein' Farbe blaß und bleich?"

„Und sollt sie nicht sein blaß und bleich,
Ich traf in Erlenkönigs Reich."

„Hör an, mein Sohn, so lieb und traut,
Was soll ich nun sagen deiner Braut?"

„Sagt ihr, ich sei im Wald zur Stund,
Zu proben da mein Pferd und Hund."

Frühmorgen und als es Tag kaum war,
Da kam die Braut mit der Hochzeitschar.

Sie schenkten Met, sie schenkten Wein;
„Wo ist Herr Oluf, der Bräutigam mein?"

„Herr Oluf, er ritt in Wald zur Stund,
Er probt allda sein Pferd und Hund."

Die Braut hob auf den Scharlach rot,
Da lag Herr Oluf, und er war tot.

Edward

Dein Schwert, wie ist's von Blut so rot?
 Edward, Edward!
Dein Schwert, wie ist's von Blut so rot,
 Und gehst so traurig her? – O!
O ich hab geschlagen meinen Geier tot,
 Mutter, Mutter!
O ich hab geschlagen meinen Geier tot,
 Und keinen hab ich wie er – O!

Dein's Geier Blut ist nicht so rot,
 Edward, Edward!
Dein's Geiers Blut ist nicht so rot,
 Mein Sohn, bekenn mir frei – O!
O ich hab geschlagen mein Rotroß tot,
 Mutter, Mutter!
O ich hab geschlagen mein Rotroß tot,
 Und's war so stolz und treu – O!

Dein Roß war alt und hast's nicht not,
 Edward, Edward!
Dein Roß war alt und hast's nicht not,
 Dich drückt ein ander Schmerz – O!
O ich hab geschlagen meinen Vater tot,
 Mutter, Mutter!
O ich hab geschlagen meinen Vater tot,
 Und weh, weh ist mein Herz – O!

Und was für Buße willt du nun tun?
 Edward, Edward!
Und was für Buße willt du nun tun?
 Mein Sohn, bekenn mir mehr – O!
Auf Erden soll mein Fuß nicht ruhn,
 Mutter, Mutter!
Auf Erden soll mein Fuß nicht ruhn,
 Will gehn fern übers Meer – O!

Und was soll werden dein Hof und Hall?
 Edward, Edward!
Und was soll werden dein Hof und Hall?
 So herrlich sonst und schön – O!
Ich laß es stehn, bis es sink und fall,
 Mutter, Mutter!
Ich laß es stehn, bis es sink und fall,
 Mag nie es wiedersehn – O!

Und was soll werden dein Weib und Kind?
 Edward, Edward!
Und was soll werden dein Weib und Kind,
 Wann du gehst über Meer? – O!
Die Welt ist groß, laß sie betteln drin,
 Mutter, Mutter!
Die Welt ist groß, laß sie betteln drin,
 Ich seh sie nimmermehr – O!

Und was willt du lassen deiner Mutter teu'r?
 Edward, Edward!
Und was willt du lassen deiner Mutter teu'r?
 Mein Sohn, das sage mir – O!
Fluch will ich Euch lassen und höllisch Feu'r,
 Mutter, Mutter!
Fluch will ich Euch lassen und höllisch Feu'r,
 Denn Ihr, Ihr rietet's mir! – O!

Friedrich Matthisson
1761–1831

Der Wald

– me gelidum nemus
Secernit populo
Horatius

Herrlich ist's im Grünen!
Mehr als Opernbühnen
Ist mir abends unser Wald,
Wann das Dorfgeläute
Dumpfig aus der Weite
Durch der Wipfel Dämmrung hallt.

Hoch aus mildem Glanze
Streut im leichten Tanze
Mir das Eichhorn Laub und Moos;
Fink und Amsel rauschen
Durch die Zweig' und lauschen
Rings im jungen Maigesproß.

In der Abendhelle
Funkelt die Libelle
Sanft am Farrenkraut gewiegt;
Mückenschwärm' erheben
Sich aus Binsengräben
Und der braune Schröter fliegt.

Iris und Ranunkel
Blühn im Weidendunkel
Wo durch Tuff die Quelle schäumt,
Die mit Spiegelglätte
Dort im Rasenbette
Wies' und Birkental umsäumt.

Ob dem Felsenpfade
Schimmert die Kaskade
Wie ein flatternd Silberband.
Hell durch Laubgewimmel
Blinkt der Frühlingshimmel
Und der Berge Schneegewand.

Zauberisch erneuen
Sich die Fantaseien
Meiner Kindheit hier so licht!
Rosenfarbig schweben
Duftgebild' und weben
Ein elysisch Traumgesicht.

[Motto: Mich trennt der kühle Hain von der Masse des Volks.]

Wunsch
An Salis

Noch einmal möcht ich, eh in die Schattenwelt
Elysiums mein seliger Geist sich senkt,
 Die Flur begrüßen, wo der Kindheit
 Himmlische Träume mein Haupt umschwebten.

Der Strauch der Heimat, welcher des Hänflings Nest
Mit Kühlung deckte, säuselt doch lieblicher,
 O Freund, als alle Lorbeerwälder
 Über der Asche der Weltbezwinger.

Der Bach der Blumenwiese, wo ich als Kind
Violen pflückte, murmelt melodischer
 Durch Erlen, die mein Vater pflanzte,
 Als die blandusische Silberquelle.

Der Hügel, wo der jauchzende Knabenreihn
Sich um den Stamm der blühenden Linde schwang,
 Entzückt mich höher als der Alpen
 Blendende Gipfel im Rosenschimmer.

Drum möcht ich einmal, eh in die Schattenwelt
Elysiums mein seliger Geist sich senkt
 Die Flur noch segnen, wo der Kindheit
 Himmlische Träume mein Haupt umschwebten.

Dann mag des Todes lächelnder Genius
Die Fackel plötzlich löschen; ich eile froh
 Zu Xenophons und Platons Weisheit
 Und zu Anakreons Myrtenlaube.

[blandusische Quelle: von Horaz gelobte Quelle, ‚Fons Bandusiae'.]

Adelaide

Einsam wandelt dein Freund im Frühlingsgarten,
Mild vom lieblichen Zauberlicht umflossen,
Das durch wankende Blütenzweige zittert,
 Adelaide!

In der spiegelnden Flut, im Schnee der Alpen,
In des sinkenden Tages Goldgewölken,
Im Gefilde der Sterne strahlt dein Bildnis,
 Adelaide!

Abendlüftchen im zarten Laube flüstern,
Silberglöckchen des Mais im Grase säuseln,
Wellen rauschen und Nachtigallen flöten:
 Adelaide.

Einst, o Wunder, entblüht auf meinem Grabe
Eine Blume der Asche meines Herzens;
Deutlich schimmert auf jedem Purpurblättchen:
 Adelaide.

Friederike Brun
1765–1835

Ich denke dein

Ich denke dein, wenn sich im Blütenregen
Der Frühling malt
Und wenn des Sommers mildgereifter Segen
In Ähren strahlt.

Ich denke dein, wenn sich das Weltmeer tönend
Gen Himmel hebt
Und vor der Wogen Wut das Ufer stöhnend
Zurücke bebt.

Ich denke dein, wenn sich der Abend rötend
Im Hain verliert
Und Philomelens Klage leise flötend
Die Seele rührt.

Beim trüben Lampenschein in bittren Leiden
Gedacht ich dein;
Die bange Seele flehte nah am Scheiden:
Gedenke mein!

Ich denke dein, bis wehende Zypressen
Mein Grab umziehn;
Und auch in Tempes Hain soll unvergessen
Dein Name blühn.

Johann Gaudenz von Salis-Seewis
1762–1834

Herbstlied

Bunt sind schon die Wälder,
Gelb die Stoppelfelder,
Und der Herbst beginnt.
Rote Blätter fallen,
Graue Nebel wallen,
Kühler weht der Wind.

Wie die volle Traube
Aus dem Rebenlaube
Purpurfarbig strahlt!
Am Geländer reifen
Pfirsiche mit Streifen
Rot und weiß bemalt.

Sieh! Wie hier die Dirne
Emsig Pflaum und Birne
In ihr Körbchen legt,
Dort mit leichten Schritten
Jene goldnen Quitten
In den Landhof trägt!

Flinke Träger springen,
Und die Mädchen singen,
Alles jubelt froh!
Bunte Bänder schweben
Zwischen hohen Reben
Auf dem Hut von Stroh.

Geige tönt und Flöte
Bei der Abendröte
Und im Mondenglanz;
Junge Winzerinnen
Winken und beginnen
Deutschen Ringeltanz.

Lied
zu singen bei einer Wasserfahrt

Wir ruhen, vom Wasser gewiegt,
Im Kreise vertraulich und enge,
Durch Eintracht wie Blumengehänge
Verknüpft und in Reihen gefügt;
Uns sondert von lästiger Menge
Die Flut, die den Nachen umschmiegt.

So gleiten, im Raume vereint,
Wir auf der Vergänglichkeit Wellen,
Wo Freunde sich innig gesellen
Zum Freunde, der redlich es meint,
Getrost, weil die dunkelsten Stellen
Ein Glanz aus der Höhe bescheint.

Ach, trüg uns die fährliche Flut
Des Lebens so friedlich und leise!
Und drohte nie Trennung dem Kreise,
Der sorglos um Zukunft hier ruht!
O nähm uns am Ziele der Reise
Elysiums Busen in Hut!

Verhallen mag unser Gesang,
Wie Flötenhauch schwinden das Leben;
Mit Jubel und Seufzern verschweben
Des Daseins zerfließender Klang!
Der Geist wird verklärt sich erheben,
Wann Lethe sein Fahrzeug verschlang.

Abschied von der Harfe

Noch einmal tön, o Harfe,
Die nur Gefühle tönt!
Verhalle zart und leise
Noch jene Schwanenweise,
Die auf der Flut des Lebens
Uns mit der Not versöhnt!

Im Morgenschein des Lebens
Erklangst du rein und hell.
Wer kann den Klang verwahren?
Durch Forschen und Erfahren
Verhallet und versiegte
Des Liedes reiner Quell.

In spätern Jugendjahren
Hallt es schon zart und bang
Wie Finkenschlag im Märze;
Mit des Entknospens Schmerze
Erbeben Herz und Saiten
Voll Liebe und Gesang.

Am Sommertag des Lebens
Verstummt das Saitenspiel.
Auf sehnsuchtsvoller Seele
Lockt's noch, wie Philomele,
Schon seltner, aber rührend
Nur Schwermut und Gefühl.

O schlag im dunkeln Busen
Der ernsten Abendzeit!
Will um das öde Leben
Des Schicksals Nacht sich weben,
Dann schlag und wecke Sehnsucht
Nach der Unsterblichkeit!

Johann Wolfgang Goethe
1749–1832

An den Mond

Schwester von dem ersten Licht,
Bild der Zärtlichkeit in Trauer,
Nebel schwimmt mit Silberschauer
Um dein reizendes Gesicht.
Deines leisen Fußes Lauf
Weckt aus tagverschlossnen Höhlen
Traurig abgeschiedne Seelen,
Mich und nächt'ge Vögel auf.

Forschend übersieht dein Blick
Eine großgemessne Weite.
Hebe mich an deine Seite,
Gib der Schwärmerei dies Glück!
Und in wollustvoller Ruh
Säh der weitverschlagne Ritter
Durch das gläserne Gegitter
Seines Mädchens Nächten zu.

Dämmrung, wo die Wollust thront,
Schwimmt um ihre runden Glieder.
Trunken sieht mein Blick hernieder –
Was verhüllt man wohl dem Mond!
Doch was das für Wünsche sind!
Voll Begierde zu genießen,
So da droben hängen müssen –
Ei, da schieltest du dich blind!

Kleine Blumen, kleine Blätter
Streuen mir mit leichter Hand
Gute junge Frühlingsgötter
Tändelnd auf ein luftig Band.

Zephir, nimm's auf deine Flügel,
Schling's um meiner Liebsten Kleid;
Und so tritt sie vor den Spiegel
All in ihrer Munterkeit.

Sieht mit Rosen sich umgeben,
Selbst wie eine Rose jung.
Einen Blick, geliebtes Leben!
Und ich bin belohnt genung.

Fühle, was dies Herz empfindet,
Reiche frei mir deine Hand,
Und das Band, das uns verbindet,
Sei kein schwaches Rosenband!

Willkommen und Abschied

Es schlug mein Herz, geschwind zu Pferde!
Es war getan fast eh gedacht.
Der Abend wiegte schon die Erde,
Und an den Bergen hing die Nacht;
Schon stand im Nebelkleid die Eiche,
Ein aufgetürmter Riese, da,
Wo Finsternis aus dem Gesträuche
Mit hundert schwarzen Augen sah.

Der Mond von einem Wolkenhügel
Sah kläglich aus dem Duft hervor,
Die Winde schwangen leise Flügel,
Umsausten schauerlich mein Ohr;
Die Nacht schuf tausend Ungeheuer,
Doch frisch und fröhlich war mein Mut:
In meinen Adern welches Feuer!
In meinem Herzen welche Glut!

Dich sah ich, und die milde Freude
Floß von dem süßen Blick auf mich;
Ganz war mein Herz an deiner Seite
Und jeder Atemzug für dich.
Ein rosenfarbnes Frühlingswetter
Umgab das liebliche Gesicht,
Und Zärtlichkeit für mich – ihr Götter!
Ich hofft es, ich verdient es nicht!

Doch ach, schon mit der Morgensonne
Verengt der Abschied mir das Herz:
In deinen Küssen welche Wonne!
In deinem Auge welcher Schmerz!
Ich ging, du standst und sahst zur Erden
Und sahst mir nach mit nassem Blick:
Und doch, welch Glück, geliebt zu werden!
Und lieben, Götter, welch ein Glück!

Mailied

Wie herrlich leuchtet
Mir die Natur!
Wie glänzt die Sonne!
Wie lacht die Flur!

Es dringen Blüten
Aus jedem Zweig
Und tausend Stimmen
Aus dem Gesträuch

Und Freud und Wonne
Aus jeder Brust.
O Erd, o Sonne!
O Glück, o Lust!

O Lieb, o Liebe!
So golden schön,
Wie Morgenwolken
Auf jenen Höhn!

Du segnest herrlich
Das frische Feld,
Im Blütendampfe
Die volle Welt.

O Mädchen, Mädchen,
Wie lieb ich dich!
Wie blickt dein Auge!
Wie liebst du mich!

So liebt die Lerche
Gesang und Luft,
Und Morgenblumen
Den Himmelsduft,

Wie ich dich liebe
Mit warmem Blut,
Die du mir Jugend
Und Freud und Mut

Zu neuen Liedern
Und Tänzen gibst.
Sei ewig glücklich,
Wie du mich liebst!

Heidenröslein

Sah ein Knab ein Röslein stehn,
Röslein auf der Heiden,
War so jung und morgenschön,
Lief er schnell, es nah zu sehn,
Sah's mit vielen Freuden.
Röslein, Röslein, Röslein rot,
Röslein auf der Heiden.

Knabe sprach: Ich breche dich,
Röslein auf der Heiden!
Röslein sprach: Ich steche dich,
Daß du ewig denkst an mich,
Und ich wills nicht leiden.
Röslein, Röslein, Röslein rot,
Röslein auf der Heiden.

Und der wilde Knabe brach
's Röslein auf der Heiden;
Röslein wehrte sich und stach,
Half ihm doch kein Weh und Ach,
Mußt' es eben leiden.
Röslein, Röslein, Röslein rot,
Röslein auf der Heiden.

Der König in Thule

Es war ein König in Thule
Gar treu bis an das Grab,
Dem sterbend seine Buhle
Einen goldnen Becher gab.

Er saß beim Königsmahle,
Die Ritter um ihn her,
Auf hohem Vätersaale,
Dort auf dem Schloß am Meer.

Es ging ihm nichts darüber,
Er leert' ihn jeden Schmaus;
Die Augen gingen ihm über,
Sooft er trank daraus.

Dort stand der alte Zecher,
Trank letzte Lebensglut,
Und warf den heilgen Becher
Hinunter in die Flut.

Und als er kam zu sterben,
Zählt' er seine Städt' im Reich,
Gönnt' alles seinen Erben,
Den Becher nicht zugleich.

Er sah ihn stürzen, trinken
Und sinken tief ins Meer.
Die Augen täten ihm sinken;
Trank nie einen Tropfen mehr.

Mahomets Gesang

Seht den Felsenquell,
Freudehell,
Wie ein Sternenblick;
Über Wolken
Nährten seine Jugend
Gute Geister
Zwischen Klippen im Gebüsch.

Jünglingfrisch
Tanzt er aus der Wolke
Auf die Marmorfelsen nieder,
Jauchzet wieder
Nach dem Himmel.

Durch die Gipfelgänge
Jagt er bunten Kieseln nach,
Und mit frühem Führertritt
Reißt er seine Bruderquellen
Mit sich fort.

Drunten werden in dem Tal
Unter seinem Fußtritt Blumen,
Und die Wiese
Lebt von seinem Hauch.

Doch ihn hält kein Schattental,
Keine Blumen,
Die ihm seine Knie umschlingen,
Ihm mit Liebes-Augen schmeicheln:
Nach der Ebne dringt sein Lauf
Schlangenwandelnd.

Bäche schmiegen
Sich gesellig an. Nun tritt er
In die Ebne silberprangend,
Und die Ebne prangt mit ihm,
Und die Flüsse von der Ebne
Und die Bäche von den Bergen
Jauchzen ihm und rufen: Bruder!
Bruder, nimm die Brüder mit,
Mit zu deinem alten Vater,
Zu dem ewgen Ozean,
Der mit ausgespannten Armen
Unsrer wartet,
Die sich, ach! vergebens öffnen,
Seine Sehnenden zu fassen;
Denn uns frißt in öder Wüste
Gierger Sand;
Die Sonne droben
Saugt an unserm Blut;
Ein Hügel
Hemmet uns zum Teiche!
Bruder,
Nimm die Brüder von der Ebne,
Nimm die Brüder von den Bergen
Mit, zu deinem Vater mit!

Kommt ihr alle! –
Und nun schwillt er
Herrlicher; ein ganz Geschlechte
Trägt den Fürsten hoch empor!
Und im rollenden Triumphe
Gibt er Ländern Namen, Städte
Werden unter seinem Fuß.

Unaufhaltsam rauscht er weiter,
Läßt der Türme Flammengipfel,

Marmorhäuser, eine Schöpfung
Seiner Fülle, hinter sich.

Zedernhäuser trägt der Atlas
Auf den Riesenschultern; sausend
Wehen über seinem Haupte
Tausend Flaggen durch die Lüfte,
Zeugen seiner Herrlichkeit.

Und so trägt er seine Brüder,
Seine Schätze, seine Kinder
Dem erwartenden Erzeuger
Freudebrausend an das Herz.

Prometheus

Bedecke deinen Himmel, Zeus,
Mit Wolkendunst
Und übe, dem Knaben gleich,
Der Disteln köpft,
An Eichen dich und Bergeshöhn;
Mußt mir meine Erde
Doch lassen stehn
Und meine Hütte, die du nicht gebaut,
Und meinen Herd,
Um dessen Glut
Du mich beneidest.

Ich kenne nichts Ärmeres
Unter der Sonn als euch, Götter!
Ihr nähret kümmerlich
Von Opfersteuern
Und Gebetshauch
Eure Majestät
Und darbtet, wären
Nicht Kinder und Bettler
Hoffnungsvolle Toren.

Da ich ein Kind war,
Nicht wußte, wo aus noch ein,
Kehrt ich mein verirrtes Auge
Zur Sonne, als wenn drüber wär
Ein Ohr, zu hören meine Klage,
Ein Herz wie meins,
Sich des Bedrängten zu erbarmen.

Wer half mir
Wider der Titanen Übermut?
Wer rettete vom Tode mich,
Von Sklaverei?
Hast du nicht alles selbst vollendet,

Heilig glühend Herz?
Und glühtest jung und gut,
Betrogen, Rettungsdank
Dem Schlafenden da droben?

Ich dich ehren? Wofür?
Hast du die Schmerzen gelindert
Je des Beladenen?
Hast du die Tränen gestillet
Je des Geängsteten?
Hat nicht mich zum Manne geschmiedet
Die allmächtige Zeit
Und das ewige Schicksal,
Meine Herrn und deine?

Wähntest du etwa,
Ich sollte das Leben hassen,
In Wüsten fliehen,
Weil nicht alle
Blütenträume reiften?

Hier sitz ich, forme Menschen
Nach meinem Bilde
Ein Geschlecht, das mir gleich sei,
Zu leiden, zu weinen,
Zu genießen und zu freuen sich,
Und dein nicht zu achten,
Wie ich!

Ganymed

Wie im Morgenglanze
Du ringst mich anglühst,
Frühling, Geliebter!
Mit tausendfacher Liebeswonne
Sich an mein Herz drängt
Deiner ewigen Wärme
Heilig Gefühl,
Unendliche Schöne!

Daß ich dich fassen möcht
In diesen Arm!

Ach, an deinem Busen
Lieg ich, schmachte,
Und deine Blumen, dein Gras
Drängen sich an mein Herz.
Du kühlst den brennenden
Durst meines Busens,

Lieblicher Morgenwind!
Ruft drein die Nachtigall
Liebend nach mir aus dem Nebeltal.

Ich komm, ich komme!
Wohin? Ach, wohin?

Hinauf! Hinauf strebt's.
Es schweben die Wolken
Abwärts, die Wolken
Neigen sich der sehnenden Liebe.
Mir! Mir!
In euerm Schoße
Aufwärts!
Umfangend umfangen!
Aufwärts an deinen Busen,
Alliebender Vater!

An Schwager Kronos

Spude dich, Kronos!
Fort den rasselnden Trott!
Bergab gleitet der Weg;
Ekles Schwindeln zögert
Mir vor die Stirne dein Haudern.
Frisch, holpert es gleich,
Über Stock und Steine den Trott
Rasch ins Leben hinein!

Nun schon wieder
Den eratmenden Schritt
Mühsam Berg hinauf!
Auf denn, nicht träge denn,
Strebend und hoffend hinan!

Weit, hoch, herrlich der Blick
Rings ins Leben hinein,
Vom Gebirg zum Gebirg
Schwebet der ewige Geist,
Ewigen Lebens ahndevoll.

Seitwärts des Überdachs Schatten
Zieht dich an
Und ein Frischung verheißender Blick
Auf der Schwelle des Mädchens da.

Labe dich! – Mir auch, Mädchen,
Diesen schäumenden Trank,
Diesen frischen Gesundheitsblick!

Aber denn, rascher hinab!
Sieh, die Sonne sinkt!
Eh sie sinkt, eh mich Greisen
Ergreift im Moore Nebelduft,
Entzahnte Kiefer schnattern
Und das schlotternde Gebein,

Trunknen vom letzten Strahl
Reiß mich, ein Feuermeer
Mir im schäumenden Aug,
Mich geblendeten Taumelnden
In der Hölle nächtliches Tor.

Töne, Schwager, ins Horn,
Rassle den schallenden Trab,
Daß der Orkus vernehme: ein Fürst kommt,
Drunten von ihren Sitzen
Sich die Gewaltigen lüften.

Künstlers Abendlied

Ach, daß die innre Schöpfungskraft
Durch meinen Sinn erschölle!
Daß eine Bildung voller Saft
Aus meinen Fingern quölle!

Ich zittre nur, ich stottre nur
Und kann es doch nicht lassen;
Ich fühl, ich kenne dich, Natur,
Und so muß ich dich fassen.

Bedenk ich dann, wie manches Jahr
Sich schon mein Sinn erschließet,
Wie er, wo dürre Heide war,
Nun Freudenquell genießet;

Wie sehn ich mich, Natur, nach dir,
Dich treu und lieb zu fühlen!
Ein lustger Springbrunn wirst du mir
Aus tausend Röhren spielen.

Wirst alle meine Kräfte mir
In meinem Sinn erheitern
Und dieses enge Dasein hier
Zur Ewigkeit erweitern.

Auf dem See

Und frische Nahrung, neues Blut
Saug ich aus freier Welt;
Wie ist Natur so hold und gut,
Die mich am Busen hält!
Die Welle wieget unsern Kahn
Im Rudertakt hinauf,
Und Berge, wolkig himmelan,
Begegnen unserm Lauf.

Aug, mein Aug, was sinkst du nieder?
Goldne Träume, kommt ihr wieder?
Weg, du Traum! so gold du bist;
Hier auch Lieb und Leben ist.

Auf der Welle blinken
Tausend schwebende Sterne,
Weiche Nebel trinken
Rings die türmende Ferne;
Morgenwind umflügelt
Die beschattete Bucht,
Und im See bespiegelt
Sich die reifende Frucht.

Herbstgefühl

Fetter grüne, du Laub,
Am Rebengeländer
Hier mein Fenster herauf!
Gedrängter quellet,
Zwillingsbeeren, und reifet
Schneller und glänzend voller!
Euch brütet der Mutter Sonne
Scheideblick, euch umsäuselt
Des holden Himmels
Fruchtende Fülle,
Euch kühlet des Mondes
Freundlicher Zauberhauch,
Und euch betauen, ach!
Aus diesen Augen
Der ewig belebenden Liebe
Vollschwellende Tränen.

Hoffnung

Schaff, das Tagwerk meiner Hände,
Hohes Glück, daß ich's vollende!
Lass, o lass mich nicht ermatten!
Nein, es sind nicht leere Träume:
Jetzt nur Stangen, diese Bäume
Geben einst noch Frucht und Schatten.

Sorge

Kehre nicht in diesem Kreise
Neu und immer neu zurück!
Lass, o lass mir meine Weise,
Gönn, o gönne mir mein Glück!
Soll ich fliehen? Soll ich's fassen?
Nun, gezweifelt ist genug.
Willst du mich nicht glücklich lassen,
Sorge, nun so mach mich klug!

Warum gabst du uns die tiefen Blicke,
Unsre Zukunft ahnungsvoll zu schaun,
Unsrer Liebe, unserm Erdenglücke
Wähnend selig nimmer hinzutraun?
Warum gabst uns, Schicksal, die Gefühle,
Uns einander in das Herz zu sehn,
Um durch all die seltenen Gewühle
Unser wahr Verhältnis auszuspähn?

Ach, so viele tausend Menschen kennen,
Dumpf sich treibend, kaum ihr eigen Herz,
Schweben zwecklos hin und her und rennen
Hoffnungslos in unversehnem Schmerz,
Jauchzen wieder, wenn der schnellen Freuden
Unerwart'te Morgenröte tagt;
Nur uns armen Liebevollen beiden
Ist das wechselseitge Glück versagt,
Uns zu lieben, ohn uns zu verstehen,
In dem andern sehn, was er nie war,
Immer frisch auf Traumglück auszugehen
Und zu schwanken auch in Traumgefahr.

Glücklich, den ein leerer Traum beschäftigt,
Glücklich, dem die Ahndung eitel wär!
Jede Gegenwart und jeder Blick bekräftigt
Traum und Ahndung leider uns noch mehr.
Sag, was will das Schicksal uns bereiten?
Sag, wie band es uns so rein genau?

Ach, du warst in abgelebten Zeiten
Meine Schwester oder meine Frau.

Kanntest jeden Zug in meinem Wesen,
Spähtest, wie die reinste Nerve klingt,
Konntest mich mit Einem Blicke lesen,
Den so schwer ein sterblich Aug durchdringt;
Tropftest Mäßigung dem heißen Blute,
Richtetest den wilden irren Lauf,
Und in deinen Engelsarmen ruhte
Die zerstörte Brust sich wieder auf;
Hieltest zauberleicht ihn angebunden
Und vergaukeltest ihm manchen Tag.
Welche Seligkeit glich jenen Wonnestunden,
Da er dankbar dir zu Füßen lag,
Fühlt' sein Herz an deinem Herzen schwellen,
Fühlte sich in deinem Auge gut,
Alle seine Sinnen sich erhellen
Und beruhigen sein brausend Blut!

Und von allem dem schwebt ein Erinnern
Nur noch um das ungewisse Herz,
Fühlt die alte Wahrheit ewig gleich im Innern,
Und der neue Zustand wird ihm Schmerz.
Und wir scheinen uns nur halb beseelet,
Dämmernd ist um uns der hellste Tag.
Glücklich, daß das Schicksal, das uns quälet
Uns doch nicht verändern mag!

Wandrers Nachtlied

Der du von dem Himmel bist,
Alles Leid und Schmerzen stillest,
Den, der doppelt elend ist,
Doppelt mit Erquickung füllest,
Ach, ich bin des Treibens müde!
Was soll all der Schmerz und Lust?
Süßer Friede,
Komm, ach komm in meine Brust!

Ein gleiches

Über allen Gipfeln
Ist Ruh,
In allen Wipfeln
Spürest du
Kaum einen Hauch;
Die Vögelein schweigen im Walde.
Warte nur, balde
Ruhest du auch.

An den Mond
[Letzte Fassung]

Füllest wieder Busch und Tal
Still mit Nebelglanz,
Lösest endlich auch einmal
Meine Seele ganz,

Breitest über mein Gefild
Lindernd deinen Blick,
Wie des Freundes Auge mild
Über mein Geschick.

Jeden Nachklang fühlt mein Herz
Froh- und trüber Zeit,
Wandle zwischen Freud und Schmerz
In der Einsamkeit.

Fließe, fließe, lieber Fluß!
Nimmer werd ich froh,
So verrauschte Scherz und Kuß
Und die Treue so.

Ich besaß es doch einmal,
Was so köstlich ist!
Daß man doch zu seiner Qual
Nimmer es vergißt!

Rausche, Fluß, das Tal entlang,
Ohne Rast und Ruh,
Rausche, flüstre meinem Sang
Melodien zu,

Wenn du in der Winternacht
Wütend überschwillst
Oder um die Frühlingspracht
Junger Knospen quillst.

Selig, wer sich vor der Welt
Ohne Haß verschließt,
Einen Freund am Busen hält
Und mit dem genießt,

Was, von Menschen nicht gewußt
Oder nicht bedacht,
Durch das Labyrinth der Brust
Wandelt in der Nacht.

Harzreise im Winter

Dem Geier gleich,
Der auf schweren Morgenwolken
Mit sanftem Fittich ruhend
Nach Beute schaut,
Schwebe mein Lied.

Denn ein Gott hat
Jedem seine Bahn
Vorgezeichnet,
Die der Glückliche
Rasch zum freudigen
Ziele rennt:
Wem aber Unglück
Das Herz zusammenzog,
Er sträubt vergebens
Sich gegen die Schranken
Des ehernen Fadens,
Den die doch bittre Schere
Nur einmal löst.

In Dickichts-Schauer
Drängt sich das rauhe Wild,
Und mit den Sperlingen
Haben längst die Reichen
In ihre Sümpfe sich gesenkt.

Leicht ist's folgen dem Wagen,
Den Fortuna führt,
Wie der gemächliche Troß
Auf gebesserten Wegen
Hinter des Fürsten Einzug.

Aber abseits wer ist's?
Ins Gebüsch verliert sich sein Pfad,
Hinter ihm schlagen
Die Sträuche zusammen,
Das Gras steht wieder auf,
Die Öde verschlingt ihn.

Ach, wer heilet die Schmerzen
Des, dem Balsam zu Gift ward?
Der sich Menschenhaß
Aus der Fülle der Liebe trank?
Erst verachtet, nun ein Verächter,
Zehrt er heimlich auf
Seinen eignen Wert
In ungnügender Selbstsucht.

Ist auf deinem Psalter,
Vater der Liebe, ein Ton
Seinem Ohre vernehmlich,
So erquicke sein Herz!
Öffne den umwölkten Blick
Über die tausend Quellen
Neben dem Durstenden
In der Wüste.

Der du der Freuden viel schaffst,
Jedem ein überfließend Maß,
Segne die Brüder der Jagd
Auf der Fährte des Wilds
Mit jugendlichem Übermut
Fröhlicher Mordsucht,
Späte Rächer des Unbills,
Dem schon Jahre vergeblich
Wehrt mit Knütteln der Bauer.

Aber den Einsamen hülle
In deine Goldwolken!
Umgib mit Wintergrün,
Bis die Rose wieder heranreift,
Die feuchten Haare,
O Liebe, deines Dichters!

Mit der dämmernden Fackel
Leuchtest du ihm
Durch die Furten bei Nacht,
Über grundlose Wege
Auf öden Gefilden;
Mit dem tausendfarbigen Morgen
Lachst du ins Herz ihm;
Mit dem beizenden Sturm
Trägst du ihn hoch empor;
Winterströme stürzen vom Felsen
In seine Psalmen,
Und Altar des lieblichsten Danks
Wird ihm des gefürchteten Gipfels
Schneebehangner Scheitel,
Den mit Geisterreihen
Kränzten ahnende Völker.

Du stehst mit unerforschtem Busen
Geheimnisvoll offenbar
Über der erstaunten Welt
Und schaust aus Wolken
Auf ihre Reiche und Herrlichkeit,
Die du aus den Adern deiner Brüder
Neben dir wässerst.

Der Fischer

Das Wasser rauscht', das Wasser schwoll,
Ein Fischer saß daran,
Sah nach dem Angel ruhevoll,
Kühl bis ans Herz hinan.
Und wie er sitzt und wie er lauscht,
Teilt sich die Flut empor;
Aus dem bewegten Wasser rauscht
Ein feuchtes Weib hervor.

Sie sang zu ihm, sie sprach zu ihm:
Was lockst du meine Brut
Mit Menschenwitz und Menschenlist
Hinauf in Todesglut?
Ach wüßtest du, wie 's Fischlein ist
So wohlig auf dem Grund,
Du stiegst herunter, wie du bist,
Und würdest erst gesund.

Labt sich die liebe Sonne nicht,
Der Mond sich nicht im Meer?
Kehrt wellenatmend ihr Gesicht
Nicht doppelt schöner her?
Lockt dich der tiefe Himmel nicht,
Das feuchtverklärte Blau?
Lockt dich dein eigen Angesicht
Nicht her in ewgen Tau?

Das Wasser rauscht', das Wasser schwoll,
Netzt' ihm den nackten Fuß;
Sein Herz wuchs ihm so sehnsuchtsvoll,
Wie bei der Liebsten Gruß.
Sie sprach zu ihm, sie sang zu ihm;
Da wars um ihn geschehn:
Halb zog sie ihn, halb sank er hin
Und ward nicht mehr gesehn.

Erlkönig

Wer reitet so spät durch Nacht und Wind?
Es ist der Vater mit seinem Kind;
Er hat den Knaben wohl in dem Arm,
Er faßt ihn sicher, er hält ihn warm.

Mein Sohn, was birgst du so bang dein Gesicht? –
Siehst, Vater, du den Erklönig nicht?
Den Erlenkönig mit Kron und Schweif? –
Mein Sohn, es ist ein Nebelstreif. –

„Du liebes Kind, komm, geh mit mir!
Gar schöne Spiele spiel ich mit dir;
Manch bunte Blumen sind an dem Strand,
Meine Mutter hat manch gülden Gewand.‟

Mein Vater, mein Vater, und hörest du nicht,
Was Erlenkönig mir leise verspricht? –
Sei ruhig, bleibe ruhig, mein Kind;
In dürren Blättern säuselt der Wind. –

„Willst, feiner Knabe, du mit mir gehn?
Meine Töchter sollen dich warten schön;
Meine Töchter führen den nächtlichen Reihn
Und wiegen und tanzen und singen dich ein.‟

Mein Vater, mein Vater, und siehst du nicht dort
Erlkönigs Töchter am düstern Ort? –
Mein, Sohn, mein Sohn, ich seh es genau:
Es scheinen die alten Weiden so grau. –

„Ich liebe dich, mich reizt deine schöne Gestalt;
Und bist du nicht willig, so brauch ich Gewalt.“
Mein Vater, mein Vater, jetzt faßt er mich an!
Erlkönig hat mir ein Leids getan! –

Dem Vater grauset's, er reitet geschwind,
Er hält in Armen das ächzende Kind,
Erreicht den Hof mit Mühe und Not;
In seinen Armen das Kind war tot.

Grenzen der Menschheit

Wenn der uralte
Heilige Vater
Mit gelassener Hand
Aus rollenden Wolken
Segnende Blitze
Über die Erde sät,
Küss ich den letzten
Saum seines Kleides
Kindliche Schauer
Treu in der Brust.

Denn mit Göttern
Soll sich nicht messen
Irgendein Mensch.
Hebt er sich aufwärts
Und berührt
Mit dem Scheitel die Sterne,
Nirgends haften dann
Die unsichern Sohlen,
Und mit ihm spielen
Wolken und Winde.

Steht er mit festen,
Markigen Knochen
Auf der wohlgegründeten
Dauernden Erde,
Reicht er nicht auf,
Nur mit der Eiche
Oder der Rebe
Sich zu vergleichen.

Was unterscheidet
Götter von Menschen?
Daß viele Wellen
Vor jenen wandeln,
Ein ewiger Strom:
Uns hebt die Welle,
Verschlingt die Welle,
Und wir versinken.

Ein kleiner Ring
Begrenzt unser Leben,
Und viele Geschlechter
Reihen sich dauernd
An ihres Daseins
Unendliche Kette.

Das Göttliche

Edel sei der Mensch,
Hilfreich und gut!
Denn das allein
Unterscheidet ihn
Von allen Wesen,
Die wir kennen.

Heil den unbekannten
Höhern Wesen,
Die wir ahnen!
Ihnen gleiche der Mensch;
Sein Beispiel lehr uns
Jene glauben.

Denn unfühlend
Ist die Natur:
Es leuchtet die Sonne
Über Bös' und Gute,
Und dem Verbrecher
Glänzen wie dem Besten
Der Mond und die Sterne.

Wind und Ströme,
Donner und Hagel
Rauschen ihren Weg
Und ergreifen
Vorüber eilend
Einen um den andern.

Auch so das Glück
Tappt unter die Menge,
Faßt bald des Knaben
Lockige Unschuld,
Bald auch den kahlen
Schuldigen Scheitel.

Nach ewigen, ehrnen,
Großen Gesetzen
Müssen wir alle
Unseres Daseins
Kreise vollenden.

Nur allein der Mensch
Vermag das Unmögliche:
Er unterscheidet,
Wählet und richtet;
Er kann dem Augenblick
Dauer verleihen.

Er allein darf
Den Guten lohnen
Den Bösen strafen,
Heilen und retten,
Alles Irrende, Schweifende
Nützlich verbinden.

Und wir verehren
Die Unsterblichen,
Als wären sie Menschen,
Täten im Großen,
Was der Beste im Kleinen
Tut oder möchte.

Der edle Mensch
Sei hilfreich und gut!
Unermüdet schaff er
Das Nützliche, Rechte,
Sei uns ein Vorbild
Jener geahneten Wesen!

Gesang der Geister
über den Wassern

Des Menschen Seele
Gleicht dem Wasser:
Vom Himmel kommt es,
Zum Himmel steigt es,
Und wieder nieder
Zur Erde muß es,
Ewig wechselnd.

Strömt von der hohen,
Steilen Felswand
Der reine Strahl,
Dann stäubt er lieblich
In Wolkenwellen
Zum glatten Fels,
Und leicht empfangen
Wallt er verschleiernd,
Leisrauschend
Zur Tiefe nieder.

Ragen Klippen
Dem Sturz entgegen,
Schäumt er unmutig
Stufenweise
Zum Abgrund.

Im flachen Bette
Schleicht er das Wiesental hin,
Und in dem glatten See
Weiden ihr Antlitz
Alle Gestirne.

Wind ist der Welle
Lieblicher Buhler;
Wind mischt von Grund aus
Schäumende Wogen.

Seele des Menschen,
Wie gleichst du dem Wasser!
Schicksal des Menschen,
Wie gleichst du dem Wind!

Zueignung

Der Morgen kam; es scheuchten seine Tritte
Den leisen Schlaf, der mich gelind umfing,
Daß ich, erwacht, aus meiner stillen Hütte
Den Berg hinauf mit frischer Seele ging;

Ich freute mich bei einem jeden Schritte
Der neuen Blume, die voll Tropfen hing;
Der junge Tag erhob sich mit Entzücken,
Und alles war erquickt, mich zu erquicken.

Und wie ich stieg, zog von dem Fluß der Wiesen
Ein Nebel sich in Streifen sacht hervor;
Er wich und wechselte, mich zu umfließen,
Und wuchs geflügelt mir ums Haupt empor:
Des schönen Blicks sollt ich nicht mehr genießen,
Die Gegend deckte mir ein trüber Flor;
Bald sah ich mich von Wolken wie umgossen
Und mit mir selbst in Dämmrung eingeschlossen.

Auf einmal schien die Sonne durchzudringen,
Im Nebel ließ sich eine Klarheit sehn.
Hier sank er, leise sich hinabzuschwingen,
Hier teilt' er steigend sich um Wald und Höhn.
Wie hofft ich ihr den ersten Gruß zu bringen!
Sie hofft ich nach der Trübe doppelt schön.
Der luftge Kampf war lange nicht vollendet,
Ein Glanz umgab mich, und ich stand geblendet.

Bald machte mich, die Augen aufzuschlagen,
Ein innrer Trieb des Herzens wieder kühn,
Ich konnt es nur mit schnellen Blicken wagen,
Denn alles schien zu brennen und zu glühn.
Da schwebte, mit den Wolken hergetragen,
Ein göttlich Weib vor meinen Augen hin,
Kein schöner Bild sah ich in meinem Leben,
Sie sah mich an und blieb verweilend schweben.

Kennst du mich nicht? sprach sie mit einem Munde,
Dem aller Lieb und Treue Ton entfloß:
Erkennst du mich, die ich in manche Wunde
Des Lebens dir den reinsten Balsam goß?
Du kennst mich wohl, an die, zu ewgem Bunde,
Dein strebend Herz sich fest und fester schloß.
Sah ich dich nicht mit heißen Herzenstränen
Als Knabe schon nach mir dich eifrig sehnen?

Ja! rief ich aus, indem ich selig nieder
Zur Erde sank, lang hab ich dich gefühlt;
Du gabst mir Ruh, wenn durch die jungen Glieder
Die Leidenschaft sich rastlos durchgewühlt;
Du hast mir wie mit himmlischem Gefieder
Am heißen Tag die Stirne sanft gekühlt;
Du schenktest mir der Erde beste Gaben,
Und jedes Glück will ich durch dich nur haben!

Dich nenn ich nicht. Zwar hör ich dich von vielen
Gar oft genannt, und jeder heißt dich *sein*,
Ein jedes Auge glaubt auf dich zu zielen,
Fast jedem Auge wird dein Strahl zur Pein.
Ach, da ich irrte, hatt ich viel Gespielen,
Da ich dich kenne, bin ich fast allein;
Ich muß mein Glück nur mit mir selbst genießen,
Dein holdes Licht verdecken und verschließen.

Sie lächelte, sie sprach: du siehst, wie klug,
Wie nötig war's, euch wenig zu enthüllen!
Kaum bist du sicher vor dem gröbsten Trug,
Kaum bist du Herr vom ersten Kinderwillen,
So glaubst du dich schon Übermensch genug,
Versäumst die Pflicht des Mannes zu erfüllen!
Wieviel bist du von andern unterschieden?
Erkenne dich, leb mit der Welt in Frieden!

Verzeih mir, rief ich aus, ich meint es gut;
Soll ich umsonst die Augen offen haben?
Ein froher Wille lebt in meinem Blut,
Ich kenne ganz den Wert von deinen Gaben!
Für andre wächst in mir das edle Gut,
Ich kann und will das Pfund nicht mehr vergraben!
Warum sucht ich den Weg so sehnsuchtsvoll,
Wenn ich ihn nicht den Brüdern zeigen soll?

Und wie ich sprach, sah mich das hohe Wesen
Mit einem Blick mitleidger Nachsicht an;
Ich konnte mich in ihrem Auge lesen,
Was ich verfehlt und was ich recht getan.
Sie lächelte, da war ich schon genesen,
Zu neuen Freuden stieg mein Geist heran;
Ich konnte nun mit innigem Vertrauen
Mich zu ihr nahn und ihre Nähe schauen.

Da reckte sie die Hand aus in die Streifen
Der leichten Wolken und des Dufts umher;
Wie sie ihn faßte, ließ er sich ergreifen,
Er ließ sich ziehn, es war kein Nebel mehr.
Mein Auge konnt im Tale wieder schweifen,
Gen Himmel blickt ich, er war hell und hehr.
Nur sah ich sie den reinsten Schleier halten,
Er floß um sie und schwoll in tausend Falten.

Ich kenne dich, ich kenne deine Schwächen,
Ich weiß, was Gutes in dir lebt und glimmt!
– So sagte sie, ich hör sie ewig sprechen –
Empfange hier, was ich dir lang bestimmt;
Dem Glücklichen kann es an nichts gebrechen,
Der dies Geschenk mit stiller Seele nimmt:
Aus Morgenduft gewebt und Sonnenklarheit,
Der Dichtung Schleier aus der Hand der Wahrheit.

Und wenn es dir und deinen Freunden schwüle
Am Mittag wird, so wirf ihn in die Luft!
Sogleich umsäuselt Abendwindes Kühle,
Umhaucht euch Blumen-Würzgeruch und Duft.
Es schweigt das Wehen banger Erdgefühle,
Zum Wolkenbette wandelt sich die Gruft,
Besänftiget wird jede Lebenswelle,
Der Tag wird lieblich, und die Nacht wird helle.

So kommt denn, Freunde, wenn auf euren Wegen
Des Lebens Bürde schwer und schwerer drückt,
Wenn eure Bahn ein frischerneuter Segen
Mit Blumen ziert, mit goldenen Früchten schmückt,
Wir gehn vereint dem nächsten Tag entgegen!
So leben wir, so wandeln wir beglückt.
Und dann auch soll, wenn Enkel um uns trauern,
Zu ihrer Lust noch unsre Liebe dauern.

Harfenspieler
[aus: Wilhelm Meisters Lehrjahre]

Wer sich der Einsamkeit ergibt,　　Es schleicht ein Liebender lauschend sacht,
Ach! der ist bald allein;　　　　　　Ob seine Freundin allein?
Ein jeder lebt, ein jeder liebt　　　So überschleicht bei Tag und Nacht
Und läßt ihn seiner Pein.　　　　　Mich Einsamen die Pein,

Ja! laßt mich meiner Qual!　　　　Mich Einsamen die Qual.
Und kann ich nur einmal　　　　　Ach, werd ich erst einmal
Recht einsam sein,　　　　　　　　Einsam im Grabe sein,
Dann bin ich nicht allein.　　　　　Da läßt sie mich allein!

An die Türen will ich schleichen,
Still und sittsam will ich stehn;
Fromme Hand wird Nahrung reichen,
Und ich werde weitergehn.
Jeder wird sich glücklich scheinen,
Wenn mein Bild vor ihm erscheint;
Eine Träne wird er weinen,
Und ich weiß nicht, was er weint.

Wer nie sein Brot mit Tränen aß,
Wer nie die kummervollen Nächte
Auf seinem Bette weinend saß,
Der kennt euch nicht, ihr himmlischen Mächte.

Ihr führt ins Leben uns hinein,
Ihr laßt den Armen schuldig werden,
Dann überlaßt ihr ihn der Pein:
Denn alle Schuld rächt sich auf Erden.

Mignon
[aus: Wilhelm Meisters Lehrjahre]

Kennst du das Land, wo die Zitronen blühn,
Im dunkeln Laub die Gold-Orangen glühn,
Ein sanfter Wind vom blauen Himmel weht,
Die Myrte still und hoch der Lorbeer steht,
Kennst du es wohl?
 Dahin! Dahin
Möcht ich mit dir, o mein Geliebter, ziehn.

Kennst du das Haus? Auf Säulen ruht sein Dach,
Es glänzt der Saal, es schimmert das Gemach,
Und Marmorbilder stehn und sehn mich an:
Was hat man dir, du armes Kind, getan?
Kennst du es wohl?
 Dahin! Dahin
Möcht ich mit dir, o mein Beschützer, ziehn.

Kennst du den Berg und seinen Wolkensteg?
Das Maultier sucht im Nebel seinen Weg,
In Höhlen wohnt der Drachen alte Brut,
Es stürzt der Fels und über ihn die Flut;
Kennst du ihn wohl?
 Dahin! Dahin
Geht unser Weg! o Vater, laß uns ziehn!

Heiß mich nicht reden, heiß mich schweigen,
Denn mein Geheimnis ist mir Pflicht;
Ich möchte dir mein ganzes Innre zeigen,
Allein das Schicksal will es nicht.

Zur rechten Zeit vertreibt der Sonne Lauf
Die finstre Nacht, und sie muß sich erhellen;
Der harte Fels schließt seinen Busen auf,
Mißgönnt der Erde nicht die tiefverborgnen Quellen.

Ein jeder sucht im Arm des Freundes Ruh,
Dort kann die Brust in Klagen sich ergießen;
Allein ein Schwur drückt mir die Lippen zu,
Und nur ein Gott vermag sie aufzuschließen.

Nur wer die Sehnsucht kennt,
Weiß, was ich leide!
Allein und abgetrennt
Von aller Freude,
Seh ich ans Firmament
Nach jener Seite.
Ach! der mich liebt und kennt,

Ist in der Weite.
Es schwindelt mir, es brennt
Mein Eingeweide.
Nur wer die Sehnsucht kennt,
Weiß, was ich leide!

Aus: *Römische Elegien*

V

Froh empfind ich mich nun auf klassischem Boden begeistert;
 Vor- und Mitwelt spricht lauter und reizender mir.
Hier befolg ich den Rat, durchblättre die Werke der Alten
 Mit geschäftiger Hand, täglich mit neuem Genuß.
Aber die Nächte hindurch hält Amor mich anders beschäftigt;
 Werd ich auch halb nur gelehrt, bin ich doch doppelt beglückt.
Und belehr ich mich nicht, indem ich des lieblichen Busens
 Formen spähe, die Hand leite die Hüften hinab?
Dann versteh ich den Marmor erst recht; ich denk und vergleiche,
 Sehe mit fühlendem Aug, fühle mit sehender Hand.
Raubt die Liebste denn gleich mir einige Stunden des Tages,
 Gibt sie Stunden der Nacht mir zur Entschädigung hin.
Wird doch nicht immer geküßt, es wird vernünftig gesprochen;
 Überfällt sie der Schlaf, lieg ich und denke mir viel.
Oftmals hab ich auch schon in ihren Armen gedichtet
 Und des Hexameters Maß leise mit fingernder Hand
Ihr auf den Rücken gezählt. Sie atmet in lieblichem Schlummer,
 Und es durchglühet ihr Hauch mir bis ins Tiefste die Brust.
Amor schüret die Lamp indes und denket der Zeiten,
 Da er den nämlichen Dienst seinen Triumvirn getan.

[Triumvirn: hier die drei römischen Liebeslyriker Catull, Tibull und Properz]

Aus: *Epigramme. Venedig 1790*

8

Diese Gondel vergleich ich der sanft einschaukelnden Wiege,
 Und das Kästchen darauf scheint ein geräumiger Sarg.
Recht so! Zwischen der Wieg und dem Sarg wir schwanken und schweben
 Auf dem großen Kanal sorglos durchs Leben dahin.

10

Warum treibt sich das Volk so und schreit? Es will sich ernähren,
 Kinder zeugen und die nähren, so gut es vermag.
Merke dir, Reisender, das und tue zu Hause desgleichen!
 Weiter bringt es kein Mensch, stell er sich, wie er auch will.

29

Vieles hab ich versucht, gezeichnet, in Kupfer gestochen,
 Öl gemalt, in Ton hab ich auch manches gedruckt,

Unbeständig jedoch und nichts gelernt noch geleistet.
 Nur ein einzig Talent bracht ich der Meisterschaft nah:
Deutsch zu schreiben. Und so verderb ich unglücklicher Dichter
 In dem schlechtesten Stoff leider nun Leben und Kunst.

35

Klein ist unter den Fürsten Germaniens freilich der meine;
 Kurz und schmal ist sein Land, mäßig nur, was er vermag.
Aber so wende nach innen, so wende nach außen die Kräfte
 Jeder, da wär's ein Fest, Deutscher mit Deutschen zu sein.
Doch was priesest du Ihn, den Taten und Werke verkünden?
 Und bestochen erschien' deine Verehrung vielleicht;
Denn mir hat er gegeben, was Große selten gewähren,
 Neigung, Muße, Vertraun, Felder und Garten und Haus.
Niemand braucht ich zu danken als Ihm, und manches bedurft ich,
 Der ich mich auf den Erwerb schlecht, als ein Dichter, verstand.
Hat mich Europa gelobt, was hat mir Europa gegeben?
 Nichts! Ich habe, wie schwer! meine Gedichte bezahlt.
Deutschland ahmte mich nach, und Frankreich mochte mich lesen.
 England! freundlich empfingst du den zerrütteten Gast.
Doch was fördert es mich, daß auch sogar der Chinese
 Malet, mit ängstlicher Hand, Werthern und Lotten auf Glas?
Niemals frug ein Kaiser nach mir, es hat sich kein König
 Um mich bekümmert, und Er war mir August und Mäzen.

51

Alle Freiheitsapostel, sie waren mir immer zuwider;
 Willkür suchte doch nur jeder am Ende für sich.
Willst du viele befrein, so wag es, vielen zu dienen.
 Wie gefährlich das sei, willst du es wissen? Versuch's!

52

Könige wollen das Gute, die Demagogen desgleichen,
 Sagt man; doch irren sie sich: Menschen, ach, sind sie wie wir.
Nie gelingt es der Menge, für sich zu wollen, wir wissen's;
 Doch wer versteht, für uns alle zu wollen, er zeig's!

53

Jeglichen Schwärmer schlagt mir ans Kreuz im dreißigsten Jahre;
 Kennt er nur einmal die Welt, wird der Betrogne der Schelm.

54

Frankreichs traurig Geschick, die Großen mögen's bedenken,
 Aber bedenken fürwahr sollen es Kleine noch mehr.
Große gingen zugrunde: doch wer beschützte die Menge
 Gegen die Menge? Da war Menge der Menge Tyrann.

55

Tolle Zeiten hab ich erlebt und hab nicht ermangelt,
 Selbst auch töricht zu sein, wie es die Zeit mir gebot.

Meeresstille

Tiefe Stille herrscht im Wasser,
Ohne Regung ruht das Meer,
Und bekümmert sieht der Schiffer
Glatte Fläche ringsumher.
Keine Luft von keiner Seite!
Todesstille fürchterlich!
In der ungeheuern Weite
Reget keine Welle sich.

Glückliche Fahrt

Die Nebel zerreißen,
Der Himmel ist helle,
Und Äolus löset
Das ängstliche Band.
Es säuseln die Winde,
Es rührt sich der Schiffer.
Geschwinde! Geschwinde!
Es teilt sich die Welle,
Es naht sich die Ferne;
Schon seh ich das Land!

Nähe des Geliebten

Ich denke dein, wenn mir der Sonne Schimmer
 Vom Meere strahlt;
Ich denke dein, wenn sich des Mondes Flimmer
 In Quellen malt.

Ich sehe dich, wenn auf dem fernen Wege
 Der Staub sich hebt;
In tiefer Nacht, wenn auf dem schmalen Stege
 Der Wandrer bebt.

Ich höre dich, wenn dort mit dumpfem Rauschen
 Die Welle steigt;
Im stillen Haine geh ich oft zu lauschen,
 Wenn alles schweigt.

Ich bin bei dir, du seist auch noch so ferne,
 Du bist mir nah!
Die Sonne sinkt, bald leuchten mir die Sterne.
 O wärst du da!

Nachgefühl

Wenn die Reben wieder blühen,
Rühret sich der Wein im Fasse;
Wenn die Rosen wieder glühen,
Weiß ich nicht, wie mir geschieht.

Tränen rinnen von den Wangen,
Was ich tue, was ich lasse;
Nur ein unbestimmt Verlangen
Fühl ich, das die Brust durchglüht.

Und zuletzt muß ich mir sagen,
Wenn ich mich bedenk und fasse,
Daß in solchen schönen Tagen
Doris einst für mich geglüht.

Der Schatzgräber

Arm am Beutel, krank am Herzen,
Schleppt ich meine langen Tage.
Armut ist die größte Plage,
Reichtum ist das höchste Gut!
Und, zu enden meine Schmerzen,
Ging ich, einen Schatz zu graben.
Meine Seele sollst du haben!
Schrieb ich hin mit eignem Blut.

Und so zog ich Kreis' um Kreise,
Stellte wunderbare Flammen,
Kraut und Knochenwerk zusammen:
Die Beschwörung war vollbracht.
Und auf die gelernte Weise
Grub ich nach dem alten Schatze
Auf dem angezeigten Platze;
Schwarz und stürmisch war die Nacht.

Und ich sah ein Licht von weiten,
Und es kam gleich einem Sterne
Hinten aus der fernsten Ferne,
Eben als es Zwölfe schlug.
Und da galt kein Vorbereiten:
Heller ward's mit einem Male
Von dem Glanz der vollen Schale,
Die ein schöner Knabe trug.

Holde Augen sah ich blinken
Unter dichtem Blumenkranze;
In des Trankes Himmelsglanze
Trat er in den Kreis herein.
Und er hieß mich freundlich trinken;
Und ich dacht: es kann der Knabe
Mit der schönen lichten Gabe
Wahrlich nicht der Böse sein.

Trinke Mut des reinen Lebens!
Dann verstehst du die Belehrung,
Kommst, mit ängstlicher Beschwörung,
Nicht zurück an diesen Ort.
Grabe hier nicht mehr vergebens:
Tages Arbeit! Abends Gäste!
Saure Wochen! Frohe Feste!
Sei dein künftig Zauberwort.

Der Gott und die Bajadere
Indische Legende

Mahadöh, der Herr der Erde,
Kommt herab zum sechsten Mal,
Daß er unsersgleichen werde,
Mit zu fühlen Freud und Qual.
Er bequemt sich, hier zu wohnen,

Läßt sich alles selbst geschehn.
Soll er strafen oder schonen,
Muß er Menschen menschlich sehn.
Und hat er die Stadt sich als Wandrer betrachtet,
Die Großen belauert, auf Kleine geachtet,
Verläßt er sie abends, um weiter zu gehn.

Als er nun hinausgegangen,
Wo die letzten Häuser sind,
Sieht er, mit gemalten Wangen,
Ein verlornes schönes Kind.
Grüß dich, Jungfrau! – Dank der Ehre!
Wart, ich komme gleich hinaus –
Und wer bist du? – Bajadere,
Und dies ist der Liebe Haus.
Sie rührt sich, die Zimbeln zum Tanze zu schlagen,
Sie weiß sich so lieblich im Kreise zu tragen,
Sie neigt sich und biegt sich und reicht ihm den Strauß.

Schmeichelnd zieht sie ihn zur Schwelle,
Lebhaft ihn ins Haus hinein.
Schöner Fremdling, lampenhelle
Soll sogleich die Hütte sein.
Bist du müd, ich will dich laben,
Lindern deiner Füße Schmerz.
Was du willst, das sollst du haben,
Ruhe, Freuden oder Scherz.
Sie lindert geschäftig geheuchelte Leiden.
Der Göttliche lächelt; er siehet mit Freuden
Durch tiefes Verderben ein menschliches Herz.

Und er fordert Sklavendienste;
Immer heitrer wird sie nur,
Und des Mädchens frühe Künste
Werden nach und nach Natur.
Und so stellet auf die Blüte
Bald und bald die Frucht sich ein;
Ist Gehorsam im Gemüte,
Wird nicht fern die Liebe sein.
Aber, sie schärfer und schärfer zu prüfen,
Wählet der Kenner der Höhen und Tiefen
Lust und Entsetzen und grimmige Pein.

Und er küßt die bunten Wangen,
Und sie fühlt der Liebe Qual,
Und das Mädchen steht gefangen,
Und sie weint zum erstenmal;
Sinkt zu seinen Füßen nieder,
Nicht um Wollust noch Gewinst,
Ach! und die gelenken Glieder,
Sie versagen allen Dienst.
Und so zu des Lagers vergnüglicher Feier

Bereiten den dunklen behaglichen Schleier
Die nächtlichen Stunden, das schöne Gespinst.

Spät entschlummert unter Scherzen,
Früh erwacht nach kurzer Rast,
Findet sie an ihrem Herzen
Tot den vielgeliebten Gast.
Schreiend stürzt sie auf ihn nieder,
Aber nicht erweckt sie ihn;
Und man trägt die starren Glieder
Bald zur Flammengrube hin.
Sie höret die Priester, die Totengesänge,
Sie raset und rennet und teilet die Menge.
Wer bist du? Was drängt zu der Grube dich hin?

Bei der Bahre stürzt sie nieder,
Ihr Geschrei durchdringt die Luft:
Meinen Gatten will ich wieder!
Und ich such ihn in der Gruft.
Soll zu Asche mir zerfallen
Dieser Glieder Götterpracht?
Mein! er war es, mein vor allen!
Ach, nur Eine süße Nacht!
Es singen die Priester: Wir tragen die Alten,
Nach langem Ermatten und spätem Erkalten,
Wir tragen die Jugend, noch eh sie's gedacht.

Höre deiner Priester Lehre:
Dieser war dein Gatte nicht.
Lebst du doch als Bajadere,
Und so hast du keine Pflicht.
Nur dem Körper folgt der Schatten
In das stille Totenreich:
Nur die Gattin folgt dem Gatten:
Das ist Pflicht und Ruhm zugleich.
Ertöne, Drommete, zu heiliger Klage!
O nehmet, ihr Götter! die Zierde der Tage,
O nehmet den Jüngling in Flammen zu euch!

So das Chor, das ohn Erbarmen
Mehret ihres Herzens Not;
Und mit ausgestreckten Armen
Springt sie in den heißen Tod.
Doch der Götter-Jüngling hebet
Aus der Flamme sich empor,
Und in seinen Armen schwebet
Die Geliebte mit hervor.
Es freut sich die Gottheit der reuigen Sünder;
Unsterbliche heben verlorene Kinder
Mit feurigen Armen zum Himmel empor.

Der Zauberlehrling

Hat der alte Hexenmeister
Sich doch einmal wegbegeben!
Und nun sollen seine Geister
Auch nach meinem Willen leben.
Seine Wort' und Werke
Merkt ich und den Brauch,
Und mit Geistesstärke
Tu ich Wunder auch.

Walle! walle
Manche Strecke,
Daß, zum Zwecke,
Wasser fließe
Und mit reichem, vollem Schwalle
Zu dem Bade sich ergieße.

Und nun komm, du alter Besen!
Nimm die schlechten Lumpenhüllen;
Bist schon lange Knecht gewesen;
Nun erfülle meinen Willen!
Auf zwei Beinen stehe,
Oben sei ein Kopf,
Eile nun und gehe
Mit dem Wassertopf!

Walle! walle
Manche Strecke,
Daß, zum Zwecke,
Wasser fließe
Und mit reichem, vollem Schwalle
Zu dem Bade sich ergieße.

Seht, er läuft zum Ufer nieder,
Wahrlich! ist schon an dem Flusse,
Und mit Blitzesschnelle wieder
Ist er hier mit raschem Gusse.
Schon zum zweiten Male!
Wie das Becken schwillt!
Wie sich jede Schale
Voll mit Wasser füllt!

Stehe! Stehe!
Denn wir haben
Deiner Gaben
Vollgemessen! –
Ach, ich merk es! Wehe! wehe!
Hab ich doch das Wort vergessen!

Ach, das Wort, worauf am Ende
Er das wird, was er gewesen.
Ach, er läuft und bringt behende!
Wärst du doch der alte Besen!
Immer neue Güsse
Bringt er schnell herein,
Ach! und hundert Flüsse
Stürzen auf mich ein.

Nein, nicht länger
Kann ichs lassen;
Will ihn fassen.
Das ist Tücke!
Ach! nun wird mir immer bänger!
Welche Miene! welche Blicke!

O, du Ausgeburt der Hölle!
Soll das ganze Haus ersaufen?
Seh ich über jede Schwelle
Doch schon Wasserströme laufen.
Ein verruchter Besen,
Der nicht hören will!
Stock, der du gewesen,
Steh doch wieder still!

Willst's am Ende
Gar nicht lassen?
Will dich fassen,
Will dich halten
Und das alte Holz behende
Mit dem scharfen Beile spalten.

Seht, da kommt er schleppend wieder!
Wie ich mich nur auf dich werfe,
Gleich, o Kobold, liegst du nieder;
Krachend trifft die glatte Schärfe.
Wahrlich! brav getroffen!
Seht, er ist entzwei!
Und nun kann ich hoffen,
Und ich atme frei!

Wehe! wehe!
Beide Teile
Stehn in Eile
Schon als Knechte
Völlig fertig in die Höhe!
Helft mir, ach! ihr hohen Mächte!

Und sie laufen! Naß und nässer
Wird's im Saal und auf den Stufen.
Welch entsetzliches Gewässer!
Herr und Meister! hör mich rufen! –
Ach, da kommt der Meister!
Herr, die Not ist groß!
Die ich rief, die Geister
Werd ich nun nicht los.

„In die Ecke,
Besen! Besen!
Seid's gewesen.
Denn als Geister
Ruft euch nur, zu diesem Zwecke,
Erst hervor der alte Meister."

Der Totentanz

Der Türmer, der schaut zumitten der Nacht
Hinab auf die Gräber in Lage;
Der Mond, der hat alles ins Helle gebracht,
Der Kirchhof, er liegt wie am Tage.
Da regt sich ein Grab und ein anderes dann:
Sie kommen hervor, ein Weib da, ein Mann,
In weißen und schleppenden Hemden.

Das reckt nun, es will sich ergetzen sogleich,
Die Knöchel zur Runde, zum Kranze,
So arm und so jung, und so alt und so reich;
Doch hindern die Schleppen am Tanze.
Und weil hier die Scham nun nicht weiter gebeut,
Sie schütteln sich alle, da liegen zerstreut
Die Hemdelein über den Hügeln.

Nun hebt sich der Schenkel, nun wackelt das Bein,
Gebärden da gibt es vertrackte;
Dann klippert's und klappert's mitunter hinein,
Als schlüg man die Hölzlein zum Takte.
Das kommt nun dem Türmer so lächerlich vor;
Da raunt ihm der Schalk, der Versucher, ins Ohr:
Geh! hole dir einen der Laken.

Getan wie gedacht! und er flüchtet sich schnell
Nun hinter geheiligte Türen.
Der Mond, und noch immer er scheinet so hell
Zum Tanz, den sie schauderlich führen.
Doch endlich verlieret sich dieser und der,
Schleicht eins nach dem andern gekleidet einher,
Und husch ist es unter dem Rasen.

Nur einer, der trippelt und stolpert zuletzt
Und tappet und grapst an den Grüften;
Doch hat kein Geselle so schwer ihn verletzt,
Er wittert das Tuch in den Lüften.
Er rüttelt die Turmtür, sie schlägt ihn zurück,
Geziert und gesegnet, dem Türmer zum Glück,
Sie blinkt von metallenen Kreuzen.

Das Hemd muß er haben, da rastet er nicht,
Da gilt auch kein langes Besinnen;
Den gotischen Zierat ergreift nun der Wicht
Und klettert von Zinne zu Zinnen.
Nun ist's um den armen, den Türmer getan!
Es ruckt sich von Schnörkel zu Schnörkel hinan,
Langbeinigen Spinnen vergleichbar.

Der Türmer erbleichet, der Türmer erbebt,
Gern gäb er ihn wieder, den Laken.
Da häkelt – jetzt hat er am längsten gelebt –
Den Zipfel ein eiserner Zacken.
Schon trübet der Mond sich, verschwindenden Scheins,
Die Glocke, sie donnert ein mächtiges Eins,
Und unten zerschellt das Gerippe.

Die Metamorphose der Pflanzen

Dich verwirrret, Geliebte, die tausendfältige Mischung
 Dieses Blumengewühls über dem Garten umher;
Viele Namen hörest du an, und immer verdränget
 Mit barbarischem Klang einer den andern im Ohr.
Alle Gestalten sind ähnlich, und keine gleichet der andern;
 Und so deutet das Chor auf ein geheimes Gesetz,
Auf ein heiliges Rätsel. O könnt ich dir, liebliche Freundin,
 Überliefern sogleich glücklich das lösende Wort! –
Werdend betrachte sie nun, wie nach und nach sich die Pflanze,
 Stufenweise geführt, bildet zu Blüten und Frucht.
Aus dem Samen entwickelt sie sich, sobald ihn der Erde
 Stille befruchtender Schoß hold in das Leben entläßt
Und dem Reize des Lichts, des heiligen, ewig bewegten,
 Gleich den zärtesten Bau keimender Blätter empfiehlt.
Einfach schlief in dem Samen die Kraft; ein beginnendes Vorbild
 Lag, verschlossen in sich, unter die Hülle gebeugt,
Blatt und Wurzel und Keim, nur halb geformet und farblos;
 Trocken erhält so der Kern ruhiges Leben bewahrt,
Quillet strebend empor, sich milder Feuchte vertrauend,
 Und erhebt sich sogleich aus der umgebenden Nacht.
Aber einfach bleibt die Gestalt der ersten Erscheinung,
 Und so bezeichnet sich auch unter den Pflanzen das Kind.
Gleich darauf ein folgender Trieb, sich erhebend, erneuet,
 Knoten auf Knoten getürmt, immer das erste Gebild.
Zwar nicht immer das gleiche; denn mannigfaltig erzeugt sich,

Ausgebildet, du siehst's, immer das folgende Blatt,
Ausgedehnter, gekerbter, getrennter in Spitzen und Teile,
 Die verwachsen vorher ruhten im untern Organ.
Und so erreicht es zuerst die höchst bestimmte Vollendung,
 Die bei manchem Geschlecht dich zum Erstaunen bewegt.
Viel gerippt und gezackt, auf mastig strotzender Fläche,
 Scheinet die Fülle des Triebs frei und unendlich zu sein.
Doch hier hält die Natur, mit mächtigen Händen, die Bildung
 An und lenket sie sanft in das Vollkommnere hin.
Mäßiger leitet sie nun den Saft, verengt die Gefäße,
 Und gleich zeigt die Gestalt zärtere Wirkungen an.
Stille zieht sich der Trieb der strebenden Ränder zurücke,
 Und die Rippe des Stiels bildet sich völliger aus.
Blattlos aber und schnell erhebt sich der zärtere Stengel,
 Und ein Wundergebild zieht den Betrachtenden an.
Rings im Kreise stellet sich nun, gezählet und ohne
 Zahl, das kleinere Blatt neben dem ähnlichen hin.
Um die Achse gedrängt entscheidet der bergende Kelch sich,
 Der zur höchsten Gestalt farbige Kronen entläßt.
Also prangt die Natur in hoher, voller Erscheinung
 Und sie zeiget, gereiht, Glieder an Glieder gestuft.
Immer staunst du aufs neue, sobald sich am Stengel die Blume
 Über dem schlanken Gerüst wechselnder Blätter bewegt.
Aber die Herrlichkeit wird des neuen Schaffens Verkündung.
 Ja, das farbige Blatt fühlet die göttliche Hand,
Und zusammen zieht es sich schnell; die zärtesten Formen,
 Zwiefach streben sie vor, sich zu vereinen bestimmt.
Traulich stehen sie nun, die holden Paare, beisammen,
 Zahlreich ordnen sie sich um den geweihten Altar.
Hymen schwebet herbei, und herrliche Düfte, gewaltig,
 Strömen süßen Geruch, alles belebend, umher.
Nun vereinzelt schwellen sogleich unzählige Keime,
 Hold in den Mutterschoß schwellender Früchte gehüllt.
Und hier schließt die Natur den Ring der ewigen Kräfte;
 Doch ein neuer sogleich fasset den vorigen an,
Daß die Kette sich fort durch alle Zeiten verlänge
 Und das Ganze belebt, so wie das Einzelne, sei.
Nun, Geliebte, wende den Blick zum bunten Gewimmel,
 Das verwirrend nicht mehr sich vor dem Geiste bewegt.
Jede Pflanze verkündet dir nun die ewgen Gesetze,
 Jede Blume, sie spricht lauter und lauter mit dir.
Aber entzifferst du hier der Göttin heilige Lettern,
 Überall siehst du sie dann, auch in verändertem Zug.
Kriechend zaudre die Raupe, der Schmetterling eile geschäftig,
 Bildsam ändre der Mensch selbst die bestimmte Gestalt.
O, gedenke denn auch, wie aus dem Keim der Bekanntschaft
 Nach und nach in uns holde Gewohnheit entsproß,
Freundschaft sich mit Macht in unserm Innern enthüllte
 Und wie Amor zuletzt Blüten und Früchte gezeugt.
Denke, wie mannigfach bald diese, bald jene Gestalten,
 Still entfaltend, Natur unsern Gefühlen geliehn!
Freue dich auch des heutigen Tags! Die heilige Liebe

Strebt zu der höchsten Frucht gleicher Gesinnungen auf,
Gleicher Ansicht der Dinge, damit in harmonischem Anschaun
Sich verbinde das Paar, finde die höhere Welt.

Natur und Kunst sie scheinen sich zu fliehen,
Und haben sich, eh man es denkt, gefunden;
Der Widerwille ist auch mir verschwunden,
Und beide scheinen gleich mich anzuziehen.

Es gilt wohl nur ein redliches Bemühen!
Und wenn wir erst in abgemeßnen Stunden
Mit Geist und Fleiß uns an die Kunst gebunden,
Mag frei Natur im Herzen wieder glühen.

So ist's mit aller Bildung auch beschaffen:
Vergebens werden ungebundne Geister
Nach der Vollendung reiner Höhe streben.

Wer Großes will, muß sich zusammenraffen;
In der Beschränkung zeigt sich erst der Meister,
Und das Gesetz nur kann uns Freiheit geben.

Dauer im Wechsel

Hielte diesen frühen Segen
Ach, nur Eine Stunde fest!
Aber vollen Blütenregen
Schüttelt schon der laue West.
Soll ich mich des Grünen freuen,
Dem ich Schatten erst verdankt?
Bald wird Sturm auch das zerstreuen,
Wenn es halb im Herbst geschwankt.

Willst du nach den Früchten greifen,
Eilig nimm dein Teil davon!
Diese fangen an zu reifen,
Und die andern keimen schon;
Gleich mit jedem Regengusse
Ändert sich dein holdes Tal,
Ach, und in demselben Flusse
Schwimmst du nicht zum zweitenmal.

Du nun selbst! Was felsenfeste
Sich vor dir hervorgetan,
Mauern siehst du, siehst Paläste
Stets mit andern Augen an.
Weggeschwunden ist die Lippe,
Die im Kusse sonst genas,
Jener Fuß, der an der Klippe
Sich mit Gemsenfreche maß,

Jene Hand, die gern und milde
Sich bewegte wohlzutun,
Das gegliederte Gebilde,
Alles ist ein andres nun.
Und was sich an jener Stelle
Nun mit deinem Namen nennt,
Kam herbei wie eine Welle,
Und so eilt's zum Element.

Laß den Anfang mit dem Ende
Sich in Eins zusammenziehn!
Schneller als die Gegenstände
Selber dich vorüberfliehn.
Danke, daß die Gunst der Musen
Unvergängliches verheißt,
Den Gehalt in deinem Busen
Und die Form in deinem Geist.

Wär nicht das Auge sonnenhaft,
Die Sonne könnt es nie erblicken;
Läg nicht in uns des Gottes eigne Kraft,
Wie könnt uns Göttliches entzücken?

Was wär ein Gott, der nur von außen stieße,
Im Kreis das All am Finger laufen ließe!
Ihm ziemt's, die Welt im Innern zu bewegen,
Natur in Sich, Sich in Natur zu hegen,
So daß, was in Ihm lebt und webt und ist,
Nie seine Kraft, nie Seinen Geist vermißt.

Im Innern ist ein Universum auch;
Daher der Völker löblicher Gebrauch,
Daß jeglicher das Beste, was er kennt,
Er Gott, ja seinen Gott benennt,
Ihm Himmel und Erden übergibt,
Ihn fürchtet und womöglich liebt.

Im Atemholen sind zweierlei Gnaden:
Die Luft einziehen, sich ihrer entladen;
Jenes bedrängt, dieses erfrischt;
So wunderbar ist das Leben gemischt.
Du danke Gott, wenn er dich preßt,
Und dank ihm, wenn er dich wieder entläßt.

Gefunden

Ich ging im Walde
So für mich hin,
Und nichts zu suchen,
Das war mein Sinn.

Ich wollt es brechen,
Da sagt' es fein:
Soll ich zum Welken
Gebrochen sein?

Im Schatten sah ich
Ein Blümchen stehn,
Wie Sterne leuchtend,
Wie Äuglein schön.

Ich grubs mit allen
Den Würzlein aus,
Zum Garten trug ich's
Am hübschen Haus.

Und pflanzt es wieder
Am stillen Ort;
Nun zweigt es immer
Und blüht so fort.

Nachtgesang

O gib, vom weichen Pfühle,
Träumend, ein halb Gehör!
Bei meinem Saitenspiele
Schlafe! Was willst du mehr?

Bei meinem Saitenspiele
Segnet der Sterne Heer
Die ewigen Gefühle;
Schlafe! Was willst du mehr?

Die ewigen Gefühle
Heben mich, hoch und hehr,
Aus irdischem Gewühle;
Schlafe! Was willst du mehr?

Vom irdischen Gewühle
Trennst du mich nur zu sehr,
Bannst mich in diese Kühle;
Schlafe! Was willst du mehr?

Bannst mich in diese Kühle,
Gibst nur im Traum Gehör.
Ach, auf dem weichen Pfühle
Schlafe! Was willst du mehr?

Aus: *West-östlicher Divan*

Phänomen

Wenn zu der Regenwand
Phöbus sich gattet,
Gleich steht ein Bogenrand
Farbig beschattet.

Im Nebel gleichen Kreis
Seh ich gezogen,
Zwar ist der Bogen weiß,
Doch Himmelsbogen.

So sollst du, muntrer Greis,
Dich nicht betrüben,
Sind gleich die Haare weiß,
Doch wirst du lieben.

Im Gegenwärtigen Vergangnes

Ros und Lilie morgentaulich
Blüht im Garten meiner Nähe;
Hinten an, bebuscht und traulich,
Steigt der Felsen in die Höhe;
Und mit hohem Wald umzogen
Und mit Ritterschloß gekrönet,
Lenkt sich hin des Gipfels Bogen,
Bis er sich dem Tal versöhnet.

Und da duftet's wie vor alters,
Da wir noch von Liebe litten,
Und die Saiten meines Psalters
Mit dem Morgenstrahl sich stritten;
Wo das Jagdlied aus den Büschen
Fülle runden Tons enthauchte,
Anzufeuern, zu erfrischen
Wie's der Busen wollt und brauchte.

Nun die Wälder ewig sprossen,
So ermutigt euch mit diesen,
Was ihr sonst für euch genossen
Läßt in andern sich genießen.
Niemand wird uns dann beschreien,
Daß wir's uns alleine gönnen;
Nun in allen Lebensreihen
Müsset ihr genießen können.

Und mit diesem Lied und Wendung
Sind wir wieder bei Hafisen,
Denn es ziemt des Tags Vollendung
Mit Genießern zu genießen.

Selige Sehnsucht

Sagt es niemand, nur den Weisen,
Weil die Menge gleich verhöhnet,
Das Lebendge will ich preisen
Das nach Flammentod sich sehnet.

In der Liebesnächte Kühlung,
Die dich zeugte, wo du zeugtest,
Überfällt dich fremde Fühlung,
Wenn die stille Kerze leuchtet.

Nicht mehr bleibest du umfangen
In der Finsternis Beschattung,
Und dich reißet neu Verlangen
Auf zu höherer Begattung.

Keine Ferne macht dich schwierig,
Kommst geflogen und gebannt,
Und zuletzt, des Lichts begierig,
Bist du Schmetterling verbrannt.

Und so lang du das nicht hast,
Dieses: Stirb und werde!
Bist du nur ein trüber Gast
Auf der dunklen Erde.

Suleika

Hochbeglückt in deiner Liebe
Schelt ich nicht Gelegenheit;
Ward sie auch an dir zum Diebe,
Wie mich solch ein Raub erfreut!

Und wozu denn auch berauben?
Gib dich mir aus freier Wahl;
Gar zu gerne möcht ich glauben –
Ja, ich bin's, die dich bestahl,

Was so willig du gegeben,
Bringt dir herrlichen Gewinn,
Meine Ruh, mein reiches Leben
Geb ich freudig, nimm es hin!

Scherze nicht! Nichts von Verarmen!
Macht uns nicht die Liebe reich?
Halt' ich dich in meinen Armen,
Jedem Glück ist meines gleich.

An vollen Büschelzweigen,
Geliebte, sieh nur hin!
Laß dir die Früchte zeigen
Umschalet stachlig grün.

Sie hängen längst geballet,
Still, unbekannt mit sich,
Ein Ast, der schaukelnd wallet,
Wiegt sie geduldiglich.

Doch immer reift von innen
Und schwillt der braune Kern,
Er möchte Luft gewinnen
Und säh die Sonne gern.

Die Schale platzt, und nieder
Macht er sich freudig los;
So fallen meine Lieder
Gehäuft in deinen Schoß.

Suleika. Volk und Knecht und Überwinder
Sie gestehn, zu jeder Zeit:
Höchstes Glück der Erdenkinder
Sei nur die Persönlichkeit.

Jedes Leben sei zu führen,
Wenn man sich nicht selbst vermißt;
Alles könne man verlieren,
Wenn man bliebe, was man ist.

Hatem. Kann wohl sein! so wird gemeinet;
Doch ich bin auf andrer Spur:
Alles Erdenglück vereinet
Find ich in Suleika nur.

Wie sie sich an mich verschwendet,
Bin ich mir ein wertes Ich;
Hätte sie sich weggewendet,
Augenblicks verlör ich mich.

Nun mit Hatem wär's zu Ende;
Doch schon hab ich umgelost:

Ich verkörpre mich behende
In den Holden, den sie kost.

Wollte, wo nicht gar ein Rabbi,
Das will mir so recht nicht ein,
Doch Ferdusi, Montanabbi,
Allenfalls der Kaiser sein.

Wiederfinden

Ist es möglich! Stern der Sterne,
Drück ich wieder dich ans Herz!
Ach, was ist die Nacht der Ferne
Für ein Abgrund, für ein Schmerz!
Ja du bist es! meiner Freuden
Süßer, lieber Widerpart;
Eingedenk vergangner Leiden
Schaudr ich vor der Gegenwart.

Als die Welt im tiefsten Grunde
Lag an Gottes ewger Brust,
Ordnet' er die erste Stunde
Mit erhabner Schöpfungslust,
Und er sprach das Wort: Es werde!
Da erklang ein schmerzlich Ach!
Als das All mit Machtgebärde
In die Wirklichkeiten brach.

Auf tat sich das Licht: so trennte
Scheu sich Finsternis von ihm,
Und sogleich die Elemente
Scheidend auseinander fliehn.
Rasch, in wilden wüsten Träumen
Jedes nach der Weite rang,
Starr, in ungemeßnen Räumen,
Ohne Sehnsucht, ohne Klang.

Stumm war alles, still und öde,
Einsam Gott zum erstenmal!
Da erschuf er Morgenröte,
Die erbarmte sich der Qual;
Sie entwickelte dem Trüben
Ein erklingend Farbenspiel,
Und nun konnte wieder lieben,
Was erst auseinander fiel.

Und mit eiligem Bestreben
Sucht sich, was sich angehört;
Und zu ungemeßnem Leben
Ist Gefühl und Blick gekehrt.
Sei's Ergreifen, sei es Raffen,
Wenn es nur sich faßt und hält!
Allah braucht nicht mehr zu schaffen,
Wir erschaffen seine Welt.

So, mit morgenroten Flügeln,
Riß es mich an deinen Mund,
Und die Nacht mit tausend Siegeln
Kräftigt sternenhell den Bund.
Beide sind wir auf der Erde
Musterhaft in Freud und Qual,
Und ein zweites Wort: Es werde!
Trennt uns nicht zum zweitenmal.

In tausend Formen magst du dich verstecken,
Doch, Allerliebste, gleich erkenn ich dich;
Du magst mit Zauberschleiern dich bedecken,
Allgegenwärtge, gleich erkenn ich dich.

An der Zypresse reinstem, jungem Streben,
Allschöngewachsne, gleich erkenn ich dich,
In des Kanales reinem Wellenleben,
Allschmeichelhafte, wohl erkenn ich dich.

Wenn steigend sich der Wasserstrahl entfaltet,
Allspielende, wie froh erkenn ich dich;
Wenn Wolke sich gestaltend umgestaltet,
Allmannigfaltge, dort erkenn ich dich.

An des geblümten Schleiers Wiesenteppich,
Allbuntbesternte, schön erkenn ich dich;
Und greift umher ein tausendarmger Eppich,
O Allumklammernde, da kenn ich dich.

Wenn am Gebirg der Morgen sich entzündet,
Gleich, Allerheiternde, begrüß ich dich,
Dann über mir der Himmel rein sich ründet,
Allherzerweiternde, dann atm' ich dich.

Was ich mit äußerm Sinn, mit innerm kenne,
Du Allbelehrende, kenn ich durch dich;
Und wenn ich Allahs Namenhundert nenne,
Mit jedem klingt ein Name nach für dich.

Höheres und Höchstes

Daß wir solche Dinge lehren,
Möge man uns nicht bestrafen:
Wie das alles zu erklären,
Dürft ihr euer Tiefstes fragen.

Und so werdet ihr vernehmen,
Daß der Mensch, mit sich zufrieden,
Gern sein Ich gerettet sähe,
So dadroben wie hienieden.

Und mein liebes Ich bedürfte
Mancherlei Bequemlichkeiten:
Freuden, wie ich hier sie schlürfte,
Wünscht ich auch für ewge Zeiten.

So gefallen schöne Gärten,
Blum und Frucht und hübsche Kinder,
Die uns allen hier gefielen,
Auch verjüngtem Geist nicht minder.

Und so möcht ich alle Freunde,
Jung und alt, in eins versammeln,
Gar zu gern in deutscher Sprache
Paradiesesworte stammeln.

Doch man horcht nun Dialekten,
Wie sich Mensch und Engel kosen,
Der Grammatik, der versteckten,
Deklinierend Mohn und Rosen.

Mag man ferner auch in Blicken
Sich rhetorisch gern ergehen
Und zu himmlischem Entzücken
Ohne Klang und Ton erhöhen.

Ton und Klang jedoch entwindet
Sich dem Worte selbstverständlich,
Und entschiedener empfindet
Der Verklärte sich unendlich.

Ist somit dem Fünf der Sinne
Vorgesehn im Paradiese,
Sicher ist es, ich gewinne
Einen Sinn für alle diese.

Und nun dring ich allerorten
Leichter durch die ewgen Kreise,
Die durchdrungen sind vom Worte
Gottes rein-lebendger Weise.

Ungehemmt mit heißem Triebe
Läßt sich da kein Ende finden,
Bis im Anschaun ewger Liebe
Wir verschweben, wir verschwinden.

Prooemion

Im Namen dessen, der Sich selbst erschuf!
Von Ewigkeit in schaffendem Beruf;
In Seinem Namen, der den Glauben schafft,
Vertrauen, Liebe, Tätigkeit und Kraft;
In Jenes Namen, der, so oft genannt,
Dem Wesen nach blieb immer unbekannt:

So weit das Ohr, so weit das Auge reicht,
Du findest nur Bekanntes, das Ihm gleicht,
Und deines Geistes höchster Feuerflug
Hat schon am Gleichnis, hat am Bild genug;
Es zieht dich an, es reißt dich heiter fort,
Und wo du wandelst, schmückt sich Weg und Ort;
Du zählst nicht mehr, berechnest keine Zeit,
Und jeder Schritt ist Unermeßlichkeit.

Urworte · Orphisch

ΔΑΙΜΩΝ, Dämon

Wie an dem Tag, der dich der Welt verliehen,
Die Sonne stand zum Gruße der Planeten,
Bist alsobald und fort und fort gediehen
Nach dem Gesetz, wonach du angetreten.
So mußt du sein, dir kannst du nicht entfliehen,
So sagten schon Sibyllen, so Propheten;
Und keine Zeit und keine Macht zerstückelt
Geprägte Form, die lebend sich entwickelt.

TYXH, Das Zufällige

Die strenge Grenze doch umgeht gefällig
Ein Wandelndes, das mit und um uns wandelt;
Nicht einsam bleibst du, bildest dich gesellig,
Und handelst wohl so, wie ein andrer handelt:
Im Leben ists bald hin –, bald widerfällig,
Es ist ein Tand und wird so durchgetandelt.
Schon hat sich still der Jahre Kreis geründet,
Die Lampe harrt der Flamme, die entzündet.

EPΩΣ, Liebe

Die bleibt nicht aus! – Er stürzt vom Himmel nieder,
Wohin er sich aus alter Öde schwang,
Er schwebt heran auf luftigem Gefieder
Um Stirn und Brust den Frühlingstag entlang,

Scheint jetzt zu fliehn, vom Fliehen kehrt er wieder:
Da wird ein Wohl im Weh, so süß und bang.
Gar manches Herz verschwebt im Allgemeinen,
Doch widmet sich das edelste dem Einen.

ΑΝΑΓΚΗ, Nötigung

Da ist's denn wieder, wie die Sterne wollten:
Bedingung und Gesetz; und aller Wille
Ist nur ein Wollen, weil wir eben sollten,
Und vor dem Willen schweigt die Willkür stille;
Das Liebste wird vom Herzen weggescholten,
Dem harten Muß bequemt sich Will und Grille.
So sind wir scheinfrei denn nach manchen Jahren
Nur enger dran, als wir am Anfang waren.

ΕΛΠΙΣ, Hoffnung

Doch solcher Grenze, solcher ehrnen Mauer
Höchst widerwärtge Pforte wird entriegelt,
Sie stehe nur mit alter Felsendauer!
Ein Wesen regt sich leicht und ungezügelt:
Aus Wolkendecke, Nebel, Regenschauer
Erhebt sie uns, mit ihr, durch sie beflügelt,
Ihr kennt sie wohl, sie schwärmt durch alle Zonen –
Ein Flügelschlag – und hinter uns Äonen!

Eins und Alles

Im Grenzenlosen sich zu finden,
Wird gern der einzelne verschwinden,
Da löst sich aller Überdruß;
Statt heißem Wünschen, wildem Wollen,
Statt lästgem Fordern, strengem Sollen,
Sich aufzugeben ist Genuß.

Weltseele, komm, uns zu durchdringen!
Dann mit dem Weltgeist selbst zu ringen,
Wird unsrer Kräfte Hochberuf.
Teilnehmend führen gute Geister,
Gelinde leitend höchste Meister
Zu dem, der alles schafft und schuf.

Und umzuschaffen das Geschaffne,
Damit sichs nicht zum Starren waffne,
Wirkt ewiges, lebendiges Tun.
Und was nicht war, nun will es werden
Zu reinen Sonnen, farbigen Erden;
In keinem Falle darf es ruh.

Es soll sich regen, schaffend handeln,
Erst sich gestalten, dann verwandeln;
Nur scheinbar steht's Momente still.
Das Ewige regt sich fort in allen:
Denn alles muß in Nichts zerfallen,
Wenn es im Sein beharren will.

Um Mitternacht

Um Mitternacht ging ich, nicht eben gerne,
Klein, kleiner Knabe, jenen Kirchhof hin
Zu Vaters Haus, des Pfarrers; Stern am Sterne,
Sie leuchteten doch alle gar zu schön;
 Um Mitternacht.

Wenn ich dann ferner in des Lebens Weite
Zur Liebsten mußte, mußte, weil sie zog,
Gestirn und Nordschein über mir im Streite,
Ich gehend, kommend Seligkeiten sog;
 Um Mitternacht.

Bis dann zuletzt des vollen Mondes Helle
So klar und deutlich mir ins Finstere drang,
Auch der Gedanke willig, sinnig, schnelle
Sich ums Vergangne wie ums Künftige schlang;
 Um Mitternacht.

Beruf des Storches

Der Storch, der sich von Frosch und Wurm
An unserm Teiche nähret,
Was nistet er auf dem Kirchenturm,
Wo er nicht hingehöret?

Dort klappt und klappert er genung,
Verdrießlich anzuhören;
Doch wagt es weder alt noch jung
Ihm in das Nest zu stören.

Wodurch – gesagt mit Reverenz –
Kann er sein Recht beweisen,
Als durch die löbliche Tendenz,
Aufs Kirchendach zu ...

Ein großer Teich war zugefroren;
Die Fröschlein, in der Tiefe verloren,
Durften nicht ferner quaken noch springen,
Versprachen sich aber, im halben Traum:

Fänden sie nur da oben Raum,
Wie Nachtigallen wollten sie singen.
Der Tauwind kam, das Eis zerschmolz,
Nun ruderten sie und landeten stolz
Und saßen am Ufer weit und breit
Und quakten wie vor alter Zeit.

Wenn sich lebendig Silber neigt,
So gibt es Schnee und Regen,
Und wie es wieder aufwärts steigt,
Ist blaues Zelt zugegen.
Auch sinke viel, es steige kaum
Der Freude Wink, des Schmerzens,
Man fühlt ihn gleich im engen Raum
Des lieb-lebendgen Herzens.

[lebendig Silber: Quecksilber]

Paria
Des Paria Gebet

Großer Brahma, Herr der Mächte!
Alles ist von deinem Samen,
Und so bist du der Gerechte!
Hast du denn allein die Brahmen,
Nur die Rajahs und die Reichen,
Hast du sie allein geschaffen?
Oder bist auch du's, der Affen
Werden ließ und unseresgleichen?

Edel sind wir nicht zu nennen:
Denn das Schlechte, das gehört uns,
Und was andre tödlich kennen,
Das alleine, das vermehrt uns.
Mag dies für die Menschen gelten,
Mögen sie uns doch verachten;
Aber du, du sollst uns achten,
Denn du könntest alle schelten.

Also, Herr, nach diesem Flehen,
Segne mich zu deinem Kinde;
Oder eines laß entstehen,
Das auch mich mit dir verbinde!
Denn du hast den Bajaderen
Eine Göttin selbst erhoben;
Auch wir andern, dich zu loben,
Wollen solch ein Wunder hören.

Legende

Wasser holen geht die reine
Schöne Frau des hohen Brahmen,
Des verehrten, fehlerlosen,
Ernstester Gerechtigkeit.
Täglich von dem heiligen Flusse
Holt sie köstlichstes Erquicken –
Aber wo ist Krug und Eimer?

Sie bedarf derselben nicht.
Seligem Herzen, frommen Händen
Ballt sich die bewegte Welle
Herrlich zu kristallner Kugel;
Diese trägt sie, frohen Busens,
Reiner Sitte, holden Wandelns,
Vor den Gatten in das Haus.

275

Heute kommt die morgendliche
Im Gebet zu Ganges' Fluten,
Beugt sich zu der klaren Fläche –
Plötzlich überraschend spiegelt,
Aus des höchsten Himmels Breiten
Über ihr vorübereilend,
Allerlieblichste Gestalt
Hehren Jünglings, den des Gottes
Uranfänglich schönes Denken
Aus dem ewgen Busen schuf.
Solchen schauend, fühlt ergriffen
Von verwirrenden Gefühlen
Sie das innere tiefste Leben,
Will verharren in dem Anschaun,
Weist es weg, da kehrt es wieder,
Und verworren strebt sie flutwärts,
Mit unsicher Hand zu schöpfen;
Aber ach! sie schöpft nicht mehr!
Denn des Wassers heilige Welle
Scheint zu fliehn, sich zu entfernen,
Sie erblickt nur hohler Wirbel
Grause Tiefen unter sich.

Arme sinken, Tritte straucheln,
Ists denn auch der Pfad nach Hause?
Soll sie zaudern? soll sie fliehen?
Will sie denken, wo Gedanke,
Rat und Hilfe gleich versagt? –
Und so tritt sie vor den Gatten;
Er erblickt sie, Blick ist Urteil,
Hohen Sinns ergreift das Schwert er,
Schleppt sie zu dem Totenhügel,
Wo Verbrecher büßend bluten.
Wüßte sie zu widerstreben?
Wüßte sie sich zu entschuldgen,
Schuldig, keiner Schuld bewußt?

Und er kehrt mit blutigem Schwerte
Sinnend zu der stillen Wohnung;
Da entgegnet ihm der Sohn:
„Wessen Blut ist's? Vater! Vater" –
Der Verbrecherin! – „Mitnichten!
Denn es starret nicht am Schwerte
Wie verbrecherische Tropfen,
Fließt wie aus der Wunde frisch.
Mutter! Mutter! tritt heraus her!
Ungerecht war nie der Vater,
Sage, was er jetzt verübt." –
Schweige! Schweige! 's ist das ihre! –
„Wessen ist es?" – Schweige! Schweige! –
„Wäre meiner Mutter Blut!!!

Was geschehen? was verschuldet?
Her das Schwert! ergriffen hab ichs;
Deine Gattin magst du töten,
Aber meine Mutter nicht!
In die Flammen folgt die Gattin
Ihrem einzig Angetrauten,
Seiner einzig teuren Mutter
In das Schwert der treue Sohn."

Halt, o halte! rief der Vater,
Noch ist Raum, enteil, enteile!
Füge Haupt dem Rumpfe wieder,
Du berührest mit dem Schwerte,
Und lebendig folgt sie dir.

Eilend, atemlos erblickt er
Staunend zweier Frauen Körper
Überkreuzt, und so die Häupter –
Welch Entsetzen! welche Wahl!
Dann der Mutter Haupt erfaßt er,
Küßt es nicht, das tot erblaßte;
Auf des nächsten Rumpfes Lücke
Setzt er's eilig, mit dem Schwerte
Segnet er das fromme Werk.

Aufersteht ein Riesenbildnis. –
Von der Mutter teuren Lippen,
Göttlich-unverändert-süßen,
Tönt das grausenvolle Wort:
Sohn, o Sohn! welch Übereilen!
Deiner Mutter Leichnam dorten,
Neben ihm das freche Haupt
Der Verbrecherin, des Opfers
Waltender Gerechtigkeit!
Mich nun hast du ihrem Körper
Eingeimpft auf ewige Tage:
Weisen Wollens, wilden Handelns
Werd ich unter Göttern sein;
Ja, des Himmelsknaben Bildnis
Webt so schön vor Stirn und Auge –
Senkt sichs in das Herz herunter,
Regt es tolle Wutbegier.

Immer wird es wiederkehren,
Immer steigen, immer sinken,
Sich verdüstern, sich verklären,
So hat Brahma dies gewollt.
Er gebot ja buntem Fittich,
Klarem Antlitz, schlanken Gliedern,
Göttlich-einzigem Erscheinen,
Mich zu prüfen, zu verführen;

Denn von oben kommt Verführung,
Wenn's den Göttern so beliebt.
Und so soll ich, die Brahmane,
Mit dem Haupt im Himmel weilend,
Fühlen, Paria, dieser Erde
Niederziehende Gewalt.

Sohn, ich sende dich dem Vater!
Tröste! – Nicht ein traurig Büßen,
Stumpfes Harren, stolz Verdienen
Halt euch in der Wildnis fest;
Wandert aus durch alle Welten,
Wandelt hin durch alle Zeiten
Und verkündet auch Geringstem:
Daß ihn Brahma droben hört!

Ihm ist keiner der Geringste –
Wer sich mit gelähmten Gliedern,
Sich mit wild zerstörtem Geiste,

Düster, ohne Hilf und Rettung,
Sei er Brahma, sei er Paria,
Mit dem Blick nach oben kehrt,
Wirds empfinden, wirds erfahren:
Dort erglühen tausend Augen,
Ruhend lauschen tausend Ohren,
Denen nichts verborgen bleibt.

Heb ich mich zu seinem Throne,
Schaut er mich, die Grausenhafte,
Die er gräßlich umgeschaffen,
Muß er ewig mich bejammern,
Euch zugute komme das.
Und ich werd ihn freundlich mahnen,
Und ich werd ihm wütend sagen,
Wie es mir der Sinn gebietet,
Wie es mir im Busen schwellet.
Was ich denke, was ich fühle –
Ein Geheimnis bleibe das.

Dank des Paria

Großer Brahma! nun erkenn ich,
Daß du Schöpfer bist der Welten!
Dich als meinen Herrscher nenn ich,
Denn du lässest alle gelten

Und verschließest auch dem Letzten
Keines von den tausend Ohren;
Uns, die tief Herabgesetzten,
Alle hast du neu geboren.

Wendet euch zu dieser Frauen,
Die der Schmerz zur Göttin wandelt!
Nun beharr ich, anzuschauen
Den, der einzig wirkt und handelt.

Trilogie der Leidenschaft

An Werther

Noch einmal wagst du, vielbeweinter Schatten,
Hervor dich an das Tageslicht,
Begegnest mir auf neu beblümten Matten,
Und meinen Anblick scheust du nicht.
Es ist, als ob du lebtest in der Frühe,
Wo uns der Tau auf Einem Feld erquickt
Und nach des Tages unwillkommner Mühe
Der Scheidesonne letzter Strahl entzückt;
Zum Bleiben ich, zum Scheiden du erkoren,
Gingst du voran – und hast nicht viel verloren.

Des Menschen Leben scheint ein herrlich Los:
Der Tag wie lieblich, so die Nacht wie groß!
Und wir, gepflanzt in Paradieses Wonne,
Genießen kaum der hocherlauchten Sonne,
Da kämpft sogleich verworrene Bestrebung
Bald mit uns selbst und bald mit der Umgebung;
Keins wird vom andern wünschenswert ergänzt,
Von außen düstert's, wenn es innen glänzt,
Ein glänzend Äußres deckt ein trüber Blick,
Da steht es nah – und man verkennt das Glück.

Nun glauben wir's zu kennen! Mit Gewalt
Ergreift uns Liebreiz weiblicher Gestalt:
Der Jüngling, froh wie in der Kindheit Flor,
Im Frühling tritt als Frühling selbst hervor,
Entzückt, erstaunt, wer dies ihm angetan?
Er schaut umher, die Welt gehört ihm an.
Ins Weite zieht ihn unbefangne Hast,
Nichts engt ihn ein, nicht Mauer, nicht Palast;
Wie Vögelschar an Wäldergipfeln streift,
So schwebt auch er, der um die Liebste schweift,
Er sucht vom Äther, den er gern verläßt,
Den treuen Blick, und dieser hält ihn fest.

Doch erst zu früh und dann zu spät gewarnt,
Fühlt er den Flug gehemmt, fühlt sich umgarnt.
Das Wiedersehn ist froh, das Scheiden schwer,
Das Wieder-Wiedersehn beglückt noch mehr,
Und Jahre sind im Augenblick ersetzt;
Doch tückisch harrt das Lebewohl zuletzt.

Du lächelst, Freund, gefühlvoll, wie sich ziemt:
Ein gräßlich Scheiden machte dich berühmt;
Wir feierten dein kläglich Mißgeschick,
Du ließest uns zu Wohl und Weh zurück.
Dann zog uns wieder ungewisse Bahn
Der Leidenschaften labyrinthisch an;
Und wir, verschlungen wiederholter Not,
Dem Scheiden endlich – Scheiden ist der Tod!
Wie klingt es rührend, wenn der Dichter singt,
Den Tod zu meiden, den das Scheiden bringt!
Verstrickt in solche Qualen, halbverschuldet,
Geb ihm ein Gott zu sagen, was er duldet.

Elegie
Und wenn der Mensch in seiner Qual verstummt,
Gab mir ein Gott zu sagen, was ich leide.

Was soll ich nun vom Wiedersehen hoffen,
Von dieses Tages noch geschlossner Blüte?
Das Paradies, die Hölle steht dir offen;

Wie wankelsinnig regt sichs im Gemüte! –
Kein Zweifeln mehr! Sie tritt ans Himmelstor,
Zu ihren Armen hebt sie dich empor.

So warst du denn im Paradies empfangen,
Als wärst du wert des ewig schönen Lebens;
Dir blieb kein Wunsch, kein Hoffen, kein Verlangen,
Hier war das Ziel des innigsten Bestrebens,
Und in dem Anschaun dieses einzig Schönen
Versiegte gleich der Quell sehnsüchtiger Tränen.

Wie regte nicht der Tag die raschen Flügel,
Schien die Minuten vor sich her zu treiben!
Der Abendkuß, ein treu verbindlich Siegel:
So wird es auch der nächsten Sonne bleiben.
Die Stunden glichen sich in zartem Wandern
Wie Schwestern zwar, doch keine ganz den andern.

Der Kuß, der letzte, grausam süß, zerschneidend
Ein herrliches Geflecht verschlungner Minnen.
Nun eilt, nun stockt der Fuß, die Schwelle meidend,
Als trieb' ein Cherub flammend ihn von hinnen;
Das Auge starrt auf düstrem Pfad verdrossen,
Es blickt zurück, die Pforte steht verschlossen.

Und nun verschlossen in sich selbst, als hätte
Dies Herz sich nie geöffnet, selige Stunden
Mit jedem Stern des Himmels um die Wette
An ihrer Seite leuchtend nicht empfunden;
Und Mißmut, Reue, Vorwurf, Sorgenschwere
Belasten's nun in schwüler Atmosphäre.

Ist denn die Welt nicht übrig? Felsenwände,
Sind sie nicht mehr gekrönt von heiligen Schatten?
Die Ernte, reift sie nicht? Ein grün Gelände,
Zieht sichs nicht hin am Fluß durch Busch und Matten?
Und wölbt sich nicht das überweltlich Große,
Gestaltenreiche, bald Gestaltenlose?

Wie leicht und zierlich, klar und zart gewoben
Schwebt, seraphgleich, aus ernster Wolken Chor,
Als glich' es ihr, am blauen Äther droben
Ein schlank Gebild aus lichtem Duft empor!
So sahst du sie in frohem Tanze walten,
Die lieblichste der lieblichsten Gestalten.

Doch nur Momente darfst dich unterwinden,
Ein Luftgebild statt ihrer festzuhalten;
Ins Herz zurück! dort wirst du's besser finden,
Dort regt sie sich in wechselnden Gestalten:
Zu vielen bildet Eine sich hinüber,
So tausendfach und immer, immer lieber.

Wie zum Empfang sie an den Pforten weilte
Und mich von dannauf stufenweis beglückte,
Selbst nach dem letzten Kuß mich noch ereilte,
Den letztesten mir auf die Lippen drückte:
So klar beweglich bleibt das Bild der Lieben
Mit Flammenschrift ins treue Herz geschrieben,

Ins Herz, das fest, wie zinnenhohe Mauer,
Sich ihr bewahrt und sie in sich bewahret,
Für sie sich freut an seiner eignen Dauer,
Nur weiß von sich, wenn sie sich offenbaret,
Sich freier fühlt in so geliebten Schranken
Und nur noch schlägt, für alles ihr zu danken.

War Fähigkeit zu lieben, war Bedürfen
Von Gegenliebe weggelöscht, verschwunden,
Ist Hoffnungslust zu freudigen Entwürfen,
Entschlüssen, rascher Tat sogleich gefunden!
Wenn Liebe je den Liebenden begeistet,
Ward es an mir aufs lieblichste geleistet;

Und zwar durch sie! – Wie lag ein innres Bangen
Auf Geist und Körper, unwillkommner Schwere:
Von Schauerbildern rings der Blick umfangen
Im wüsten Raum beklommner Herzensleere;
Nun dämmert Hoffnung von bekannter Schwelle,
Sie selbst erscheint in milder Sonnenhelle.

Dem Frieden Gottes, welcher euch hienieden
Mehr als Vernunft beseliget – wir lesen's –,
Vergleich ich wohl der Liebe heitern Frieden
In Gegenwart des allgeliebten Wesens;
Da ruht das Herz, und nichts vermag zu stören
Den tiefsten Sinn, den Sinn: ihr zu gehören.

In unsers Busens Reine wogt ein Streben,
Sich einem Höhern, Reinern, Unbekannten
Aus Dankbarkeit freiwillig hinzugeben,
Enträtselnd sich den ewig Ungenannten;
Wir heißen's: fromm sein! – Solcher seligen Höhe
Fühl ich mich teilhaft, wenn ich vor ihr stehe.

Vor ihrem Blick, wie vor der Sonne Walten,
Vor ihrem Atem, wie vor Frühlingslüften,
Zerschmilzt, so längst sich eisig starr gehalten,
Der Selbstsinn tief in winterlichen Grüften;
Kein Eigennutz, kein Eigenwille dauert,
Vor ihrem Kommen sind sie weggeschauert.

Es ist, als wenn sie sagte: „Stund um Stunde
Wird uns das Leben freundlich dargeboten.
Das Gestrige ließ uns geringe Kunde,
Das Morgende – zu wissen ist's verboten;

Und wenn ich je mich vor dem Abend scheute,
Die Sonne sank und sah noch, was mich freute.

Drum tu wie ich und schaue, froh verständig,
Dem Augenblick ins Auge! Kein Verschieben!
Begegn' ihm schnell, wohlwollend wie lebendig,
Im Handeln sei's, zur Freude, sei's dem Lieben.
Nur wo du bist, sei alles, immer kindlich,
So bist du alles, bist unüberwindlich."

Du hast gut reden, dacht ich: zum Geleite
Gab dir ein Gott die Gunst des Augenblickes,
Und jeder fühlt an deiner holden Seite
Sich augenblicks den Günstling des Geschickes;
Mich schreckt der Wink, von dir mich zu entfernen –
Was hilft es mir, so hohe Weisheit lernen!

Nun bin ich fern! Der jetzigen Minute,
Was ziemt denn der? Ich wüßt es nicht zu sagen;
Sie bietet mir zum Schönen manches Gute,
Das lastet nur, ich muß mich ihm entschlagen.
Mich treibt umher ein unbezwinglich Sehnen,
Da bleibt kein Rat als grenzenlose Tränen.

So quellt denn fort und fließet unaufhaltsam!
Doch nie geläng's, die innre Glut zu dämpfen!
Schon rast's und reißt in meiner Brust gewaltsam,
Wo Tod und Leben grausend sich bekämpfen.
Wohl Kräuter gäb's, des Körpers Qual zu stillen;
Allein dem Geist fehlt's am Entschluß und Willen.

Fehlt's am Begriff: wie sollt' er sie vermissen?
Er wiederholt ihr Bild zu tausendmalen.
Das zaudert bald, bald wird es weggerissen,
Undeutlich jetzt und jetzt im reinsten Strahlen;
Wie könnte dies geringstem Troste frommen,
Die Ebb und Flut, das Gehen wie das Kommen?

Verlaßt mich hier, getreue Weggenossen!
Laßt mich allein am Fels, in Moor und Moos;
Nur immer zu! Euch ist die Welt erschlossen,
Die Erde weit, der Himmel hehr und groß;
Betrachtet, forscht, die Einzelnheiten sammelt,
Naturgeheimnis werde nachgestammelt.

Mir ist das All, ich bin mir selbst verloren,
Der ich noch erst den Göttern Liebling war;
Sie prüften mich, verliehen mir Pandoren,
So reich an Gütern, reicher an Gefahr;
Sie drängten mich zum gabeseligen Munde,
Sie trennen mich – und richten mich zugrunde.

Aussöhnung

Die Leidenschaft bringt Leiden! – Wer beschwichtigt,
Beklommnes Herz, dich, das zu viel verloren?
Wo sind die Stunden, überschnell verflüchtigt?
Vergebens war das Schönste dir erkoren!
Trüb ist der Geist, verworren das Beginnen;
Die hehre Welt, wie schwindet sie den Sinnen!

Da schwebt hervor Musik mit Engelsschwingen,
Verflicht zu Millionen Tön um Töne,
Des Menschen Wesen durch und durch zu dringen,
Zu überfüllen ihn mit ewger Schöne:
Das Auge netzt sich, fühlt im höhern Sehnen
Den Götterwert der Töne wie der Tränen.

Und so das Herz erleichtert merkt behende,
Daß es noch lebt und schlägt und möchte schlagen,
Zum reinsten Dank der überreichen Spende
Sich selbst erwidernd willig darzutragen.
Da fühlte sich – o daß es ewig bliebe! –
Das Doppel-Glück der Töne wie der Liebe.

[Bei Betrachtung von Schillers Schädel]

Im ernsten Beinhaus war's, wo ich beschaute,
 Wie Schädel Schädeln angeordnet paßten;
 Die alte Zeit gedacht ich, die ergraute.
Sie stehn in Reih geklemmt, die sonst sich haßten,
 Und derbe Knochen, die sich tödlich schlugen,
 Sie liegen kreuzweis, zahm allhier zu rasten.
Entrenkte Schulterblätter! was sie trugen,
 Fragt niemand mehr, und zierlich tätge Glieder,
 Die Hand, der Fuß, zerstreut aus Lebensfugen.
Ihr Müden also lagt vergebens nieder,
 Nicht Ruh im Grabe ließ man euch, vertrieben
 Seid ihr herauf zum lichten Tage wieder,
Und niemand kann die dürre Schale lieben,
 Welch herrlich edlen Kern sie auch bewahrte.
 Doch mir Adepten war die Schrift geschrieben,
Die heilgen Sinn nicht jedem offenbarte,
 Als ich inmitten solcher starren Menge
 Unschätzbar herrlich ein Gebild gewahrte,
Daß in des Raumes Moderkält und Enge
 Ich frei und wärmefühlend mich erquickte,
 Als ob ein Lebensquell dem Tod entspränge.
Wie mich geheimnisvoll die Form entzückte!
 Die gottgedachte Spur, die sich erhalten!
 Ein Blick, der mich an jenes Meer entrückte,
Das flutend strömt gesteigerte Gestalten.

Geheim Gefäß! Orakelsprüche spendend,
Wie bin ich wert, dich in der Hand zu halten?
Dich höchsten Schatz aus Moder fromm entwendend
Und in die freie Luft, zu freiem Sinnen,
Zum Sonnenlicht andächtig hin mich wendend.
Was kann der Mensch im Leben mehr gewinnen,
Als daß sich Gott-Natur ihm offenbare?
Wie sie das Feste läßt zu Geist verrinnen,
Wie sie das Geisterzeugte fest bewahre.

Aus: *Chinesisch-deutsche Jahres- und Tageszeiten*

II

Weiß wie Lilien, reine Kerzen,
Sternen gleich, bescheidner Beugung,
Leuchtet aus dem Mittelherzen,
Rot gesäumt, die Glut der Neigung.

So frühzeitige Narzissen
Blühen reihenweis im Garten.
Mögen wohl die guten wissen,
Wen sie so spaliert erwarten.

III

Ziehn die Schafe von der Wiese,
Liegt sie da, ein reines Grün,
Aber bald zum Paradiese
Wird sie bunt geblümt erblühn.

Hoffnung breitet lichte Schleier
Nebelhaft vor unsern Blick:
Wunscherfüllung, Sonnenfeier,
Wolkenteilung bring uns Glück!

VIII

Dämmrung senkte sich von oben,
Schon ist alle Nähe fern;
Doch zuerst emporgehoben
Holden Lichts der Abendstern!
Alles schwankt ins Ungewisse
Nebel schleichen in die Höh;
Schwarzvertiefte Finsternisse
Widerspiegelnd ruht der See.

Nun am östlichen Bereiche
Ahn ich Mondenglanz und -glut,
Schlanker Weiden Haargezweige
Scherzen auf der nächsten Flut.
Durch bewegter Schatten Spiele
Zittert Lunas Zauberschein,
Und durchs Auge schleicht die Kühle
Sänftigend ins Herz hinein.

IX

Nun weiß man erst, was Rosenknospe sei,
Jetzt, da die Rosenzeit vorbei;
Ein Spätling noch am Stocke glänzt
Und ganz allein die Blumenwelt ergänzt.

Dem aufgehenden Vollmonde
Dornburg, 25. August 1828

Willst du mich sogleich verlassen?
Warst im Augenblick so nah!
Dich umfinstern Wolkenmassen,
Und nun bist du gar nicht da.

Doch du fühlst, wie ich betrübt bin,
Blickt dein Rand herauf als Stern!
Zeugest mir, daß ich geliebt bin,
Sei das Liebchen noch so fern.

So hinan denn! hell und heller,
Reiner Bahn, in voller Pracht!
Schlägt mein Herz auch schmerzlich schneller,
Überselig ist die Nacht.

Dornburg, September 1828

Früh, wenn Tal, Gebirg und Garten
Nebelschleiern sich enthüllen
Und dem sehnlichsten Erwarten
Blumenkelche bunt sich füllen,

Wenn der Äther, Wolken tragend,
Mit dem klaren Tage streitet,
Und ein Ostwind, sie verjagend,
Blaue Sonnenbahn bereitet,

Dankst du dann, am Blick dich weidend,
Reiner Brust der Großen, Holden,
Wird die Sonne, rötlich scheidend,
Rings den Horizont vergolden.

Vermächtnis

Kein Wesen kann zu nichts zerfallen!
Das Ewge regt sich fort in allen,
Am Sein erhalte dich beglückt!
Das Sein ist ewig: denn Gesetze
Bewahren die lebendgen Schätze,
Aus welchen sich das All geschmückt.

Das Wahre war schon längst gefunden,
Hat edle Geisterschaft verbunden;
Das alte Wahre, faß es an!
Verdank es, Erdensohn, dem Weisen,
Der ihr, die Sonne zu umkreisen,
Und dem Geschwister wies die Bahn.

Sofort nun wende dich nach innen:
Das Zentrum findest du da drinnen,
Woran kein Edler zweifeln mag.
Wirst keine Regel da vermissen:
Denn das selbständige Gewissen
Ist Sonne deinem Sittentag.

Den Sinnen hast du dann zu trauen,
Kein Falsches lassen sie dich schauen,
Wenn dein Verstand dich wach erhält.
Mit frischem Blick bemerke freudig
Und wandle, sicher wie geschmeidig,
Durch Auen reichbegabter Welt.

Genieße mäßig Füll und Segen;
Vernunft sei überall zugegen,
Wo Leben sich des Lebens freut.
Dann ist Vergangenheit beständig,
Das Künftige voraus lebendig,
Der Augenblick ist Ewigkeit.

Und war es endlich dir gelungen,
Und bist du vom Gefühl durchdrungen:
Was fruchtbar ist, allein ist wahr,
Du prüfst das allgemeine Walten,
Es wird nach seiner Weise schalten,
Geselle dich zur kleinsten Schar.

Und wie von alters her im stillen
Ein Liebewerk nach eignem Willen
Der Philosoph, der Dichter schuf,
So wirst du schönste Gunst erzielen:
Denn edlen Seelen vorzufühlen
Ist wünschenswertester Beruf.

Friedrich Schiller
1759–1805

Die Größe der Welt

Die der schaffende Geist einst aus dem Chaos schlug,
Durch die schwebende Welt flieg ich des Windes Flug,
 Bis am Strande
 Ihrer Wogen ich lande,
Anker werf, wo kein Hauch mehr weht
Und der Markstein der Schöpfung steht.

Sterne sah ich bereits jugendlich auferstehn,
Tausendjährigen Gangs durchs Firmament zu gehn,
 Sah sie spielen
 Nach den lockenden Zielen,
Irrend suchte mein Blick umher,
Sah die Räume schon – sternenleer.

Anzufeuern den Flug weiter zum Reich des Nichts,
Steur ich mutiger fort, nehme den Flug des Lichts,
 Neblicht trüber
 Himmel an mir vorüber,
Weltsysteme, Fluten im Bach
Strudeln dem Sonnenwandrer nach.

Sieh, den einsamen Pfad wandelt ein Pilger mir
Rasch entgegen –: „Halt an! Waller, was suchst du hier?"
 „Zum Gestade
 Seiner Welt meine Pfade!
Segle hin, wo kein Hauch mehr weht
Und der Markstein der Schöpfung steht!"

„Steh! du segelst umsonst – vor dir Unendlichkeit!"
„Steh! du segelst umsonst – Pilger, auch hinter mir! –
 Senke nieder,
 Adlergedank, dein Gefieder!
Kühne Seglerin, Phantasie,
Wirf ein mutloses Anker hie."

Die schlimmen Monarchen

Euren Preis erklimme meine Leier –
Erdengötter –, die der süßen Feier
 Anadyomenens sanft nur klang;
Leiser um das pompende Getöse,
Schüchtern um die Purpurflammen eurer Größe
 Zittert der Gesang.

Redet! Soll ich goldne Saiten schlagen,
Wenn, vom Jubelruf emporgetragen,
 Euer Wagen durch den Walplatz rauscht?
Wenn ihr, schlapp vom eisernen Umarmen,
Schwere Panzer mit den weichen Rosenarmen
 Eurer Phrynen tauscht? –

Soll vielleicht im Schimmer goldner Reifen,
Götter, euch die kühne Hymne greifen,
 Wo, in mystisch Dunkel eingemummt,
Euer Spleen mit Donnerkeilen tändelt,
Mit *Verbrechen* eine *Menschlichkeit* bemäntelt,
 Bis – das Grab verstummt?

Sing ich *Ruhe* unter Diademen?
Soll ich, Fürsten, eure *Träume* rühmen? –
 Wenn der Wurm am Königsherzen zehrt,
Weht der goldne Schlummer um den Mohren,
Der den Schatz bewacht an des Palastes Toren,
 Und – ihn nicht begehrt.

Zeig, o Muse, wie mit Rudersklaven
Könige auf *einem* Polster schlafen,
 Die *gelöschten* Blitze freundlich tun,
Wo nun nimmer ihre Launen foltern,
Nimmer die Theaterminotaure poltern
 Und – die Löwen ruhn.

Auf! Betaste mit dem Zaubersiegel,
Hekate, des Gruftgewölbes Riegel!
 Horch! die Flügel donnern jach zurück!
Wo des Todes Odem dumpfig säuselt,
Schauerluft die starren Locken aufwärts kräuselt,
 Sing ich – *Fürstenglück.* – –

Hier das Ufer? – Hier in diesen Grotten
Stranden eurer Wünsche stolze Flotten?
 Hier – wo eurer Größe Flut sich stößt?
Ewig nie dem Ruhme zu erwarmen,
Schmiedet hier die Nacht mit schwarzen
 Potentaten fest. [Schauerarmen

Traurig funkelt auf dem Totenkasten
Eurer Kronen, der umperlten Lasten,
 Eurer Szepter undankbare Pracht.
Wie so schön man Moder übergoldet!
Doch nur Würmer werden mit dem Leib besoldet,
 Dem – die Welt gewacht.

Stolze Pflanzen in so niedern Beeten!
Seht doch! – wie mit welken Majestäten
 Garstig spaßt der unverschämte Tod!
Die durch Nord und Ost und West geboten –
Dulden sie des Unholds ekelhafte Zoten,
 Und – kein Sultan droht?

Springt doch auf, ihr störrige Verstummer,
Schüttelt ab den tausendpfundgen Schlummer,
 Siegespauken trommeln aus der Schlacht!
Höret doch, wie hell die Zinken schmettern!
Wie des Volkes wilde *Vivat* euch vergöttern!
 Könige, erwacht!

Siebenschläfer! – O so hört die hellen
Hörner klingen und die Doggen bellen!
 Tausendröhrigt knallt das Jagdenfeur;
Muntre Rosse wiehern nach dem Forste,
Blutig wälzt der Eber seine Stachelborste,
 Und – der Sieg ist eur!

Was ist das? – Auch Fürsten schweigen selber?
Neunfach durch die heulenden Gewölber
 Spottet mir ein schleifend Echo nach –
Hört doch nur den Kammerjunker düsseln:
„Euch beehrt Madonna mit geheimen Schlüsseln
 In – ihr Schlafgemach."

Keine Antwort. – Ernstlich ist die Stille. –
Fällt denn auch auf Könige die Hülle,
 Die die Augen des Trabanten deckt? –
Und ihr fodert Anbetung in Asche,
Daß die blinde Metze *Glück* in eure Tasche
 Eine – Welt gesteckt?

Und ihr rasselt, Gottes Riesenpuppen,
Hoch daher in kindischstolzen Gruppen,
 Gleich dem Gaukler in dem Opernhaus? –
Pöbelteufel klatschen dem Geklimper,
Aber weinend zischen den erhabnen Stümper
 Seine Engel aus.

Ins Gebiet der leiseren Gedanken
Würden – überwänden sie die Schranken –
 Schlangenwirbel eure Mäkler drehn;
Lernt doch, daß, die euren zu entfalten,
Blicke, die auch Pharisäerlarven spalten,
 Von dem Himmel sehn.

Prägt ihr zwar – Hohn ihrem falschen Schalle! –
Euer Bild auf lügende Metalle,
 Schnödes Kupfer adelt ihr zu Gold –
Eure Juden schachern mit der Münze, –
Doch wie anders klingt sie über jener Grenze,
 Wo die Waage rollt!

Decken euch Seraile dann und Schlösser,
Wann des Himmels fürchterlicher Presser
 An des großen Pfundes Zinsen mahnt?
Ihr bezahlt den Bankerott der Jugend
Mit Gelübden, und mit *lächerlicher Tugend*,
 Die – Hanswurst erfand.

Berget immer die erhabne Schande
Mit des *Majestätsrechts* Nachtgewande!
 Bübelt aus des Thrones Hinterhalt!
Aber zittert für des Liedes Sprache,
Kühnlich durch den Purpur bohrt der Pfeil der Rache
 Fürstenherzen kalt.

Resignation
Eine Phantasie

 Auch ich war in Arkadien geboren,
 Auch mir hat die Natur
 An meiner Wiege Freude zugeschworen,
 Auch ich war in Arkadien geboren,
 Doch Tränen gab der kurze Lenz mir nur.

Des Lebens Mai blüht einmal und nicht wieder,
 Mir hat er abgeblüht.
Der stille Gott – o weinet, meine Brüder –,
Der stille Gott taucht meine Fackel nieder,
 Und die Erscheinung flieht.

Da steh ich schon auf deiner Schauerbrücke,
 Ehrwürdge Geistermutter – Ewigkeit.
Empfange meinen Vollmachtbrief zum Glücke,
Ich bring ihn unerbrochen dir zurücke,
 Mein Lauf ist aus. Ich weiß von keiner Seligkeit.

Vor deinem Thron erheb ich meine Klage,
 Verhüllte Richterin.
Auf jenem Stern ging eine frohe Sage,
Du thronest hier mit des Gerichtes Waage
 Und nennest dich Vergelterin.

Hier – spricht man – warten Schrecken auf den Bösen
 Und Freuden auf den Redlichen.
Des Herzens Krümmen werdest du entblößen,
Der Vorsicht Rätsel werdest du mir lösen
 Und Rechnung halten mit dem Leidenden.

Hier öffne sich die Heimat dem Verbannten,
 Hier endige des Dulders Dornenbahn.
Ein Götterkind, das sie mir *Wahrheit* nannten,
Die meisten flohen, wenige nur kannten,
 Hielt meines Lebens raschen Zügel an.

,Ich zahle dir in einem andern Leben,
 Gib deine Jugend mir!
Nichts kann ich dir als diese Weisung geben.'
Ich nahm die Weisung auf das andre Leben,
 Und meiner Jugend Freuden gab ich ihr.

,Gib mir das Weib, so teuer deinem Herzen,
 Gib deine Laura mir.
Jenseits der Gräber wuchern deine Schmerzen.' –
Ich riß sie blutend aus dem wunden Herzen
 Und weinte laut und gab sie ihr.

,Du siehst die Zeit nach jenen Ufern fliegen,
 Die blühende Natur
Bleibt hinter ihr – ein welker Leichnam – liegen.
Wenn Erd und Himmel trümmernd auseinanderfliegen,
 Daran erkenne den erfüllten Schwur.'

„Die Schuldverschreibung lautet an die Toten",
 Hohnlächelte die Welt,

„Die Lügnerin, gedungen von Despoten,
Hat für die Wahrheit Schatten dir geboten,
 Du bist nicht mehr, wenn dieser Schein verfällt."

Frech witzelte das Schlangenheer der Spötter:
 „Vor einem Wahn, den nur Verjährung weiht,
Erzitterst du? Was sollen deine Götter,
Des kranken Weltplans schlau erdachte Retter,
 Die Menschenwitz des Menschen Notdurft leiht?

Ein Gaukelspiel, ohnmächtigen Gewürmen
 Von mächtigem gegönnt,
Schreckfeuer, angesteckt auf hohen Türmen,
Die Phantasie des Träumers zu bestürmen,
 Wo des Gesetzes Fackel dunkel brennt.

Was heißt die Zukunft, die uns Gräber decken?
 Die Ewigkeit, mit der du eitel prangst?
Ehrwürdig nur, weil schlaue Hüllen sie verstecken,
Der Riesenschatten unsrer eignen Schrecken
 Im hohlen Spiegel der Gewissensangst;

Ein Lügenbild lebendiger Gestalten,
 Die Mumie der Zeit,
Vom Balsamgeist der Hoffnung in den kalten
Behausungen des Grabes hingehalten,
 Das nennt dein Fieberwahn – Unsterblichkeit?

Für Hoffnungen – Verwesung straft sie Lügen –
 Gabst du *gewisse* Güter hin?
Sechstausend Jahre hat der Tod geschwiegen,
Kam je ein Leichnam aus der Gruft gestiegen,
 Der Meldung tat von der Vergelterin?" –

Ich sah die Zeit nach deinen Ufern fliegen,
 Die blühende Natur
Blieb hinter ihr, ein welker Leichnam, liegen,
Kein Toter kam aus seiner Gruft gestiegen,
 Und fest vertraut ich auf den Götterschwur.

All meine Freuden hab ich dir geschlachtet,
 Jetzt werf ich mich vor deinen Richterthron.
Der Menge Spott hab ich beherzt verachtet,
Nur *deine* Güter hab ich groß geachtet,
 Vergelterin, ich fodre meinen Lohn.

‚Mit gleicher Liebe lieb ich meine Kinder!'
 Rief unsichtbar ein Genius.
‚Zwei Blumen', rief er, ‚– hört es, Menschenkinder –
Zwei Blumen blühen für den weisen Finder,
 Sie heißen *Hoffnung* und *Genuß*.

Wer dieser Blumen *eine* brach, begehre
Die andre Schwester nicht.
Genieße, wer nicht glauben kann. Die Lehre
Ist ewig wie die Welt. Wer glauben kann, entbehre.
Die Weltgeschichte ist das Weltgericht.

Du hast *gehofft,* dein Lohn ist abgetragen,
Dein *Glaube* war dein zugewognes Glück.
Du konntest deine Weisen fragen,
Was man von der Minute ausgeschlagen,
Gibt keine Ewigkeit zurück.'

An die Freude

[Thalia-Fassung 1786]

Freude, schöner Götterfunken,
Tochter aus Elysium,
Wir betreten feuertrunken
Himmlische, dein Heiligtum.
Deine Zauber binden wieder,
Was der Mode Schwert geteilt;
Bettler werden Fürstenbrüder,
Wo dein sanfter Flügel weilt.

Freude trinken alle Wesen
An den Brüsten der Natur,
Alle Guten, alle Bösen
Folgen ihrer Rosenspur.
Küsse gab sie *uns* und *Reben,*
Einen Freund, geprüft im Tod.
Wollust ward dem Wurm gegeben,
Und der Cherub steht vor Gott.

Chor

Seid umschlungen, Millionen!
Diesen Kuß der ganzen Welt!
Brüder – überm Sternenzelt
Muß ein lieber Vater wohnen.

Chor

Ihr stürzt nieder, Millionen?
Ahndest du den Schöpfer, Welt?
Such ihn überm Sternenzelt,
Über Sternen muß er wohnen.

Wem der große Wurf gelungen,
Eines Freundes Freund zu sein;
Wer ein holdes Weib errungen,
Mische seinen Jubel ein!
Ja – wer auch nur *eine* Seele
Sein nennt auf dem Erdenrund!
Und wer's nie gekonnt, der stehle
Weinend sich aus diesem Bund!

Freude heißt die starke Feder
In der ewigen Natur.
Freude, Freude treibt die Räder
In der großen Weltenuhr.
Blumen lockt sie aus den Keimen,
Sonnen aus dem Firmament,
Sphären rollt sie in den Räumen,
Die des Sehers Rohr nicht kennt.

Chor

Was den großen Ring bewohnet,
Huldige der Sympathie!
Zu den Sternen leitet sie,
Wo der *Unbekannte* thronet.

Chor

Froh, wie seine Sonnen fliegen
Durch des Himmels prächtgen Plan,
Laufet, Brüder, eure Bahn,
Freudig wie ein Held zum Siegen.

Aus der Wahrheit Feuerspiegel
Lächelt *sie* den Forscher an.
Zu der Tugend steilem Hügel
Leitet *sie* des Dulders Bahn.
Auf des Glaubens Sonnenberge
Sieht man *ihre* Fahnden wehn,
Durch den Riß gesprengter Särge
Sie im Chor der Engel stehn.

Chor

Duldet mutig, Millionen!
Duldet für die bessre Welt!
Droben überm Sternenzelt
Wird ein großer Gott belohnen.

Göttern kann man nicht vergelten,
Schön ist's, ihnen gleich zu sein.
Gram und Armut soll sich melden,
Mit den Frohen sich erfreun.
Groll und Rache sei vergessen,
Unserm Todfeind sei verziehn,
Keine Träne soll ihn pressen,
Keine Reue nage ihn.

Chor

Unser Schuldbuch sei vernichtet!
Ausgesöhnt die ganze Welt!
Brüder – überm Sternenzelt
Richtet Gott, wie wir gerichtet.

Rettung von Tyrannenketten,
Großmut auch dem Bösewicht,
Hoffnung auf den Sterbebetten,
Gnade auf dem Hochgericht!
Auch die Toten sollen leben!
Brüder trinkt und stimmet ein,
Allen Sündern soll vergeben
Und die Hölle nicht mehr sein.

Chor

Eine heitre Abschiedsstunde!
Süßen Schlaf im Leichentuch!
Brüder – einen sanften Spruch
Aus des Totenrichters Munde!

Freude sprudelt in Pokalen,
In der Traube goldnem Blut
Trinken Sanftmut Kannibalen,
Die Verzweiflung Heldenmut – –
Brüder, fliegt von euren Sitzen,
Wenn der volle Römer kreist,
Laßt den Schaum zum Himmel sprützen:
Dieses Glas dem guten Geist.

Chor

Den der Sterne Wirbel loben,
Den des Seraphs Hymne preist,
Dieses Glas dem guten Geist
Überm Sternenzelt dort oben!

Festen Mut in schwerem Leiden,
Hülfe, wo die Unschuld weint,
Ewigkeit geschwornen Eiden,
Wahrheit gegen Freund und Feind,
Männerstolz vor Königsthronen –
Brüder, gält es Gut und Blut:
Dem Verdienste seine Kronen,
Untergang der Lügenbrut!

Chor

Schließt den heilgen Zirkel dichter,
Schwört bei diesem goldnen Wein,
Dem Gelübde treu zu sein,
Schwört es bei dem Sternenrichter!

Die Götter Griechenlandes
[1. Fassung]

Da ihr noch die schöne Welt regiertet,
An der Freude leichtem Gängelband
Glücklichere Menschenalter führtet,
Schöne Wesen aus dem Fabelland!
Ach! da euer Wonnedienst noch glänzte,
Wie ganz anders, anders war es da!
Da man deine Tempel noch bekränzte,
Venus Amathusia!

Da der Dichtkunst malerische Hülle
Sich noch lieblich um die Wahrheit wand,
Durch die Schöpfung floß da Lebensfülle,
Und was nie empfinden wird, empfand.
An der Liebe Busen sie zu drücken,
Gab man höhern Adel der Natur.
Alles wies den eingeweihten Blicken,
Alles eines Gottes Spur.

Wo jetzt nur, wie unsre Weisen sagen,
Seelenlos ein Feuerball sich dreht,
Lenkte damals seinen goldnen Wagen
Helios in stiller Majestät.
Diese Höhen füllten Oreaden,
Eine Dryas starb mit jenem Baum,
Aus den Urnen lieblicher Najaden
Sprang der Ströme Silberschaum.

Jener Lorbeer wand sich einst um Hilfe,
Tantals Tochter schweigt in diesem Stein,
Syrinx' Klage tönt' aus jenem Schilfe,
Philomelens Schmerz in diesem Hain.
Jener Bach empfing Demeters Zähre,
Die sie um Persephonen geweint,
Und von diesem Hügel rief Cythere,
Ach, vergebens! ihrem schönen Freund.

Zu Deukalions Geschlechte stiegen
Damals noch die Himmlischen herab,
Pyrrhas schöne Töchter zu besiegen,
Nahm Hyperion den Hirtenstab.
Zwischen Menschen, Göttern und Heroen
Knüpfte Amor einen schönen Bund.
Sterbliche mit Göttern und Heroen
Huldigten in Amathunt.

Betend an der Grazien Altären
Kniete da die holde Priesterin,
Sandte stille Wünsche an Cytheren
Und Gelübde an die Charitin.
Hoher Stolz, auch droben zu gebieten,
Lehrte sie den göttergleichen Rang,
Und des Reizes heilgen Gürtel hüten,
Der den *Donnrer* selbst bezwang.

Himmlisch und unsterblich war das Feuer,
Das in Pindars stolzen Hymnen floß,
Niederströmte in Arions Leier,
In den Stein des Phidias sich goß.
Bessre Wesen, edlere Gestalten
Kündigten die hohe Abkunft an.
Götter, die vom Himmel niederwallten,
Sahen *hier* ihn wieder aufgetan.

Werter war von eines Gottes Güte,
Teurer jede Gabe der Natur.
Unter Iris' schönem Bogen blühte
Reizender die perlenvolle Flur.
Prangender erschien die Morgenröte
In Himerens rosigtem Gewand,
Schmelzender erklang die Flöte
In des Hirtengottes Hand.

Liebenswerter malte sich die Jugend,
Blühender in Ganymedas Bild,
Heldenkühner, göttlicher die Tugend
Mit Tritoniens Medusenschild.
Sanfter war, da Hymen es noch knüpfte,
Heiliger der Herzen ewges Band.
Selbst des Lebens zarter Faden schlüpfte
Weicher durch der Parzen Hand.

Das Evoë muntrer Thyrusschwinger
Und der Panther prächtiges Gespann
Meldeten den großen Freudebringer.
Faun und Satyr taumeln ihm voran,
Um ihn springen rasende Mänaden,
Ihre Tänze loben seinen Wein,
Und die Wangen des Bewirters laden
Lustig zu dem Becher ein.

Höher war der Gabe Wert gestiegen,
Die der Geber freundlich *mit* genoß,
Näher war der Schöpfer dem Vergnügen,
Das im Busen des Geschöpfes floß.
Nennt der meinige sich dem Verstande?
Birgt ihn etwa der Gewölke Zelt?
Mühsam späh ich im Ideenlande,
Fruchtlos in der Sinnenwelt.

Eure Tempel lachten gleich Palästen,
Euch verherrlichte das Heldenspiel
An des Isthmus kronenreichen Festen,
Und die Wagen donnerten zum Ziel.
Schön geschlungne seelenvolle Tänze
Kreisten um den prangenden Altar,
Eure Schläfe schmückten Siegeskränze,
Kronen euer duftend Haar.

Seiner Güter schenkte man das beste,
Seiner Lämmer liebstes gab der Hirt,
Und der Freudetaumel seiner Gäste
Lohnte dem erhabnen Wirt.
Wohin tret ich? Diese traur'ge Stille,
Kündigt sie mir meinen Schöpfer an?
Finster, wie er selbst, ist seine Hülle,
Mein Entsagen – was ihn feiern kann.

Damals trat kein gräßliches Gerippe
Vor das Bett des Sterbenden. Ein Kuß
Nahm das letzte Leben von der Lippe,
Still und traurig senkt' ein Genius
Seine Fackel. Schöne, lichte Bilder
Scherzten auch um die Notwendigkeit,
Und das ernste Schicksal blickte milder
Durch den Schleier sanfter Menschlichkeit.

Nach der Geister schrecklichen Gesetzen
Richtete kein heiliger Barbar,
Dessen Augen Tränen nie benetzen,
Zarte Wesen, die ein Weib gebar.
Selbst des Orkus strenge Richterwaage
Hielt der Enkel einer Sterblichen,
Und des Thrakers seelenvolle Klage
Rührte die Erinnyen.

Seine Freuden traf der frohe Schatten
In Elysiens Hainen wieder an;
Treue Liebe fand den treuen Gatten
Und der Wagenlenker seine Bahn;
Orpheus' Spiel tönt die gewohnten Lieder,
In Alcestens Arme sinkt Admet,
Seinen Freund erkennt Orestes wieder,
Seine Waffen Philoktet.

Aber ohne Wiederkehr verloren
Bleibt, was *ich* auf dieser Welt verließ,
Jede Wonne hab ich abgeschworen,
Alle Bande, die ich selig pries.
Fremde, nie verstandene Entzücken
Schaudern mich aus jenen Welten an,
Und für Freuden, die mich jetzt beglücken,
Tausch ich neue, die ich missen kann.

Höhre Preise stärkten da den Ringer
Auf der Tugend arbeitvoller Bahn;
Großer Taten herrliche Vollbringer
Klimmten zu den Seligen hinan;
Vor dem Wiederforderer der Toten
Neigte sich der Götter stille Schar.
Durch die Fluten leuchtet dem Piloten
Vom Olymp das Zwillingspaar.

Schöne Welt, wo bist du? – Kehre wieder,
Holdes Blütenalter der Natur!
Ach! nur in dem Feenland der Lieder
Lebt noch deine goldne Spur.
Ausgestorben trauert das Gefilde,
Keine Gottheit zeigt sich meinem Blick,
Ach! von jenem lebenwarmen Bilde
Blieb nur das Gerippe mir zurück.

Alle jenen Blüten sind gefallen
Von des Nordes winterlichem Wehn.
Einen zu bereichern unter allen
Mußte diese Götterwelt vergehn.
Traurig such ich an dem Sternenbogen,
Dich, Selene, find ich dort nicht mehr;
Durch die Wälder ruf ich, durch die Wogen,
Ach! sie widerhallen leer!

Unbewußt der Freuden, die sie schenket,
Nie entzückt von ihrer Trefflichkeit,
Nie gewahr des Armes, der sie lenket,
Reicher nie durch meine Dankbarkeit,
Fühllos selbst für ihres Künstlers Ehre,
Gleich dem toten Schlag der Pendeluhr,
Dient sie knechtisch dem Gesetz der Schwere,
Die entgötterte Natur!

Morgen wieder neu sich zu entbinden,
Wühlt sie heute sich ihr eignes Grab,
Und an ewig gleicher Spindel winden
Sich von selbst die Monde auf und ab.
Müßig kehrten zu dem Dichterlande
Heim die Götter, unnütz einer Welt,
Die, entwachsen ihrem Gängelbande,
Sich durch eignes Schweben hält.

Freundlos, ohne Bruder, ohne Gleichen,
Keiner Göttin, keiner Irdschen Sohn,
Herrscht ein andrer in des Äthers Reichen
Auf Saturnus' umgestürztem Thron.
Selig, eh sich Wesen um ihn freuten,
Selig im entvölkerten Gefild,
Sieht er in dem langen Strom der Zeiten
Ewig nur – sein eignes Bild.

Bürger des Olymps konnt ich erreichen,
Jenem Gotte, den sein Marmor preist,
Konnte einst der hohe Bildner gleichen;
Was ist neben *dir* der höchste Geist
Derer, welche Sterbliche gebaren?
Nur der Würmer Erster, Edelster.
Da die Götter menschlicher noch waren,
Waren Menschen göttlicher.

Dessen Strahlen mich darnieder schlagen,
Werk und Schöpfer des Verstandes! dir
Nachzuringen, gib mir Flügel, Waagen,
Dich zu wägen – oder nimm von mir,
Nimm die ernste, strenge Göttin wieder,
Die den Spiegel blendend vor mir hält;
Ihre sanftre Schwester sende nieder,
Spare jene für die andre Welt.

Die Ideale

So willst du treulos von mir scheiden
Mit deinen holden Phantasien,
Mit deinen Schmerzen, deinen Freuden,
Mit allen unerbittlich fliehn?
Kann nichts dich, Fliehende, verweilen,
O meines Lebens goldne Zeit?
Vergebens, deine Wellen eilen
Hinab ins Meer der Ewigkeit.

Erloschen sind die heitern Sonnen,
Die meiner Jugend Pfad erhellt,
Die Ideale sind zerronnen,
Die einst das trunkne Herz geschwellt,
Er ist dahin, der süße Glaube
An Wesen, die mein Traum gebar,
Der rauhen Wirklichkeit zum Raube,
Was einst so schön, so göttlich war.

Wie einst mit flehendem Verlangen
Pygmalion den Stein umschloß,
Bis in des Marmors kalte Wangen
Empfindung glühend sich ergoß,
So schlang ich mich mit Liebesarmen
Um die Natur, mit Jugendlust,
Bis sie zu atmen, zu erwarmen
Begann an meiner Dichterbrust

Und, teilend meine Flammentriebe,
Die Stumme eine Sprache fand,
Mir wiedergab den Kuß der Liebe
Und meines Herzens Klang verstand;
Da lebte mir der Baum, die Rose,
Mir sang der Quellen Silberfall,
Es fühlte selbst das Seelenlose
Von meines Lebens Widerhall.

Es dehnte mit allmächtgem Streben
Die enge Brust ein kreisend All,
Herauszutreten in das Leben,
In Tat und Wort, in Bild und Schall.
Wie groß war diese Welt gestaltet,
Solang die Knospe sie noch barg,
Wie wenig, ach! hat sich entfaltet,
Dies wenige, wie klein und karg!

Wie sprang, von kühnem Mut beflügelt,
Beglückt in seines Traumes Wahn,
Von keiner Sorge noch gezügelt,
Der Jüngling in des Lebens Bahn.
Bis an des Äthers bleichste Sterne
Erhob ihn der Entwürfe Flug,
Nichts war so hoch und nichts so ferne,
Wohin ihr Flügel ihn nicht trug.

Wie leicht ward er dahingetragen,
Was war dem Glücklichen zu schwer!
Wie tanzte vor des Lebens Wagen
Die luftige Begleitung her!
Die Liebe mit dem süßen Lohne,
Das Glück mit seinem goldnen Kranz,
Der Ruhm mit seiner Sternenkrone,
Die Wahrheit in der Sonne Glanz!

Doch, ach! schon auf des Weges Mitte
Verloren die Begleiter sich,
Sie wandten treulos ihre Schritte,
Und einer nach dem andern wich.
Leichtfüßig war das Glück entflogen,
Des Wissens Durst blieb ungestillt,
Des Zweifels finstre Wetter zogen
Sich um der Wahrheit Sonnenbild.

Ich sah des Ruhmes heilge Kränze
Auf der gemeinen Stirn entweiht.
Ach, allzuschnell nach kurzem Lenze
Entfloh die schöne Liebeszeit.
Und immer stiller ward's und immer
Verlassner auf dem rauhen Steg,
Kaum warf noch einen bleichen Schimmer
Die Hoffnung auf den finstern Weg.

Von all dem rauschenden Geleite,
Wer harrte liebend bei mir aus?
Wer steht mir tröstend noch zur Seite
Und folgt mir bis zum finstern Haus?
Du, die du alle Wunden heilest,
Der Freundschaft leise, zarte Hand,
Des Lebens Bürden liebend teilest,
Du, die ich frühe sucht und fand,

Und du, die gern sich mit ihr gattet,
Wie sie der Seele Sturm beschwört,
Beschäftigung, die nie ermattet,
Die langsam schafft, doch nie zerstört,
Die zu dem Bau der Ewigkeiten
Zwar Sandkorn nur für Sandkorn reicht,
Doch von der großen Schuld der Zeiten
Minuten, Tage, Jahre streicht.

Das Ideal und das Leben

Ewigklar und spiegelrein und eben
Fließt das zephirleichte Leben
Im Olymp den Seligen dahin.
Monde wechseln und Geschlechter fliehen,
Ihrer Götterjugend Rosen blühen
Wandellos im ewigen Ruin.
Zwischen Sinnenglück und Seelenfrieden
Bleibt dem Menschen nur die bange Wahl;
Auf der Stirn des hohen Uraniden
Leuchtet ihr vermählter Strahl.

Wollt ihr schon auf Erden Göttern gleichen,
Frei sein in des Todes Reichen,
Brechet nicht von seines Gartens Frucht.
An dem Scheine mag der Blick sich weiden,
Des Genusses wandelbare Freuden
Rächet schleunig der Begierde Flucht.
Selbst der Styx, der neunfach sie umwindet,
Wehrt die Rückkehr Ceres' Tochter nicht,
Nach dem Apfel greift sie, und es bindet
Ewig sie des Orkus Pflicht.

Nur der Körper eignet jenen Mächten,
Die das dunkle Schicksal flechten,
Aber frei von jeder Zeitgewalt,
Die Gespielin seliger Naturen
Wandelt oben in des Lichtes Fluren,
Göttlich unter Göttern, die *Gestalt*.
Wollt ihr hoch auf ihren Flügeln schweben,
Werft die Angst des Irdischen von euch!
Fliehet aus dem engen, dumpfen Leben
In des Ideales Reich!

Jugendlich, von allen Erdenmalen
Frei, in der Vollendung Strahlen
Schwebet hier der Menschheit Götterbild,
Wie des Lebens schweigende Phantome
Glänzend wandeln an dem stygschen Strome,
Wie sie stand im himmlischen Gefild,
Ehe noch zum traurgen Sarkophage
Die Unsterbliche heruntersieg.
Wenn im Leben noch des Kampfes Waage
Schwankt, erscheinet hier der Sieg.

Nicht vom Kampf die Glieder zu entstricken,
Den Erschöpften zu erquicken,
Wehet hier des Sieges duftger Kranz.
Mächtig, selbst wenn eure Sehnen ruhten,
Reißt das Leben euch in seine Fluten,
Euch die Zeit in ihren Wirbeltanz.
Aber sinkt des Mutes kühner Flügel
Bei der Schranken peinlichem Gefühl,
Dann erblicket von der Schönheit Hügel
Freudig das erflogne Ziel.

Wenn es gilt, zu herrschen und zu schirmen,
Kämpfer gegen Kämpfer stürmen
Auf des Glückes, auf des Ruhmes Bahn,
Da mag Kühnheit sich an Kraft zerschlagen
Und mit krachendem Getös die Wagen
Sich vermengen auf bestäubtem Plan.
Mut allein kann hier den Dank erringen,
Der am Ziel des Hippodromes winkt,
Nur der Starke wird das Schicksal zwingen,
Wenn der Schwächling untersinkt.

Aber der, von Klippen eingeschlossen,
Wild und schäumend sich ergossen,
Sanft und eben rinnt des Lebens Fluß
Durch der Schönheit stille Schattenlande,
Und auf seiner Wellen Silberrande
Malt Aurora sich und Hesperus.
Aufgelöst in zarter Wechselliebe,

In der Anmut freiem Bund vereint,
Ruhen hier die ausgesöhnten Triebe,
Und verschwunden ist der Feind.

Wenn, das Tote bildend zu beseelen,
Mit dem Stoff sich zu vermählen,
Tatenvoll der Genius entbrennt,
Da, da spanne sich des Fleißes Nerve,
Und beharrlich ringend unterwerfe
Der Gedanke sich das Element.
Nur dem Ernst, den keine Mühe bleichet,
Rauscht der Wahrheit tief versteckter Born,
Nur des Meißels schwerem Schlag erweichet
Sich des Marmors sprödes Korn.

Aber dringt bis in der Schönheit Sphäre,
Und im Staube bleibt die Schwere
Mit dem Stoff, den sie beherrscht, zurück.
Nicht der Masse qualvoll abgerungen,
Schlank und leicht, wie aus dem Nichts gesprungen,
Steht das Bild vor dem entzückten Blick.
Alle Zweifel, alle Kämpfe schweigen
In des Sieges hoher Sicherheit,
Ausgestoßen hat es jeden Zeugen
Menschlicher Bedürftigkeit.

Wenn ihr in der Menschheit traurger Blöße
Steht vor des Gesetzes Größe,
Wenn dem Heiligen die Schuld sich naht,
Da erblasse vor der Wahrheit Strahle
Eure Tugend, vor dem Ideale
Fliehe mutlos die beschämte Tat.
Kein Erschaffner hat dies Ziel erflogen,
Über diesen grauenvollen Schlund
Trägt kein Nachen, keiner Brücke Bogen,
Und kein Anker findet Grund.

Aber flüchtet aus der Sinne Schranken
In die Freiheit der Gedanken,
Und die Furchterscheinung ist entflohn,
Und der ewge Abgrund wird sich füllen;
Nehmt die Gottheit auf in euren Willen,
Und sie steigt von ihrem Weltenthron.
Des Gesetzes strenge Fessel bindet
Nur den Sklavensinn, der es verschmäht,
Mit des Menschen Widerstand verschwindet
Auch des Gottes Majestät.

Wenn der Menschheit Leiden euch umfangen,
Wenn Laokoon der Schlangen
Sich erwehrt mit namenlosem Schmerz,
Da empöre sich der Mensch! Es schlage

An des Himmels Wölbung seine Klage
Und zerreiße euer fühlend Herz!
Der Natur furchtbare Stimme siege,
Und der Freude Wange werde bleich,
Und der heilgen Sympathie erliege
Das Unsterbliche in euch!

Aber in den heitern Regionen,
Wo die reinen Formen wohnen,
Rauscht des Jammers trüber Sturm nicht mehr.
Hier darf Schmerz die Seele nicht durchschneiden,
Keine Träne fließt hier mehr dem Leiden,
Nur des Geistes tapfrer Gegenwehr.
Lieblich, wie der Iris Farbenfeuer
Auf der Donnerwolke duftgem Tau,
Schimmert durch der Wehmut düstern Schleier
Hier der Ruhe heitres Blau.

Tief erniedrigt zu des Feigen Knechte,
Ging in ewigem Gefechte
Einst Alcid des Lebens schwere Bahn,
Rang mit Hydern und umarmt' den Leuen,
Stürzte sich, die Freunde zu befreien,
Lebend in des Totenschiffers Kahn.
Alle Plagen, alle Erdenlasten
Wälzt der unversöhnten Göttin List
Auf die willgen Schultern des Verhaßten,
Bis sein Lauf geendigt ist –,

Bis der Gott, des Irdischen entkleidet,
Flammend sich vom Menschen scheidet
Und des Äthers leichte Lüfte trinkt.
Froh des neuen, ungewohnten Schwebens,
Fließt er aufwärts, und des Erdenlebens
Schweres Traumbild sinkt und sinkt und sinkt.
Des Olympus Harmonien empfangen
Den Verklärten in Kronions Saal,
Und die Göttin mit den Rosenwangen
Reicht ihm lächelnd den Pokal.

Das verschleierte Bild zu Sais

Ein Jüngling, den des Wissens heißer Durst
Nach Sais in Ägypten trieb, der Priester
Geheime Weisheit zu erlernen, hatte
Schon manchen Grad mit schnellem Geist durcheilt,
Stets riß ihn seine Forschbegierde weiter,
Und kaum besänftigte der Hierophant
Den ungeduldig Strebenden. „Was hab ich,
Wenn ich nicht alles habe?“ sprach der Jüngling.

„Gibt's etwa hier ein Weniger und Mehr?
Ist deine Weisheit wie der Sinne Glück
Nur eine Summe, die man größer, kleiner
Besitzen kann und immer doch besitzt?
Ist sie nicht eine einzge, ungeteilte?
Nimm einen Ton aus einer Harmonie,
Nimm eine Farbe aus dem Regenbogen,
Und alles, was dir bleibt, ist nichts, solang
Das schöne All der Töne fehlt und Farben."

Indem sie einst so sprachen, standen sie
In einer einsamen Rotonde still,
Wo ein verschleiert Bild von Riesengröße
Dem Jüngling in die Augen fiel. Verwundert
Blickt er den Führer an und spricht: „Was ist's,
Das hinter diesem Schleier sich verbirgt?"
„Die Wahrheit", ist die Antwort. – „Wie?" ruft jener,
„Nach Wahrheit streb ich ja allein, und diese
Gerade ist es, die man mir verhüllt?"

„Das mache mit der Gottheit aus", versetzt
Der Hierophant. „Kein Sterblicher, sagt sie,
Rückt diesen Schleier, bis ich selbst ihn hebe.
Und wer mit ungeweihter, schuldger Hand
Den heiligen, verbotnen früher hebt,
Der, spricht die Gottheit –" – „Nun?" – „Der *sieht* die Wahrheit."

„Ein seltsamer Orakelspruch! Du selbst,
Du hättest also niemals ihn gehoben?"
„Ich? Wahrlich nicht! Und war auch nie dazu
Versucht." – „Das fass ich nicht. Wenn von der Wahrheit
Nur diese dünne Scheidewand mich trennte –"
„Und ein Gesetz", fällt ihm sein Führer ein.
„Gewichtiger, mein Sohn, als du es meinst,
Ist dieser dünne Flor – für deine Hand
Zwar leicht, doch zentnerschwer für dein Gewissen."

Der Jüngling ging gedankenvoll nach Hause.
Ihm raubt des Wissens brennende Begier
Den Schlaf, er wälzt sich glühend auf dem Lager
Und rafft sich auf um Mitternacht. Zum Tempel
Führt unfreiwillig ihn der scheue Tritt.
Leicht ward es ihm, die Mauer zu ersteigen,
Und mitten in das Innre der Rotonde
Trägt ein beherzter Sprung den Wagenden.

Hier steht er nun, und grauenvoll umfängt
Den Einsamen die lebenlose Stille,
Die nur der Tritte hohler Widerhall
In den geheimen Grüften unterbricht.
Von oben durch der Kuppel Öffnung wirft
Der Mond den bleichen, silberblauen Schein,

Und furchtbar wie ein gegenwärtger Gott
Erglänzt durch des Gewölbes Finsternisse
In ihrem langen Schleier die Gestalt.

Er tritt hinan mit ungewissem Schritt,
Schon will die freche Hand das Heilige berühren,
Da zuckt es heiß und kühl durch sein Gebein
Und stößt ihn weg mit unsichtbarem Arme.
Unglücklicher, was willst du tun? So ruft
In seinem Innern eine treue Stimme.
Versuchen den Allheiligen willst du?
Kein Sterblicher, sprach des Orakels Mund,
Rückt diesen Schleier, bis ich selbst ihn hebe.
Doch setzte nicht derselbe Mund hinzu:
Wer diesen Schleier hebt, soll Wahrheit schauen?
„Sei hinter ihm, was will! Ich heb ihn auf."
(Er ruft's mit lauter Stimm.) „Ich will sie schauen."
 Schauen!
Gellt ihm ein langes Echo spottend nach.

Er spricht's und hat den Schleier aufgedeckt.
Nun, fragt ihr, und was zeigte sich ihm hier?
Ich weiß es nicht. Besinnungslos und bleich,
So fanden ihn am andern Tag die Priester
Am Fußgestell der Isis ausgestreckt.
Was er allda gesehen und erfahren,
Hat seine Zunge nie bekannt. Auf ewig
War seines Lebens Heiterkeit dahin,
Ihn riß ein tiefer Gram zum frühen Grabe.
„Weh dem", dies war sein warnungsvolles Wort,
Wenn ungestüme Frager in ihn drangen,
„Weh dem, der zu der Wahrheit geht durch Schuld,
Sie wird ihm nimmermehr erfreulich sein."

Der Spaziergang

Sei mir gegrüßt, mein Berg mit dem rötlich strahlenden Gipfel!
 Sei mir, Sonne, gegrüßt, die ihn so lieblich bescheint!
Dich auch grüß ich, belebte Flur, euch, säuselnde Linden,
 Und den fröhlichen Chor, der auf den Ästen sich wiegt,
Ruhige Bläue, dich auch, die unermeßlich sich ausgießt
 Um das braune Gebirg, über den grünenden Wald,
Auch um mich, der endlich entflohn des Zimmers Gefängnis
 Und dem engen Gespräch freudig sich rettet zu dir.
Deiner Lüfte balsamischer Strom durchrinnt mich erquickend,
 Und den durstigen Blick labt das energische Licht.
Kräftig auf blühender Au erglänzen die wechselnden Farben,
 Aber der reizende Streit löset in Anmut sich auf.
Frei empfängt mich die Wiese mit weithin verbreitetem Teppich,
 Durch ihr freundliches Grün schlingt sich der ländliche Pfad,

Um mich summt die geschäftige Bien, mit zweifelndem Flügel
 Wiegt der Schmetterling sich über dem rötlichen Klee.
Glühend trifft mich der Sonne Pfeil, still liegen die Weste,
 Nur der Lerche Gesang wirbelt in heiterer Luft.
Doch jetzt braust's aus dem nahen Gebüsch, tief neigen der Erlen
 Kronen sich, und im Wind wogt das versilberte Gras.
Mich umfängt ambrosische Nacht; in duftende Kühlung
 Nimmt ein prächtiges Dach schattender Buchen mich ein,
In des Waldes Geheimnis entflieht mir auf einmal die Landschaft,
 Und ein schlängelnder Pfad leitet mich steigend empor.
Nur verstohlen durchdringt der Zweige laubigtes Gitter
 Sparsames Licht, und es blickt lachend das Blaue herein.
Aber plötzlich zerreißt der Flor. Der geöffnete Wald gibt
 Überraschend des Tags blendendem Glanz mich zurück.
Unabsehbar ergießt sich vor meinen Blicken die Ferne,
 Und ein blaues Gebirg endigt im Dufte die Welt.
Tief an des Berges Fuß, der gählings unter mir abstürzt,
 Wallet des grünlichten Stroms fließender Spiegel vorbei.
Endlos unter mir seh ich den Äther, über mir endlos,
 Blicke mit Schwindeln hinauf, blicke mit Schaudern hinab.
Aber zwischen der ewigen Höh und der ewigen Tiefe
 Trägt ein geländerter Steig sicher den Wandrer dahin.
Lachend fliehen an mir die reichen Ufer vorüber,
 Und den fröhlichen Fleiß rühmet das prangende Tal.
Jene Linien, sieh! die des Landmanns Eigentum scheiden,
 In den Teppich der Flur hat sie Demeter gewirkt.
Freundliche Schrift des Gesetzes, des menschenerhaltenden Gottes,
 Seit aus der ehernen Welt fliehend die Liebe verschwand!
Aber in freieren Schlangen durchkreuzt die geregelten Felder,
 Jetzt verschlungen vom Wald, jetzt an den Bergen hinauf
Klimmend, ein schimmernder Streif, die Länder verknüpfende Straße;
 Auf dem ebenen Strom gleiten die Flöße dahin.
Vielfach ertönt der Herden Geläut im belebten Gefilde,
 Und den Widerhall weckt einsam des Hirten Gesang.
Muntre Dörfer bekränzen den Strom, in Gebüschen verschwinden
 Andre, vom Rücken des Bergs stürzen sie gäh dort herab.
Nachbarlich wohnet der Mensch noch mit dem Acker zusammen,
 Seine Felder umruhn friedlich sein ländliches Dach,
Traulich rankt sich die Reb empor an dem niedrigen Fenster,
 Einen umarmenden Zweig schlingt um die Hütte der Baum.
Glückliches Volk der Gefilde! Noch nicht zur Freiheit erwachet,
 Teilst du mit deiner Flur fröhlich das enge Gesetz.
Deine Wünsche beschränkt der Ernten ruhiger Kreislauf,
 Wie dein Tagewerk, gleich, windet dein Leben sich ab!
Aber wer raubt mir auf einmal den lieblichen Anblick? Ein fremder
 Geist verbreitet sich schnell über die fremdere Flur!
Spröde sondert sich ab, was kaum noch liebend sich mischte,
 Und das Gleiche nur ist's, was an das Gleiche sich reiht.
Stände seh ich gebildet, der Pappeln stolze Geschlechter
 Ziehn in geordnetem Pomp vornehm und prächtig daher.
Regel wird alles, und alles wird Wahl und alles Bedeutung,

Dieses Dienergefolg meldet den Herrscher mir an.
Prangend verkündigen ihn von fern die beleuchteten Kuppeln,
 Aus dem felsigten Kern hebt sich die türmende *Stadt.*
In die Wildnis hinaus sind des Waldes Faunen verstoßen,
 Aber die Andacht leiht höheres Leben dem Stein.
Näher gerückt ist der Mensch an den Menschen. Enger wird um ihn,
 Reger erwacht, es umwälzt rascher sich in ihm die Welt.
Sieh, da entbrennen in feurigem Kampf die eifernden Kräfte,
 Großes wirket ihr Streit, Größeres wirket ihr Bund.
Tausend Hände belebt *ein* Geist, hoch schläget in tausend
 Brüsten, von *einem* Gefühl glühend, ein einziges Herz,
Schlägt für das Vaterland und glüht für der Ahnen Gesetze,
 Hier auf dem teuren Grund ruht ihr verehrtes Gebein.
Nieder steigen vom Himmel die seligen Götter und nehmen
 In dem geweihten Bezirk festliche Wohnungen ein,
Herrliche Gaben bescherend erscheinen sie; Ceres vor allen
 Bringet des Pfluges Geschenk, Hermes den Anker herbei,
Bacchus die Traube, Minerva des Ölbaums grünende Reiser,
 Auch das kriegrische Roß führet Poseidon heran,
Mutter Cybele spannt an des Wagens Deichsel die Löwen,
 In das gastliche Tor zieht sie als Bürgerin ein.
Heilige Steine! Aus euch ergossen sich Pflanzer der Menschheit,
 Fernen Inseln des Meers sandtet ihr Sitten und Kunst,
Weise sprachen das Recht an diesen geselligen Toren,
 Helden stürzten zum Kampf für die Penaten heraus.
Auf den Mauren erschienen, den Säugling im Arme, die Mütter,
 Blickten dem Heerzug nach, bis ihn die Ferne verschlang.
Betend stürzten sie dann vor der Götter Altären sich nieder,
 Flehten um Ruhm und Sieg, flehten um Rückkehr für euch.
Ehre ward euch und Sieg, doch der Ruhm nur kehrte zurücke,
 Eurer Taten Verdienst meldet der rührende Stein:
„Wanderer, kommst du nach Sparta, verkündige dorten, du habest
 Uns hier liegen gesehn, wie das Gesetz es befahl."
Ruhet sanft, ihr Geliebten! Von eurem Blute begossen,
 Grünet der Ölbaum, es keimt lustig die köstliche Saat.
Munter entbrennt, des Eigentums froh, das freie Gewerbe,
 Aus dem Schilfe des Stroms winket der bläulichte Gott.
Zischend fliegt in den Baum die Axt, es erseufzt die Dryade,
 Hoch von des Berges Haupt stürzt sich die donnernde Last.
Aus dem Felsbruch wiegt sich der Stein, vom Hebel beflügelt,
 In der Gebirge Schlucht taucht sich der Bergmann hinab.
Mulcibers Amboß tönt von dem Takt geschwungener Hämmer,
 Unter der nervigten Faust spritzen die Funken des Stahls.
Glänzend umwindet der goldene Lein die tanzende Spindel,
 Durch die Saiten des Garns sauset das webende Schiff.
Fern auf der Reede ruft der Pilot, es warten die Flotten,
 Die in der Fremdlinge Land tragen den heimischen Fleiß,
Andre ziehn frohlockend dort ein, mit den Gaben der Ferne,
 Hoch von dem ragenden Mast wehet der festliche Kranz.
Siehe, da wimmeln die Märkte, der Kran von fröhlichem Leben,
 Seltsamer Sprachen Gewirr braust in das wundernde Ohr.
Auf den Stapel schüttet die Ernten der Erde der Kaufmann,

Was dem glühenden Strahl Afrikas Boden gebiert,
Was Arabien kocht, was die äußerste Thule bereitet,
 Hoch mit erfreuendem Gut füllt Amalthea das Horn.
Da gebieret das Glück dem Talente die göttlichen Kinder,
 Von der Freiheit gesäugt, wachsen die Künste der Lust.
Mit nachahmendem Leben erfreuet der Bildner die Augen,
 Und vom Meißel beseelt, redet der fühlende Stein,
Künstliche Himmel ruhn auf schlanken jonischen Säulen,
 Und den ganzen Olymp schließet ein Pantheon ein.
Leicht wie der Iris Sprung durch die Luft, wie der Pfeil von der Senne,
 Hüpfet der Brücke Joch über den brausenden Strom.
Aber im stillen Gemach entwirft bedeutende Zirkel
 Sinnend der Weise, beschleicht forschend den schaffenden Geist,
Prüft der Stoffe Gewalt, der Magnete Hassen und Lieben,
 Folgt durch die Lüfte dem Klang, folgt durch den Äther dem Strahl,
Sucht das vertraute Gesetz in des Zufalls grausenden Wundern,
 Sucht den ruhenden Pol in der Erscheinungen Flucht.
Körper und Stimme leiht die Schrift dem stummen Gedanken,
 Durch der Jahrhunderte Strom trägt ihn das redende Blatt.
Da zerrinnt vor dem wundernden Blick der Nebel des Wahnes,
 Und die Gebilde der Nacht weichen dem tagenden Licht.
Seine Fesseln zerbricht der Mensch. Der Beglückte! Zerriss' er
 Mit den Fesseln der Furcht nur nicht den Zügel der Scham!
Freiheit ruft die Vernunft, Freiheit die wilde Begierde,
 Von der heilgen Natur ringen sie lüstern sich los.
Ach, da reißen im Sturm die Anker, die an dem Ufer
 Warnend ihn hielten, ihn faßt mächtig der flutende Strom,
Ins Unendliche reißt er ihn hin, die Küste verschwindet,
 Hoch auf der Fluten Gebirg wiegt sich entmastet der Kahn,
Hinter Wolken erlöschen des Wagens beharrliche Sterne,
 Bleibend ist nichts mehr, es irrt selbst in dem Busen der 'Gott.
Aus dem Gespräche verschwindet die Wahrheit, Glauben und Treue
 Aus dem Leben, es lügt selbst auf der Lippe der Schwur.
In der Herzen vertraulichsten Bund, in der Liebe Geheimnis
 Drängt sich der Sykophant, reißt von dem Freunde den Freund,
Auf die Unschuld schielt der Verrat mit verschlingendem Blicke,
 Mit vergiftendem Biß tötet des Lästerers Zahn.
Feil ist in der geschändeten Brust der Gedanke, die Liebe
 Wirft des freien Gefühls göttlichen Adel hinweg.
Deiner heiligen Zeichen, o Wahrheit, hat der Betrug sich
 Angemaßt, der Natur köstlichste Stimmen entweiht,
Die das bedürftige Herz in der Freude Drang sich erfindet,
 Kaum gibt wahres Gefühl noch durch Verstummen sich kund.
Auf der Tribüne prahlet das Recht, in der Hütte die Eintracht,
 Des Gesetzes Gespenst steht an der Könige Thron.
Jahrelang mag, jahrhundertelang die Mumie dauern,
 Mag das trügende Bild lebender Fülle bestehn,
Bis die Natur erwacht und mit schweren ehernen Händen
 An das hohle Gebäu rühret die Not und die Zeit,
Einer Tigerin gleich, die das eiserne Gitter durchbrochen
 Und des numidischen Walds plötzlich und schrecklich gedenkt,
Aufsteht mit des Verbrechens Wut und des Elends die Menschheit

Und in der Asche der Stadt sucht die verlorne Natur.
O, so öffnet euch, Mauren, gebt den Gefangenen ledig,
 Zu der verlassenen Flur kehr er gerettet zurück!
Aber wo bin ich? Es birgt sich der Pfad. Abschüssige Gründe
 Hemmen mit gähnender Kluft hinter mir, vor mir den Schritt.
Hinter mir blieb der Gärten, der Hecken vertraute Begleitung,
 Hinter mir jegliche Spur menschlicher Hände zurück.
Nur die Stoffe seh ich getürmt, aus welchen das Leben
 Keimet, der rohe Basalt hofft auf die bildende Hand.
Brausend stürzt der Gießbach herab durch die Rinne des Felsen,
 Unter den Wurzeln des Baums bricht er entrüstet sich Bahn.
Wild ist es hier und schauerlich öd. Im einsamen Luftraum
 Hängt nur der Adler und knüpft an das Gewölke die Welt.
Hoch herauf bis zu mir trägt keines Windes Gefieder
 Den verlorenen Schall menschlicher Mühen und Lust.
Bin ich wirklich allein? In deinen Armen, an deinem
 Herzen wieder, Natur, ach! und es war nur ein Traum,
Der mich schaudernd ergriff mit des Lebens furchtbarem Bilde,
 Mit dem stürzenden Tal stürzte der finstre hinab.
Reiner nehm ich mein Leben von deinem reinen Altare,
 Nehme den fröhlichen Mut hoffender Jugend zurück!
Ewig wechselt der Wille den Zweck und die Regel, in ewig
 Wiederholter Gestalt wälzen die Taten sich um.
Aber jugendlich immer, in immer veränderter Schöne
 Ehrst du, fromme Natur, züchtig das alte Gesetz,
Immer dieselbe, bewahrst du in treuen Händen dem Manne,
 Was dir das gaukelnde Kind, was dir der Jüngling vertraut,
Nährest an gleicher Brust die vielfach wechselnden Alter;
 Unter demselben Blau, über dem nämlichen Grün
Wandeln die nahen und wandeln vereint die fernen Geschlechter,
 Und die Sonne Homers, siehe! sie lächelt auch uns.

Das Mädchen aus der Fremde

In einem Tal bei armen Hirten
Erschien mit jedem jungen Jahr,
Sobald die ersten Lerchen schwirrten,
Ein Mädchen, schön und wunderbar.

Sie war nicht in dem Tal geboren,
Man wußte nicht, woher sie kam,
Und schnell war ihre Spur verloren,
Sobald das Mädchen Abschied nahm.

Beseligend war ihre Nähe,
Und alle Herzen wurden weit,
Doch eine Würde, eine Höhe
Entfernte die Vertraulichkeit.

Sie brachte Blumen mit und Früchte,
Gereift auf einer andern Flur,
In einem andern Sonnenlichte,
In einer glücklichern Natur,

Und teilte jedem eine Gabe,
Dem Früchte, jenem Blumen aus,
Der Jüngling und der Greis am Stabe,
Ein jeder ging beschenkt nach Haus.

Willkommen waren alle Gäste,
Doch nahte sich ein liebend Paar,
Dem reichte sie der Gaben beste,
Der Blumen allerschönste dar.

Hektors Abschied

Andromache

Will sich Hektor ewig von mir wenden,
Wo Achill mit den unnahbarn Händen
Dem Patroklus schrecklich Opfer bringt?
Wer wird künftig deinen Kleinen lehren
Speere werfen und die Götter ehren,
Wenn der finstre Orkus dich verschlingt?

Hektor

Teures Weib, gebiete deinen Tränen,
Nach der Feldschlacht ist mein feurig Sehnen,
Diese Arme schützen Pergamus.
Kämpfend für den heilgen Herd der Götter
Fall ich, und des Vaterlandes Retter
Steig ich nieder zu dem stygschen Fluß.

Andromache

Nimmer lausch ich deiner Waffen Schalle,
Müßig liegt dein Eisen in der Halle,
Priams großer Heldenstamm verdirbt.
Du wirst hingehn, wo kein Tag mehr scheinet,
Der Cocytus durch die Wüsten weinet,
Deine Liebe in dem Lethe stirbt.

Hektor

All mein Sehnen will ich, all mein Denken
In des Lethe stillen Strom versenken,
Aber meine Liebe nicht.
Horcht! Der Wilde tobt schon an den Mauern,
Gürte mir das Schwert um, laß das Trauern,
Hektors Liebe stirbt im Lethe nicht.

Dithyrambe

Nimmer, das glaubt mir,
Erscheinen die Götter,
Nimmer allein.
Kaum daß ich Bacchus, den lustigen, habe,
Kommt auch schon Amor, der lächelnde Knabe,
Phöbus der Herrliche findet sich ein.
 Sie nahen, sie kommen,
 Die Himmlischen alle,
 Mit Göttern erfüllt sich
 Die irdische Halle.

Sagt, wie bewirt ich,
Der Erdegeborne,
Himmlischen Chor?
Schenket mir euer unsterbliches Leben,
Götter! Was kann euch der Sterbliche geben?
Hebet zu eurem Olymp mich empor!
 Die Freude, sie wohnt nur
 In Jupiters Saale,
 O füllet mit Nektar,
 O reicht mir die Schale!

Reich ihm die Schale!
Schenke dem Dichter,
Hebe, nur ein.
Netz ihm die Augen mit himmlischem Taue,
Daß er den Styx, den verhaßten, nicht schaue,
Einer der Unsern sich dünke zu sein.
　　　Sie rauschet, sie perlet,
　　　Die himmlische Quelle,
　　　Der Busen wird ruhig,
　　　Das Auge wird helle.

Die Teilung der Erde

„Nehmt hin die Welt!“ rief Zeus von seinen Höhen
Den Menschen zu. „Nehmt, sie soll euer sein!
Euch schenk ich sie zum Erb und ewgen Lehen –
Doch teilt euch brüderlich darein!“

Da eilt’, was Hände hat, sich einzurichten,
Es regte sich geschäftig jung und alt.
Der Ackermann griff nach des Feldes Früchten,
Der Junker birschte durch den Wald.

Der Kaufmann nimmt, was seine Speicher fassen,
Der Abt wählt sich den edeln Firnewein,
Der König sperrt die Brücken und die Straßen
Und sprach: „Der Zehente ist mein.“

Ganz spät, nachdem die Teilung längst geschehen,
Naht der Poet, er kam aus weiter Fern –
Ach! da war überall nichts mehr zu sehen,
Und alles hatte seinen Herrn!

„Weh mir! So soll denn ich allein von allen
Vergessen sein, ich, dein getreuster Sohn?“
So ließ er laut der Klage Ruf erschallen
Und warf sich hin vor Jovis Thron.

„Wenn du im Land der Träume dich verweilet“,
Versetzt der Gott, „so hadre nicht mit mir.
Wo warst du denn, als man die Welt geteilet?“
„Ich war“, sprach der Poet, „bei dir.

Mein Auge hing an deinem Angesichte,
An deines Himmels Harmonie mein Ohr –
Verzeih dem Geiste, der, von deinem Lichte
Berauscht, das Irdische verlor!“

„Was tun?" spricht Zeus, „die Welt ist weggegeben,
Der Herbst, die Jagd, der Markt ist nicht mehr mein.
Willst du in meinem Himmel mit mir leben –
So oft du kommst, er soll dir offen sein."

Die beste Staatsverfassung

Diese nur kann ich dafür erkennen, die jedem erleichtert,
Gut zu denken, doch nie, daß er so denke, bedarf.

An die Gesetzgeber

Setzet immer voraus, daß der Mensch im ganzen das Rechte
Will, im einzelnen nur rechnet mir niemals darauf.

Majestas populi

Majestät der Menschennatur! dich soll ich beim Haufen
Suchen? Bei wenigen nur hast du von jeher gewohnt.
Einzelne wenige zählen, die übrigen alle sind blinde
Nummern, ihr leeres Gewühl hüllet die Treffer bloß ein.

[Überschrift: Würde der Volksmasse.]

Das Ehrwürdige

Ehret ihr immer das Ganze, ich kann nur einzelne achten,
Immer in einzelnen nur hab ich das Ganze erblickt.

Der Genius mit der umgekehrten Fackel

Lieblich sieht er zwar aus mit seiner erloschenen Fackel,
Aber, ihr Herren, der Tod ist so ästhetisch doch nicht.

Die Urne und das Skelett

In das Grab hinein pflanzte der menschliche Grieche noch Leben,
Und du töricht Geschlecht stellst in das Leben den Tod.

Die Antike an den nordischen Wanderer

Über Ströme hast du gesetzt und Meere durchschwommen,
Über der Alpen Gebirg trug dich der schwindlichte Steg,
Mich in der Nähe zu schaun und meine Schöne zu preisen,

Die der begeisterte Ruf rühmt durch die staunende Welt;
Und nun stehst du vor mir, du darfst mich Heilge berühren,
Aber bist du mir jetzt näher, und bin ich es dir?

Die schönste Erscheinung

Sahest du nie die Schönheit im Augenblicke des Leidens,
Niemals hast du die Schönheit gesehn.
Sahst du die Freude nie in einem schönen Gesichte,
Niemals hast du die Freude gesehn!

Das Unwandelbare

„Unaufhaltsam enteilet die Zeit." – Sie sucht das Beständge.
Sei getreu, und du legst ewige Fesseln ihr an.

Der Ring des Polykrates

Er stand auf seines Daches Zinnen,
Er schaute mit vergnügten Sinnen
Auf das beherrschte Samos hin.
„Dies alles ist mir untertänig",
Begann er zu Ägyptens König,
„Gestehe, daß ich glücklich bin!"

„Du hast der Götter Gunst erfahren!
Die vormals deinesgleichen waren,
Sie zwingt jetzt deines Szepters Macht.
Doch einer lebt noch, sie zu rächen,
Dich kann mein Mund nicht glücklich sprechen,
Solang des Feindes Auge wacht."

Und eh der König noch geendet,
Da stellt sich, von Milet gesendet,
Ein Bote dem Tyrannen dar:
„Laß, Herr! des Opfers Düfte steigen
Und mit des Lorbeers muntern Zweigen
Bekränze dir dein festlich Haar.

Getroffen sank dein Feind vom Speere,
Mich sendet mit der frohen Märe
Dein treuer Feldherr Polydor –"
Und nimmt aus einem schwarzen Becken,
Noch blutig, zu der beiden Schrecken
Ein wohlbekanntes Haupt hervor.

Der König tritt zurück mit Grauen:
„Doch warn ich dich, dem Glück zu trauen",
Versetzt er mit besorgtem Blick.

„Bedenk, auf ungetreuen Wellen,
Wie leicht kann sie der Sturm zerschellen,
Schwimmt deiner Flotte zweifelnd Glück."
Und eh er noch das Wort gesprochen,
Hat ihn der Jubel unterbrochen,
Der von der Reede jauchzend schallt.
Mit fremden Schätzen reich beladen,
Kehrt zu den heimischen Gestaden
Der Schiffe mastenreicher Wald.

Der königliche Gast erstaunet:
„Dein Glück ist heute gut gelaunet,
Doch fürchte seinen Unbestand.
Der Kreter waffenkundge Scharen
Bedräuen dich mit Kriegsgefahren,
Schon nahe sind sie diesem Strand."

Und eh ihm noch das Wort entfallen,
Da sieht man's von den Schiffen wallen,
Und tausend Stimmen rufen: „Sieg!
Von Feindesnot sind wir befreiet,
Die Kreter hat der Sturm zerstreuet,
Vorbei, geendet ist der Krieg."

Das hört der Gastfreund mit Entsetzen:
„Fürwahr, ich muß dich glücklich schätzen,
Doch", spricht er, „zittr ich für dein Heil.
Mir grauet vor der Götter Neide,
Des Lebens ungemischte Freude
Ward keinem Irdischen zuteil.

Auch mir ist alles wohlgeraten,
Bei allen meinen Herrschertaten
Begleitet mich des Himmels Huld,
Doch hatt ich einen teuren Erben,
Den nahm mir Gott, ich sah ihn sterben,
Dem Glück bezahlt' ich meine Schuld.

Drum, willst du dich vor Leid bewahren,
So flehe zu den Unsichtbaren,
Daß sie zum Glück den Schmerz verleihn.
Noch keinen sah ich fröhlich enden,
Auf den mit immer vollen Händen
Die Götter ihre Gaben streun.

Und wenn's die Götter nicht gewähren,
So acht auf eines Freundes Lehren
Und rufe selbst das Unglück her,
Und was von allen deinen Schätzen
Dein Herz am höchsten mag ergötzen,
Das nimm und wirf's in dieses Meer."

Und jener spricht, von Furcht beweget:
„Von allem, was die Insel heget,
Ist dieser Ring mein höchstes Gut.
Ihn will ich den Erinnen weihen,
Ob sie mein Glück mir dann verzeihen."
Und wirft das Kleinod in die Flut.

Und bei des nächsten Morgens Lichte,
Da tritt mit fröhlichem Gesichte
Ein Fischer vor den Fürsten hin:
„Herr, diesen Fisch hab ich gefangen,
Wie keiner noch ins Netz gegangen,
Dir zum Geschenke bring ich ihn."

Und als der Koch den Fisch zerteilet,
Kommt er bestürzt herbeigeeilet
Und ruft mit hocherstauntem Blick:
„Sieh, Herr, den Ring, den du getragen,
Ihn fand ich in des Fisches Magen,
O, ohne Grenzen ist dein Glück!"

Hier wendet sich der Gast mit Grausen:
„So kann ich hier nicht ferner hausen,
Mein Freund kannst du nicht weiter sein.
Die Götter wollen dein Verderben,
Fort eil ich, nicht mit dir zu sterben."
Und sprach's und schiffte schnell sich ein.

Der Handschuh

Vor seinem Löwengarten,
Das Kampfspiel zu erwarten,
Saß König Franz
Und um ihn die Großen der Krone
Und rings auf hohem Balkone
Die Damen in schönem Kranz.

Und wie er winkt mit dem Finger,
Auf tut sich der weite Zwinger,
Und hinein mit bedächtigem Schritt
Ein Löwe tritt
Und sieht sich stumm
Rings um,
Mit langem Gähnen,
Und schüttelt die Mähnen
Und streckt die Glieder
Und legt sich nieder.

Und der König winkt wieder,
Da öffnet sich behend

Ein zweites Tor,
Daraus rennt
Mit wildem Sprunge
Ein Tiger hervor.
Wie der den Löwen erschaut,
Brüllt er laut,
Schlägt mit dem Schweif
Einen furchtbaren Reif
Und recket die Zunge,
Und im Kreise scheu
Umgeht er den Leu
Grimmig schnurrend;
Drauf streckt er sich murrend
Zur Seite nieder.

Und der König winkt wieder,
Da speit das doppelt geöffnete Haus
Zwei Leoparden auf einmal aus,
Die stürzen mit mutiger Kampfbegier
Auf das Tigertier,

Das packt sie mit seinen grimmigen Tatzen,
Und der Leu mit Gebrüll
Richtet sich auf, da wird's still,
Und herum im Kreis,
Von Mordsucht heiß,
Lagern die greulichen Katzen.

Da fällt von des Altans Rand
Ein Handschuh von schöner Hand
Zwischen den Tiger und den Leun
Mitten hinein.

Und zu Ritter Delorges spottenderweis
Wendet sich Fräulein Kunigund:
„Herr Ritter, ist Eure Lieb so heiß,
Wie Ihr mir's schwört zu jeder Stund,
Ei, so hebt mir den Handschuh auf."

Und der Ritter in schnellem Lauf
Steigt hinab in den furchtbaren Zwinger
Mit festem Schritte,
Und aus der Ungeheuer Mitte
Nimmt er den Handschuh mit keckem Finger.

Und mit Erstaunen und mit Grauen
Sehen's die Ritter und Edelfrauen,
Und gelassen bringt er den Handschuh zurück.
Da schallt ihm sein Lob aus jedem Munde,
Aber mit zärtlichem Liebesblick –
Er verheißt ihm sein nahes Glück –
Empfängt ihn Fräulein Kunigunde.
Und er wirft ihr den Handschuh ins Gesicht:
„Den Dank, Dame, begehr ich nicht",
Und verläßt sie zur selben Stunde.

Die Kraniche des Ibykus

Zum Kampf der Wagen und Gesänge,
Der auf Korinthus' Landesenge
Der Griechen Stämme froh vereint,
Zog Ibykus, der Götterfreund.
Ihm schenkte des Gesanges Gabe,
Der Lieder süßen Mund Apoll,
So wandert' er, an leichtem Stabe,
Aus Rhegium, des Gottes voll.

Schon winkt auf hohem Bergesrücken
Akrokorinth des Wandrers Blicken,
Und in Poseidons Fichtenhain
Tritt er mit frommem Schauder ein.
Nichts regt sich um ihn her, nur Schwärme
Von Kranichen begleiten ihn,
Die fernhin nach des Südens Wärme
In graulichtem Geschwader ziehn.

„Seid mir gegrüßt, befreundte Scharen!
Die mir zur See Begleiter waren,
Zum guten Zeichen nehm ich euch,
Mein Los, es ist dem euren gleich.
Von fernher kommen wir gezogen
Und flehen um ein wirtlich Dach.
Sei uns der Gastliche gewogen,
Der von dem Fremdling wehrt die Schmach!"

Und munter fördert er die Schritte
Und sieht sich in des Waldes Mitte,
Da sperren, auf gedrangem Steg,
Zwei Mörder plötzlich seinen Weg.

Zum Kampfe muß er sich bereiten,
Doch bald ermattet sinkt die Hand,
Sie hat der Leier zarte Saiten,
Doch nie des Bogens Kraft gespannt.

Er ruft die Menschen an, die Götter,
Sein Flehen dringt zu keinem Retter,
Wie weit er auch die Stimme schickt,
Nichts Lebendes wird hier erblickt.
„So muß ich hier verlassen sterben,
Auf fremdem Boden, unbeweint,
Durch böser Buben Hand verderben,
Wo auch kein Rächer mir erscheint!"

Und schwer getroffen sinkt er nieder,
Da rauscht der Kraniche Gefieder,
Er hört, schon kann er nicht mehr sehn,
Die nahen Stimmen furchtbar krähn.
„Von euch, ihr Kraniche dort oben!
Wenn keine andre Stimme spricht,
Sei meines Mordes Klag erhoben!"
Er ruft es, und sein Auge bricht.

Der nackte Leichnam wird gefunden,
Und bald, obgleich entstellt von Wunden,
Erkennt der Gastfreund in Korinth
Die Züge, die ihm teuer sind.
„Und muß ich so dich wiederfinden,
Und hoffte mit der Fichte Kranz
Des Sängers Schläfe zu umwinden,
Bestrahlt von seines Ruhmes Glanz!"

Und jammernd hören's alle Gäste,
Versammelt bei Poseidons Feste,
Ganz Griechenland ergreift der Schmerz,
Verloren hat ihn jedes Herz.
Und stürmend drängt sich zum Prytanen
Das Volk, es fodert seine Wut,
Zu rächen des Erschlagnen Manen,
Zu sühnen mit des Mörders Blut.

Doch wo die Spur, die aus der Menge,
Der Völker flutendem Gedränge,
Gelocket von der Spiele Pracht,
Den schwarzen Täter kenntlich macht?
Sind's Räuber, die ihn feig erschlagen?
Tat's neidisch ein verborgner Feind?
Nur Helios vermag's zu sagen,
Der alles Irdische bescheint.

Er geht vielleicht mit frechem Schritte
Jetzt eben durch der Griechen Mitte,
Und während ihn die Rache sucht,
Genießt er seines Frevels Frucht.
Auf ihres eignen Tempels Schwelle
Trotz er vielleicht den Göttern, mengt
Sich dreist in jene Menschenwelle,
Die dort sich zum Theater drängt.

Denn Bank an Bank gedränget sitzen,
Es brechen fast der Bühne Stützen,
Herbeigeströmt von fern und nah,
Der Griechen Völker wartend da,
Dumpfbrausend wie des Meeres Wogen;
Von Menschen wimmelnd, wächst der Bau
In weiter stets geschweiftem Bogen
Hinauf bis in des Himmels Blau.

Wer zählt die Völker, nennt die Namen,
Die gastlich hier zusammenkamen?
Von Theseus' Stadt, von Aulis Strand,
Von Phokis, vom Spartanerland,
Von Asiens entlegner Küste,
Von allen Inseln kamen sie
Und horchen von dem Schaugerüste
Des Chores grauser Melodie,

Der streng und ernst, nach alter Sitte,
Mit langsam abgemeßnem Schritte
Hervortritt aus dem Hintergrund,
Umwandelnd des Theaters Rund.
So schreiten keine irdschen Weiber,
Die zeugete kein sterblich Haus!
Es steigt das Riesenmaß der Leiber
Hoch über menschliches hinaus.

Ein schwarzer Mantel schlägt die Lenden,
Sie schwingen in entfleischten Händen
Der Fackel düsterrote Glut,
In ihren Wangen fließt kein Blut,
Und wo die Haare lieblich flattern,
Um Menschenstirnen freundlich wehn,
Da sieht man Schlangen hier und Nattern
Die giftgeschwollnen Bäuche blähn.

Und schauerlich gedreht im Kreise
Beginnen sie des Hymnus Weise,
Der durch das Herz zerreißend dringt,
Die Bande um den Sünder schlingt.
Besinnungraubend, herzbetörend
Schallt der Erinnyen Gesang,
Er schallt, des Hörers Mark verzehrend,
Und duldet nicht der Leier Klang:

„Wohl dem, der frei von Schuld und Fehle
Bewahrt die kindlich reine Seele!
Ihm dürfen wir nicht rächend nahn,
Er wandelt frei des Lebens Bahn.
Doch wehe, wehe, wer verstohlen
Des Mordes schwere Tat vollbracht,
Wir heften uns an seine Sohlen,
Das furchtbare Geschlecht der Nacht!

Und glaubt er fliehend zu entspringen,
Geflügelt sind wir da, die Schlingen
Ihm werfend um den flüchtgen Fuß,
Daß er zu Boden fallen muß.
So jagen wir ihn, ohn Ermatten,
Versöhnen kann uns keine Reu,
Ihn fort und fort bis zu den Schatten
Und geben ihn auch dort nicht frei."

So singend, tanzen sie den Reigen,
Und Stille wie des Todes Schweigen
Liegt überm ganzen Hause schwer,
Als ob die Gottheit nahe wär.
Und feierlich, nach alter Sitte
Umwandelnd des Theaters Rund
Mit langsam abgemeßnem Schritte,
Verschwinden sie im Hintergrund.

Und zwischen Trug und Wahrheit schwebet
Noch zweifelnd jede Brust und bebet
Und huldiget der furchtbarn Macht,
Die richtend im Verborgnen wacht,
Die unerforschlich, unergründet
Des Schicksals dunkeln Knäuel flicht,
Dem tiefen Herzen sich verkündet,
Doch fliehet vor dem Sonnenlicht.

Da hört man auf den höchsten Stufen
Auf einmal eine Stimme rufen:
„Sieh da! Sieh da, Timotheus,
Die Kraniche des Ibykus!" –
Und finster plötzlich wird der Himmel,
Und über dem Theater hin
Sieht man in schwärzlichtem Gewimmel
Ein Kranichheer vorüberziehn.

„Des Ibykus!" – Der teure Name
Rührt jede Brust mit neuem Grame,
Und wie im Meere Well auf Well,
So läuft's von Mund zu Munde schnell:
„Des Ibykus, den wir beweinen,
Den eine Mörderhand erschlug!
Was ist's mit dem? Was kann er meinen?
Was ist's mit diesem Kranichzug?"

Und lauter immer wird die Frage,
Und ahnend fliegt's mit Blitzesschlage
Durch alle Herzen. „Gebet acht!
Das ist der Eumeniden Macht!
Der fromme Dichter wird gerochen,
Der Mörder bietet selbst sich dar!
Ergreift ihn, der das Wort gesprochen,
Und ihn, an den's gerichtet war."

Doch dem war kaum das Wort entfahren,
Möcht er's im Busen gern bewahren;
Umsonst, der schreckenbleiche Mund
Macht schnell die Schuldbewußten kund.
Man reißt und schleppt sie vor den Richter,
Die Szene wird zum Tribunal,
Und es gestehn die Bösewichter,
Getroffen von der Rache Strahl.

Die Bürgschaft

Zu Dionys, dem Tyrannen, schlich
Damon, den Dolch im Gewande;
Ihn schlugen die Häscher in Bande.
„Was wolltest du mit dem Dolche, sprich!"
Entgegnet ihm finster der Wüterich.
„Die Stadt vom Tyrannen befreien!"
„Das sollst du am Kreuze bereuen."

„Ich bin", spricht jener, „zu sterben bereit
Und bitte nicht um mein Leben,
Doch willst du Gnade mir geben,
Ich flehe dich um drei Tage Zeit,
Bis ich die Schwester dem Gatten gefreit,
Ich lasse den Freund dir als Bürgen,
Ihn magst du, entrinn ich, erwürgen."

Da lächelt der König mit arger List
Und spricht nach kurzem Bedenken:
„Drei Tage will ich dir schenken.
Doch wisse! Wenn sie verstrichen, die Frist,
Eh du zurück mir gegeben bist,
So muß er statt deiner erblassen,
Doch dir ist die Strafe erlassen."

Und er kommt zum Freunde: „Der König gebeut,
Daß ich am Kreuz mit dem Leben
Bezahle das frevelnde Streben,
Doch will er mir gönnen drei Tage Zeit,
Bis ich die Schwester dem Gatten gefreit,
So bleib du dem König zu Pfande,
Bis ich komme, zu lösen die Bande."

Und schweigend umarmt ihn der treue Freund
Und liefert sich aus dem Tyrannen,
Der andere ziehet von dannen.
Und ehe das dritte Morgenrot scheint,
Hat er schnell mit dem Gatten die Schwester vereint,
Eilt heim mit sorgender Seele,
Damit er die Frist nicht verfehle.

Da gießt unendlicher Regen herab,
Von den Bergen stürzen die Quellen,
Und die Bäche, die Ströme schwellen.
Und er kommt ans Ufer mit wanderndem Stab,
Da reißet die Brücke der Strudel hinab,
Und donnernd sprengen die Wogen
Des Gewölbes krachenden Bogen.

Und trostlos irrt er an Ufers Rand,
Wie weit er auch spähet und blicket
Und die Stimme, die rufende, schicket,
Da stößet kein Nachen vom sichern Strand,
Der ihn setze an das gewünschte Land,
Kein Schiffer lenket die Fähre,
Und der wilde Strom wird zum Meere.

Da sinkt er ans Ufer und weint und fleht,
Die Hände zum Zeus erhoben:
„O hemme des Stromes Toben!
Es eilen die Stunden, im Mittag steht
Die Sonne, und wenn sie niedergeht
Und ich kann die Stadt nicht erreichen,
So muß der Freund mir erbleichen."

Doch wachsend erneut sich des Stromes Wut,
Und Welle auf Welle zerrinnet,
Und Stunde an Stunde entrinnet.
Da treibt ihn die Angst, da faßt er sich Mut
Und wirft sich hinein in die brausende Flut
Und teilt mit gewaltigen Armen
Den Strom, und ein Gott hat Erbarmen.

Und gewinnt das Ufer und eilet fort
Und danket dem rettenden Gotte,
Da stürzet die raubende Rotte
Hervor aus des Waldes nächtlichem Ort,
Den Pfad ihm sperrend, und schnaubet Mord
Und hemmet des Wanderers Eile
Mit drohend geschwungener Keule.

„Was wollt ihr?" ruft er, für Schrecken bleich,
„Ich habe nichts als mein Leben,
Das muß ich dem Könige geben!"
Und entreißt die Keule dem nächsten gleich:

„Um des Freundes willen erbarmet euch!"
Und drei mit gewaltigen Streichen
Erlegt er, die andern entweichen.

Und die Sonne versendet glühenden Brand,
Und von der unendlichen Mühe
Ermattet sinken die Kniee.
„O hast du mich gnädig aus Räubershand,
Aus dem Strom mich gerettet ans heilige Land,
Und soll hier verschmachtend verderben,
Und der Freund mir, der liebende, sterben!"

Und horch! da sprudelt es silberhell,
Ganz nahe, wie rieselndes Rauschen,
Und stille hält er, zu lauschen,
Und sieh, aus dem Felsen, geschwätzig, schnell,
Springt murmelnd hervor ein lebendiger Quell,
Und freudig bückt er sich nieder
Und erfrischet die brennenden Glieder.

Und die Sonne blickt durch der Zweige Grün
Und malt auf den glänzenden Matten
Der Bäume gigantische Schatten;
Und zwei Wanderer sieht er die Straße ziehn,
Will eilenden Laufes vorüberfliehn,
Da hört er die Worte sie sagen:
„Jetzt wird er ans Kreuz geschlagen."

Und die Angst beflügelt den eilenden Fuß,
Ihn jagen der Sorge Qualen,
Da schimmern in Abendrots Strahlen
Von ferne die Zinnen von Syrakus,
Und entgegen kommt ihm Philostratus,
Des Hauses redlicher Hüter,
Der erkennet entsetzt den Gebieter:

„Zurück! du rettest den Freund nicht mehr,
So rette das eigene Leben!
Den Tod erleidet er eben.
Von Stunde zu Stunde gewartet' er
Mit hoffender Seele der Wiederkehr,
Ihm konnte den mutigen Glauben
Der Hohn des Tyrannen nicht rauben."

„Und ist es zu spät und kann ich ihm nicht
Ein Retter willkommen erscheinen,
So soll mich der Tod ihm vereinen.
Des rühme der blutge Tyrann sich nicht,
Daß der Freund dem Freunde gebrochen die Pflicht,
Er schlachte der Opfer zweie
Und glaube an Liebe und Treue."

Und die Sonne geht unter, da steht er am Tor
Und sieht das Kreuz schon erhöhet,
Das die Menge gaffend umsteht,
An dem Seile schon zieht man den Freund empor,
Da zertrennt er gewaltig den dichten Chor:
„Mich, Henker!" ruft er, „erwürget!
Da bin ich, für den er gebürget!"

Und Erstaunen ergreifet das Volk umher,
In den Armen liegen sich beide
Und weinen für Schmerzen und Freude.
Da sieht man kein Auge tränenleer,
Und zum Könige bringt man die Wundermär,
Der fühlt ein menschliches Rühren,
Läßt schnell vor den Thron sie führen.

Und blicket sie lange verwundert an.
Drauf spricht er: „Es ist euch gelungen,
Ihr habt das Herz mir bezwungen,
Und die Treue, sie ist doch kein leerer Wahn,
So nehmet auch mich zum Genossen an,
Ich sei, gewährt mir die Bitte,
In eurem Bunde der Dritte."

Die Worte des Glaubens

Drei Worte nenn ich euch, inhaltschwer,
　Sie gehen von Munde zu Munde,
Doch stammen sie nicht von außen her,
　Das Herz nur gibt davon Kunde.
Dem Menschen ist aller Wert geraubt,
Wenn er nicht mehr an die drei Worte glaubt.

Der Mensch ist frei geschaffen, ist frei,
　Und würd er in Ketten geboren,
Laßt euch nicht irren des Pöbels Geschrei,
　Nicht den Mißbrauch rasender Toren.
Vor dem Sklaven, wenn er die Kette bricht,
Vor dem freien Menschen erzittert nicht.

Und die Tugend, sie ist kein leerer Schall,
　Der Mensch kann sie üben im Leben,
Und sollt er auch straucheln überall,
　Er kann nach der göttlichen streben,
Und was kein Verstand der Verständigen sieht,
Das übet in Einfalt ein kindlich Gemüt.

Und ein Gott ist, ein heiliger Wille lebt,
 Wie auch der menschliche wanke,
Hoch über der Zeit und dem Raume webt
 Lebendig der höchste Gedanke,
Und ob alles in ewigem Wechsel kreist,
Es beharret im Wechsel ein ruhiger Geist.

Die drei Worte bewahret euch, inhaltschwer,
 Sie pflanzet von Munde zu Munde,
Und stammen sie gleich nicht von außen her,
 Euer Innres gibt davon Kunde,
Dem Menschen ist nimmer sein Wert geraubt,
Solang er noch an die drei Worte glaubt.

Die Worte des Wahns

Drei Worte hört man, bedeutungsschwer,
 Im Munde der Guten und Besten;
Sie schallen vergeblich, ihr Klang ist leer,
 Sie können nicht helfen und trösten.
Verscherzt ist dem Menschen des Lebens Frucht,
Solang er die Schatten zu haschen sucht.

Solang er glaubt an die Goldene Zeit,
 Wo das Rechte, das Gute wird siegen –
Das Rechte, das Gute führt ewig Streit,
 Nie wird der Feind ihm erliegen,
Und erstickst du ihn nicht in den Lüften frei,
Stets wächst ihm die Kraft auf der Erde neu.

Solang er glaubt, daß das buhlende Glück
 Sich dem Edeln vereinigen werde –
Dem Schlechten folgt es mit Liebesblick,
 Nicht dem Guten gehöret die Erde.
Er ist ein Fremdling, er wandert aus
Und suchet ein unvergänglich Haus.

Solang er glaubt, daß dem irdschen Verstand
 Die Wahrheit je wird erscheinen –
Ihren Schleier hebt keine sterbliche Hand,
 Wir können nur raten und meinen.
Du kerkerst den Geist in ein tönend Wort,
Doch der freie wandelt im Sturme fort.

Drum, edle Seele, entreiß dich dem Wahn
 Und den himmlischen Glauben bewahre!
Was kein Ohr vernahm, was die Augen nicht sahn,
 Es ist dennoch, das Schöne, das Wahre!
Es ist nicht draußen, da sucht es der Tor,
Es ist *in* dir, du bringst es ewig hervor.

Das Glück

Selig, welchen die Götter, die gnädigen, vor der Geburt schon
 Liebten, welchen als Kind Venus im Arme gewiegt,
Welchem Phöbus die Augen, die Lippen Hermes gelöset
 Und das Siegel der Macht Zeus auf die Stirne gedrückt!
Ein erhabenes Los, ein göttliches, ist ihm gefallen,
 Schon vor des Kampfes Beginn sind ihm die Schläfe bekränzt.
Ihm ist, eh er es lebte, das volle Leben gerechnet,
 Eh er die Mühe bestand, hat er die Charis erlangt.
Groß zwar nenn ich den Mann, der, sein eigner Bildner und Schöpfer,
 Durch der Tugend Gewalt selber die Parze bezwingt,
Aber nicht erzwingt er das Glück, und was ihm die Charis
 Neidisch geweigert, erringt nimmer der strebende Mut.
Vor Unwürdigem kann dich der Wille, der ernste, bewahren,
 Alles Höchste, es kommt frei von den Göttern herab.
Wie die Geliebte dich liebt, so kommen die himmlischen Gaben,
 Oben in Jupiters Reich herrscht wie in Amors die Gunst.
Neigungen haben die Götter, sie lieben der grünenden Jugend
 Lockigte Scheitel, es zieht Freude die Fröhlichen an.
Nicht der Sehende wird von ihrer Erscheinung beseligt,
 Ihrer Herrlichkeit Glanz hat nur der Blinde geschaut;
Gern erwählen sie sich der Einfalt kindliche Seele,
 In das bescheidne Gefäß schließen sie Göttliches ein.
Ungehofft sind sie da und täuschen die stolze Erwartung,
 Keines Bannes Gewalt zwinget die Freien herab.
Wem er geneigt, dem sendet der Vater der Menschen und Götter
 Seinen Adler herab, trägt ihn zu himmlischen Höhn,
Unter die Menge greift er mit Eigenwillen, und welches
 Haupt ihm gefället, um das flicht er mit liebender Hand
Jetzt den Lorbeer und jetzt die herrschaftgebende Binde;
 Krönte doch selber den Gott nur das gewogene Glück.
Vor dem Glücklichen her tritt Phöbus, der pythische Sieger,
 Und der die Herzen bezwingt, Amor, der lächelnde Gott.
Vor ihm ebnet Poseidon das Meer, sanft gleitet des Schiffes
 Kiel, das den Cäsar führt und sein allmächtiges Glück.
Ihm zu Füßen legt sich der Leu, das brausende Delphin
 Steigt aus den Tiefen, und fromm beut es den Rücken ihm an.
Zürne dem Glücklichen nicht, daß den leichten Sieg ihm die Götter
 Schenken, daß aus der Schlacht Venus den Liebling entrückt.
Ihn, den die lächelnde rettet, den Göttergeliebten beneid ich,
 Jenen nicht, dem sie mit Nacht deckt den verdunkelten Blick.
War er weniger herrlich, Achilles, weil ihm Hephästos
 Selbst geschmiedet den Schild und das verderbliche Schwert,
Weil um den sterblichen Mann der große Olymp sich beweget?
 Das verherrlichet ihn, daß ihn die Götter geliebt,
Daß sie sein Zürnen geehrt und, Ruhm dem Liebling zu geben,
 Hellas' bestes Geschlecht stürzten zum Orkus hinab.
Zürne der Schönheit nicht, daß sie schön ist, daß sie verdienstlos
 Wie der Lilie Kelch prangt durch der Venus Geschenk,
Laß sie die Glückliche sein, du schaust sie, du bist der Beglückte,

Wie sie ohne Verdienst glänzt, so entzücket sie dich.
Freue dich, daß die Gabe des Lieds vom Himmel herabkommt,
 Daß der Sänger dir singt, was ihn die Muse gelehrt,
Weil der Gott ihn beseelt, so wird er dem Hörer zum Gotte,
 Weil er der Glückliche ist, kannst du der Selige sein.
Auf dem geschäftigen Markt, da führe Themis die Waage,
 Und es messe der Lohn streng an der Mühe sich ab;
Aber die Freude ruft nur ein Gott auf sterbliche Wangen,
 Wo kein Wunder geschieht, ist kein Beglückter zu sehn.
Alles Menschliche muß erst werden und wachsen und reifen,
 Und von Gestalt zu Gestalt führt es die bildende Zeit,
Aber das Glückliche siehest du nicht, das Schöne nicht werden,
 Fertig von Ewigkeit her steht es vollendet vor dir.
Jede irdische Venus ersteht wie die erste des Himmels,
 Eine dunkle Geburt aus dem unendlichen Meer;
Wie die erste Minerva, so tritt mit der Ägis gerüstet
 Aus des Donnerers Haupt jeder Gedanke des Lichts.

Nänie

Auch das Schöne muß sterben! Das Menschen und Götter bezwinget,
 Nicht die eherne Brust rührt es des stygischen Zeus.
Einmal nur erweichte die Liebe den Schattenbeherrscher,
 Und an der Schwelle noch, streng, rief er zurück sein Geschenk.
Nicht stillt Aphrodite dem schönen Knaben die Wunde,
 Die in den zierlichen Leib grausam der Eber geritzt.
Nicht errettet den göttlichen Held die unsterbliche Mutter,
 Wann er, am skäischen Tor fallend, sein Schicksal erfüllt.
Aber sie steigt aus dem Meer mit allen Töchtern des Nereus,
 Und die Klage hebt an um den verherrlichten Sohn.
Siehe! Da weinen die Götter, es weinen die Göttinnen alle,
 Daß das Schöne vergeht, daß das Vollkommene stirbt.
Auch ein Klaglied zu sein im Mund der Geliebten, ist herrlich,
 Denn das Gemeine geht klanglos zum Orkus hinab.

Das Lied von der Glocke

Vivos voco
Mortuos plango
Fulgura frango

Fest gemauert in der Erden
Steht die Form, aus Lehm gebrannt.
Heute muß die Glocke werden,
Frisch, Gesellen, seid zur Hand.
 Von der Stirne heiß
 Rinnen muß der Schweiß,
Soll das Werk den Meister loben,
Doch der Segen kommt von oben.

Zum Werke, das wir ernst bereiten,
Geziemt sich wohl ein ernstes Wort;
Wenn gute Reden sie begleiten,
Dann fließt die Arbeit munter fort.
So laßt uns jetzt mit Fleiß betrachten,
Was durch die schwache Kraft entspringt,
Den schlechten Mann muß man verachten,
Der nie bedacht, was er vollbringt.

Das ist's ja, was den Menschen zieret,
Und dazu ward ihm der Verstand,
Daß er im innern Herzen spüret,
Was er erschafft mit seiner Hand.

Nehmet Holz vom Fichtenstamme,
Doch recht trocken laßt es sein,
Daß die eingepreßte Flamme
Schlage zu dem Schwalch hinein.
Kocht des Kupfers Brei,
Schnell das Zinn herbei,
Daß die zähe Glockenspeise
Fließe nach der rechten Weise.

Was in des Dammes tiefer Grube
Die Hand mit Feuers Hülfe baut,
Hoch auf des Turmes Glockenstube
Da wird es von uns zeugen laut.
Noch dauern wird's in späten Tagen
Und rühren vieler Menschen Ohr
Und wird mit dem Betrübten klagen
Und stimmen zu der Andacht Chor.
Was unten tief dem Erdensohne
Das wechselnde Verhängnis bringt,
Das schlägt an die metallne Krone,
Die es erbaulich weiterklingt.

Weiße Blasen seh ich springen,
Wohl! die Massen sind im Fluß.
Laßt's mit Aschensalz durchdringen,
Das befördert schnell den Guß.
Auch von Schaume rein
Muß die Mischung sein,
Daß vom reinlichen Metalle
Rein und voll die Stimme schalle.

Denn mit der Freude Feierklange
Begrüßt sie das geliebte Kind
Auf seines Lebens erstem Gange,
Den es in Schlafes Arm beginnt;
Ihm ruhen noch im Zeitenschoße
Die schwarzen und die heitern Lose,
Der Mutterliebe zarte Sorgen
Bewachen seinen goldnen Morgen. –
Die Jahre fliehen pfeilgeschwind.
Vom Mädchen reißt sich stolz der Knabe,
Er stürmt ins Leben wild hinaus,
Durchmißt die Welt am Wanderstabe.
Fremd kehrt er heim ins Vaterhaus,
Und herrlich, in der Jugend Prangen,
Wie ein Gebild aus Himmelshöhn,

Mit züchtigen, verschämten Wangen
Sieht er die Jungfrau vor sich stehn.
Da faßt ein namenloses Sehnen
Des Jünglings Herz, er irrt allein,
Aus seinen Augen brechen Tränen,
Er flieht der Brüder wilden Reihn.
Errötend folgt er ihren Spuren
Und ist von ihrem Gruß beglückt,
Das Schönste sucht er auf den Fluren,
Womit er seine Liebe schmückt.
O! zarte Sehnsucht, süßes Hoffen,
Der ersten Liebe goldne Zeit,
Das Auge sieht den Himmel offen,
Es schwelgt das Herz in Seligkeit.
O! daß sie ewig grünen bliebe,
Die schöne Zeit der jungen Liebe!

Wie sich schon die Pfeifen bräunen!
Dieses Stäbchen tauch ich ein,
Sehn wir's überglast erscheinen,
Wird's zum Gusse zeitig sein.
Jetzt, Gesellen, frisch!
Prüft mir das Gemisch,
Ob das Spröde mit dem Weichen
Sich vereint zum guten Zeichen.

Denn wo das Strenge mit dem Zarten,
Wo Starkes sich und Mildes paarten,
Da gibt es einen guten Klang.
Drum prüfe, wer sich ewig bindet,
Ob sich das Herz zum Herzen findet!
Der Wahn ist kurz, die Reu ist lang.
Lieblich in der Bräute Locken
Spielt der jungfräuliche Kranz,
Wenn die hellen Kirchenglocken
Laden zu des Festes Glanz.
Ach! des Lebens schönste Feier
Endigt auch den Lebensmai,
Mit dem Gürtel, mit dem Schleier
Reißt der schöne Wahn entzwei.
Die Leidenschaft flieht!
Die Liebe muß bleiben,
Die Blume verblüht,
Die Frucht muß treiben.
Der Mann muß hinaus
Ins feindliche Leben,
Muß wirken und streben
Und pflanzen und schaffen,
Erlisten, erraffen,
Muß wetten und wagen,
Das Glück zu erjagen.

Da strömet herbei die unendliche Gabe,
Es füllt sich der Speicher mit köstlicher Habe,
Die Räume wachsen, es dehnt sich das Haus.
Und drinnen waltet
Die züchtige Hausfrau,
Die Mutter der Kinder,
Und herrschet weise
Im häuslichen Kreise
Und lehret die Mädchen
Und wehret den Knaben
Und reget ohn Ende
Die fleißigen Hände
Und mehrt den Gewinn
Mit ordnendem Sinn
Und füllet mit Schätzen die duftenden Laden
Und dreht um die schnurrende Spindel den Faden
Und sammelt im reinlich geglätteten Schrein
Die schimmernde Wolle, den schneeigten Lein
Und füget zum Guten den Glanz und den Schimmer
Und ruhet nimmer.

Und der Vater mit frohem Blick
Von des Hauses weitschauendem Giebel
Überzählet sein blühend Glück,
Siehet der Pfosten ragende Bäume
Und der Scheunen gefüllte Räume
Und die Speicher, vom Segen gebogen,
Und des Kornes bewegte Wogen,
Rühmt sich mit solzem Mund:
Fest, wie der Erde Grund,
Gegen des Unglücks Macht
Steht mir des Hauses Pracht!
Doch mit des Geschickes Mächten
Ist kein ewger Bund zu flechten,
Und das Unglück schreitet schnell.

Wohl! Nun kann der Guß beginnen,
Schön gezacket ist der Bruch.
Doch, bevor wir's lassen rinnen,
Betet einen frommen Spruch!
Stoßt den Zapfen aus!
Gott bewahr das Haus!
Rauchend in des Henkels Bogen
Schießt's mit feuerbraunen Wogen.

Wohltätig ist des Feuers Macht,
Wenn sie der Mensch bezähmt, bewacht,
Und was er bildet, was er schafft,
Das dankt er dieser Himmelskraft,
Doch furchtbar wird die Himmelskraft,
Wenn sie der Fessel sich entrafft,

Einhertritt auf der eignen Spur
Die freie Tochter der Natur.
Wehe, wenn sie losgelassen
Wachsend ohne Widerstand
Durch die volkbelebten Gassen
Wälzt den ungeheuren Brand!
Denn die Elemente hassen
Das Gebild der Menschenhand.
Aus der Wolke
Quillt der Segen,
Strömt der Regen,
Aus der Wolke, ohne Wahl,
Zuckt der Strahl!
Hört ihr's wimmern hoch vom Turm?
Das ist Sturm!
Rot wie Blut
Ist der Himmel,
Das ist nicht des Tages Glut!
Welch Getümmel
Straßen auf!
Dampf wallt auf!
Flackernd steigt die Feuersäule,
Durch der Straße lange Zeile
Wächst es fort mit Windeseile,
Kochend wie aus Ofens Rachen
Glühn die Lüfte, Balken krachen,
Pfosten stürzen, Fenster klirren,
Kinder jammern, Mütter irren,
Tiere wimmern
Unter Trümmern,
Alles rennet, rettet, flüchtet,
Taghell ist die Nacht gelichtet,
Durch der Hände lange Kette
Um die Wette
Fliegt der Eimer, hoch im Bogen
Sprützen Quellen, Wasserwogen.
Heulend kommt der Sturm geflogen,
Der die Flamme brausend sucht.
Prasselnd in die dürre Frucht
Fällt sie, in des Speichers Räume,
In der Sparren dürre Bäume,
Und als wollte sie im Wehen
Mit sich fort der Erde Wucht
Reißen, in gewaltger Flucht,
Wächst sie in des Himmels Höhen
Riesengroß!
Hoffnungslos
Weicht der Mensch der Götterstärke,
Müßig sieht er seine Werke
Und bewundernd untergehn.

Leergebrannt
Ist die Stätte,
Wilder Stürme rauhes Bette,
In den öden Fensterhöhlen
Wohnt das Grauen,
Und des Himmels Wolken schauen
Hoch hinein.

Einen Blick
Nach dem Grabe
Seiner Habe
Sendet noch der Mensch zurück –
Greift fröhlich dann zum Wanderstabe.
Was Feuers Wut ihm auch geraubt,
Ein süßer Trost ist ihm geblieben,
Er zählt die Häupter seiner Lieben,
Und sieh! ihm fehlt kein teures Haupt.

In die Erd ist's aufgenommen,
Glücklich ist die Form gefüllt,
Wird's auch schön zutage kommen,
Daß es Fleiß und Kunst vergilt?
 Wenn der Guß mißlang?
 Wenn die Form zersprang?
Ach! vielleicht, indem wir hoffen,
Hat uns Unheil schon getroffen.

Dem dunkeln Schoß der heilgen Erde
Vertrauen wir der Hände Tat,
Vertraut der Sämann seine Saat
Und hofft, daß sie entkeimen werde
Zum Segen, nach des Himmels Rat.
Noch köstlicheren Samen bergen
Wir trauernd in der Erde Schoß
Und hoffen, daß er aus den Särgen
Erblühen soll zu schönerm Los.

Von dem Dome,
Schwer und bang,
Tönt die Glocke
Grabgesang.
Ernst begleiten ihre Trauerschläge
Einen Wandrer auf dem letzten Wege.

Ach! die Gattin ist's, die teure,
Ach! es ist die treue Mutter,
Die der schwarze Fürst der Schatten
Wegführt aus dem Arm des Gatten,
Aus der zarten Kinder Schar,
Die sie blühend ihm gebar,
Die sie an der treuen Brust

Wachsen sah mit Mutterlust –
Ach! des Hauses zarte Bande
Sind gelöst auf immerdar,
Denn sie wohnt im Schattenlande,
Die des Hauses Mutter war,
Denn es fehlt ihr treues Walten,
Ihre Sorge wacht nicht mehr,
An verwaister Stätte schalten
Wird die Fremde, liebeleer.

Bis die Glocke sich verkühlet,
Laßt die strenge Arbeit ruhm,
Wie im Laub der Vogel spielet,
Mag sich jeder gütlich tun.
 Winkt der Sterne Licht,
 Ledig aller Pflicht
Hört der Pursch die Vesper schlagen,
Meister muß sich immer plagen.

Munter fördert seine Schritte
Fern im wilden Forst der Wandrer
Nach der lieben Heimathütte.
Blökend ziehen
Heim die Schafe,
Und der Rinder
Breitgestirnte, glatte Scharen
Kommen brüllend,
Die gewohnten Ställe füllend.
Schwer herein
Schwankt der Wagen,
Kornbeladen,
Bunt von Farben
Auf den Garben
Liegt der Kranz,
Und das junge Volk der Schnitter
Fliegt zum Tanz.
Markt und Straße werden stiller,
Um des Lichts gesellge Flamme
Sammeln sich die Hausbewohner,
Und das Stadttor schließt sich knarrend.
Schwarz bedecket
Sich die Erde,
Doch den sichern Bürger schrecket
Nicht die Nacht,
Die den Bösen gräßlich wecket,
Denn das Auge des Gesetzes wacht.

Heilge Ordnung, segenreiche
Himmelstochter, die das Gleiche
Frei und leicht und freudig bindet,
Die der Städte Bau gegründet,

Die herein von den Gefilden
Rief den ungesellgen Wilden,
Eintrat in der Menschen Hütten,
Sie gewöhnt zu sanften Sitten
Und das teuerste der Bande
Wob, den Trieb zum Vaterlande!

Tausend fleißge Hände regen,
Helfen sich in munterm Bund,
Und in feurigem Bewegen
Werden alle Kräfte kund.
Meister rührt sich und Geselle
In der Freiheit heilgem Schutz.
Jeder freut sich seiner Stelle,
Bietet dem Verächter Trutz.
Arbeit ist des Bürgers Zierde,
Segen ist der Mühe Preis,
Ehrt den König seine Würde,
Ehret *uns* der Hände Fleiß.

Holder Friede,
Süße Eintracht,
Weilet, weilet
Freundlich über dieser Stadt!
Möge nie der Tag erscheinen,
Wo des rauhen Krieges Horden
Dieses stille Tal durchtoben,
Wo der Himmel,
Den des Abends sanfte Röte
Lieblich malt,
Von der Dörfer, von der Städte
Wildem Brande schrecklich strahlt!

Nun zerbrecht mir das Gebäude,
Seine Absicht hat's erfüllt,
Daß sich Herz und Auge weide
An dem wohlgelungnen Bild.
 Schwingt den Hammer, schwingt,
 Bis der Mantel springt,
Wenn die Glock soll auferstehen,
Muß die Form in Stücken gehen.

Der Meister kann die Form zerbrechen
Mit weiser Hand, zur rechten Zeit,
Doch wehe, wenn in Flammenbächen
Das glühnde Erz sich selbst befreit!
Blindwütend mit des Donners Krachen
Zersprengt es das geborstne Haus,
Und wie aus offnem Höllenrachen
Speit es Verderben zündend aus;
Wo rohe Kräfte sinnlos walten,

Da kann sich kein Gebild gestalten,
Wenn sich die Völker selbst befrein,
Da kann die Wohlfahrt nicht gedeihn.

Weh, wenn sich in dem Schoß der Städte
Der Feuerzunder still gehäuft,
Das Volk, zerreißend seine Kette,
Zur Eigenhilfe schrecklich greift!
Da zerret an der Glocke Strängen
Der Aufruhr, daß sie heulend schallt
Und, nur geweiht zu Friedensklängen,
Die Losung anstimmt zur Gewalt.

Freiheit und Gleichheit! hört man schallen,
Der ruhge Bürger greift zur Wehr,
Die Straßen füllen sich, die Hallen,
Und Würgerbanden ziehn umher,
Da werden Weiber zu Hyänen
Und treiben mit Entsetzen Scherz,
Noch zuckend, mit des Panthers Zähnen,
Zerreißen sie des Feindes Herz.
Nichts Heiliges ist mehr, es lösen
Sich alle Bande frommer Scheu,
Der Gute räumt den Platz dem Bösen,
Und alle Laster walten frei.
Gefährlich ist's, den Leu zu wecken,
Verderblich ist des Tigers Zahn,
Jedoch der schrecklichste der Schrecken,
Das ist der Mensch in seinem Wahn.
Weh denen, die dem Ewigblinden
Des Lichtes Himmelsfackel leihn!
Sie strahlt ihm nicht, sie kann nur zünden
Und äschert Städt und Länder ein.

Freude hat mir Gott gegeben!
Sehet! Wie ein goldner Stern
Aus der Hülse, blank und eben,
Schält sich der metallne Kern.
 Von dem Helm zum Kranz
 Spielt's wie Sonnenglanz,
Auch des Wappens nette Schilder
Loben den erfahrnen Bilder.

Herein! herein!
Gesellen alle, schließt den Reihen,
Daß wir die Glocke taufend weihen,
Concordia soll ihr Name sein,
Zur Eintracht, zu herzinnigem Vereine
Versammle sie die liebende Gemeine.

Und dies sei fortan ihr Beruf,
Wozu der Meister sie erschuf!
Hoch überm niedern Erdenleben
Soll sie im blauen Himmelszelt
Die Nachbarin des Donners schweben
Und grenzen an die Sternenwelt,
Soll eine Stimme sein von oben,
Wie der Gestirne helle Schar,
Die ihren Schöpfer wandelnd loben
Und führen das bekränzte Jahr.
Nur ewigen und ernsten Dingen
Sei ihr metallner Mund geweiht,
Und stündlich mit den schnellen Schwingen
Berühr im Fluge sie die Zeit,
Dem Schicksal leihe sie die Zunge,
Selbst herzlos, ohne Mitgefühl,

Begleite sie mit ihrem Schwunge
Des Lebens wechselvolles Spiel.
Und wie der Klang im Ohr vergehet,
Der mächtig tönend ihr entschallt,
So lehre sie, daß nichts bestehet,
Daß alles Irdische verhallt.

Jetzo mit der Kraft des Stranges
Wiegt die Glock mir aus der Gruft,
Daß sie in das Reich des Klanges
Steige, in die Himmelsluft.
 Ziehet, ziehet, hebt!
 Sie bewegt sich, schwebt,
Freude dieser Stadt bedeute,
Friede sei ihr erst Geläute.

Der Antritt des neuen Jahrhunderts
An ***

Edler Freund! Wo öffnet sich dem Frieden,
Wo der Freiheit sich ein Zufluchtsort?
Das Jahrhundert ist im Sturm geschieden,
Und das neue öffnet sich mit Mord.

Und das Band der Länder ist gehoben,
Und die alten Formen stürzen ein;
Nicht das Weltmeer hemmt des Krieges Toben,
Nicht der Nilgott und der alte Rhein.

Zwo gewaltge Nationen ringen
Um der Welt alleinigen Besitz,
Aller Länder Freiheit zu verschlingen,
Schwingen sie den Dreizack und den Blitz.

Gold muß ihnen jede Landschaft wägen,
Und wie *Brennus* in der rohen Zeit
Legt der Franke seinen ehrnen Degen
In die Waage der Gerechtigkeit.

Seine Handelsflotten streckt der Brite
Gierig wie Polypenarme aus,
Und das Reich der freien Amphitrite
Will er schließen wie sein eignes Haus.

Zu des Südpols nie erblickten Sternen
Dringt sein rastlos ungehemmter Lauf,
Alle Inseln spürt er, alle fernen
Küsten – nur das Paradies nicht auf.

Ach, umsonst auf allen Länderkarten
Spähst du nach dem seligen Gebiet,
Wo der Freiheit ewig grüner Garten,
Wo der Menschheit schöne Jugend blüht.

Endlos liegt die Welt vor deinen Blicken,
Und die Schiffahrt selbst ermißt sie kaum,
Doch auf ihrem unermeßnen Rücken
Ist für zehen Glückliche nicht Raum.

In des Herzens heilig stille Räume
Mußt du fliehen aus des Lebens Drang,
Freiheit ist nur in dem Reich der Träume,
Und das Schöne blüht nur im Gesang.

Sehnsucht

Ach, aus dieses Tales Gründen,
Die der kalte Nebel drückt,
Könnt ich doch den Ausgang finden,
Ach, wie fühlt ich mich beglückt!
Dort erblick ich schöne Hügel,
Ewig jung und ewig grün!
Hätt ich Schwingen, hätt ich Flügel,
Nach den Hügeln zög ich hin.

Harmonien hör ich klingen,
Töne süßer Himmelsruh,
Und die leichten Winde bringen
Mir der Düfte Balsam zu,
Goldne Früchte seh ich glühen,
Winkend zwischen dunkelm Laub,
Und die Blumen, die dort blühen,
Werden keines Winters Raub.

Ach, wie schön muß sich's ergehen
Dort im ewgen Sonnenschein,
Und die Luft auf jenen Höhen,
O, wie labend muß sie sein!
Doch mir wehrt des Stromes Toben,
Der ergrimmt dazwischen braust,
Seine Wellen sind gehoben,
Daß die Seele mir ergraust.

Einen Nachen seh ich schwanken,
Aber ach! der Fährmann fehlt.
Frisch hinein und ohne Wanken,
Seine Segel sind beseelt.
Du mußt glauben, du mußt wagen,
Denn die Götter leihn kein Pfand,
Nur ein Wunder kann dich tragen
In das schöne Wunderland.

Der Pilgrim

Noch in meines Lebens Lenze
War ich, und ich wandert aus,
Und der Jugend frohe Tänze
Ließ ich in des Vaters Haus.

All mein Erbteil, meine Habe
Warf ich fröhlich glaubend hin,
Und am leichten Pilgerstabe
Zog ich fort mit Kindersinn.

Denn mich trieb ein mächtig Hoffen
Und ein dunkles Glaubenswort,
„Wandle", riet's, „der Weg ist offen,
Immer nach dem Aufgang fort.

Bis zu einer goldnen Pforten
Du gelangst, da gehst du ein,
Denn das Irdische wird dorten
Himmlisch unvergänglich sein."

Abend ward's und wurde Morgen,
Nimmer, nimmer stand ich still,
Aber immer blieb's verborgen,
Was ich suche, was ich will.

Berge lagen mir im Wege,
Ströme hemmten meinen Fuß,
Über Schlünde baut ich Stege,
Brücken durch den wilden Fluß.

Und zu eines Stroms Gestaden
Kam ich, der nach Morgen floß,
Froh vertrauend seinem Faden,
Werf ich mich in seinen Schoß.

Hin zu einem großen Meere
Trieb mich seiner Wellen Spiel,
Vor mir liegt's in weiter Leere,
Näher bin ich nicht dem Ziel.

Ach, kein Steg will dahin führen,
Ach, der Himmel über mir
Will die Erde nie berühren,
Und das Dort ist niemals Hier.

Zwei Eimer sieht man ab und auf
In einem Brunnen steigen,
Und schwebt der eine voll herauf,
Muß sich der andre neigen.
Sie wandern rastlos hin und her,
Abwechselnd voll und wieder leer,
Und bringst du diesen an den Mund,
Hängt jener in dem tiefsten Grund,
Nie können sie mit ihren Gaben
In gleichem Augenblick dich laben.

Johann Gottfried Seume
1763–1810

Der Wilde

Ein Kanadier, der noch Europens
Übertünchte Höflichkeit nicht kannte
Und ein Herz, wie Gott es ihm gegeben,
Von Kultur noch frei, im Busen fühlte,
Brachte, was er mit des Bogens Sehne
Fern in Quebecs übereisten Wäldern
Auf der Jagd erbeutet, zum Verkaufe.
Als er ohne schlaue Rednerkünste,
So wie man ihm bot, die Felsenvögel
Um ein Kleines hingegeben hatte,
Eilt' er froh mit dem geringen Lohne
Heim zu seinen tiefverdeckten Horden
In die Arme seiner braunen Gattin.

Aber ferne noch von seiner Hütte
Überfiel ihn unter freiem Himmel
Schnell der schrecklichste der Donnerstürme.
Aus dem langen, rabenschwarzen Haare
Troff der Guß herab auf seinen Gürtel,
Und das grobe Haartuch seines Kleides
Klebte rund an seinem hagern Leibe.
Schaurig zitternd unter kaltem Regen
Eilte der gute, wackre Wilde
In ein Haus, das er von fern erblickte.
„Herr, ach laßt mich, bis der Sturm sich legt,"
Bat er mit der herzlichsten Gebärde
Den gesittet feinen Eigentümer,
„Obdach hier in euerm Hause finden!" –
„Willst du mißgestaltes Ungeheuer,"
Schrie ergrimmt der Pflanzer ihm entgegen,
„Willst du Diebsgesicht mir aus dem Hause!"
Und ergriff den schweren Stock im Winkel.

Traurig schritt der ehrliche Hurone
Fort von dieser unwirtbaren Schwelle,
Bis durch Sturm und Guß der späte Abend
Ihn in seine friedliche Behausung
Und zu seiner braunen Gattin brachte.
Naß und müde setzt' er bei dem Feuer
Sich zu seinen nackten Kleinen nieder
Und erzählte von den bunten Städtern

Und den Kriegern, die den Donner tragen,
Und dem Regensturm, der ihn ereilte,
Und der Grausamkeit des weißen Mannes.
Schmeichelnd hingen sie an seinen Knieen,
Schlossen schmeichelnd sich um seinen Nacken,
Trockneten die langen, schwarzen Haare
Und durchsuchten seine Weidmannstasche,
Bis sie die versprochnen Schätze fanden.

Kurze Zeit darauf hatt' unser Pflanzer
Auf der Jagd im Walde sich verirret.
Über Stock und Stein, durch Tal und Bäche
Stieg er schwer auf manchen jähen Felsen,
Um sich umzusehen nach dem Pfade,
Der ihn tief in diese Wildnis brachte.
Doch sein Spähn und Rufen war vergebens;
Nichts vernahm er als das hohle Echo
Längs den hohen schwarzen Felsenwänden.
Ängstlich ging er bis zur zwölften Stunde,
Wo er an dem Fuß des nächsten Berges
Noch ein kleines, schwaches Licht erblickte.
Furcht und Freude schlug in seinem Herzen,
Und er faßte Mut und nahte leise.
„Wer ist draußen?" brach mit Schreckentone
Eine Stimme tief her aus der Höhle,
Und ein Mann trat aus der kleinen Wohnung.
„Freund, im Walde hab' ich mich verirret,"
Sprach der Europäer furchtsam schmeichelnd;
„Gönnet mir, die Nacht hier zuzubringen,
Und zeigt nach der Stadt, ich werd' Euch danken,
Morgen früh mir die gewissen Wege."

„Kommt herein," versetzt der Unbekannte,
„Wärmt Euch; noch ist Feuer in der Hütte!"
Und er führt ihn auf das Binsenlager,
Schreitet finster trotzig in den Winkel,
Holt den Rest von seinem Abendmahle,
Hummer, Lachs und frischen Bärenschinken,
Um den späten Fremdling zu bewirten.
Mit dem Hunger eines Weidmanns speiste,

Festlich wie bei einem Klosterschmause,
Neben seinem Wirt der Europäer.
Fest und ernsthaft schaute der Hurone
Seinem Gaste spähend auf die Stirne,
Der mit tiefem Schnitt den Schinken trennte,
Und mit Wollust trank vom Honigtranke,
Den in einer großen Muschelschale
Er ihm freundlich zu dem Mahle reichte.
Eine Bärenhaut auf weichem Moose
War des Pflanzers gute Lagerstätte,
Und er schlief bis in die hohe Sonne.

Wie der wilden Zone wildster Krieger,
Schrecklich stand mit Köcher, Pfeil und Bogen
Der Hurone jetzt vor seinem Gaste
Und erweckt ihn, und der Europäer
Griff bestürzt nach seinem Jagdgewehre;
Und der Wilde gab ihm eine Schale
Angefüllt mit süßem Morgentranke.

Als er lächelnd seinen Gast gelabet,
Bracht' er ihn durch manche lange Windung,
Über Stock und Stein, durch Tal und Bäche,
Durch das Dickicht auf die rechte Straße.
Höflich dankte fein der Europäer;
Finsterblickend blieb der Wilde stehen,
Sahe starr dem Pflanzer in die Augen,
Sprach mit voller, fester, ernster Stimme:
„Haben wir vielleicht uns schon gesehen?"
Wie vom Blitz getroffen stand der Jäger
Und erkannte nun in seinem Wirte
Jenen Mann, den er vor wenig Wochen
In dem Sturmwind aus dem Hause jagte,
Stammelte verwirrt Entschuldigungen.
Ruhig lächelnd sagte der Hurone:
„Seht, ihr fremden, klugen weißen Leute,
Seht, wir Wilden sind doch beßre Menschen!"
Und er schlug sich seitwärts in die Büsche.

Der Paß

Wenn wir am Rand des Lebens stehen
Und alles, was die Erde hält,
Rund um uns her zusammenfällt,
Wenn Kronen mit dem Bettelstab vergehen,

Wenn Herrn von weiten, weiten Reichen,
Die gestern noch mit ihrer Riesenhand
Den Orient und Okzident umspannt,
Heut ihrem letzten Sklaven gleichen,

Wenn eitler Weisheit Dunst zerstäubt
Und von den Hypothesenkrücken,
Der größten Köpfe Meisterstücken,
Kaum noch ein Splitter übrigbleibt,

Wenn tiefe, tiefe Dunkelheit
Des Sinnes Ohnmacht schwer umhüllet
Und *ein* Gedanke nur die Seele füllet,
An Gott und Nichts und Ewigkeit:

Dann, dann ist *eine* gute Tat,
Im Sinn des Testaments getan,
Ein bessrer Paß zur unbekannten Bahn
Als aller Pfarrer Attestat.

Friedrich Hölderlin
1770–1843

Hymne an die Freiheit

Wonne säng ich an des Orkus Toren,
Und die Schatten lehrt' ich Trunkenheit,
Denn ich sah, vor Tausenden erkoren,
Meiner Göttin ganze Göttlichkeit;
Wie nach dumpfer Nacht im Purpurscheine
Der Pilote seinen Ozean,
Wie die Seligen Elysens Haine
Staun ich dich, geliebtes Wunder! an.

Ehrerbietig senkten ihre Flügel,
Ihres Raubs vergessen, Falk und Aar,
Und getreu dem diamantnen Zügel
Schritt vor ihr ein trotzig Löwenpaar;
Jugendliche wilde Ströme standen,
Wie mein Herz, vor banger Wonne stumm;
Selbst die kühnen Boreasse schwanden,
Und die Erde ward zum Heiligtum.

Ha! zum Lohne treuer Huldigungen
Bot die Königin die Rechte mir,
Und von zauberischer Kraft durchdrungen
Jauchzte Sinn und Herz verschönert ihr;
Wie sie sprach, die Richterin der Kronen,
Ewig tönt's in dieser Seele nach,
Ewig in der Schöpfung Regionen –
Hört, o Geister, was die Mutter sprach!

„Taumelnd in des alten Chaos Wogen,
Froh und wild, wie Evans Priesterin,
Von der Jugend kühner Lust betrogen,
Nannt ich mich der Freiheit Königin;
Doch es winkte der Vernichtungsstunde
Zügelloser Elemente Streit;
Da berief zu brüderlichem Bunde
Mein Gesetz die Unermeßlichkeit.

Mein Gesetz, es tötet zartes Leben,
Kühnen Mut und bunte Freude nicht,
Jedem ward der Liebe Recht gegeben,
Jedes übt der Liebe süße Pflicht;
Froh und stolz im ungestörten Gange
Wandelt Riesenkraft die weite Bahn,
Sicher schmiegt in süßem Liebesdrange
Schwächeres der großen Welt sich an.

Kann ein Riese meinen Aar entmannen?
Hält ein Gott die stolzen Donner auf?
Kann Tyrannenspruch die Meere bannen?
Hemmt Tyrannenspruch der Sterne Lauf?
Unentweiht von selbsterwählten Götzen,
Unzerbrüchlich ihrem Bunde treu,
Treu der Liebe seligen Gesetzen,
Lebt die Welt ihr heilig Leben frei.

Mit gerechter Herrlichkeit zufrieden
Flammt Orions helle Rüstung nie
Auf die brüderlichen Tyndariden,
Selbst der Löwe grüßt in Liebe sie;
Froh des Götterloses, zu erfreuen,
Lächelt Helios in süßer Ruh
Junges Leben, üppiges Gedeihen
Dem geliebten Erdenrunde zu.

Unentweiht von selbsterwählten Götzen,
Unzerbrüchlich ihrem Bunde treu,
Treu der Liebe seligen Gesetzen,
Lebt die Welt ihr heilig Leben frei;
Einer, Einer nur ist abgefallen,
Ist gezeichnet mit der Hölle Schmach;
Stark genug, die schönste Bahn zu wallen,
Kriecht der Mensch am trägen Joche nach.

Ach! er war das göttlichste der Wesen,
Zürn ihm nicht, getreuere Natur!
Wunderbar und herrlich zu genesen
Trägt er noch der Heldenstärke Spur;
Eil, o eile, neue Schöpfungsstunde,
Lächle nieder, süße güldne Zeit!
Und im schönern, unverletzten Bunde,
Feire dich die Unermeßlichkeit."

Nun, o Brüder! wird die Stunde säumen?
Brüder! Um der tausend Jammernden,
Um der Enkel, die der Schande keimen,
Um der königlichen Hoffnungen,
Um der Güter, so die Seele füllen,
Um der angestammten Göttermacht,
Brüder, ach! um unsrer Liebe willen,
Könige der Endlichkeit, erwacht! –

Gott der Zeiten! In der Schwüle fächeln
Kühlend deine Tröstungen uns an;
Süße rosige Gesichte lächeln
Uns so gern auf öder Dornenbahn;
Wenn der Schatten väterlicher Ehre,
Wenn der Freiheit letzter Rest zerfällt,
Weint mein Herz der Trennung bittre Zähre,
Und entflieht in seine schönre Welt.

Was zum Raube sich die Zeit erkoren,
Morgen stet's in neuer Blüte da;
Aus Zerstörung wird der Lenz geboren,
Aus den Fluten stieg Urania;
Wenn ihr Haupt die bleichen Sterne neigen,
Strahlt Hyperion im Heldenlauf –
Modert, Knechte! Freie Tage steigen
Lächelnd über euern Gräbern auf.

Lange war zu Minos' ernsten Hallen
Weinend die Gerechtigkeit entflohn –
Sieh! in mütterlichem Wohlgefallen
Küßt sie nun den treuen Erdensohn;
Ha! der göttlichen Catone Manen
Triumphieren in Elysium,
Zahllos wehn der Tugend stolze Fahnen,
Heere lohnt des Ruhmes Heiligtum.

Aus der guten Götter Schoße regnet
Trägem Stolze nimmermehr Gewinn,
Ceres' heilige Gefilde segnet
Freundlicher die braune Schnitterin,
Lauter tönt am heißen Rebenhügel,
Mutiger des Winzers Jubelruf,
Unentheiligt von der Sorge Flügel
Blüht und lächelt, was die Freude schuf.

Aus den Himmeln steigt die Liebe nieder,
Männermut, und hoher Sinn gedeiht,
Und du bringst die Göttertage wieder,
Kind der Einfalt! Süße Traulichkeit!
Treue gilt! Und Freundesretter fallen,
Majestätisch, wie die Zeder fällt,
Und des Vaterlandes Rächer wallen
Im Triumphe nach der bessern Welt.

Lange schon vom engen Haus umschlossen,
Schlummre dann im Frieden mein Gebein! –
Hab ich doch der Hoffnung Kelch genossen,
Mich gelabt am holden Dämmerschein!
Ha! und dort in wolkenloser Ferne,
Winkt auch mir der Freiheit heilig Ziel!
Dort, mit euch, ihr königlichen Sterne,
Klinge festlicher mein Saitenspiel!

Der Gott der Jugend

Gehn dir im Dämmerlichte,
Wenn in der Sommernacht
Für selige Gesichte
Dein liebend Auge wacht,
Noch oft der Freunde Manen
Und, wie der Sterne Chor,
Die Geister der Titanen
Des Altertums empor;

Wird da, wo sich im Schönen
Das Göttliche verhüllt,
Noch oft das tiefe Sehnen
Der Liebe dir gestillt;
Belohnt des Herzens Mühen
Der Ruhe Vorgefühl
Und tönt von Melodien
Der Seele Saitenspiel;

So such im stillsten Tale
Den blütenreichsten Hain,
Und gieß aus goldner Schale
Den frohen Opferwein!
Noch lächelt unveraltet
Des Herzens Frühling dir,
Der Gott der Jugend waltet
Noch über dir und mir.

Wie unter Tiburs Bäumen,
Wenn da der Dichter saß
Und unter Götterträumen
Der Jahre Flucht vergaß,
Wenn ihn die Ulme kühlte
Und wenn sie stolz und froh
Um Silberblüten spielte,
Die Flut des Anio;

Und wie um Platons Hallen,
Wenn durch der Haine Grün,
Begrüßt von Nachtigallen,
Der Stern der Liebe schien,
Wenn alle Lüfte schliefen,
Und, sanft bewegt vom Schwan,
Cephissus durch Oliven
Und Myrtensträuche rann;

So schön ist's noch hienieden!
Auch unser Herz erfuhr
Das Leben und den Frieden
Der freundlichen Natur;
Noch blüht des Himmels Schöne,
Noch mischen brüderlich
In unsers Herzens Töne
Des Frühlings Laute sich.

Drum such im stillsten Tale
Den düftereichsten Hain,
Und gieß aus goldner Schale
Den frohen Opferwein,
Noch lächelt unveraltet
Das Bild der Erde dir,
Der Gott der Jugend waltet
Noch über dir und mir.

Die Eichbäume

Aus den Gärten komm ich zu euch, ihr Söhne des Berges!
Aus den Gärten, da lebt die Natur geduldig und häuslich,
Pflegend und wieder gepflegt mit dem fleißigen Menschen zusammen.
Aber ihr, ihr Herrlichen! steht, wie ein Volk von Titanen
In der zahmeren Welt und gehört nur euch und dem Himmel,
Der euch nährt' und erzog, und der Erde, die euch geboren.
Keiner von euch ist noch in die Schule der Menschen gegangen,
Und ihr drängt euch fröhlich und frei, aus der kräftigen Wurzel,
Unter einander herauf und ergreift, wie der Adler die Beute,
Mit gewaltigem Arme den Raum, und gegen die Wolken
Ist euch heiter und groß die sonnige Krone gerichtet.
Eine Welt ist jeder von euch, wie die Sterne des Himmels
Lebt ihr, jeder ein Gott, in freiem Bunde zusammen.
Könnt ich die Knechtschaft nur erdulden, ich neidete nimmer
Diesen Wald und schmiegte mich gern ans gesellige Leben.
Fesselte nur nicht mehr ans gesellige Leben das Herz mich,
Das von Liebe nicht läßt, wie gern würd ich unter euch wohnen!

Diotima

Lange tot und tiefverschlossen,
Grüßt mein Herz die schöne Welt;
Seine Zweige blühn und sprossen,
Neu von Lebenskraft geschwellt;
O! ich kehre noch ins Leben,
Wie heraus in Luft und Licht
Meiner Blumen selig Streben
Aus der dürren Hülse bricht.

Wie so anders ist's geworden!
Alles, was ich haßt und mied,
Stimmt in freundlichen Akkorden
Nun in meines Lebens Lied,
Und mit jedem Stundenschlage
Werd ich wunderbar gemahnt
An der Kindheit goldne Tage,
Seit ich dieses Eine fand.

Diotima! Selig Wesen!
Herrliche, durch die mein Geist,
Von des Lebens Angst genesen,
Götterjugend sich verheißt!
Unser Himmel wird bestehen,
Unergründlich sich verwandt,
Hat sich, eh wir uns gesehen,
Unser Innerstes gekannt.

Da ich noch in Kinderträumen,
Friedlich, wie der blaue Tag,
Unter meines Gartens Bäumen
Auf der warmen Erde lag
Und in leiser Lust und Schöne
Meines Herzens Mai begann,
Säuselte, wie Zephirstöne,
Diotimas Geist mich an.

Ach! und da, wie eine Sage,
Mir des Lebens Schöne schwand,
Da ich vor des Himmels Tage
Darbend, wie ein Blinder, stand,
Da die Last der Zeit mich beugte
Und mein Leben, kalt und bleich,
Sehnend schon hinab sich neigte,
In der Schatten stummes Reich,

Da, da kam vom Ideale,
Wie vom Himmel, Mut und Macht,
Du erscheinst mit deinem Strahle,
Götterbild! in meiner Nacht;
Dich zu finden, warf ich wieder,
Warf ich den entschlafnen Kahn
Von dem toten Porte nieder
In den blauen Ozean. –

Nun! ich habe dich gefunden,
Schöner, als ich ahndend sah
In der Liebe Feierstunden,
Hohe! Gute! bist du da;
O der armen Phantasien!
Dieses Eine bildest nur
Du, in ewgen Harmonien
Frohvollendete Natur!

Wie die Seligen dort oben,
Wo hinauf die Freude flieht,
Wo, des Daseins überhoben,
Wandellose Schöne blüht,

Wie melodisch bei des alten
Chaos Zwist Urania,
Steht sie, göttlich rein erhalten,
Im Ruin der Zeiten da.

Unter tausend Huldigungen
Hat mein Geist, beschämt, besiegt,
Sie zu fassen schon gerungen,
Die sein Kühnstes überfliegt.
Sonnenglut und Frühlingsmilde,
Streit und Frieden wechselt hier
Vor dem schönen Engelsbilde
In des Busens Tiefe mir.

Viel der heilgen Herzenstränen
Hab ich schon vor ihr geweint,
Hab in allen Lebenstönen
Mit der Holden mich vereint,
Hab, ins tiefste Herz getroffen,
Oft um Schonung sie gefleht,
Wenn so klar und heilig offen
Mir ihr eigner Himmel steht,

Habe, wenn in reicher Stille,
Wenn in einem Blick und Laut
Seine Ruhe, seine Fülle
Mir ihr Genius vertraut,
Wenn der Gott, der mich begeistert,
Mir an ihrer Stirne tagt,
Von Bewundrung übermeistert,
Zürnend ihr mein Nichts geklagt;

Dann umfängt ihr himmlisch Wesen
Süß im Kinderspiele mich,
Und in ihrem Zauber lösen
Freudig meine Bande sich;
Hin ist dann mein dürftig Streben,
Hin des Kampfes letzte Spur,
Und ins volle Götterleben
Tritt die sterbliche Natur.

Ha! wo keine Macht auf Erden,
Keines Gottes Wink uns trennt,
Wo wir Eins und Alles werden,
Da ist nur mein Element;
Wo wir Not und Zeit vergessen
Und den kärglichen Gewinn
Nimmer mit der Spanne messen,
Da, da sag ich, daß ich bin.

Wie der Stern der Tyndariden,
Der in leichter Majestät
Seine Bahn, wie wir, zufrieden
Dort in dunkler Höhe geht,
Nun in heitre Meereswogen,
Wo die schöne Ruhe winkt,
Von des Himmels steilem Bogen
Klar und groß hinuntersinkt,

O Begeisterung! so finden
Wir in dir ein selig Grab,
Tief in deine Woge schwinden
Stillfrohlockend wir hinab,
Bis der Hore Ruf wir hören
Und mit neuem Stolz erwacht,
Wie die Sterne, wiederkehren
In des Lebens kurze Nacht.

An die Parzen

Nur Einen Sommer gönnt, ihr Gewaltigen!
Und einen Herbst zu reifem Gesange mir,
 Daß williger mein Herz, vom süßen
 Spiele gesättiget, dann mir sterbe.

Die Seele, der im Leben ihr göttlich Recht
Nicht ward, sie ruht auch drunten im Orkus nicht.
 Doch ist mir einst das Heilge, das am
 Herzen mir liegt, das Gedicht gelungen,

Willkommen dann, o Stille der Schattenwelt!
Zufrieden bin ich, wenn auch mein Saitenspiel
 Mich nicht hinab geleitet; Einmal
 Lebt ich, wie Götter, und mehr bedarf's nicht.

Abbitte

Heilig Wesen! Gestört hab ich die goldene
Götterruhe dir oft, und der geheimeren,
 Tiefern Schmerzen des Lebens
 Hast du manche gelernt von mir.

O vergiß es, vergib! Gleich dem Gewölke dort
Vor dem friedlichen Mond geh ich dahin, und du
 Ruhst und glänzest in deiner
 Schöne wieder, du süßes Licht!

Die Liebenden

Trennen wollten wir uns, wähnten es gut und klug;
Da wir's taten, warum schröckt' uns, wie Mord, die Tat?
 Ach! wir kennen uns wenig,
 Denn es waltet ein Gott in uns.

Menschenbeifall

Ist nicht heilig mein Herz, schöneren Lebens voll,
Seit ich liebe? Warum achtetet ihr mich mehr,
Da ich stolzer und wilder,
Wortereicher und leerer war?

Ach! der Menge gefällt, was auf den Marktplatz taugt,
Und es ehret der Knecht nur den Gewaltsamen;
An das Göttliche glauben
Die allein, die es sind.

Hyperions Schicksalslied

Ihr wandelt droben im Licht
Auf weichem Boden, selige Genien!
Glänzende Götterlüfte
Rühren euch leicht,
Wie die Finger der Künstlerin
Heilige Saiten.

Schicksallos, wie der schlafende
Säugling, atmen die Himmlischen;
Keusch bewahrt
In bescheidener Knospe,
Blühet ewig
Ihnen der Geist,
Und die seligen Augen
Blicken in stiller
Ewiger Klarheit.

Doch uns ist gegeben,
Auf keiner Stätte zu ruhn,
Es schwinden, es fallen
Die leidenden Menschen
Blindlings von einer
Stunde zur andern,
Wie Wasser von Klippe
Zu Klippe geworfen,
Jahrlang ins Ungewisse hinab.

Sonnenuntergang

Wo bist du? Trunken dämmert die Seele mir
Von aller deiner Wonne; denn eben ist's,
Daß ich gelauscht, wie, goldner Töne
Voll, der entzückende Sonnenjüngling

Sein Abendlied auf himmlischer Leier spielt';
Es tönten rings die Wälder und Hügel nach.
Doch fern ist er zu frommen Völkern,
Die ihn noch ehren, hinweggegangen.

An den Aether

Treu und freundlich wie du erzog der Götter und Menschen
Keiner, o Vater Aether! mich auf; noch ehe die Mutter
In die Arme mich nahm und ihre Brüste mich tränkten,
Faßtest du zärtlich mich an und gossest himmlischen Trank mir,
Mir den heiligen Othem zuerst in den keimenden Busen.

Nicht von irdischer Kost gedeihen einzig die Wesen,
Aber du nährst sie all' mit deinem Nektar, o Vater!
Und es drängt sich und rinnt aus deiner ewigen Fülle
Die beseelende Luft durch alle Röhren des Lebens.
Darum lieben die Wesen dich auch und ringen und streben
Unaufhörlich hinauf nach dir in freudigem Wachstum.

Himmlischer! Sucht nicht dich mit ihren Augen die Pflanze,
Streckt nach dir die schüchternen Arme der niedrige Strauch nicht?
Daß er dich finde, zerbricht der gefangene Same die Hülse,
Daß er belebt von dir in deiner Welle sich bade,
Schüttelt der Wald den Schnee wie ein überlästig Gewand ab.
Auch die Fische kommen herauf und hüpfen verlangend
Über die glänzende Fläche des Stroms, als begehrten auch diese
Aus der Wiege zu dir; auch den edeln Tieren der Erde
Wird zum Fluge der Schritt, wenn oft das gewaltige Sehnen
Die geheime Liebe zu dir sie ergreift, sie hinaufzieht.

Stolz verachtet den Boden das Roß, wie gebogener Stahl strebt
In die Höhe sein Hals, mit der Hufe berührt es den Sand kaum.
Wie zum Scherze berührt der Fuß der Hirsche den Grashalm,
Hüpft wie ein Zephyr über den Bach, der reißend hinabschäumt,
Hin und wieder und schweift kaum sichtbar durch die Gebüsche.

Aber des Aethers Lieblinge, sie, die glücklichen Vögel
Wohnen und spielen vergnügt in der ewigen Halle des Vaters!
Raums genug ist für alle. Der Pfad ist keinem bezeichnet,
Und es regen sich frei im Hause die Großen und Kleinen.
Über dem Haupte frohlocken sie mir und es sehnt sich auch mein Herz
Wunderbar zu ihnen hinauf; wie die freundliche Heimat
Winkt es von oben herab, und auf die Gipfel der Alpen
Möcht ich wandern und rufen von da dem eilenden Adler,
Daß er, wie einst in die Arme des Zeus den seligen Knaben,
Aus der Gefangenschaft in des Aethers Halle mich trage.

Töricht treiben wir uns umher; wie die irrende Rebe,
Wenn ihr der Stab gebricht, woran zum Himmel sie aufwächst,
Breiten wir über dem Boden uns aus und suchen und wandern
Durch die Zonen der Erd, o Vater Aether! vergebens,
Denn es treibt uns die Lust, in deinen Gärten zu wohnen.
In die Meersflut werfen wir uns, in den freieren Ebnen
Uns zu sättigen, und es umspielt die unendliche Woge
Unsern Kiel, es erfreut sich das Herz an den Kräften des Meergotts.
Dennoch genügt ihm nicht; denn der tiefere Ozean reizt uns,
Wo die leichtere Welle sich regt – o wer dort an jene
Goldnen Küsten das wandernde Schiff zu treiben vermöchte!

Aber indes ich hinauf in die dämmernde Ferne mich sehne,
Wo du fremde Gestad' umfängst mit der bläulichen Woge,
Kömmst du säuselnd herab von des Fruchtbaums blühenden Wipfeln,
Vater Aether! und sänftigest selbst das strebende Herz mir,
Und ich lebe nun gern, wie zuvor, mit den Blumen der Erde.

Der Tod fürs Vaterland

Du kömmst, o Schlacht! schon wogen die Jünglinge
 Hinab von ihren Hügeln, hinab ins Tal,
 Wo keck herauf die Würger dringen,
 Sicher der Kunst und des Arms, doch sichrer

Kömmt über sie die Seele der Jünglinge,
 Denn die Gerechten schlagen, wie Zauberer,
 Und ihre Vaterlandsgesänge
 Lähmen die Kniee der Ehrelosen.

O nimmt mich, nimmt mich mit in die Reihen auf,
 Damit ich einst nicht sterbe gemeinen Tods!
 Umsonst zu sterben, lieb ich nicht, doch
 Lieb ich, zu fallen am Opferhügel

Fürs Vaterland, zu bluten des Herzens Blut
 Fürs Vaterland – und bald ist's geschehn! Zu euch,
 Ihr Teuern! komm ich, die mich leben
 Lehrten und sterben, zu euch hinunter!

Wie oft im Lichte dürstet' ich euch zu sehn,
 Ihr Helden und ihr Dichter aus alter Zeit!
 Nun grüßt ihr freundlich den geringen
 Fremdling und brüderlich ist's hier unten,

Und Siegesboten kommen herab: Die Schlacht
 Ist unser! Lebe droben, o Vaterland,
 Und zähle nicht die Toten! Dir ist,
 Liebes! nicht Einer zu viel gefallen.

Abendphantasie

Vor seiner Hütte ruhig im Schatten sitzt
 Der Pflüger, dem Genügsamen raucht sein Herd.
 Gastfreundlich tönt dem Wanderer im
 Friedlichen Dorfe die Abendglocke.

Wohl kehren itzt die Schiffer zum Hafen auch,
 In fernen Städten, fröhlich verrauscht des Markts
 Geschäftger Lärm; in stiller Laube
 Glänzt das gesellige Mahl den Freunden.

Wohin denn ich? Es leben die Sterblichen
 Von Lohn und Arbeit; wechselnd in Müh und Ruh
 Ist alles freudig; warum schläft denn
 Nimmer nur mir in der Brust der Stachel?

Am Abendhimmel blühet ein Frühling auf;
 Unzählig blühn die Rosen und ruhig scheint
 Die goldne Welt; o dorthin nimmt mich,
 Purpurne Wolken! Und möge droben

In Licht und Luft zerrinnen mir Lieb und Leid! –
 Doch, wie verscheucht von töriger Bitte, flieht
 Der Zauber; dunkel wird's, und einsam
 Unter dem Himmel, wie immer, bin ich –

Komm du nun, sanfter Schlummer! Zu viel begehrt
 Das Herz; doch endlich, Jugend! verglühst du ja,
 Du ruhelose, träumerische!
 Friedlich und heiter ist dann das Alter.

Des Morgens

Vom Taue glänzt der Rasen; beweglicher
 Eilt schon die wache Quelle; die Buche neigt
 Ihr schwankes Haupt, und im Geblätter
 Rauscht es und schimmert; und um die grauen

Gewölke streifen rötliche Flammen dort,
 Verkündende, sie wallen geräuschlos auf;
 Wie Fluten am Gestade wogen
 Höher und höher die Wandelbaren.

Komm nun, o komm, und eile mir nicht zu schnell,
 Du goldner Tag, zum Gipfel des Himmels fort!
 Denn offner fliegt, vertrauter dir mein
 Auge, du Freudiger! zu, solang du

In deiner Schöne jugendlich blickst und noch
Zu herrlich nicht, zu stolz mir geworden bist;
Du möchtest immer eilen, könnt ich,
Göttlicher Wandrer, mit dir! – Doch lächelst

Des frohen Übermütigen du, daß er
Dir gleichen möchte; segne mir lieber dann
Mein sterblich Tun und heitre wieder,
Gütiger! heute den stillen Pfad mir.

Mein Eigentum

In seiner Fülle ruhet der Herbsttag nun,
Geläutert ist die Traub, und der Hain ist rot
Vom Obst, wenn schon der holden Blüten
Manche der Erde zum Danke fielen.

Und rings im Felde, wo ich den Pfad hinaus,
Den stillen, wandle, ist den Zufriedenen
Ihr Gut gereift, und viel der frohen
Mühe gewähret der Reichtum ihnen.

Vom Himmel blicket zu den Geschäftigen
Durch ihre Bäume milde das Licht herab,
Die Freude teilend, denn es wuchs durch
Hände der Menschen allein die Frucht nicht.

Und leuchtest du, o Goldnes, auch mir, und wehst
Auch du mir wieder, Lüftchen, als segnetest
Du eine Freude mir wie einst und
Irrst, wie um Glückliche, mir am Busen?

Einst war ich's, doch wie Rosen, vergänglich war
Das fromme Leben, ach! und es mahnen noch,
Die blühend mir geblieben sind, die
Holden Gestirne zu oft mich dessen.

Beglückt, wer, ruhig liebend ein frommes Weib,
Am eignen Herd in rühmlicher Heimat lebt,
Es leuchtet über festem Boden
Schöner dem sicheren Mann sein Himmel.

Denn wie die Pflanze, wurzelt auf eignem Grund
Sie nicht, verglüht die Seele des Sterblichen,
Der mit dem Tageslichte nur, ein
Armer, auf heiliger Erde wandelt.

Zu mächtig, ach! ihr himmlischen Höhen, zieht
Ihr mich empor, bei Stürmen, am heitern Tag
Fühl ich verzehrend euch im Busen
Wechseln, ihr wandelnde Götterkräfte.

337

Doch heute laß mich stille den trauten Pfad
　Zum Haine gehn, dem golden die Wipfel schmückt
　　Sein sterbend Laub, und kränzt auch mir die
　　　Stirne, ihr holden Erinnerungen!

Und daß mir auch, zu retten mein sterblich Herz,
　Wie andern eine bleibende Stätte sei
　　Und heimatlos die Seele mir nicht
　　　Über das Leben hinweg sich sehne,

Sei du, Gesang, mein freundlich Asyl! Sei du,
　Beglückender! mit sorgender Liebe mir
　　Gepflegt, der Garten, wo ich, wandelnd
　　　Unter den Blüten, den immerjungen,

In sichrer Einfalt wohne, wenn draußen mir
　Mit ihren Wellen allen die mächtge Zeit,
　　Die Wandelbare, fern rauscht und die
　　　Stillere Sonne mein Wirken fördert.

Ihr segnet gütig über den Sterblichen,
　Ihr Himmelskräfte! jedem sein Eigentum,
　　O segnet meines auch und daß zu
　　　Frühe die Parze den Traum nicht ende.

Geh unter, schöne Sonne, sie achteten
　Nur wenig dein, sie kannten dich, Heilge, nicht,
　　Denn mühelos und stille bist du
　　　Über den Mühsamen aufgegangen.

Mir gehst du freundlich unter und auf, o Licht!
　Und wohl erkennt mein Auge dich, Herrliches!
　　Denn göttlich stille ehren lernt ich,
　　　Da Diotima den Sinn mir heilte.

O du, des Himmels Botin! Wie lauscht ich dir!
　Dir, Diotima! Liebe! Wie sah von dir
　　Zum goldnen Tage dieses Auge
　　　Glänzend und dankend empor. Da rauschten

Lebendiger die Quellen, es atmeten
　Der dunkeln Erde Blüten mich liebend an,
　　Und lächelnd über Silberwolken
　　　Neigte sich segnend herab der Aether.

Der Abschied

Trennen wollten wir uns? Wähnten es gut und klug?
 Da wir's taten, warum schröckte, wie Mord, die Tat?
 Ach! wir kennen uns wenig,
 Denn es waltet ein Gott in uns.

Den verraten? ach, ihn, welcher uns alles erst,
 Sinn und Leben erschuf, ihn, den beseelenden
 Schutzgott unserer Liebe,
 Dies, dies Eine vermag ich nicht.

Aber anderen Fehl denket der Weltsinn sich,
 Andern ehernen Dienst übt er und anders Recht,
 Und es listet die Seele
 Tag für Tag der Gebrauch uns ab.

Wohl! ich wußt es zuvor. Seit die gewurzelte
 Ungestalte, die Furcht Götter und Menschen trennt,
 Muß, mit Blut sie zu sühnen,
 Muß der Liebenden Herz vergehn.

Laß mich schweigen! O, laß nimmer von nun an mich
 Dieses Tödliche sehn, daß ich im Frieden doch
 Hin ins Einsame ziehe
 Und noch unser der Abschied sei!

Reich die Schale mir selbst, daß ich des rettenden
 Heilgen Giftes genug, daß ich des Lethetranks
 Mit dir trinke, daß alles,
 Haß und Liebe, vergessen sei!

Hingehn will ich. Vielleicht seh ich in langer Zeit
 Diotima! dich hier. Aber verblutet ist
 Dann das Wünschen, und friedlich
 Gleich den Seligen, fremde gehn

Wir umher, ein Gespräch führet uns ab und auf,
 Sinnend, zögernd, doch itzt mahnt die Vergessenen
 Hier die Stelle des Abschieds,
 Es erwarmet ein Herz in uns,

Staunend seh ich dich an, Stimmen und süßen Sang,
 Wie aus voriger Zeit hör ich und Saitenspiel,
 Und die Lilie duftet
 Golden über dem Bach uns auf.

Gesang des Deutschen

O heilig Herz der Völker, o Vaterland!
 Allduldend, gleich der schweigenden Mutter Erd,
 Und allverkannt, wenn schon aus deiner
 Tiefe die Fremden ihr Bestes haben!

Sie ernten den Gedanken, den Geist von dir,
 Sie pflücken gern die Traube, doch höhnen sie
 Dich, ungestalte Rebe! daß du
 Schwankend den Boden und wild umirrest.

Du Land des hohen ernsteren Genius!
 Du Land der Liebe! Bin ich der Deine schon,
 Oft zürnt ich weinend, daß du immer
 Blöde die eigene Seele leugnest.

Doch magst du manches Schöne nicht bergen mir;
 Oft stand ich, überschauend das holde Grün,
 Den weiten Garten, hoch in deinen
 Lüften auf hellem Gebirg und sah dich.

An deinen Strömen ging ich und dachte dich,
 Indes die Töne schüchtern die Nachtigall
 Auf schwanker Weide sang und still auf
 Dämmerndem Grunde die Welle weilte.

Und an den Ufern sah ich die Städte blühn,
 Die Edlen, wo der Fleiß in der Werkstatt schweigt,
 Die Wissenschaft, wo deine Sonne
 Milde dem Künstler zum Ernste leuchtet.

Kennst du Minervas Kinder? Sie wählten sich
 Den Ölbaum früh zum Lieblinge; kennst du sie?
 Noch lebt, noch waltet der Athener
 Seele, die sinnende, still bei Menschen,

Wenn Platons frommer Garten auch schon nicht mehr
 Am alten Strome grünt und der dürftge Mann
 Die Heldenasche pflügt und scheu der
 Vogel der Nacht auf der Säule trauert.

O heilger Wald! O Attika! Traf Er doch
 Mit seinem furchtbarn Strahle dich auch, so bald,
 Und eilten sie, die dich belebt, die
 Flammen entbunden zum Aether über?

Doch, wie der Frühling, wandelt der Genius
 Von Land zu Land. Und wir? Ist denn Einer auch
 Von unsern Jünglingen, der nicht ein
 Ahnden, ein Rätsel der Brust verschwiege?

Den deutschen Frauen danket! Sie haben uns
 Der Götterbilder freundlichen Geist bewahrt,
 Und täglich sühnt der holde klare
 Friede das böse Gewirre wieder.

Wo sind jetzt Dichter, denen der Gott es gab,
 Wie unsern Alten, freudig und fromm zu sein,
 Wo Weise, wie die unsre sind? die
 Kalten und Kühnen, die Unbestechbarn!

Nun! Sei gegrüßt in deinem Adel, mein Vaterland,
 Mit neuem Namen, reifeste Frucht der Zeit!
 Du letzte und du erste aller
 Musen, Urania, sei gegrüßt mir!

Noch säumst und schweigst du, sinnest ein freudig Werk,
 Das von dir zeuge, sinnest ein neu Gebild,
 Das einzige, wie du selber, das aus
 Liebe geboren und gut, wie du, sei –

Wo ist dein Delos, wo dein Olympia,
 Daß wir uns alle finden am höchsten Fest? –
 Doch wie errät der Sohn, was du den
 Deinen, Unsterbliche, längst bereitest?

Heidelberg

Lange lieb ich dich schon, möchte dich, mir zur Lust,
 Mutter nennen und dir schenken ein kunstlos Lied,
 Du, der Vaterlandsstädte
 Ländlichschönste, so viel ich sah.

Wie der Vogel des Walds über die Gipfel fliegt,
 Schwingt sich über den Strom, wo er vorbei dir glänzt,
 Leicht und kräftig die Brücke,
 Die von Wagen und Menschen tönt.

Wie von Göttern gesandt, fesselt' ein Zauber einst
 Auf die Brücke mich an, da ich vorüber ging
 Und herein in die Berge
 Mir die reizende Ferne schien

Und der Jüngling, der Strom, fort in die Ebne zog,
 Traurigfroh, wie das Herz, wenn es, sich selbst zu schön,
 Liebend unterzugehen,
 In die Fluten der Zeit sich wirft.

Quellen hattest du ihm, hattest dem Flüchtigen
 Kühle Schatten geschenkt, und die Gestade sahn
 All' ihm nach, und es bebte
 Aus den Wellen ihr lieblich Bild.

Aber schwer in das Tal hing die gigantische,
 Schicksalskundige Burg nieder bis auf den Grund,
 Von den Wettern zerrissen;
 Doch die ewige Sonne goß

Ihr verjüngendes Licht über das alternde
 Riesenbild, und umher grünte lebendiger
 Efeu; freundliche Wälder
 Rauschten über die Burg herab.

Sträuche blühten herab, bis wo im heitern Tal,
 An den Hügel gelehnt oder dem Ufer hold,
 Deine fröhlichen Gassen
 Unter duftenden Gärten ruhn.

Die Heimat

Froh kehrt der Schiffer heim an den stillen Strom,
 Von Inseln fernher, wenn er geerntet hat;
 So käm auch ich zur Heimat, hätt ich
 Güter so viele wie Leid geerntet.

Ihr teuern Ufer, die mich erzogen einst,
 Stillt ihr der Liebe Leiden, versprecht ihr mir,
 Ihr Wälder meiner Jugend, wenn ich
 Komme, die Ruhe noch einmal wieder?

Am kühlen Bache, wo ich der Wellen Spiel,
 Am Strome, wo ich gleiten die Schiffe sah,
 Dort bin ich bald; euch traute Berge,
 Die mich behüteten einst, der Heimat

Verehrte sichre Grenzen, der Mutter Haus
 Und liebender Geschwister Umarmungen
 Begrüß ich bald und ihr umschließt mich,
 Daß, wie in Banden, das Herz mir heile,

Ihr treugebliebnen! Aber ich weiß, ich weiß,
 Der Liebe Leid, dies heilet so bald mir nicht,
 Dies singt kein Wiegensang, den tröstend
 Sterbliche singen, mir aus dem Busen.

Denn sie, die uns das himmlische Feuer leihn,
Die Götter schenken heiliges Leid uns auch,
 Drum bleibe dies. Ein Sohn der Erde
 Schein ich; zu lieben gemacht, zu leiden.

Lebenslauf

Größers wolltest auch du, aber die Liebe zwingt
All uns nieder, das Leid beuget gewaltiger,
 Doch es kehret umsonst nicht
 Unser Bogen, woher er kommt.

Aufwärts oder hinab! Herrschet in heilger Nacht,
Wo die stumme Natur werdende Tage sinnt,
 Herrscht im schiefesten Orkus
 Nicht ein Grades, ein Recht noch auch?

Dies erfuhr ich. Denn nie, sterblichen Meistern gleich,
Habt ihr Himmlischen, ihr Alleserhaltenden,
 Daß ich wüßte, mit Vorsicht
 Mich des ebenen Pfads geführt.

Alles prüfe der Mensch, sagen die Himmlischen,
Daß er, kräftig genährt, danken für Alles lern
 Und verstehe die Freiheit
 Aufzubrechen, wohin er will.

Hälfte des Lebens

Mit gelben Birnen hänget
Und voll mit wilden Rosen
Das Land in den See,
Ihr holden Schwäne,
Und trunken von Küssen
Tunkt ihr das Haupt
Ins heilignüchterne Wasser.

Weh mir, wo nehm ich, wenn
Es Winter ist, die Blumen, und wo
Den Sonnenschein
Und Schatten der Erde?
Die Mauern stehn
Sprachlos und kalt, im Winde
Klirren die Fahnen.

[Fahnen: Wetterfahnen.]

Brot und Wein
An Heinse

1

Rings um ruhet die Stadt; still wird die erleuchtete Gasse,
 Und, mit Fackeln geschmückt, rauschen die Wagen hinweg.
Satt gehn heim von Freuden des Tags zu ruhen die Menschen,
 Und Gewinn und Verlust wäget ein sinniges Haupt
Wohlzufrieden zu Haus; leer steht von Trauben und Blumen,
 Und von Werken der Hand ruht der geschäftige Markt.
Aber das Saitenspiel tönt fern aus Gärten; vielleicht, daß
 Dort ein Liebendes spielt oder ein einsamer Mann
Ferner Freunde gedenkt und der Jugendzeit; und die Brunnen
 Immerquillend und frisch rauschen an duftendem Beet.
Still in dämmriger Luft ertönen geläutete Glocken,
 Und der Stunden gedenk rufet ein Wächter die Zahl.
Jetzt auch kommet ein Wehn und regt die Gipfel des Hains auf,
 Sieh! und das Schattenbild unserer Erde, der Mond
Kommet geheim nun auch; die Schwärmerische, die Nacht, kommt,
 Voll mit Sternen und wohl wenig bekümmert um uns,
Glänzt die Erstaunende dort, die Fremdlingin unter den Menschen,
 Über Gebirgeshöhn traurig und prächtig herauf.

2

Wunderbar ist die Gunst der Hocherhabnen und niemand
 Weiß, von wannen und was einem geschiehet von ihr.
So bewegt sie die Welt und die hoffende Seele der Menschen,
 Selbst kein Weiser versteht, was sie bereitet, denn so
Will es der oberste Gott, der sehr dich liebet, und darum
 Ist noch lieber, wie sie, dir der besonnene Tag.
Aber zuweilen liebt auch klares Auge den Schatten
 Und versuchet zu Lust, eh es die Not ist, den Schlaf,
Oder es blickt auch gern ein treuer Mann in die Nacht hin,
 Ja, es ziemet sich, ihr Kränze zu weihn und Gesang,
Weil den Irrenden sie geheiliget ist und den Toten,
 Selber aber besteht, ewig, in freiestem Geist.
Aber sie muß uns auch, daß in der zaudernden Weile,
 Daß im Finstern für uns einiges Haltbare sei,
Uns die Vergessenheit und das Heiligtrunkene gönnen,
 Gönnen das strömende Wort, das, wie die Liebenden, sei,
Schlummerlos und vollern Pokal und kühneres Leben,
 Heilig Gedächtnis auch, wachend zu bleiben bei Nacht.

3

Auch verbergen umsonst das Herz im Busen, umsonst nur
 Halten den Mut noch wir, Meister und Knaben, denn wer

Möcht es hindern, und wer möcht uns die Freude verbieten?
　　Göttliches Feuer auch treibet, bei Tag und bei Nacht,
Aufzubrechen. So komm! daß wir das Offene schauen,
　　Daß ein Eigenes wir suchen, so weit es auch ist.
Fest bleibt Eins; es sei um Mittag oder es gehe
　　Bis in die Mitternacht, immer bestehet ein Maß,
Allen gemein, doch jeglichem auch ist eignes beschieden,
　　Dahin gehet und kommt jeder, wohin er es kann.
Drum! und spotten des Spotts mag gern frohlockender Wahnsinn,
　　Wenn er in heiliger Nacht plötzlich die Sänger ergreift.
Drum an den Isthmos komm! dorthin, wo das offene Meer rauscht
　　Am Parnaß und der Schnee delphische Felsen umglänzt,
Dort ins Land des Olymps, dort auf die Höhe Cithärons,
　　Unter die Fichten dort, unter die Trauben, von wo
Thebe drunten und Ismenos rauscht im Lande des Kadmos,
　　Dorther kommt und zurück deutet der kommende Gott.

4

Seliges Griechenland! Du Haus der Himmlischen alle,
　　Also ist wahr, was einst wir in der Jugend gehört?
Festlicher Saal! der Boden ist Meer! und Tische die Berge,
　　Wahrlich zu einzigem Brauche vor alters gebaut!
Aber die Thronen, wo? die Tempel und wo die Gefäße,
　　Wo mit Nektar gefüllt, Göttern zu Lust der Gesang?
Wo, wo leuchten sie denn, die fernhintreffenden Sprüche?
　　Delphi schlummert und wo tönet das große Geschick?
Wo ist das schnelle? Wo bricht's, allgegenwärtigen Glücks voll,
　　Donnernd aus heiterer Luft über die Augen herein?
Vater Aether! so rief's und flog von Zunge zu Zunge
　　Tausendfach, es ertrug keiner das Leben allein;
Ausgeteilet erfreut solch Gut und getauschet, mit Fremden,
　　Wird's ein Jubel, es wächst schlafend des Wortes Gewalt:
Vater! heiter! und hallt, so weit es gehet, das uralt
　　Zeichen, von Eltern geerbt, treffend und schaffend hinab.
Denn so kehren die Himmlischen ein, tiefschütternd gelangt so
　　Aus dem Schatten herab unter die Menschen ihr Tag.

5

Unempfunden kommen sie erst, es streben entgegen
　　Ihnen die Kinder, zu hell kommet, zu blendend das Glück,
Und es scheut sie der Mensch, kaum weiß zu sagen ein Halbgott,
　　Wer mit Namen sie sind, die mit den Gaben ihm nahn.
Aber der Mut von ihnen ist groß, es füllen das Herz ihm
　　Ihre Freuden, und kaum weiß er zu brauchen das Gut,
Schafft, verschwendet, und fast ward ihm Unheiliges heilig,
　　Das er mit segnender Hand törig und gütig berührt.
Möglichst dulden die Himmlischen dies; dann aber in Wahrheit
　　Kommen sie selbst, und gewohnt werden die Menschen des Glücks

Und des Tags und zu schaun die Offenbaren, das Antlitz
 Derer, welche, schon längst Eines und Alles genannt,
Tief die verschwiegene Brust mit freier Genüge gefüllet
 Und zuerst und allein alles Verlangen beglückt.
So ist der Mensch; wenn da ist das Gut, und es sorget mit Gaben
 Selber ein Gott für ihn, kennet und sieht er es nicht.
Tragen muß er, zuvor; nun aber nennt er sein Liebstes,
 Nun, nun müssen dafür Worte, wie Blumen, entstehn.

6

Und nun denkt er zu ehren in Ernst die seligen Götter,
 Wirklich und wahrhaft muß alles verkünden ihr Lob.
Nichts darf schauen das Licht, was nicht den Hohen gefället,
 Vor den Aether gebührt Müßigversuchendes nicht.
Drum in der Gegenwart der Himmlischen würdig zu stehen,
 Richten in herrlichen Ordnungen Völker sich auf
Untereinander und baun die schönen Tempel und Städte
 Fest und edel, sie gehn über Gestaden empor –
Aber wo sind sie? Wo blühn die Bekannten, die Kronen des Festes?
 Thebe welkt und Athen; rauschen die Waffen nicht mehr
In Olympia, nicht die goldnen Wagen des Kampfspiels,
 Und bekränzen sich denn nimmer die Schiffe Korinths?
Warum schweigen auch sie, die alten heilgen Theater?
 Warum freuet sich denn nicht der geweihete Tanz?
Warum zeichnet, wie sonst, die Stirne des Mannes ein Gott nicht,
 Drückt den Stempel, wie sonst, nicht dem Getroffenen auf?
Oder er kam auch selbst und nahm des Menschen Gestalt an
 Und vollendet, und schloß tröstend das himmlische Fest.

7

Aber Freund! wir kommen zu spät. Zwar leben die Götter,
 Aber über dem Haupt droben in anderer Welt.
Endlos wirken sie da und scheinen's wenig zu achten,
 Ob wir leben, so sehr schonen die Himmlischen uns.
Denn nicht immer vermag ein schwaches Gefäß sie zu fassen,
 Nur zu Zeiten erträgt göttliche Fülle der Mensch.
Traum von ihnen ist drauf das Leben. Aber das Irrsal
 Hilft, wie Schlummer, und stark machet die Not und die Nacht,
Bis daß Helden genug in der ehernen Wiege gewachsen,
 Herzen an Kraft, wie sonst, ähnlich den Himmlischen sind.
Donnernd kommen sie drauf. Indessen dünket mir öfters
 Besser zu schlafen, wie so ohne Genossen zu sein,
So zu harren, und was zu tun indes und zu sagen,
 Weiß ich nicht, und wozu Dichter in dürftiger Zeit?
Aber sie sind, sagst du, wie des Weingotts heilige Priester,
 Welche von Lande zu Land zogen in heiliger Nacht.

8

Nämlich, als vor einiger Zeit, uns dünket sie lange,
　　Aufwärts stiegen sie all, welche das Leben beglückt,
Als der Vater gewandt sein Angesicht von den Menschen
　　Und das Trauern mit Recht über der Erde begann,
Als erschienen zuletzt ein stiller Genius, himmlisch
　　Tröstend, welcher des Tags Ende verkündet' und schwand,
Ließ zum Zeichen, daß einst er da gewesen und wieder
　　Käme, der himmlische Chor einige Gaben zurück,
Derer menschlich, wie sonst, wir uns zu freuen vermöchten,
　　Denn zur Freude, mit Geist, wurde das Größre zu groß
Unter den Menschen und noch, noch fehlen die Starken zu höchsten
　　Freuden, aber es lebt stille noch einiger Dank.
Brot ist der Erde Frucht, doch ist's vom Lichte gesegnet,
　　Und vom donnernden Gott kommet die Freude des Weins.
Darum denken wir auch dabei der Himmlischen, die sonst
　　Da gewesen und die kehren in richtiger Zeit,
Darum singen sie auch mit Ernst, die Sänger, den Weingott,
　　Und nicht eitel erdacht tönet dem Alten das Lob.

9

Ja! sie sagen mit Recht, er söhne den Tag mit der Nacht aus,
　　Führe des Himmels Gestirn ewig hinunter, hinauf,
Allzeit froh, wie das Laub der immergrünenden Fichte,
　　Das er liebt, und der Kranz, den er von Efeu gewählt,
Weil er bleibet und selbst die Spur der entflohenen Götter
　　Götterlosen hinab unter das Finstere bringt.
Was der Alten Gesang von Kindern Gottes geweissagt,
　　Siehe! wir sind es, wir; Frucht von Hesperien ist's!
Wunderbar und genau ist's als an Menschen erfüllet,
　　Glaube, wer es geprüft! Aber so vieles geschieht,
Keines wirket, denn wir sind herzlos, Schatten, bis unser
　　Vater Aether erkannt jeden und allen gehört.
Aber indessen kommt als Fackelschwinger des Höchsten
　　Sohn, der Syrier, unter die Schatten herab.
Selige Weise sehn's; ein Lächeln aus der gefangnen
　　Seele leuchtet, dem Licht tauet ihr Auge noch auf.
Sanfter träumet und schläft in Armen der Erde der Titan,
　　Selbst der neidische, selbst Cerberus trinket und schläft.

Andenken

Der Nordost wehet,
Der liebste unter den Winden
Mir, weil er feurigen Geist
Und gute Fahrt verheißet den Schiffern.
Geh aber nun und grüße
Die schöne Garonne
Und die Gärten von Bourdeaux
Dort, wo am scharfen Ufer
Hingehet der Steg und in den Strom
Tief fällt der Bach, darüber aber
Hinschauet ein edel Paar
Von Eichen und Silberpappeln;

Noch denket das mir wohl und wie
Die breiten Gipfel neiget
Der Ulmenwald, über die Mühl,
Im Hofe aber wächset ein Feigenbaum.
An Feiertagen gehn
Die braunen Frauen daselbst
Auf seidnen Boden,
Zur Märzenzeit,
Wenn gleich ist Nacht und Tag,
Und über langsamen Stegen,
Von goldenen Träumen schwer,
Einwiegende Lüfte ziehen.

Es reiche aber,
Des dunkeln Lichtes voll,
Mir einer den duftenden Becher,
Damit ich ruhen möge; denn süß
Wär unter Schatten der Schlummer.
Nicht ist es gut,
Seellos von sterblichen
Gedanken zu sein. Doch gut
Ist ein Gespräch und zu sagen
Des Herzens Meinung, zu hören viel
Von Tagen der Lieb
Und Taten, welche geschehen.

Wo aber sind die Freunde? Bellarmin
Mit dem Gefährten? Mancher
Trägt Scheue, an die Quelle zu gehn;
Es beginnet nämlich der Reichtum
Im Meere. Sie,
Wie Maler, bringen zusammen
Das Schöne der Erd und verschmähn
Den geflügelten Krieg nicht und
Zu wohnen einsam, jahrlang, unter
Dem entlaubten Mast, wo nicht die Nacht durchglänzen
Die Feiertage der Stadt
Und Saitenspiel und eingeborener Tanz nicht.

Nun aber sind zu Indiern
Die Männer gegangen,
Dort an der luftigen Spitz
An Traubenbergen, wo herab
Die Dordogne kommt
Und zusammen mit der prächtgen
Garonne meerbreit
Ausgehet der Strom. Es nehmet aber
Und gibt Gedächtnis die See,
Und die Lieb auch heftet fleißig die Augen,
Was bleibet aber, stiften die Dichter.

Der Spaziergang

Ihr Wälder schön an der Seite,
Am grünen Abhang gemalt,
Wo ich umher mich leite,
Durch süße Ruhe bezahlt
Für jeden Stachel im Herzen,
Wenn dunkel mir ist der Sinn,
Den Kunst und Sinnen hat Schmerzen
Gekostet von Anbeginn;
Ihr lieblichen Bilder im Tale,
Zum Beispiel Gärten und Baum,
Und dann der Steg, der schmale,
Der Bach zu sehen kaum,
Wie schön aus heiterer Ferne
Glänzt einem das herrliche Bild
Der Landschaft, die ich gerne
Besuch in Witterung mild.
Die Gottheit freundlich geleitet
Uns erstlich mit Blau,
Hernach mit Wolken bereitet,
Gebildet wölbig und grau,
Mit sengenden Blitzen und Rollen
Des Donners, mit Reiz des Gefilds,
Mit Schönheit, die gequollen
Vom Quell ursprünglichen Bilds.

Friedrich Lehne
1771–1836

Freiheitslied

Wohl mir, ich bin ein freier Mann!
Nur den Gesetzen untertan;
 Drum tu ich keinem Menschen je,
 Was ich nicht will, das mir gescheh;
Drum bin ich jedes Schurken Feind,
Der's mit der Menschheit übel meint.
 Willkommen, wer es sagen kann:
 Wohl mir, ich bin ein freier Mann!

Mir stört kein Fürst, noch Fürstenknecht
Mein häuslich Glück, mein Menschenrecht;
 Kein Pfaff, noch Schranze hudelt mich
 Und tränkt von meinem Schweiße sich;
Ich bin, sei er auch noch so reich,
Ist er nur bieder, jedem gleich.
 Willkommen, wer es sagen kann:
 Wohl mir, ich bin ein freier Mann!

Es adle den ein Ritterschlag,
Den nicht die Tugend adeln mag;
 Ich trage weder Stern noch Band,
 Mir gnügt mein Herz und Vaterland;
Mein Herz, das ohne Falsch und Trug
Für's Vaterland stets redlich schlug.
 Willkommen, wer es sagen kann:
 Wohl mir, ich bin ein freier Mann!

Ich trachte nicht nach Ruhm und Rang
Und forsche nur nach gradem Gang,
 Trotz allen Welten Tag und Nacht,
 Was mich und andre glücklich macht;
Ich sehe nicht in träger Ruh
Dem Elend meiner Brüder zu.
 Willkommen, wer es sagen kann:
 Wohl mir, ich bin ein freier Mann.

Nicht jeder ist der Freiheit wert,
Der, frei sein oder sterben, schwört;
 Denn mancher, der Despoten droht,
 Ist, wenn er kann, wie sie Despot;
Der Neid macht ihn zu ihrem Feind,
Doch ist er ihrer Laster Freund.
 Der ist es nicht, der sagen kann:
 Wohl mir, ich bin ein freier Mann!

Gar oft nur tragen Übermut
Und Eigennutz den Freiheitshut,
 Und mancher Bube, reif zum Rad,
 Entweiht den Namen Demokrat;
Von Menschenrecht und Bürger-Pflicht
Schwätzt mancher viel und kennt sie nicht;
 Denn, wer von Freiheit schwätzen kann,
 Ist darum noch kein freier Mann.

Willkommen! wer die Menschheit liebt,
Wenn's gilt, für sie sein Leben gibt;
 Willkommen! wer mit edlem Mut
 Das Gute will und Gutes tut.
Willkommen! wer mit voller Kraft
Im Heiligtum der Wahrheit schafft;
 Nur der ist es, der sagen kann:
 Wohl mir, ich bin ein freier Mann!

Wohl mir, ich bin ein freier Mann!
Trotz jedem, der's nicht leiden kann,
 Trotz jedem Schuften, jedem Tor'n,
 Und sei er noch so hochgebor'n,
Und sei er Bischof oder Graf,
Sei er auch König oder Sklav.
 Wohl mir, daß ich es sagen kann:
 Wohl mir, ich bin ein freier Mann!

Das Lied des treuen Untertans
Ein Gegenstück zum Lied des freien Mannes

Mel. Ein Vogelfänger bin ich ja

Ich bin ein treuer Untertan,
Was geht mich Recht und Freiheit an!
Ich lobe mir den edlen Hund;
Sein Herr schlägt ihm den Rücken wund,
Doch kriecht er wedelnd zu ihm hin
Und wimmert leis und lecket ihn.
Wohl jedem, der es sagen kann:
Ich bin ein treuer Untertan!

Ich glaube, was der Priester spricht,
Und glaubt er es auch selber nicht;
Mich freut es, wenn mein Weib und Kind
In allem ihm gehorsam sind.
Mein Vater hat es so gemacht,
Und ihm hat's gute Frucht gebracht.
Wohl jedem etc.

Der Adel schwelgt von meinem Brot,
Doch stürb ich auch den Hungerstod,
So gäb ich doch den süßen Herrn
Sogar den letzten Bissen gern;
Sie tragen ja für's Vaterland
Ihr Kreuz und Stern und Ordensband.
Wohl jedem etc.

Ich kenne zwar den Fürsten nicht,
Man sagt, er sei ein armer Wicht,
Er schwelge wie ein Großsultan
Und hänge feilen Dirnen an.
Wenn er mich auch mit Hunden hetzt,
So ist er doch von Gott gesetzt.
Wohl jedem etc.

Den Herrn Minister kenn ich zwar,
Ein ränkevoller Hofbarbar,
Vom Markt des Volkes nimmer satt
Und gleich der Schlange bunt und glatt.
Doch er ist des Gesalbten Knecht,
Und das macht alles gut und recht.
Wohl jedem etc.

Gehorsam meiner Dienerpflicht
Hör ich Vernunft und Wahrheit nicht
Und glaube nur dem Wundermann,
Der mir den Himmel öffnen kann.
Ich fürchte wohl zuweilen noch,
Er finde nicht das Schlüsselloch;
Doch fang ich nicht zu zweifeln an
Und bleib ein treuer Untertan.

August Lamey
1772–1861

Der Bauer an seinen aristokratischen Pastor

Herr Pastor, mach Er uns nichts weis!
Er schürt die Hölle mächtig heiß,
 Um uns in Furcht zu jagen.
Doch sieh Er, noch hat's keine Not!
Ein feste Burg ist unser Gott.
 Drum werden wir nicht zagen.

Was lärmt Er da vom Holz herab
Von Kirchenrecht und Kirchenhab?
 Das mag Er bald vergessen.

Hat Er sein Brot nur immerfort,
So predge Er uns Gottes Wort;
 Dafür kriegt Er zu essen.

Er aber donnert immerzu,
Stört fromme Seelen aus der Ruh
 Und klagt von argen Zeiten.
Er redet von verlorner Herd,
Doch meint Er, wie man gar wohl hört,
 Nur die verlornen Weiden.

Hör Er einmal zu schelten auf!
Er hindert nicht der Dinge Lauf:
 Wie's kommt, so muß es kommen.
Verloren sind die Schätze nicht,
Die man, wie Seine Kanzel spricht,
 Der Christenheit genommen.

Wir sind ja alle Christen doch,
Und unsre Kirche stehet noch
 Und hat kein Leid erduldet!
Doch flucht Er immer drin so sehr,
So ist es ja kein Bethaus mehr –
 Wer hat es dann verschuldet?

Was kümmern uns Konzilien
Und seine Patreklesien,
 Die Er uns da zitieret?
Wir schlagen in der Bibel nach
Und finden von der ganzen Sach
 Kein Wörtlein angeführet.

Wohl finden wir, daß Jesus Christ
Demütig stets gewesen ist
 Und arm in seinem Leben;
Die Jünger hatten auch kein Gut,
Doch haben sie gern selbst ihr Blut
 Der Lehre hingegeben.

War da die Kirche schlecht bestellt?
„Mein Reich ist nicht von dieser Welt!"
 Und: „Selig, die da glauben!"
Dies ist's ja, was die Bibel spricht!
Nimmt man uns diese Wahrheit nicht,
 Was kann man sonst uns rauben?

Nun lästre Er nicht mehr von heut
Die hochverdienten wackern Leut,
 Die uns Gesetze machen:
Sie wollen unser Glück, das will
Auch unser Herrgott – schweig Er still!
 Das sind nicht Seine Sachen.

Er will vom Jüngsten Tage schrein!
Stets schwätzt Er von der Hölle Pein,
 Als wär Er dort zu Hause.
Mach Er den ganzen Pfuhl auch leer!
Das Teufellegionenheer
 Hat nichts, wofür uns grause.

Ehrwürdger Herr! Sei Er gescheit,
Und schwör Er seinen Bürgereid,
 Um seine Haut zu decken.
Geb Er sich nur gewillig drin!
Schwer möcht es werden, wider ihn
 Den Stachel noch zu lecken.

[Konzilien: Kirchenversammlungen. – Patreklesien: Kirchenväter.]

Unbekannte Verfasser

Trinklied der freien Mainzer
In bekannter Melodie, wie das Lied von Claudius

Nun kränzt mit Laub den liebevollen Becher
 Und trinkt ihn fröhlich leer,
Denn unser Vaterland, ihr lieben Zecher,
 Drückt kein Despote mehr!

Gefallen ist die harte Landesplage,
 Gestürzet von dem Thron,
Er hörte nicht des armen Bürgers Klage –
 Nun hat er seinen Lohn.

Gefallen ist der geistliche Despote,
 Der unsern Schweiß verpraßt,

Gefallen der Tyrann, der uns noch drohte
　　Mit tausendfacher Last.

Wir waren ihm nur niedre Sklavenhunde,
　　Ihm galt kein Menschenrecht.
Was kümmert' ihn des armen Bürgers Wunde?
　　Der war ihm viel zu schlecht.

Triumph nun! Brüder! Seht, er liegt im Staube,
　　Der unser Recht verkannt –
Triumph! Er liegt! Er liegt, der nur gelebt vom Raube!
　　Ihn stürzt' der Franken Hand!

Sie gaben uns die edle Freiheit wieder,
　　Sie leben lang und hoch!
Trinkt auf ihr Wohl, ihr biedre deutsche Brüder,
　　Sie leben lang und hoch!

Ha! seht den Wein in diesem Becher blinken –
　　Nun würzet Freiheit ihn!
Der Bürger leb', Despoten müssen sinken
　　Und Menschenrechte blühn.

Ein Deutscher an seine Brüder
Mel. Stimmt an den frohen Rundgesang

Auf, Brüder, trinkt der Freiheit Wohl
Im deutschen Vaterland!
Und jedem, der, ein freier Mann,
Tyrannenfesseln brechen kann,
Reicht brüderlich die Hand

Und euer Schwert dem Schändlichen,
Der eure Freiheit raubt.
Reißt dem gekrönten Bösewicht,
Reißt ihm die Larve vom Gesicht,
Die Krone von dem Haupt!

Doch, Brüder, sehet, ob ihr auch
Die wahre Freiheit kennt:
Nicht Frevelgeist, nicht Raubeswut
Entstell' den echten deutschen Mut,
Der nur für Wahrheit brennt.

Dem Edlen, der euch Vater ist
Und der euch Friede gibt,
Dem opfert euer Hab und Gut,
Dem weihet euer Herz und Blut,
Der sei von euch geliebt.

Johann Friedrich Schink
1755–1835

Die Republikaner zu Paris

Was für ein Volk: um Wahrheit zu verklären,
Schlägt's ihren Spiegel ganz entzwei!
Und, statt dem Vorurteil den langen Bart zu scheren,
Macht es von Menschlichkeit und Recht und Pflicht sich frei;

Es läßt der Brüder Blut in ganzen Strömen fließen
Und nennet doch der Menschheit Retter sich;
An jedem Tage tritt's dich, o Vernunft, mit Füßen
Und baut dir Tempel öffentlich.
Es beuget nicht sein Knie den Petern und den Paulen,
Der'n Leichnam erst im Tod ein Raub des Moders war,
Nein, den Unheiligen, die schon im Leben faulen,
Den Marats, beugt's sein Knie – und Aas ist sein Altar.

[1793]

Novalis (Friedrich von Hardenberg)
1772–1801

Aus: *Geistliche Lieder*

II.

Fern im Osten wird es helle,
Graue Zeiten werden jung;
Aus der lichten Farbenquelle
Einen langen tiefen Trunk!
Alter Sehnsucht heilige Gewährung,
Süße Lieb in göttlicher Verklärung.

Endlich kommt zur Erde nieder
Aller Himmel selges Kind,
Schaffend im Gesang weht wieder
Um die Erde Lebenswind,
Weht zu neuen ewig lichten Flammen
Längst verstiebte Funken hier zusammen.

Überall entspringt aus Grüften
Neues Leben, neues Blut,
Ewgen Frieden uns zu stiften,
Taucht er in die Lebensflut;
Steht mit vollen Händen in der Mitte
Liebevoll gewärtig jeder Bitte.

Lasse seine milden Blicke
Tief in deine Seele gehn,
Und von seinem ewgen Glücke
Sollst du dich ergriffen sehn.
Alle Herzen, Geister und die Sinnen
Werden einen neuen Tanz beginnen.

Greife dreist nach seinen Händen,
Präge dir sein Antlitz ein,
Mußt dich immer nach ihm wenden,
Blüte nach dem Sonnenschein;
Wirst du nur das ganze Herz ihm zeigen,
Bleibt er wie ein treues Weib dir eigen.

Unser ist sie nun geworden,
Gottheit, die uns oft erschreckt,
Hat im Süden und im Norden
Himmelskeime rasch geweckt.
Und so laßt im vollen Gottesgarten
Treu uns jede Knosp und Blüte warten.

V.

Wenn ich ihn nur habe,
Wenn er mein nur ist,
Wenn mein Herz bis hin zum Grabe
Seine Treue nie vergißt:
Weiß ich nichts von Leide,
Fühle nichts als Andacht, Lieb und Freude.

Wenn ich ihn nur habe,
Laß ich alles gern,
Folg an meinem Wanderstabe
Treugesinnt nur meinem Herrn;
Lasse still die andern
Breite, lichte, volle Straßen wandern.

Wenn ich ihn nur habe,
Schlaf ich fröhlich ein,
Ewig wird zu süßer Labe
Seines Herzens Flut mir sein,
Die mit sanftem Zwingen
Alles wird erweichen und durchdringen.

Wenn ich ihn nur habe,
Hab ich auch die Welt,
Selig wie ein Himmelsknabe,
Der der Jungfrau Schleier hält.
Hingesenkt im Schauen
Kann mir vor dem Irdischen nicht grauen.

Wo ich ihn nur habe,
Ist mein Vaterland;
Und es fällt mir jede Gabe
Wie ein Erbteil in die Hand;
Längst vermißte Brüder
Find ich nun in seinen Jüngern wieder.

VI.

Wenn alle untreu werden,
So bleib ich dir doch treu;
Daß Dankbarkeit auf Erden
Nicht ausgestorben sei.
Für mich umfing dich Leiden,
Vergingst für mich in Schmerz;
Drum geb ich dir mit Freuden
Auf ewig dieses Herz.

Oft muß ich bitter weinen,
Daß du gestorben bist
Und mancher von den Deinen
Dich lebenslang vergißt.
Von Liebe nur durchdrungen
Hast du so viel getan,
Und doch bist du verklungen,
Und keiner denkt daran.

Du stehst voll treuer Liebe
Noch immer jedem bei,
Und wenn dir keiner bliebe,
So bleibst du dennoch treu;
Die treuste Liebe sieget,
Am Ende fühlt man sie,
Weint bitterlich und schmieget
Sich kindlich an dein Knie.

Ich habe dich empfunden,
O lasse nicht von mir;
Laß innig mich verbunden
Auf ewig sein mit dir!
Einst schauen meine Brüder
Auch wieder himmelwärts,
Und sinken liebend nieder
Und fallen dir ans Herz.

X.

Es gibt so bange Zeiten,
Es gibt so trüben Mut,
Wo alles sich von weiten
Gespenstisch zeigen tut.

Es schleichen wilde Schrecken
So ängstlich leise her,
Und tiefe Nächte decken
Die Seele zentnerschwer.

Die sichern Stützen schwanken,
Kein Halt der Zuversicht;
Der Wirbel der Gedanken
Gehorcht dem Willen nicht.

Der Wahnsinn naht und locket
Unwiderstehlich hin.
Der Puls des Lebens stocket,
Und stumpf ist jeder Sinn.

Wer hat das Kreuz erhoben
Zum Schutz für jedes Herz?
Wer wohnt im Himmel droben
Und hilft in Angst und Schmerz?

Geh zu dem Wunderstamme,
Gib stiller Sehnsucht Raum,
Aus ihm geht eine Flammme
Und zehrt den schweren Traum.

Ein Engel zieht dich wieder
Gerettet auf den Strand,
Und schaust voll Freuden nieder
In das gelobte Land.

XV

Ich sehe dich in tausend Bildern,
Maria, lieblich ausgedrückt,
Doch keins von allen kann dich schildern,
Wie meine Seele dich erblickt.

Ich weiß nur, daß der Welt Getümmel
Seitdem mir wie ein Traum verweht
Und ein unnennbar süßer Himmel
Mir ewig im Gemüte steht.

Wenn nicht mehr Zahlen und Figuren
Sind Schlüssel aller Kreaturen,
Wenn die so singen oder küssen
Mehr als die Tiefgelehrten wissen,
Wenn sich die Welt ins freie Leben
Und in die Welt wird zurückbegeben,
Wenn dann sich wieder Licht und Schatten
Zu echter Klarheit werden gatten
Und man in Märchen und Gedichten
Erkennt die ewgen Weltgeschichten,
Dann fliegt vor Einem geheimen Wort
Das ganze verkehrte Wesen fort.

Lobt doch unsre stillen Feste,
Unsre Gärten, unsre Zimmer,
Das bequeme Hausgeräte,
Unser Hab und Gut!
Täglich kommen neue Gäste,
Diese früh, die andern späte,
Auf den weiten Herden immer
Lodert neue Lebensglut.

Tausend zierliche Gefäße,
Einst betaut mit tausend Tränen,
Goldne Ringe, Sporen, Schwerter,
Sind in unserm Schatz:
Viel Kleinodien und Juwelen
Wissen wir in dunkeln Höhlen,
Keiner kann den Reichtum zählen,
Zählt' er auch ohn Unterlaß.

Kinder der Vergangenheiten,
Helden aus den grauen Zeiten,
Der Gestirne Riesengeister,
Wunderlich gesellt,
Holde Frauen, ernste Meister,
Kinder und verlebte Greise
Sitzen hier in *einem* Kreise,
Wohnen in der alten Welt.

Keiner wird sich je beschweren,
Keiner wünschen fortzugehen,
Wer an unsern vollen Tischen
Einmal fröhlich saß.
Klagen sind nicht mehr zu hören,
Keine Wunden mehr zu sehen,
Keine Tränen abzuwischen;
Ewig läuft das Stundenglas.

Tiefgerührt von heilger Güte
Und versenkt in selges Schauen
Steht der Himmel im Gemüte,
Wolkenloses Blau;
Lange fliegende Gewande
Tragen uns durch Frühlingsauen,
Und es weht in diesem Lande
Nie ein Lüftchen kalt und rauh.

Süßer Reiz der Mitternächte,
Stiller Kreis geheimer Mächte,
Wollust rätselhafter Spiele,
Wir nur kennen euch.

Wir nur sind am hohen Ziele,
Bald in Strom uns zu ergießen,
Dann in Tropfen zu zerfließen
Und zu nippen auch zugleich.

Uns ward erst die Liebe Leben;
Innig wie die Elemente
Mischen wir des Daseins Fluten,
Brausend Herz mit Herz.
Lüstern scheiden sich die Fluten,
Denn der Kampf der Elemente
Ist der Liebe höchstes Leben
Und des Herzens eignes Herz.

Leiser Wünsche süßes Plaudern
Hören wir allein und schauen
Immerdar in selge Augen,
Schmecken nichts als Mund und Kuß.
Alles, was wir nur berühren,
Wird zu heißen Balsamfrüchten,
Wird zu weichen zarten Brüsten,
Opfern kühner Lust.

Immer wächst und blüht Verlangen,
Am Geliebten festzuhangen,
Ihn im Innern zu empfangen,
Eins mit ihm zu sein,
Seinem Durste nicht zu wehren,
Sich im Wechsel zu verzehren,
Voneinander sich zu nähren,
Voneinander nur allein.

So in Lieb und hoher Wollust
Sind wir immerdar versunken,
Seit der wilde trübe Funken
Jener Welt erlosch;
Seit der Hügel sich geschlossen
Und der Scheiterhaufen sprühte
Und dem schauernden Gemüte
Nun das Erdgesicht zerfloß.

Zauber der Erinnerungen,
Heilger Wehmut süße Schauer
Haben innig uns durchklungen,
Kühlen unsre Glut.
Wunden gibt's, die ewig schmerzen,
Eine göttlich tiefe Trauer
Wohnt in unser aller Herzen,
Löst uns auf in *eine* Flut.

Und in dieser Flut ergießen
Wir uns auf geheime Weise
In den Ozean des Lebens,
Tief in Gott hinein;
Und aus seinem Herzen fließen
Wir zurück zu unserm Kreise,
Und der Geist des höchsten Strebens
Taucht in unsre Wirbel ein.

Schüttelt eure goldnen Ketten
Mit Smaragden und Rubinen
Und die blanken saubern Spangen,
Blitz und Klang zugleich.
Aus des feuchten Abgrunds Betten,
Aus den Gräbern und Ruinen,
Himmelsrosen auf den Wangen
Schwebt in's bunte Fabelreich.

Könnten doch die Menschen wissen,
Unsre künftigen Genossen,
Daß bei allen ihren Freuden
Wir geschäftig sind:
Jauchzend würden sie verscheiden,
Gern das bleiche Dasein missen, –
O! die Zeit ist bald verflossen,
Kommt, Gliebte, doch geschwind!

Helft uns nur den Erdgeist binden,
Lernt den Sinn des Todes fassen
Und das Wort des Lebens finden;
Einmal kehrt euch um.
Deine Macht muß bald verschwinden,
Dein erborgtes Licht verblassen,
Werden dich in kurzem binden,
Erdgeist, deine Zeit ist um.

Ludwig Tieck
1773–1853

An einen Liebenden im Frühling 1814

Wonne glänzt von allen Zweigen,
Mutig regt sich jedes Reis,
Blumenkränz' aus Bäumen steigen,
Purpurrot und silberweiß.

Und bewegt wie Harfensaiten
Ist die Welt ein Jubelklang,
Durch der Welten Dunkelheiten
Tönt der Nachtigall Gesang.

Warum leuchten so die Felder?
Nie hab ich dies Grün gesehn:
Lustgesang dringt durch die Wälder,
Rauschend wie ein Sturmeswehn.

Sieg und Freiheit blühn die Bäume,
Heil dir Vaterland! erschallt
Jubelnd durch die grünen Räume,
Freiheit! braust der Eichenwald.

Hoch beglückt, ja hoch gesegnet,
Wem in diesem Lustgefild
Liebesglück noch hold begegnet
Und die letzte Sehnsucht stillt.

Andacht

Wann das Abendrot die Haine
Mit den Abschiedsflammen küßt,
Wann im prächtgen Morgenscheine
Lerchenklang die Sonne grüßt,

O, dann werf ich Jubellieder
Ins Lobpreisen der Natur,
Echo spricht die Töne wieder,
Alles preist den Ewgen nur.

Mit den Quellen geht mein Grüßen,
Und das taube Herz in mir
Hat dem Gott erwachen müssen,
Der uns schirmet für und für.

Meereswogen laut erklingen,
In den Wäldern wohnt manch Schall;
Und wir sollten nicht besingen,
Da die Freude überall?

Zeit

So wandelt sie im ewig gleichen Kreise,
Die Zeit, nach ihrer alten Weise,
Auf ihrem Wege taub und blind;
Das unbefangne Menschenkind
Erwartet stets vom nächsten Augenblick
Ein unverhofftes seltsam neues Glück.
Die Sonne geht und kehret wieder,
Kommt Mond und sinkt die Nacht hernieder,
Die Stunden die Wochen abwärts leiten,
Die Wochen bringen die Jahreszeiten.
Von außen nichts sich je erneut,
In dir trägst du die wechselnde Zeit,
In dir nur Glück und Begebenheit.

Liebe

Weht ein Ton vom Feld herüber,
Grüßt mich immerdar ein Freund,
Spricht zu mir: Was weinst du, Lieber?
Sieh, wie Sonne Liebe scheint!
Herz am Herzen stets vereint
Gehn die bösen Stunden über.

Liebe denkt in süßen Tönen,
Denn Gedanken stehn zu fern,
Nur in Tönen mag sie gern
Alles was sie will verschönen.
Drum ist ewig uns zugegen,
Wenn Musik mit Klängen spricht,
Ihr die Sprache nicht gebricht,
Holde Lieb auf allen Wegen,
Liebe kann sich nicht bewegen,
Leihet sie den Otem nicht.

Trauer

Wie schnell verschwindet
So Licht als Glanz,
Der Morgen findet
Verwelkt den Kranz,

Die Sonne neiget,
Die Röte flieht,
Der Schatten steiget
Und Dunkel zieht:

Der gestern glühte
In aller Pracht,
Denn er verblühte
In dunkler Nacht.

So schwimmt die Liebe
Zu Wüsten ab,
Ach! daß sie bliebe
Bis an das Grab!

Es schwimmt die Welle
Des Lebens hin,
Und färbt sich helle,
Hat's nicht Gewinn;

Doch wir erwachen
Zu tiefer Qual;
Es bricht der Nachen,
Es löscht der Strahl,

Vom schönen Lande
Weit weggebracht
Zum öden Strande,
Wo um uns Nacht.

Zweifel

Sind es Schmerzen, sind es Freuden,
Die durch meinen Busen ziehn?
Alle alten Wünsche scheiden,
Tausend neue Blumen blühn.

Durch die Dämmerung der Tränen
Seh ich ferne Sonnen stehn, –
Welches Schmachten! welches Sehnen!
Wag ich's? Soll ich näher gehn?

Ach! und fällt die Träne nieder,
Ist es dunkel um mich her,
Dennoch kömmt kein Wunsch mir wieder,
Zukunft ist von Hoffnung leer.

So schlage denn, strebendes Herz,
So fließet denn, Tränen, herab,
Ach Lust ist nur tieferer Schmerz,
Leben ist dunkeles Grab. –
 Ohne Verschulden
 Soll ich erdulden?
Wie ist's, daß mir im Traum
 Alle Gedanken
 Auf und nieder schwanken!
Ich kenne mich noch kaum.

O hört mich ihr gütigen Sterne,
O höre mich, grünende Flur,
Du, Liebe, den heiligen Schwur:
 Bleib ich ihr ferne,
 Sterb ich gerne.
Ach! nur im Licht von ihrem Blick
Wohnt Leben und Hoffnung und Glück.

Liebesgegenwart

O ihr süßen Liebesschmerzen,
Eilt ihr meinen Schritten nach?
Ach! in meinem trunknen Herzen
Werden alle Bilder wach.
In den Zweigen singt die Sonne,
Sie erklingt im Liedesschall,
Ihre Bildung strahlt die Wonne
Durch die Schatten überall.
Wohin soll ich mich erretten,
Vor der süßesten Gewalt?
Ja, ich ziehe meine Ketten
Mit mir durch den grünen Wald.

Wunder der Liebe
Glosse

Mondbeglänzte Zaubernacht,
Die den Sinn gefangen hält,
Wundervolle Märchenwelt,
Steig auf in der alten Pracht!

Liebe läßt sich suchen, finden,
Niemals lernen oder lehren,
Wer da will die Flamm entzünden,
Ohne selbst sich zu verzehren,
Muß sich reinigen der Sünden.
Alles schläft, weil er noch wacht,
Wann der Stern der Liebe lacht,
Goldne Augen auf ihn blicken,
Schaut er trunken von Entzücken
Mondbeglänzte Zaubernacht.

Aber nie darf er erschrecken,
Wenn sich Wolken dunkel jagen,
Finsternis die Sterne decken,
Kaum der Mond es noch will wagen,
Einen Schimmer zu erwecken.
Ewig steht der Liebe Zelt,
Von dem eignen Licht erhellt,
Aber Mut nur kann zerbrechen,

Was die Furcht will ewig schwächen,
Die den Sinn gefangen hält.

Keiner Liebe hat gefunden,
Dem ein trüber Ernst beschieden,
Flüchtig sind die goldnen Stunden,
Welche immer den vermieden,
Den die bleiche Sorg umwunden:
Wer die Schlange an sich hält,
Dem ist Schatten vorgestellt,
Alles was die Dichter sangen,
Nennt der Arme, eingefangen,
Wundervolle Märchenwelt.

Herz, im Glauben auferblühend,
Fühlt alsbald die goldnen Scheine,
Die es lieblich in sich ziehend
Macht zu eigen sich und seine,
In der schönsten Flamme glühend.
Ist das Opfer angefacht,
Wird's dem Himmel dargebracht;
Hat dich Liebe angenommen,
Auf dem Altar hell entglommen,
Steig auf in der alten Pracht.

Trost

Schwer hängen an der Weltuhr die Gewichte
Und treiben sie doch langsam nur zum Gange,
So manche Tugend geht bei uns im Schwange,
Doch stehn wir, Freund, uns selber oft im Lichte.

Die Menschheit schreitet fort und manchem Wichte
Wird bei den vielen Widersprüchen bange,
Fast jeder fragt, wohin er denn gelange,
Und zweifelt immerdar an dem Berichte.

Doch lache nur ob diesen ernsten Possen,
Laß nur den Wagen unbekümmert fahren
Und glaub, er werde wo die Fracht abladen.

Noch werden wir auf steingem Weg zerstoßen,
Dort seh ich schon den Sand vor mir, den klaren,
Und sieh, der Korb mit Wein nahm keinen Schaden.

Clemens Brentano
1778–1842

Von den Mauern Widerklang –
Ach! – im Herzen frägt es bang:
Ist es ihre Stimme?
Und vergebens sucht mein Blick:
Kehret mir ein Ton zurück? –
Ist's nur meine Stimme? –

Auf der Mauern höherm Rand
Sind die Blicke hingebannt,
Doch ich seh nur Sterne;
Und in hoher Himmelssee
Ich die Sterne küssen seh.
Wären's unsre Sterne!

Nacht ist voller Lug und Trug,
Nimmer sehen wir genug
In den schwarzen Augen;
Heiß ist Liebe, Nacht ist kühl,
Ach ich seh ihr viel zu viel
In die schwarzen Augen.

Sonne wollt nicht untergehn,
Blieb am Berg neugierig stehn;
Kam die Nacht gegangen.
Stille Nacht, in deinem Schoß
Liegt der Menschen höchstes Los
Mütterlich umfangen.

Sprich aus der Ferne,
Heimliche Welt,
Die sich so gerne
Zu mir gesellt.

Wenn das Abendrot niedergesunken,
Keine freudige Farbe mehr spricht
Und die Kränze stilleuchtender Funken
Die Nacht um die schattige Stirne flicht:

Wehet der Sterne
Heiliger Sinn
Leis durch die Ferne
Bis zu mir hin.

Wenn des Mondes still lindernde Tränen
Lösen der Nächte verborgenes Weh,
Dann wehet Friede. In goldenen Kähnen
Schiffen die Geister im himmlischen See.

Glänzender Lieder
Klingender Lauf
Ringelt sich nieder,
Wallet hinauf.

Wenn der Mitternacht heiliges Grauen
Bang durch die dunklen Wälder hinschleicht
Und die Büsche gar wundersam schauen,
Alles sich finster tiefsinnig bezeugt:

Wandelt im Dunkeln
Freundliches Spiel,
Still Lichter funkeln
Schimmerndes Ziel.

Alles ist freundlich wohlwollend verbunden,
Bietet sich tröstend und trauernd die Hand,
Sind durch die Nächte die Lichter gewunden,
Alles ist ewig im Innern verwandt.

Sprich aus der Ferne,
Heimliche Welt,
Die sich so gerne
Zu mir gesellt.

Lureley

Zu Bacharach am Rheine
Wohnt eine Zauberin,
Die war so schön und feine
Und riß viel Herzen hin

Und machte viel zuschanden
Der Männer rings umher,
Aus ihren Liebesbanden
War keine Rettung mehr.

Der Bischof ließ sie laden
Vor geistliche Gewalt
Und mußte sie begnaden,
So schön war ihr' Gestalt.

Er sprach zu ihr gerühret:
„Du arme Lore Lay,
Wer hat dich dann verführet
Zu böser Zauberei?"

„Herr Bischof, laß mich sterben.
Ich bin des Lebens müd,
Weil jeder muß verderben,
Der meine Augen sieht.

Die Augen sind zwei Flammen,
Mein Arm ein Zauberstab,
O schickt mich in die Flammen,
O brechet mir den Stab."

„Den Stab kann ich nicht brechen,
Du schöne Lore Lay,
Ich müßte dann zerbrechen
Mein eigen Herz entzwei.

Ich kann dich nicht verdammen,
Bis du mir erst bekennt,
Warum in deinen Flammen
Mein eignes Herz schon brennt."

„Herr Bischof, mit mir Armen
Treibt nicht so bösen Spott
Und bittet um Erbarmen
Für mich den lieben Gott.

Ich darf nicht länger leben,
Ich lieb kein Leben mehr,
Den Tod sollt ihr mir geben,
Drum kam ich zu euch her.

Ein Mann hat mich betrogen,
Hat sich von mir gewandt,
Ist fort von mir gezogen
Fort in ein andres Land.

Die Blicke sanft und wilde,
Die Wangen rot und weiß,
Die Worte still und milde,
Die sind mein Zauberkreis.

Ich selbst muß drin verderben,
Das Herz tut mir so weh,
Vor Jammer möcht ich sterben,
Wenn ich zum Spiegel seh.

Drum laßt mein Recht mich finden,
Mich sterben wie ein Christ,
Denn alles muß verschwinden,
Weil er mir treulos ist."

Drei Ritter ließ er holen:
„Bringt sie ins Kloster hin!
Geh, Lore! Gott befohlen
Sei dein berückter Sinn.

Du sollst ein Nönnchen werden,
Ein Nönnchen schwarz und weiß.
Bereite dich auf Erden
Zum Tod mit Gottes Preis!"

Zum Kloster sie nun ritten
Die Ritter alle drei
Und traurig in der Mitten
Die schöne Lore Lay.

„O Ritter, laßt mich gehen
Auf diesen Felsen groß,
Ich will noch einmal sehen
Nach meines Buhlen Schloß,

Ich will noch einmal sehen
Wohl in den tiefen Rhein
Und dann ins Kloster gehen
Und Gottes Jungfrau sein."

Der Felsen ist so jähe,
So steil ist seine Wand,
Sie klimmen in die Höhe,
Da tritt sie an den Rand

Und sprach: „Willkomm, da wehet
Ein Segel auf dem Rhein,
Der in dem Schifflein stehet,
Der soll mein Liebster sein.

Mein Herz wird mir so munter,
Er muß der Liebste sein"
Da lehnt sie sich hinunter
Und stürzet in den Rhein.

Es fuhr mit Kreuz und Fahne
Das Schifflein an das Land,
Der Bischof saß im Kahne,
Sie hat ihn wohl erkannt.

Daß er das Schwert gelassen,
Dem Zauber zu entgehn,
Daß er zum Kreuz tät fassen,
Das konnt sie nicht verstehn.

Wer hat dies Lied gesungen?
Ein Priester auf dem Rhein,
Und immer hat's geklungen
Vom hohen Felsenstein:

 Lureley,
 Lureley,
 Lureley.

Als wären es meiner drei!

Wenn die Sonne weggegangen,
Kömmt die Dunkelheit heran
Abendrot hat goldne Wangen,
Und die Nacht hat Trauer an.

Seit die Liebe weggegangen,
Bin ich nun ein Mohrenkind
Und die roten, frohen Wangen
Dunkel und verloren sind.

Dunkelheit muß tief verschweigen
Alles Wehe, alle Lust,
Aber Mond und Sterne zeigen,
Was ihr wohnet in der Brust.

Wenn die Lippen dir verschweigen
Meines Herzens stille Glut,
Müssen Blick und Tränen zeigen,
Wie die Liebe nimmer ruht.

Wie sich auch die Zeit will wenden, enden
Will sich nimmer doch die Ferne,
Freude mag der Mai mir spenden, senden
Möcht Dir alles gerne, weil ich Freude mir erlerne,
Wenn Du mit gefaltnen Händen
Freudig hebst der Augen Sterne.

Alle Blumen mich nicht grüßen, süßen
Gruß nehm ich von Deinem Munde.
Was nicht blühet Dir zu Füßen, büßen
Muß es bald zur Stunde, eher ich auch nicht gesunde,
Bis Du mir mit frohen Küssen
Bringest meines Frühlings Kunde.

Wenn die Abendlüfte wehen, sehen
Mich die lieben Vöglein kleine
Traurig an der Linde stehen, spähen,
Wen ich wohl so ernstlich meine, daß ich helle Tränen weine,
Wollen auch nicht schlafen gehen,
Denn sonst wär ich ganz alleine.

Vöglein, euch mag's nicht gelingen, klingen
Darf es nur von ihrem Sange,
Wie des Maies Wonneschlingen, singen
Alles ein in neuem Zwange; aber daß ich Dein verlange
Und Du mein, mußt Du auch singen,
Ach, das ist schon ewig lange.

Der Spinnerin Nachtlied

Es sang vor langen Jahren
Wohl auch die Nachtigall,
Das war wohl süßer Schall,
Da wir zusammen waren.

Ich sing und kann nicht weinen
Und spinne so allein
Den Faden klar und rein,
Solang der Mond wird scheinen.

Als wir zusammen waren,
Da sang die Nachtigall;
Nun mahnet mich ihr Schall,
Daß du von mir gefahren.

So oft der Mond mag scheinen,
Denk ich wohl dein allein,
Mein Herz ist klar und rein,
Gott wolle uns vereinen.

Seit du von mir gefahren,
Singt stets die Nachtigall,
Ich denk bei ihrem Schall,
Wie wir zusammen waren.

Gott wolle uns vereinen,
Hier spinn ich so allein,
Der Mond scheint klar und rein,
Ich sing und möchte weinen.

Hör, es klagt die Flöte wieder,
Und die kühlen Brunnen rauschen.
Golden wehn die Töne nieder,
Stille, stille, laß uns lauschen!

Holdes Bitten, mild Verlangen,
Wie es süß zum Herzen spricht!
Durch die Nacht, die mich umfangen,
Blickt zu mir der Töne Licht.

Lureley

Singet leise, leise, leise,
Singt ein flüsternd Wiegenlied,
Von dem Monde lernt die Weise,
Der so still am Himmel zieht.

Denn es schlummern in dem Rheine
Jetzt die lieben Kindlein klein,
Ameleya wacht alleine
Weinend in dem Mondenschein,

Singt ein Lied so süß gelinde
Wie die Quellen auf den Kieseln,
Wie die Bienen um die Linde
Summen, murmeln, flüstern, rieseln.

Verzweiflung an der Liebe in der Liebe

In Liebeskampf? in Todeskampf gesunken?
Ob Atem noch von ihren Lippen fließt?
Ob ihr der Krampf den kleinen Mund verschließt?
Kein Öl die Lampe? oder keinen Funken?

Der Jüngling – betend? tot? in Liebe trunken?
Ob er der Jungfrau höchste Gunst genießt?
Was ist's, das der gefallne Becher gießt?
Hat Gift, hat Wein, hat Balsam sie getrunken?

Des Jünglings Arme Engelsflügel werden –
Nein, Mantelsfalten – Leichentuches Falten.
Um sie strahlt Heilgenschein – zerraufte Haare.

Strahl Himmelslicht, flamm Hölle zu der Erde,
Brich der Verzweiflung rasende Gewalten,
Enthüll – verhüll – das Freudenbett – die Bahre!

Säusle, liebe Mirte.
Wie still ist's in der Welt,
Der Mond, der Sternenhirte
Auf klarem Himmelsfeld,
Treibt schon die Wolkenschafe
Zum Born des Lichtes hin:
Schlaf, mein Freund, o schlafe,
Bis ich wieder bei Dir bin.

Säusle, liebe Mirte,
Und träum im Sternenschein;
Die Turteltaube girrte
Auch ihre Brut schon ein.
Still ziehn die Wolkenschafe
Zum Born des Lichtes hin,
Schlaf, mein Freund, o schlafe,
Bis ich wieder bei Dir bin.

Hörst du, wie die Brunnen rauschen,
Hörst du, wie die Grille zirpt?
Stille, stille, laß uns lauschen,
Selig, wer in Träumen stirbt.
Selig, wen die Wolken wiegen,
Wem der Mond ein Schlaflied singt!
O, wie selig kann der fliegen,
Dem der Traum den Flügel schwingt,
Daß an blauer Himmelsdecke
Sterne er wie Blumen pflückt;
Schlafe, träume, flieg, ich wecke
Bald Dich auf und bin beglückt.

Frühlingsschrei eines Knechtes aus der Tiefe

Meister, ohne dein Erbarmen
Muß im Abgrund ich verzagen,
Willst du nicht mit starken Armen
Wieder mich zum Lichte tragen?

Jährlich greifet deine Güte
In die Erde, in die Herzen,
Jährlich weckest du die Blüte,
Weckst in mir die alten Schmerzen.

Einmal nur zum Licht geboren,
Aber tausendmal gestorben,
Bin ich ohne dich verloren,
Ohne dich in mir verdorben.

Wenn sich so die Erde reget,
Wenn die Luft so sonnig wehet,
Dann wird auch die Flut beweget,
Die in Todesbanden stehet.

Und in meinem Herzen schauert
Ein betrübter bittrer Bronnen,
Wenn der Frühling draußen lauert,
Kömmt die Angstflut angeronnen.

Weh! durch giftge Erdenlagen,
Wie die Zeit so angeschwemmet,
Habe ich den Schacht geschlagen,
Und er ist nur schwach verdämmet.

Wenn nun rings die Quellen schwellen,
Wenn der Grund gebärend ringet,
Brechen her die giftgen Wellen,
Die kein Fluch, kein Witz mir zwinget.

Andern ruf ich: Schwimme, schwimme!
Mir kann solcher Ruf nicht taugen,
Denn in mir ja steigt die grimme
Sündflut, bricht aus meinen Augen.

Und dann scheinen bös Gezüchte.
Mir die bunten Lämmer alle,
Die ich grüßte, süße Früchte,
Die mir reiften, bittre Galle.

Herr, erbarme du dich meiner,
Daß mein Herz neu blühend werde!
Mein erbarmte sich noch keiner
Von den Frühlingen der Erde.

Meister, wenn dir alle Hände
Nahn mit süßerfüllten Schalen,
Kann ich mit der bittern Spende
Meine Schuld dir nimmer zahlen.

Ach, wie ich auch tiefer wühle,
Wie ich schöpfe, wie ich weine,
Nimmer ich den Schwall erspüle
Zum Kristallgrund fest und reine.

Immer stürzen mir die Wände.
Jede Schicht hat mich belogen,
Und die arbeitblutgen Hände
Brennen in den bittern Wogen.

Weh! der Raum wird immer enger,
Wilder, wüster stets die Wogen,
Herr, o Herr! Ich treib's nicht länger,
Schlage deinen Regenbogen.

Herr, ich mahne dich: Verschone!
Herr, ich hört in jungen Tagen,
Wunderbare Rettung wohne,
Ach, in deinem Blute, sagen.

Und so muß ich zu dir schreien,
Schreien aus der bittern Tiefe,
Könntest du auch nicht verzeihen,
Daß dein Knecht so kühnlich riefe!

Daß des Lichtes Quelle wieder
Rein und heilig in mir flute,
Träufle einen Tropfen nieder,
Jesus, mir von deinem Blute!

O schweig nur, Herz! Die rächende Sybille,
Die über deiner Zukunft Wehe! kreischt,
Den gier'gen Geier, der dich lang zerfleischt,
Bannt ein gottselig Kind und deckt ganz stille
Die schreinde Wunde dir mit Taubenflügeln,
Weckt dir den Morgenstern auf stummen Hügeln.

O schweig nur Herz! Horch! Klang von Engelschwingen!
Was zuckst du so? Du mußt fein leise tun,
Wo man dir singet, wie so sanft sie ruhn,
Die Seligen, dahin wird man dich bringen.
Sei still, was schreist du, einsam ist kein Leben,
Kein Grab, schlaf süß, die Liebste träumt daneben.

O schweig nur, Herz! Du hast ja nichts besessen,
Du läßt ja nichts zurück, wem trauerst du?
Auch deines Himmels Augen fallen zu,
Doch seiner Liebe Licht strahlt ungemessen.
Brichst du, bricht jenes Herz? Wer bleibt, wird sagen,
O schönre Lust, halb hier, halb dort zu schlagen!

O schweig, mein Herz! Du magst wohl selig schweigen,
Was schreist du nur, dir fiel kein Sündenlos,
Dich wiegt die Unschuld ohne Graun im Schoß,
Aus frommen Augen blickt dein Himmelszeichen.
Sei ihr nicht schwer, sei selig, träume, schwebe,
Wein um die Traube nicht, wein mit der Rebe.

O schweig nur, Herz! Sonst nennt dich einen Raben
Die Liebste, die nur Tauben Futter gibt.
O werde rein und fromm, bis sie dich liebt,
Werd eine Taube, die nur will sie haben.
O selig! ihr als Taube zu gehören,
Solang sie sich der Raben wird erwehren

O schweig nur, Herz! und lerne sel'ger schauen
Als andre in die Huld, die sie umgibt,
Daß sie dir mehr als allen andern gibt,
Das zwinge sie dir einst noch zu vertrauen.
Schweig, dulde, glaube, hoffe, liebe, baue
Dein Elend fromm, daß sie dir ganz vertraue!

Einsam will ich untergehn,
Keiner soll mein Leiden wissen,
Wird der Stern, den ich gesehn,
Von dem Himmel mir gerissen,
Will ich einsam untergehn
Wie ein Pilger in der Wüste.

Einsam will ich untergehn
Wie ein Pilger in der Wüste,
Wenn der Stern, den ich gesehn,
Mich zum letzten Male grüßte,
Will ich einsam untergehn
Wie ein Bettler auf der Heide.

Einsam will ich untergehn
Wie ein Bettler auf der Heide,
Gibt der Stern, den ich gesehn,
Mir nicht weiter das Geleite,
Will ich einsam untergehn
Wie der Tag im Abendgrauen.

Einsam will ich untergehn
Wie der Tag im Abendgrauen,
Will der Stern, den ich gesehn,
Nicht mehr auf mich niederschauen,
Will ich einsam untergehn
Wie ein Sklave an der Kette.

Einsam will ich untergehn
Wie ein Sklave an der Kette,
Scheint der Stern, den ich gesehn,
Nicht mehr auf mein Dornenbette,
Will ich einsam untergehn
Wie ein Schwanenlied im Tode.

Einsam will ich untergehn
Wie ein Schwanenlied im Tode,
Ist der Stern, den ich gesehn,
Mir nicht mehr ein Friedensbote,
Will ich einsam untergehn
Wie ein Schiff in wüsten Meeren.

Einsam will ich untergehn
Wie ein Schiff in wüsten Meeren,
Wird der Stern, den ich gesehn,
Jemals weg von mir sich kehren,
Will ich einsam untergehn
Wie der Trost in stummen Schmerzen.

Einsam will ich untergehn
Wie der Trost in stummen Schmerzen,
Soll den Stern, den ich gesehn,
Jemals meine Schuld verscherzen,
Will ich einsam untergehn
Wie mein Herz in deinem Herzen!

25. August 1817

Die Gottesmauer

Draus vor Schleswig an der Pforte
Wohnen armer Leute viel.
Ach! des Feindes wilder Horde
Werden sie das erste Ziel.

Waffenstillstand ist gekündet;
Dänen ziehen aus zur Nacht;
Russen, Schweden sind verbündet,
Brechen ein mit wilder Macht.

Draus vor Schleswig, weit vor allen
Liegt ein Hüttlein ausgesetzt.

Draus vor Schleswig in der Hütte
Singt ein frommes Mütterlein:
„Herr, in deinen Schoß ich schütte
Alle meine Sorg und Pein!"
Doch ihr Enkel, ohn Vertrauen,
Zwanzigjährig, neuster Zeit,
Hat, den Bräutigam zu schauen,
Seine Lampe nicht bereit.

Draus vor Schleswig in der Hütte
Singt das fromme Mütterlein:

„Eine Mauer um uns baue!"
Singt das fromme Mütterlein:
„Daß dem Feinde vor uns graue,
Nimm in deine Burg uns ein!"
„Mutter", spricht der Weltgesinnte,
„Eine Mauer uns ums Haus
Kriegt fürwahr nicht so geschwinde
Euer lieber Gott heraus!"

„Eine Mauer um uns baue!"
Singt das fromme Mütterlein.

„Enkel, fest ist mein Vertrauen,
Wenn's dem lieben Gott gefällt,
Kann Er uns die Mauer bauen,
Was Er will, ist wohl bestellt."
Trommeln rumdidum rings prasseln;
Die Trompeten schmettern drein;
Rosse wiehern, Wagen rasseln;
Ach, nun bricht der Feind herein!

„Eine Mauer um uns baue!"
Singt das fromme Mütterlein.

Rings in alle Hütten brechen
Schwed' und Russe mit Geschrei,
Fluchen, lärmen, toben, zechen,
Doch dies Haus gehn sie vorbei.
Und der Enkel spricht in Sorgen:
„Mutter, uns verrät das Lied!"

Aber sieh! Das Heer von Morgen
Bis zur Nacht vorüberzieht.

„Eine Mauer um uns baue!"
Singt das fromme Mütterlein.

Und am Abend tobt der Winter,
Um die Fenster stürmt der Nord.
„Schließt die Laden, liebe Kinder!"
Spricht die Alte und singt fort.
Aber mit den Flocken fliegen
Nur Kosakenpulke 'ran;
Rings in allen Hütten liegen
Sechzig, auch wohl achtzig Mann.

„Eine Mauer um uns baue!"
Singt das fromme Mütterlein.

„Eine Mauer um uns baue!"
Singt sie fort die ganze Nacht.
Morgens wird es still: „O schaue,
Enkel, was der Nachbar macht!"
Auf nach innen geht die Türe;
Nimmer käm er sonst heraus:
Daß er Gottes Allmacht spüre,
Liegt der Schnee wohl haushoch draus.

„Eine Mauer um uns baue!"
Sang das fromme Mütterlein.

„Ja! der Herr kann Mauern bauen!
Liebe, gute Mutter, komme,
Gottes Wunder anzuschauen!"
Spricht der Enkel und ward fromm.
Achtzehnhundertvierzig war es,
Als der Herr die Mauer baut';

In der fünften Nacht des Jahres
Hat's dem Feind davor gegraut.

„Eine Mauer um uns baue!"
Sang das fromme Mütterlein.

Ich darf wohl von den Sternen singen,
Mich hat die Blume angeblickt,
Und wird mein armes Lied gelingen,
Dann wird vom Stern mir zugenickt.
 O Stern und Blume, Geist und Kleid,
Lieb, Leid und Zeit und Ewigkeit.

Im Garten stand die frühe Waise
Und senkt den Blick zum Blumenfeld,
Die Sonne sank im Purpurgleise,
Die Sterne spannen aus ihr Zelt.
 O Stern und Blume, Geist und Kleid,
Lieb, Leid und Zeit und Ewigkeit.

Mit euch wohl wagt ein Kind zu sprechen,
Ihr kennet mich, und bin ich stumm,
Weil mir das kranke Herz will brechen,
Bringt ihr mich nicht mit Fragen um.
 O Stern und Blume, Geist und Kleid,
Lieb, Leid und Zeit und Ewigkeit.

Ihr lieben Blumen still und innig,
Ein Tröpfchen Tau, ein Licht, ein Hauch,
Ihr lieben Sterne klar und sinnig,
Ein Strahl, ein Blick, ein Blitz, ein Aug.
 O Stern und Blume, Geist und Kleid,
Lieb, Leid und Zeit und Ewigkeit.

Und wie die Sterne heller blinken,
Beugt Schatten sich aufs Blumenfeld,
Und auch des Kindes Augen sinken,
Der Traum sie in den Armen hält.
 O Stern und Blume, Geist und Kleid,
Lieb, Leid und Zeit und Ewigkeit.

Ihr Engel steiget auf und nieder,
Bringt Sternenlust, bringt Blumenschmerz
Und küßt die unerschaffnen Lieder
Und legt sie schlafen auf ihr Herz.
 O Stern und Blume, Geist und Kleid,
Lieb, Leid und Zeit und Ewigkeit.

Und wiegt die tauberauschte Rose
Im Dornenbettchen bald zur Ruh
Und schließt dem Veilchen in dem Moose
Die frommen Augen segnend zu.
 O Stern und Blume, Geist und Kleid,
Lieb, Leid und Zeit und Ewigkeit.

Die Blumen all, die farbig prangen,
Sie waren bald nicht mehr zu sehn,
Die Nacht nahm ihre Pracht gefangen,
Nur eine Schar blieb betend stehn.
 O Stern und Blume, Geist und Kleid,
Lieb, Leid und Zeit und Ewigkeit.

Sieh, dorten um die süße Linde
Steht eine reine Lilienschar,
Der Engel zeigte sie dem Kinde,

Sie leuchteten ganz wunderbar.
 O Stern und Blume, Geist und Kleid,
Lieb, Leid und Zeit und Ewigkeit.

Der Engel sprach: Mein Kind, o sehe
Die Lilie unter Dornen dort,
Das Licht wird Fleisch, horch: „Es geschehe
Der Magd des Herrn nach deinem Wort!"
 O Stern und Blume, Geist und Kleid,
Lieb, Leid und Zeit und Ewigkeit.

Die Lilie spinnt nicht, doch es webet
Aus ihr das Wort sich einen Leib,
Zur Jungfrau ist das Licht geschwebet,
Und Mutter Gottes ward das Weib.
 O Stern und Blume, Geist und Kleid,
Lieb, Leid und Zeit und Ewigkeit.

Und als der Geist sie überschattet,
Deckt rings die Nacht das Blumenfeld,
Der Lilie nur das Licht sich gattet,
Das auf den Leuchter wird gestellt.
 O Stern und Blume, Geist und Kleid,
Lieb, Leid und Zeit und Ewigkeit.

Die Lilie, die nicht zieht, nicht schweifet,
Nicht fallen läßt und wieder sucht,
Die sehnend still zum Lichte greifet,
Sie fand das Licht und trug die Frucht.
 O Stern und Blume, Geist und Kleid,
Lieb, Leid und Zeit und Ewigkeit.

So sprach der Engel zu dem Kinde
Und führt es zu der Lilie Licht,
Da kniet es nieder an der Linde
Und fand im Traum die Worte nicht.
 O Stern und Blume, Geist und Kleid,
Lieb, Leid und Zeit und Ewigkeit.

Da sprach zum Kind die reine Lilie,
Die nie vorher gesprochen hat:
Wach auf, wach auf zu mir, Emilie,
Sing mit mir das Magnificat.
 O Stern und Blume, Geist und Kleid,
Lieb, Leid und Zeit und Ewigkeit.

Ob sie es sang, ich kann's nicht sagen,
Sie hat mich träumend angeblickt,
Es hat ihr Herz bei mir geschlagen,
Es hat ihr Haupt mir zugenickt.
 O Stern und Blume, Geist und Kleid,
Lieb, Leid und Zeit und Ewigkeit.

Das kalte Wissen war ermattet,
Das milde Fühlen war erwacht,
Die Blumen waren überschattet,
Emilie hat mich angelacht.
 O Stern und Blume, Geist und Kleid,
Lieb, Leid und Zeit und Ewigkeit.

Geh, armes Lied, und sag der Lieben:
Es hat ein Herz zum Tode krank
Mich unter Tränen aufgeschrieben
Und zagt, ich sei dir nicht zu Dank!
 O Stern und Blume, Geist und Kleid,
Lieb, Leid und Zeit und Ewigkeit.
 20. Jenner [1835] nach großem Leid

Wenn der lahme Weber träumt, er webe,
Träumt die kranke Lerche auch, sie schwebe,
Träumt die stumme Nachtigall, sie singe,
Daß das Herz des Widerhalls zerspringe,
Träumt das blinde Huhn, es zähl die Kerne,
Und der drei je zählte kaum, die Sterne,
Träumt das starre Erz, gar linde tau es,
Und das Eisenherz, ein Kind vertrau es,
Träumt die taube Nüchternheit, sie lausche,
Wie der Traube Schüchternheit berausche;
Kömmt dann Wahrheit mutternackt gelaufen,
Führt der hellen Töne Glanzgefunkel
Und der grellen Lichter Tanz durchs Dunkel,
Rennt den Traum sie schmerzlich übern Haufen,
Horch! die Fackel lacht, horch! Schmerz-Schalmeien
Der erwachten Nacht ins Herz all schreien;
Weh, ohn Opfer gehn die süßen Wunder,
Gehn die armen Herzen einsam unter!

Was reif in diesen Zeilen steht,
Was lächelnd winkt und sinnend fleht,
Das soll kein Kind betrüben,
Die Einfalt hat es ausgesät,
Die Schwermut hat hindurchgeweht,
Die Sehnsucht hat's getrieben;
Und ist das Feld einst abgemäht,
Die Armut durch die Stoppeln geht,
Sucht Ähren, die geblieben,
Sucht Lieb, die für sie untergeht,
Sucht Lieb, die mit ihr aufersteht,
Sucht Lieb, die sie kann lieben,
Und hat sie einsam und verschmäht

Die Nacht durch, dankend in Gebet,
Die Körner ausgerieben,
Liest sie, als früh der Hahn gekräht,
Was Lieb erhielt,was Leid verweht,
Ans Feldkreuz angeschrieben,
O Stern und Blume, Geist und Kleid,
Lieb, Leid und Zeit und Ewigkeit!

O Traum der Wüste, Liebe, endlos Sehnen,
Blau überspannt vom Zelte, Stern an Stern;
O Wüstenglut voll Tau, o Lieb voll Tränen,
Weil sich unendlich Nahes ewig fern;

O Wüstentraum, wo Lieb auf Herzschlag lauschet,
Wenn flüchtgen Wildes Huf die Wüste drischt,
O Traum, wo der Geliebte Schleier rauschet,
Wenn Geierflug im Sandmeer Schlangen fischt.

O Wüstentraum, wo Liebe träumt zu fassen
Jetzt Josephs Mantelsaum mit durstger Hand,
Da geißelt wach, verhöhnt halb, ganz verlassen
Ihr Herz, der Wüste Geißel, glüher Sand.

O Liebe, Wüstentraum der Sehnsuchtspalme,
Die blütenlos Gezweig zum Himmel streckt,
Bis segnend in des höchsten Liedes Psalme
Der Engel sie mit heilgem Fruchtstaub weckt;

O Wüste, Traum der Liebe, die verachtet,
Vom Haus verstoßen mit der Hagar irrt,
Wo schläft der Quell, da Ismael verschmachtet,
Bis deine Brust ihm eine Amme wird.

O Wüstentraum der Liebe, die sich sehnet,
Steigt nie ein Weiherauch aus dir empor?
Geht duftend, auf den Bräutigam gelehnet,
Nie meine Seele heil aus dir hervor?

O Wüste, wo das Wort der ewgen Liebe
Im unversehrten Dorn vor Moses flammt,
Ein Zeugnis, daß die Mutter Jungfrau bliebe,
Aus deren Schoß der Sohn der Gottheit stammt.

Lieb, Wüstentraum, so laut des Rufers Stimme
„Bereit den Weg des Herrn!" dir mahnend schallt,
Summt in des Löwen Schlund dir doch die Imme,
Die Süßes baut im Rachen der Gewalt.

O Durst der Liebe, Wüstentraum, wann spaltet
Der Herr den Fels, daß Wasser gibt der Stein,

Wann deckt in dir den Tisch, der gütig waltet,
Wann sammle ich das Himmelbrot mir ein?

Durst, Liebe, Wüstentraum, dort scheint am Hügel
Der Morgenstrahl, ein Hirtenfeuer weiß,
Wo Durst gewähnt des Wasserfalles Spiegel,
Fand Liebe ein Geschiebe Fraueneis.

O Liebe, Wüstentraum des Heimatkranken,
Ihr Paradiese, schimmernd in der Luft,
Ihr Sehnsuchtsströme, die durch Wiesen ranken,
Ihr Palmenhaine, lockend in dem Duft;

O Liebe, Wüstentraumquell, beim Erwachen
Rauscht dir kein Quell, es wirbelt glüher Sand,
Es saust das Haus der Schlangen und der Drachen
Und prasselt nieder an der Felsenwand;

O Wüstentraum, wo Sehnsucht Feuer trinket
Und Liebe, angehaucht vom gift'gen Smum,
Ohn Trost und Hoffnung tot zur Erde sinket; –
O Tod ohn Liebe, Hoffnung, Ehr und Ruhm!

O Wüstentraum der Lieb! In der Oase
Labt dich am Quell, der zwischen Palmen glänzt,
Ein schlankes Kind – die Schlange ist's im Grase,
Der Räuber Kundschaftrin, ein Truggespenst.

O Liebe, Wüstentraum, nach kurzem Gasten
Sprengt dich der Räuber gastfrei an mit Hohn:
„Mein Brüderchen! Entlaste dich zum Fasten,
Wo denkest du hinaus, mein lieber Sohn?"

O Liebe, Wüstentraum, du mußt verbluten,
Beraubt, verwundet, trifft der Sonne Stich,
Der Wüste Speer dich, und in Sandesgluten
Begräbt der Wind dich, und Gott finde dich!

[Hagar, Ismael: vgl. 1. Mose 21, 14–19. – Smum: Samum, der Wüstensturm.)

Caroline von Günderode
1780–1806

Die eine Klage

Wer die tiefste aller Wunden
Hat in Geist und Sinn empfunden,
Bittrer Trennung Schmerz;
Wer geliebt, was er verloren,
Lassen muß, was er erkoren,
Das geliebte Herz,

Der versteht in Lust die Tränen
Und der Liebe ewig Sehnen,
Eins in zwei zu sein,
Eins im andern sich zu finden,
Daß der Zweiheit Grenzen schwinden
Und des Daseins Pein.

Wer so ganz in Herz und Sinnen
Konnt' ein Wesen liebgewinnen,
Oh! den tröstet's nicht,
Daß für Freuden, die verloren,
Neue werden neu geboren:
Jene sind's doch nicht.

Das geliebte süße Leben,
Dieses Nehmen und dies Geben,
Wort und Sinn und Blick,
Dieses Suchen und dies Finden,
Dieses Denken und Empfinden
Gibt kein Gott zurück.

Der Kaukasus

Mir zu Häupten Wolken wandeln,
Mir zur Seite Luft verwehet,
Wellen mir den Fuß umspielen,
Türmen sich und brausen, sinken. –
Meine Schläfe Jahr' umgauklen,
Sommer, Frühling, Winter kamen,
Frühling mich nicht grün bekleidet,
Sommer hat mich nicht entzündet,
Winter nicht mein Haupt gewandelt.
Hoch mein Gipfel über Wolken,
Eingetaucht im ewgen Äther,
Freuet sich des steten Lebens.

Achim von Arnim
1781–1831

Mir ist zu licht zum Schlafen

Mir ist zu licht zum Schlafen,
Der Tag bricht in die Nacht,
Die Seele ruht im Hafen,
Ich bin so froh verwacht!

Ich hauchte meine Seele
Im ersten Kusse aus,
Was ist's, daß ich mich quäle,
Ob sie auch fand ein Haus!

Sie hat es wohl gefunden
Auf ihren Lippen schön,
O welche selge Stunden,
Wie ist mir so geschehn!

Ich habe was zu sinnen,
Ich hab, was mich beglückt;
In allen meinen Sinnen
Bin ich von ihr entzückt.

Was soll ich nun noch sehen,
Ach, alles ist in ihr,
Was fühlen, was erflehen,
Es ward ja alles mir!

Ritt im Mondschein

Herz zum Herzen ist nicht weit
Unter lichten Sternen,
Und das Aug, von Tau geweiht,
Blickt zu lieben Fernen;
Unterm Hufschlag klingt die Welt,
Und die Himmel schweigen,
Zwischen beiden mir gesellt
Will der Mond sich zeigen.

Zeigt sich heut in roter Glut
An dem Erdenrande,
Gleich als ob mit heißem Blut
Er auf Erden lande,
Doch nun flieht er scheu empor,
Glänzt in reinem Lichte,
Und ich scheue mich auch vor
Seinem Angesichte.

Der Kirschbaum

Der Kirschbaum blüht, ich sitze da im Stillen,
Die Blüte sinkt und mag die Lippen füllen,
Auch sinkt der Mond schon in der Erde Schoß
Und schien so munter, schien so rot und groß;
Die Sterne blinken zweifelhaft im Blauen
Und leiden's nicht, sie weiter anzuschauen.

Johann Peter Hebel
1760–1826

Sonntagsfrühe

Der Samstig het zuem Sonntig gsait:
„Jetz han i alli schloofe glait;
si sinn vom Schaffe her un hi
gar sölli müed un schlööfrig gsi;
un 's goht mer schier gar selber so,
i cha fast uf ke Bai meh stoh."

So sait er, un wo's zwölfi schlacht,
se sinkt er aben in d'Mitternacht.
Der Sunntig sait: „Jetz isch's an mir!"

Gar still un haimli bschließt er d'Tür.
Er düüselet hinter de Sterne noo
un cha schier gar nit obsi choo.

Doch endli riibt er d'Augen uus;
er chunnt der Sunn an Tür un Huus.
Si schlooft im stille Chämmerli;
er pöpperlet am Lädemli,
er rüeft der Sunne: „D'Zyt isch do!"
Si sait: „I chumm enandernoo." –

Un liisli uf de Zeeche goht
un haiter uf de Berge stoht
der Sunntig, un 's schlooft alles no;
es siht un hört en niemes goh;
er chunnt ins Dorf mit stillem Tritt
un winkt im Guhl: „Verroot mi nit!"

Un wemmen endli au verwacht
un geschloofe het die ganzi Nacht,
se stoht er do im Sunneschii
un luegt aim zue de Fenstren ii
mit synen Auge mild un guet
un mit em Maien uf em Huet.

Drum maint er's treu, un was i sag,
es freut en, wemme schloofe mag
un maint, es seig no dunkel Nacht,
wenn d'Sunn am haitere Himmel lacht.
Drum isch er au so liisli choo,
drum stoht er au so liebli do.

Wi glitzeret uf Gras un Laub
vom Morgetau der Silberstaub!
Wie wäiht e frische Maieluft,
voll Chriesibluest un Schleecheduft!
Un d'Immli sammle flink un frisch;
si wüsse nit, aß 's Sunntig isch.

Wie pranget nit im Garteland
der Chriesibaum im Maiegwand,
Gelveieli un Tulipa
un Sterneblueme nebedra
un gfüllti Zinkli, blau un wyß:
me maint, me lueg ins Paredies!

Un 's isch so still un haimli do,
men isch so rüeihig un so froh!
Me hört im Dorf kai „Hüst" un „Hott";
e „Guete Tag" und „Dank der Gott"
un „'s gitt gottlob e schöne Tag"
isch alles, was me höre mag.

Un 's Vögeli sait: „Friili jo!
Potz tausig, jo, do isch er scho!
Er dringt jo in sym Himmelsglast
dur Bluest un Laub in Hurst un Nast!"
Un 's Distelzwiigli vorne dra
het 's Sunntigröckli au scho a.

Si lüte weger 's Zaiche scho;
der Pfarer, schiint's, well zytli choo.
Gang, brech mer ais Aurikli ab,
verwünschet mer der Staub nit drab;
un Chünggeli, leg di waidli a,
de muesch dernoo ne Maie ha!

Nai lueg, was springt dört übere Hag
mit frischem Sprung,
so lieb un jung . . .

Neujahrslied

Mit der Freude zieht der Schmerz
Traulich durch die Zeiten.
Schwere Stürme, milde Weste,
Bange Sorgen, frohe Feste
Wandeln sich zur Seiten.

Und wo eine Träne fällt,
Blüht auch eine Rose.
Schon gemischt, noch eh wir's bitten,
Ist für Thronen und für Hütten
Schmerz und Lust im Lose.

War's nicht so im alten Jahr?
Wird's im neuen enden?

Sonnen wallen auf und nieder,
Wolken gehn und kommen wieder,
Und kein Wunsch wird's wenden.

Gebe denn, der über uns
Wägt mit rechter Waage,
Jedem Sinn für seine Freuden,
Jedem Mut für seine Leiden
In die neuen Tage,

Jedem auf des Lebens Pfad
Einen Freund zur Seite,
Ein zufriedenes Gemüte
Und zu stiller Herzensgüte
Hoffnung ins Geleite!

Adelbert von Chamisso
1781–1838

Aus: *Frauenliebe und -leben*

1.

Seit ich ihn gesehen,
 Glaub ich blind zu sein;
Wo ich hin nur blicke,
 Seh ich ihn allein;
Wie im wachen Traume
 Schwebt sein Bild mir vor,
Taucht aus tiefstem Dunkel
 Heller nur empor.

Sonst ist licht- und farblos
 Alles um mich her,
Nach der Schwestern Spiele
 Nicht begehr ich mehr,
Möchte lieber weinen
 Still im Kämmerlein;
Seit ich ihn gesehen,
 Glaub ich blind zu sein.

2.

Er, der Herrlichste von allen,
 Wie so milde, wie so gut!
Holde Lippen, klares Auge,
 Heller Sinn und fester Mut.

Höre nicht mein stilles Beten,
 Deinem Glücke nur geweiht;
Darfst mich niedre Magd nicht kennen,
 Hoher Stern der Herrlichkeit!

So wie dort in blauer Tiefe,
 Hell und herrlich, jener Stern,
Also er an meinem Himmel,
 Hell und herrlich, hoch und fern.

Nur die Würdigste von allen
 Soll beglücken deine Wahl,
Und ich will die Hohe segnen
 Segnen viele tausendmal.

Wandle, wandle deine Bahnen;
 Nur betrachten deinen Schein,
Nur in Demut ihn betrachten,
 Selig nur und traurig sein!

Will mich freuen dann und weinen,
 Selig, selig bin ich dann;
Sollte mir das Herz auch brechen,
 Brich, o Herz, was liegt daran.

3.

Ich kann's nicht fassen, nicht glauben,
 Es hat ein Traum mich berückt;
Wie hätt er doch unter allen
 Mich Arme erhöht und beglückt?

Mir war's – ich träume noch immer,
 Es kann ja nimmer so sein.

Mir war's, er habe gesprochen:
 Ich bin auf ewig dein –

O, laß im Traume mich sterben,
 Gewieget an seiner Brust,
Den seligsten Tod mich schlürfen
 In Tränen unendlicher Lust.

Geh du nur hin

Ich war auch jung und bin jetzt alt,
Der Tag ist heiß, der Abend kalt,
Geh du nur hin, geh du nur hin
Und schlag dir solches aus dem Sinn.

Du steigst hinauf, ich steig hinab,
Wer geht im Schritt, wer geht im Trab?
Sind dir die Blumen eben recht,
Sind doch sechs Bretter auch nicht schlecht.

Der Soldat

Es geht bei gedämpfter Trommel Klang,
Wie weit noch die Stätte, der Weg wie lang!
O, wär er zur Ruh und alles vorbei!
Ich glaub, es bricht mir das Herz entzwei!

Ich hab in der Welt nur ihn geliebt,
Nur ihn, dem jetzt man den Tod doch gibt.
Bei klingendem Spiele wird paradiert;
Dazu bin auch ich kommandiert.

Nun schaut er auf zum letztenmal
In Gottes Sonne freudigen Strahl; –
Nun binden sie ihm die Augen zu –
Dir schenke Gott die ewige Ruh!

Es haben die Neun wohl angelegt;
Acht Kugeln haben vorbeigefegt.
Sie zitterten alle vor Jammer und Schmerz –
Ich aber, ich traf ihn mitten ins Herz.

Kanon

Das ist die Not der schweren Zeit!
Das ist die schwere Zeit der Not!
Das ist die schwere Not der Zeit!
Das ist die Zeit der schweren Not!

Die goldene Zeit

Oh le bon siècle, mes frères,
Que le siècle où nous vivons!
Armand Charlemagne.
(Fliegendes Blatt.)

Füllt die Becher bis zum Rand,
Tut, ihr Freunde, mir Bescheid:
Das befreite Vaterland
Und die gute goldne Zeit!
Denn der Bürger denkt und glaubt,
Spricht und schreibt nun alles frei,
Was die hohe Polizei
Erst geprüft hat und erlaubt.

Du eröffnest mir den Mund,
Du geschwätzger Traubensaft,
Und die Wahrheit mach ich kund
Rücksichtslos mit freudger Kraft.
Steigt die Sonne, wird es Tag,
Sinkt sie unter, wird es Nacht.
Nehm vor Feuer sich in acht,
Wer sich nicht verbrennen mag!

Ungeschickt zum Löschen ist,
Wer da Öl gießt, wo es brennt;
Noch ist drum kein guter Christ,
Der zu Mahom sich bekennt.
Scheut die Eule gleich das Licht,
Fährt sich's doch vorm Winde gut,
Besser noch mit Wind und Flut,
Aber gegen beide nicht.

Wer nicht sehen kann, ist blind;
Wer auf Krücken geht, ist lahm;
Mancher redet in den Wind;
Mancher geht, so wie er kam.
Grünt die Erde weit und breit,
Glaube nicht den Frühling fern;
Rückwärts gehn die Krebse gern,
Aber vorwärts eilt die Zeit.

Zwar ist nicht das Dunkle klar,
Doch ist nicht, was gut ist, schlecht;
Denn, was wahr ist, bleibt doch wahr,
Und, was recht ist, bleibt doch recht.
Goldes-Überfluß macht reich,
Aber Lumpen sind kein Geld.
Wer mit Steinen düngt sein Feld,
Macht gar einen dummen Streich.

An der Zeit ist nicht zu spät,
Doch Geschehnes ist geschehn,
Und wer Disteln hat gesät,
Wird nicht Weizen reifen sehn.
Gestern war's, nun ist es heut,
Morgen bringt auch seinen Lohn;
Kluge Leute wissen's schon,
Nur sind Narren nicht gescheit.

Und am besten weiß, wer klagt,
Wo ihn drückt der eigne Schuh;
Wer zuerst nur A gesagt,
Setzt vielleicht noch B hinzu;
Denn, wie Adam Riese spricht,
Zwei und zwei sind eben vier – – –
Gott! wer pocht an unsre Tür?
Ihr, verratet mich nur nicht!

„Hebt auf das verruchte Nest,
Sie mißbrauchen die Geduld.
Setzt den Jakobiner fest!
Wir sind Zeugen seiner Schuld;
Er hat öffentlich gelehrt:
Zwei und zwei sind eben vier." –
Nein, ich sagte . . . „Fort mit dir,
Daß die Lehre keiner hört!"

Der Invalid im Irrenhaus

Leipzig, Leipzig! arger Boden,
Schmach für Unbill schafftest du.
Freiheit! hieß es, vorwärts, vorwärts!
Trankst mein rotes Blut, wozu?

Freiheit! rief ich, vorwärts, vorwärts!
Was ein Tor nicht alles glaubt,
Und von schwerem Säbelstreiche
Ward gespalten mir das Haupt.

Und ich lag, und abwärts wälzte
Unheilschwanger sich die Schlacht;

Über mich und über Leichen
Sank die kalte, finstre Nacht.

Aufgewacht zu grausen Schmerzen,
Brennt die Wunde mehr und mehr;
Und ich liege hier gebunden,
Grimm'ge Wächter um mich her.

Schrei ich wütend noch nach Freiheit,
Nach dem bluterkauften Glück,
Peitscht der Wächter mit der Peitsche
Mich in schnöde Ruh zurück.

Die Weiber von Winsperg

Der erste Hohenstaufen, der König Konrad, lag
Mit Heeresmacht vor Winsperg seit manchem langen Tag;
Der Welfe war geschlagen, noch wehrte sich das Nest,
Die unverzagten Städter, die hielten es noch fest.

Der Hunger kam, der Hunger! Das ist ein scharfer Dorn;
Nun suchten sie die Gnade, nun fanden sie den Zorn.
„Ihr habt mir hier erschlagen gar manchen Degen wert,
Und öffnet ihr die Tore, so trifft euch doch das Schwert."

Da sind die Weiber kommen: „Und muß es also sein,
Gewährt uns freien Abzug! Wir sind vom Blute rein."
Da hat sich vor den Armen des Helden Zorn gekühlt,
Da hat ein sanft Erbarmen im Herzen er gefühlt.

„Die Weiber mögen abziehn, und jede habe frei,
Was sie vermag zu tragen und ihr das Liebste sei!
Laßt ziehn mit ihrer Bürde sie ungehindert fort!
Das ist des Königs Meinung, das ist des Königs Wort."

Und als der frühe Morgen im Osten kaum gegraut,
Da hat ein seltnes Schauspiel vom Lager man geschaut:

Es öffnet leise, leise sich das bedrängte Tor,
Es schwankt ein Zug von Weibern mit schwerem Schritt hervor.

Tief beugt die Last sie nieder, die auf dem Nacken ruht,
Sie tragen ihre Ehherrn, das ist ihr liebstes Gut.
„Halt an die argen Weiber!" ruft drohend mancher Wicht;
Der Kanzler spricht bedeutsam: „Das war die Meinung nicht."

Da hat, wie er's vernommen, der fromme Herr gelacht:
„Und war es nicht die Meinung, sie haben's gut gemacht;
Gesprochen ist gesprochen, das Königswort besteht,
Und zwar von keinem Kanzler zerdeutelt und zerdreht."

So war das Gold der Krone wohl rein und unentweiht.
Die Sage schallt herüber aus halbvergessner Zeit.
Im Jahr elfhundertvierzig, wie ich's verzeichnet fand,
Galt Königswort noch heilig im deutschen Vaterland.

Joseph Freiherr von Eichendorff
1788–1857

Wünschelrute

Schläft ein Lied in allen Dingen,
Die da träumen fort und fort,
Und die Welt hebt an zu singen,
Triffst du nur das Zauberwort.

Frische Fahrt

Laue Luft kommt blau geflossen,
Frühling, Frühling soll es sein!
Waldwärts Hörnerklang geschossen,
Mutger Augen lichter Schein;
Und das Wirren bunt und bunter
Wird ein magisch wilder Fluß,
In die schöne Welt hinunter
Lockt dich dieses Stromes Gruß.

Und ich mag mich nicht bewahren!
Weit von euch treibt mich der Wind,
Auf dem Strome will ich fahren,
Von dem Glanze selig blind!
Tausend Stimmen lockend schlagen,
Hoch Aurora flammend weht,
Fahre zu! Ich mag nicht fragen,
Wo die Fahrt zu Ende geht!

Der frohe Wandersmann

Wem Gott will rechte Gunst erweisen,
Den schickt er in die weite Welt;
Dem will er seine Wunder weisen
In Berg und Wald und Strom und Feld.

Die Trägen, die zu Hause liegen,
Erquicket nicht das Morgenrot,
Sie wissen nur von Kinderwiegen,
Von Sorgen, Last und Not um Brot.

Die Bächlein von den Bergen springen,
Die Lerchen schwirren hoch vor Lust,
Was sollt ich nicht mit ihnen singen
Aus voller Kehl und frischer Brust?

Den lieben Gott laß ich nur walten;
Der Bächlein, Lerchen, Wald und Feld
Und Erd und Himmel will erhalten,
Hat auch mein Sach' aufs best' bestellt!

Zwielicht

Dämmrung will die Flügel spreiten,
Schaurig rühren sich die Bäume,
Wolken ziehn wie schwere Träume –
Was will dieses Graun bedeuten?

Hast ein Reh du lieb vor andern,
Laß es nicht alleine grasen,
Jäger ziehn im Wald und blasen,
Stimmen hin und wieder wandern.

Hast du einen Freund hienieden,
Trau ihm nicht zu dieser Stunde,
Freundlich wohl mit Aug und Munde,
Sinnt er Krieg im tück'schen Frieden.

Was heut müde gehet unter,
Hebt sich morgen neugeboren.
Manches bleibt in Nacht verloren –
Hüte dich, bleib wach und munter!

Nachts

Ich wandre durch die stille Nacht,
Da schleicht der Mond so heimlich sacht
Oft aus der dunklen Wolkenhülle,
Und hin und her im Tal
Erwacht die Nachtigall,
Dann wieder alles grau und stille.

O wunderbarer Nachtgesang:
Von fern im Land der Ströme Gang,
Leis Schauern in den dunklen Bäumen –
Wirrst die Gedanken mir,
Mein irres Singen hier
Ist wie ein Rufen nur aus Träumen.

Sehnsucht

Es schienen so golden die Sterne,
Am Fenster ich einsam stand
Und hörte aus weiter Ferne
Ein Posthorn im stillen Land.
Das Herz mir im Leib entbrennte;
Da hab ich mir heimlich gedacht:
Ach, wer da mitreisen könnte
In der prächtigen Sommernacht!

Zwei junge Gesellen gingen
Vorüber am Bergeshang,
Ich hörte im Wandern sie singen
Die stille Gegend entlang:

Von schwindelnden Felsenschlüften,
Wo die Wälder rauschen so sacht,
Von Quellen, die von den Klüften
Sich stürzen in die Waldesnacht.

Sie sangen von Marmorbildern,
Von Gärten, die überm Gestein
In dämmernden Lauben verwildern,
Palästen im Mondenschein,
Wo die Mädchen am Fenster lauschen,
Wann der Lauten Klang erwacht
Und die Brunnen verschlafen rauschen
In der prächtigen Sommernacht.

Abschied

O Täler weit, o Höhen,
O schöner, grüner Wald,
Du meiner Lust und Wehen
Andächtger Aufenthalt!
Da draußen, stets betrogen,
Saust die geschäftge Welt,
Schlag noch einmal die Bogen
Um mich, du grünes Zelt!

Wenn es beginnt zu tagen,
Die Erde dampft und blinkt,
Die Vögel lustig schlagen,
Daß dir dein Herz erklingt:
Da mag vergehn, verwehen
Das trübe Erdenleid,
Da sollst du auferstehen
In junger Herrlichkeit!

Da steht im Wald geschrieben,
Ein stilles, ernstes Wort
Von rechtem Tun und Lieben,
Und was des Menschen Hort.
Ich habe treu gelesen
Die Worte, schlicht und wahr,
Und durch mein ganzes Wesen
Ward's unaussprechlich klar.

Bald werd ich dich verlassen,
Fremd in der Fremde gehn,
Auf buntbewegten Gassen
Des Lebens Schauspiel sehn;
Und mitten in dem Leben
Wird deines Ernsts Gewalt
Mich Einsamen erheben,
So wird mein Herz nicht alt.

Der Morgen

Fliegt der erste Morgenstrahl
Durch das stille Nebeltal,
Rauscht erwachend Wald und Hügel:
Wer da fliegen kann, nimmt Flügel!

Und sein Hütlein in die Luft
Wirft der Mensch vor Lust und ruft:
Hat Gesang doch auch noch Schwingen,
Nun, so will ich fröhlich singen!

Hinaus, o Mensch, weit in die Welt,
Bangt dir das Herz in krankem Mut;
Nichts ist so trüb in Nacht gestellt,
Der Morgen leicht macht's wieder gut.

Mittagsruh

Über Bergen, Fluß und Talen,
Stiller Lust und tiefen Qualen
Webet heimlich, schillert, Strahlen!
Sinnend ruht des Tags Gewühle
In der dunkelblauen Schwüle,
Und die ewigen Gefühle,
Was dir selber unbewußt,
Treten heimlich, groß und leise
Aus der Wirrung fester Gleise,
Aus der unbewachten Brust,
In die stillen, weiten Kreise.

Der Abend

Schweigt der Menschen laute Lust:
Rauscht die Erde wie in Träumen
Wunderbar mit allen Bäumen,
Was dem Herzen kaum bewußt,
Alte Zeiten, linde Trauer,
Und es schweifen leise Schauer
Wetterleuchtend durch die Brust.

Die Nacht

Wie schön, hier zu verträumen
Die Nacht im stillen Wald,
Wenn in den dunklen Bäumen
Das alte Märchen hallt.

Die Berg' im Mondesschimmer
Wie in Gedanken stehn,
Und durch verworrne Trümmer
Die Quellen klagend gehn.

Denn müd ging auf den Matten
Die Schönheit nun zur Ruh,
Es deckt mit kühlen Schatten
Die Nacht das Liebchen zu.

Das ist das irre Klagen
In stiller Waldespracht,
Die Nachtigallen schlagen
Von ihr die ganze Nacht.

Die Stern' gehn auf und nieder –
Wann kommst du, Morgenwind,
Und hebst die Schatten wieder
Von dem verträumten Kind?

Schon rührt sich's in den Bäumen,
Die Lerche weckt sie bald –
So will ich treu verträumen
Die Nacht im stillen Wald.

Die zwei Gesellen

Es zogen zwei rüstge Gesellen
Zum erstenmal von Haus,
So jubelnd recht in die hellen,
Klingenden, singenden Wellen
Des vollen Frühlings hinaus.

Die strebten nach hohen Dingen,
Die wollten, trotz Lust und Schmerz,
Was Recht's in der Welt vollbringen,
Und wem sie vorüber gingen,
Dem lachten Sinnen und Herz. –

Der erste, der fand ein Liebchen,
Die Schwieger kauft' Hof und Haus;
Der wiegte gar bald ein Bübchen
Und sah aus heimlichem Stübchen
Behaglich ins Feld hinaus.

Dem zweiten sangen und logen
Die tausend Stimmen im Grund,
Verlockend' Sirenen, und zogen
Ihn in der buhlenden Wogen
Farbig klingenden Schlund.

Und wie er auftaucht' vom Schlunde,
Da war er müde und alt,
Sein Schifflein das lag im Grunde,
So still war's rings in die Runde,
Und über die Wasser weht's kalt.

Es singen und klingen die Wellen
Des Frühlings wohl über mir;
Und seh ich so kecke Gesellen,
Die Tränen im Auge mir schwellen –
Ach Gott, führ uns liebreich zu Dir!

Lockung

Hörst du nicht die Bäume rauschen
Draußen durch die stille Rund?
Lockt's dich nicht, hinabzulauschen
Von dem Söller in den Grund,
Wo die vielen Bäche gehen
Wunderbar im Mondenschein
Und die stillen Schlösser sehen
In den Fluß vom hohen Stein?

Kennst du noch die irren Lieder
Aus der alten, schönen Zeit?
Sie erwachen alle wieder
Nachts in Waldeseinsamkeit,
Wenn die Bäume träumend lauschen
Und der Flieder duftet schwül
Und im Fluß die Nixen rauschen –
Komm herab, hier ist's so kühl.

Das zerbrochene Ringlein

In einem kühlen Grunde
Da geht ein Mühlenrad,
Mein' Liebste ist verschwunden,
Die dort gewohnet hat.

Sie hat mir Treu versprochen,
Gab mir ein'n Ring dabei,
Sie hat die Treu gebrochen,
Mein Ringlein sprang entzwei.

Ich möcht als Spielmann reisen
Weit in die Welt hinaus

Und singen meine Weisen
Und gehn von Haus zu Haus.

Ich möcht als Reiter fliegen
Wohl in die blutge Schlacht,
Um stille Feuer liegen
Im Feld bei dunkler Nacht.

Hör ich das Mühlrad gehen:
Ich weiß nicht, was ich will –
Ich möcht am liebsten sterben,
Da wär's auf einmal still!

Nachtzauber

Hörst du nicht die Quellen gehen
Zwischen Stein und Blumen weit
Nach den stillen Waldesseen,
Wo die Marmorbilder stehen
In der schönen Einsamkeit?
Von den Bergen sacht hernieder,
Weckend die uralten Lieder,
Steigt die wunderbare Nacht,
Und die Gründe glänzen wieder,
Wie du's oft im Traum gedacht.

Kennst die Blume du, entsprossen
In dem mondbeglänzten Grund?
Aus der Knospe, halb erschlossen,
Junge Glieder blühend sprossen,
Weiße Arme, roter Mund,
Und die Nachtigallen schlagen,
Und rings hebt es an zu klagen,
Ach, vor Liebe todeswund,
Von versunken schönen Tagen –
Komm, o komm zum stillen Grund!

Mondnacht

Es war, als hätt der Himmel
Die Erde still geküßt,
Daß sie im Blütenschimmer
Von ihm nun träumen müßt.

Die Luft ging durch die Felder,
Die Ähren wogten sacht,
Es rauschten leis die Wälder,
So sternklar war die Nacht.

Und meine Seele spannte
Weit ihre Flügel aus,
Flog durch die stillen Lande,
Als flöge sie nach Haus.

Nachts

Ich stehe in Waldesschatten
Wie an des Lebens Rand,
Die Länder wie dämmernde Matten,
Der Strom wie ein silbern Band.

Von fern nur schlagen die Glocken
Über die Wälder herein,
Ein Reh hebt den Kopf erschrocken
Und schlummert gleich wieder ein.

Der Wald aber rühret die Wipfel
Im Traum von der Felsenwand.
Denn der Herr geht über die Gipfel
Und segnet das stille Land.

Der alte Garten

Kaiserkron und Päonien rot,
Die müssen verzaubert sein,
Denn Vater und Mutter sind lange tot,
Was blühn sie hier so allein?

Der Springbrunn plaudert noch immerfort
Von der alten schönen Zeit,
Eine Frau sitzt eingeschlafen dort,
Ihre Locken bedecken ihr Kleid.

Sie hat eine Laute in der Hand,
Als ob sie im Schlafe spricht,
Mir ist, als hätt ich sie sonst gekannt –
Still, geh vorbei und weck sie nicht!

Und wenn es dunkelt das Tal entlang,
Streift sie die Saiten sacht,
Da gibt's einen wunderbaren Klang
Durch den Garten die ganze Nacht.

Es wandelt, was wir schauen,
Tag sinkt ins Abendrot,
Die Lust hat eignes Grauen,
Und alles hat den Tod.

Ins Leben schleicht das Leiden
Sich heimlich wie ein Dieb,
Wir alle müssen scheiden
Von allem, was uns lieb.

Was gäb es doch auf Erden,
Wer hielt den Jammer aus,
Wer möcht geboren werden,
Hielt'st du nicht droben haus!

Du bist's, der, was wir bauen,
Mild über uns zerbricht,
Daß wir den Himmel schauen –
Darum so klag ich nicht.

Weihnachten

Markt und Straßen stehn verlassen,
Still erleuchtet jedes Haus,
Sinnend geh ich durch die Gassen,
Alles sieht so festlich aus.

An den Fenstern haben Frauen
Buntes Spielzeug fromm geschmückt,
Tausend Kindlein stehn und schauen,
Sind so wunderstill beglückt.

Und ich wandre aus den Mauern
Bis hinaus ins freie Feld,
Hehres Glänzen, heilges Schauern!
Wie so weit und still die Welt!

Sterne hoch die Kreise schlingen,
Aus des Schnees Einsamkeit
Steigt's wie wunderbares Singen –
O du gnadenreiche Zeit!

Der Einsiedler

Komm, Trost der Welt, du stille Nacht!
Wie steigst du von den Bergen sacht,
Die Lüfte alle schlafen,
Ein Schiffer nur noch, wandermüd,
Singt übers Meer sein Abendlied
Zu Gottes Lob im Hafen.

Die Jahre wie die Wolken gehn
Und lassen mich hier einsam stehn,
Die Welt hat mich vergessen,

Da trat'st du wunderbar zu mir,
Wenn ich beim Waldesrauschen hier
Gedankenvoll gesessen.

O Trost der Welt, du stille Nacht!
Der Tag hat mich so müd gemacht,
Das weite Meer schon dunkelt,
Laß ausruhn mich von Lust und Not,
Bis daß das ewge Morgenrot
Den stillen Wald durchfunkelt.

Nachtfeier
1810

Decket Schlaf die weite Runde,
Muß ich oft am Fenster lauschen,
Wie die Ströme unten rauschen,
Räder sausen kühl im Grunde,
Und mir ist so wohl zur Stunde;
Denn hinab vom Felsenrande
Spür ich Freiheit, uralt Sehnen,
Fromm zerbrechend alle Bande,
Über Wälder, Strom und Lande
Keck die großen Flügel dehnen.

Was je Großes brach die Schranken,
Seh ich durch die Stille gehen,
Helden auf den Wolken stehen,
Ernsten Blickes, ohne Wanken,
Und es wollen die Gedanken
Mit den guten Alten hausen,
Sich in ihr Gespräch vermischen,
Das da kommt in Waldesbrausen.
Manchem füllt's die Brust mit Grausen,
Mich soll's laben und erfrischen!

Tag und Regung war entflohen,
Übern See nur kam Geläute
Durch die monderhellte Weite,
Und rings brannten auf den hohen
Alpen still die bleichen Lohen,
Ewge Wächter echter Weihe,
Als, erhoben vom Verderben
Und vom Jammer, da die dreie
Einsam traten in das Freie,
Frei zu leben und zu sterben.

Und so wachen heute viele
Einsam über ihrem Kummer;
Unerquickt von falschem Schlummer,
Aus des Wechsels wildem Spiele
Schauend fromm nach einem Ziele.
Durch die öde, stumme Leere
Fühl ich mich euch still verbündet;
Ob der Tag das Recht verkehre,
Ewig strahlt der Stern der Ehre,
Kühn in heilger Nacht entzündet.

Der Jäger Abschied

Wer hat dich, du schöner Wald,
Aufgebaut so hoch da droben?
Wohl den Meister will ich loben,
Solang noch mein Stimm erschallt.
Lebe wohl,
Lebe wohl, du schöner Wald!

Tief die Welt verworren schallt,
Oben einsam Rehe grasen,
Und wir ziehen fort und blasen,
Daß es tausendfach verhallt:
Lebe wohl,
Lebe wohl, du schöner Wald!

Banner, der so kühle wallt!
Unter deinen grünen Wogen
Hast du treu uns auferzogen,
Frommer Sagen Aufenthalt!
Lebe wohl,
Lebe wohl, du schöner Wald!

Was wir still gelobt im Wald,
Wollen's draußen ehrlich halten,
Ewig bleiben treu die Alten:
Deutsch Panier, das rauschend wallt,
Lebe wohl,
Schirm dich Gott, du schöner Wald!

Mahnung

Genug gemeistert nun die Weltgeschichte!
Die Sterne, die durch alle Zeiten tagen,
Ihr wolltet sie mit frecher Hand zerschlagen
Und jeder leuchten mit dem eignen Lichte.

Doch unaufhaltsam rucken die Gewichte,
Von selbst die Glocken von den Türmen schlagen,
Der alte Zeiger, ohne euch zu fragen,
Weist flammend auf die Stunde der Gerichte.

O stille Schauer, wunderbares Schweigen,
Wenn heimlich flüsternd sich die Wälder neigen,
Die Täler alle geisterbleich versanken,

Und in Gewittern von den Bergesspitzen
Der Herr die Weltgeschichte schreibt mit Blitzen –
Denn seine sind nicht euere Gedanken.

In Danzig
1842

Dunkle Giebel, hohe Fenster,
Türme tief aus Nebeln sehn,
Bleiche Statuen wie Gespenster
Lautlos an den Türen stehn.

Träumerisch der Mond drauf scheinet,
Dem die Stadt gar wohl gefällt,
Als läg zauberhaft versteinet
Drunten eine Märchenwelt.

Ringsher durch das tiefe Lauschen,
Über alle Häuser weit,
Nur des Meeres fernes Rauschen –
Wunderbare Einsamkeit!

Und der Türmer wie vor Jahren
Singet ein uraltes Lied:
Wolle Gott den Schiffer wahren,
Der bei Nacht vorüberzieht!

Das Schiff der Kirche
1848

Die alten Türme sah man längst schon wanken,
Was unsre Väter fromm gebaut, errungen,
Thron, Burg, Altar, es hat sie all verschlungen
Ein wilder Strom entfesselter Gedanken.

Der wühlt sich breit und breiter ohne Schranken,
Ein Meer, wo zornigbäumend aufgeschwungen
Die trüben Fluten Fels um Fels bezwungen,
Und alle Rettungsufer rings versanken.

Doch drüberhin gewölbt ein Friedensbogen,
Wohin nicht reichen die empörten Wogen,
Und unter ihm ein Schiff dahingezogen,

Das achtet nicht der Wasser wüstes Branden,
Das macht der Stürme Wirbeltanz zuschanden –
O Herr, da laß uns alle selig landen!

Ernst Moritz Arndt
1769–1860

Klage um den kleinen Jakob

Wo ist der kleine Jakob geblieben?
Hatte die Kühe waldein getrieben,
Kam nimmer wieder,
Schwestern und Brüder
Gingen ihn suchen in'n Wald hinaus –
Kleiner Jakob, kleiner Jakob, komm zu Haus!

Wo ist der kleine Jakob gegangen?
Es hat ihn ein Unterirdscher gefangen,
Muß unten wohnen,
Trägt goldne Kronen,
Gläserne Schuh, hat ein gläsern Haus.
Kleiner Jakob, kleiner Jakob, komm zu Haus!

Was macht der kleine Jakob da unten?
Streuet als Diener das Estrich mit bunten
Blumen und schenket
Wein ein und denket:
Wärest du wieder zum Wald hinaus!
Kleiner Jakob, kleiner Jakob, komm zu Haus!

So muß der kleine Jakob dort wohnen,
Helfen ihm nichts seine güldenen Kronen,
Schuhe und Kleider,
Weinet sich leider –
Ach! armer Jakob! – die Äuglein aus.
Kleiner Jakob, kleiner Jakob, komm zu Haus!

Vaterlandslied

Der Gott, der Eisen wachsen ließ,
Der wollte keine Knechte,
Drum gab er Säbel Schwert und Spieß
Dem Mann in seine Rechte,
Drum gab er ihm den kühnen Mut,
Den Zorn der freien Rede,
Daß er bestände bis aufs Blut,
Bis in den Tod die Fehde.

So wollen wir, was Gott gewollt,
Mit rechter Treue halten
Und nimmer im Tyrannensold
Die Menschenschädel spalten;
Doch wer für Tand und Schande ficht,
Den hauen wir zu Scherben,
Der soll im deutschen Lande nicht
Mit deutschen Männern erben.

O Deutschland, heilges Vaterland!
O deutsche Lieb und Treue!
Du hohes Land! du schönes Land!
Dir schwören wir aufs neue:
Dem Buben und dem Knecht die Acht!
Der füttre Krähn und Raben!
So ziehn wir aus zur Hermannsschlacht
Und wollen Rache haben.

Laßt brausen, was nur brausen kann,
In hellen lichten Flammen!
Ihr Deutschen alle, Mann für Mann,
Fürs Vaterland zusammen!
Und hebt die Herzen himmelan!
Und himmelan die Hände!
Und rufet alle Mann für Mann:
Die Knechtschaft hat ein Ende!

Laßt klingen, was nur klingen kann,
Die Trommeln und die Flöten!
Wir wollen heute Mann für Mann
Mit Blut das Eisen röten,
Mit Henkerblut, Franzosenblut –
O süßer Tag der Rache!
Das klinget allen Deutschen gut,
Das ist die große Sache.

Laßt wehen, was nur wehen kann,
Standarten wehn und Fahnen!
Wir wollen heut uns Mann für Mann
Zum Heldentode mahnen:
Auf! Fliege, stolzes Siegspanier
Voran dem kühnen Reihen!
Wir siegen oder sterben hier
Den süßen Tod der Freien.

[1812]

Des Deutschen Vaterland

Was ist des Deutschen Vaterland?
Ist's Preußenland, ist's Schwabenland?
Ist's, wo am Rhein die Rebe blüht?
Ist's, wo am Belt die Möwe zieht?
O nein! nein! nein!
Sein Vaterland muß größer sein.

Was ist des Deutschen Vaterland?
Ist's Bayerland, ist's Steierland?
Ist's, wo des Marsen Rind sich streckt?
Ist's, wo der Märker Eisen reckt?
O nein! nein! nein!
Sein Vaterland muß größer sein.

Was ist des Deutschen Vaterland?
Ist's Pommerland, Westfalenland?
Ist's, wo der Sand der Dünen weht?
Ist's, wo die Donau brausend geht?
O nein! nein! nein!
Sein Vaterland muß größer sein.

Was ist des Deutschen Vaterland?
So nenne mir das große Land!
Ist's Land der Schweizer? Ist's Tirol?
Das Land und Volk gefiel mir wohl;
Doch nein! nein! nein!
Sein Vaterland muß größer sein.

Was ist des Deutschen Vaterland?
So nenne mir das große Land!
Gewiß, es ist das Österreich,
An Ehren und an Siegen reich?
O nein! nein! nein!
Sein Vaterland muß größer sein.

Was ist des Deutschen Vaterland?
So nenne mir das große Land!
So weit die deutsche Zunge klingt
Und Gott im Himmel Lieder singt,
Das soll es sein!
Das wackrer Deutscher, nenne dein!

Das ist des Deutschen Vaterland?
Wo Eide schwört der Druck der Hand,
Wo Treue hell vom Auge blitzt
Und Liebe warm im Herzen sitzt –
Das soll es sein!
Das, wackrer Deutscher, nenne dein!

Das ist des Deutschen Vaterland?
Wo Zorn vertilgt den wälschen Tand,
Wo jeder Franzmann heißet Feind,
Wo jeder Deutsche heißet Freund –
Das soll es sein!
Das ganze Deutschland soll es sein!

Das ganze Deutschland soll es sein!
O Gott vom Himmel sieh darein
Und gib uns rechten deutschen Mut,
Daß wir es lieben treu und gut.
Das soll es sein!
Das ganze Deutschland soll es sein!

[1813]

Die deutschen auswandernden Krieger

O mein Deutschland, will dein Jammer
Breiter, täglich breiter werden?
Finden deine besten Söhne
Keinen Platz auf deutscher Erden?
Klingt der bittre Ruf des Flüchtlings
Durch der Angeln Land und Hessen?
Wird so deutsche Lieb und Treue
Deinen Tapfern zugemessen?

Jammer, den kein Lied kann singen!
Unheil, das kein Wort kann fassen!
Also müssen deine Streiter
Kampfs- und glücks- und lands- verlassen
Nach Utopien, nach Brasilien
Bettelnd durch die Länder streichen,
Ihre nackten Ehrennarben
Zeigen als ein deutsches Zeichen?

Ihr von Siebzehnhundertachtzig
Kassellieder, Stuttgartlieder,
Ihr des Aspergskerkersängers
Alte Lieder, tönt ihr wieder?
Die bei Saratoga fielen,
Die die Mohrensonn verbrannte,
Werden sie uns heute wieder
Neugeborne, Neugenannte?

Heute Achtzehnhundertfünfzig
Hessen, Angeln, Sachsen, Friesen
Laufen in die Welt des Elends
Ehr- und glücks- und lands-verwiesen?

O, dem Jammer bricht das Wort ab,
Wo die Ehre will zerbrechen –
Wo der Helfer? Wo der Rächer,
Solche grimme Schmach zu rächen?

Still! Es rufet: du sollst beten,
Christ, sollst glauben, lieben, hoffen;
Sperrt sich dir die deutsche Welt auch,
Ewig steht der Himmel offen.
Drum laß alles durcheinander
Fallen, stürzen, krachen, brechen,
Droben, glaube, waltet Einer,
Der wird letztes Urteil sprechen.

[Aspergskerkersänger: C. F. D. Schubart, 1739–1791.]

Justinus Kerner
1786–1862

Wanderlied

Wohlauf! noch getrunken
Den funkelnden Wein!
Ade nun, ihr Lieben?
Geschieden muß sein.
Ade nun, ihr Berge,
Du väterlich Haus!
Es treibt in die Ferne
Mich mächtig hinaus.

Die Sonne, sie bleibet
Am Himmel nicht stehn,
Es treibt sie, durch Länder
Und Meere zu gehn.
Die Woge nicht haftet
Am einsamen Strand,
Die Stürme, sie brausen
Micht Macht durch das Land.

Mit eilenden Wolken
Der Vogel dort zieht
Und singt in der Ferne
Ein heimatlich Lied.
So treibt es den Burschen
Durch Wälder und Feld,
Zu gleichen der Mutter,
Der wandernden Welt.

Da grüßen ihn Vögel
Bekannt überm Meer,
Sie flogen von Fluren
Der Heimat hieher;
Da duften die Blumen
Vertraulich um ihn,
Sie trieben vom Lande
Die Lüfte dahin.

Die Vögel, die kennen
Sein väterlich Haus,
Die Blumen einst pflanzt' er
Der Liebe zum Strauß,
Und Liebe, die folgt ihm,
Sie geht ihm zur Hand:
So wird ihm zur Heimat
Das fernste Land.

Der Wanderer in der Sägmühle

Dort unten in der Mühle
Saß ich in süßer Ruh
Und sah dem Räderspiele
Und sah den Wassern zu,

Sah zu der blanken Säge,
Es war mir wie ein Traum,
Die bahnte lange Wege
In einen Tannenbaum.

Die Tanne war wie lebend,
In Trauermelodie
Durch alle Fasern bebend
Sang diese Worte sie:

Du kehrst zur rechten Stunde,
O Wanderer, hier ein,
Du bist's, für den die Wunde
Mir dringt ins Herz hinein!

Du bist's, für den wird werden,
Wenn kurz gewandert du,
Dies Holz im Schoß der Erden
Ein Schrein zur langen Ruh.

Vier Bretter sah ich fallen,
Mir ward's ums Herze schwer,
Ein Wörtlein wollt ich lallen,
Da ging das Rad nicht mehr.

Im Eisenbahnhofe

Hört ihr den Pfiff, den wilden, grellen,
Es schnaubt, es rüstet sich das Tier,
Das eiserne, zum Zug, zum schnellen,
Her braust's, wie ein Gewitter schier.

In seinem Bauche schafft ein Feuer,
Das schwarzen Qualm zum Himmel treibt;
Ein Bild scheint's von dem Ungeheuer,
Von dem die Offenbarung schreibt.

Jetzt welch ein Rennen, welch Getümmel,
Bis sich gefüllt der Wagen Raum!
Drauf „Fertig!" schreit's, und Erd und Himmel
Hinfliegen, ein dämon'scher Traum.

Dampfschnaubend Tier! Seit du geboren,
Die Poesie des Reisens flieht;
Zu Roß mit Mantelsack und Sporen
Kein Kaufherr mehr zur Messe zieht.

Kein Handwerksbursche bald die Straße
Mehr wandert froh in Regen, Wind,
Legt müd sich hin und träumt im Grase
Von seiner Heimat schönem Kind.

Kein Postzug nimmt mit lustgem Knallen
Bald durch die Stadt mehr seinen Lauf
Und wecket mit des Posthorns Schallen
Zum Mondenschein den Städter auf.

Auch bald kein trautes Paar die Straße
Gemütlich fährt im Wagen mehr,
Aus dem der Mann steigt und vom Grase
Der Frau holt eine Blume her.

Kein Wandrer bald auf hoher Stelle,
Zu schauen Gottes Welt, mehr weilt,
Bald alles mit des Blitzes Schnelle
An der Natur vorübereilt.

Ich klage: Mensch, mit deinen Künsten
Wie machst du Erd und Himmel kalt!
Wär ich, eh du gespielt mit Dünsten,
Geboren doch im wildsten Wald!

Wo keine Axt mehr schallt, geboren,
Könnt's sein, in Meeres stillem Grund,
Daß nie geworden meinen Ohren
Je was von deinen Wundern kund.

Fahr zu, o Mensch! Treib's auf die Spitze,
Vom Dampfschiff bis zum Schiff der Luft!
Flieg mit dem Aar, flieg mit dem Blitze!
Kommst weiter nicht als bis zur Gruft.

Ludwig Uhland
1787–1862

Frühlingsglaube

Die linden Lüfte sind erwacht,
Sie säuseln und weben Tag und Nacht,
Sie schaffen an allen Enden.
O frischer Duft, o neuer Klang!
Nun, armes Herze, sei nicht bang!
Nun muß sich alles, alles wenden.

Die Welt wird schöner mit jedem Tag,
Man weiß nicht, was noch werden mag,
Das Blühen will nicht enden.
Es blüht das fernste, tiefste Tal:
Nun, armes Herz, vergiß der Qual!
Nun muß sich alles, alles wenden.

Einkehr

Bei einem Wirte wundermild,
Da war ich jüngst zu Gaste;
Ein goldner Apfel war sein Schild
An einem langen Aste.

Es kamen in sein grünes Haus
Viel leichtbeschwingte Gäste;
Sie sprangen frei und hielten Schmaus
Und sangen auf das beste.

Es war der gute Apfelbaum,
Bei dem ich eingekehret;
Mit süßer Kost und frischem Schaum
Hat er mich wohl genähret.

Ich fand ein Bett zu süßer Ruh
Auf weichen, grünen Matten;
Der Wirt, er deckte selbst mich zu
Mit seinem kühlen Schatten.

Nun fragt ich nach der Schuldigkeit,
Da schüttelt' er den Wipfel.
Gesegnet sei er allezeit
Von der Wurzel bis zum Gipfel!

Auf die Reise

Um Mitternacht, auf pfadlos weitem Meer,
Wann alle Lichter längst im Schiff erloschen,
Wann auch am Himmel nirgends glänzt ein Stern,
Dann glüht ein Lämpchen noch auf dem Verdeck,
Ein Docht, vor Windesungestüm verwahrt,
Und hält dem Steuermann die Nadel hell,
Die ihm untrüglich seine Richtung weist.
Ja, wenn wir's hüten, führt durch jedes Dunkel
Ein Licht uns, stille brennend in der Brust.

Die Kapelle

Droben stehet die Kapelle,
Schauet still ins Tal hinab,
Drunten singt bei Wies und Quelle
Froh und hell der Hirtenknab.

Traurig tönt das Glöcklein nieder,
Schauerlich der Leichenchor;
Stille sind die frohen Lieder,
Und der Knabe lauscht empor.

Droben bringt man sie zu Grabe,
Die sich freuten in dem Tal;
Hirtenknabe, Hirtenknabe!
Dir auch singt man dort einmal.

Der gute Kamerad

Ich hatt einen Kameraden,
Einen bessern findst du nit.
Die Trommel schlug zum Streite,
Er ging an meiner Seite
In gleichem Schritt und Tritt.

Eine Kugel kam geflogen,
Gilt's mir oder gilt es dir?
Ihn hat es weggerissen,
Er liegt mir vor den Füßen,
Als wär's ein Stück von mir.

Will mir die Hand noch reichen,
Derweil ich eben lad:
„Kann dir die Hand nicht geben,
Bleib du im ewgen Leben
Mein guter Kamerad!"

Wanderung

Ich nahm den Stab, zu wandern,
Durch Deutschland ging die Fahrt,
Man pries mir ja vor andern
Der Deutschen Sinn und Art.
Dem Lande blieb ich ferne,
Wo die Orangen glühn;
Erst kennt ich jenes gerne,
Wo die Kartoffeln blühn.

Ich kam zum Fürstenhofe,
Wo man die Künste kränzt,
Wo Prunksaal und Alkove
Von Götterbildern glänzt.
Ein Baum, der nicht im groben
Volksboden sich genährt,
Nein, einer, der nach oben
Sogar die Wurzeln kehrt!

Ich ging zur Hohen Schule,
Da schöpft ich reines Licht,
Wo vom Prophetenstuhle
Die wahre Freiheit spricht,

Wo uns der Meister täglich
Den innern Sinn befreit,
Indes ihm selbst erträglich
Der irdsche Leib gedeiht.

Ich schritt zum Sängerwalde,
Da sucht ich Lebenshauch;
Da saß ein edler Skalde
Und pflückt' am Lorbeerstrauch.
Nicht hatt er Zeit, zu achten
Auf eines Volkes Schmerz,
Er konnte nur betrachten
Sein groß, zerrissen Herz.

Ich ging zur Tempelhalle,
Da hört ich christlich Recht:
Hier innen Brüder alle,
Da draußen Herr und Knecht!
Der Festesrede Giebel
War: Duck dich! Schweig dabei!
Als ob die ganze Bibel
Ein Buch der Kön'ge sei.

Ich kam zum Bürgerhause,
Gern denk ich dran zurück,
Fern vom Parteigebrause
Blüht Tugend hier und Glück.
Lebt häuslich fort, wie heute!
Bald wird vom Belt zum Rhein
Ein Haus voll guter Leute,
Ja, *ein* Gutleuthaus sein.

Ich ging zum Hospitale,
Da fand ich alles nett,
Viel Grütz und Kraut zum Mahle
Und reinlich Krankenbett;
Auch sorgt ein schön Erbarmen
Für manch verwahrlost Kind.
Wer denkt des Volks von Armen,
Die altverwahrlost sind?

Ich saß im Ständesaale,
Da schlief ich ein und träumt,
Ich sei noch im Spitale,
Den ich doch längst geräumt.
Ein Mann, der dort im Fieber,
Im kalten Fieber lag,
Er rief: Nur nichts, mein Lieber,
Nur nichts vom Bundestag!

Ich mischte mich zum Volke,
Das nach dem Festplatz zog,
Wo durch die Staubeswolke
Manch dürrer Renner flog;
Da lernt es, daß die Eile
Den Reiter überstürzt
Und daß man gut die Weile
Mit Wurst und Bier sich kürzt.

Ein Adler, flügelstrebend,
War Reichspanier hievor,
Ich sah ihn noch, wie lebend,
Zu Nürnberg an dem Tor.
Jetzt fliegt man nicht zum Zwecke,
Der Wahlspruch ist: Gott geb's!
Das Wappen ist die Schnecke,
Schildhalter ist der Krebs.

Als ich mir das entnommen,
Kehrt ich den Stab nach Haus.
Wann einest das Heil gekommen,
Dann reis ich wieder aus:
Wohl werd ich's nicht erleben,
Doch an der Sehnsucht Hand
Als Schatten noch durchschweben
Mein freies Vaterland.

Des Sängers Fluch

Es stand in alten Zeiten ein Schloß, so hoch und hehr,
Weit glänzt' es über die Lande bis an das blaue Meer,
Und rings von duftgen Gärten ein blütenreicher Kranz,
Drin sprangen frische Brunnen in Regenbogenglanz.

Dort saß ein stolzer König, an Land und Siegen reich,
Er saß auf seinem Throne so finster und so bleich;
Denn was er sinnt, ist Schrecken, und was er blickt, ist Wut,
Und was er spricht, ist Geißel, und was er schreibt, ist Blut.

Einst zog nach diesem Schlosse ein edles Sängerpaar,
Der ein' in goldnen Locken, der andre grau von Haar;
Der Alte mit der Harfe, der saß auf schmuckem Roß,
Es schritt ihm frisch zur Seite der blühende Genoß.

Der Alte sprach zum Jungen: „Nun sei bereit, mein Sohn!
Denk unsrer tiefsten Lieder, stimm an den vollsten Ton!
Nimm alle Kraft zusammen, die Lust und auch den Schmerz!
Es gilt uns heut, zu rühren des Königs steinern Herz."

Schon stehn die beiden Sänger im hohen Säulensaal,
Und auf dem Throne sitzen der König und sein Gemahl;

Der König furchtbar prächtig, wie blutger Nordlichtschein,
Die Königin süß und milde, als blickte Vollmond drein.

Da schlug der Greis die Saiten, er schlug sie wundervoll,
Daß reicher, immer reicher der Klang zum Ohre schwoll,
Dann strömte himmlisch helle des Jünglings Stimme vor,
Des Alten Sang dazwischen, wie dumpfer Geisterchor.

Sie singen von Lenz und Liebe, von selger goldner Zeit,
Von Freiheit, Männerwürde, von Treu und Heiligkeit;
Sie singen von allem Süßen, was Menschenbrust durchbebt,
Sie singen von allem Hohen, was Menschenherz erhebt.

Die Höflingsschar im Kreise verlernet jeden Spott,
Des Königs trotzge Krieger, sie beugen sich vor Gott,
Die Königin, zerflossen in Wehmut und in Lust,
Sie wirft den Sängern nieder die Rose von ihrer Brust.

„Ihr habt mein Volk verführet, verlockt ihr nun mein Weib?"
Der König schreit es wütend, er bebt am ganzen Leib,
Er wirft sein Schwert, das blitzend des Jünglings Brust durchdringt,
Draus statt der goldnen Lieder ein Blutstrahl hochauf springt.

Und wie vom Sturm zerstoben ist all der Hörer Schwarm,
Der Jüngling hat verröchelt in seines Meisters Arm,
Der schlägt um ihn den Mantel und setzt ihn auf das Roß,
Er bind't ihn aufrecht feste, verläßt mit ihm das Schloß.

Doch vor dem hohen Tore, da hält der Sängergreis,
Da faßt er seine Harfe, sie, aller Harfen Preis,
An einer Marmorsäule, da hat er sie zerschellt,
Dann ruft er, daß es schaurig durch Schloß und Gärten gellt:

„Weh euch, ihr stolzen Hallen! Nie töne süßer Klang
Durch eure Räume wieder, nie Saite noch Gesang,
Nein! Seufzer nur und Stöhnen und scheuer Sklavenschritt,
Bis euch zu Schutt und Moder der Rachegeist zertritt!

Weh euch, ihr duftgen Gärten im holden Maienlicht!
Euch zeig ich dieses Toten entstelltes Angesicht,
Daß ihr darob verdorret, daß jeder Quell versiegt,
Daß ihr in künftgen Tagen versteint, verödet liegt.

Weh dir, verruchter Mörder, du Fluch des Sängertums!
Umsonst sei all dein Ringen nach Kränzen blutgen Ruhms!
Dein Name sei vergessen, in ewge Nacht getaucht,
Sei, wie ein letztes Röcheln, in leere Luft verhaucht!"

Der Alte hat's gerufen, der Himmel hat's gehört,
Die Mauern liegen nieder, die Hallen sind zerstört,
Noch *eine* hohe Säule zeugt von verschwundner Pracht,
Auch diese, schon geborsten, kann stürzen über Nacht.

Und rings statt duftger Gärten ein ödes Heideland,
Kein Baum verstreuet Schatten, kein Quell durchdringt den Sand,
Des Königs Namen meldet kein Lied, kein Heldenbuch;
Versunken und vergessen! Das ist des Sängers Fluch.

Theodor Körner
1791–1813

Mein Vaterland

Wo ist des Sängers Vaterland? –
 Wo edler Geister Funken sprühten,
 Wo Kränze für das Schöne blühten,
 Wo starke Herzen freudig glühten,
 Für alles Heilige entbrannt:
Da war mein Vaterland!

Wie heißt des Sängers Vaterland? –
 Jetzt über seiner Söhne Leichen,
 Jetzt weint es unter fremden Streichen;
 Sonst hieß es nur das Land der Eichen,
 Das freie Land, das deutsche Land.
So hieß mein Vaterland!

Was weint des Sängers Vaterland? –
 Daß vor des Wütrichs Ungewittern
 Die Fürsten seiner Völker zittern,
 Daß ihre heilgen Worte splittern
 Und daß sein Ruf kein Hören fand:
Drum weint mein Vaterland!

Wem ruft des Sängers Vaterland? –
 Es ruft nach den verstummten Göttern,
 Mit der Verzweiflung Donnerwettern,
 Nach seiner Freiheit, seinen Rettern,
 Nach der Vergeltung Rächerhand.
Dem ruft mein Vaterland!

Was will des Sängers Vaterland? –
 Die Knechte will es niederschlagen,
 Den Bluthund aus den Grenzen jagen
 Und frei die freien Söhne tragen,
 Oder frei sie betten unserm Sand.
Das will mein Vaterland! –

Und hofft des Sängers Vaterland? –
 Es hofft auf die gerechte Sache,
 Hofft, daß sein treues Volk erwache,
 Hofft auf des großen Gottes Rache
 Und hat den Rächer nicht verkannt.
Drauf hofft mein Vaterland!

[1813]

Aufruf

Frisch auf, mein Volk! Die Flammenzeichen rauchen,
 Hell aus dem Norden bricht der Freiheit Licht.
Du sollst den Stahl in Feindes Herzen tauchen;
Frisch auf, mein Volk! – Die Flammenzeichen rauchen,
 Die Saat ist reif; ihr Schnitter, zaudert nicht!
Das höchste Heil, das letzte, liegt im Schwerte!
 Drück dir den Speer ins treue Herz hinein;
„Der Freiheit eine Gasse!" – Wasch die Erde
 Dein deutsches Land, mit deinem Blute rein!

Es ist kein Krieg, von dem die Kronen wissen;
 Es ist ein Kreuzzug, 's ist ein heil'ger Krieg!
Recht, Sitte, Tugend, Glauben und Gewissen

Hat der Tyrann aus deiner Brust gerissen;
 Errette sie mit deiner Freiheit Sieg!
Das Winseln deiner Greise ruft: „Erwache!"
 Der Hütte Schutt verflucht die Räuberbrut,
Die Schande deiner Töchter schreit um Rache,
 Der Meuchelmord der Söhne schreit nach Blut.

Zerbrich die Flugschar, laß den Meißel fallen,
 Die Leier still, den Webstuhl ruhig stehn!
Verlasse deine Höfe, deine Hallen!
Vor dessen Antlitz deine Fahnen wallen,
 Er will sein Volk in Waffenrüstung sehn.
Denn einen großen Altar sollst du bauen
 In seiner Freiheit ewgem Morgenrot;
Mit deinem Schwert sollst du die Steine hauen,
 Der Tempel gründe sich auf Heldentod.

Was weint ihr, Mädchen, warum klagt ihr, Weiber,
 Für die der Herr die Schwerter nicht gestählt,
Wenn wir entzückt die jugendlichen Leiber
Hinwerfen in die Scharen eurer Räuber,
 Daß euch des Kampfes kühne Wollust fehlt?
Ihr könnt ja froh zu Gottes Altar treten!
 Für Wunden gab er zarte Sorgsamkeit,
Gab euch in euren herzlichen Gebeten
 Den schönen, reinen Sieg der Frömmigkeit.

So betet, daß die alte Kraft erwache,
 Daß wir dastehn, das alte Volk des Siegs!
Die Märtyrer der heilgen deutschen Sache,
 Oft ruft sie an als Genien der Rache,
 Als gute Engel des gerechten Kriegs!
Luise, schwebe segnend um den Gatten!
 Geist unsers Ferdinand, voran dem Zug!
Und all ihr deutschen freien Heldenschatten,
 Mit uns, mit uns und unsrer Fahnen Flug!

Der Himmel hilft, die Hölle muß uns weichen!
 Drauf, wackres Volk! Drauf! ruft die Freiheit, drauf!
Hoch schlägt dein Herz, hoch wachsen deine Eichen,
Was kümmern dich die Hügel deiner Leichen?
 Hoch pflanze da die Freiheitsfahne auf!
Doch stehst du dann, mein Volk, bekränzt vom Glücke,
 In deiner Vorzeit heilgem Siegerglanz:
Vergiß die treuen Toten nicht und schmücke
 Auch unsre Urne mit dem Eichenkranz!

[1813]

Wilhelm Hauff
1802–1827

Treue Liebe
(Weise: Ich hab ein kleines Hüttchen nur etc. etc.)

Steh ich in finstrer Mitternacht
So einsam auf der fernen Wacht:
 So denk ich an mein fernes Lieb,
 Ob mir's auch treu und hold verblieb?

Als ich zur Fahne fort gemüßt,
Hat sie so herzlich mich geküßt,
 Mit Bändern meinen Hut geschmückt,
 Und weinend mich ans Herz gedrückt!

Sie liebt mich noch, sie ist mir gut,
Drum bin ich froh und wohlgemut;
 Mein Herz schlägt warm in kalter Nacht,
 Wenn es ans treue Lieb gedacht.

Jetzt bei der Lampe mildem Schein
Gehst du wohl in dein Kämmerlein
 Und schickst dein Nachtgebet zum Herrn,
 Auch für den Liebsten in der Fern!

Doch, wenn du traurig bist und weinst,
Mich von Gefahr umrungen meinst –
 Sei ruhig, bin in Gottes Hut,
 Er liebt ein treu Soldatenblut.

Die Glocke schlägt, bald naht die Rund
Und löst mich ab zu dieser Stund;
 Schlaf wohl im stillen Kämmerlein,
 Und denk in deinen Träumen mein.

Reiters Morgenlied
(Alte Soldatenweise)

Morgenrot!
Leuchtest mir zum frühen Tod?
Bald wird die Trompete blasen,
Dann muß ich mein Leben lassen,
Ich und mancher Kamerad!

Kaum gedacht,
War der Lust ein End gemacht!
Gestern noch auf stolzen Rossen,
Heute durch die Brust geschossen,
Morgen in das kühle Grab.

Doch! Wie bald
Welket Schönheit und Gestalt!
Prangst du gleich mit deinen Wangen,
Die wie Milch und Purpur prangen,
Ach, die Rosen welken all!

Und was ist
Aller Mannsbild Freud und Lüst?
Unter Kummer, unter Sorgen
Sich bemühen früh am Morgen,
Bis der Tag vorüber ist.

Darum still
Füg ich mich, wie Gott es will,
Und so will ich wacker streiten,
Und sollt ich den Tod erleiden,
Stirbt ein braver Reitersmann.

Max von Schenkendorf
1783–1817

Freiheit

Freiheit, die ich meine,
Die mein Herz erfüllt,
Komm mit deinem Scheine,
Süßes Engelbild.

Magst du nie dich zeigen
Der bedrängten Welt?
Führest deinen Reigen
Nur am Sternenzelt?

Auch bei grünen Bäumen
In dem lustgen Wald,
Unter Blütenträumen
Ist dein Aufenthalt.

Ach! das ist ein Leben,
Wenn es weht und klingt,
Wenn dein stilles Weben
Wonnig uns durchdringt,

Wenn die Blätter rauschen
Süßen Freundesgruß,
Wenn wir Blicke tauschen,
Liebeswort und Kuß.

Aber immer weiter
Nimmt das Herz den Lauf,
Auf der Himmelsleiter
Steigt die Sehnsucht auf,

Aus den stillen Kreisen
Kommt mein Hirtenkind,
Will der Welt beweisen,
Was es denkt und minnt.

Blüht ihm doch ein Garten,
Reift ihm doch ein Feld
Auch in jener harten
Steinerbauten Welt.

Wo sich Gottes Flamme
In ein Herz gesenkt,
Das am alten Stamme
Treu und liebend hängt,

Wo sich Männer finden,
Die für Ehr und Recht
Mutig sich verbinden,
Weilt ein frei Geschlecht.

Hinter dunkeln Wällen,
Hinter ehrnem Tor
Kann das Herz noch schwellen
Zu dem Licht empor,

Für die Kirchenhallen,
Für der Väter Gruft,
Für die Liebsten fallen,
Wenn die Freiheit ruft.

Das ist rechtes Glühen
Frisch und rosenrot,
Heldenwangen blühen
Schöner auf im Tod.

Wollest auf uns lenken
Gottes Lieb und Lust,
Wollest gern dich senken
In die deutsche Brust.

Freiheit, holdes Wesen,
Gläubig, kühn und zart,
Hast ja lang erlesen
Dir die deutsche Art.

Wilhelm Müller
1794–1827

Wanderschaft

Das Wandern ist des Müllers Lust,
Das Wandern!
Das muß ein schlechter Müller sein,
Dem niemals fiel das Wandern ein,
Das Wandern.

Vom Wasser haben wir's gelernt,
Vom Wasser!
Das hat nicht Rast bei Tag und Nacht,
Ist stets auf Wanderschaft bedacht,
Das Wasser.

Das sehn wir auch den Rädern ab,
Den Rädern!
Die gar nicht gerne stille stehn
Und sich mein Tag nicht müde drehn,
Die Räder.

Die Steine selbst, so schwer sie sind,
Die Steine!
Sie tanzen in den muntern Reihn
Und wollen gar noch schneller sein,
Die Steine!

O Wandern, Wandern, meine Lust,
O Wandern!
Herr Meister und Frau Meisterin,
Laßt mich in Frieden weiterziehn
Und wandern!

Wohin?

Ich hört ein Bächlein rauschen
Wohl aus dem Felsenquell,
Hinab zum Tale rauschen
So frisch und wunderhell.

Ich weiß nicht, wie mir wurde,
Nicht, wer den Rat mir gab,
Ich mußte gleich hinunter
Mit meinem Wanderstab.

Hinunter und immer weiter
Und immer dem Bache nach,
Und immer frischer rauschte
Und immer heller der Bach.

Ist das denn meine Straße?
O Bächlein, sprich, wohin?
Du hast mit deinem Rauschen
Mir ganz berauscht den Sinn.

Was sag ich denn von Rauschen?
Das kann kein Rauschen sein:
Es singen wohl die Nixen
Dort unten ihren Reihn.

Laß singen, Gesell, laß rauschen
Und wandre fröhlich nach!
Es gehn ja Mühlenräder
In jedem klaren Bach.

Aus: *Die Winterreise*

Gute Nacht

Fremd bin ich eingezogen,
Fremd zieh ich wieder aus.
Der Mai war mir gewogen
Mit manchem Blumenstrauß.

Das Mädchen sprach von Liebe,
Die Mutter gar von Eh' –
Nun ist die Welt so trübe,
Der Weg gehüllt in Schnee.

Ich kann zu meiner Reisen
Nicht wählen mit der Zeit,
Muß selbst den Weg mir weisen
In dieser Dunkelheit.
Es zieht ein Mondenschatten
Als mein Gefährte mit,
Und auf den weißen Matten
Such ich des Wildes Tritt.

Was soll ich länger weilen,
Bis man mich trieb hinaus?
Laß irre Hunde heulen
Vor ihres Herren Haus!

Die Liebe liebt das Wandern –
Gott hat sie so gemacht –
Von einem zu dem andern –
Fein Liebchen, Gute Nacht!

Will dich im Traum nicht stören,
Wär schad um deine Ruh,
Sollst meinen Tritt nicht hören –
Sacht, sacht die Türe zu!
Ich schreibe nur im Gehen
Ans Tor noch gute Nacht,
Damit du mögest sehen,
Ich hab an dich gedacht.

Der Lindenbaum

Am Brunnen vor dem Tore
Da steht ein Lindenbaum.
Ich träumt in seinem Schatten
So manchen süßen Traum.

Ich schnitt in seine Rinde
So manches liebe Wort,
Es zog in Freud und Leide
Zu ihm mich immer fort.

Ich mußt auch heute wandern
Vorbei in tiefer Nacht,
Da hab ich noch im Dunkel
Die Augen zugemacht.

Und seine Zweige rauschten,
Als riefen sie mir zu:
Komm her zu mir Geselle,
Hier findst du deine Ruh!

Die kalten Winde bliesen
Mir grad ins Angesicht,
Der Hut flog mir vom Kopfe,
Ich wendete mich nicht.

Nun bin ich manche Stunde
Entfernt von jenem Ort,
Und immer hör ich's rauschen:
Du fändest Ruhe dort!

Der greise Kopf

Der Reif hatt einen weißen Schein
Mir übers Haar gestreuet.
Da meint ich schon ein Greis zu sein
Und hab mich sehr gefreuet.

Doch bald ist er hinweggetaut,
Hab wieder schwarze Haare,
Daß mir's vor meiner Jugend graut –
Wie weit noch bis zur Bahre!

Vom Abendrot zum Morgenlicht
Ward mancher Kopf zum Greise.
Wer glaubt's? Und meiner ward es nicht
Auf dieser ganzen Reise!

Aus: *Lieder der Griechen*

Hellas und die Welt

Ohne die Freiheit, was wärest du, Hellas?
Ohne dich, Hellas, was wäre die Welt?

Kommt, ihr Völker aller Zonen,
Seht die Brüste,
Die euch säugten
Mit der einen Milch der Weisheit! –
Sollen Barbaren sie zerfleischen?
Seht die Augen,
Die euch erleuchteten
Mit dem himmlischen Strahle der Schönheit! –
Sollen sie Barbaren blenden?

Seht die Flamme,
Die euch wärmte
Durch und durch im tiefen Busen,
Daß ihr fühltet,
Wer ihr seid,
Was ihr wollt,
Was ihr sollt,
Eurer Menschheit hohen Adel,
Eure Freiheit! –
Sollen Barbaren sie ersticken?

Kommt, ihr Völker aller Zonen,
Kommt und helfet frei sie machen,
Die euch alle frei gemacht!

Ohne die Freiheit, was wärest du, Hellas?
Ohne dich, Hellas, was wäre die Welt?

[1824]

Friedrich Rückert
1788–1866

Aus: *Geharnischte Sonette*

Ihr Deutschen von dem Flutenbett des Rheines,
Bis wo die Elbe sich ins Nordmeer gießet,
Die ihr vordem ein Volk, ein großes, hießet,
Was habt ihr denn, um noch zu heißen eines?

Was habt ihr denn noch großes Allgemeines?
Welch Band, das euch als Volk zusammenschließet?
Seit ihr den Kaiserzepter brechen ließet
Und euer Reich zerspalten, habt ihr keines.

Nur noch ein einziges Band ist euch geblieben,
Das ist die Sprache, die ihr sonst verachtet;
Jetzt müßt ihr sie als euer einziges lieben.

Sie ist noch eur, ihr selber seid verpachtet;
Sie haltet fest, wenn alles wird zerrieben,
Daß ihr doch klagen könnt, wie ihr verschmachtet.

O daß ich stünd auf einem hohen Turme,
Weit sichtbar rings in allen deutschen Reichen,
Mit einer Stimme, Donnern zu vergleichen,
Zu rufen in den Sturm mit mehr als Sturme:

Wie lang willst du dich winden gleich dem Wurme,
Krumm unter deines Feinds Triumphrads Speichen?
Hat er die harte Haut noch nicht mit Streichen
Dir g'nug gerieben, daß dich's endlich wurme?

Die Berge, wenn sie könnten, würden rufen:
Wir selber fühlten mit fühllosem Rücken
Lang g'nug den Druck von eures Feindes Hufen.

Des Steins Geduld bricht endlich auch in Stücken,
Den Götter zum Getretensein doch schufen –
Volk mehr als Stein, wie lang darf man dich drücken?

Aus: *Amaryllis,*
ein Sommer auf dem Lande

Amara, bittre, was du tust, ist bitter,
Wie du die Füße rührst, die Arme lenkest,
Wie du die Augen hebst, wie du sie senkest,
Die Lippen auftust oder zu, ist's bitter.

Ein jeder Gruß ist, den du schenkest, bitter,
Bitter ein jeder Kuß, den du nicht schenkest;
Bitter ist, was du sprichst und was du denkest,
Und was du hast und was du bist, ist bitter.

Voraus kommt eine Bitterkeit gegangen,
Zwo Bitterkeiten gehn dir zu den Seiten,
Und eine folgt den Spuren deiner Füße.

O du mit Bitterkeiten rings umfangen,
Wer dächte, daß mit all den Bitterkeiten
Du doch mir bist im innern Kern so süße!

Wann still die Nacht auf dunkeln Pfaden schreitet,
Die unterm Mantel trägt die goldnen Sterne,
Und im Gewölk gleich heimlicher Laterne
Der Mond sein wachsend Silberlicht bereitet,

Denk ich, und meines Auges Träne gleitet,
Zurück in jener Nächte schöne Ferne,
Wo er mit seinem lieberglühten Kerne
Auf meinen Liebesgängen mich geleitet.

Wozu, o Mond, mit deinem Strahlenschimmer
Hat dich ein Gott in Lüften aufgehangen,
Als daß die Lieb in deinem Licht soll wallen?

Die Liebe wallt in deinem Lichte nimmer,
Der Docht in deiner Lamp ist ausgegangen,
Und deine Scherben laß vom Himmel fallen.

Aus: *Kindertotenlieder*

Du bist ein Schatten am Tage
Und in der Nacht ein Licht;
Du lebst in meiner Klage
Und stirbst im Herzen nicht.

Wo ich mein Zelt aufschlage,
Da wohnst du bei mir dicht;
Du bist mein Schatten am Tage
Und in der Nacht mein Licht.

Wo ich auch nach dir frage,
Find ich von dir Bericht,
Du lebst in meiner Klage
Und stirbst im Herzen nicht.

Du bist ein Schatten am Tage
Und in der Nacht ein Licht;
Du lebst in meiner Klage
Und stirbst im Herzen nicht.

Ich hatte dich lieb, mein Töchterlein!
Und nun ich dich habe begraben,
Mach ich mir Vorwürf, ich hätte fein
Noch lieber dich können haben.

Ich habe dich lieber, viel lieber gehabt,
Als ich dir's mochte zeigen;
Zu selten mit Liebeszeichen begabt
Hat dich mein ernstes Schweigen.

Ich habe dich lieb gehabt, so lieb,
Auch wenn ich dich streng gescholten;
Was ich von Liebe dir schuldig blieb,
Sei zwiefach dir jetzt vergolten!

Zu oft verbarg sich hinter der Zucht
Die Vaterlieb im Gemüte;
Ich hatte schon im Auge die Frucht,
Anstatt mich zu freuen der Blüte.

O hätt ich gewußt, wie bald der Wind
Die Blüt entblättern sollte!
Tun hätt ich sollen meinem Kind,
Was alles sein Herzchen wollte.

Da solltest du, was ich wollte, tun
Und tatst es auf meine Winke.
Du trankst das Bittre, wie reut mich's nun,
Weil ich dir sagte: Trinke!

Dein Mund, geschlossen von Todeskrampf,
Hat meinem Gebot sich erschlossen;
Ach! nur zu verlängern den Todeskampf,
Hat man dir's eingegossen.

Du aber hast, vom Tod umstrickt,
Noch deinem Vater geschmeichelt,
Mit brechenden Augen ihn angeblickt,
Mit sterbenden Händchen gestreichelt.

Was hat mir gesagt die streichelnde Hand,
Da schon die Rede dir fehlte?
Daß du verziehest den Unverstand,
Der dich gutmeinend quälte.

Nun bitt ich dir ab jedes harte Wort,
Die Worte, die dich bedräuten,
Du wirst sie haben vergessen dort
Oder weißt sie zu deuten.

Parabel

Es ging ein Mann im Syrerland,
Führt' ein Kamel am Halfterband.
Das Tier mit grimmigen Gebärden
Urplötzlich anfing scheu zu werden
Und tat so ganz entsetzlich schnaufen,
Der Führer vor ihm mußt entlaufen.
Er lief und einen Brunnen sah
Von ungefähr am Wege da.
Das Tier hört' er im Rücken schnauben,
Das mußt ihm die Besinnung rauben.
Er in den Schacht des Brunnens kroch,
Er stürzte nicht, er schwebte noch.
Gewachsen war ein Brombeerstrauch
Aus des geborstnen Brunnens Bauch;
Daran der Mann sich fest tat klammern
Und seinen Zustand drauf bejammern.
Er blickte in die Höh und sah
Dort das Kamelhaupt furchtbar nah,
Das ihn wollt oben fassen wieder.
Dann blickt' er in den Brunnen nieder;
Da sah am Grund er einen Drachen
Aufgähnen mit entsperrtem Rachen,
Der drunten ihn verschlingen wollte,
Wenn er hinunter fallen sollte.
So schwebend in der beiden Mitte,
Da sah der Arme noch das Dritte.
Wo in die Mauerspalte ging
Des Sträuchleins Wurzel, dran er hing,
Da sah er still ein Mäusepaar,
Schwarz eine, weiß die andre war.
Er sah die schwarze mit der weißen
Abwechselnd an der Wurzel beißen.
Sie nagten, zausten, gruben, wühlten,
Die Erd ab von der Wurzel spülten;
Und wie sie rieselnd niederrann,
Der Drach im Grund aufblickte dann,
Zu sehn, wie bald mit seiner Bürde
Der Strauch entwurzelt fallen würde.
Der Mann in Angst und Furcht und Not,
Umstellt, umlagert und umdroht,
Im Stand des jammerhaften Schwebens,
Sah sich nach Rettung um vergebens.
Und da er also um sich blickte,

Sah er ein Zweiglein, welches nickte
Vom Brombeerstrauch mit reifen Beeren;
Da konnt er doch der Lust nicht wehren.
Er sah nicht des Kameles Wut
Und nicht den Drachen in der Flut
Und nicht der Mäuse Tückespiel,
Als ihm die Beer ins Auge fiel.
Er ließ das Tier von oben rauschen
Und unter sich den Drachen lauschen
Und neben sich die Mäuse nagen,
Griff nach den Beerlein mit Behagen,
Sie deuchten ihm zu essen gut,
Aß Beer auf Beerlein wohlgemut,
Und durch die Süßigkeit im Essen
War alle seine Furcht vergessen.

Du fragst: „Wer ist der töricht Mann,
Der so die Furcht vergessen kann?"
So wiss', o Freund, der Mann bist du;
Vernimm die Deutung auch dazu.
Es ist der Drach im Brunnengrund
Des Todes aufgesperrter Schlund;
Und das Kamel, das oben droht,
Es ist des Lebens Angst und Not.
Du bist's, der zwischen Tod und Leben
Am grünen Strauch der Welt mußt schweben.
Die beiden, so die Wurzel nagen,
Dich samt den Zweigen, die dich tragen,
Zu liefern in des Todes Macht,
Die Mäuse heißen Tag und Nacht.
Es nagt die schwarze wohl verborgen
Vom Abend heimlich bis zum Morgen,
Es nagt vom Morgen bis zum Abend
Die weiße, wurzeluntergrabend.
Und zwischen diesem Graus und Wust
Lockt dich die Beere Sinnenlust,
Daß du Kamel, die Lebensnot,
Daß du im Grund den Drachen Tod,
Daß du die Mäuse Tag und Nacht
Vergissest und auf nichts hast acht,
Als daß du recht viel Beerlein haschest,
Aus Grabes Brunnenritzen naschest.

Barbarossa

Der alte Barbarossa,
Der Kaiser Friederich,
Im unterirdschen Schlosse
Hält er verzaubert sich.

Er ist niemals gestorben,
Er lebt darin noch jetzt;
Er hat im Schloß verborgen
Zum Schlaf sich hingesetzt.

Er hat hinabgenommen
Des Reiches Herrlichkeit
Und wird einst wiederkommen
Mit ihr, zu seiner Zeit.

Der Stuhl ist elfenbeinern,
Darauf der Kaiser sitzt;
Der Tisch ist marmelsteinern
Worauf sein Haupt er stützt.

Sein Bart ist nicht von Flachse,
Er ist von Feuersglut,
Ist durch den Tisch gewachsen,
Worauf sein Kinn ausruht.

Er nickt als wie im Traume,
Sein Aug halb offen zwinkt;
Und je nach langem Raume
Er einem Knaben winkt.

Er spricht im Schlaf zum Knaben:
Geh hin vors Schloß, o Zwerg,
Und sieh, ob noch die Raben
Herfliegen um den Berg.

Und wenn die alten Raben
Noch fliegen immerdar,
So muß ich auch noch schlafen
Verzaubert hundert Jahr.

Chidher

Chidher, der ewig junge, sprach:
„Ich fuhr an einer Stadt vorbei,
Ein Mann im Garten Früchte brach;
Ich fragte, seit wann die Stadt hier sei?"
Er sprach und pflückte die Früchte fort:
„Die Stadt steht ewig an diesem Ort
Und wird so stehen ewig fort."
 Und aber nach fünfhundert Jahren
 Kam ich desselbigen Wegs gefahren.

Da fand ich keine Spur der Stadt;
Ein einsamer Schäfer blies die Schalmei,
Die Herde weidete Laub und Blatt;
Ich fragte: „Wie lang ist die Stadt vorbei?"
Er sprach und blies auf dem Rohre fort:
„Das eine wächst, wenn das andre dorrt;
Das ist mein ewiger Weideort."
 Und aber nach fünfhundert Jahren
 Kam ich desselbigen Wegs gefahren.

Da fand ich ein Meer, das Wellen schlug,
Ein Schiffer warf die Netze frei;
Und als er ruhte vom schweren Zug,
Fragt ich, seit wann das Meer hier sei?
Er sprach und lachte meinem Wort:

„So lang als schäumen die Wellen dort,
Fischt man und fischt man in diesem Port."
 Und aber nach fünfhundert Jahren
 Kam ich desselbigen Wegs gefahren.

Da fand ich einen waldigen Raum
Und einen Mann in der Siedelei,
Er fällte mit der Axt den Baum;
Ich fragte, wie alt der Wald hier sei?
Er sprach: „Der Wald ist ein ewiger Hort;
Schon ewig wohn ich an diesem Ort,
Und ewig wachsen die Bäum hier fort."
 Und aber nach fünfhundert Jahren
 Kam ich desselbigen Wegs gefahren.

Da fand ich eine Stadt, und laut
Erschallte der Markt vom Volksgeschrei.
Ich fragte: „Seit wann ist die Stadt erbaut?
Wohin ist Wald und Meer und Schalmei?"
Sie schrien und hörten nicht mein Wort:
„So ging es ewig an diesem Ort
Und wird so gehen ewig fort."
 Und aber nach fünfhundert Jahren
 Will ich desselbigen Weges fahren.

Aus: *Die Weisheit des Brahmanen*

Du bist beglückt, wenn dir gegeben ist, zusammen
Mit vielen wirkend, dich mit ihnen zu entflammen.
Doch wenn du stehst allein, so laß dich's nicht verdrießen,
Statt Menschen mußt du nur der Menschheit dich erschließen.
Aus jeder Raumesweit, aus allen Zeitenfernen
Grüßt den der Menschheit Geist, der von ihm weiß zu lernen.
Gedanken steigen aus vermorschter Büchergruft,
Und andre schwinden in der Luft wie Blütenduft,
Noch kein gedachter je ging Denkenden verloren,
Und ungeahndet wird kein neuer auch geboren.
Drum trösten magst du dich, wenn aufging dir ein Licht,
Teilst du's auch keinem mit, der Welt entgeht es nicht.
Sie streiten, wer zuerst dies habe vorgebracht;
Der Geist der Menschheit hat's gemeinschaftlich erdacht.

Welch eine Sprach ist schön, welch eine Sprach ist reich?
Verschieden an Getön, im Sinn sind alle gleich.
Nicht dies' und jene Sprach entzückt, erfreuet mich;
Was mich erfreut, entzückt, das ist die Sprach an sich:
Daß eine Sprach es gibt, die, was du fühlst und denkest,
Dir deutlich macht, je mehr du dich in sie versenkest;
Daß eine Sprach es gibt, kraft deren du verkündest
Der Welt geheimen Sinn, so weit du sie ergründest:
Drum ist die schönste Sprach und beste, die du nennst,
Die Muttersprache, weil du sie am besten kennst.

Der Mond am Himmel ist der Sonne beigegeben,
Damit sie beid ein Bild vorhalten unserm Leben.
Der Mond bedeutet, daß im Wechsel alles treibt;
Die Sonne deutet, was im Wechsel gleich sich bleibt.
Am Monde tröste dich bei Glückes Unbestand
Und um Beständigkeit blick auf zum Sonnenrand.
Nimm ab und zu an Lust, dem Mond gleich, in Geduld
Und wie die Sonne sei unwandelbar voll Huld.

Leb in der Gegenwart! Zu leer ist und zu weit
Der Zukunft Haus, zu groß das der Vergangenheit.
In beiden weißt du nicht den Hausrat einzurichten
Der ungeschehnen und geschehenen Geschichten.
Doch daß die Gegenwart nicht eng dir sei und klein,
Zieh die Vergangenheit und Zukunft mit herein.
Die beiden mögen dir erfüllen und erweitern
Die Wohnung und mit Glanz die dunkle schön erheitern.

Franz Grillparzer
1791–1872

Entsagung

Eins ist, was altergraue Zeiten lehren,
Und lehrt die Sonne, die erst heut getagt:
Des Menschen ewges Los, es heißt: Entbehren
Und kein Besitz, als den du dir versagt.

Die Speise, so erquicklich deinem Munde,
Beim frohen Fest genippter Götterwein,
Des Teuren Kuß auf deinem heißen Munde,
Dein wär's? Sieh zu! ob du vielmehr nicht sein.

Denn der Natur alther notwendge Mächte,
Sie hassen, was sich freie Bahnen zieht,
Als vorenthalten ihrem ewgen Rechte
Und reißen's lauernd in ihr Machtgebiet.

All, was du hältst, davon bist du gehalten,
Und wo du herrschest, bist du auch der Knecht.
Es sieht Genuß sich vom Bedarf gespalten,
Und eine Pflicht knüpft sich an jedes Recht.

Nur was du abweist, kann dir wieder kommen,
Was du verschmähst, naht ewig schmeichelnd sich,
Und in dem Abschied, vom Besitz genommen,
Erhältst du dir das einzig Deine: Dich!

Wie viel weißt du, o Mensch, der Schöpfung König,
Der du, was sehbar siehst, was meßbar, mißt,
Wie viel weißt du? und wieder, ach, wie wenig,
Weil, was erscheint, doch nur ein Äußres ist.

Und steigst du in die Tiefe der Gedanken,
Wie findest du den Rückweg in die Welt?
Du armer König, dessen Reiche schwanken,
Der eine Krone trägt, allein kein Zepter hält.

Zu dem Gewölb von deinen strengen Schlüssen
Stellt sich der Schlußstein nun und nimmer ein,
Und die Empfindung, Flügel an den Füßen,
Entschwebt der Haft und ruft hinfliegend: Nein!

Denn etwas ist, du magst's wie weit entfernen,
Das dich umspinnt mit unsichtbarem Netz,
Das, wenn du liebst, du aufschaust zu den Sternen,
Dich unterwerfend dasteht: das Gesetz.

Mein Vaterland

Sei mir gegrüßt, mein Österreich,
Auf deinen neuen Wegen,
Es schlägt mein Herz, wie immer gleich,
Auch heute dir entgegen.

Was dir gefehlt zu deiner Zier,
Du hast es dir errungen,
Halb kindlich fromm erbeten dir
Und halb durch Mut erzwungen.

Die Freiheit strahlt ob deinem Haupt
Wie längst in deinem Herzen,
Denn freier warst du, als man glaubt,
Es zeigten's deine Schmerzen.

Nun aber, Östreich, sieh dich vor,
Es gilt die höchsten Güter,
Leih nicht dem Schmeichellaut dein Ohr
Und sei dein eigner Hüter!

Geh nicht zur Schule da und dort,
Wo laute Redner lärmen,
Wo der Gedanke nur im Wort,
Zu leuchten statt zu wärmen;

Wo längst die Wege abgebracht,
Die Kopf und Herz vereinen,
Und, statt der Überzeugung Macht;
Der Mensch ein grübelnd Meinen;

Wo Falsch und Wahr und Schlimm und Gut
Sie längst auf Formeln brachten,
Rasch wechselnd die erlogne Glut
Gleich bunten Kleidertrachten;

Wo selbst die Freiheit, die zur Zeit
Hinjauchzt in tausend Stimmen,
Halb großgesäugt von Eitelkeit
Und von der Lust am Schlimmen.

Bleib du das Land, das stets du warst,
Nur Morgen, wie sonst Abend,
Die Unschuld, die du noch bewahrst,
An heiterm Sinn erlabend.

Denn was der Mensch erdacht, erfand,
Als Höchstes wird er finden:
Gesund natürlichen Verstand
Und richtiges Empfinden.

[März 1848]

August Graf von Platen
1796–1835

An eine Geisblattranke

Zwischen Fichtenbäumen in der Öde
Find ich, teure Blüte, dich so spat?
Rauhe Lüfte hauchen schnöde,
Da sich eilig schon der Winter naht.

Dicht auf Bergen lagen Nebelstreifen,
Hinter denen längst die Sonne schlief,
Als noch übers Feld zu schweifen
Mich ein inniges Verlangen rief.

Da verriet dich dein Geruch dem Wandrer,
Deine Weiße, die dich blendend schmückt:
Wohl mir, daß vor mir kein andrer
Dich gesehn und dich mir weggepflückt!

Wolltest du mit deinem Dufte warten,
Bis ich käm an diesen stillen Ort?
Blühtest ohne Beet und Garten
Hier im Wald bis in den Winter fort?

412

Wert ist wohl die spät gefundne Blume,
Daß ein Jüngling in sein Lied sie mischt,
Sie vergleichend einem Ruhme,
Der noch wächst, da schon so viel erlischt.

Tristan

Wer die Schönheit angeschaut mit Augen,
Ist dem Tode schon anheimgegeben,
Wird für keinen Dienst auf Erden taugen,
Und doch wird er vor dem Tode beben,
Wer die Schönheit angeschaut mit Augen!

Ewig währt für ihn der Schmerz der Liebe,
Denn ein Tor nur kann auf Erden hoffen
Zu genügen einem solchen Triebe:
Wen der Pfeil des Schönen je getroffen,
Ewig währt für ihn der Schmerz der Liebe!

Ach, er möchte wie ein Quell versiechen,
Jedem Hauch der Luft ein Gift entsaugen
Und den Tod aus jeder Blume riechen:
Wer die Schönheit angeschaut mit Augen,
Ach, er möchte wie ein Quell versiechen!

Wer wußte je das Leben recht zu fassen,
Wer hat die Hälfte nicht davon verloren
Im Traum, im Fieber, im Gespräch mit Toren,
In Liebesqual, im leeren Zeitverprassen?

Ja, der sogar, der, ruhig und gelassen,
Mit dem Bewußtsein, was er soll, geboren,
Frühzeitig einen Lebensgang erkoren,
Muß vor des Lebens Widerspruch erblassen.

Denn jeder hofft doch, daß das Glück ihm lache,
Allein das Glück, wenn's wirklich kommt, ertragen,
Ist keines Menschen, wäre Gottes Sache.

Auch kommt es nie, wir wünschen bloß und wagen:
Dem Schläfer fällt es nimmermehr vom Dache,
Und auch der Läufer wird es nicht erjagen.

Sieh, du schwebst im Reigentanze; doch den Sinn erkennst du nicht;
Dich beglückt des Dichters Stanze; doch den Sinn erkennst du nicht;
Du beschaust die Form des Leibes, undurchschaulich abgestrahlt
Von des Marmors frischem Glanze; doch den Sinn erkennst du nicht;

Als Granate blinkt die Sonne golden dir, die goldne Frucht,
Und der Mond als Pomeranze; doch den Sinn erkennst du nicht;
Ihr Geblüt, das heilig dunkle, das in Trunkenheit dich wiegt,
Bietet dir die Rebenpflanze; doch den Sinn erkennst du nicht;
Sieh, die Palme prangt als Kragen um des irdschen Rockes Rand,
Sieh, die Fichte hangt als Franze; doch den Sinn erkennst du nicht;
Sterngezelte, Blütenharnisch blendet und erfreut den Blick,
Taleslager, Bergesschanze; doch den Sinn erkennst du nicht;
Bebend in der Mutter Busen, der gesäugt den ewgen Sohn,
Siehest du des Schmerzes Lanze; doch den Sinn erkennst du nicht.

Es liegt an eines Menschen Schmerz, an eines Menschen Wunde nichts,
Es kehrt an das, was Kranke quält, sich ewig der Gesunde nichts;
Und wäre nicht das Leben kurz, das stets der Mensch vom Menschen erbt,
So gäbs Beklagenswerteres auf diesem weiten Runde nichts!
Einförmig stellt Natur sich her, doch tausendförmig ist ihr Tod,
Es fragt die Welt nach meinem Ziel, nach deiner letzten Stunde nichts;
Und wer sich willig nicht ergibt dem ehrnen Lose, das ihm dräut,
Der zürnt ins Grab sich rettungslos und fühlt in dessen Schlunde nichts;
Dies wissen alle, doch vergißt es jeder gerne jeden Tag,
So komme denn, in diesem Sinn, hinfort aus meinem Munde nichts!
Vergeßt, daß euch die Welt betrügt und daß ihr Wunsch nur Wünsche zeugt,
Laßt eurer Liebe nichts entgehn, entschlüpfen eurer Kunde nichts!
Es hoffe jeder, daß die Zeit ihm gebe, was sie keinem gab,
Denn jeder sucht ein All zu sein, und jeder ist im Grunde nichts.

Wie rafft’ ich mich auf in der Nacht, in der Nacht
Und fühlte mich fürder gezogen,
Die Gassen verließ ich, vom Wächter bewacht,
Durchwandelte sacht
In der Nacht, in der Nacht
Das Tor mit dem gotischen Bogen.

Der Mühlbach rauschte durch felsigen Schacht,
Ich lehnte mich über die Brücke,
Tief unter mir nahm ich der Wogen in acht,
Die wallten so sacht
In der Nacht, in der Nacht,
Doch wallte nicht eine zurücke.

Es drehte sich oben, unzählig entfacht,
Melodischer Wandel der Sterne,
Mit ihnen der Mond in beruhigter Pracht,
Sie funkelten sacht
In der Nacht, in der Nacht
Durch täuschend entlegene Ferne.

Ich blickte hinauf in der Nacht, in der Nacht,
Ich blickte hinunter aufs neue:
O wehe, wie hast du die Tage verbracht!
Nun stille du sacht
In der Nacht, in der Nacht
Im pochenden Herzen die Reue!

Hier, wo von Schnee der Alpen Gipfel glänzen,
Gedenk ich still vergangner Mißgeschicke:
Zurück nach Deutschland wend ich kaum die Blicke,
Ja, kaum noch vorwärts nach Italiens Grenzen.

Vergebens hasch ich nach geträumten Kränzen,
Daß ich die Stirne, die mich brennt, erquicke,
Und Seufzer wehn, die selten ich ersticke,
Als könnten Seuzfer das Gemüt ergänzen!

Wo ist ein Herz, das keine Schmerzen spalten?
Und wer ans Weltenende flüchten würde,
Stets folgten ihm des Lebens Truggestalten.

Ein Trost nur bleibt mir, daß ich jeder Bürde
Vielleicht ein Gleichgewicht vermag zu halten
Durch meiner Seele ganze Kraft und Würde.

Es sehnt sich ewig dieser Geist ins Weite
Und möchte fürder, immer fürder streben:
Nie könnt ich lang an einer Scholle kleben,
Und hätt ein Eden ich an jeder Seite.

Mein Geist, bewegt von innerlichem Streite,
Empfand so sehr in diesem kurzen Leben,
Wie leicht es ist, die Heimat aufzugeben,
Allein wie schwer, zu finden eine zweite.

Doch wer aus voller Seele haßt das Schlechte,
Auch aus der Heimat wird es ihn verjagen,
Wenn dort verehrt es wird vom Volk der Knechte.

Weit klüger ist's, dem Vaterland entsagen,
Als unter einem kindischen Geschlechte
Das Joch des blinden Pöbelhasses tragen.

Was habt ihr denn an euerm Rhein und Ister,
Um neben dem Hellenenvolk zu thronen?
Journale, Zeitungsblätter, Rezensionen,
Tabak und Bier und Polizeiminister!

Die nie ihr kanntet jene zwei Geschwister,
Freiheit und Kunst, die dort in schönern Zonen
Auf's Haupt sich setzten der Vollendung Kronen,
Ihr haltet euch für Griechen, ihr Philister?

Gestümpert habt ihr bloß nach vielen Seiten,
Da Griechenland der Schönheit ewgen Schimmer
Auf alles Seiende gewußt zu breiten.

Was ist die Kunst, mit der ihr prahlet immer?
In einem Ozean von Albernheiten
Erscheinen ein'ge geniale Schwimmer!

Aus: *Venedig*

I

Mein Auge ließ das hohe Meer zurücke,
Als aus der Flut Palladios Tempel stiegen,
An deren Staffeln sich die Wellen schmiegen,
Die uns getragen ohne Falsch und Tücke.

Wir landen an, wir danken es dem Glücke,
Und die Lagune scheint zurück zu fliegen,
Der Dogen alte Säulengänge liegen
Vor uns gigantisch mit der Seufzerbrücke.

Venedigs Löwen, sonst Venedigs Wonne,
Mit ehrnen Flügeln sehen wir ihn ragen
Auf seiner kolossalischen Kolonne.

Ich steig ans Land, nicht ohne Furcht und Zagen,
Da glänzt der Markusplatz im Licht der Sonne:
Soll ich ihn wirklich zu betreten wagen?

II

Dies Labyrinth von Brücken und von Gassen,
Die tausendfach sich ineinander schlingen,
Wie wird hindurchzugehn mir je gelingen?
Wie werd ich je dies große Rätsel fassen?

Ersteigend erst des Markusturms Terrassen,
Vermag ich vorwärts mit dem Blick zu dringen,
Und aus den Wundern, welche mich umringen,
Entsteht ein Bild, es teilen sich die Massen.

Ich grüße dort den Ozean, den blauen,
Und hier die Alpen, die im weiten Bogen
Auf die Laguneninseln niederschauen.

Und sieh! Da kam ein mutges Volk gezogen,
Paläste sich und Tempel sich zu bauen
Auf Eichenpfähle mitten in die Wogen.

V

Venedig liegt nur noch im Land der Träume
Und wirft nur Schatten her aus alten Tagen,
Es liegt der Leu der Republik erschlagen,
Und öde feiern seines Kerkers Räume.

Die ehrnen Hengste, die, durch salz'ge Schäume
Dahergeschleppt, auf jener Kirche ragen,
Nicht mehr dieselben sind sie, ach! sie tragen
des korsikanschen Überwinders Zäume.

Wo ist das Volk von Königen geblieben,
Das diese Marmorhäuser durfte bauen,
Die nun verfallen und gemach zerstieben?

Nur selten finden auf des Enkels Brauen
Der Ahnen große Züge sich geschrieben,
An Dogengräbern in den Stein gehauen.

XIV

Wenn tiefe Schwermut meine Seele wieget,
Mag's um die Buden am Rialto flittern:
Um nicht den Geist im Tande zu zersplittern,
Such ich die Stille, die den Tag besieget.

Dann blick ich oft, an Brücken angeschmieget,
In öde Wellen, die nur leise zittern,
Wo über Mauern, welche halb verwittern,
Ein wilder Lorbeerbusch die Zweige bieget.

Und wann ich, stehend auf versteinten Pfählen,
Den Blick hinaus ins dunkle Meer verliere,
Dem fürder keine Dogen sich vermählen:

Dann stört mich kaum im schweigenden Reviere,
Herschallend aus entlegenen Kanälen,
Von Zeit zu Zeit ein Ruf der Gondoliere.

Das Grab im Busento

Nächtlich am Busento lispeln, bei Cosenza, dumpfe Lieder,
Aus den Wassern schallt es Antwort, und in Wirbeln klingt es wider!

Und den Fluß hinauf, hinunter ziehn die Schatten tapfrer Goten,
Die den Alarich beweinen, ihres Volkes besten Toten.

Allzufrüh und fern der Heimat mußten hier sie ihn begraben,
Während noch die Jugendlocken seine Schulter blond umgaben.

Und am Ufer des Busento reihten sie sich um die Wette,
Um die Strömung abzuleiten, gruben sie ein frisches Bette.

In der wogenleeren Höhlung wühlten sie empor die Erde,
Senkten tief hinein den Leichnam, mit der Rüstung, auf dem Pferde.

417

Deckten dann mit Erde wieder ihn und seine stolze Habe,
Daß die hohen Stromgewächse wüchsen aus dem Heldengrabe.

Abgelenkt zum zweitenmale, ward der Fluß herbeigezogen:
Mächtig in ihr altes Bette schäumten die Busentowogen.

Und es sang ein Chor von Männern: „Schlaf in deinen Heldenehren!
Keines Römers schnöde Habsucht soll dir je dein Grab versehren!"

Sangen's, und die Lobgesänge tönten fort im Gotenheere;
Wälze sie, Busentowelle, wälze sie von Meer zu Meere!

Aus: *Polenlieder*

Vermächtnis der sterbenden Polen an die Deutschen

Wir gehn zu Grab, erschöpft und laß
Nach manchem kühnen Strauß
Und atmen unsern Russenhaß
In eure Seelen aus.

Es zwang uns Übermacht ins Joch,
So treu wir uns verschanzt;
Doch weht die weiße Fahne noch,
Auf unser Grab gepflanzt!

Ergreift sie einst und liebevoll
Gedenkt an unsre Pein:
Der ungeheure Frevel soll
Mit Blut gerochen sein!

Wir neiden unsern Sieger nicht,
Ihn trifft der Zeiten Fluch:
Von ihm und seinem Alba spricht
Das allerspätste Buch.

Stets waltet glücklich ein Tyrann,
Das ist der Menschheit Los.
Was bleibt dem unterdrückten Mann?
Ein Grab im Erdenschoß.

Doch ihr, gewarnt durch unsre Qual,
Sei's morgen oder heut,
O, seid nur noch ein einzig Mal
Das alte Volk des Teut!

Epilog

Zusammen pack ich meine Habe
Und was im Busen mir gedieh;
Denn länger nicht mehr frommt die Gabe,
Die mir ein milder Gott verlieh.

So hat er mich umsonst begeistert?
So war's umsonst, was ich empfand?
Und jeder arme Stümper meistert
Den Griffel einer Meisterhand?

In Dunkel muß der Geist sich bergen,
Damit's die Blöden nicht verstehn,
Dann mag er mitten durch die Schergen
Wie ein erhabnes Wesen gehn.

Was aus der tiefsten Brust entsprungen
Und was ein männlich Herz gedacht,
Es soll verschmachten auf den Zungen,
Die's liebevoll hervorgebracht?

Der mörderische Zensor lümmelt
Mit meinem Buch auf seinen Knien,
Und meine Lieder sind verstümmelt,
Zerrissen meine Harmonien.

So muß ich denn gezwungen schweigen,
Und so verläßt mich jener Wahn:
Mich fürder einem Volk zu zeigen,
Das wandelt eine solche Bahn.

Doch gib, o Dichter, dich zufrieden,
Es büßt die Welt nur wenig ein:
Du weißt es längst, man kann hienieden
Nichts Schlechtres als ein Deutscher sein.

Annette von Droste-Hülshoff
1797–1848

Not

Was redet ihr soviel von Angst und Not
In eurem tadellosen Treiben?
Ihr frommen Leute, schlagt die Sorge tot,
Sie will ja doch nicht bei euch bleiben!

Doch wo die Not, um die das Mitleid weint,
Nur wie der Tropfen an des Trinkers Hand,
Indes die dunkle Flut, die keiner meint,
Verborgen steht bis an der Seele Rand –

Ihr frommen Leute wollt die Sorge kennen
Und habt doch nie die Schuld gesehn!
Doch sie, sie dürfen schon das Leben nennen
Und seine grauenvollen Höhn.

Hinauf schallt's wie Gesang und Loben,
Und um die Blumen spielt der Strahl,
Die Menschen wohnen still im Tal,
Die dunklen Geier horsten droben.

Der Knabe im Moor

O schaurig ist's übers Moor zu gehn,
Wenn es wimmelt vom Heiderauche,
Sich wie Phantome die Dünste drehn
Und die Ranke häkelt am Strauche,
Unter jedem Tritte ein Quellchen springt,
Wenn aus der Spalte es zischt und singt,
O schaurig ist's übers Moor zu gehn,
Wenn das Röhricht knistert im Hauche!

Fest hält die Fibel das zitternde Kind
Und rennt, als ob man es jage;
Hohl über die Fläche sauset der Wind –
Was raschelt drüben am Hage?
Das ist der gespenstische Gräberknecht,
Der dem Meister die besten Torfe verzecht;
Hu, hu, es bricht wie ein irres Rind!
Hinducket das Knäblein zage.

Vom Ufer starret Gestumpf hervor,
Unheimlich nicket die Föhre,
Der Knabe rennt, gespannt das Ohr,
Durch Riesenhalme wie Speere;
Und wie es rieselt und knittert darin!
Das ist die unselige Spinnerin,
Das ist die gebannte Spinnlenor',
Die den Haspel dreht im Geröhre!

Voran, voran! nur immer im Lauf,
Voran, als woll es ihn holen!
Vor seinem Fuße brodelt es auf,
Es pfeift ihm unter den Sohlen
Wie eine gespenstige Melodei;
Das ist der Geigemann ungetreu,
Das ist der diebische Fiedler Knauf,
Der den Hochzeitheller gestohlen!

Da birst das Moor, ein Seufzer geht
Hervor aus der klaffenden Höhle;
Weh, weh, da ruft die verdammte Margret:
„Ho, ho, meine arme Seele!"
Der Knabe springt wie ein wundes Reh;
Wär nicht Schutzengel in seiner Näh,
Seine bleichenden Knöchelchen fände spät
Ein Gräber im Moorgeschwele.

Da mählich gründet der Boden sich,
Und drüben, neben der Weide,
Die Lampe flimmert so heimatlich,
Der Knabe steht an der Scheide.
Tief atmet er auf, zum Moor zurück
Noch immer wirft er den scheuen Blick:
Ja, im Geröhre war's fürchterlich,
O schaurig war's in der Heide!

Das Haus in der Heide

Wie lauscht, vom Abendschein umzuckt,
Die strohgedeckte Hütte,
Recht wie im Nest der Vogel duckt,
Aus dunkler Föhren Mitte.

Am Fensterloche streckt das Haupt
Die weißgestirnte Sterke,
Bläst in den Abendduft und schnaubt
Und stößt ans Holzgewerke.

Seitab ein Gärtchen, dornumhegt,
Mit reinlichem Gelände,
Wo matt ihr Haupt die Glocke trägt,
Aufrecht die Sonnenwende.

Und drinnen kniet ein stilles Kind,
Das scheint den Grund zu jäten,
Nun pflückt sie eine Lilie lind
Und wandelt längs den Beeten.

Am Horizonte Hirten, die
Im Heidekraut sich strecken
Und mit des Aves Melodie
Träumende Lüfte wecken.

Und von der Tenne ab und an
Schallt es wie Hammerschläge,
Der Hobel rauscht, es fällt der Span,
Und langsam knarrt die Säge.

Da hebt der Abendstern gemach
Sich aus den Föhrenzweigen,
Und grade ob der Hütte Dach
Scheint er sich mild zu neigen.

Es ist ein Bild, wie still und heiß
Es alte Meister hegten,
Kunstvolle Mönche, und mit Fleiß
Es auf den Goldgrund legten.

Der Zimmermann – die Hirten gleich
Mit ihrem frommen Liede –
Die Jungfrau mit dem Lilienzweig –
Und rings der Gottesfriede. –

Des Sternes wunderlich Geleucht
Aus zarten Wolkenfloren –
Ist etwa hier im Stall vielleicht
Christkindlein heut geboren?

Im Moose

Als jüngst die Nacht dem sonnenmüden Land
Der Dämmrung leise Boten hat gesandt,
Da lag ich einsam noch in Waldes Moose.
Die dunklen Zweige nickten so vertraut,
An meiner Wange flüsterte das Kraut,
Unsichtbar duftete die Heiderose.

Und flimmern sah ich durch der Linde Raum
Ein mattes Licht, das im Gezweig der Baum
Gleich einem mächtgen Glühwurm schien zu tragen,
Es sah so dämmernd wie ein Traumgesicht,
Doch wußte ich, es war der Heimat Licht,
In meiner eignen Kammer angeschlagen.

Ringsum so still, daß ich vernahm im Laub
Der Raupe Nagen, und wie grüner Staub
Mich leise wirbelnd Blätterflöckchen trafen.
Ich lag und dachte, ach, so manchem nach,
Ich hörte meines eignen Herzens Schlag,
Fast war es mir, als sei ich schon entschlafen.

Gedanken tauchten aus Gedanken auf,
Das Kinderspiel, der frischen Jahre Lauf,
Gesichter, die mir lange fremd geworden;
Vergeßne Töne summten um mein Ohr,
Und endlich trat die Gegenwart hervor,
Da stand die Welle, wie an Ufers Borden.

Dann, gleich dem Bronnen, der verrinnt im Schlund
Und drüben wieder sprudelt aus dem Grund,
So stand ich plötzlich in der Zukunft Lande;
Ich sah mich selber, gar gebückt und klein,
Geschwächten Auges, am ererbten Schrein
Sorgfältig ordnen staubge Liebespfande.

Die Bilder meiner Lieben sah ich klar,
In einer Tracht, die jetzt veraltet war,
Mich sorgsam lösen aus verblichnen Hüllen,
Löckchen, vermorscht, zu Staub zerfallen schier,
Sah über die gefurchte Wange mir
Langsam herab die karge Träne quillen.

Und wieder an des Friedhofs Monument,
Dran Namen standen, die mein Lieben kennt,
Da lag ich betend, mit gebrochnen Knieen,
Und – horch, die Wachtel schlug! kühl strich der Hauch –
Und noch zuletzt sah ich, gleich einem Rauch,
Mich leise in der Erde Poren ziehen.

Ich fuhr empor und schüttelte mich dann,
Wie einer, der dem Scheintod erst entrann,
Und taumelte entlang die dunklen Hage,
Noch immer zweifelnd, ob der Stern am Rain
Sei wirklich meiner Schlummerlampe Schein
Oder das ewge Licht am Sarkophage.

Am Turme

Ich steh auf hohem Balkone am Turm,
Umstrichen vom schreienden Stare,
Und laß gleich einer Mänade den Sturm
Mir wühlen im flatternden Haare;
O wilder Geselle, o toller Fant,
Ich möchte dich kräftig umschlingen,
Und, Sehne an Sehne, zwei Schritte vom Rand
Auf Tod und Leben dann ringen!

Und drunten seh ich am Strand, so frisch
Wie spielende Doggen, die Wellen
Sich tummeln rings mit Geklaff und Gezisch
Und glänzende Flocken schnellen.
O, springen möcht ich hinein alsbald,
Recht in die tobende Meute,
Und jagen durch den korallenen Wald
Das Walroß, die lustige Beute!

Und drüben seh ich ein Wimpel wehn
So keck wie eine Standarte,
Seh auf und nieder den Kiel sich drehn
Von meiner luftigen Warte;
O, sitzen möcht ich im kämpfenden Schiff,
Das Steuerruder ergreifen
Und zischend über das brandende Riff
Wie eine Seemöwe streifen.

Wär ich ein Jäger auf freier Flur,
Ein Stück nur von einem Soldaten,
Wär ich ein Mann doch mindestens nur,
So würde der Himmel mir raten;
Nun muß ich sitzen so fein und klar,
Gleich einem artigen Kinde,
Und darf nur heimlich lösen mein Haar
Und lassen es flattern im Winde!

An Levin Schücking

Kein Wort, und wär es scharf wie Stahles Klinge,
Soll trennen, was in tausend Fäden eins,
So mächtig kein Gedanke, daß er dringe
Vergällend in den Becher reinen Weins;
Das Leben ist so kurz, das Glück so selten,
So großes Kleinod, einmal sein statt gelten!

Hat das Geschick uns, wie in frevlem Witze,
Auf feindlich starre Pole gleich erhöht,
So wisse, dort, dort auf der Scheidung Spitze
Herrscht, König über alle, der Magnet,
Nicht fragt er, ob ihn Fels und Strom gefährde,
Ein Strahl fährt mitten er durchs Herz der Erde.

Blick in mein Auge – ist es nicht das deine,
Ist nicht mein Zürnen selber deinem gleich?
Du lächelst – und dein Lächeln ist das meine,
An gleicher Lust und gleichem Sinnen reich;
Worüber alle Lippen freundlich scherzen,
Wir fühlen heilger es im eignen Herzen.

Pollux und Kastor – wechselnd Glühn und Bleichen,
Des einen Licht geraubt dem andern nur,
Und doch der allerfrömmsten Treue Zeichen. –
So reiche mir die Hand, mein Dioskur!
Und mag erneuern sich die holde Mythe,
Wo überm Helm die Zwillingsflamme glühte.

Die Taxuswand

Ich stehe gern vor dir,
Du Fläche schwarz und rauh,
Du schartiges Visier
Vor meines Liebsten Brau,
Gern mag ich vor dir stehen,
Wie vor grundiertem Tuch,
Und drüber gleiten sehen
Den bleichen Krönungszug;

Das zarte Efeureis,
So Liebe pflegte dort,
Sechs Schritte – und ich weiß,
Ich weiß dann, daß es fort.
So will ich immer schleichen
Nur an dein dunkles Tuch
Und achtzehn Jahre streichen
Aus meinem Lebensbuch.

Als mein die Krone hier,
Von Händen, die nun kalt;
Als man gesungen mir
In Weisen, die nun alt;
Vorhang am Heiligtume
Mein Paradiesestor,
Dahinter alles Blume
Und alles Dorn davor.

Du starrtest damals schon
So düster treu wie heut,
Du, unsrer Liebe Thron
Und Wächter manche Zeit;
Man sagt, daß Schlaf, ein schlimmer,
Dir aus den Nadeln raucht –
Ach, wacher war ich nimmer,
Als rings von dir umhaucht!

Denn jenseits weiß ich sie,
Die grüne Gartenbank,
Wo ich das Leben früh
Mit glühen Lippen trank,
Als mich mein Haar umwallte,
Noch golden wie ein Strahl,
Als noch mein Ruf erschallte,
Ein Hornstoß, durch das Tal.

Nun aber bin ich matt
Und möcht an deinem Saum
Vergleiten wie ein Blatt,
Geweht vom nächsten Baum;
Du lockst mich wie ein Hafen,
Wo alle Stürme stumm:
O, schlafen möcht ich, schlafen,
Bis meine Zeit herum!

Das Spiegelbild

Schaust du mich an aus dem Kristall
Mit deiner Augen Nebelball,
Kometen gleich, die im Verbleichen;
Mit Zügen, worin wunderlich
Zwei Seelen wie Spione sich
Umschleichen, ja, dann flüstre ich:
Phantom, du bist nicht meinesgleichen!

Bist nur entschlüpft der Träume Hut,
Zu eisen mir das warme Blut,
Die dunkle Locke mir zu blassen;
Und dennoch, dämmerndes Gesicht,
Drin seltsam spielt ein Doppellicht,
Trätest du vor, ich weiß es nicht,
Würd ich dich lieben oder hassen?

Zu deiner Stirne Herrscherthron,
Wo die Gedanken leisten Fron
Wie Knechte, würd ich schüchtern blicken;
Doch von des Auges kaltem Glast,
Voll toten Lichts, gebrochen fast,
Gespenstig, würd, ein scheuer Gast,
Weit, weit ich meinen Schemel rücken.

Und was den Mund umspielt so lind,
So weich und hülflos wie ein Kind,
Das möcht in treue Hut ich bergen;
Und wieder, wenn er höhnend spielt,
Wie von gespanntem Bogen zielt,
Wenn leis es durch die Züge wühlt,
Dann möcht ich fliehen wie vor Schergen.

Es ist gewiß, du bist nicht Ich,
Ein fremdes Dasein, dem ich mich
Wie Moses nahe, unbeschuhet,
Voll Kräfte, die mir nicht bewußt,
Voll fremden Leides, fremder Lust;
Gnade mir Gott, wenn in der Brust
Mir schlummernd deine Seele ruhet!

Und dennoch fühl ich, wie verwandt,
Zu deinen Schauern mich gebannt,
Und Liebe muß der Furcht sich einen.
Ja, trätest aus Kristalles Rund,
Phantom, du lebend auf den Grund,
Nur leise zittern würd ich, und
Mich dünkt – ich würde um dich weinen!

Mondesaufgang

An des Balkones Gitter lehnte ich
Und wartete, du mildes Licht, auf dich.
Hoch über mir, gleich trübem Eiskristalle,
Zerschmolzen schwamm des Firmamentes Halle;
Der See verschimmerte mit leisem Dehnen,
Zerflossne Perlen oder Wolkentränen?
Es rieselte, es dämmerte um mich,
Ich wartete, du mildes Licht, auf dich.

Hoch stand ich, neben mir der Linden Kamm,
Tief unter mir Gezweige, Ast und Stamm;
Im Laube summte der Phalänen Reigen,
Die Feuerfliege sah ich glimmend steigen,
Und Blüten taumelten wie halb entschlafen;
Mir war, als treibe hier ein Herz zum Hafen,
Ein Herz, das übervoll von Glück und Leid
Und Bildern seliger Vergangenheit.

Das Dunkel stieg, die Schatten drangen ein –
Wo weilst du, weilst du denn, mein milder Schein? –
Sie drangen ein wie sündige Gedanken,
Des Firmamentes Woge schien zu schwanken,
Verzittert war der Feuerfliege Funken,
Längst die Phaläne an den Grund gesunken,
Nur Bergeshäupter standen hart und nah,
Ein düstrer Richterkreis, im Düster da.

Und Zweige zischelten an meinen Fuß
Wie Warnungsflüstern oder Todesgruß;
Ein Summen stieg im weiten Wassertale
Wie Volksgemurmel vor dem Tribunale;

Mir war, als müsse etwas Rechnung geben,
Als stehe zagend ein verlornes Leben,
Als stehe ein verkümmert Herz allein,
Einsam mit seiner Schuld und seiner Pein.

Da auf die Wellen sank ein Silberflor,
Und langsam stiegst du, frommes Licht, empor;
Der Alpen finstre Stirnen strichst du leise,
Und aus den Richtern wurden sanfte Greise;
Der Wellen Zucken ward ein lächelnd Winken,
An jedem Zweige sah ich Tropfen blinken,
Und jeder Tropfen schien ein Kämmerlein,
Drin flimmerte der Heimatlampe Schein.

O Mond, du bist mir wie ein später Freund,
Der seine Jugend dem Verarmten eint,
Um seine sterbenden Erinnerungen
Des Lebens zarten Widerschein geschlungen,
Bist keine Sonne, die entzückt und blendet,
In Feuerströmen lebt, im Blute endet –
Bist, was dem kranken Sänger sein Gedicht,
Ein fremdes, aber o! ein mildes Licht.

[Phaläne: Nachtschmetterling.]

Im Grase

Süße Ruh, süßer Taumel im Gras,
Von des Krautes Arome umhaucht,
Tiefe Flut, tief tief trunkne Flut,
Wenn die Wolk am Azure verraucht,
Wenn aufs müde, schwimmende Haupt
Süßes Lachen gaukelt herab,
Liebe Stimme säuselt und träuft
Wie die Lindenblüt auf ein Grab.

Wenn im Busen die Toten dann,
Jede Leiche sich streckt und regt,
Leise, leise den Odem zieht,
Die geschlossne Wimper bewegt,
Tote Lieb, tote Lust, tote Zeit,
All die Schätze, im Schutt verwühlt,
Sich berühren mit schüchternem Klang
Gleich den Glöckchen, vom Winde umspielt.

Stunden, flüchtger ihr als der Kuß
Eines Strahls auf den trauernden See,
Als des ziehenden Vogels Lied,
Das mir nieder perlt aus der Höh,
Als des schillernden Käfers Blitz,
Wenn den Sonnenpfad er durcheilt,
Als der heiße Druck einer Hand,
Die zum letzten Male verweilt.

Dennoch, Himmel, immer mir nur
Dieses eine mir: für das Lied
Jedes freien Vogels im Blau
Eine Seele, die mit ihm zieht,
Nur für jeden kärglichen Strahl
Meinen farbig schillernden Saum,
Jeder warmen Hand meinen Druck
Und für jedes Glück meinen Traum.

Durchwachte Nacht

Wie sank die Sonne glüh und schwer,
Und aus versengter Welle dann
Wie wirbelte der Nebel Heer

Die sternenlose Nacht heran! –
Ich höre ferne Schritte gehn –
Die Uhr schlägt Zehn.

Noch ist nicht alles Leben eingenickt,
Der Schlafgemächer letzte Türen knarren;
Vorsichtig in der Rinne Bauch gedrückt,
Schlüpft noch der Iltis an des Giebels Sparren,
Die schlummertrunkne Färse murrend nickt,
Und fern im Stalle dröhnt des Rosses Scharren,
Sein müdes Schnauben, bis, vom Mohn getränkt,
Sich schlaff die regungslose Flanke senkt.

Betäubend gleitet Fliederhauch
Durch meines Fensters offnen Spalt,
Und an der Scheibe grauem Rauch
Der Zweige wimmelnd Neigen wallt.
Matt bin ich, matt wie die Natur! –
Elf schlägt die Uhr.

O wunderliches Schlummerwachen, bist
Der zartren Nerve Fluch du oder Segen? –
's ist eine Nacht, vom Taue wach geküßt,
Das Dunkel fühl ich kühl wie feinen Regen
An meine Wangen gleiten, das Gerüst
Des Vorhangs scheint sich schaukelnd zu bewegen,
Und dort das Wappen an der Decke Gips
Schwimmt sachte mit dem Schlängeln des Polyps.

Wie mir das Blut im Hirne zuckt!
Am Söller geht Geknister um,
Im Pulte raschelt es und ruckt,
Als drehe sich der Schlüssel um.
Und – horch! der Seiger hat gewacht!
's ist Mitternacht.

War das ein Geisterlaut? So schwach und leicht
Wie kaum berührten Glases schwirrend Klingen,
Und wieder wie verhaltnes Weinen steigt
Ein langer Klageton aus den Syringen,
Gedämpfter, süßer nun, wie tränenfeucht
Und selig kämpft verschämter Liebe Ringen; –
O Nachtigall, das ist kein wacher Sang,
Ist nur im Traum gelöster Seele Drang.

Da kollert's nieder vom Gestein!
Des Turmes morsche Trümmer fällt,
Das Käuzlein knackt und hustet drein;
Ein jäher Windesodem schwellt
Gezweig und Kronenschmuck des Hains; –
Die Uhr schlägt Eins.

Und drunten das Gewölke rollt und klimmt;
Gleich einer Lampe aus dem Hünenmale
Hervor des Mondes Silbergondel schwimmt,
Verzitternd auf der Gasse blauem Stahle;
An jedem Fliederblatt ein Fünkchen glimmt,
Und hell gezeichnet von dem blassen Strahle
Legt auf mein Lager sich des Fensters Bild,
Vom schwanken Laubgewimmel überhüllt.

Jetzt möcht ich schlafen, schlafen gleich,
Entschlafen unterm Mondeshauch,
Umspielt vom flüsternden Gezweig,
Im Blute Funken, Funk im Strauch
Und mir im Ohre Melodei; –
Die Uhr schlägt Zwei.

Und immer heller wird der süße Klang,
Das liebe Lachen; es beginnt zu ziehen
Gleich Bildern von Daguerre die Deck entlang,
Die aufwärts steigen mit des Pfeiles Fliehen;
Mir ist, als seh ich lichter Locken Hang,
Gleich Feuerwürmern seh ich Augen glühen,
Dann werden feucht sie, werden blau und lind,
Und mir zu Füßen sitzt ein schönes Kind.

Es sieht empor, so fromm gespannt,
Die Seele strömend aus dem Blick;
Nun hebt es gaukelnd seine Hand,
Nun zieht es lachend sie zurück;
Und – horch! des Hahnes erster Schrei! –
Die Uhr schlägt Drei.

Wie bin ich aufgeschreckt, – o süßes Bild,
Du bist dahin, zerflossen mit dem Dunkel!
Die unerfreulich graue Dämmrung quillt,
Verloschen ist des Flieders Taugefunkel,
Verrostet steht des Mondes Silberschild,
Im Walde gleitet ängstliches Gemunkel,
Und meine Schwalbe an des Frieses Saum
Zirpt leise, leise auf im schweren Traum.

Der Tauben Schwärme kreisen scheu,
Wie trunken in des Hofes Rund,
Und wieder gellt des Hahnes Schrei,
Auf seiner Streue rückt der Hund,
Und langsam knarrt des Stalles Tür –
Die Uhr schlägt Vier.

Da flammt's im Osten auf, – o Morgenglut!
Sie steigt, sie steigt, und mit dem ersten Strahle
Strömt Wald und Heide vor Gesangesflut,
Das Leben quillt aus schäumendem Pokale,

Es klirrt die Sense, flattert Falkenbrut,
Im nahen Forste schmettern Jagdsignale,
Und wie ein Gletscher sinkt der Träume Land
Zerrinnend in des Horizontes Brand.

[Seiger: Sanduhr, Uhr]

Das öde Haus

Tiefab im Tobel liegt ein Haus,
Zerfallen nach des Försters Tode,
Dort ruh ich manche Stunde aus,
Vergraben unter Rank und Lode;
's ist eine Wildnis, wo der Tag
Nur halb die schweren Wimpern lichtet;
Der Felsen tiefe Kluft verdichtet
Ergrauter Äste Schattenhag.

Ich horche träumend, wie im Spalt
Die schwarzen Fliegen taumelnd summen,
Wie Seufzer streifen durch den Wald,
Am Strauche irre Käfer brummen;
Wenn sich die Abendröte drängt
An sickernden Geschiefers Lauge,
Dann ist's, als ob ein trübes Auge,
Ein rotgeweintes, drüber hängt.

Das Dach, von Moose überschwellt,
Läßt wirre Schober niederragen,
Und eine Spinne hat ihr Zelt
Im Fensterloche aufgeschlagen;
Da hängt, ein Blatt von zartem Flor,
Der schillernden Libelle Flügel,
Und ihres Panzers goldner Spiegel
Ragt kopflos am Gesims hervor.

Wo an zerrissner Laube Joch
Die langen magern Schossen streichen,
An wildverwachsner Hecke noch
Im Moose Nelkensprossen schleichen,
Dort hat vom tröpfelnden Gestein
Das dunkle Naß sich durchgesogen,
Kreucht um den Buchs in trägen Bogen
Und sinkt am Fenchelstrauche ein.

Zuweilen hat ein Schmetterling
Sich gaukelnd in der Schlucht gefangen
Und bleibt sekundenlang am Ring
Der kränkelnden Narzisse hangen;
Streicht eine Taube durch den Hain,
So schweigt am Tobelrand ihr Girren,
Man höret nur die Flügel schwirren
Und sieht den Schatten am Gestein.

Und auf dem Herde, wo der Schnee
Seit Jahren durch den Schlot geflogen,
Liegt Aschenmoder feucht und zäh,
Von Pilzes Glocken überzogen;
Noch hängt am Mauerpflock ein Rest
Verwirrten Wergs, das Seil zu spinnen,
Wie halbvermorschtes Haar, und drinnen
Der Schwalbe überjährig Nest.

Und von des Balkens Haken nickt
Ein Schellenband an Schnall und Riemen,
Mit grober Wolle ist gestickt
„Diana" auf dem Lederstriemen;
Ein Pfeifchen auch vergaß man hier,
Als man den Tannensarg geschlossen;
Den Mann begrub man, tot geschossen
Hat man das alte treue Tier.

Sitz ich so einsam am Gesträuch
Und hör die Maus im Laube schrillen,
Das Eichhorn blafft von Zweig zu Zweig,
Am Sumpfe läuten Unk und Grillen, –
Wie Schauer überläuft's mich dann,
Als hör ich klingeln noch die Schellen,
Im Walde die Diana bellen
Und pfeifen noch den toten Mann.

Der Tod des Erzbischofs Engelbert von Köln

1.

Der Anger dampft, es kocht die Ruhr,
Im scharfen Ost die Halme pfeifen,
Da trabt es sachte durch die Flur,
Da taucht es auf wie Nebelstreifen,
Da nieder rauscht es in den Fluß,
Und stemmend gen der Wellen Guß
Es fliegt der Bug, die Hufe greifen.

Ein Schnauben noch, ein Satz, und frei
Das Roß schwingt seine nassen Flanken,
Und wieder eins und wieder zwei,
Bis fünfundzwanzig stehn wie Schranken
Voran, voran durch Heid und Wald,
Und wo sich wüst das Dickicht ballt,
Da brechen knisternd sie die Ranken.

Am Eichenstamm, im Überwind,
Um einen Ast den Arm geschlungen,
Der Isenburger steht und sinnt
Und naget an Erinnerungen.
Ob er vernimmt, was durchs Gezweig
Ihm Rinkerad, der Ritter bleich,
Raunt leise wie mit Vögelzungen?

„Graf", flüstert es, „Graf, haltet dicht,
Mich dünkt, als woll' es Euch betören;
Bei Christi Blute, laßt uns nicht
Heim wie gepeitschte Hunde kehren!
Wer hat gefesselt Eure Hand,
Den freien Stegreif Euch verrannt?" –
Der Isenburg scheint nicht zu hören.

„Graf", flüstert es, „wer war der Mann,
Dem zu dem Kreuz die Rose paßte?
Wer machte Euren Schwäher dann
In seinem eignen Land zum Gaste?
Und, Graf, wer höhnte Euer Recht,
Wer stempelt' Euch zum Pfaffenknecht?" –
Der Isenburg biegt an dem Aste.

„Und wer, wer hat Euch zuerkannt,
Im härnen Sünderhemd zu stehen,
Die Schandekerz in Eurer Hand,
Und alte Vetteln anzuflehen
Um Kyrie und Litanei!?" –
Da krachend bricht der Ast entzwei
Und wirbelt in des Sturmes Wehen.

Spricht Isenburg: „Mein guter Fant,
Und meinst du denn, ich sei begraben?
O laß mich nur in meiner Hand –
Doch ruhig, still, ich höre traben!"
Sie stehen lauschend, vorgebeugt:
Durch das Gezweig der Helmbusch steigt
Und flattert drüber gleich dem Raben.

2.

Wie dämmerschaurig ist der Wald
An neblichten Novembertagen,
Wie wunderlich die Wildnis hallt
Von Astgestöhn und Windesklagen!
„Horch, Knabe, war das Waffenklang?" –
„Nein, gnäd'ger Herr! ein Vogelsang,
Von Sturmesflügeln hergetragen." –

Fort trabt der mächtige Prälat,
Der kühne Erzbischof von Köllen,
Er, den der Kaiser sich zum Rat
Und Reichsverweser mochte stellen,
Die ehrne Hand der Klerisei –
Zwei Edelknaben, Reis'ger zwei
Und noch drei Äbte als Gesellen.

Gelassen trabt er fort, im Traum
Von eines Wunderdomes Schöne,
Auf seines Rosses Hals den Zaum,
Er streicht ihm sanft die dichte Mähne,
Die Windesodem senkt und schwellt;
Es schaudert, wenn ein Tropfen fällt
Von Ast und Laub, des Nebels Träne.

Schon schwindelnd steigt das Kirchenschiff,
Schon bilden sich die krausen Zacken –
Da, hoch, ein Pfiff und hui, ein Griff,
Ein Helmbusch hier, ein Arm im Nacken!
Wie Schwarzwildrudel bricht's heran,
Die Äbte fliehn wie Spreu, und dann
Mit Reisigen sich Reis'ge packen.

Ha, schnöder Strauß! Zwei gegen zehn!
Doch hat der Fürst sich losgerungen,
Er peitscht sein Tier, und mit Gestöhn
Hat's übern Hohlweg sich geschwungen;
Die Gerte pfeift – „Weh, Rinkerad!" –
Vom Rosse gleitet der Prälat
Und ist ins Dickicht dann gedrungen.

„Hussa, hussa, erschlagt den Hund,
Den stolzen Hund!" Und eine Meute
Fährt's in den Wald, es schließt ein Rund,
Dann vor- und rückwärts und zur Seite;
Die Zweige krachen – ha, es naht –
Am Buchenstamm steht der Prälat
Wie ein gestellter Eber heute.

Er blickt verzweifelnd auf sein Schwert,
Er löst die kurze breite Klinge,
Dann prüfend untern Mantel fährt
Die Linke nach dem Panzerringe;
Und nun wohlan, er ist bereit,
Ja, männlich focht der Priester heut,
Sein Streich war eine Flammenschwinge.

Das schwirrt und klingelt durch den Wald,
Die Blätter stäuben von den Eichen,
Und über Arm und Schädel bald
Blutrote Rinnen tröpfeln, schleichen;
Entwaffnet der Prälat noch ringt,
Der starke Mann, da zischend dringt
Ein falscher Dolch ihm in die Weichen.

Ruft Isenburg: „Es ist genug,
Es ist zuviel!" und greift die Zügel;
Noch sah er, wie ein Knecht ihn schlug,
Und riß den Wicht am Haar vom Bügel.
„Es ist zuviel, hinweg, geschwind!"
Fort sind sie, und ein Wirbelwind
Fegt ihnen nach wie Eulenflügel. – –

Des Sturmes Odem ist verrauscht,
Die Tropfen glänzen an dem Laube,
Und über Blutes Lachen lauscht
Aus hohem Loch des Spechtes Haube;
Was knistert nieder von der Höh
Und schleppt sich wie ein krankes Reh?
Ach, armer Knabe, wunde Taube!

„Mein gnädiger, mein lieber Herr,
So mußten dich die Mörder packen?
Mein frommer, o mein Heiliger!"
Das Tüchlein zerrt er sich vom Nacken,
Er drückt es auf die Wunde dort
Und hier und drüben, immerfort
Ach, Wund an Wund und blutge Zacken!

„Ho, holla ho!" Dann beugt er sich
Und späht, ob noch der Odem rege;
War's nicht, als wenn ein Seufzer schlich,
Als wenn ein Finger sich bewege? –
„Ho, holla ho!" – „Holla, hoho!"
Schallt's wiederum, des war er froh:
„Sind unsre Reuter allewege!"

3.

Zu Köln am Rheine kniet ein Weib
Am Rabensteine unterm Rade,
Und überm Rade liegt ein Leib,
An dem sich weiden Kräh und Made;
Zerbrochen ist sein Wappenschild,
Mit Trümmern seine Burg gefüllt,
Die Seele steht bei Gottes Gnade.

Den Leib des Fürsten hüllt der Rauch
Von Ampeln und von Weihrauchschwelen –
Um seinen qualmt der Moderhauch,
Und Hagel peitscht der Rippen Höhlen;
Im Dome steigt ein Trauerchor,
Und ein Tedeum stieg empor
Bei seiner Qual aus tausend Kehlen.

Und wenn das Rad der Bürger sieht,
Dann läßt er rasch sein Rößlein traben,
Doch eine bleiche Frau, die kniet
Und scheucht mit ihrem Tuch die Raben:
Um sie mied er die Schlinge nicht,
Er war ihr Held, er war ihr Licht –
Und, ach! der Vater ihrer Knaben!

Am vierten Sonntag im Advent
Ev.: Vom Zeugnisse Johannis. Joh. 1,19–28

Fragst du mich, wer ich bin? Ich berg es nicht:
Ein Wesen bin ich sonder Farb und Licht.
Schau mich nicht an, dann wendet sich dein Sinn;
Doch höre! Höre! Höre! Denn ich bin
Des Rufers in der Wüste Stimme.

In Nächten voller Pein kam mir das Wort
Von ihm, der Balsam sät an Sumpfes Bord,
Im Skorpion der Heilung Öl gelegt,
Dem auch der wilde Dorn die Rose trägt,
Das faule Holz entzündet sein Geglimme.

So senke deine Augen und vernimm
Von seinem Herold deines Herren Grimm,
Und seine Gnade sei dir auch bekannt,
Der Wunde Heil, so wie der schwarze Brand,
Wenn seiner Adern Bluten hemmt der Schlimme.

Merk auf! Ich weiß es, daß in härtster Brust
Doch schlummert das Gewissen unbewußt;
Merk auf, wenn es erwacht, und seinen Schrei
Ersticke nicht, wie Mütter sonder Treu
Des Bastards Wimmern und sein matt Gekrümme!

Ich weiß es auch, daß in der ganzen Welt
Dem Teufel die Altäre sind gestellt,
Daß mancher kniet demütig nicht gebeugt
Und überm Sumpfe engelgleich und leicht
Der weiße Lotos wie ein Kindlein schwimme.

Es tobt des tollen Strudels Ungestüm,
Und zitternd fliehen wir das Ungetüm;
Still liegt der Sumpf und lauert wie ein Dieb:
Wir pflücken Blumen, und es ist uns lieb,
Zu schaun des Irrlichts tanzendes Geflimme.

Drum nicht vor dem Verruchten sei gewarnt;
Doch wenn dich süßer Unschuld Schein umgarnt,
Dann lächelt der Vampir, dann fahr zurück
Und senke tief, o tief in dich den Blick,
Ob leise quellend die Verwesung klimme!

Ja, wo dein Aug sich schaudernd wenden mag,
Da bist du sicher mindstens diesen Tag;
Doch giftger öfters ist ein Druck der Hand,
Die weiche Träne und der stille Brand,
Den Lorbeer treibend aus Vulkanes Grimme.

Ich bin ein Hauch nur; achtet nicht wie Tand
Mein schwaches Wehn, um des, der mich gesandt:
Erwacht! Erwacht! Ihr steht in seinem Reich;
Denn sehet, er ist mitten unter euch,
Den ihr verkennt, und ich bin seine Stimme!

Am letzten Tag des Jahres (Silvester)

Das Jahr geht um,
Der Faden rollt sich sausend ab.
Ein Stündchen noch, das letzte heut,
Und stäubend rieselt in sein Grab,
Was einstens war lebendge Zeit.
Ich harre stumm.

's ist tiefe Nacht!
Ob wohl ein Auge offen noch?
In diesen Mauern rüttelt dein
Verrinnen, Zeit! Mir schaudert, doch
Es will die letzte Stunde sein
Einsam durchwacht,

Gesehen all,
Was ich begangen und gedacht.
Was mir aus Haupt und Herzen stieg,
Das steht nun eine ernste Wacht
Am Himmelstor. O halber Sieg!
O schwerer Fall!

Wie reißt der Wind
Am Fensterkreuze! Ja, es will
Auf Sturmesfittichen das Jahr
Zerstäuben, nicht ein Schatten still
Verhauchen unterm Sternenklar.
Du Sündenkind,

War nicht ein hohl
Und heimlich Sausen jeder Tag
In deiner wüsten Brust Verließ,

Wo langsam Stein an Stein zerbrach,
Wenn es den kalten Odem stieß
Vom starren Pol?

Mein Lämpchen will
Verlöschen, und begierig saugt
Der Docht den letzten Tropfen Öl.
Ist so mein Leben auch verraucht?
Eröffnet sich des Grabes Höhl
Mir schwarz und still?

Wohl in dem Kreis,
Den dieses Jahres Lauf umzieht,
Mein Leben bricht. Ich wußt es lang!
Und dennoch hat dies Herz geglüht
In eitler Leidenschaften Drang!
Mir brüht der Schweiß

Der tiefsten Angst
Auf Stirn und Hand. – Wie? dämmert feucht
Ein Stern dort durch die Wolken nicht?
Wär es der Liebe Stern vielleicht,
Dir zürnend mit dem trüben Licht,
Daß du so bangst?

Horch, welch Gesumm?
Und wieder? Sterbemelodie!
Die Glocke regt den ehrnen Mund.
O Herr, ich falle auf das Knie:
Sei gnädig meiner letzten Stund!
Das Jahr ist um!

Letzte Worte

Geliebte, wenn mein Geist geschieden,
So weint mir keine Träne nach;
Denn, wo ich weile, dort ist Frieden,
Dort leuchtet mir ein ewger Tag!

Wo aller Erdengram verschwunden,
Soll euer Bild mir nicht vergehn,
Und Linderung für eure Wunden,
Für euern Schmerz will ich erflehn.

Weht nächtlich seine Seraphsflügel
Der Friede übers Weltenreich,
So denkt nicht mehr an meinen Hügel,
Denn von den Sternen grüß ich euch!

August Kopisch
1799–1853

Der große Krebs im Mohriner See

Die Stadt Mohrin hat immer acht,
Kuckt in den See bei Tag und Nacht.
Kein gutes Christenkind erleb's,
Daß los sich reiß der große Krebs!
Er ist im See mit Ketten geschlossen unten an,
Weil er dem ganzen Lande Verderben bringen kann.

Man sagt: Er ist viel Meilen groß
Und wend't sich oft und, kommt er los,
So währt's nicht lang, er kommt ans Land:
Ihm leistet keiner Widerstand.
Und weil das Rückwärtsgehen bei Krebsen alter Brauch,
So muß dann alles mit ihm zurücke gehen auch.

Das wird ein Rückwärtsgehen sein!
Steckt einer was ins Maul hinein,
So kehrt der Bissen, vor dem Kopf,
Zurück zum Teller und zum Topf.
Das Brot wird wieder zu Mehle, das Mehl wird wieder Korn –
Und alles hat beim Gehen den Rücken dann nach vorn.

Der Balken löst sich aus dem Haus
Und rauscht als Baum zum Wald hinaus,
Der Baum kriecht wieder in den Keim,
Der Ziegelstein wird wieder Leim.
Der Ochse wird zum Kalbe, das Kalb geht nach der Kuh,
Die Kuh wird auch zum Kalbe, so geht es immerzu!

Zur Blume kehrt zurück das Wachs,
Das Hemd am Leibe wird zu Flachs,
Der Flachs wird wieder blauer Lein
Und kriecht dann in den Acker ein.
Man sagt, beim Bürgermeister zuerst die Not beginnt,
Der wird vor allen Leuten zuerst ein Päppelkind.

Dann muß der edle Rat daran,
Der wohlgewitzte Schreiber dann;
Die erbgesessne Bürgerschaft
Verliert gemach die Bürgerkraft.
Der Rektor in der Schule wird wie ein Schülerlein,
Kurz eines nach dem andern wird Kind und dumm und klein.

Und alles kehrt im Erdenschoß
Zurück zu Adams Erdenkloß.

Am längsten hält, was Flügel hat,
Doch wird zuletzt auch dieses matt.
Die Henne wird zum Küchlein, das Küchlein kriecht ins Ei,
Das schlägt der große Krebs dann mit seinem Schwanz entzwei.

Zum Glücke kommt's wohl nie so weit!
Noch blüht die Welt in Fröhlichkeit!
Die Obrigkeit hat wacker acht,
Daß sich der Krebs nicht locker macht.
Auch für dies arme Liedchen wär das ein schlechtes Glück:
Es lief vom Mund der Leute ins Tintenfaß zurück.

Nikolaus Lenau
1802–1850

Schilflieder

1

Drüben geht die Sonne scheiden,
Und der müde Tag entschlief.
Niederhangen hier die Weiden
In den Teich, so still, so tief.

Und ich muß mein Liebstes meiden:
Quill, o Träne, quill hervor!
Traurig säuseln hier die Weiden,
Und im Winde bebt das Rohr.

In mein stilles, tiefes Leiden
Strahlst du, Ferne! hell und mild,
Wie durch Binsen hier und Weiden
Strahlt des Abendsternes Bild.

2

Trübe wird's, die Wolken jagen,
Und der Regen niederbricht,
Und die lauten Winde klagen:
„Teich, wo ist dein Sternenlicht?"

Suchen den erloschnen Schimmer
Tief im aufgewühlten See.
Deine Liebe lächelt nimmer
Nieder in mein tiefes Weh!

3

Auf geheimem Waldespfade
Schleich ich gern im Abendschein
An das öde Schilfgestade,
Mädchen, und gedenke dein!

Wenn sich dann der Busch verdüstert,
Rauscht das Rohr geheimnisvoll,
Und es klaget, und es flüstert,
Daß ich weinen, weinen soll.

Und ich mein, ich höre wehen
Leise deiner Stimme Klang
Und im Weiher untergehen
Deinen lieblichen Gesang.

4

Sonnenuntergang;
Schwarze Wolken ziehn,
O wie schwül und bang
Alle Winde fliehn!

Durch den Himmel wild
Jagen Blitze, bleich;
Ihr vergänglich Bild
Wandelt durch den Teich.

Wie gewitterklar
Mein ich dich zu sehn
Und dein langes Haar
Frei im Sturme wehn!

5

Auf dem Teich, dem regungslosen,
Weilt des Mondes holder Glanz,
Flechtend seine bleichen Rosen
In des Schilfes grünen Kranz.

Hirsche wandeln dort am Hügel,
Blicken in die Nacht empor;
Manchmal regt sich das Geflügel
Träumerisch im tiefen Rohr.

Weinend muß mein Blick sich senken;
Durch die tiefste Seele geht
Mir ein süßes Deingedenken
Wie ein stilles Nachtgebet!

Winternacht

1

Vor Kälte ist die Luft erstarrt,
Es kracht der Schnee von meinen Tritten,
Es dampft mein Hauch, es klirrt mein Bart;
Nur fort, nur immer fortgeschritten!

Wie feierlich die Gegend schweigt!
Der Mond bescheint die alten Fichten,
Die, sehnsuchtsvoll zum Tod geneigt,
Den Zweig zurück zur Erde richten.

Frost, friere mir ins Herz hinein,
Tief in das heißbewegte, wilde!
Daß einmal Ruh mag drinnen sein
Wie hier im nächtlichen Gefilde!

2

Dort heult im tiefen Waldesraum
Ein Wolf; – wie's Kind aufweckt die Mutter,
Schreit er die Nacht aus ihrem Traum
Und heischt von ihr sein blutig Futter.

Nun brausen über Schnee und Eis
Die Winde fort mit tollem Jagen,
Als wollten sie sich rennen heiß:
Wach auf, o Herz, zu wildem Klagen!

Laß deine Toten auferstehn
Und deiner Qualen dunkle Horden!
Und laß sie mit den Stürmen gehn,
Dem rauhen Spielgesind aus Norden!

Liebesfeier

An ihren bunten Liedern klettert
Die Lerche selig in die Luft;
Ein Jubelchor von Sängern schmettert
Im Walde, voller Blüt und Duft.

Da sind, so weit die Blicke gleiten,
Altäre festlich aufgebaut,
Und all die tausend Herzen läuten
Zur Liebesfeier dringend laut.

Der Lenz hat Rosen angezündet
An Leuchtern von Smaragd im Dom;
Und jede Seele schwillt und mündet
Hinüber in den Opferstrom.

Der Postillon

Lieblich war die Maiennacht,
Silberwölklein flogen,
Ob der holden Frühlingspracht
Freudig hingezogen.

Schlummernd lagen Wies und Hain,
Jeder Pfad verlassen;
Niemand als der Mondenschein
Wachte auf der Straßen.

Leise nur das Lüftchen sprach,
Und es zog gelinder
Durch das stille Schlafgemach
All der Frühlingskinder.

Heimlich nur das Bächlein schlich,
Denn der Blüten Träume
Dufteten gar wonniglich
Durch die stillen Räume.

Rauher war mein Postillon,
Ließ die Geißel knallen,
Über Berg und Tal davon
Frisch sein Horn erschallen.

Und von flinken Rossen vier
Scholl der Hufe Schlagen,
Die durchs blühende Revier
Trabten mit Behagen.

Wald und Flur im schnellen Zug
Kaum gegrüßt – gemieden;
Und vorbei, wie Traumesflug,
Schwand der Dörfer Frieden.

Mitten in dem Maienglück
Lag ein Kirchhof innen,
Der den raschen Wanderblick
Hielt zu ernstem Sinnen.

Hingelehnt an Bergesrand
War die bleiche Mauer,
Und das Kreuzbild Gottes stand
Hoch, in stummer Trauer.

Schwager ritt auf seiner Bahn
Stiller jetzt und trüber;
Und die Rosse hielt er an,
Sah zum Kreuz hinüber:

„Halten muß hier Roß und Rad,
Mag's euch nicht gefährden:
Drüben liegt mein Kamerad
In der kühlen Erden!

Ein gar herzlieber Gesell!
Herr, 's ist ewig schade!
Keiner blies das Horn so hell
Wie mein Kamerade!

Hier ich immer halten muß,
Dem dort unterm Rasen
Zum getreuen Brudergruß
Sein Leiblied zu blasen!"

Und dem Kirchhof sandt er zu
Frohe Wandersänge,
Daß es in die Grabesruh
Seinem Bruder dränge.

Und des Hornes heller Ton
Klang vom Berge wieder,
Ob der tote Postillon
Stimmt' in seine Lieder. –

Weiter ging's durch Feld und Hag
Mit verhängtem Zügel;
Lang mir noch im Ohre lag
Jener Klang vom Hügel.

Bitte

Weil auf mir, du dunkles Auge,
Übe deine ganze Macht,
Ernste, milde, träumerische,
Unergründlich süße Nacht!

Nimm mit deinem Zauberdunkel
Diese Welt von hinnen mir,
Daß du über meinem Leben
Einsam schwebest für und für.

Herbstentschluß

Trübe Wolken, Herbstesluft,
Einsam wandl' ich meine Straßen,
Welkes Laub, kein Vogel ruft –
Ach, wie stille! wie verlassen!

Todeskühl der Winter naht;
Wo sind, Wälder, eure Wonnen?
Fluren, eurer vollen Saat
Goldne Wellen sind verronnen!

Es ist worden kühl und spät,
Nebel auf der Wiese weidet,
Durch die öden Haine weht
Heimweh; – alles flieht und scheidet.

Herz, vernimmst du diesen Klang
Von den felsentstürzten Bächen?
Zeit gewesen wär es lang,
Daß wir ernsthaft uns besprächen!

Herz, du hast dir selber oft
Wehgetan und hast es andern,
Weil du hast geliebt, gehofft;
Nun ist's aus, wir müssen wandern!

Auf die Reise will ich fest
Ein dich schließen und verwahren,
Draußen mag ein linder West
Oder Sturm vorüberfahren;

Daß wir unsern letzten Gang
Schweigsam wandeln und alleine,
Daß auf unsern Grabeshang
Niemand als der Regen weine!

Himmelstrauer

Am Himmelsantlitz wandelt ein Gedanke,
Die düstre Wolke dort, so bang, so schwer;
Wie auf dem Lager sich der Seelenkranke
Wirft sich der Strauch im Winde hin und her.

Vom Himmel tönt ein schwermutmattes Grollen,
Die dunkle Wimper blinzet manches Mal,
– So blinzen Augen, wenn sie weinen wollen, –
Und aus der Wimper zuckt ein schwacher Strahl. –

Nun schleichen aus dem Moore kühle Schauer
Und leise Nebel übers Heideland;
Der Himmel ließ, nachsinnend seiner Trauer,
Die Sonne lässig fallen aus der Hand.

Frage

Bist du noch nie beim Morgenschein erwacht
Mit schwerem Herzen, traurig und beklommen,
Und wußtest nicht, wie du auch nachgedacht,
Woher ins Herz der Gram dir war gekommen?

Du fühltest nur: ein Traum war's in der Nacht;
Des Traumes Bilder waren dir verschwommen,
Doch hat nachwirkend ihre dunkle Macht
Dich, daß du weinen mußtest, übernommen.

Hast du dich einst der Erdennacht entschwungen,
Und werden, wie du meinst, am hellen Tage
Verloren sein des Traums Erinnerungen:

Wer weiß, ob nicht so deine Schuld hienieden
Nachwirken wird als eine dunkle Klage
Und dort der Seele stören ihren Frieden?

Der Nachtwind hat in den Bäumen
Sein Rauschen eingestellt,
Die Vögel sitzen und träumen
Am Aste traut gesellt.

Die ferne schmächtige Quelle,
Weil alles andre ruht,
Läßt hörbar nun Welle auf Welle
Hinflüstern ihre Flut.

Und wenn die Nähe verklungen,
Dann kommen an die Reih
Die leisen Erinnerungen
Und weinen fern vorbei.

Daß alles vorübersterbe,
Ist alt und allbekannt;
Doch diese Wehmut, die herbe,
Hat niemand noch gebannt.

Auf eine holländische Landschaft

Müde schleichen hier die Bäche,
Nicht ein Lüftchen hörst du wallen,
Die entfärbten Blätter fallen
Still zu Grund, vor Altersschwäche.

Krähen, kaum die Schwingen regend,
Streichen langsam; dort am Hügel
Läßt die Windmühl ruhn die Flügel;
Ach, wie schläfrig ist die Gegend!

Lenz und Sommer sind verflogen;
Dort das Hüttlein, ob es trutze,
Blickt nicht aus, die Strohkapuze
Tief ins Aug herabgezogen.

Schlummernd oder träge sinnend,
Ruht der Hirt bei seinen Schafen.
Die Natur, Herbstnebel spinnend,
Scheint am Rocken eingeschlafen.

Die drei Zigeuner

Drei Zigeuner fand ich einmal
Liegen an einer Weide,
Als mein Fuhrwerk mit müder Qual
Schlich durch sandige Heide.

Hielt der eine für sich allein
In den Händen die Fiedel,
Spielte, umglüht vom Abendschein,
Sich ein feuriges Liedel.

Hielt der zweite die Pfeif im Mund,
Blickte nach seinem Rauche,
Froh, als ob er vom Erdenrund
Nichts zum Glücke mehr brauche.

Und der dritte behaglich schlief,
Und sein Zimbal am Baum hing,
Über die Saiten der Windhauch lief,
Über sein Herz ein Traum ging.

An den Kleidern trugen die drei
Löcher und bunte Flicken,
Aber sie boten trotzig frei
Spott den Erdengeschicken.

Dreifach haben sie mir gezeigt,
Wenn das Leben uns nachtet,
Wie man's verraucht, verschläft, vergeigt
Und es dreimal verachtet.

Nach den Zigeunern lang noch schaun
Mußt ich im Weiterfahren,
Nach den Gesichtern dunkelbraun,
Den schwarzlockigen Haaren.

Einsamkeit

1

Hast du schon je dich ganz allein gefunden,
Lieblos und ohne Gott auf einer Heide,
Die Wunden schnöden Mißgeschicks verbunden
Mit stolzer Stille, zornig dumpfem Leide?

War jede frohe Hoffnung dir entschwunden,
Wie einem Jäger an der Bergesscheide
Stirbt das Gebell von den verlornen Hunden,
Wie's Vöglein zieht, daß es den Winter meide?

Warst du auf einer Heide so allein,
So weißt du auch, wie's einen dann bezwingt,
Daß er umarmend stürzt an einen Stein;

Daß er, von seiner Einsamkeit erschreckt,
Entsetzt empor vom starren Felsen springt
Und bang dem Winde nach die Arme streckt.

2

Der Wind ist fremd, du kannst ihn nicht umfassen,
Der Stein ist tot, du wirst beim kalten, derben
Umsonst um eine Trosteskunde werben,
So fühlst du auch bei Rosen dich verlassen;

Bald siehst du sie, dein ungewahr, erblassen,
Beschäftigt nur mit ihrem eignen Sterben.
Geh weiter: überall grüßt dich Verderben
In der Geschöpfe langen dunklen Gassen;

Siehst hier und dort sie aus den Hütten schauen,
Dann schlagen sie vor dir die Fenster zu,
Die Hütten stürzen, und du fühlst ein Grauen.

Lieblos und ohne Gott! Der Weg ist schaurig,
Der Zugwind in den Gassen kalt; und du? –
Die ganze Welt ist zum Verzweifeln traurig.

In der Wüste

Ist's nicht eitel und vergebens,
Lieben Freunde, saget an!
Durch den Wüstensand des Lebens
Sich zu wühlen eine Bahn?

Streut auch unser Fuß im Staube
Spuren aus von seinem Lauf,
Gleich, wie Geier nach dem Raube,
Kommt ein Sturm und frißt sie auf.

Einsam und in Karawanen
Treibt es nach dem Land der Ruh,
Und es flattern tausend Fahnen
Hier und dort der Ferne zu.

Wir auch wandern vielverbündet
Nach der Rätselferne aus;
Doch der Strahl der Wüste zündet
Sehnsucht nach dem kühlen Haus,

Zündet heißer stets das Sehnen
In die Gruft aus diesem Land,
Wo, nie satt, nach unsern Tränen
Lechzt herauf der dürre Sand.

Die nächtliche Fahrt

Zu öd und traurig selbst den Heidewinden
Sind diese winterlichen Einsamkeiten,
Nur Schnee und Schnee ringsaus in alle Weiten,
Nur stiller, keuscher, kalter Tod zu finden.

Hier ist's umsonst, nach frohem Ton zu lauschen,
Singvögel sind geflohn von diesem Grabe,
Den Schnabel in die Federn hüllt der Rabe,
Und eingefroren ist der Bäche Rauschen.

Sieht man den Wald so tief in Tod versunken,
Will man's nicht glauben, daß er jemals wieder
Aufgrünt im Lenz, daß je hier seine Lieder
Ein Vogel singt, vom Frühlingshauche trunken.

Es glänzt der Eichenwald in Eisesklammern;
Jetzt Wölfe heulen am verschneiten Grunde,
Wie Bettler, hungerwach, in nächtger Stunde
Am Grabe eines milden Königs jammern.

Dort fährt ein Schlitten auf der blanken Wüste,
Der Kutscher treibt die ausgestreckten Pferde,
Als ob mit seinem Fuhrwerk er die Erde
Vor Sonnenaufgang noch umrennen müßte.

Drei Hengste sind's, rasch wie des Nordens Lüfte,
Ein jeder trägt das werte Probezeichen
Der Schnelligkeit im rüstigen Entweichen,
Die Narbe des Wolfsbisses an der Hüfte.

Ein Glöcklein trägt das Mittelroß der Gabel,
Zum Glöcklein tanzend fliehn vorbei die Bäume
Am Schlitten, trüb, wie schnellvergessne Träume,
Der Wald entflieht wie eine bleiche Fabel.

Die schnellen Renner sind mit Eis behangen,
Das klirrend an den schwarzen Mähnen zittert,
Der Rosse Rücken ist mit Reif umgittert:
Der Tod will sie mit kaltem Netze fangen.

Gekauert sitzt, gehüllt vom Bärenkragen,
Der Wojewod im Schlittenkorbgeflechte
Still hinter seinem pelzverhüllten Knechte,
Der manchmal pfeift, die Pferde anzujagen.

Dem Schlitten folgt in klarer Mondeshelle
Ein zweiter nach, mit gleichgeschwinden Rennern,
Befrachtet auch mit zwei verhüllten Männern,
Und auf der Heide klingelt seine Schelle.

Die Nacht ist grimmig kalt; o Wandrer, meide
Den Schlaf; hörst du das Glöcklein nicht mehr schlagen,
So wird's vom Rosse dir vorangetragen,
Dein wandernd Sterbeglöcklein auf der Heide.

Der Bäume Leben floh zum Grund hinunter;
Gib, Wandrer, acht, daß nicht auch deine Seele
Zu ihrem Grunde sich hinunterstehle,
Wenn du einnickest; Wandrer, halt dich munter!

Bist du ein Jäger, denke an ein Wildern;
Hast du ein Lieb, denk an ihr süßes Lager;
Wenn Haß dich wurmt, der scharfe Herzensnager,
So halt dich wach und warm mit Rachebildern! –

Ha! Wölfe! Seht, ein ganzes Rudel Tode!
Sie folgen, eine nachgeschleifte Kette,
Die Todesangst, der Hunger rennen Wette,
Und ohne Furcht bleibt nur der Wojewode.

Es kracht der Schnee, schnell sind die grauen Horden,
Doch schneller sind, gottlob! die braven Hengste,

Die Rappen sind im Drang der Todesängste
Plötzlich wie junge Raben flügg geworden.

So fliehn sie weite Strecken, angstgetrieben;
Die Männer schießen schreckend die Gewehre
Vom Schlittenborde nach dem grausen Heere,
Bis nach und nach es ist zurückgeblieben.

Nun halten sie; die Pferde dampfend schwitzen
Und schnauben aus den Nüstern sich das Bangen;
Drei treten in die Schenke und verlangen
'nen Becher Wein, doch bleibt der Woiwod sitzen.

Da springt der Wirt, ein Jude, an den Schlitten
Und macht dem Gaste tiefe Reverenzen:
„Darf ich, Herr Wojewod, Euch nicht kredenzen
Wein, Brot und einen feinen Bratenschnitten?"

Und mit Gelächter ruft der Kutscher drinnen:
„Dem schmeckt kein Braten und kein Gläschen Roter,
Der ißt nicht, trinkt nicht, friert nicht, ist ein Toter,
An dem, Hebräer, wirst du nichts gewinnen!

Im Zweikampf ist der gute Herr geblieben,
Sein Erzfeind, Russe, hat ihn totgeschossen;
Ich fahre meinen schweigenden Genossen
Heim in die Gruft vorausgegangner Lieben.

Bald aber hätt ich ihm die Treu zerrissen,
Denn wären uns die Wölfe näher kommen,
So hätt ich ihn nicht weiter mitgenommen,
Ich hätt ihn, uns zu retten, hingeschmissen.

Ich meine immer noch sein Blut zu schauen,
Wie's rauchend in den weißen Schnee gequollen,
Wie sich's nicht bergen konnte in den Schollen;
Das Bluteis darf im Frühling erst zertauen!"

Sie fahren weiter mit verhängtem Zügel
Fort über Brücken, Zäune, Teich' und Bäche,
Denn alles hat der Schnee gefüllt zur Fläche
Und gleichgefegt der Wind mit seinem Flügel.

Nur manchmal blickt der Kutscher nach dem Toten;
Noch sitzt er da, das Haupt vorunterneigend,
Wie er gesessen, unbekümmert, schweigend,
Als hinterher die grimmen Wölfe drohten.

Das Mordblei, das den Wojewoden fällte
Und stecken blieb in seinem Eingeweide,
Der Schnee, der rings bedeckt Podoliens Heide,
Sein Herz – sind alle drei von gleicher Kälte.

Der Wind erwacht und rasselt an der Föhre,
Das Glöcklein schallt, es dunkelt vor den Rossen,
Am Himmel zieht der bleiche Mond verdrossen
Den Wolkenmantel zu, als ob er fröre. –

Das mahnt uns an die Träume eines Zaren,
Der gerne möcht in winternächtgen Stunden,
Das Ruhmesglöcklein an sein Roß gebunden,
Das *tote Polen* durch die Heide fahren.

Der Maskenball

Wirres Durcheinanderwallen
In den lichten Säulenhallen.
Der Trommeten hell Gedröhne
Und der Geigen tolle Lieder
Stürzen vom Gerüste nieder
Als ein Wildbach froher Töne;
Von dem Strome leicht bezwungen
Wird der Gäste bunte Menge,
Wird vom seligen Gedränge
Rascher Tänze schnell verschlungen.
Blumen und Orangenbäume
Blühen, duften rings im Saale,
Mahnen, holde Frühlingsträume,
Mich an ferne Blütentale,
Wecken mit dem stillen Gruß
Mir ein banges Hinverlangen,
Hauchen ihren leisen Kuß
Schönen Mädchen an die Wangen.
Doch den Frohen, Ruhelosen
Weht nicht Sehnsucht in dem Hauche,
Sind ja selber junge Rosen,
Die entflogen ihrem Strauche,
Flatternd in geliebten Tänzen,
Dem Gewinde bald entbunden,
Bald zu anmutvollen Kränzen
Von der Freude frisch gewunden;
Können sinnend nicht verweilen,
Müssen im Vergnügen eilen,
Denn des Welkens Klage naht.
Nie zu sühnender Verrat
An der Blüte Augenblicken
Wäre jede trübe Säumnis. –

Seht, da schwebt mit trautem Nicken,
Ein süß neckendes Geheimnis,
Eine holde Maske her.
Ach, wer bist du? Sage, wer? –
Lind und weich von heller Seide
Ist dein schlanker Leib umfangen,

Und vom amarantnen Kleide
Leicht und luftig überhangen,
Und du strahlst im Glanz des Goldes,
Polenmädchen, wunderholdes!
Schalkhaft kühn dein Käppchen sitzt,
Trotzend auf so schöne Stelle;
Wie der Demantstern dir blitzt
Aus der Nacht der Lockenwelle!
Wie die Perlen dich umschmiegen,
Die dir froh am Halse liegen!
Deine Reize still zu ehren,
Haben sie sich dort vereinet;
Hat ein Gott dir Freudenzähren
An den schönen Hals geweinet? –

Doch betracht ich dich genauer,
Weiß ich nicht, wie mir geschieht,
Rührst du mir das Herz zur Trauer,
Und die heitre Deutung flieht.
Mädchen, willst du in Symbolen:
Weißem Nacken, Perlenschnüren,
Uns das Trauerlos der Polen
Mahnend vor die Seele führen?
Zeigen uns im schönen Bilde
Tränenvolle Schneegefilde?
Ja, du kamst in dieses Haus,
Leise strafend uns zu tragen
In den schmerzvergessnen Braus
Polens Glück aus alten Tagen,
Daß wir seinen Fall bedenken
Und in Wehmut uns versenken. –
Abgewendet nun mit Schweigen,
Schwindest du im dichten Reigen,
Wie Polonias Herrlichkeit
Schwand im wilden Tanz der Zeit! –

Masken kommen, immer neue,
Hier ein Ritter mit der Dame,
Spricht von seinem Liebesgrame

Und gelobt ihr seine Treue.

Dort im härenen Gewande,
Mit Sandal und Muschelhut,
Wie entrückt in ferne Lande,
Über Berg' und Meeresflut –
Steht ein Pilger: seine Träume
Säuseln ihm wie Palmenbäume,
Zaubern ihn zum heilgen Grabe,
Seines Glaubens liebster Habe. –

Seid willkommen mir, Matrosen!
Nehmt mich auf in eurem Schiffe!
Frisch hinaus ins Meerestosen,
Durch die flutbeschäumten Riffe!
Ha! schon seh ich Möwen ziehn,
Wetterwolken seh ich jagen,
Und die Stürme hör ich schlagen;
Süße Heimat, fahre hin!
Nach der Freiheit Paradiesen
Nehmen wir den raschen Zug,

Wo in heilgen Waldverliesen
Kein Tyrann sich Throne schlug.
Weihend mich mit stillem Beten,
Will den Urwald ich betreten,
Wandern will ich durch die Hallen,
Wo die Schauer Gottes wallen,
Wo in wunderbarer Pracht
Himmelwärts die Bäume dringen,
Brausend um die keusche Nacht
Ihre Riesenarme schlingen.
Dort will ich für meinen Kummer
Finden den ersehnten Schlummer;
Will vom Schicksal Kunde werben,
Daß es mir mag anvertrauen
In der Wälder tiefem Grauen,
Warum Polen mußte sterben.
Und der Antwort will ich lauschen
In der Vögel Melodeien,
In des Raubtiers wildem Schreien
Und im Niagararauschen.

Einem Wanderer in österreichischer Felsenschlucht

Durch einen schmalen Felsenritz
Siehst du am Himmel Nacht und Blitz.

Am Klippenrand der karge Strauch
Ist wildbewegt vom Wetterhauch.

Gebrochen zuckt herein der Strahl,
Ein Feuersplitter, dir ins Tal.

Wie weit Gewitter füllt die Luft,
Kannst du nicht schaun in deiner Kluft;

Doch wechseln hörst du Donnerstimmen,
Bald ferne dort, bald nah ergrimmen.

Nun folgt in langer Pause nach,
Spät eingedenk, dem Blitz der Krach,

Dem Wandrer in der Schlucht zu künden,
Wie weithin Wetter sich verbünden.

Abschied
Lied eines Auswandernden

Sei mir zum letztenmal gegrüßt
Mein Vaterland, das, feige dumm,
Die Ferse dem Despoten küßt
Und seinem Wink gehorchet stumm.

Wohl schlief das Kind in deinem Arm;
Du gabst, was Knaben freuen kann;
Der Jüngling fand ein Liebchen warm;
Doch keine Freiheit fand der Mann.

Im Hochland streckt der Jäger sich
Zu Boden schnell, wenn Wildesschar
Heran sich stürzet fürchterlich;
Dann schnaubt vorüber die Gefahr:

Mein Vaterland, so sinkst du hin,
Rauscht deines Herrschers Tritt heran,
Und lässest ihn vorüberziehn
Und hältst den bangen Atem an. –

Fleug, Schiff, wie Wolken durch die Luft,
Hin, wo die Götterflamme brennt!
Meer, spüle mir hinweg die Kluft,
Die von der Freiheit noch mich trennt!

Du neue Welt, du freie Welt,
An deren blütenreichem Strand
Die Flut der Tyrannei zerschellt,
Ich grüße dich, mein Vaterland!

Am Grabe eines Ministers

Du fuhrst im goldnen Glückeswagen
Dahin den raschen Trott,
Von keuchenden Lüsten fortgetragen,
Und dünktest dir ein Gott!

Doch wie auch klagte die bittre Klage,
Wie auch die Träne rann:
Du triebst mit gellendem Geißelschlage
Vorüber dein Gespann! –

Wie flogen des Pöbels Rabenschwärme
Dir aus dem Weg so bang,
Da sie hörten der Geißel wild Gelärme,
Der Räder Donnerklang!

„Halt!" schlug nun eine grause Stimme
An dein entsetztes Ohr,
Es stürzt', ein Räuber, mit Hohn und Grimme
Der Tod vom Wald hervor

Ein weinender Bettler, stand am Wege
Das arme Vaterland
Und flehte dich an um milde Pflege
Mit aufgehobner Hand;

Und hieb die Stränge mit scharfem Schwerte
Vom Wagen, riß mit Macht
Dich fort, trotz Flehen und Angstgebärde,
In seine finstre Nacht.

Das Vaterland mit Lachen und Singen
Hält Wacht an deinem Grab,
Scheucht Tränen und Seufzer und Händeringen
Fort mit dem Bettelstab!

Eduard Mörike
1804–1875

An einem Wintermorgen, vor Sonnenaufgang

O flaumenleichte Zeit der dunkeln Frühe!
Welch neue Welt bewegest du in mir?
Was ist's, daß ich auf einmal nun in dir
Von sanfter Wollust meines Daseins glühe?

Einem Kristall gleicht meine Seele nun,
Den noch kein falscher Strahl des Lichts getroffen;
Zu fluten scheint mein Geist, er scheint zu ruhn,
Dem Eindruck naher Wunderkräfte offen,
Die aus dem klaren Gürtel blauer Luft
Zuletzt ein Zauberwort vor meine Sinne ruft.

Bei hellen Augen glaub ich doch zu schwanken;
Ich schließe sie, daß nicht der Traum entweiche.
Seh ich hinab in lichte Feenreiche?

Wer hat den bunten Schwarm von Bildern und Gedanken
Zur Pforte meines Herzens hergeladen,
Die glänzend sich in diesem Busen baden,
Goldfarbgen Fischlein gleich im Gartenteiche?

Ich höre bald der Hirtenflöten Klänge,
Wie um die Krippe jener Wundernacht,
Bald weinbekränzter Jugend Lustgesänge;
Wer hat das friedenselige Gedränge
In meine traurigen Wände hergebracht?

Und welch Gefühl entzückter Stärke,
Indem mein Sinn sich frisch zur Ferne lenkt!
Vom ersten Mark des heutgen Tags getränkt,
Fühl ich mir Mut zu jedem frommen Werke.
Die Seele fliegt, soweit der Himmel reicht,
Der Genius jauchzt in mir! Doch sage,
Warum wird jetzt der Blick von Wehmut feucht?

Ist's ein verloren Glück, was mich erweicht?
Ist es ein werdendes, was ich im Herzen trage?
– Hinweg, mein Geist! Hier gilt kein Stillestehn:
Es ist ein Augenblick, und alles wird verwehn!

Dort, sieh! Am Horizont lüpft sich der Vorhang schon!
Es träumt der Tag, nun sei die Nacht entflohn;
Die Purpurlippe, die geschlossen lag,
Haucht, halb geöffnet, süße Atemzüge:
Auf einmal blitzt das Aug, und, wie ein Gott, der Tag
Beginnt im Sprung die königlichen Flüge!

In der Frühe

Kein Schlaf noch kühlt das Auge mir,
Dort gehet schon der Tag herfür
An meinem Kammerfenster.
Es wühlet mein verstörter Sinn
Noch zwischen Zweifeln her und hin
Und schaffet Nachtgespenster.
Ängste, quäle
Dich nicht länger, meine Seele!
Freu dich! Schon sind da und dorten
Morgenglocken wach geworden.

Mein Fluß

O Fluß, mein Fluß im Morgenstrahl!
Empfange nun, empfange
Den sehnsuchtsvollen Leib einmal
Und küsse Brust und Wange!

– Er fühlt mir schon herauf die Brust,
Er kühlt mit Liebesschauerlust
Und jauchzendem Gesange.

Es schlüpft der goldne Sonnenschein
In Tropfen an mir nieder,
Die Woge wieget aus und ein
Die hingegebnen Glieder;
Die Arme hab ich ausgespannt,
Sie kommt auf mich herzugerannt,
Sie faßt und läßt mich wieder.

Du murmelst so, mein Fluß, warum?
Du trägst seit alten Tagen
Ein seltsam Märchen mit dir um
Und mühst dich, es zu sagen;
Du eilst so sehr und läufst so sehr,
Als müßtest du im Land umher,
Man weiß nicht wen, drum fragen.

Der Himmel, blau und kinderrein,
Worin die Wellen singen,
Der Himmel ist die Seele dein:
O laß mich ihn durchdringen!
Ich tauche mich mit Geist und Sinn
Durch die vertiefte Bläue hin
Und kann sie nicht erschwingen!

Was ist so tief, so tief wie sie?
Die Liebe nur alleine.
Sie wird nicht satt und sättigt nie
Mit ihrem Wechselscheine.
– Schwill an, mein Fluß, und hebe dich!
Mit Grausen übergieße mich!
Mein Leben um das deine!

Du weisest schmeichelnd mich zurück
Zu deiner Blumenschwelle.
So trage denn allein dein Glück
Und wieg auf deiner Welle
Der Sonne Pracht, des Mondes Ruh.
Nach tausend Irren kehrest du
Zur ewgen Mutterquelle!

Früh im Wagen

Es graut vom Morgenreif
In Dämmerung das Feld,
Da schon ein blasser Streif
Den fernen Ost erhellt;

Man sieht im Lichte bald
Den Morgenstern vergehn
Und doch am Fichtenwald
Den vollen Mond noch stehn:

So ist mein scheuer Blick,
Den schon die Ferne drängt,
Noch in das Schmerzensglück
Der Abschiedsnacht versenkt.

Dein blaues Auge steht,
Ein dunkler See, vor mir,
Dein Kuß, dein Hauch umweht,
Dein Flüstern mich noch hier.

An deinem Hals begräbt
Sich weinend mein Gesicht,
Und Purpurschwärze webt
Mir vor dem Auge dicht.

Die Sonne kommt; – sie scheucht
Den Traum hinweg im Nu,
Und von den Bergen streicht
Ein Schauer auf mich zu.

Er ist's

Frühling läßt sein blaues Band
Wieder flattern durch die Lüfte;
Süße, wohlbekannte Düfte
Streifen ahnungsvoll das Land.
Veilchen träumen schon,
Wollen balde kommen.
– Horch, von fern ein leiser Harfenton!
 Frühling, ja du bist's!
Dich hab' ich vernommen!

Im Frühling

Hier lieg ich auf dem Frühlingshügel:
Die Wolke wird mein Flügel,
Ein Vogel fliegt mir voraus.
Ach, sag mir, alleinzige Liebe,
Wo du bleibst, daß ich bei dir bliebe!
Doch du und die Lüfte, ihr habt kein Haus.

Der Sonnenblume gleich steht mein Gemüte offen,
Sehnend,
Sich dehnend
In Lieben und Hoffen.
Frühling, was bist du gewillt?
Wann werd ich gestillt?

Die Wolke seh ich wandeln und den Fluß,
Es dringt der Sonne goldner Kuß
Mir tief bis ins Geblüt hinein;
Die Augen, wunderbar berauschet,
Tun, als schliefen sie ein,
Nur noch das Ohr dem Ton der Biene lauschet.
Ich denke dies und denke das,
Ich sehne mich und weiß nicht recht, nach was:
Halb ist es Lust, halb ist es Klage;
Mein Herz, o sage,
Was webst du für Erinnerung
In golden grüner Zweige Dämmerung?
– Alte unnennbare Tage!

Septembermorgen

Im Nebel ruhet noch die Welt,
Noch träumen Wald und Wiesen:
Bald siehst du, wenn der Schleier fällt,
Den blauen Himmel unverstellt,
Herbstkräftig die gedämpfte Welt
In warmem Golde fließen.

Besuch in Urach

Nur fast so wie im Traum ist mir's geschehen,
Daß ich in dies geliebte Tal verirrt.
Kein Wunder ist, was meine Augen sehen,
Doch schwankt der Boden; Luft und Staude schwirrt,
Aus tausend grünen Spiegeln scheint zu gehen
Vergangne Zeit, die lächelnd mich verwirrt;
Die Wahrheit selber wird hier zum Gedichte,
Mein eigen Bild ein fremd und hold Gesichte!

Da seid ihr alle wieder aufgerichtet,
Besonnte Felsen, alte Wolkenstühle!
Auf Wäldern schwer, wo kaum der Mittag lichtet
Und Schatten mischt mit balsamreicher Schwüle.
Kennt ihr mich noch, der sonst hieher geflüchtet,
Im Moose, bei süß-schläferndem Gefühle,
Der Mücke Sumsen hier ein Ohr geliehen,
Ach, kennt ihr mich, und wollt nicht vor mir fliehen?

Hier wird ein Strauch, ein jeder Halm zur Schlinge,
Die mich in liebliche Betrachtung fängt;
Kein Mäuerchen, kein Holz ist so geringe,
Daß nicht mein Blick voll Wehmut an ihm hängt:
Ein jedes spricht mir halbvergessne Dinge;
Ich fühle, wie von Schmerz und Lust gedrängt
Die Träne stockt, indes ich ohne Weile,
Unschlüssig, satt und durstig, weitereile.

Hinweg! Und leite mich, du Schar von Quellen,
Die ihr durchspielt der Matten grünes Gold!
Zeigt mir die urbemoosten Wasserzellen,
Aus denen euer ewigs Leben rollt,
Im kühnsten Walde die verwachsnen Schwellen,
Wo eurer Mutter Kraft im Berge grollt,
Bis sie im breiten Schwung an Felsenwänden
Herabstürzt, euch im Tale zu versenden.

O hier ist's, wo Natur den Schleier reißt!
Sie bricht einmal ihr übermenschlich Schweigen;
Laut mit sich selber redend will ihr Geist,

Sich selbst vernehmend, sich ihm selber zeigen.
– Doch ach, sie bleibt, mehr als der Mensch, verwaist,
Darf nicht aus ihrem eignen Rätsel steigen!
Dir biet ich denn, begier'ge Wassersäule,
Die nackte Brust, ach, ob sie dir sich teile!

Vergebens! Und dein kühles Element
Tropft an mir ab, im Grase zu versinken.
Was ist's, das deine Seele von mir trennt?
Sie flieht, und möcht ich auch in dir ertrinken!
Dich kränkt's nicht, wie mein Herz um dich entbrennt,
Küssest im Sturz nur diese schroffen Zinken;
Du bleibest, was du warst seit Tag und Jahren,
Ohn ein'gen Schmerz der Zeiten zu erfahren.

Hinweg aus diesem üppgen Schattengrund
Voll großer Pracht, die drückend mich erschüttert!
Bald grüßt beruhigt mein verstummter Mund
Den schlichten Winkel, wo sonst halb verwittert
Die kleine Bank und wo das Hüttchen stund;
Erinnrung reicht mit Lächeln die verbittert
Bis zur Betäubung süßen Zauberschalen;
So trink ich gierig die entzückten Qualen.

Hier schlang sich tausendmal ein junger Arm
Um meinen Hals mit inn'gem Wohlgefallen.
O säh ich mich, als Knaben sonder Harm,
Wie einst,mit Necken durch die Haine wallen!
Ihr Hügel, von der *alten* Sonne warm,
Erscheint mir denn auf keinem von euch allen
Mein Ebenbild, in jugendlicher Frische
Hervorgesprungen aus dem Waldgebüsche?

O komm, enthülle dich! Dann sollst du mir
Mit Freundlichkeit ins dunkle Auge schauen!
Noch immer, guter Knabe, gleich ich dir,
Uns beiden wird nicht voreinander grauen!
So komm und laß mich unaufhaltsam hier
Mich deinem reinen Busen anvertrauen! –
Umsonst, daß ich die Arme nach dir strecke,
Den Boden, wo du gingst, mit Küssen decke!

Hier will ich denn laut schluchzend liegen bleiben,
Fühllos, und alles habe seinen Lauf! –
Mein Finger, matt, ins Gras beginnt zu schreiben:
Hin ist die Lust! hab alles seinen Lauf!
Da, plötzlich, hör ich's durch die Lüfte treiben,
Und ein entfernter Donner schreckt mich auf;
Elastisch angespannt mein ganzes Wesen
Ist von Gewitterluft wie neu genesen.

Sieh, wie die Wolken finstre Ballen schließen
Um den ehrwürdgen Trotz der Burgruine!

Von weitem schon hört man den alten Riesen,
Stumm harrt das Tal mit ungewisser Miene,
Der Kuckuck nur ruft sein einförmig Grüßen
Versteckt aus unerforschter Wildnis Grüne –
Jetzt kracht die Wölbung und verhallet lange,
Das wundervolle Schauspiel ist im Gange!

Ja, nun, indes mit hoher Feuerhelle
Der Blitz die Stirn und Wange mir verklärt,
Ruf ich den lauten Segen in die grelle
Musik des Donners, die mein Wort bewährt:
O Tal! Du meines Lebens andre Schwelle!
Du meiner tiefsten Kräfte stiller Herd!
Du meiner Liebe Wundernest! ich scheide,
Leb wohl! – Und sei dein Engel mein Geleite!

Gesang zu zweien in der Nacht

Sie

Wie süß der Nachtwind nun die Wiese streift
Und klingend jetzt den jungen Hain durchläuft!
Da noch der freche Tag verstummt,
Hört man der Erdenkräfte flüsterndes Gedränge,
Das aufwärts in die zärtlichen Gesänge
Der reingestimmten Lüfte summt.

Er

Vernehm ich doch die wunderbarsten Stimmen,
Vom lauen Wind wollüstig hingeschleift,
Indes, mit ungewissem Licht gestreift,
Der Himmel selber scheinet hinzuschwimmen.

Sie

Wie ein Gewebe zuckt die Luft manchmal,
Durchsichtiger und heller aufzuwehen;
Dazwischen hört man weiche Töne gehen
Von selgen Feeen, die im blauen Saal
Zum Sphärenklang
Und fleißig mit Gesang
Silberne Spindeln hin und wieder drehen.

Er

O holde Nacht, du gehst mit leisem Tritt
Auf schwarzem Samt, der nur am Tage grünet,
Und luftig schwirrender Musik bedienet
Sich nun dein Fuß zum leichten Schritt,
Womit du Stund um Stunde missest,
Dich lieblich in dir selbst vergissest –
Du schwärmst, es schwärmt der Schöpfung Seele mit!

451

Jägerlied

Zierlich ist des Vogels Tritt im Schnee,
Wenn er wandelt auf des Berges Höh:
Zierlicher schreibt Liebchens liebe Hand,
Schreibt ein Brieflein mir in ferne Land'.

In die Lüfte hoch ein Reiher steigt,
Dahin weder Pfeil noch Kugel fleugt:
Tausendmal so hoch und so geschwind
Die Gedanken treuer Liebe sind.

An die Geliebte

Wenn ich, von deinem Anschaun tief gestillt,
Mich stumm an deinem heilgen Wert vergnüge,
Dann hör ich recht die leisen Atemzüge
Des Engels, welcher sich in dir verhüllt,

Und ein erstaunt, ein fragend Lächeln quillt
Auf meinem Mund, ob mich kein Traum betrüge,
Daß nun in dir, zu ewiger Genüge,
Mein kühnster Wunsch, mein einzger, sich erfüllt.

Von Tiefe dann zu Tiefen stürzt mein Sinn,
Ich höre aus der Gottheit nächtger Ferne
Die Quellen des Geschicks melodisch rauschen.

Betäubt kehr ich den Blick nach oben hin,
Zum Himmel auf – da lächeln alle Sterne;
Ich kniee, ihrem Lichtgesang zu lauschen.

Neue Liebe

Kann auch ein Mensch des andern auf der Erde
Ganz, wie er möchte, sein?
– In langer Nacht bedacht ich mir's und mußte sagen, nein!

So kann ich niemands heißen auf der Erde,
Und niemand wäre mein?
– Aus Finsternissen hell in mir aufzückt ein Freudenschein:

Sollt ich mit Gott nicht können sein,
So wie ich möchte, Mein und Dein?
Was hielte mich, daß ich's nicht heute werde?

Ein süßes Schrecken geht durch mein Gebein!
Mich wundert, daß es mir ein Wunder wollte sein,
Gott selbst zu eigen haben auf der Erde!

Das verlassene Mägdlein

Früh, wann die Hähne krähn,
Eh die Sternlein verschwinden,
Muß ich am Herde stehn,
Muß Feuer zünden.

Schön ist der Flammen Schein,
Es springen die Funken;
Ich schaue so drein,
In Leid versunken.

Plötzlich, da kommt es mir,
Treuloser Knabe,
Daß ich die Nacht von dir
Geträumet habe.

Träne auf Träne dann
Stürzet hernieder;
So kommt der Tag heran –
O ging er wieder!

Schön-Rohtraut

Wie heißt König Ringangs Töchterlein?
 Rohtraut, Schön-Rohtraut.
Was tut sie denn den ganzen Tag,
Da sie wohl nicht spinnen und nähen mag?
 Tut fischen und jagen.
O daß ich doch ihr Jäger wär!
Fischen und Jagen freute mich sehr.
 – Schweig stille, mein Herze!

Und über eine kleine Weil,
 Rohtraut, Schön-Rohtraut,
So dient der Knab auf Ringangs Schloß
In Jägertracht und hat ein Roß,
 Mit Rohtraut zu jagen.
O daß ich doch ein Königssohn wär!
Rohtraut, Schön-Rohtraut lieb ich so sehr.
 – Schweig stille, mein Herze!

Einsmals sie ruhten am Eichenbaum,
 Da lacht Schön-Rohtraut:
„Was siehst mich an so wunniglich?
Wenn du das Herz hast, küsse mich!"
 Ach! erschrak der Knabe!
Doch denket er: „Mir ist's vergunnt",
Und küsset Schön-Rohtraut auf den Mund.
 – Schweig stille, mein Herze!

Darauf sie ritten schweigend heim,
 Rohtraut, Schön-Rohtraut:
Es jauchzt der Knab in seinem Sinn:
„Und würdst du heute Kaiserin,
 Mich sollt's nicht kränken!
Ihr tausend Blätter im Walde wißt,
Ich hab Schön-Rohtrauts Mund geküßt!
 – Schweig stille, mein Herze!"

Der Feuerreiter

Sehet ihr am Fensterlein
Dort die rote Mütze wieder?
Nicht geheuer muß es sein,
Denn er geht schon auf und nieder.
Und auf einmal welch Gewühle
Bei der Brücke, nach dem Feld!
Horch! Das Feuerglöcklein gellt:
 Hinterm Berg,
 Hinterm Berg
Brennt es in der Mühle!

Schaut! Da sprengt er wütend schier
Durch das Tor, der Feuerreiter,
Auf dem rippendürren Tier,
Als auf einer Feuerleiter!
Querfeldein! Durch Qualm und Schwüle
Rennt er schon und ist am Ort!
Drüben schallt es fort und fort:
 Hinterm Berg,
 Hinterm Berg
Brennt es in der Mühle!

453

Der so oft den roten Hahn
Meilenweit von fern gerochen,
Mit des heilgen Kreuzes Span
Freventlich die Glut besprochen –
Weh! Dir grinst vom Dachgestühle
Dort der Feind im Höllenschein.
Gnade Gott der Seele dein!
 Hinterm Berg,
 Hinterm Berg
Rast er in der Mühle!

Keine Stunde hielt es an,
Bis die Mühle borst in Trümmer;
Doch den kecken Reitersmann
Sah man von der Stunde nimmer.
Volk und Wagen im Gewühle
Kehren heim von all dem Graus;
Auch das Glöcklein klinget aus:
 Hinterm Berg,
 Hinterm Berg
Brennt's! –

Nach der Zeit ein Müller fand
Ein Gerippe samt der Mützen
Aufrecht an der Kellerwand
Auf der beinern Mähre sitzen:
Feuerreiter, wie so kühle
Reitest du in deinem Grab!
Husch! da fällt's in Asche ab.
 Ruhe wohl,
 Ruhe wohl
Drunten in der Mühle!

Die Geister am Mummelsee

Vom Berge was kommt dort um Mitternacht spät
Mit Fackeln so prächtig herunter?
Ob das wohl zum Tanze, zum Feste noch geht?
Mir klingen die Lieder so munter.
 O nein!
So sage, was mag es wohl sein?

Das, was du da siehest, ist Totengeleit,
Und was du da hörest, sind Klagen.
Dem König, dem Zauberer, gilt es zu Leid,
Sie bringen ihn wieder getragen.
 O weh!
So sind es die Geister vom See!

Sie schweben herunter ins Mummelseetal –
Sie haben den See schon betreten –
Sie rühren und netzen den Fuß nicht einmal –
Sie schwirren in leisen Gebeten –
 O schau,
Am Sarge die glänzende Frau!

Jetzt öffnet der See das grünspiegelnde Tor;
Gib acht, nun tauchen sie nieder!
Es schwankt eine lebende Treppe hervor,
Und – drunten schon summen die Lieder.
 Hörst du?
Sie singen ihn unten zur Ruh.

Die Wasser, wie lieblich sie brennen und glühn!
Sie spielen in grünendem Feuer;
Es geisten die Nebel am Ufer dahin,
Zum Meere verzieht sich der Weiher –
 Nur still!
Ob dort sich nichts rühren will?

Es zuckt in der Mitten – o Himmel! Ach hilf!
Nun kommen sie wieder, sie kommen!
Es orgelt im Rohr, und es klirret im Schilf;
Nur hurtig, die Flucht nur genommen!
 Davon!
Sie wittern, sie haschen mich schon!

Gesang Weylas

Du bist Orplid, mein Land!
Das ferne leuchtet;
Vom Meere dampfet dein besonnter Strand
Den Nebel, so der Götter Wange feuchtet.

Uralte Wasser steigen
Verjüngt um deine Hüften, Kind!
Vor deiner Gottheit beugen
Sich Könige, die deine Wärter sind.

Die schöne Buche

Ganz verborgen im Wald kenn ich ein Plätzchen, da stehet
 Eine Buche, man sieht schöner im Bilde sie nicht.
Rein und glatt, in gediegenem Wuchs erhebt sie sich einzeln,
 Keiner der Nachbarn rührt ihr an den seidenen Schmuck.
Rings, soweit sein Gezweig der stattliche Baum ausbreitet,
 Grünet der Rasen, das Aug still zu erquicken, umher;
Gleich nach allen Seiten umzirkt er den Stamm in der Mitte;
 Kunstlos schuf die Natur selber dies liebliche Rund.
Zartes Gebüsch umkränzet es erst; hochstämmige Bäume,
 Folgend in dichtem Gedräng, wehren dem himmlischen Blau.
Neben der dunkleren Fülle des Eichbaums wieget die Birke
 Ihr jungfräuliches Haupt schüchtern im goldenen Licht.
Nur wo, verdeckt vom Felsen, der Fußsteig jäh sich hinabschlingt,
 Lässet die Hellung mich ahnen das offene Feld. –
Als ich unlängst einsam, von neuen Gestalten des Sommers
 Ab dem Pfade gelockt, dort im Gebüsch mich verlor,
Führt' ein freundlicher Geist, des Hains auflauschende Gottheit,
 Hier mich zum erstenmal, plötzlich, den Staunenden, ein.
Welch Entzücken! Es war um die hohe Stunde des Mittags,
 Lautlos alles, es schwieg selber der Vogel im Laub.
Und ich zauderte noch, auf den zierlichen Teppich zu treten;
 Festlich empfing er den Fuß, leise beschritt ich ihn nur.

Jetzo, gelehnt an den Stamm (er trägt sein breites Gewölbe
 Nicht zu hoch), ließ ich rundum die Augen ergehn,
Wo den beschatteten Kreis die feurig strahlende Sonne,
 Fast gleich messend umher, säumte mit blendendem Rand.
Aber ich stand und rührte mich nicht; dämonischer Stille,
 Unergründlicher Ruh lauschte mein innerer Sinn.
Eingeschlossen mit dir in diesem sonnigen Zauber-
 Gürtel, o Einsamkeit, fühlt ich und dachte nur dich!

Auf eine Lampe

Noch unverrückt, o schöne Lampe, schmückest du,
An leichten Ketten zierlich aufgehangen hier,
Die Decke des nun fast vergessnen Lustgemachs.
Auf deiner weißen Marmorschale, deren Rand
Der Efeukranz von goldengrünem Erz umflicht,
Schlingt fröhlich eine Kinderschar den Ringelreihn.
Wie reizend alles! lachend, und ein sanfter Geist
Des Ernstes doch ergossen um die ganze Form –
Ein Kunstgebild der echten Art. Wer achtet sein?
Was aber schön ist, selig scheint es in ihm selbst.

Auf eine Christblume

I.

Tochter des Walds, du Lilienverwandte,
So lang von mir gesuchte, unbekannte,
Im fremden Kirchhof, öd und winterlich,
Zum erstenmal, o schöne, find ich dich!

Von welcher Hand gepflegt du hier erblühtest,
Ich weiß es nicht, noch wessen Grab du hütest;
Ist es ein Jüngling, so geschah ihm Heil,
Ist's eine Jungfrau, lieblich fiel ihr Teil.

Im nächtgen Hain, von Schneelicht überbreitet,
Wo fromm das Reh an dir vorüberweidet,
Bei der Kapelle, am kristallnen Teich,
Dort sucht ich deiner Heimat Zauberreich.

Schön bist du, Kind des Mondes, nicht der Sonne;
Dir wäre tödlich andrer Blumen Wonne,
Dich nährt, den keuschen Leib voll Reif und Duft,
Himmlischer Kälte balsamsüße Luft.

In deines Busens goldner Fülle gründet
Ein Wohlgeruch, der sich nur kaum verkündet;
So duftete, berührt von Engelshand,
Der benedeiten Mutter Brautgewand.

Dich würden, mahnend an das heilge Leiden,
Fünf Purpurtropfen schön und einzig kleiden:

Doch kindlich zierst du, um die Weihnachtszeit,
Lichtgrün mit einem Hauch dein weißes Kleid.

Der Elfe, der in mitternächtger Stunde
Zum Tanze geht im lichterhellen Grunde,
Vor deiner mystischen Glorie steht er scheu
Neugierig still von fern und huscht vorbei.

II.

Im Winterboden schläft, ein Blumenkeim,
Der Schmetterling, der einst um Busch und Hügel
In Frühlingsnächten wiegt den samtnen Flügel;
Nie soll er kosten deinen Honigseim.

Wer aber weiß, ob nicht ein zarter Geist,
Wenn jede Zier des Sommers hingesunken,
Dereinst, von deinem leisen Dufte trunken,
Mir unsichtbar, dich blühende umkreist?

An eine Äolsharfe

Tu semper urges flebilibus modis
Mysten ademptum: nec tibi Vespero
Surgente decedunt amores,
Nec rapidum fugiente Solem.
Horaz

Angelehnt an die Efeuwand
Dieser alten Terrasse,
Du, einer luftgebornen Muse
Geheimnisvolles Saitenspiel,
Fang an,
Fange wieder an
Deine melodische Klage!

Ihr kommet, Winde, fern herüber,
Ach! von des Knaben,
Der mir so lieb war,
Frisch grünendem Hügel.
Und Frühlingsblüten unterweges streifend,
Übersättigt mit Wohlgerüchen,
Wie süß bedrängt ihr dies Herz!
Und säuselt her in die Saiten,
Angezogen von wohllautender Wehmut,
Wachsend im Zug meiner Sehnsucht,
Und hinsterbend wieder.

Aber auf einmal,
Wie der Wind heftiger herstößt,
Ein holder Schrei der Harfe
Wiederholt, mir zu süßem Erschrecken,
Meiner Seele plötzliche Regung;

Und hier – die volle Rose streut, geschüttelt,
All ihre Blätter vor meine Füße!

[Motto: Oden II 9: Du trauest endlos durch Melodien des Grams/Um Mystes Abschied; weder wenn Hesperus/Aufsteiget, räumt dein Herz die Sehnsucht,/Noch wenn der Sonne Gewalt er fliehet (J. H. Voß).]

Denk es, o Seele!

Ein Tännlein grünet wo,
Wer weiß, im Walde,
Ein Rosenstrauch, wer sagt,
In welchem Garten?
Sie sind erlesen schon,
Denk es, o Seele!
Auf deinem Grab zu wurzeln
Und zu wachsen.

Zwei schwarze Rößlein weiden
Auf der Wiese,
Sie kehren heim zur Stadt
In muntern Sprüngen.
Sie werden schrittweis gehn
Mit deiner Leiche;
Vielleicht, vielleicht noch eh
An ihren Hufen
Das Eisen los wird,
Das ich blitzen sehe!

Peregrina

I

Der Spiegel dieser treuen, braunen Augen
Ist wie von innerm Gold ein Widerschein;
Tief aus dem Busen scheint er's anzusaugen,
Dort mag solch Gold in heilgem Gram gedeihn.
In diese Nacht des Blickes mich zu tauchen,
Unwissend Kind, du selber lädst mich ein –
Willst, ich soll kecklich mich und dich entzünden,
Reichst lächelnd mir den Tod im Kelch der Sünden!

II

Aufgeschmückt ist der Freudensaal.
Lichterhell, bunt, in laulicher Sommernacht
Stehet das offene Gartengezelte.
Säulengleich steigen, gepaart,
Grün-umranket, eherne Schlangen,
Zwölf, mit verschlungenen Hälsen,
Tragend und stützend das
Leicht gegitterte Dach.

Aber die Braut noch wartet verborgen
In dem Kämmerlein ihres Hauses.
Endlich bewegt sich der Zug der Hochzeit,
Fackeln tragend,
Feierlich stumm.
Und in der Mitte,
Mich an der rechten Hand,
Schwarz gekleidet, geht einfach die Braut;
Schöngestaltet ein Scharlachtuch
Liegt um den zierlichen Kopf geschlagen.
Lächelnd geht sie dahin; das Mahl schon duftet.

Später im Lärmen des Fests
Stahlen wir seitwärts uns beide
Weg, nach den Schatten des Gartens wandelnd,
Wo im Gebüsche die Rosen brannten,
Wo der Mondstrahl um Lilien zuckte,
Wo die Weymouthsfichte mit schwarzem Haar
Den Spiegel des Teiches halb verhängt.

Auf seidnem Rasen dort, ach, Herz am Herzen,
Wie verschlangen, erstickten meine Küsse den scheueren Kuß!
Indes der Springquell, unteilnehmend
An überschwenglicher Liebe Geflüster,
Sich ewig des eigenen Plätscherns freute;
Uns aber neckten von fern und lockten
Freundliche Stimmen,
Flöten und Saiten umsonst.

Ermüdet lag, zu bald für mein Verlangen,
Das leichte, liebe Haupt auf meinem Schoß.
Spielender Weise mein Aug auf ihres drückend,
Fühlt ich ein Weilchen die langen Wimpern,
Bis der Schlaf sie stellte,
Wie Schmetterlingsgefieder auf und nieder gehn.

Eh das Frührot schien,
Eh das Lämpchen erlosch im Brautgemache,
Weckt ich die Schläferin,
Führte das seltsame Kind in mein Haus ein.

III

Ein Irrsal kam in die Mondscheingärten
Einer einst heiligen Liebe.
Schaudernd entdeckt ich verjährten Betrug.
Und mit weinendem Blick, doch grausam,
Hieß ich das schlanke,
Zauberhafte Mädchen
Ferne gehen von mir.
Ach, ihre hohe Stirn
War gesenkt, denn sie liebte mich;

Aber sie zog mit Schweigen
Fort in die graue
Welt hinaus.

Krank seitdem,
Wund ist und wehe mein Herz.
Nimmer wird es genesen!

Als ginge, luftgesponnen, ein Zauberfaden
Von ihr zu mir, ein ängstig Band,
So zieht es, zieht mich schmachtend ihr nach!
– Wie? wenn ich eines Tags auf meiner Schwelle
Sie sitzen fände, wie einst, im Morgen-Zwielicht,
Das Wanderbündel neben ihr,
Und ihr Auge, treuherzig zu mir aufschauend,
Sagte, da bin ich wieder
Hergekommen aus weiter Welt!

IV

Warum, Geliebte, denk ich dein
Auf einmal nun mit tausend Tränen
Und kann gar nicht zufrieden sein
Und will die Brust in alle Weite dehnen?

Ach, gestern in den hellen Kindersaal,
Beim Flimmer zierlich aufgesteckter Kerzen,
Wo ich mein selbst vergaß in Lärm und Scherzen
Tratst du, o Bildnis mitleid-schöner Qual;
Es war dein Geist, er setzte sich ans Mahl,
Fremd saßen wir mit stumm verhaltnen Schmerzen;
Zuletzt brach ich in lautes Schluchzen aus,
Und Hand in Hand verließen wir das Haus.

V

Die Liebe, sagt man, steht am Pfahl gebunden,
Geht endlich arm, zerrüttet, unbeschuht;
Dies edle Haupt hat nicht mehr, wo es ruht,
Mit Tränen netzet sie der Füße Wunden.

Ach, Peregrinen hab ich so gefunden!
Schön war ihr Wahnsinn, ihrer Wange Glut,
Noch scherzend in der Frühlingsstürme Wut
Und wilde Kränze in das Haar gewunden.

War's möglich, solche Schönheit zu verlassen?
– So kehrt nur reizender das alte Glück!
O komm, in diese Arme dich zu fassen!

Doch weh! O weh! Was soll mir dieser Blick?
Sie küßt mich zwischen Lieben noch und Hassen,
Sie kehrt sich ab und kehrt mir nie zurück.

Um Mitternacht

Gelassen stieg die Nacht ans Land,
Lehnt träumend an der Berge Wand,
Ihr Auge sieht die goldne Wage nun
Der Zeit in gleichen Schalen stille ruhn;
 Und kecker rauschen die Quellen hervor,
 Sie singen der Mutter, der Nacht, ins Ohr
 Vom Tage,
Vom heute gewesenen Tage.

Das uralt alte Schlummerlied,
Sie achtet's nicht, sie ist es müd;
Ihr klingt des Himmels Bläue süßer noch,
Der flüchtgen Stunden gleichgeschwungnes Joch.
 Doch immer behalten die Quellen das Wort,
 Es singen die Wasser im Schlafe noch fort
 Vom Tage,
Vom heute gewesenen Tage.

Verborgenheit

Laß, o Welt, o laß mich sein!
Locket nicht mit Liebesgaben,
Laßt dies Herz alleine haben
Seine Wonne, seine Pein!

Was ich traure, weiß ich nicht,
Es ist unbekanntes Wehe;
Immerdar durch Tränen sehe
Ich der Sonne liebes Licht.

Oft bin ich mir kaum bewußt,
Und die helle Freude zücket
Durch die Schwere, so mich drücket
Wonniglich in meiner Brust.

Laß, o Welt, o laß mich sein!
Locket nicht mit Liebesgaben,
Laßt dies Herz alleine haben
Seine Wonne, seine Pein!

Wo find ich Trost?

Eine Liebe kenn ich, die ist treu,
War getreu, solang ich sie gefunden,
Hat mit tiefem Seufzen immer neu,
Stets versöhnlich, sich mit mir verbunden.

Welcher einst mit himmlischem Gedulden
Bitter bittern Todestropfen trank,
Hing am Kreuz und büßte mein Verschulden,
Bis es in ein Meer von Gnade sank.

Und was ist's nun, daß ich traurig bin,
Daß ich angstvoll mich am Boden winde?
Frage: „Hüter, ist die Nacht bald hin?"
Und: „Was rettet mich von Tod und Sünde?"

Arges Herze! ja gesteh es nur,
Du hast wieder böse Lust empfangen;
Frommer Liebe, frommer Treue Spur,
Ach, das ist auf lange nun vergangen.

Ja, das ist's auch, daß ich traurig bin,
Daß ich angstvoll mich am Boden winde!
Hüter, Hüter, ist die Nacht bald hin?
Und was rettet mich von Tod und Sünde?

Gebet

Herr! Schicke, was du willt,
Ein Liebes oder Leides;
Ich bin vergnügt, daß beides
Aus deinen Händen quillt.

Wollest mit Freuden
Und wollest mit Leiden
Mich nicht überschütten!
Doch in der Mitten
Liegt holdes Bescheiden.

Zum neuen Jahr

Wie heimlicher Weise
Ein Engelein leise
Mit rosigen Füßen
Die Erde betritt,
So nahte der Morgen.
Jauchzt ihm, ihr Frommen,
Ein heilig Willkommen,
Ein heilig Willkommen!
Herz, jauchze du mit!

In Ihm sei's begonnen,
Der Monde und Sonnen
An blauen Gezelten
Des Himmels bewegt.
Du Vater, du rate!
Lenke du und wende!
Herr, dir in die Hände
Sei Anfang und Ende,
Sei alles gelegt!

Alles mit Maß

Mancherlei sind es der Gaben, die gütige Götter den Menschen
Zum Genusse verliehn sowie für die tägliche Notdurft.
Aber vor jeglichem Ding begehr ich gebratenen Schweinsfuß.
Meine Frau Wirtin, die merkt's: Nun hab ich alle Tag Schweinsfüß.
Öfters im Geist ahnt mir: Jetzt ist kein einziger Schweinsfuß
Mehr in der Stadt zu erspähn; was hab ich am Abende? Schweinsfüß!
Spräche der König nun gleich zum Hofkoch: „Schaffe mir Schweinsfüß!"
Gnade der Himmel dem Mann! Denn nirgend mehr wandelt ein Schweinsfuß.
Und ich sagte zur Wirtin zuletzt: „Nun laßt mir die Schweinsfüß!
Denn er schmeckt mir nicht mehr wie sonst, der bräunliche Schweinsfuß."
Aber sie denkt, aus Zartgefühl nur verbät ich die Schweinsfüß,
Lächelnd bringet sie mir auch heute gebratenen Schweinsfuß –
Ei, so hole der Teufel auf ewig die höllischen Schweinsfüß!

Heinrich Heine
1797–1856

Die Grenadiere

Nach Frankreich zogen zwei Grenadier,
Die waren in Rußland gefangen.
Und als sie kamen ins deutsche Quartier,
Sie ließen die Köpfe hangen.

Da hörten sie beide die traurige Mär:
Daß Frankreich verloren gegangen,
Besiegt und zerschlagen das große Heer –
Und der Kaiser, der Kaiser gefangen.

Da weinten zusammen die Grenadier
Wohl ob der kläglichen Kunde.
Der eine sprach: Wie weh wird mir,
Wie brennt meine alte Wunde!

Der andre sprach: Das Lied ist aus,
Auch ich möcht mit dir sterben,
Doch hab ich Weib und Kind zu Haus,
Die ohne mich verderben.

Was schert mich Weib, was schert mich Kind,
Ich trage weit bessres Verlangen;
Laß sie betteln gehn, wenn sie hungrig sind –
Mein Kaiser, mein Kaiser gefangen!

Gewähr mir, Bruder, eine Bitt:
Wenn ich jetzt sterben werde,
So nimm meine Leiche nach Frankreich mit,
Begrab mich in Frankreichs Erde.

Das Ehrenkreuz am roten Band
Sollst du aufs Herz mir legen;
Die Flinte gib mir in die Hand,
Und gürt mir um den Degen.

So will ich liegen und horchen still,
Wie eine Schildwach, im Grabe,
Bis einst ich höre Kanonengebrüll
Und wiehernder Rosse Getrabe.

Dann reitet mein Kaiser wohl über mein Grab,
Viel Schwerter klirren und blitzen;
Dann steig ich gewaffnet hervor aus dem Grab –
Den Kaiser, den Kaiser zu schützen.

Belsazar

Die Mitternacht zog näher schon;
In stummer Ruh lag Babylon.

Nur oben in des Königs Schloß,
Da flackert's, da lärmt des Königs Troß.

Dort oben in dem Königssaal
Belsazar hielt sein Königsmahl.

Die Knechte saßen in schimmernden Reihn
Und leerten die Becher mit funkelndem Wein.

Es klirrten die Becher, es jauchzten die Knecht;
So klang es dem störrigen Könige recht.

Des Königs Wangen leuchten Glut;
Im Wein erwuchs ihm kecker Mut.

Und blindlings reißt der Mut ihn fort,
Und er lästert die Gottheit mit sündigem Wort.

Und er brüstet sich frech und lästert wild;
Der Knechtenschar ihm Beifall brüllt.

Der König rief mit stolzem Blick;
Der Diener eilt und kehrt zurück.

Er trug viel gülden Gerät auf dem Haupt;
Das war aus dem Tempel Jehovahs geraubt.

Und der König ergriff mit frevler Hand
Einen heiligen Becher, gefüllt bis am Rand.

Und er leert ihn hastig bis auf den Grund
Und rufet laut mit schäumendem Mund:

Jehovah! Dir künd ich auf ewig Hohn –
Ich bin der König von Babylon!

Doch kaum das grause Wort verklang,
Dem König ward's heimlich im Busen bang.

Das gellende Lachen verstummte zumal;
Es wurde leichenstill im Saal.

Und sieh! Und sieh! An weißer Wand
Da kam's hervor wie Menschenhand

Und schrieb und schrieb an weißer Wand
Buchstaben von Feuer und schrieb und schwand.

Der König stieren Blicks da saß,
Mit schlotternden Knien und totenblaß.

Die Knechtenschar saß kalt durchgraut
Und saß gar still, gab keinen Laut.

Die Magier kamen, doch keiner verstand
Zu deuten die Flammenschrift an der Wand.

Belsazar ward aber in selbiger Nacht
Von seinen Knechten umgebracht.

Wahrhaftig

Wenn der Frühling kommt mit dem Sonnenschein,
Dann knospen und blühen die Blümlein auf;
Wenn der Mond beginnt seinen Strahlenlauf,
Dann schwimmen die Sternlein hintendrein;
Wenn der Sänger zwei süße Äuglein sieht,
Dann quellen ihm Lieder aus tiefem Gemüt; –
Doch Lieder und Sterne und Blümelein
Und Äuglein und Mondglanz und Sonnenschein,
Wie sehr das Zeug auch gefällt,
So macht's doch noch lang keine Welt.

Im wunderschönen Monat Mai,
Als alle Knospen sprangen,
Da ist in meinem Herzen
Die Liebe aufgegangen.

Im wunderschönen Monat Mai,
Als alle Vögel sangen,
Da hab ich ihr gestanden
Mein Sehnen und Verlangen.

Aus meinen Tränen sprießen
Viel blühende Blumen hervor,
Und meine Seufzer werden
Ein Nachtigallenchor.

Und wenn du mich lieb hast, Kindchen,
Schenk ich dir die Blumen all,
Und vor deinem Fenster soll klingen
Das Lied der Nachtigall.

Wenn ich in deine Augen seh,
So schwindet all mein Leid und Weh;
Doch wenn ich küsse deinen Mund,
So werd ich ganz und gar gesund.

Wenn ich mich lehn an deine Brust,
Kommt's über mich wie Himmelslust;
Doch wenn du sprichst: Ich liebe dich!
So muß ich weinen bitterlich.

Auf Flügeln des Gesanges,
Herzliebchen, trag ich dich fort,
Fort nach den Fluren des Ganges,
Dort weiß ich den schönsten Ort.

Die Veilchen kichern und kosen
Und schaun nach den Sternen empor;
Heimlich erzählen die Rosen
Sich duftende Märchen ins Ohr.

Dort liegt ein rotblühender Garten
Im stillen Mondenschein;
Die Lotosblumen erwarten
Ihr trautes Schwesterlein.

Es hüpfen herbei und lauschen
Die frommen, klugen Gazelln;
Und in der Ferne rauschen
Des heiligen Stromes Welln.

Dort wollen wir niedersinken
Unter dem Palmenbaum
Und Liebe und Ruhe trinken
Und träumen seligen Traum.

Die Lotosblume ängstigt
Sich vor der Sonne Pracht,
Und mit gesenktem Haupte
Erwartet sie träumend die Nacht.

Der Mond, der ist ihr Buhle,
Er weckt sie mit seinem Licht,
Und ihm entschleiert sie freundlich
Ihr frommes Blumengesicht.

Sie blüht und glüht und leuchtet
Und starret stumm in die Höh;
Sie duftet und weinet und zittert
Vor Liebe und Liebesweh.

Die Welt ist dumm, die Welt ist blind,
Wird täglich abgeschmackter!
Sie spricht von dir, mein schönes Kind,
Du hast keinen guten Charakter.

Die Welt ist dumm, die Welt ist blind,
Und dich wird sie immer verkennen;
Sie weiß nicht, wie süß deine Küsse sind
Und wie sie beseligend brennen.

Aus meinen großen Schmerzen
Mach ich die kleinen Lieder;
Die heben ihr klingend Gefieder
Und flattern nach ihrem Herzen.

Sie fanden den Weg zur Trauten,
Doch kommen sie wieder und klagen
Und klagen und wollen nicht sagen,
Was sie im Herzen schauten.

———————

Ein Jüngling liebt ein Mädchen,
Die hat einen andern erwählt;
Der andre liebt eine andre
Und hat sich mit dieser vermählt.

Das Mädchen heiratet aus Ärger
Den ersten besten Mann,
Der ihr in den Weg gelaufen;
Der Jüngling ist übel dran.

Es ist eine alte Geschichte,
Doch bleibt sie immer neu;
Und wem sie just passieret,
Dem bricht das Herz entzwei.

———————

Ich steh auf des Berges Spitze
Und werde sentimental.
„Wenn ich ein Vöglein wäre!"
Seufz ich viel tausendmal.

Wenn ich eine Schwalbe wäre,
So flög ich zu dir, mein Kind,
Und baute mir mein Nestchen,
Wo deine Fenster sind.

Wenn ich eine Nachtigall wäre,
So flög ich zu dir, mein Kind,
Und sänge dir nachts meine Lieder
Herab von der grünen Lind.

Wenn ich ein Gimpel wäre,
So flög ich gleich an dein Herz;
Du bist ja hold den Gimpeln
Und heilest Gimpelschmerz.

———————

In mein gar zu dunkles Leben
Strahlte einst ein süßes Bild;
Nun das süße Bild erblichen,
Bin ich gänzlich nachtumhüllt.

Wenn die Kinder sind im Dunkeln,
Wird beklommen ihr Gemüt,

Und um ihre Angst zu bannen,
Singen sie ein lautes Lied.

Ich, ein tolles Kind, ich singe
Jetzo in der Dunkelheit;
Klingt das Lied auch nicht ergötzlich,
Hat's mich doch von Angst befreit.

———————

Ich weiß nicht, was soll es bedeuten,
Daß ich so traurig bin;
Ein Märchen aus alten Zeiten,
Das kommt mir nicht aus dem Sinn.

Die Luft ist kühl und es dunkelt,
Und ruhig fließt der Rhein;
Der Gipfel des Berges funkelt
Im Abendsonnenschein.

Die schönste Jungfrau sitzet
Dort oben wunderbar;
Ihr goldnes Geschmeide blitzet,
Sie kämmt ihr goldenes Haar.

Sie kämmt es mit goldenem Kamme
Und singt ein Lied dabei;
Das hat eine wundersame,
Gewaltige Melodei.

Den Schiffer im kleinen Schiffe
Ergreift es mit wildem Weh;
Er schaut nicht die Felsenriffe,
Er schaut nur hinauf in die Höh.

Ich glaube, die Wellen verschlingen
Am Ende Schiffer und Kahn;
Und das hat mit ihrem Singen
Die Lore-Ley getan.

Mein Herz, mein Herz ist traurig,
Doch lustig leuchtet der Mai;
Ich stehe, gelehnt an der Linde,
Hoch auf der alten Bastei.

Da drunten fließt der blaue
Stadtgraben in stiller Ruh;
Ein Knabe fährt im Kahne
Und angelt und pfeift dazu.

Jenseits erheben sich freundlich
In winziger, bunter Gestalt
Lusthäuser und Gärten und Menschen
Und Ochsen und Wiesen und Wald.

Die Mägde bleichen Wäsche
Und springen im Gras herum;
Das Mühlrad stäubt Diamanten,
Ich höre sein fernes Gesumm.

Am alten grauen Turme
Ein Schilderhäuschen steht;
Ein rotgeröckter Bursche
Dort auf und nieder geht.

Er spielt mit seiner Flinte,
Die funkelt im Sonnenrot,
Er präsentiert und schultert –
Ich wollt, er schösse mich tot.

Und als ich euch meine Schmerzen geklagt,
Da habt ihr gegähnt und nichts gesagt;
Doch als ich sie zierlich in Verse gebracht,
Da habt ihr mir große Elogen gemacht.

Du bist wie eine Blume,
So hold und schön und rein;
Ich schau dich an, und Wehmut
Schleicht mir ins Herz hinein.

Mir ist, als ob ich die Hände
Aufs Haupt dir legen sollt,
Betend, daß Gott dich erhalte
So rein und schön und hold.

Leise zieht durch mein Gemüt
Liebliches Geläute.
Klinge, kleines Frühlingslied,
Kling hinaus ins Weite.

Kling hinaus, bis an das Haus,
Wo die Blumen sprießen,
Wenn du eine Rose schaust,
Sag, ich laß sie grüßen.

Donna Clara

In dem abendlichen Garten
Wandelt des Alkaden Tochter;
Pauken- und Trommetenjubel
Klingt herunter von dem Schlosse.

„Lästig werden mir die Tänze
Und die süßen Schmeichelworte
Und die Ritter, die so zierlich
Mich vergleichen mit der Sonne.

Überlästig wird mir alles,
Seit ich sah, beim Strahl des Mondes,
Jenen Ritter, dessen Laute
Nächtens mich ans Fenster lockte.

Wie er stand so schlank und mutig
Und die Augen leuchtend schossen
Aus dem edelblassen Antlitz,
Glich er wahrlich Sankt Georgen.“

Also dachte Donna Clara,
Und sie schaute auf den Boden;
Wie sie aufblickt, steht der schöne,
Unbekannte Ritter vor ihr.

Händedrückend, liebeflüsternd
Wandeln sie umher im Mondschein,

Und der Zephir schmeichelt freundlich,
Märchenartig grüßen Rosen.

Märchenartig grüßen Rosen,
Und sie glühn wie Liebesboten. –
Aber sage mir, Geliebte,
Warum du so plötzlich rot wirst?

„Mücken stachen mich, Geliebter,
Und die Mücken sind, im Sommer,
Mir so tief verhaßt, als wären's
Langenasge Judenrotten.“

Laß die Mücken und die Juden,
Spricht der Ritter, freundlich kosend.
Von den Mandelbäumen fallen
Tausend weiße Blütenflocken.

Tausend weiße Blütenflocken
Haben ihren Duft ergossen. –
Aber sage mir, Geliebte,
Ist dein Herz mir ganz gewogen?

„Ja, ich liebe dich, Geliebter,
Bei dem Heiland sei's geschworen,
Den die gottverfluchten Juden
Boshaft tückisch einst ermordet.“

Laß den Heiland und die Juden,
Spricht der Ritter, freundlich kosend.
In der Ferne schwanken traumhaft
Weiße Lilien, lichtumflossen.

Weiße Lilien, lichtumflossen,
Blicken nach den Sternen droben. –
Aber sage mir, Geliebte,
Hast du auch nicht falsch geschworen?

„Falsch ist nicht in mir, Geliebter,
Wie in meiner Brust kein Tropfen
Blut ist von dem Blut der Mohren
Und des schmutzgen Judenvolkes.“

Laß die Mohren und die Juden,
Spricht der Ritter, freundlich kosend;
Und nach einer Myrtenlaube
Führt er die Alkadentochter.

Mit den weichen Liebesnetzen
Hat er heimlich sie umflochten;
Kurze Worte, lange Küsse,
Und die Herzen überflossen.

Wie ein schmelzend süßes Brautlied
Singt die Nachtigall, die holde;
Wie zum Fackeltanze hüpfen
Feuerwürmchen auf dem Boden.

In der Laube wird es stiller,
Und man hört nur, wie verstohlen,
Das Geflüster kluger Myrten
Und der Blumen Atemholen.

Aber Pauken und Trommeten
Schallen plötzlich aus dem Schlosse,
Und erwachend hat sich Clara
Aus des Ritters Arm gezogen.

„Horch! Da ruft es mich, Geliebter;
Doch bevor wir scheiden, sollst du
Nennen deinen lieben Namen,
Den du mir so lang verborgen.“

Und der Ritter, heiter lächelnd,
Küßt die Finger seiner Donna,
Küßt die Lippen und die Stirne,
Und er spricht zuletzt die Worte:

Ich, Sennora, Eur Geliebter,
Bin der Sohn des vielbelobten,
Großen, schriftgelehrten Rabbi
Israel von Saragossa.

Die Wallfahrt nach Kevlaar

1

Am Fenster stand die Mutter,
Im Bette lag der Sohn.
„Willst du nicht aufstehn, Wilhelm,
Zu schaun die Prozession?“

„Ich bin so krank, o Mutter,
Daß ich nicht hör und seh;
Ich denk an das tote Gretchen,
Da tut das Herz mir weh.“ –

„Steh auf, wir wollen nach Kevlaar,
Nimm Buch und Rosenkranz;
Die Mutter Gottes heilt dir
Dein krankes Herze ganz.“

Es flattern die Kirchenfahnen,
Es singt im Kirchenton;

Das ist zu Köllen am Rheine,
Da geht die Prozession.

Die Mutter folgt der Menge,
Den Sohn, den führet sie,
Sie singen beide im Chore:
Gelobt seist du, Marie!

2

Die Mutter Gottes zu Kevlaar
Trägt heut ihr bestes Kleid;
Heut hat sie viel zu schaffen,
Es kommen viel kranke Leut.

Die kranken Leute bringen
Ihr dar, als Opferspend,

Aus Wachs gebildete Glieder,
Viel wächserne Füß und Händ.

Und wer eine Wachshand opfert,
Dem heilt an der Hand die Wund;
Und wer einen Wachsfuß opfert,
Dem wird der Fuß gesund.

Nach Kevlaar ging mancher auf Krücken,
Der jetzo tanzt auf dem Seil,
Gar mancher spielt jetzt die Bratsche,
Dem dort kein Finger war heil.

Die Mutter nahm ein Wachslicht
Und bildete draus ein Herz,
„Bring das der Mutter Gottes,
Dann heilt sie deinen Schmerz.“

Der Sohn nahm seufzend das Wachsherz,
Ging seufzend zum Heiligenbild;
Die Träne quillt aus dem Auge,
Das Wort aus dem Herzen quillt:

„Du Hochgebenedeite,
Du reine Gottesmagd,
Du Königin des Himmels,
Dir sei mein Leid geklagt!

Ich wohnte mit meiner Mutter
Zu Köllen in der Stadt,
Der Stadt, die viele hundert
Kapellen und Kirchen hat.

Und neben uns wohnte Gretchen,
Doch die ist tot jetzund –

Marie, dir bring ich ein Wachsherz,
Heil du meine Herzenswund.

Heil du mein krankes Herze –
Ich will auch spät und früh
Inbrünstiglich beten und singen:
Gelobt seist du, Marie!“

3

Der kranke Sohn und die Mutter,
Die schliefen im Kämmerlein;
Da kam die Mutter Gottes
Ganz leise geschritten herein.

Sie beugte sich über den Kranken
Und legte ihre Hand
Ganz leise auf sein Herze
Und lächelte mild und schwand.

Die Mutter schaut alles im Traume
Und hat noch mehr geschaut;
Sie erwachte aus dem Schlummer,
Die Hunde bellten so laut.

Da lag dahingestrecket
Ihr Sohn, und der war tot;
Es spielt auf den bleichen Wangen
Das lichte Morgenrot.

Die Mutter faltet die Hände,
Ihr war, sie wußte nicht wie;
Andächtig sang sie leise:
Gelobt seist du, Marie!

Der Asra

Täglich ging die wunderschöne
Sultanstocher auf und nieder
Um die Abendzeit am Springbrunn,
Wo die weißen Wasser plätschern.

Täglich stand der junge Sklave
Um die Abendzeit am Springbrunn,
Wo die weißen Wasser plätschern;
Täglich ward er bleich und bleicher.

Eines Abends trat die Fürstin
Auf ihn zu mit raschen Worten:
Deinen Namen will ich wissen,
Deine Heimat, deine Sippschaft!

Und der Sklave sprach: Ich heiße
Mohamet, ich bin aus Yemmen,
Und mein Stamm sind jene Asra,·
Welche sterben, wenn sie lieben.

Aus: *Die Nordsee*

Abenddämmerung

Am blassen Meeresstrande
Saß ich gedankenbekümmert und einsam.
Die Sonne neigte sich tiefer und warf
Glührote Streifen auf das Wasser,
Und die weißen, weiten Wellen,
Von der Flut gedrängt,
Schäumten und rauschten näher und näher –
Ein seltsam Geräusch, ein Flüstern und Pfeifen,
Ein Lachen und Murmeln, Seufzen und Sausen,
Dazwischen ein wiegenliedheimliches Singen –
Mir war, als hört ich verschollne Sagen,
Uralte, liebliche Märchen,

Die ich einst, als Knabe,
Von Nachbarskindern vernahm,
Wenn wir am Sommerabend
Auf den Treppensteinen der Haustür
Zum stillen Erzählen niederkauerten,
Mit kleinen, horchenden Herzen
Und neugierklugen Augen; –
Während die großen Mädchen
Neben duftenden Blumentöpfen
Gegenüber am Fenster saßen,
Rosengesichter,
Lächelnd und mondbeglänzt.

Sturm

Es wütet der Sturm,
Und er peitscht die Wellen,
Und die Welln, wutschäumend und bäumend,
Türmen sich auf, und es wogen lebendig
Die weißen Wasserberge,
Und das Schifflein erklimmt sie,
Hastig mühsam,
Und plötzlich stürzt es hinab
In schwarze, weitgähnende Flutabgründe –

O Meer!
Mutter der Schönheit, der Schaumentstiegenen!
Großmutter der Liebe! Schone meiner!
Schon flattert, leichenwitternd,
Die weiße, gespenstische Möwe
Und wetzt an dem Mastbaum den Schnabel
Und lechzt, voll Fraßbegier, nach dem Herzen,
Das vom Ruhm deiner Tochter ertönt
Und das dein Enkel, der kleine Schalk,
Zum Spielzeug erwählt.

Vergebens mein Bitten und Flehn!
Mein Rufen verhallt im tosenden Sturm,
Im Schlachtlärm der Winde.
Es braust und pfeift und prasselt und heult
Wie ein Tollhaus von Tönen!

Und zwischendurch hör ich vernehmbar
Lockende Harfenlaute,
Sehnsuchtwilden Gesang,
Seelenschmelzend und seelenzerreißend,
Und ich erkenne die Stimme.

Fern an schottischer Felsenküste,
Wo das graue Schlößlein hinausragt
Über die brandende See,
Dort, am hochgewölbten Fenster,
Steht eine schöne, kranke Frau,
Zartdurchsichtig und marmorblaß,
Und sie spielt die Harfe und singt,
Und der Wind durchwühlt ihre langen Locken
Und trägt ihr dunkles Lied
Über das weite, stürmende Meer.

Seegespenst

Ich aber lag am Rande des Schiffes
Und schaute träumenden Auges
Hinab in das spiegelklare Wasser
Und schaute tiefer und tiefer –
Bis tief im Meeresgrunde,
Anfangs wie dämmernde Nebel,
Jedoch allmählich farbenbestimmter,
Kirchenkuppel und Türme sich zeigten
Und endlich, sonnenklar, eine ganze Stadt,
Altertümlich niederländisch
Und menschenbelebt.
Bedächtige Männer, schwarzbemäntelt,
Mit weißen Halskrausen und Ehrenketten
Und langen Degen und langen Gesichtern,
Schreiten über den wimmelnden Marktplatz
Nach dem treppenhohen Rathaus,
Wo steinerne Kaiserbilder
Wacht halten mit Zepter und Schwert.
Unferne, vor langen Häuserreihn,
Wo spiegelblanke Fenster
Und pyramidisch beschnittene Linden,
Wandeln seidenrauschende Jungfern,
Schlanke Leibchen, die Blumengesichter
Sittsam umschlossen von schwarzen Mützchen
Und hervorquellendem Goldhaar.
Bunte Gesellen, in spanischer Tracht,
Stolzieren vorüber und nicken.
Bejahrte Frauen
In braunen, verschollnen Gewändern,
Gesangbuch und Rosenkranz in der Hand,
Eilen trippelnden Schritts
Nach dem großen Dome,

Getrieben von Glockengeläute
Und rauschendem Orgelton.

Mich selbst ergreift des fernen Klangs
Geheimnisvoller Schauer!
Unendliches Sehnen, tiefe Wehmut
Beschleicht mein Herz,
Mein kaum geheiltes Herz; –
Mir ist, als würden seine Wunden
Von lieben Lippen aufgeküßt
Und täten wieder bluten –
Heiße, rote Tropfen,
Die lang und langsam niederfalln
Auf ein altes Haus, dort unten
In der tiefen Meerstadt,
Auf ein altes, hochgegiebeltes Haus,
Wo melancholisch einsam
Unten am Fenster ein Mädchen sitzt,
Den Kopf auf den Arm gelehnt,
Wie ein armes, vergessenes Kind –
Und ich kenne dich armes, vergessenes Kind!

So tief, meertief also
Verstecktest du dich vor mir,
Aus kindischer Laune,
Und konntest nicht mehr herauf
Und saßest fremd unter fremden Leuten,
Jahrhundertelang,
Derweilen ich, die Seele voll Gram,
Auf der ganzen Erde dich suchte
Und immer dich suchte,
Du Immergeliebte,
Du Längstverlorene,

Du Endlichgefundene –
Ich hab dich gefunden und schaue wieder
Dein süßes Gesicht,
Die klugen, treuen Augen,
Das liebe Lächeln –
Und nimmer will ich dich wieder verlassen,
Und ich komme hinab zu dir,
Und mit ausgebreiteten Armen
Stürz ich hinab an dein Herz –

Aber zur rechten Zeit noch
Ergriff mich beim Fuß der Kapitän
Und zog mich vom Schiffsrand
Und rief, ärgerlich lachend:
Doktor, sind Sie des Teufels?

Fragen

Am Meer, am wüsten, nächtlichen Meer
Steht ein Jüngling-Mann,
Die Brust voll Wehmut, das Haupt voll Zweifel,
Und mit düstern Lippen fragt er die Wogen:

„O löst mir das Rätsel des Lebens,
Das qualvoll uralte Rätsel,
Worüber schon manche Häupter gegrübelt,
Häupter in Hieroglyphenmützen,
Häupter in Turban und schwarzem Barett,
Perückenhäupter und tausend andre
Arme, schwitzende Menschenhäupter –
Sagt mir, was bedeutet der Mensch?
Woher ist er kommen? Wo geht er hin?
Wer wohnt dort oben auf goldenen Sternen?"

Es murmeln die Wogen ihr ewges Gemurmel,
Es wehet der Wind, es fliehen die Wolken,
Es blinken die Sterne, gleichgültig und kalt,
Und ein Narr wartet auf Antwort.

Das Fräulein stand am Meere
Und seufzte lang und bang,
Es rührte sie so sehre
Der Sonnenuntergang.

Mein Fräulein! Sei'n Sie munter,
Das ist ein altes Stück;
Hier vorne geht sie unter
Und kehrt von hinten zurück.

Die Nacht auf dem Drachenfels
An Fritz v. B.

Um Mitternacht war schon die Burg erstiegen,
Der Holzstoß flammte auf am Fuß der Mauern,
Und wie die Burschen lustig niederkauern,
Erscholl das Lied von Deutschlands heilgen Siegen.

Wir tranken Deutschlands Wohl aus Rheinweinkrügen,
Wir sahn den Burggeist auf dem Turme lauern,
Viel dunkle Ritterschatten uns umschauern,
Viel Nebelfraun bei uns vorüberfliegen.

Und aus den Trümmern steigt ein tiefes Ächzen,
Es klirrt und rasselt, und die Eulen krächzen;
Dazwischen heult des Nordsturms Wutgebrause. –

Sieh nur, mein Freund, so eine Nacht durchwacht ich
Auf hohem Drachenfels, doch leider bracht ich
Den Schnupfen und den Husten mit nach Hause.

Ich hatte einst ein schönes Vaterland.
Der Eichenbaum
Wuchs dort so hoch, die Veilchen nickten sanft.
Es war ein Traum.

Das küßte mich auf deutsch und sprach auf deutsch
(Man glaubt es kaum,
Wie gut es klang) das Wort: „Ich liebe dich!"
Es war ein Traum.

Nachtgedanken

Denk ich an Deutschland in der Nacht,
Dann bin ich um den Schlaf gebracht,
Ich kann nicht mehr die Augen schließen,
Und meine heißen Tränen fließen.

Die Jahre kommen und vergehn!
Seit ich die Mutter nicht gesehn,
Zwölf Jahre sind schon hingegangen;
Es wächst mein Sehnen und Verlangen.

Mein Sehnen und Verlangen wächst.
Die alte Frau hat mich behext,
Ich denke immer an die alte,
Die alte Frau, die Gott erhalte!

Die alte Frau hat mich so lieb,
Und in den Briefen, die sie schrieb,

Seh ich, wie ihre Hand gezittert,
Wie tief das Mutterherz erschüttert.

Die Mutter liegt mir stets im Sinn.
Zwölf Jahre flossen hin,
Zwölf lange Jahre sind verflossen,
Seit ich sie nicht ans Herz geschlossen.

Deutschland hat ewigen Bestand,
Es ist ein kerngesundes Land,
Mit seinen Eichen, seinen Linden
Werd ich es immer wiederfinden.

Nach Deutschland lechzt ich nicht so sehr,
Wenn nicht die Mutter dorten wär;
Das Vaterland wird nie verderben,
Jedoch die alte Frau kann sterben.

Seit ich das Land verlassen hab,
So viele sanken dort ins Grab,
Die ich geliebt – wenn ich sie zähle,
So will verbluten meine Seele.

Und zählen muß ich – Mit der Zahl
Schwillt immer höher meine Qual,
Mir ist, als wälzten sich die Leichen
Auf meine Brust – Gottlob! Sie weichen!

Gottlob! Durch meine Fenster bricht
Französisch heitres Tageslicht;
Es kommt mein Weib, schön wie der Morgen,
Und lächelt fort die deutschen Sorgen.

Zur Beruhigung

Wir schlafen ganz, wie Brutus schlief –
Doch jener erwachte und bohrte tief
In Cäsars Brust das kalte Messer!
Die Römer waren Tyrannenfresser.

Wir sind keine Römer, wir rauchen Tabak.
Ein jedes Volk hat seinen Geschmack,
Ein jedes Volk hat seine Größe;
In Schwaben kocht man die besten Klöße.

Wir sind Germanen, gemütlich und brav,
Wir schlafen gesunden Pflanzenschlaf,
Und wenn wir erwachen, pflegt uns zu dürsten,
Doch nicht nach dem Blute unserer Fürsten.

Wir sind so treu wie Eichenholz,
Auch Lindenholz, drauf sind wir stolz;
Im Land der Eichen und der Linden
Wird niemals sich ein Brutus finden.

Und wenn auch ein Brutus unter uns wär,
Den Cäsar fänd er nimmermehr,
Vergeblich würd er den Cäsar suchen;
Wir haben gute Pfefferkuchen.

Wir haben sechsunddreißig Herrn
(Ist nicht zu viel!), und einen Stern
Trägt jeder schützend auf seinem Herzen,
Und er braucht nicht zu fürchten die Iden des Märzen.

Wir nenen sie Väter, und Vaterland
Benennen wir dasjenige Land,
Das erbeigentümlich gehört den Fürsten;
Wir lieben auch Sauerkraut mit Würsten.

Wenn unser Vater spazieren geht,
Ziehn wir den Hut mit Pietät;
Deutschland, die fromme Kinderstube,
Ist keine römische Mördergrube.

Aus: *Deutschland. Ein Wintermärchen*

Caput I

Im traurigen Monat November war's,
Die Tage wurden trüber,
Der Wind riß von den Bäumen das Laub,
Da reist ich nach Deutschland hinüber.

Und als ich an die Grenze kam,
Da fühlt ich ein stärkeres Klopfen
In meiner Brust, ich glaube sogar,
Die Augen begunnen zu tropfen.

Und als ich die deutsche Sprache vernahm,
Da ward mir seltsam zu Mute;
Ich meinte nicht anders, als ob das Herz
Recht angenehm verblute.

Ein kleines Harfenmädchen sang.
Sie sang mit wahrem Gefühle
Und falscher Stimme, doch ward ich sehr
Gerühret von ihrem Spiele.

Sie sang von Liebe und Liebesgram,
Aufopfrung und Wiederfinden
Dort oben in jener besseren Welt,
Wo alle Leiden schwinden.

Sie sang vom irdischen Jammertal,
Von Freuden, die bald zerronnen,
Vom Jenseits, wo die Seele schwelgt
Verklärt in ewgen Wonnen.

Sie sang das alte Entsagungslied,
Das Eiapopeia vom Himmel,
Womit man einlullt, wenn es greint,
Das Volk, den großen Lümmel.

Ich kenne die Weise, ich kenne den Text,
Ich kenn auch die Herren Verfasser;
Ich weiß, sie tranken heimlich Wein
Und predigten öffentlich Wasser.

Ein neues Lied, ein besseres Lied,
O Freunde, will ich Euch dichten!
Wir wollen hier auf Erden schon
Das Himmelreich errichten.

Wir wollen auf Erden glücklich sein
Und wollen nicht mehr darben;
Verschlemmen soll nicht der faule Bauch,
Was fleißige Hände erwarben.

Es wächst hienieden Brot genug
Für alle Menschenkinder,
Auch Rosen und Myrten, Schönheit und Lust
Und Zuckererbsen nicht minder.

Ja, Zuckererbsen für jedermann,
Sobald die Schoten platzen!
Den Himmel überlassen wir
Den Engeln und den Spatzen.

Und wachsen uns Flügel nach dem Tod,
So wollen wir Euch besuchen
Dort oben, und wir, wir essen mit Euch
Die seligsten Torten und Kuchen.

Ein neues Lied, ein besseres Lied,
Es klingt wie Flöten und Geigen!
Das Miserere ist vorbei,
Die Sterbeglocken schweigen.

Die Jungfer Europa ist verlobt
Mit dem schönen Geniusse
Der Freiheit, sie liegen einander im Arm
Und schwelgen im ersten Kusse.

Und fehlt der Pfaffensegen dabei,
Die Ehe wird gültig nicht minder –
Es lebe Bräutigam und Braut
Und ihre zukünftigen Kinder!

Ein Hochzeitkarmen ist mein Lied,
Das bessere, das neue!
In meiner Seele gehen auf
Die Sterne der höchsten Weihe –

Begeisterte Sterne, sie lodern wild,
Zerfließen in Flammenbächen –
Ich fühle mich wunderbar erstarkt,
Ich könnte Eichen zerbrechen!

Seit ich auf deutsche Erde trat,
Durchströmen mich Zaubersäfte –
Der Riese hat wieder die Mutter berührt,
Und es wuchsen ihm neu die Kräfte.

Die schlesischen Weber

Im düstern Auge keine Träne,
Sie sitzen am Webstuhl und fletschen die Zähne:
Deutschland, wir weben dein Leichentuch,
Wir weben hinein den dreifachen Fluch –
 Wir weben, wir weben!

Ein Fluch dem Gotte, zu dem wir gebeten
In Winterskälte und Hungersnöten;
Wir haben vergebens gehofft und geharrt,
Er hat uns geäfft und gefoppt und genarrt –
 Wir weben, wir weben!

Ein Fluch dem König, dem König der Reichen,
Den unser Elend nicht konnte erweichen,
Der den letzten Groschen von uns erpreßt
Und uns wie Hunde erschießen läßt –
 Wir weben, wir weben!

Ein Fluch dem falschen Vaterlande,
Wo nur gedeihen Schmach und Schande,
Wo jede Blume früh geknickt,
Wo Fäulnis und Moder den Wurm erquickt –
 Wir weben, wir weben!

Das Schiffchen fliegt, der Webstuhl kracht,
Wir weben emsig Tag und Nacht –
Altdeutschland, wir weben dein Leichentuch,
Wir weben hinein den dreifachen Fluch,
Wir weben, wir weben!

Das Sklavenschiff

1

Der Superkargo Mynher van Koek
Sitzt rechnend in seiner Kajüte;
Er kalkuliert der Ladung Betrag
Und die probabeln Profite.

„Der Gummi ist gut, der Pfeffer ist gut,
Dreihundert Säcke und Fässer;
Ich habe Goldstaub und Elfenbein –
Die schwarze Ware ist besser.

Sechshundert Neger tauschte ich ein
Spottwohlfeil am Senegalflusse.
Das Fleisch ist hart, die Sehnen sind stramm,
Wie Eisen vom besten Gusse.

Ich hab zum Tausche Branntewein,
Glasperlen und Stahlzeug gegeben;
Gewinne daran achthundert Prozent,
Bleibt mir die Hälfte am Leben.

Bleiben mir Neger dreihundert nur
Im Hafen von Rio-Janeiro,
Zahlt dort mir hundert Dukaten per Stück
Das Haus Gonzales Perreiro."

Da plötzlich wird Mynher van Koek
Aus seinen Gedanken gerissen;
Der Schiffschirurgius tritt herein,
Der Doktor van der Smissen.

Das ist eine klapperdürre Figur,
Die Nase voll roter Warzen –
„Nun, Wasserfeldscherer", ruft van Koek,
Wie gehts meinen lieben Schwarzen?"

Der Doktor dankt der Nachfrage und spricht:
„Ich bin zu melden gekommen,
Daß heute nacht die Sterblichkeit
Bedeutennd zugenommen.

Im Durchschnitt starben täglich zwei,
Doch heute starben sieben,
Vier Männer, drei Frauen. Ich hab den Verlust
Sogleich in die Kladde geschrieben.

Ich inspizierte die Leichen genau;
Denn diese Schelme stellen
Sich manchmal tot, damit man sie
Hinabwirft in die Wellen.

Ich nahm den Toten die Eisen ab;
Und wie ich gewöhnlich tue,
Ich ließ die Leichen werfen ins Meer
Des Morgens in der Fruhe.

Es schossen alsbald hervor aus der Flut,
Haifische, ganze Heere,
Sie lieben so sehr das Negerfleisch;
Das sind meine Pensionäre.

Sie folgten unseres Schiffes Spur,
Seit wir verlassen die Küste;
Die Bestien wittern den Leichengeruch
Mit schnupperndem Fraßgelüste.

Es ist possierlich anzusehn,
Wie sie nach den Toten schnappen!
Die faßt den Kopf, die faßt das Bein,
Die andern schlucken die Lappen.

Ist alles verschlungen, dann tummeln sie sich
Vergnügt um des Schiffes Planken
Und glotzen mich an, als wollten sie
Sich für das Frühstück bedanken."

Doch seufzend fällt ihm in die Red
Van Koek: „Wie kann ich lindern
Das Übel? Wie kann ich die Progression
Der Sterblichkeit verhindern?"

Der Doktor erwidert: „Durch eigne Schuld
Sind viele Schwarze gestorben;
Ihr schlechter Odem hat die Luft
Im Schiffsraum so sehr verdorben.

Auch starben viele durch Melancholie,
Dieweil sie sich tödlich langweilen;
Durch etwas Luft, Musik und Tanz
Läßt sich die Krankheit heilen."

Da ruft van Koek: „Ein guter Rat!
Mein teurer Wasserfeldscherer
Ist klug wie Aristoteles,
Des Alexanders Lehrer.

Der Präsident der Sozietät
Der Tulpenveredlung im Delfte
Ist sehr gescheit, doch hat er nicht
Von Eurem Verstande die Hälfte.

Musik! Musik! Die Schwarzen solln
Hier auf dem Verdecke tanzen.
Und wer sich beim Hopsen nicht amüsiert,
Den soll die Peitsche kuranzen."

2

Hoch aus dem blauen Himmelszelt
Viel tausend Sterne schauen,
Sehnsüchtig glänzend, groß und klug,
Wie Augen von schönen Frauen.

Sie blicken hinunter in das Meer,
Das weithin überzogen
Mit phosphorstrahlendem Purpurduft;
Wollüstig girren die Wogen.

Kein Segel flattert am Sklavenschiff,
Es liegt wie abgetakelt;
Doch schimmern Laternen auf dem Verdeck,
Wo Tanzmusik spektakelt.

Die Fiedel streicht der Steuermann,
Der Koch, der spielt die Flöte,
Ein Schiffsjung schlägt die Trommel dazu,
Der Doktor bläst die Trompete.

Wohl hundert Neger, Männer und Fraun,
Sie jauchzen und hopsen und kreisen
Wie toll herum; bei jedem Sprung
Taktmäßig klirren die Eisen.

Sie stampfen den Boden mit tobender Lust,
Und manche schwarze Schöne
Umschlingt wollüstig den nackten Genoß –
Dazwischen ächzende Töne.

Der Büttel ist maître des plaisirs
Und hat mit Peitschenhieben
Die lässigen Tänzer stimuliert,
Zum Frohsinn angetrieben.

Und Dideldumdei und Schnedderedeng!
Der Lärm lockt aus den Tiefen
Die Ungetüme der Wasserwelt,
Die dort blödsinnig schliefen.

Schlaftrunken kommen geschwommen heran
Haifische, viele hundert;
Sie glotzen nach dem Schiff hinauf,
Sie sind verdutzt, verwundert.

Sie merken, daß die Frühstückstund
Noch nicht gekommen, und gähnen,
Aufsperrend den Rachen; die Kiefer sind
Bepflanzt mit Sägezähnen.

Und Dideldumdei und Schnedderedeng –
Es nehmen kein Ende die Tänze.
Die Haifische beißen vor Ungeduld
Sich selber in die Schwänze.

Ich glaube, sie lieben nicht die Musik,
Wie viele von ihrem Gelichter.
Trau keiner Bestie, die nicht liebt
Musik! sagt Albions großer Dichter.

Und Schnedderedeng und Dideldumdei –
Die Tänze nehmen kein Ende.
Am Fockmast steht Mynher van Koek
Und faltet betend die Hände:

„Um Christi willen verschone, o Herr,
Das Leben der schwarzen Sünder!
Erzürnten sie dich, so weißt du ja,
Sie sind so dumm wie die Rinder.

Verschone ihr Leben um Christi willn,
Der für uns alle gestorben!
Denn bleiben mir nicht dreihundert Stück,
So ist mein Geschäft verdorben."

Die Wanderratten

Es gibt zwei Sorten Ratten:
Die hungrigen und satten.
Die satten bleiben vergnügt zu Haus,
Die hungrigen aber wandern aus.

Sie wandern viel tausend Meilen,
Ganz ohne Rasten und Weilen,
Gradaus in ihrem grimmigen Lauf,
Nicht Wind noch Wetter hält sie auf.

Sie klimmen wohl über die Höhen,
Sie schwimmen wohl durch die Seen;
Gar manche ersäuft oder bricht das Genick,
Die lebenden lassen die toten zurück.

Es haben diese Käuze
Gar fürchterliche Schnäuze;
Sie tragen die Köpfe geschoren egal,
Ganz radikal, ganz rattenkahl.

Die radikale Rotte
Weiß nichts von einem Gotte.
Sie lassen nicht taufen ihre Brut,
Die Weiber sind Gemeindegut.

Der sinnliche Rattenhaufen,
Er will nur fressen und saufen,
Er denkt nicht, während er säuft und frißt,
Daß unsre Seele unsterblich ist.

So eine wilde Ratze,
Die fürchtet nicht Hölle, nicht Katze;
Sie hat kein Gut, sie hat kein Geld
Und wünscht aufs neue zu teilen die Welt.

Die Wanderratten, o wehe!
Sie sind schon in der Nähe.
Sie rücken heran, ich höre schon
Ihr Pfeifen – die Zahl ist Legion.

O wehe! Wir sind verloren,
Sie sind schon vor den Toren!
Der Bürgermeister und Senat,
Sie schütteln die Köpfe, und keiner weiß Rat.

Die Bürgerschaft greift zu den Waffen,
Die Glocken läuten die Pfaffen.
Gefährdet ist das Palladium
Des sittlichen Staats, das Eigentum.

Nicht Glockengeläute, nicht Pfaffengebete,
Nicht hochwohlweise Senatsdekrete,
Auch nicht Kanonen, viel Hundertpfünder,
Sie helfen Euch heute, Ihr lieben Kinder!

Heut helfen Euch nicht die Wortgespinste
Der abgelebten Redekünste.
Man fängt nicht Ratten mit Syllogismen,
Sie springen über die feinsten Sophismen.

Im hungrigen Magen Eingang finden
Nur Suppenlogik mit Knödelgründen,
Nur Argumente von Rinderbraten,
Begleitet mit Göttinger Wurst-Zitaten.

Ein schweigender Stockfisch, in Butter gesotten,
Behaget den radikalen Rotten
Viel besser als ein Mirabeau
Und alle Redner seit Cicero.

Maria Antoinette

Wie heiter im Tuilerienschloß
Blinken die Spiegelfenster,
Und dennoch dort am hellen Tag
Gehn um die alten Gespenster.

Es spukt im Pavillon de Flor'
Maria Antoinette;
Sie hält dort morgens ihr Lever
Mit strenger Etikette.

Geputzte Hofdamen. Die meisten stehn,
Auf Tabourets andre sitzen;

Die Kleider von Atlas und Goldbrokat,
Behängt mit Juwelen und Spitzen.

Die Taille ist schmal, der Reifrock bauscht,
Darunter lauschen die netten
Hochhackigen Füßchen so klug hervor –
Ach, wenn sie nur Köpfe hätten!

Sie haben alle keinen Kopf,
Der Königin selbst manquieret
Der Kopf, und Ihro Majestät
Ist deshalb nicht frisieret.

Ja, Sie, die mit turmhohem Toupet
So stolz sich konnte gebaren,
Die Tochter Maria Theresias,
Die Enkelin deutscher Cäsaren,

Sie muß jetzt spuken ohne Frisur
Und ohne Kopf im Kreise
Von unfrisierten Edelfraun,
Die kopflos gleicherweise.

Das sind die Folgen der Revolution
Und ihrer fatalen Doktrine;
An allem ist schuld Jean Jacques Rousseau,
Voltaire und die Guillotine.

Doch sonderbar! Es dünkt mich schier, –
Als hätten die armen Geschöpfe
Gar nicht bemerkt, wie tot sie sind
Und daß sie verloren die Köpfe.

Ein leeres Gespreize, ganz wie sonst,
Ein abgeschmacktes Scherwenzen –
Possierlich sind und schauderhaft
Die kopflosen Reverenzen.

Es knickst die erste Dame d'atour
Und bringt ein Hemd von Linnen;
Die zweite reicht es der Königin,
Und beide knicksen von hinnen.

Die dritte Dam und die vierte Dam
Knicksen und niederknien
Vor Ihrer Majestät, um Ihr
Die Strümpfe anzuziehen.

Ein Ehrenfräulein kommt und knickst
Und bringt das Morgenjäckchen;
Ein andres Fräulein knickst und bringt
Der Königin Unterröckchen.

Die Oberhofmeisterin steht dabei,
Sie fächert die Brust, die weiße,
Und in Ermangelung eines Kopfs
Lächelt sie mit dem Steiße.

Wohl durch die verhängten Fenster wirft
Die Sonne neugierige Blicke,
Doch wie sie gewahrt den alten Spuk,
Prallt sie erschrocken zurücke.

[Marie Antoinette: Frau Ludwigs XVI. von Frankreich, hingerichtet 1793. – Lever: Morgenempfang. – manquieren: fehlen.]

Doktrin

Schlage die Trommel und fürchte dich nicht
Und küsse die Marketenderin!
Das ist die ganze Wissenschaft,
Das ist der Bücher tiefster Sinn.

Trommle die Leute aus dem Schlaf,
Trommle Reveille mit Jugendkraft,
Marschiere trommelnd immer voran,
Das ist die ganze Wissenschaft.

Das ist die Hegelsche Philosophie,
Das ist der Bücher tiefster Sinn!
Ich hab sie begriffen, weil ich gescheit
Und weil ich ein guter Tambour bin.

Weltlauf

Hat man viel, so wird man bald
Noch viel mehr dazu bekommen.
Wer nur wenig hat, dem wird
Auch das wenige genommen.

481

Wenn du aber gar nichts hast,
Ach, so lasse dich begraben –
Denn ein Recht zum Leben, Lump,
Haben nur, die etwas haben.

Rückschau

Ich habe gerochen alle Gerüche
In dieser holden Erdenküche;
Was man genießen kann in der Welt,
Das hab ich genossen wie je ein Held!
Hab Kaffee getrunken, hab Kuchen gegessen,
Hab manche schöne Puppe besessen;
Trug seidne Westen, den feinsten Frack,
Mir klingelten auch Dukaten im Sack.
Wie Gellert ritt ich auf hohem Roß;
Ich hatte ein Haus, ich hatte ein Schloß.
Ich lag auf der grünen Wiese des Glücks,
Die Sonne grüßte goldigsten Blicks;
Ein Lorbeerkranz umschloß die Stirn,
Er duftete Träume mir ins Gehirn,
Träume von Rosen und ewigem Mai –
Es ward mir so selig zu Sinne dabei,
So dämmersüchtig, so sterbefaul –
Mir flogen gebratne Tauben ins Maul,
Und Englein kamen, und aus den Taschen
Sie zogen hervor Champagnerflaschen –
Das waren Visionen, Seifenblasen –
Sie platzten – Jetzt lieg ich auf feuchtem Rasen,
Die Glieder sind mir rheumatisch gelähmt,
Und meine Seele ist tief beschämt.
Ach, jede Lust, ach jeden Genuß
Hab ich erkauft durch herben Verdruß;
Ich ward getränkt mit Bitternissen
Und grausam von den Wanzen gebissen;
Ich ward bedrängt von schwarzen Sorgen,
Ich mußte lügen, ich mußte borgen
Bei reichen Buben und alten Vetteln –
Ich glaube sogar, ich mußte betteln.
Jetzt bin ich müd vom Rennen und Laufen,
Jetzt will ich mich im Grabe verschnaufen.
Lebt wohl! Dort oben, ihr christlichen Brüder
Ja, das versteht sich, dort sehn wir uns wieder.

[Gellert: Dem Dichter (1715–1769) hatte 1768 der Kurfürst von Sachsen ein Pferd geschenkt.]

Enfant perdu

Verlorner Posten in dem Freiheitskriege,
Hielt ich seit dreißig Jahren treulich aus.
Ich kämpfte ohne Hoffnung, daß ich siege,
Ich wußte, nie komm ich gesund nach Haus.

Ich wachte Tag und Nacht. – Ich konnt nicht schlafen
Wie in dem Lagerzelt der Freunde Schar –
(Auch hielt das laute Schnarchen dieser Braven
Mich wach, wenn ich ein bißchen schlummrig war).

In jenen Nächten hat Langweil ergriffen
Mich oft, auch Furcht – (nur Narren fürchten nichts) –
Sie zu verscheuchen, hab ich dann gepfiffen
Die frechen Reime eines Spottgedichts.

Ja, wachsam stand ich, das Gewehr im Arme,
Und nahte irgendein verdächtger Gauch,
So schoß ich gut und jagt ihm eine warme,
Brühwarme Kugel in den schnöden Bauch.

Mitunter freilich mocht es sich ereignen,
Daß solch ein schlechter Gauch gleichfalls sehr gut
Zu schießen wußte – ach, ich kann's nicht leugnen –
Die Wunden klaffen – es verströmt mein Blut.

Ein Posten ist vakant! – Die Wunden klaffen –
Der eine fällt, die andern rücken nach –
Doch fall ich unbesiegt, und meine Waffen
Sind nicht gebrochen – Nur mein Herze brach.

[Überschrift: Verlorenes Kind.]

Wo?

Wo wird einst des Wandermüden
Letzte Ruhestätte sein?
Unter Palmen in dem Süden?
Unter Linden an dem Rhein?

Werd ich wo in einer Wüste
Eingescharrt von fremder Hand?
Oder ruh ich an der Küste
Eines Meeres in dem Sand?

Immerhin! Mich wird umgeben
Gotteshimmel, dort wie hier,
Und als Totenlampen schweben
Nachts die Sterne über mir.

August Heinrich Hoffmann von Fallersleben
1798–1874

Sehnsucht nach dem Frühling

O, wie ist es kalt geworden
Und so traurig, öd und leer?
Rauhe Winde wehn von Norden,
Und die Sonne scheint nicht mehr.

Auf die Berge möcht ich fliegen,
Möchte sehn ein grünes Tal,
Möcht in Gras und Blumen liegen
Und mich freun am Sonnenstrahl;

Möchte hören die Schalmeien
Und der Herden Glockenklang,
Möchte freuen mich im Freien
An der Vögel süßem Sang.

Schöner Frühling, komm doch wieder,
Lieber Frühling, komm doch bald,
Bring uns Blumen, Laub und Lieder,
Schmücke wieder Feld und Wald!

Ja, du bist uns treu geblieben,
Kommst nun bald in Pracht und Glanz,
Bringst nun bald all deinen Lieben
Sang und Freude, Spiel und Tanz.

Wiegenlied

So schlaf in Ruh,
Mein Söhnlein du!
Dein Vater sprach ein freies Wort,
Da führten ihn die Schergen fort
In einen Kerker weit von hier,
Weit weg von mir, weit weg von mir.

So schlaf in Ruh,
Mein Söhnlein du!
Dein Vater leidet Schmach und Not,
Dein Vater ist lebendig tot,
Und seine Freunde bleiben fern
Und sehn auch dich und mich nicht gern.

So schlaf in Ruh,
Mein Söhnlein du!
Dein Vater ist ein Biedermann –
Heil jedem, wer so denken kann!
Heil dir, wenn du dereinst auch bist,
Was dein gefangner Vater ist!

So schlaf in Ruh,
Mein Söhnlein du!
Verschlaf des Vaterlandes Nacht,
Den Knechtssinn, die Despotenmacht,
Verschlaf, was uns noch drückt und plagt,
Schlaf, bis der bessre Morgen tagt!

Die wilden Gänse

Ihr wilden Gänse habt es gut,
Ihr ziehet frei und wohlgemut
Von einem Strand zum andern Strand
Durchs ganze liebe deutsche Land.

Uns zahmen Menschen geht's nicht so:
Wir reisten gern auch frei und froh
Ununtersucht und unbekannt
Durchs ganze liebe deutsche Land.

Kaum sind wir aber fort von Haus,
So muß auch schon der Paß heraus.
Wir werden niemals sorgenfrei
Vor lauter Maut und Polizei.

O daß doch einer es erdenkt,
Wie man den Luftball sicher lenkt!
Hier hört nicht auf die Hudelei –
Nur in den Lüften sind wir frei.

[1840]

Das Lied der Deutschen
Helgoland 26. August 1841

Deutschland, Deutschland über alles,
Über alles in der Welt,
Wenn es stets zu Schutz und Trutze
Brüderlich zusammenhält,
Von der Maas bis an die Memel,
Von der Etsch bis an den Belt –
Deutschland, Deutschland über alles,
Über alles in der Welt!

Deutsche Frauen, deutsche Treue,
Deutscher Wein und deutscher Sang
Sollen in der Welt behalten
Ihren alten schönen Klang,
Uns zu edler Tat begeistern
Unser ganzes Leben lang –
Deutsche Frauen, deutsche Treue,
Deutscher Wein und deutscher Sang!

Einigkeit und Recht und Freiheit
Für das deutsche Vaterland!
Danach laßt uns alle streben
Brüderlich mit Herz und Hand!
Einigkeit und Recht und Freiheit
Sind des Glückes Unterpfand –
Blüh im Glanze dieses Glückes,
Blühe, deutsches Vaterland!

Auswanderungslied

Unsre Fürsten hatten viel versprochen,
Doch das Halten schien nicht ihre Pflicht.
Haben *wir* denn nun so viel verbrochen,
Daß *sie* hielten ihr Versprechen nicht?

Schlimmer wird es jetzt von Tag zu Tage,
Schweigen ist nur unser einzig Recht:
Untertanen ziemet keine Klage,
Und gehorchen muß dem Herrn der Knecht.

Unsre Brüder werden ausgewiesen,
Mehr als alles Recht gilt Polizei.
Heute trifft es jenen, morgen diesen,
Jeder, jeder Deutsch' ist vogelfrei.

Deutsche Freiheit lebet nur im Liede,
Deutsches Recht, es ist ein Märchen nur.
Deutschlands Wohlfahrt ist ein langer Friede –
Voll von lauter Willkür und Zensur.

Darum ziehn wir aus dem Vaterlande,
Kehren nun und nimmermehr zurück,
Suchen Freiheit uns am fremden Strande –
Freiheit ist nur Leben, ist nur Glück.

[1846]

Gründers Mittagslied

Ich bin ein Gründer froh und frisch,
Schon heute setz ich mich zu Tisch,
Als dürft ich weiter mich nicht quälen,
Als meine Zinsen nur zu zählen.

Gottlob, ich weiß mir selber Rat,
Nichts soll mich kümmern, Stadt noch Staat:
Dem Gründerleben treu ergeben,
Verschaff ich mir ein würdig Leben.

Was gehet *das* Verdienst mich an?
Nur *der* Verdienst ist noch mein Mann:
Ich will mir flechten selbst zum Lohne
Aus Aktien eine Bürgerkrone.

[1872]

Anastasius Grün
1806–1876

Spaziergänge

Aus der dumpfen Siechenstube nach den frischen grünen Hainen
Läßt der Kranke gern sich leiten von den liebevollen Seinen,
Daß er dort ins Gras sich lagre, Kraft und neuen Glanz sein Auge,
Seine Seele Mut und Hoffnung aus dem Grün der Wiesen sauge.

Aus dem Finstern an die Sonne wird geführt der arme Blinde,
Ach, daß nur ein Funke Lichtes Zugang in sein Dunkel finde!
Die versiegten Augenhöhlen glühen dann gleich Flammenbronnen,
Wie zwei runde Purpurrosen, wie zwei große rote Sonnen.

Wenn der Wächter dem Gefangnen einen Festtag will bereiten,
Aus dem Kerker auf ein Stündchen läßt er an die Luft ihn schreiten,

Daß er seh, wie sie der Freiheit auf der Welt viel Raum noch gönnen,
Da die Wolken frei noch segeln, frei die Vögel singen können!

Also bin auch ich gestiegen auf der Hügel sonnge Rücken,
Wenn's wie Nacht der Blindheit unten dunkelte vor meinen Blicken,
Also sucht ich freie Bergluft, wenn ich Kerkerluft gewittert,
Und das Grün, der Hoffnung Farbe, wenn mein Herz krank und zersplittert.

In der Stadt, darin ich wohne, gibt's viel Klöster und Kasernen,
Riesge Aktenarsenale, Dome ragend zu den Sternen,
Und dazwischen kleine Männlein, rufend im Triumphestone:
Seht, wir sind die Weltregierer, wir mit Kanon und Kanone!

So geschieht's denn, daß die Glocken brüllen allzu grell bisweilen,
Daß zu stark die einen trommeln und zu laut die andern heulen,
Daß der Dampf der Weihrauchfässer allzu dick die Luft verhülle;
O dann such ich auf den Bergen Licht und frische Luft und Stille.

So läßt vieles leicht sich tragen, was zu Boden könnte pressen,
Wenn man nur für gute Sohlen nicht zu sorgen hat vergessen,
Wenn der Lenker der Gestirne mir des Herzens schlicht Begehren,
Nur das wenge, drum ich flehe, wie bisher, noch will gewähren:

Daß er fest und aufrecht wandeln, nicht am Krückenstab mich humpeln,
Daß er nicht die schönen Berge übern Haufen lasse rumpeln,
Daß er seines Schöpferodems einen Hauch fortan mir borge,
Und ein bißchen frische Bergluft, Sonnenschein und Grün besorge.

Unsere Zeit

Auf dem grüne Tische prangen Kruzifix und Kerzenlicht,
Schöff' und Räte, schwarzgekleidet, sitzen ernst dort zu Gericht;
Denn sie luden vor die Schranken unsre Zeit, die Frevlerin,
Weil sie trüb und unheildrohend und von sturmbewegtem Sinn!

Doch es kommt nicht die Gerufne, denn die Zeit, sie hat nicht Zeit,
Kann nicht stille stehn im Saale weltlicher Gerechtigkeit,
Während sie zwei Stunden harren, ist sie schon zwei Stunden fern!
Doch sie sendet ihren Anwalt, also sprechend, zu den Herrn:

„Lästert nicht die Zeit, die reine! Schmäht ihr sie, so schmäht ihr euch!
Denn es ist die Zeit dem weißen, unbeschriebnen Blatte gleich;
Das Papier ist ohne Makel, doch die Schrift darauf seid ihr!
Wenn die Schrift nicht just erbaulich, nun, was kann das Blatt dafür?

Ein Pokal durchsichtgen Glases ist die Zeit: so hell, so rein!
Wollt des süßen Weins ihr schlürfen, gießt nicht eure Hefen drein!
Und es ist die Zeit ein Wohnhaus, nahm ganz stattlich sonst sich aus,
Freilich, seit ihr eingezogen, scheint es oft ein Narrenhaus.

Seht, es ist die Zeit ein Saatfeld; – da ihr Disteln ausgesät,
Ei, wie könnt ihr drob euch wundern, daß es nicht voll Rosen steht?

Cäsar ficht auf solchem Felde Schlachten der Unsterblichkeit,
Doch auch Memmen, zum Entlaufen, ist es sattsam groß und weit.

Zeit ist eine stumme Harfe; – prüft ein Stümper ihre Kraft,
Heulen jammernd Hund und Kater in der ganzen Nachbarschaft! –
Nun wohlan, so greift begeistert wie Amphion fest darein,
Daß auch Strom und Wald euch lausche, Leben fahre in den Stein!"

Adolf Glassbrenner
1810–1876

Die Sklavenemanzipation

Lob und Heil, ihr großen Mächte,
Jubelnd euch gesungen sei,
Daß ihr ehrtet Menschenrechte
Und die Sklaven machtet frei!

Und warum sie's nicht schon waren
Lange, das ist einerlei!
Jetzt, nach wengen hundert Jahren,
Sind die schwarzen Sklaven frei.

O wie glücklich ist's auf Erden!
Völker, singt juchhei, juchhei!
Wenn's die weißen nun noch werden,
Dann sind alle Sklaven frei!

Der Tambour

Vor Zeiten war ein Herzog hoch,
Der wohl sein armes Land betrog;
Der war bei seinem Volk verhaßt,
Als wie der Gotteseibeiuns fast.

Da plötzlich schon früh morgens stund
Ein Tambour in des Schlosses Rund,
Der hatte gar ein bleich Gesicht
Und blickte stier, wie Menschen nicht.

Der trommelte in wildem Drang,
Daß wohl dem Besten wurde bang:
Rundherum, rundherum am Thron
Rebellion, Rebellion, Rebellion!

Dem Herzog fährt es durch den Leib;
Er zittert wie ein schwaches Weib;
Kaum hat er Kraft zu diesem Wort:
Schafft mir den bleichen Tambour fort.

Der Tambour trommelt immerzu
Und sonder Rast und sonder Ruh:
Rundherum, rundherum am Thron
Rebellion, Rebellion, Rebellion!

Es lauft hinab die Höflingsschar;
Sie fand nicht, wo der Schrecken war;
Hat nichts gesehn, hat nichts gehört
Und glaubt, der Herzog sei betört.

Der Tambour trommelt immerzu
Und sonder Rast und sonder Ruh:
Rundherum, rundherum am Thron
Rebellion, Rebellion, Rebellion!

Der Herzog wurde matt und krank,
Es klang ihm schon wie Grabgesang;
Er schrie vor Schmerz, er schrie vor Wut,
Verzweifelt war sein böser Mut:

Der Tambour trommelt immerzu
Und sonder Rast und sonder Ruh:
Rundherum, rundherum am Thron
Rebellion, Rebellion, Rebellion!

Der gelehrte Kater

Ein Kater sitzt vorm dicken Buch,
Die Brille auf der Nase;
Man sieht's, er denkt gewaltig klug
Ob einer dunklen Phrase.
Er zieht die Stirne kraus und krumm,
Legt sie in hundert Falten;
Es geht ihm viel im Kopf herum,
Denn er studiert die Alten.

Die schönsten Frauchen schleichen dort
Am stillen Schornsteinplatze;
Wie sie miauen fort und fort:
Er liebt nicht eine Katze!
Lieb, Freundschaft, Schönheit prallen ab
Von seiner Brust, der kalten;
Sein Innres ist ein weites Grab,
Drin spuken nur die Alten.

Er wäscht sich nicht, er kämmt sich nicht;
Er bleibt in seinem Schmutze:
Was schert mich mein gemein Gesicht,
Wenn ich die Seele putze!
So schnurrt den Muhmen er Bescheid,
Die ihren Vetter schalten:
Was brauch ich eure Sauberkeit
Im Schattenreich der Alten!

Komm mit! sagt ihm sein Kamerad,
Hier nebenan im Häuschen,
Da schmausen wir ganz delikat,
Da gibt's die fettsten Mäuschen!
Der Kater wirft zwar einen Blick
Durch seines Bodens Spalten,
Doch zieht er sich sogleich zurück
Und hungert bei den Alten.

Der König seines Vaterlands,
Das ist ein arger Sünder;
Die Bürger all des Katerlands,
Sie schreien wie die Kinder.
Das ganze Reich ist voll Miaus
Ob des Tyrannen Walten:
Der Kater macht sich gar nichts draus,
Denn er ist bei den Alten.

Die Feinde dringen in das Land,
Die großen Metzgerhunde;
Von jeder Mauer, jeder Wand
Hört man die Schreckenskunde;
Man zieht die Krallen vor, um
Wauwauer abzuhalten!
Nur einer, das gelehrte Vieh,
Bleibt ruhig bei den Alten.

Im ganzen Reiche rundherum
Murrt man von ihm am schlimmsten;
So manchen Kater nennt man dumm,
Doch ihn den allerdümmsten:
Er lachte, sang und liebte nie,
Wenn wir die Lust umkrallten;
So laßt denn das gelehrte Vieh
Verfaulen bei den Alten!

Er starb. Kein Kater, keine Katz
Hat kläglich drob miauet;
Im Gegenteil: sein Studienplatz
Ward ekelhaft besauet.
Sein Wissen, das mit ihm verscharrt,
Schrien sie, er mag's behalten!
Wir leben in der Gegenwart
Und schnurren auf die Alten!

Ferdinand Freiligrath
1810–1876

Der Mohrenfürst

I

Sein Heer durchwogte das Palmental.
Er wand um die Locken den Purpurschal,
Er hing um die Schultern die Löwenhaut;
Kriegerisch klirrte der Becken Laut.

Wie Termiten wogte der wilde Schwarm.
Den goldumreiften, den schwarzen Arm
Schlang er um die Geliebte fest:
„Schmücke dich, Mädchen, zum Siegesfest!

„Sieh, glänzende Perlen bring ich dir dar!
Sie flicht durch dein krauses, schwarzes Haar!
Wo Persias Meerflut Korallen umzischt,
Da haben sie triefende Taucher gefischt.

Sieh, Federn vom Strauße! Laß sie dich schmücken,
Weiß auf dein Antlitz, das dunkle, nicken!
Schmücke das Zelt! Bereite das Mahl!
Fülle, bekränze den Siegespokal!"

Aus dem schimmernden weißen Zelte hervor
Tritt der schlachtgerüstete fürstliche Mohr;
So tritt aus schimmernder Wolken Tor
Der Mond, der verfinsterte, dunkle, hervor.

Da grüßt ihn jubelnd der Seinen Ruf,
Da grüßt ihn stampfend der Rosse Huf.
Ihm rollt der Neger treues Blut
Und des Nigers rätselhafte Flut.

„So führ uns zum Siege, so führ uns zur Schlacht!"
Sie stritten vom Morgen bis tief in die Nacht.
Des Elefanten gehöhlter Zahn
Feuerte schmetternd die Kämpfer an.

Es fleucht der Leu, es fliehn die Schlangen
Vor dem Rasseln der Trommel, mit Schädeln behangen.
Hoch weht die Fahne, verkündend Tod:
Das Gelb der Wüste färbt sich rot. –

So tobt der Kampf im Palmental!
Sie aber bereitet daheim das Mahl;
Sie füllt den Becher mit Palmensaft,
Umwindet mit Blumen der Zeltstäbe Schaft.

Mit Perlen, die Persias Flut gebar,
Durchflicht sie das krause, schwarze Haar,
Schmückt die Stirne mit wallenden Federn und
Den Hals und die Arme mit Muscheln bunt.

Sie setzt sich vor des Geliebten Zelt;
Sie lauscht, wie ferne das Kriegshorn gellt.
Der Mittag brennt und die Sonne sticht;
Die Kränze welken, sie achtet's nicht.

Die Sonne sinkt, und der Abend siegt;
Der Nachttau rauscht, und der Glühwurm fliegt.
Aus dem lauen Strom blickt das Krokodil,
Als ob es der Kühle genießen will.

Es regt sich der Leu und brüllt nach Raub,
Elefantenrudel durchrauschen das Laub.
Die Giraffe sucht des Lagers Ruh,
Augen und Blumen schließen sich zu.

Ihr Busen schwillt vor Angst empor;
Da naht ein flüchtiger, blutender Mohr.
„Verloren die Hoffnung! Verloren die Schlacht!
Dein Buhle gefangen, gen Westen gebracht!

Ans Meer! Den blanken Menschen verkauft!"
Da stürzt sie zur Erde, das Haar zerrauft,
Die Perlen zerdrückt sie mit zitternder Hand,
Birgt die glühende Wange im glühenden Sand.

II

Auf der Messe da zieht es, da stürmt es hinan
Zum Zirkus, zum glatten, geebneten Plan.
Es schmettern Trompeten, das Becken klingt,
Dumpf wirbelt die Trommel, Bajazzo springt.

Herbei, herbei! – Das tobt und drängt;
Die Reiter fliegen; die Bahn durchsprengt
Der Türkenrapp und der Britenfuchs!
Die Weiber zeigen den üppigen Wuchs.

Und an der Reitbahn verschleiertem Tor
Steht ernst ein krausgelockter Mohr;
Die türkische Trommel schlägt er laut,
Auf der Trommel liegt eine Löwenhaut.

Er sieht nicht der Reiter zierlichen Schwung,
Er sieht nicht der Rosse gewagten Sprung.
Mit starrem, trocknem Auge schaut
Der Mohr auf die zottige Löwenhaut.

Er denkt an den fernen, fernen Niger,
Und daß er gejagt den Löwen, den Tiger

Und daß er geschwungen im Kampfe das Schwert
Und daß er nimmer zum Lager gekehrt

Und daß *sie* Blumen für ihn gepflückt
Und daß *sie* das Haar mit Perlen geschmückt –
Sein Auge ward naß, mit dumpfem Klang
Schlug er das Fell, daß es rasselnd zersprang.

Die Auswanderer

Ich kann den Blick nicht von euch wenden,
Ich muß euch anschaun immerdar:
Wie reicht ihr mit geschäftgen Händen
Dem Schiffer eure Habe dar!

Ihr Männer, die ihr von dem Nacken
Die Körbe langt, mit Brot beschwert,
Das ihr aus deutschem Korn gebacken,
Geröstet habt auf deutschem Herd;

Und ihr, im Schmuck der langen Zöpfe,
Ihr Schwarzwaldmädchen, braun und schlank,
Wie sorgsam stellt ihr Krüg und Töpfe
Auf der Schaluppe grüne Bank!

Das sind dieselben Töpf und Krüge,
Oft an der Heimat Born gefüllt!
Wenn am Missouri alles schwiege,
Sie malten euch der Heimat Bild:

Des Dorfes steingefaßte Quelle,
Zu der ihr schöpfend euch gebückt,
Des Herdes traute Feuerstelle,
Das Wandgesims, das sie geschmückt.

Bald zieren sie im fernen Westen
Des leichten Bretterhauses Wand;

Bald reicht sie müden braunen Gästen,
Voll frischen Trunkes, eure Hand.

Es trinkt daraus der Tscherokese,
Ermattet, von der Jagd bestaubt;
Nicht mehr von deutscher Rebenlese
Tragt ihr sie heim, mit Grün belaubt.

O sprecht! Warum zogt ihr von dannen?
Das Neckartal hat Wein und Korn;
Der Schwarzwald steht voll finstrer Tannen,
Im Spessart klingt des Älplers Horn.

Wie wird es in den fremden Wäldern
Euch nach der Heimatberge Grün,
Nach Deutschlands gelben Weizenfeldern,
Nach seinen Rebenhügeln ziehn!

Wie wird das Bild der alten Tage
Durch eure Träume glänzend wehn!
Gleich einer stillen, frommen Sage
Wird es euch vor der Seele stehn.

Der Bootsmann winkt! – Zieht hin in Frieden:
Gott schütz euch, Mann und Weib und Greis!
Sei Freude eurer Brust beschieden
Und euren Feldern Reis und Mais!

[1832]

Hamlet

Deutschland ist Hamlet! Ernst und stumm
In seinen Toren jede Nacht
Geht die begrabne Freiheit um
Und winkt den Männern auf der Wacht.
Dasteht die Hohe, blank bewehrt,
Und sagt dem Zaudrer, der noch zweifelt:
„Sei mir ein Rächer, zieh dein Schwert!
Man hat mir Gift ins Ohr geträufelt!"

Er horcht mit zitterndem Gebein,
Bis ihm die Wahrheit schrecklich tagt;
Von Stund an will er Rächer sein –
Ob er es wirklich endlich wagt?
Er sinnt und träumt und weiß nicht Rat;
Kein Mittel, das die Brust ihm stähle!
Zu einer frischen, mutgen Tat
Fehlt ihm die frische, mutge Seele!

Das macht, er hat zu viel gehockt;
Er lag und las zuviel im Bett.
Er wurde, weil das Blut ihm stockt,
Zu kurz von Atem und zu fett.
Er spann zuviel gelehrten Werg,
Sein bestes Tun ist eben Denken;
Er stak zu lang in Wittenberg,
Im Hörsaal oder in den Schenken.

Drum fehlt ihm die Entschlossenheit;
Kommt Zeit, kommt Rat – er stellt sich toll,
Hält Monologe lang und breit
Und bringt in Verse seinen Groll;
Stutzt ihn zur Pantomime zu,
Und fällt's ihm einmal ein, zu fechten:
So muß Polonius-Kotzebue
Den Stich empfangen – statt des Rechten.

So trägt er träumerisch sein Weh,
Verhöhnt sich selber insgeheim,
Läßt sich verschicken über See
Und kehrt mit Stichelreden heim;
Verschießt ein Arsenal von Spott,
Spricht von geflickten Lumpenkön'gen –
Doch eine Tat? Behüte Gott!
Nie hatt er eine zu beschön'gen!

Bis endlich er die Klinge packt,
Ernst zu erfüllen seinen Schwur;
Doch ach – das ist im letzten Akt,
Und streckt ihn selbst zu Boden nur!
Bei den Erschlagnen, die sein Haß
Preisgab der Schmach und dem Verderben,
Liegt er entseelt, und Fortinbras
Rückt klirrend ein, das Reich zu erben. –

Gottlob, noch sind wir nicht so weit!
Vier Akte sahn wir spielen erst!
Hab acht, Held, daß die Ähnlichkeit
Nicht auch im fünften du bewährst!
Wir hoffen früh, wir hoffen spät:
O, raff dich auf und komm zu Streiche
Und hilf entschlossen, weil es geht,
Zu ihrem Recht der flehn'den Leiche!

Mach den Moment zunutze dir!
Noch ist es Zeit – drein mit dem Schwert,
Eh mit französischem Rapier
Dich schnöd vergiftet ein Laërt,
Eh rasselnd naht ein nordisch Heer,
Daß es für sich die Erbschaft nehme!
O, sieh dich vor – ich zweifle sehr,
Ob diesmal es aus Norweg käme!

Nur ein Entschluß! Aufsteht die Bahn –
Tritt in die Schranken kühn und dreist!
Denk an den Schwur, den du getan,
Und räche deines Vaters Geist!
Wozu dies Grübeln für und für?
Doch – darf ich schelten, alter Träumer?
Bin ich ja selbst ein Stück von dir,
Du ewger Zauderer und Säumer!

[1844]

[Kotzebue: August K., geb. 1761, erfolgreicher Dramatiker seiner Zeit, wurde 1819 von dem Burschenschafter Karl Sand
wegen seiner politischen Haltung ermordet. – Nordisch Heer: gemeint ist Rußland unter Zar Nikolaus I.]

Von unten auf!

Ein Dampfer kam von Biberich – stolz war die Furche, die er zog!
Er qualmt' und räderte zu Tal, daß rechts und links die Brandung flog!
Von Wimpeln und von Flaggen voll, schoß er hinab keck und erfreut:
Den König, der in Preußen herrscht, nach seiner Rheinburg trug er heut!

Die Sonne schien wie lauter Gold! Auftauchte schimmernd Stadt um Stadt!
Der Rhein war wie ein Spiegel schier, und das Verdeck war blank und glatt!
Die Dielen blitzten frisch gebohnt, und auf den schmalen her und hin
Vergnügten Auges wandelten der König und die Königin!

Nach allen Seiten schaut' umher und winkte das erhabne Paar;
Des Rheingaus Reben grüßten sie und auch dein Nußlaub, Sankt Goar!
Sie sahn zu Rhein, sie sahn zu Berg – wie war das Schifflein doch so nett!
Es ging sich auf den Dielen fast als wie auf Sanssoucis Parkett!

Doch unter all der Nettigkeit und unter all der schwimmenden Pracht,
Da frißt und flammt das Element, das sie von dannen schießen macht;
Da schafft in Ruß und Feuersglut, der dieses Glanzes Seele ist;
Da steht und schürt und ordnet er – der Proletarier-Maschinist!

Da draußen lacht und grünt die Welt, da draußen blitzt und rauscht der Rhein –
Er stiert den lieben langen Tag in seine Flammen nur hinein!
Im wollnen Hemde, halbernackt, vor seiner Esse muß er stehn,
Derweil ein König über ihm einschlürft der Berge freies Wehn!

Jetzt ist der Ofen zugekeilt, und alles geht und alles paßt;
So gönnt er auf Minuten denn sich eine kurze Sklavenrast.
Mit halbem Leibe taucht er auf aus seinem lodernden Versteck;
In seiner Falltür steht er da und überschaut sich das Verdeck.

Das glühnde Eisen in der Hand, Antlitz und Arme rot erhitzt,
Mit der gewölbten haargen Brust auf das Geländer breit gestützt –
So läßt er schweifen seinen Blick, so murrt er leis dem Fürsten zu:
„Wie mahnt dies Boot mich an den Staat! Licht auf den Höhen wandelst *du*!

Tief unten aber, in der Nacht und in der Arbeit dunkelm Schoß,
Tief unten, von der Not gespornt, da schür und schmied *ich* mir mein Los!
Nicht meines nur, auch deines, Herr! Wer hält die Räder dir im Takt,
Wenn nicht mit schwielenharter Faust der Heizer seine Eisen packt?

Du bist viel weniger ein Zeus, als ich, o König, ein Titan!
Beherrsch ich nicht, auf dem du gehst, den allzeit kochenden Vulkan?
Es liegt an mir: – *ein* Ruck von mir, *ein* Schlag von mir zu dieser Frist,
Und siehe, das Gebäude stürzt, von welchem du die Spitze bist!

Der Boden birst, aufschlägt die Glut und sprengt dich krachend in die Luft!
Wir aber steigen feuerfest aufwärts ans Licht aus unsrer Gruft!
Wir sind die Kraft! Wir hämmern jung das alte morsche Ding, den Staat,
Die wir von Gottes Zorne sind bis jetzt das Proletariat!

Dann schreit' ich jauchzend durch die Welt! Auf meinen Schultern, stark und breit,
Ein neuer Sankt Christophorus, trag ich den Christ der neuen Zeit!
Ich bin der Riese, der nicht wankt! Ich bin's, durch den zum Siegesfest
Über den tosenden Strom der Zeit der Heiland Geist sich tragen läßt!"

So hat in seinen krausen Bart der grollende Zyklop gemurrt;
Dann geht er wieder an sein Werk, nimmt sein Geschirr und stocht und purrt.
Die Hebel knirschen auf und ab, die Flamme strahlt ihm ins Gesicht,
Der Dampf rumort – er aber sagt: „Heut, zornig Element, noch nicht!"

Der bunte Dampfer unterdes legt vor Kapellen zischend an;
Sechsspännig fährt die Majestät den jungen Stolzenfels hinan.

Der Heizer auch blickt auf zur Burg; von seinen Flammen nur behorcht,
Lacht er: „Ei, wie man immer doch für künftige Ruinen sorgt!"

(Rheinburg: Friedrich Wilhelm IV. erwarb Stolzenfels und ließ die Burg renovieren.]

Prinz Eugen, der edle Ritter

Zelte, Posten, Werda-Rufer!
Lustge Nacht am Donauufer!
Pferde stehn im Kreis umher,
Angebunden an den Pflöcken;
An den engen Sattelböcken
Hangen Karabiner schwer.

Um das Feuer auf der Erde,
Vor den Hufen seiner Pferde
Liegt das östreiche Pikett.
Auf dem Mantel liegt ein jeder,
Von den Tschakos weht die Feder,
Leutnant würfelt und Kornett.

Neben seinem müden Schecken
Ruht auf einer wollnen Decken
Der Trompeter ganz allein:
„Laßt die Knöchel, laßt die Karten!
Kaiserliche Feldstandarten
Wird ein Reiterlied erfreun!

„Vor acht Tagen die Affäre
Hab ich, zu Nutz dem ganzen Heere,
In gehörgen Reim gebracht;
Selber auch gesetzt die Noten;
Drum, ihr Weißen und ihr Roten!
Merket auf und gebet acht!"

Und er singt die neue Weise
Einmal, zweimal, dreimal leise
Denen Reitersleuten vor;
Und wie er zum letzten Male
Endet, bricht mit einem Male
Los der volle, kräftge Chor:

„Prinz Eugen, der edle Ritter!"
Hei, das klang wie Ungewitter
Weit ins Türkenlager hin.
Der Trompeter tät den Schnurrbart streichen
Und sich auf die Seite schleichen
Zu der Markentenderin.

Hurra, Germania!

Hurra, du stolzes, schönes Weib,
Hurra, Germania!
Wie kühn mit vorgebeugtem Leib
Am Rheine stehst du da!
Im vollen Brand der Juliglut,
Wie ziehst du risch dein Schwert!
Wie trittst du zornig frohgemut
Zum Schutz vor deinen Herd!
 Hurra, hurra, hurra!
 Hurra, Germania!

Du dachtest nicht an Kampf und Streit:
In Fried und Freud und Ruh
Auf deinen Feldern, weit und breit,
Die Ernte schnittest du.
Bei Sichelklang im Ährenkranz
Die Garben fuhrst du ein:
Da plötzlich, horch, ein andrer Tanz!
Das Kriegshorn überm Rhein!
 Hurra, hurra, hurra!
 Hurra, Germania!

Da warfst die Sichel du ins Korn,
Den Ährenkranz dazu;
Da fuhrst du auf in hellem Zorn,
Tief atmend auf im Nu;
Schlugst jauchzend in die Hände dann:
Willst du's, so mag es sein!
Auf, meine Kinder, alle Mann!
Zum Rhein! Zum Rhein! Zum Rhein!
 Hurra, hurra, hurra!
 Hurra, Germania!

Da rauscht das Haff, da rauscht der Belt,
Da rauscht das deutsche Meer;
Da rückt die Oder dreist ins Feld,
Die Elbe greift zur Wehr.
Neckar und Weser stürmen an,
Sogar die Flut des Mains!
Vergessen ist der alte Span:
Das deutsche Volk ist eins!
 Hurra, hurra, hurra!
 Hurra, Germania!

Schwaben und Preußen Hand in Hand;
Der Nord, der Süd *ein* Heer!
Was ist des Deutschen Vaterland –
Wir fragen's heut nicht mehr!
Ein Geist, *ein* Arm, *ein* einzger Leib,
Ein Wille sind wir heut!
Hurra, Germania, stolzes Weib!
Hurra, du große Zeit!
 Hurra, hurra, hurra!
 Hurra, Germania!

Mag kommen nun, was kommen mag:
Fest steht Germania!
Dies ist All-Deutschlands Ehrentag:
Nun weh dir, Gallia!
Weh, daß ein Räuber dir das Schwert
Frech in die Hand gedrückt!
Fluch ihm! Und nun für Heim und Herd
Das deutsche Schwert gezückt!
 Hurra, hurra, hurra!
 Hurra, Germania!

Für Heim und Herd, für Weib und Kind,
Für jedes teure Gut,
Dem wir bestellt zu Hütern sind
Vor fremdem Frevelmut!
Für deutsches Recht, für deutsches Wort,
Für deutsche Sitt und Art –
Für jeden heilgen deutschen Hort,
Hurra, zur Kriegesfahrt!
 Hurra, hurra, hurra!
 Hurra, Germania!

Auf, Deutschland, auf, und Gott mit dir!
Ins Feld! Der Würfel klirrt!
Wohl schnürt's die Brust uns, denken wir
Des Bluts, das fließen wird!
Dennoch das Auge kühn empor!
Denn siegen wirst du ja:
Groß, herrlich, frei, wie nie zuvor!
Hurra, Germania!
 Hurra, Viktoria!
 Hurra, Germania!

25. 7. 1870

Franz Dingelstedt
1814–1881

Aus: *Nachtwächters Stilleben*

Weib, gib mir Deckel, Spieß und Mantel,
Der Dienst geht los, ich muß hinaus.
Noch einen Schluck . . . Adies Mariandel!
Ich hüt die Stadt, hüt du das Haus!
Nun schrei ich wieder wie besessen,
Was sie nicht zu verstehen wagen
Und was sie alle Tag vergessen:
Uht! Hört, ihr Herrn, und laßt euch sagen!

Schnarcht ruhig fort in euren Nestern
Und habt auf mein Gekreisch nicht acht!
Die Welt ist akkurat wie gestern,
Die Nacht so schwarz wie alle Nacht.
Auch welche Zeit, will niemand wissen,
's gibt keine Zeit in unsren Tagen,
Duckt euch nur in die warmen Kissen,
Die Glocke die hat nichts geschlagen!

Laß keiner sich im Schlaf berücken
Vom (vulgo Zeitgeist) Antichrist,
Und sollte wen ein Älblein drücken,
Dankt Gott, daß es nichts Ärgres ist.
Das Murren, Meistern, Zerr'n und Zanken,
Das Träumen tut es freilich nicht,
Drum schluckt sie runter, die Gedanken,
Bewahrt das Feuer und das Licht!

Auch wackelt nicht im bösen Willen
An Eurem Bett und räkelt nicht,
Die Zipfelmütze zieht im stillen
Zufrieden übers Angesicht.
Der Hund im Stall, der Mann beim Weibe,
Die Magd beim Knecht, wie Recht und Pflicht,
So ruht und rührt euch nicht beileibe,
Auf daß der Stadt kein Schad geschicht!

Und wann die Nacht wie alle Nächte
Vollendet hat den trägen Lauf,
Dann steigt, doch stets zuerst das rechte
Bein aus den Federn, sittsam auf!
Labt euch an dem Zichorientranke
Und tretet eure Mühlen gern,
Freut euch des Lebens voller Danke
Und lobt, nächst Gott, den Landesherrn!

Überall und nirgends
Keine Romanze

Ein Königreich hab ich gesehen,
So eins gibts auf der Welt nicht mehr;
Mit offnem Munde blieb ich stehen
Und sah und staunte rings umher.

Das war ein Wohlsein allerwegen
In Haus und Hof, zu Stadt und Land,
Ein rechter reicher Gottessegen,
Wie ihn mein Auge nirgends fand.

Die Straßen statt von Kriegsmilizen
Waren von Bürgern reich belebt,
Der Hafen hat von Mastenspitzen,
Von Rädern die Chaussée gebebt.

Von Polizei- und Amtsverboten,
Von Mauttarif und Brückengeld,
Schlagbaum und andren Schwerenoten
War auch nicht eine ausgestellt.

Und drinnen? – O, da hat ein Glaube
Ganz ohne Pfaff und Priesterstand,
Leuchtend wie einst des Geistes Taube,
Geschwebt ob dem beglückten Land.

Und keine Spur von Mystizismus,
Von Dunkelmänner-Muckerei,
Selbst Luthertum, Katholizismus
Und gar nichts galt für einerlei!

Und Schrift und Wort war freigegeben,
Die Presse seufzte Tag und Nacht.
Jedwede Kraft und jedes Streben,
Wenn echt, ward wirksam auch gemacht.

Vom König war nicht viel zu sehen,
Und doch schien er an jedem Ort,
Und wollt er wo zu Fuße gehen,
Trug man ihn auf den Händen fort.

Die Stände zeigten so viel Dummheit,
Als guten Ständen nötig tut,
Mehr Rührigkeit und minder Stummheit
Und just den rechten Redemut.

Mätressen gab es und Spione
Als Rarität ein paar im Land,
Und für die Zeitung der Barone
Im Tollhaus einen Pränumerant.

Und Freiheit lag und grüner Friede
Und Überfluß und Lebenslust
Wie eine blitzende Aegide
Gar herrlich ob des Reiches Brust.

Die Dichter sangen, wie sie wollten,
Der eine hart, der andre weich,
Und keiner ward darum gescholten,
War er nicht einer Schule gleich.

Noch hatt ich, ganz in Schau'n verloren,
Des Besten Laute still gelauscht,
Als plötzlich, dicht vor meinen Ohren,
Ein fremder Klang vernehmlich rauscht.

Ich – wachte auf – ... Wo? – Im Gefängnis,
Vom Klirr'n der Kett an meinem Fuß ...
O unglückseliges Verhängnis,
Daß man auch stets erwachen muß!

Vor meinem Fenster stund das Gitter
So fest wie früher in der Mauer,
Und über mir sang – ohne Zither! –
Ein Strauchdieb seinen Gassenhauer.

Friedrich von Sallet
1812–1843

Welt, Wald

Welt – das gellt so hell und grell;
Wald – das schallt und hallt so hold;
Welt – das schnellt und prellt sich schnell;
Wald – da wallt und waltet Ruh.
Welt, so lasse mich!
Wald, umfasse mich!
Welt, so dreh und kräusle dich!
Wald, umweh, umsäusle mich!

Hyperboräische Ballade

1

Es war ein König von Thule,
Zu seinem Volk der sprach:
„Geh nur erst in die Schule!
Die Freiheit folgt schon nach.

Mit einem Eid gewaltig
Versprech ich sie dir klar,
Und was ich verspreche, das halt ich
Am 30 sten Februar."

2

Da war das Volk bestochen,
Manch Jahr lang Vivat schrie,
Bis endlich Lunte rochen
Die größten Pfiffici.

„Ach, stünd er im Kalender!
Jetzt bleibt uns nichts als Spott." –
So ändert den Kalender!
Helft euch, so hilft euch Gott.

Ächtes Deutschtum
Eine nagelneue Erfindung der Zeitungsschreiber und anderer

Wir wollen uns, ächtdeutsch, begeistern
Für unsren angestammten Herrn.
Je herrischer er uns will meistern,
Je heller strahlt der Treue Stern.

Will man die Freiheit rücklings meucheln,
Die man doch lobt ins Angesicht,
Wir wollen, ächtdeutsch, Dummheit heucheln,
Als merkten wir das Meucheln nicht.

Wir nehmen wedelnd jede Phrase,
Ächtdeutsch, für bare Münze an,
Weil die bescheidne deutsche Nase
Tatsächlichstes nicht spüren kann.

Wir nehmen jedes Halbversprechen,
Ob man auch in der Zeiten Lauf
Uns hunderte schon mochte brechen,
Ächtdeutsch, mit neuem Jubel auf.

Wir wollen sein ächtdeutsche Affen
Von Englands finstrer Klerisei.
Werft uns ums Haupt das Netz, ihr Pfaffen!
Wir dulden's ächtdeutsch, fromm und frei.

Wir wollen auch ächtdeutsch erzittern,
Vor jedem Polizei-Gendarm,
Ächtdeutsch uns krümmen vor den Rittern
Und vor dem Bürokratenschwarm.

Zertretet uns, ächtdeutsche Junker,
Wie in der alten, guten Zeit!
Wir schrei'n bei eurem Prunkgeflunker,
Wie ächtdeutsch ritterlich ihr seid!

Und wenn wir mit zerbrochnem Nacken
Das Joch geschleppt, jahraus, jahrein,
Und rücken endlich die Kosaken
Und die Baschkiren bei uns ein:

498

Dann wollen wir ächtdeutsch auch prahlen
Mit ächter deutscher Liedesmacht,
Bis wir verloren die Sandalen,
Ächtdeutsch, gleich bei der ersten Schlacht.

Dann heißt's ächtdeutsch illuminieren,
Wo sich nur sehn läßt der Barbar;
Im Transparent, das Blumen zieren,
Steht: Vivat unser Gott, der Zar!

Die Zeitungen, ächtdeutsch, verbreiten
Einstimmig dann, wie freudenvoll
Sich alle deutschen Herzen weiten,
Weil Knutenglück uns lächeln soll.

Und bist du dann, mein Volk, begraben,
Verschwunden von dem Erdenrund,
Wirst du doch noch die Grabschrift haben:
Hier fault, ächtdeutsch, ein toter Hund.

Geschichtliche Entwicklung

Ihr sagt uns: „Jugend mit zu heißem Blute,
Auf schwärmerischen Freiheitstraum verzichte!
Geschichtlich nur entwickelt sich das Gute." –
Wohl! Doch wo nichts geschieht, heißt das Geschichte?

In unsrem Wörterbuche heißt sie: Taten,
Das Werdende und nicht das Alterstarrte.
Weh! Mit dem Wort habt ihr euch schlecht beraten,
Ob auch sein Doppelsinn schon viele narrte.

Geschichte! Ja, du Element des Lebens!
O stürzten Völker, mühvoll und beladen,
In deinen Strom sich doch beherzten Strebens,
Um sich in ihm gesund und jung zu baden!

Ihr aber, bebt vor ihren Weltgerichten!
Beruft euch nicht auf sie, die ihr wollt hemmen!
Geschichte heißt: den morschen Bau zernichten,
Heißt: euer Dammsystem zuschanden schwemmen.

Geschichte heißt das Stürmen der Bastillen
Und der Debatte Stürmen im Konvente.
O kindisch Kartenhaus der Kamarillen!
Weht einst ihr Hauch – wer ist, der dich noch kennte?

Gottfried Kinkel
1815–1882

Des Untertanen Glaubensbekenntnis

Stets nur treu und stets loyal
Und vor allem stets zufrieden,
So hat Gott es mir beschieden,
Folglich bleibt mir keine Wahl.

Ob des Staates alten Karren
Weise lenken oder Narren,
Dieses geht mich gar nichts an,
Denn ich bin ein Untertan.

Jeder Untertan und Christ
Weiß den Dienst, und daß daneben
Mit dem Staat sich abzugeben
Keineswegs ersprießlich ist.
Wer nicht herrscht, hört zu den Dummen,
Aber warum sollt ich brummen?
Dieses geht mich gar nichts an,
Denn ich bin ein Untertan.

Ob ich aller Völker Hohn,
Weil auf Deutschlands beiden Küsten
Sich nur fremde Flaggen brüsten,
Christlich schweig ich still davon.
Denn zuerst geziemt dem Throne,
Daß die Frommen er belohne;
Folglich geht mich das nichts an,
Denn ich bin ein Untertan.

Ob mein Nachbar Bauersmann,
Dem Kartoffeln nur noch blieben,
Wird von Haus und Hof getrieben,
Weil er nicht mehr leisten kann,
Was für ihre Heldentaten
Haben müssen die Soldaten,
Dieses geht mich gar nichts an,
Denn ich bin ein Untertan.

Trotz der Arbeit Tag und Nacht
Kann ich nicht mein Leben fristen,
Weil man Konduitenlisten
Hinter meinem Rücken macht.
Aber ob ich kann bestehen
Oder muß ich betteln gehen,
Dieses geht mich gar nichts an,
Denn ich bin ein Untertan.

Red ich wohl ein bißchen frei,
Und wer tut das nicht beim Weine?
Bringen sie es rasch ins reine,
Denn sie stecken gleich mich bei.
Ob die Kinder schrein nach Brode,
Ob mein Weib sich grämt zu Tode,
Dieses geht mich gar nichts an,
Denn ich bin ein Untertan.

Wenn nun endlich kommt der Russ'
Mit dem großen Ländersäckel,
Zieh ich höflich meinen Deckel
Ohne Grollen und Verdruß;
Denn fürwahr, das muß ich sagen,
Ich denk ihn nicht fortzujagen –
Alles das geht mich nichts an,
Denn ich bin ein Untertan!

Die Klassiker

Ihr hohen Meister sondergleichen,
Die Weimars Musenhof gesehn,
Wie tief beschämt wir vor euch weichen,
Wie gern wir unsre Schmach gestehn!

Vor euern hohen Idealen
Sind wir gemein in Schmerz und Lust;
Es schlägt mit jedes Winzers Qualen,
Mit jedem Weber unsre Brust.

Wir singen kindisch in die Fiedel
Ein deutsch Gefühl, ob bang, ob froh.
Doch den Terenz verdeutscht' Einsiedel
Und Falk gar den Amphitruo.

Wir wußten nicht wie ihr zu schneidern
Und maßen nicht mit kluger Wahl
Aus Robespierres Scharlachkleidern
Den Rock dem Bürgergeneral.

Ein Weib, das uns mit Lust und Schmerzen
Gelabt aus tiefstem Lebensquell,
Wir stießen's nie aus unserm Herzen
Um eine hübsche Hausmamsell.

Wie arm ist unser Herz im Minnen,
Das *einem* Weib nur sich gewährt
Und, um die *eine* zu gewinnen,
Der ganzen Welt den Krieg erklärt!

O, wohl mag solche Schmach uns grämen!
Noch auf der Schatten düsterm Pfad,
Wie müssen wir vor euch uns schämen –
Wir wurden nie Geheimer Rat!

Nicht gaben uns die Musen Mittel!
Und doch mied trotzig unser Bund
Den Hof und alle großen Titel,
Eh uns bezwang ein Pudelhund.

Wie milde trugt ihr's, wie ergeben,
Als sich der Freiheit Sturz genaht!
Ein Kunstwerk war für euch das Leben –
Uns war es nichts als eine Tat!

Was gilt auch vor den Lorbeerruten,
Die eure weiche Hand sich brach,
Fürs Vaterland das bißchen Bluten,
Fürs Vaterland das bißchen Schmach?

Und billig drum in Fürstengrüften
Ruht ihr, wo Erz und Marmor klingt,
Indes in Pommerns rauhen Lüften
Das Grablied uns die Krähe singt.

[Bürgergeneral: „Der Bürgergeneral", eins der Revolutionsschauspiele Goethes (1793).]

Robert Prutz
1816–1872

Abschied
Einem Auswanderer

Und muß es denn und muß es sein,
Und müssen wir uns trennen,
Wohlan! So schenkt noch einmal ein
Und laßt noch einmal zu dem Wein
Die Herzen lodernd brennen!

Du gehst, o Freund, nicht tränenlos –
O laß sie, laß sie rinnen!
Denn, ach, von deiner Mutter Schoß,
Du reißt vom Vaterland dich los,
Ein neues zu gewinnen!

Von fremder Küste, stolz und frei,
Die Wälder hörst du rauschen;
Willst gegen seidne Sklaverei,
Willst gegen bunte Liverei
Die nackte Freiheit tauschen.

Du bist es satt, ein Knecht zu sein
Und frei dich nur zu träumen,
Du bist es satt, mit Heuchelein,
Mit goldner Worte Flitterschein
Die Kette zu umsäumen.

Du bist des eignen Volkes satt,
Der schmachgewohnten Seelen,
Des Volkes, das, zum Handeln matt,
Gelehrte nur und Dichter hat
Und dem die Männer fehlen!

Du wirst nicht glücklich werden, nein!
Auch nicht im freien Lande.
Doch willst du lieber elend sein,
Im fremden Land, stumm und allein,
Als Knecht im Vaterlande.

O dürften wir in deinem Lauf,
O dürften wir dich halten!
Und dürften sagen: Schau hinauf!
Da steigt die Sonne schon herauf,
Der Tag will sich entfalten!

Umsonst! Noch säumt das holde Licht,
Noch sind die Herzen bleiern,
Noch rühren sich die Schläfer nicht,
Noch ist das Höchste ein Gedicht,
Das die Poeten leiern!

Und doch, ihr Brüder, schenket ein!
Doch muß ein Morgen tagen,
Da bricht die Freiheit stolz herein,
Da wird bei Ja, da wird bei Nein,
Da wird das Joch zerschlagen!

Ein Tag, wo die Trompete klingt,
Die Männer anzuwerben!
Es kommt ein Tag, der, sturmbeschwingt,
Zurück in unsern Arm dich bringt,
Zu siegen und zu sterben!

Lügenmärchen

Jüngst stieg ich einen Berg hinan,
 Was sah ich da!
Ich sah ein allerliebstes Land,
Der Wein wuchs an der Mauer,
Und dicht am Throne, rechter Hand,
Stand Bürgersmann und Bauer.
 Wunder über Wunder!
 Keine Barone
 Neben dem Throne?
Unterdessen nimmt mich's wunder.

Und weiter stieg ich frisch hinan,
 Was sah ich da!
Kein Leutnant war, kein Fähnrich dort
Und kein Rekrut zu sehen,
Man wußte nicht das kleinste Wort
Von stehenden Armeen.
 Wunder über Wunder!
 Keine Barone
 Neben dem Throne?
 Glückliche Staaten
 Ohne Soldaten?
Unterdessen nimmt mich's wunder.

Und weiter frisch den Berg hinan,
 Was sah ich da!
Das ganze liebe Land entlang,
Ins Bad und auf die Messe,
Man reiste frei und reiste frank
Und brauchte keine Pässe.
 Wunder über Wunder!
 Keine Barone
 Neben dem Throne?
 Glückliche Staaten
 Ohne Soldaten?
 Kein Paßvisieren
 Und Schikanieren?
Unterdessen nimmt mich's wunder.

Und wiederum ein Stück hinan,
 Was sah ich da!
Ein jeder durfte laut und frei
Von Herzen räsonieren,
Man wußte nichts von Polizei
Und nichts von Denunzieren.
 Wunder über Wunder!
 Keine Barone
 Neben dem Throne?
 Glückliche Staaten

 Ohne Soldaten?
 Kein Paßvisieren
 Und Schikanieren?
 Ohne Spione,
 Denkt euch nur: ohne?
Unterdessen nimmt mich's wunder.

Und noch einmal den Berg hinan,
 Was sah ich da!
Die Volksvertreter, Mann für Mann,
Da ging's um Kopf und Kragen;
Doch dachte kein Minister dran,
Den Urlaub zu versagen.
 Wunder über Wunder!
 Keine Barone
 Neben dem Throne?
 Glückliche Staaten
 Ohne Soldaten?
 Kein Paßvisieren
 Und Schikanieren?
 Ohne Spione,
 Denkt euch nur: ohne?
 Ganz ungenierte
 Volksdeputierte?
Unterdessen nimmt mich's wunder.

Und immer höher ging's hinan,
 Was sah ich da!
Sah Poesie und Wissenschaft
Mit Lust die Schwingen breiten,
Und die Zensur war abgeschafft
In alle Ewigkeiten.
 Wunder über Wunder!
 Keine Barone
 Neben dem Throne?
 Glückliche Staaten
 Ohne Soldaten?
 Kein Paßvisieren
 Und Schikanieren?
 Ohne Spione,
 Denkt euch nur: ohne?
 Ganz ungenierte
 Volksdeputierte?
 Freie Autoren
 Ohne Zensoren?
Unterdessen nimmt mich's wunder.

Und weiter, weiter, frisch hinan,
 Was sah ich da!

Ich sah die Weisen Hand in Hand,
Wie sie der Lüge wehrten
Und wie für Recht und Vaterland
Mitkämpften die Gelehrten.
 Wunder über Wunder!
 Keine Barone
 Neben dem Throne?
 Glückliche Staaten
 Ohne Soldaten?
 Kein Paßvisieren
 Und Schikanieren?
 Ohne Spione,
 Denkt euch nur: ohne?
 Ganz ungenierte
 Volksdeputierte?
 Freie Autoren
 Ohne Zensoren?
 Die Philosophen
 Nicht hinterm Ofen?
Unterdessen nimmt mich's wunder.

Und immer wieder ging's hinan,
 Was sah ich da!
Im ganzen Lande keine Spur
Von Muckern und von Frommen,
Und niemand kann durch Beten nur
Ins Ministerium kommen.
 Wunder über Wunder!
 Keine Barone
 Neben dem Throne?
 Glückliche Staaten
 Ohne Soldaten?
 Kein Paßvisieren
 Und Schikanieren?
 Ohne Spione,
 Denkt euch nur: ohne?
 Ganz ungenierte
 Volksdeputierte?

 Freie Autoren
 Ohne Zensoren?
 Die Philosophen
 Nicht hinterm Ofen?
 Kein Pietismus,
 Kein Servilismus?
Unterdessen nimmt mich's wunder.

Und nun zum letzten Mal hinan,
 Was sah ich da!
Ein jeder durft auf eignem Bein
Die ewge Wahrheit suchen,
Kein Pfaffe durfte: Kreuz'ge! schrein
Und von der Kanzel fluchen.
 Wunder über Wunder!
 Keine Barone
 Neben dem Throne?
 Glückliche Staaten
 Ohne Soldaten?
 Kein Paßvisieren
 Und Schikanieren?
 Ohne Spione,
 Denkt euch nur: ohne?
 Ganz ungenierte
 Volksdeputierte?
 Freie Autoren
 Ohne Zensoren?
 Die Philosophen
 Nicht hinterm Ofen?
 Kein Pietismus,
 Kein Servilismus?
 Sanfte Theologen –
 Das ist gelogen!
Unterdessen nimmt mich's wunder.

[Urlaub: Erlaubnis.]

Nachts

Nun ist der Tag gesunken,
Vom Berge steigt die Nacht,
Und hell mit tausend Funken,
Die Sternlein sind erwacht.

Nun über Tal und Hügel,
Herab vom Sternenzelt,
Nun schwebt mit leisem Flügel
Die Freiheit durch die Welt.

Sie tritt an alle Hütten,
Sie pocht an jedes Tor,
Sie flüstert leise Bitten
Den Schlummernden ins Ohr.

Sie weiht mit heißem Kusse
Den Jüngling und den Mann
Und haucht mit leisem Gruße
Auch den Gefangnen an.

Sie prüft am Schwert die Schneide,
Sie tritt zum Pulverfaß,
Sie zählt mit stummem Neide
Den Sand im Stundenglas:

Daß alle Seelen träumen,
Daß alle Herzen glühn
Von Rossen, die sich bäumen,
Von Taten, stolz und kühn!

Daß hinter Eisengittern
Selbst der Gefangne lacht!
Daß im Palast, mit Zittern,
Ein bleicher Mann erwacht!

Freiheit

Die Freiheit läßt sich nicht gewinnen,
Sie wird von außen nicht erstrebt,
Wenn nicht zuerst sie selbst tief innen,
Im eignen Busen dich belebt.
Willst du den Kampf, den großen, wagen,
So setz zuerst dich selber ein;
Wer fremde Fesseln will zerschlagen,
Darf nicht sein eigner Sklave sein.

Nur reinen Herzen, reinen Händen
Gebührt der Dienst im Heiligtum;
Der Freiheit Werk rein zu vollenden,
Dies, deutsches Volk, dies sei dein Ruhm!
Die Lüge winkt, die Schmeichler locken,
Mit seiner Kette spielt der Knecht:
Du aber wandle unerschrocken
Und deine Waffe sei das Recht!

Georg Herwegh
1817—1875

Frühlingsnacht

So selge Stille traf ich nie!
Kaum lispelt's in den Zweigen,
Als hätten ein Geheimnis sie
Den Menschen zu verschweigen.

Kaum plätschert noch die Welle fort,
Kaum knospet's in den Hecken,
Als gälte es, die Sterne dort
Am Himmel nicht zu wecken

Die guten Geister senken sich
Auf ihren Strahlen nieder
Und bringen, die bei Tag entwich,
Die Ruh den Träumern wieder.

Mein Schifflein treibt im Sturm allein,
Und niemand will es retten;
So müd dies Haupt, schläft's doch nicht ein,
Ich muß ihm tiefer betten!

Ich möchte hingehn wie das Abendrot

Ich möchte hingehn wie das Abendrot
Und wie der Tag mit seinen letzten Gluten –
O leichter, sanfter, ungefühlter Tod! –
Mich in den Schoß des Ewigen verbluten.

Ich möchte hingehn wie der heitre Stern,
Im vollsten Glanz, in ungeschwächtem Blinken;
So stille und so schmerzlos möchte gern
Ich in des Himmels blaue Tiefen sinken.

Ich möchte hingehn wie der Blume Duft,
Der freudig sich dem schönen Kelch entringet
Und auf dem Fittich blütenschwangrer Luft
Als Weihrauch auf des Herren Altar schwinget.

Ich möchte hingehn wie der Tau im Tal,
Wenn durstig ihm des Morgens Feuer winken:
O wollte Gott, wie ihn der Sonnenstrahl,
Auch meine lebensmüde Seele trinken!

Ich möchte hingehn wie der bange Ton,
Der aus den Saiten einer Harfe dringet,
Und, kaum dem irdischen Metall entflohn,
Ein Wohllaut in des Schöpfers Brust verklinget.

Du wirst nicht hingehn wie das Abendrot,
Du wirst nicht stille wie der Stern versinken,
Du stirbst nicht einer Blume leichten Tod,
Kein Morgenstrahl wird deine Seele trinken.

Wohl wirst du hingehn, hingehn ohne Spur,
Doch wird das Elend deine Kraft erst schwächen;
Sanft stirbt es einzig sich in der Natur,
Das arme Menschenherz muß stückweis brechen.

Leicht Gepäck

Ich bin ein freier Mann und singe
Mich wohl in keine Fürstengruft,
Und alles, was ich mir erringe,
Ist Gottes liebe Himmelsluft.
Ich habe keine stolze Feste,
Von der man Länder übersieht,
Ich wohn ein Vogel nur im Neste,
Mein ganzer Reichtum ist mein Lied.

Ich durfte nur, wie andre, wollen,
Und wär nicht leer davongeeilt,
Wenn jährlich man im Staat die Rollen
Den treuen Knechten ausgeteilt;
Allein ich hab nie zugegriffen,
So oft man mich herbei beschied,
Ich habe fort und fort gepfiffen,
Mein ganzer Reichtum ist mein Lied.

Der Lord zapft Gold aus seiner Tonne
Und ich aus meiner höchstens Wein;
Mein einzig Gold die Morgensonne,
Mein Silber all der Mondenschein!
Färbt sich mein Leben herbstlich gelber,
Kein Erbe, der zum Tod mir riet;
Denn meine Münzen präg ich selber;
Mein ganzer Reichtum ist mein Lied.

Gern sing ich abends zu dem Reigen,
Vor Thronen spiel ich niemals auf;
Ich lernte Berge wohl ersteigen,
Paläste komm ich nicht hinauf;
Indes aus Moder, Sturz und Wettern
Sein golden Los sich mancher zieht,
Spiel ich mit leichten Rosenblättern;
Mein ganzer Reichtum ist mein Lied.

Nach dir, nach dir steht mein Verlangen,
O schönes Kind, o wärst du mein!
Doch du willst Bänder, du willst Spangen,
Und ich soll dienen gehen? Nein!
Ich will die Freiheit nicht verkaufen,
Und wie ich die Paläste mied,
Lass ich getrost die Liebe laufen;
Mein ganzer Reichtum sei mein Lied.

Der Freiheit eine Gasse!

Vorm Feinde stand in Reih und Glied
Das Volk um seine Fahnen,
Da rief Herr Struthahn Winkelried:
„Ich will den Weg euch bahnen!
Dir, Gott, befehl' ich Weib und Kind,
Die ich auf Erden lasse –"
Und also sprengt' er pfeilgeschwind
Der Freiheit eine Gasse.

Das war ein Ritter noch mit Fug,
Der wie ein heiß Gewitter
Die Knechte vor sich niederschlug –
O wär ich solch ein Ritter
Auf stolzem Roß von schnellem Huf,
In schimmerndem Kürasse,
Zu sterben mit dem Donnerruf:
Der Freiheit eine Gasse!

Doch zittert nicht! Ich bin allein,
Allein mit meinem Grimme;
Wie könnt ich euch gefährlich sein
Mit meiner schwachen Stimme?
Dem Herrscher bildet sein Spalier,
Wie sonst, des Volkes Masse,
Und niemand, niemand ruft mit mir:
Der Freiheit eine Gasse!

Ihr Deutschen ebnet Berg und Tal
Für eure Feuerwagen,
Man sieht auf Straßen ohne Zahl
Euch durch die Länder jagen;
Auch dieser Dampf ist Opferdampf –
Glaubt nicht, daß ich ihn hasse –
Doch bahnet erst in Streit und Kampf
Der Freiheit eine Gasse!

Wenn alle Welt den Mut verlor,
Die Fehde zu beginnen,
Tritt du, mein Volk, den Völkern vor,
Laß du dein Herzblut rinnen!
Gib uns den Mann, der das Panier
Der neuen Zeit erfasse,
Und durch Europa brechen wir
Der Freiheit eine Gasse!

Der Freiheit Priester, der Vasall des Schönen,
So wird der Dichter in die Welt gesandt;
Ein Troubadour zieh er von Land zu Land,
Das Herrlichste mit seinem Lied zu krönen.

Die Heldentat gewinn in seinen Tönen
Für alle Zeiten sicheren Bestand,
Den eignen Kummer schreib er in den Sand,
Des eignen Herzens mög er sich entwöhnen.

Ein Gärtner, dem der Garten nur gegeben,
Für fremde Busen Blumen draus zu pflücken,
Ein Winzer, der für Fremde baut die Reben –

Sei all sein Trost, nur andre zu beglücken;
Dem armen Taucher gleich, wag er das Leben,
Mit seltnen Perlen seine Zeit zu schmücken.

Hölderlin

Den Klugen leiten sicher stets die Horen,
Nur mit dem Genius spielen oft die Winde;
Daß er, so Glück wie Unglück, früher finde,
Wird er mit Schwingen in die Welt geboren.

Doch bleibt ihm treu die Gottheit zugeschworen;
Sie legt am bösen Tag dem armen Kinde
Mit weicher Hand ums Aug des Wahnsinns Binde,
Daß es nie sehe, was das Herz verloren.

Die Götter haben freundlich dein gedacht,
Die du so fromm gehalten einst in Ehren,
Und *lebend* schon dich aus der Welt gebracht.

Nichts Irdisches kann fürder dich versehren,
Und reiner, denn ein Stern zum Schoß der Nacht,
Wirst du zurück zur großen Mutter kehren.

Wiegenlied

Schlafe, was willst du mehr?
Goethe

Deutschland – auf weichem, Pfühle
Mach dir den Kopf nicht schwer!
Im irdischen Gewühle
Schlafe, was willst du mehr?

Laß jede Freiheit dir rauben,
Setze dich nicht zur Wehr,
Du behältst ja den christlichen Glauben:
Schlafe, was willst du mehr?

Und ob man dir alles verböte,
Doch gräme dich nicht zu sehr,
Du hast ja Schiller und Goethe:
Schlafe, was willst du mehr?

Dein König beschützt die Kamele
Und macht sie pensionär,
Dreihundert Taler die Seele:
Schlafe, was willst du mehr?

Es fechten dreihundert Blätter
Im Schatten, ein Sparterheer;
Und täglich erfährst du das Wetter:
Schlafe, was willst du mehr?

Kein Kind läuft ohne Höschen
Am Rhein, dem freien, umher:
Mein Deutschland, mein Dornröschen,
Schlafe, was willst du mehr? –

[ohne Höschen: Sansculotten (,Ohnehose') hießen französische Revolutionäre.]

Vom armen Jakob und von der kranken Lise

– – – Weh dem Geschlecht
Der Zwerglein, die sich brüsten und die thronen!
Im Finstern wimmelt's ohne Brot und Recht
Von Millionen.

Fr. Sallet

Der arme Jakob

Der alte Jakob starb heut nacht –
Da haben sie am frühen Morgen
Sechs Brettchen ihm zurechtgemacht
Und drin den Schatz geborgen.

Ein schmucklos Haus! Man gibt ins Grab
Dem Feldherrn doch den Feldherrndegen –
Warum nicht auch den Bettelstab
Auf diese Bahre legen?

Den Degen, den er treu geführt,
Der in die Scheide nie gekommen,
Bis ihn der letzte Schlag gerührt
Und von der Welt genommen.

Er war der Welt, sie seiner satt –
Zu zwölfen in der engen Stube! –
Weh' ihm ein überflüssig Blatt,
O Lenz, in seine Grube!

Als hätt er Großes nie getan,
Ist rasch der Glückliche vergessen,
Kein Dichter stimmt ihm Psalmen an,
Kein Pfaffe liest ihm Messen.

Die Heller, die man in den Sand
Ihm warf aus schimmernden Karossen,
Sind alles, was vom Vaterland
Der arme Mann genossen.

Just die vom Himmel ihm geprahlt,
Sahn diese Erde zwiefach gerne:
So wird die Schuld ans Volk bezahlt
Mit Wechseln auf die Sterne.

Und kaum ist uns genug am Joch
Der Armut auf gekrümmten Rücken:
Man will der Knechtschaft Stempel noch
Ihr auf die Stirne drücken.

Schlaf wohl in deinem Sarkophag,
Drin sie dich ohne Hemd begraben:
Es wird kein Fürst am Jüngsten Tag
Noch reine Wäsche haben!

Die kranke Lise

Weihnacht! Die kranke Lise schreitet
Durchs Faubourg hin in banger Flucht,
Sie hat zu Haus kein Bett bereitet
Für ihres Leibes erste Frucht.
Wohl manches prunkt im Fürstensaale,
Den stolzer Kerzen Glanz erhellt –
Marsch, Lise, weiter, zum Spitale!
Dort kommt das Volk zur Welt.

„Mein armer Weber mag nur zetteln,
Sein Fleiß und Schweiß – was helfen sie?
Das Volk muß Sarg und Wiege betteln;
Allons, enfant de la patrie!

Kind, dem sie unter meinem Herzen
Die Lust am Leben schon vergällt,
Geduld, bis wir im Haus der Schmerzen!
Dort kommt das Volk zur Welt.

Sie feiern heut dem Gott der Armen,
Die reichen Herrn, ein Freudenfest;
Doch glaubt nicht, daß sich das Erbarmen
An ihrem Tische sehen läßt,
Daß je in ihre Festpokale
Der Schimmer einer Träne fällt –
Marsch, Lise, weiter, zum Spitale!
Dort kommt das Volk zur Welt.

Du machst mir wahrlich viel Beschwerden,
Der Liebe Kind, ich dacht es nie;
Das wird ein wilder Junge werden:
Allons, enfant de la patrie!
Für eurer Prinzen zarte Nerven
Ist Daun' auf Daune hoch geschwellt:
Ich muß in einer Grube werfen –
So kommt das Volk zur Welt.

Kläng noch die Trommel unserm Ohre
Und wär' noch *eine* Fahne rein:
Der Lappen einer Trikolore,
Er sollte deine Windel sein;
Du wärst getauft, eh seine Schale
Ein Pfaffe dir zu Häupten hält –
Marsch, Lise, weiter, zum Spitale!
Dort kommt das Volk zur Welt.

Wer wird so ungestüm sich melden?
Mein kleines Herz, was suchst du hie?
Nur noch zum Grabe jener Helden!
Allons, enfant de la patrie!
Dort seh ich in des Frührots Helle
Die Julisäule aufgestellt –"
Und nieder sank sie auf der Schwelle; –
So kommt das Volk zur Welt!

[Allons . . .: Vorwärts, Kind des Vaterlands!]

Bundeslied für den Allgemeinen deutschen Arbeiterverein

You are many, they are few.
(Eurer sind viele, ihrer sind wenige.)

Bet und arbeit! ruft die Welt,
Bete kurz! denn Zeit ist Geld.
An die Türe pocht die Not –
Bete kurz! denn Zeit ist Brot.

Und du ackerst und du säst,
Und du nietest und du nähst,
Und du hämmerst und du spinnst –
Sag, o Volk, was du gewinnst!

Wirkst am Webstuhl Tag und Nacht,
Schürfst im Erz- und Kohlenschacht,
Füllst des Überflusses Horn,
Füllst es hoch mit Wein und Korn.

Doch wo ist *dein* Mahl bereit?
Doch wo ist *dein* Feierkleid?
Doch wo ist *dein* warmer Herd?
Doch wo ist *dein* scharfes Schwert?

Alles ist dein Werk! O sprich,
Alles, aber nichts für dich!
Und von allem nur allein,
Die du schmiedst, die Kette, dein?

Kette, die den Leib umstrickt,
Die dem Geist die Flügel knickt,
Die am Fuß des Kindes schon
Klirrt – o Volk, das ist dein Lohn.

Was ihr hebt ans Sonnenlicht,
Schätze sind es für den Wicht;
Was ihr webt, es ist der Fluch
Für euch selbst – ins bunte Tuch.

Was ihr baut, kein schützend Dach
Hat's für euch und kein Gemach;
Was ihr kleidet und beschuht,
Tritt auf euch voll Übermut.

Menschenbienen, die Natur,
Gab sie euch den Honig nur?
Seht die Drohnen um euch her!
Habt ihr keinen Stachel mehr?

Mann der Arbeit, aufgewacht!
Und erkenne deine Macht!
Alle Räder stehen still,
Wenn dein starker Arm es will.

Deiner Dränger Schar erblaßt,
Wenn du, müde deiner Last,
In die Ecke lehnst den Pflug,
Wenn du rufst: Es ist genug!

Brecht das Doppeljoch entzwei!
Brecht die Not der Sklaverei!
Brecht die Sklaverei der Not!
Brot ist Freiheit, Freiheit Brot!

[1864]

Ludwig Pfau
1821–1894

Herr Biedermeier
Mitglied der „besitzenden und gebildeten Klasse"

Schau, dort spaziert Herr Biedermeier
Und seine Frau, den Sohn am Arm;
Sein Tritt ist sachte wie auf Eier,
Sein Wahlspruch: Weder kalt noch warm.
Das ist ein Bürger hochgeachtet,
Der geistlich spricht und weltlich trachtet;
Er wohnt in jenem schönen Haus
Und – leiht sein Geld auf Wucher aus.

Gemäßigt stimmt er bei den Wahlen,
Denn er mißbilligt allen Streit;
Obwohl kein Freund vom Steuerzahlen,
Verehrt er sehr die Obrigkeit.
Aufs Rathaus und vor Amt gerufen,
Zieht er den Hut schon auf den Stufen;
Dann aber geht er stolz nach Haus
Und – leiht sein Geld auf Wucher aus.

Am Sonntag in der Kirche fehlen,
Das wäre gegen Christenpflicht;
Da holt er Labung seiner Seelen –
Und schlummert, wenn der Pfarrer spricht.
Das führt ihn lieblich bis zum Segen,
Den nimmt der Wackre fromm entgegen.
Dann geht er ganz erbaut nach Haus
Und – leiht sein Geld auf Wucher aus.

Ach! Wandrer, die gen Westen streben!
Wie rühret ihre Not sein Herz!
Wohl sieht er sammeln, doch zu geben
Vergißt er ganz in seinem Schmerz.
„Ihr Schicksal ruht in Gottes Händen!"
Spricht er – dann geht er auszupfänden,
Nimmt einem Schuldner Hof und Haus
Und – leiht sein Geld auf Wucher aus.

Den einzgen, hoffnungsvollen Sprossen –
Denn mehr, das wäre Überfluß –,
Den hält er klösterlich verschlossen:
Die Sünde stammt ja vom Genuß.
Die Mutter führt ihr Küchlein sittig
Wie eine Henne unterm Fittich;
Sie sorgt für strenge Zucht im Haus
Und – leiht ihr Geld auf Wucher aus.

O edles Haus! O feine Sitten!
Wo jedes Gift im Keim erstickt,
Wo nur gepflegt wird und gelitten,
Was gern sich duckt und wohl sich schickt.
O wahre Bildung ohne Spitzen!
Nur der Besitz kann dich besitzen –
Anstand muß sein in Staat und Haus,
Sonst – geht dem Geld der Wucher aus.

Der Polenmutter Wiegenlied

Schlaf, mein Kind, und träume,
Stille ist die Nacht,
Und die alten Bäume
Flüstern um die Hütte sacht.

Schlaf, mein Kind, in tiefem Schlummer
Lieget rings die öde Welt;
Schwere Nacht und blutger Kummer
Lagern auf dem weiten Feld.
Durch das Land mit ehrnen Sohlen
Schreitet dumpf die Tyrannei;
Auf den Gräbern edler Polen
Wandeln ihre Schritte frei.

Schließ die Augenlider,
Schlaf, mein Kind, so sacht;
Wasser rauschen nieder
Übers Wehr die ganze Nacht.

Wiegenlieder klingen leise,
Doch die kurze Nacht entflieht;
Dann wird tönen andre Weise,
Dann wird dröhnen andres Lied!
Purpurn durch der Träume Weben
Schaut des Lebens Morgenglut,
Purpurn schaut es in dein Leben –
Aber von der Väter Blut.

Schlaf, mein Kind, und träume,
Stille ist die Nacht,
Und die Wolkensäume
Glühn im Licht des Mondes sacht.

Wirst du nach dem Vater fragen,
Lallend kaum, du armes Kind,
Werd ich dich zum Hügel tragen,
Wo sie all begraben sind,
Wo, vom Heimatgrund umschlossen,
Alle liegen Hand in Hand,
Väter, Brüder, Schwertgenossen –
Freiheit, ach! und Vaterland.

Schließ die Augenlider,
Schlaf, mein Kind, so sacht;
Alte Heldenlieder
Wehn ums Haus die ganze Nacht.

Schlaf, mein Kind, dir vorzusingen
Wird die Mutter nimmer müd;
Bist du groß, dann will ich singen
Dir ein Lied, das Funken sprüht –
Ha! ein Lied von blutgen Klingen,
Vaterland und Waffenspiel,
Und das Schwert dich lehren schwingen,
Das des Vaters Hand entfiel.

Schlaf, mein Kind, und träume,
Stille ist die Nacht,
Und durch Gottes Räume
Ziehen tausend Sterne sacht.

Georg Weerth
1822–1856

Freund Lenz

Aus fernen Wolken braust ein dumpfer Ton.
Die Donner sind es, so der Welt verkünden,
Daß wieder der Natur geliebter Sohn,
Der Frühling, wandelt zu der Erde Gründen.
Bei andern Völkern hat er lang geweilt,
Da war's, daß jüngst die Kunde ihn ereilt:
Wir hier im Norden trügen heiß Verlangen,
Aufs neu zu schauen seiner Blüte Prangen.

Er kommt; und aus des Südens frohen Talen,
Wo träumend er im Lorbeerwalde lag,
Wo er zum Fest bei glutgefüllten Schalen
Des Myrtenhaines vollste Kränze brach,
Wo mit dem Zephir er die Wangen kühlte
Und buhlerisch in schwarzen Locken wühlte –
Fern aus dem Süden hat er alle Pracht
Herauf jetzt in den Norden uns gebracht!

Er setzt sich lächelnd auf die Hügel hin:
Da weht ein Duften rings durch Fels und Auen.
Zum Forste lustig Falk und Taube ziehn,
Und Knospen rötlich aus den Gärten schauen.
Der Bäche Lauf schmückt er mit grünem Samt,
Es blitzt der Tau, hellauf die Sonne flammt,
Und nieder steigt er von den Hügelthronen
Hinab zum Tale, wo die Menschen wohnen

Mit ihrer Lust, mit ihrem bittern Leid,
Mit ihren Freuden, ach, und ihren Tränen,
Mit all dem Ringen, all dem herben Streit,
Mit all dem Hoffen, all dem stillen Sehnen.
Er ist's, der in des Armen Hütte schaut,
Der zu ihm spricht, wenn kaum der Morgen graut:
„Getrost! Wie deine Freuden auch zerstieben,
Dir Armen ist der Lenz noch treu geblieben!

Hinaus! Durch meine Blumen sollst du schreiten,
Ich labe dich mit meiner Wälder Grün!
Durch Busch und Wiese will ich dich geleiten
Den Berg hinan, wo meine Rosen glühn.
Ich zeige dir, wie nieder zu den Flächen
Befreit die Ströme ihre Bahnen brechen;
Und wie der Nacht erblüht der Sterne Schein,
Zieh ich, der Lenz, in deine Seele ein!

Ich küsse deiner Kinder müde Stirnen,
Ob all ihr Glanz erloschen und verstaubt.
Ich will gleich der Lawine von den Firnen
Wälzen den Gram von ihrer Mutter Haupt
Und Feuer menge ich mit deinem Blute,
Daß bald die Hand, die nur am Pfluge ruhte,
Zum Schwerte greift und ringend im Gefecht
Von Schmach befreit ein unterdrückt Geschlecht."

Das Hungerlied

Verehrter Herr und König,
Weißt du die schlimme Geschicht?
Am Montag aßen wir wenig,
Und am Dienstag aßen wir nicht.

Und am Mittwoch mußten wir darben,
Und am Donnerstag litten wir Not;
Und ach, am Freitag starben
Wir fast den Hungertod!

Drum laß am Samstag backen
Das Brot, fein säuberlich;
Sonst werden wir sonntags packen
Und fressen, o König, dich!

Arbeite

Du Mann im schlechten blauen Kittel;
Arbeite! Schaffe Salz und Brot.
Arbeite! Arbeit ist ein Mittel,
Probat für Pestilenz und Not.

Arbeite! Rühre deine Arme.
Arbeite sechzehn Stunden so!
Arbeite! Nachts ja lacht das warme,
Das Lager dir von faulem Stroh!

Arbeite! Hast ja straffe Sehnen.
Arbeite! Denk, mit schwangerem Leib
Harrt in der Hütte dein mit Tränen
Ein schönes, leichenbleiches Weib.

Arbeite! Gleich der Stirn der Rinder
Ist ja die deine breit und dick.
Arbeite! Deine nackten Kinder,
Die küssen dich, kehrst du zurück.

Arbeite, bis die Adern klopfen!
Arbeite, bis die Rippe kracht!
Arbeite, bis die Schläfen tropfen –
Du bist zur Arbeit ja gemacht!

Arbeite, bis die Sinne schwinden!
Arbeite, bis die Kraft versiegt!
Arbeite! – Wirst ja Ruhe finden,
Wenn dein Gebein im Grabe liegt.

Die hundert Bergleute

Die hundert Bergleute von Haswell,
Die starben an einem Tag!
Die starben zu einer Stunde!
Die starben auf einen Schlag!

Und als sie still begraben,
Da kamen wohl hundert Fraun,
Wohl hundert Fraun von Haswell,
Gar kläglich anzuschaun.

Sie kamen mit ihren Kindern,
Sie kamen mit Tochter und Sohn:
„Du reicher Herr von Haswell,
Nun gib uns unsern Lohn!"

Der reiche Herr von Haswell,
Der stand nicht lange an:
Er zahlte wohl den Wochenlohn
Für jeden verunglückten Mann.

Und als der Lohn bezahlet,
Da schloß er die Kiste zu.
Die eisernen Riegel klangen –
Die Weiber weinten dazu.

Karl Heinrich Schnauffer
1823–1854

Schwarz-Rot-Gold

Schwarz, Rot und Gold, das sind die Farben,
Die stolz der deutsche Bürger trägt;
Schwarz, Rot und Gold, das sind die Farben,
Für die er sich im Kampfe schlägt.

Das Schwarz, das ist die Warnung denen,
Die Deutschlands Freiheit noch bedrohn.
Das Rot, das ist das Blut von jenen,
Die für die Freiheit fielen schon.

Das Gold, das ist der Freiheit Segen,
Wenn Männer ihre Pflicht getan,
Drum schlagt auf Wegen und auf Stegen
Die heiligen drei Farben an.

Schwarz, Rot und Gold, das sind die Farben,
Drauf stolz das deutsche Auge sieht;
Schwarz, Rot und Gold – das sind die Garben,
Darin die Ernte Deutschlands blüht!

Friedrich Hebbel
1813–1863

Abendgefühl

Friedlich bekämpfen
Nacht sich und Tag.
Wie das zu dämpfen,
Wie das zu lösen vermag!

Der mich bedrückte,
Schläfst du schon, Schmerz?
Was mich beglückte,
Sage, was war's doch, mein Herz?

Freude wie Kummer,
Fühl ich, zerrann,
Aber den Schlummer
Führten sie leise heran.

Und im Entschweben,
Immer empor,
Kommt mir das Leben
Ganz wie ein Schlummerlied vor.

Nachtlied

Quellende, schwellende Nacht,
Voll von Lichtern und Sternen:
In den ewigen Fernen,
Sage, was ist da erwacht!

Herz in der Brust wird beengt,
Steigendes, neigendes Leben,
Riesenhaft fühle ich's weben,
Welches das meine verdrängt.

Schlaf, da nahst du dich leis
Wie dem Kinde die Amme,
Und um die dürftige Flamme
Ziehst du den schützenden Kreis.

Die Weihe der Nacht

Nächtliche Stille!
Heilige Fülle
Wie von göttlichem Segen schwer,
Säuselt aus ewiger Ferne daher.

Was da lebte,
Was aus engem Kreise
Auf ins Weitste strebte,
Sanft und leise
Sank es in sich selbst zurück
Und quillt auf in unbewußtem Glück.

Und von allen Sternen nieder
Strömt ein wunderbarer Segen,
Daß die müden Kräfte wieder
Sich in neuer Frische regen,
Und aus seinen Finsternissen
Tritt der Herr, so weit er kann,
Und die Fäden, die zerrissen,
Knüpft er alle wieder an.

Sie sehn sich nicht wieder

Von dunkelnden Wogen
Hinuntergezogen,
Zwei schimmernde Schwäne, sie schiffen daher;
Die Winde, sie schwellen
Allmählich die Wellen,
Die Nebel, sie senken sich finster und schwer.

Die Schwäne, sie meiden
Einander und leiden,
Nun tun sie es nicht mehr, sie können die Glut
Nicht länger verschließen,
Sie wollen genießen,
Verhüllt von den Nebeln, gewiegt von der Flut.

Sie schmeicheln, sie kosen,
Sie trotzen dem Tosen
Der Wellen, die Zweie in Eines verschränkt;
Wie die sich auch bäumen,
Sie glühen und träumen,
In Liebe und Wonne zum Sterben versenkt.

Nach innigem Gatten
Ein süßes Ermatten,
Da trennt sie die Woge, bevor sie's gedacht.
Laßt ruhn das Gefieder!
Ihr seht euch nicht wieder,
Der Tag ist vorüber, es dämmert die Nacht.

Ich und Du

Wir träumten voneinander
Und sind davon erwacht,
Wir leben, um uns zu lieben,
Und sinken zurück in die Nacht.

Du tratst aus meinem Traume,
Aus deinem trat ich hervor,
Wir sterben, wenn sich eines
Im andern ganz verlor.

Auf einer Lilie zittern
Zwei Tropfen, rein und rund,
Zerfließen in eins und rollen
Hinab in des Kelches Grund.

Sommerbild

Ich sah des Sommers letzte Rose stehn,
Sie war, als ob sie bluten könne, rot;
Da sprach ich schauernd im Vorübergehn:
„So weit im Leben, ist zu nah am Tod!"

Es regte sich kein Hauch am heißen Tag,
Nur leise strich ein weißer Schmetterling;
Doch ob auch kaum die Luft sein Flügelschlag
Bewegte, sie empfand es und verging.

516

Herbstbild

Dies ist ein Herbsttag, wie ich keinen sah!
Die Luft ist still, als atmete man kaum,
Und dennoch fallen raschelnd, fern und nah,
Die schönsten Früchte ab von jedem Baum.

O stört sie nicht, die Feier der Natur!
Dies ist die Lese, die sie selber hält,
Denn heute löst sich von den Zweigen nur,
Was vor dem milden Strahl der Sonne fällt.

Gebet

Die du, über die Sterne weg,
Mit der geleerten Schale
Aufschwebst, um sie am ewgen Born
Eilig wieder zu füllen:
Einmal schwenke sie noch, o Glück,
Einmal, lächelnde Göttin!
Sieh, ein einziger Tropfen hängt
Noch verloren am Rande,
Und der einzige Tropfen genügt,
Eine himmlische Seele,
Die hier unten in Schmerz erstarrt,
Wieder in Wonne zu lösen.
Ach! Sie weint dir süßeren Dank
Als die anderen alle,
Die du glücklich und reich gemacht;
Laß ihn fallen, den Tropfen!

Requiem

Seele, vergiß sie nicht,
Seele, vergiß nicht die Toten!

Sieh, sie umschweben dich,
Schauernd, verlassen,
Und in den heiligen Gluten,
Die den Armen die Liebe schürt,
Atmen sie auf und erwarmen
Und genießen zum letztenmal
Ihr verglimmendes Leben.

Seele, vergiß sie nicht,
Seele, vergiß nicht die Toten!

Sieh, sie umschweben dich,

Schauernd, verlassen,
Und wenn du dich erkaltend
Ihnen verschließest, erstarren sie
Bis hinein in das Tiefste.
Dann ergreift sie der Sturm der Nacht,
Dem sie, zusammengekrampft in sich,
Trotzten im Schoße der Liebe,
Und er jagt sie mit Ungestüm
Durch die unendliche Wüste hin,
Wo nicht Leben mehr ist, nur Kampf
Losgelassener Kräfte
Um erneuertes Sein!

Seele, vergiß sie nicht,
Seele, vergiß nicht die Toten!

Auf ein schlummerndes Kind

Wenn ich, o Kindlein, vor dir stehe,
Wenn ich im Traum dich lächeln sehe,
Wenn du erglühst so wunderbar,
Da ahne ich mit süßem Grauen:
Dürft ich in deine Träume schauen,
So wär mir alles, alles klar!

Dir ist die Erde noch verschlossen,
Du hast noch keine Lust genossen,
Noch ist kein Glück, was du empfingst;
Wie könntest du so süß denn träumen,
Wenn du nicht noch in jenen Räumen,
Woher du kamest, dich ergingst?

Aus der Kindheit

„Ja, das Kätzchen hat gestohlen,
Und das Kätzchen wird ertränkt.
Nachbars Peter sollst du holen,
Daß er es im Teich versenkt!"

Nachbars Peter hat's vernommen,
Ungerufen kommt er schon;
„Ist die Diebin zu bekommen,
Gebe ich ihr gern den Lohn!"

„Mutter, nein, er will sie quälen,
Gestern warf er schon nach ihr,
Bleibt nichts andres mehr zu wählen,
So ertränk ich selbst das Tier.

Sieh, das Kätzchen kommt gesprungen,
Wie es glänzt im Morgenstrahl!"
Lustig hüpft's dem kleinen Jungen
Auf den Arm zu seiner Qual.

„Mutter, laß das Kätzchen leben;
Jedesmal, wenn's dich bestiehlt,
Sollst du mir kein Frühstück geben;
Sieh nur, wie es artig spielt!"

„Nein, der Vater hat's geboten,
Hundertmal ist ihr verziehn!" –
„Hat sie doch vier weiße Pfoten!" –
„Einerlei! Ihr Tag erschien!" –

„Nachbarin, ich folg ihm leise,
Ob er es auch wirklich tut!"
Peter spricht es häm'scher Weise,
Und der Knabe hört's mit Wut.

Unterwegs auf manchem Platze
Bietet er sein Liebchen aus,
Aber keiner will die Katze,
Jeder hat sie längst im Haus.

Ach, da ist er schon am Teiche,
Und sein Blick, sein scheuer, schweift,
Ob ihn Peter noch umschleiche –
Ja, er steht von fern und pfeift.

„Nun, wir alle müssen sterben,
Großmama ging dir vorauf,
Und du wirst den Himmel erben,
Kratze nur, sie macht dir auf!"

Jetzt, um sie recht tief zu betten,
Wirft er sie mit aller Macht,
Doch zugleich, um sie zu retten,
Springt er nach, als er's vollbracht.

Eilte Peter nicht, der lange,
Gleich im Augenblick herzu,
Fände er – es ist mir bange –
Hier im Teich die ewge Ruh'.

In das Haus zurückgetragen,
Hört er auf die Mutter nicht,
Schweigt auf alle ihre Fragen,
Schließt die Augen trotzig dicht.

Von dem Zucker, den sie brachte,
Nimmt er zwar zerstreut ein Stück,
Doch den Tee, den sie ihm machte,
Weist er ungestüm zurück.

Welch ein Ton! Er dreht sich stutzend,
Und auf einer Fensterbank,
Spinnend und sich emsig putzend,
Sitzt sein Kätzchen blink und blank.

„Lebt sie, Mutter?" – „Dem Verderben
Warst du näher, Kind, als sie!" –
„Und sie soll auch nicht mehr sterben?" –
„Trinke nur, so soll sie's nie!"

Der Heideknabe

Der Knabe träumt, man schicke ihn fort
Mit dreißig Talern zum Heideort,
Er ward drum erschlagen am Wege
Und war doch nicht langsam und träge.

Noch liegt er im Angstschweiß, da rüttelt ihn
Sein Meister und heißt ihm, sich anzuziehn,
Und legt ihm das Geld auf die Decke
Und fragt ihn, warum er erschrecke.

„Ach Meister, mein Meister, sie schlagen mich tot,
Die Sonne, sie ist ja wie Blut so rot!" –
„Sie ist es für dich nicht alleine,
Drum schnell, sonst mach ich dir Beine!" –

„Ach Meister, mein Meister, so sprachst du schon,
Das war das Gesicht, der Blick, der Ton,
Gleich greifst du" – zum Stock, will er sagen,
Er sagt's nicht, er wird schon geschlagen.

„Ach Meister, mein Meister, ich geh, ich geh,
Bring meiner Frau Mutter das letzte Ade!
Und sucht sie nach allen vier Winden,
Am Weidenbaum bin ich zu finden!"

Hinaus aus der Stadt! Und da dehnt sie sich,
Die Heide, nebelnd, gespenstiglich,
Die Winde darüber sausend.
„Ach, wär' hier *ein* Schritt wie tausend!"

Und alles so still, und alles so stumm,
Man sieht sich umsonst nach Lebendigem um,
Nur hungrige Vögel schießen
Aus Wolken, um Würmer zu spießen.

Er kommt ans einsame Hirtenhaus,
Der alte Hirt schaut eben heraus,
Des Knaben Angst ist gestiegen,
Am Wege bleibt er noch liegen.

„Ach, Hirte, du bist ja von frommer Art,
Vier gute Groschen hab ich erspart,
Gib deinen Knecht mir zur Seite,
Daß er bis zum Dorf mich begleite.

Ich will sie ihm geben, er trinke dafür
Am nächsten Sonntag ein gutes Bier;
Dies Geld hier, ich trag es mit Beben,
Man nahm mir im Traum drum das Leben!"

Der Hirt, der winkte dem langen Knecht,
Er schnitt sich eben den Stecken zurecht,
Jetzt trat er hervor – wie graute
Dem Knaben, als er ihn schaute!

„Ach Meister Hirte, ach nein, ach nein,
Es ist doch besser, ich geh allein!"
Der Lange spricht grinsend zum Alten:
„Er will die vier Groschen behalten". –

„Da sind die vier Groschen!" Er wirft sie hin
Und eilt hinweg mit verstörtem Sinn.
Schon kann er die Weide erblicken,
Da klopft ihn der Knecht in den Rücken.

„Du hältst es nicht aus, du gehst zu geschwind,
Ei, eile mit Weile, du bist ja noch Kind,
Auch muß das Geld dich beschweren;
Wer kann dir das Ausruhn verwehren?

Komm, setz dich unter den Weidenbaum,
Und dort erzähl mir den häßlichen Traum;
Mir träumte – Gott soll mich verdammen,
Trifft's nicht mit deinem zusammen!"

Er faßt den Knaben wohl bei der Hand,
Der leistet auch nimmermehr Widerstand,
Die Blätter flüstern so schaurig,
Das Wässerlein rieselt so traurig!

„Nun sprich, du träumtest" – „Es kam ein Mann –"
„War ich das? Sieh mich doch näher an,
Ich denke, du hast mich gesehen!
Nun weiter, wie ist es geschehen?" –

„Er zog ein Messer!" – „War das wie dies?" –
„Ach ja, ach ja!" – „Er zog's?" – „Und stieß –" –
„Er stieß dir's wohl so durch die Kehle?
Was hilft es auch, daß ich dich quäle!"

Und fragt ihr, wie's weiter gekommen sei?
So fragt zwei Vögel, sie saßen dabei,
Der Rabe verweilte gar heiter,
Die Taube konnte nicht weiter!

Der Rabe erzählt, was der Böse noch tat,
Und auch, wie's der Henker gerochen hat;
Die Taube erzählt, wie der Knabe
Geweint und gebetet habe.

Unsere Zeit

Es ist die Zeit des stummen Weltgerichts.
In Wasserfluten nicht und nicht in Flammen:
Die Form der Welt bricht in sich selbst zusammen,
Und dämmernd tritt die neue aus dem Nichts.

Der Dichter zeigt im Spiegel des Gedichts,
Wie Tag und Nacht im Morgenrot verschwammen,
Doch wird er nicht beschwören, nicht verdammen,
Der keusche Priester am Altar des Lichts.

Er soll mit reiner Hand des Lebens pflegen,
Und wie er für des Frühlings erste Blüte
Ein Auge hat und sie mit Liebe bricht:

So darf er auch des Herbstes letzten Segen
Nicht übersehn und die zu spät erglühte
Nicht kalt verschmähen, wenn den Kranz er flicht.

Ein Reiseabenteuer in Deutschland

Es flog in X. mein Hut mir ab,
Natürlich über die Grenze,
Und als ich, ihn wiederzuholen, lief,
Da gab's vertrackte Tänze.

Ich durfte den deutschen Nachbarstaat
Nicht ohne Paß betreten,
Und da ich bloß spazierenging,
So hatt ich mir keinen erbeten.

Das tat ich nun, auch wurde ich
In Gnaden damit versehen,
Doch war's um meinen armen Hut
Trotz alledem geschehen.

Der war schon längst im dritten Staat
Und blieb auch dort nicht liegen,
Ihn ließ der schadenfrohe Wind
Ein Dutzend noch durchfliegen.

Was half mir nun der gute Paß,
Den ich in X. genommen?
Zehn neue braucht ich in *einem* Tag,
Da war nicht nachzukommen.

Ich kaufte mir einen andern Hut,
Der Meister aber erwählte
Den Wiener Kongreß zum Schutzpatron,
Als ich mein Schicksal erzählte.

Theodor Storm
1817–1888

Die Nachtigall

Das macht, es hat die Nachtigall
Die ganze Nacht gesungen;
Da sind von ihrem süßen Schall,
Da sind in Hall und Widerhall
Die Rosen aufgesprungen.

Sie war doch sonst ein wildes Kind;
Nun geht sie tief in Sinnen,
Trägt in der Hand den Sommerhut
Und duldet still der Sonne Glut
Und weiß nicht, was beginnen.

Das macht, es hat die Nachtigall
Die ganze Nacht gesungen;
Da sind von ihrem süßen Schall,
Da sind in Hall und Widerhall
Die Rosen aufgesprungen.

Hyazinthen

Fern hallt Musik; doch hier ist stille Nacht,
Mit Schlummerduft anhauchen mich die Pflanzen:
Ich habe immer, immer dein gedacht;
Ich möchte schlafen, aber du mußt tanzen.

Es hört nicht auf, es rast ohn Unterlaß;
Die Kerzen brennen und die Geigen schreien,
Es teilen und es schließen sich die Reihen,
Und alle glühen; aber du bist blaß.

Und du mußt tanzen; fremde Arme schmiegen
Sich an dein Herz; o leide nicht Gewalt!
Ich seh dein weißes Kleid vorüberfliegen
Und deine leichte, zärtliche Gestalt. – –

Und süßer strömend quillt der Duft der Nacht
Und träumerischer aus dem Kelch der Pflanzen.
Ich habe immer, immer dein gedacht;
Ich möchte schlafen, aber du mußt tanzen.

Juli

Klingt im Wind ein Wiegenlied,
Sonne warm herniedersieht,
Seine Ähren senkt das Korn,
Rote Beere schwillt am Dorn,
Schwer von Segen ist die Flur –
Junge Frau, was sinnst du nur?

Ein grünes Blatt

Ein Blatt aus sommerlichen Tagen,
Ich nahm es so im Wandern mit,
Auf daß es einst mir möge sagen,
Wie laut die Nachtigall geschlagen,
Wie grün der Wald, den ich durchschritt.

Lied des Harfenmädchens

Heute, nur heute
Bin ich so schön;
Morgen, ach morgen
Muß alles vergehn!
Nur diese Stunde
Bist du noch mein;
Sterben, ach sterben
Soll ich allein.

Herbst

Schon ins Land der Pyramiden
Flohn die Störche übers Meer;
Schwalbenflug ist längst geschieden,
Auch die Lerche singt nicht mehr.

Seufzend in geheimer Klage
Streift der Wind das letzte Grün;
Und die süßen Sommertage,
Ach, sie sind dahin, dahin!

Nebel hat den Wald verschlungen,
Der dein stillstes Glück gesehn;
Ganz in Duft und Dämmerungen
Will die schöne Welt vergehn.

Nur noch einmal bricht die Sonne
Unaufhaltsam durch den Duft,
Und ein Strahl der alten Wonne
Rieselt über Tal und Kluft.

Und es leuchten Wald und Heide,
Daß man sicher glauben mag,
Hinter allem Winterleide
Lieg' ein ferner Frühlingstag.

Im Herbste

Es rauscht, die gelben Blätter fliegen,
Am Himmel steht ein falber Schein;
Du schauerst leis und drückst dich fester
In deines Mannes Arm hinein.

Was nun von Halm zu Halme wandelt,
Was nach den letzten Blumen greift,
Hat heimlich im Vorübergehen
Auch dein geliebtes Haupt gestreift.

Doch reißen auch die zarten Fäden,
Die warme Nacht auf Wiesen spann –
Es ist der Sommer nur, der scheidet;
Was geht denn uns der Sommer an!

Du legst die Hand an meine Stirne
Und schaust mir prüfend ins Gesicht;
Aus deinen milden Frauenaugen
Bricht gar zu melancholisch Licht.

Erlosch auch hier ein Duft, ein Schimmer,
Ein Rätsel, das dich einst bewegt,
Daß du in meine Hand gefangen
Die freie Mädchenhand gelegt?

O schaudre nicht! Ob auch unmerklich
Der schönste Sonnenschein verrann –
Es ist der Sommer nur, der scheidet;
Was geht denn uns der Sommer an!

Wer je gelebt in Liebesarmen

Wer je gelebt in Liebesarmen,
Der kann im Leben nie verarmen;
Und müßt er sterben fern, allein,
Er fühlte doch die selge Stunde,
Wo er gelebt an ihrem Munde,
Und noch im Tode ist sie sein.

Schließe mir die Augen beide

Schließe mir die Augen beide
Mit den lieben Händen zu!
Geht doch alles, was ich leide,
Unter deiner Hand zur Ruh.
Und wie leise sich der Schmerz
Well' um Welle schlafen leget,
Wie der letzte Schlag sich reget,
Füllest du mein ganzes Herz.

Oktoberlied

Der Nebel steigt, es fällt das Laub;
Schenk ein den Wein, den holden!
Wir wollen uns den grauen Tag
Vergolden, ja vergolden!

Und geht es draußen noch so toll,
Unchristlich oder christlich,
Ist doch die Welt, die schöne Welt,
So gänzlich unverwüstlich!

Und wimmert auch einmal das Herz –
Stoß an und laß es klingen!
Wir wissen's doch, ein rechtes Herz
Ist gar nicht umzubringen.

Der Nebel steigt, es fällt das Laub;
Schenk ein den Wein, den holden!
Wir wollen uns den grauen Tag
Vergolden, ja vergolden!

Wohl ist es Herbst; doch warte nur,
Doch warte nur ein Weilchen!
Der Frühling kommt, der Himmel lacht,
Es steht die Welt in Veilchen.

Die blauen Tage brechen an,
Und ehe sie verfließen,
Wir wollen sie, mein wackrer Freund,
Genießen, ja genießen!

Die Stadt

Am grauen Strand, am grauen Meer
Und seitab liegt die Stadt;
Der Nebel drückt die Dächer schwer,
Und durch die Stille braust das Meer
Eintönig um die Stadt.

Es rauscht kein Wald, es schlägt im Mai
Kein Vogel ohn' Unterlaß;
Die Wandergans mit hartem Schrei
Nur fliegt in Herbstesnacht vorbei,
Am Strande weht das Gras.

Doch hängt mein ganzes Herz an dir,
Du graue Stadt am Meer;
Der Jugend Zauber für und für
Ruht lächelnd doch auf dir, auf dir,
Du graue Stadt am Meer.

Gode Nacht

Över de stillen Straten
Geit klar de Klokkenslag;
God' Nacht! Din Hart will slapen,
Und morgen is ok en Dag.

Din Kind liggt in de Weegen,
Un ik bün ok bi di;
Din Sorgen un din Leven
Is allens um un bi.

Noch eenmal lat uns spräken:
Goden Abend, gode Nacht!
De Maand schient ob de Däken,
Uns' Herrgott hölt de Wacht.

Meeresstrand

Ans Haff nun fliegt die Möve,
Und Dämmrung bricht herein;
Über die feuchten Watten
Spiegelt der Abendschein.

Graues Geflügel huschet
Neben dem Wasser her;
Wie Träume liegen die Inseln
Im Nebel auf dem Meer.

Ich höre des gärenden Schlammes
Geheimnisvollen Ton,
Einsames Vogelrufen –
So war es immer schon.

Noch einmal schauert leise
Und schweiget dann der Wind;
Vernehmlich werden die Stimmen,
Die über der Tiefe sind.

Abseits

Es ist so still; die Heide liegt
Im warmen Mittagssonnenstrahle,
Ein rosenroter Schimmer fliegt
Um ihre alten Gräbermale;
Die Kräuter blühn; der Heideduft
Steigt in die blaue Sommerluft.

Laufkäfer hasten durchs Gesträuch
In ihren goldnen Panzerröckchen,
Die Bienen hängen Zweig um Zweig
Sich an der Edelheide Glöckchen,
Die Vögel schwirren aus dem Kraut –
Die Luft ist voller Lerchenlaut.

Ein halbverfallen, niedrig Haus
Steht einsam hier und sonnbeschienen,
Der Kätner lehnt zur Tür hinaus,
Behaglich blinzelnd nach den Bienen;
Sein Junge auf dem Stein davor
Schnitzt Pfeifen sich aus Kälberrohr.

Kaum zittert durch die Mittagsruh
Ein Schlag der Dorfuhr, der entfernten;
Dem Alten fällt die Wimper zu,
Er träumt von seinen Honigernten.
– Kein Klang der aufgeregten Zeit
Drang noch in diese Einsamkeit.

Über die Heide

Über die Heide hallet mein Schritt;
Dumpf aus der Erde wandert es mit.

Herbst ist gekommen, Frühling ist weit –
Gab es denn einmal selige Zeit?

Brauende Nebel geisten umher;
Schwarz ist das Kraut und der Himmel so leer.

Wär ich hier nur nicht gegangen im Mai!
Leben und Liebe, – wie flog es vorbei!

Herbst

Und sind die Blumen abgeblüht,
So brecht der Äpfel goldne Bälle;
Hin ist die Zeit der Schwärmerei,
So schätzt nun endlich das Reelle!

August
Inserat

Die verehrlichen Jungen, welche heuer
Meine Äpfel und Birnen zu stehlen gedenken,
Ersuche ich höflichst, bei diesem Vergnügen
Womöglich insoweit sich zu beschränken,
Daß sie daneben auf den Beeten
Mir die Wurzeln und Erbsen nicht zertreten.

Aus der Marsch

Der Ochse frißt das feine Gras
Und läßt die groben Halme stehen;
Der Bauer schreitet hinterdrein
Und fängt bedächtig an zu mähen.

Und auf dem Stall zur Winterszeit,
Wie wacker steht der Ochs zu kauen!
Was er als grünes Gras verschmäht,
Das muß er nun als Heu verdauen.

In Bulemanns Haus

Es klippt auf den Gassen im Mondenschein;
Das ist die zierliche Kleine,
Die geht auf ihren Pantöffelein
Behend und mutterseelenallein
Durch die Gassen im Mondenscheine.

Sie geht in ein alt, verfallenes Haus;
Im Flur ist die Tafel gedecket,
Da tanzt vor dem Monde die Maus mit der Maus,
Da setzt sich das Kind mit den Mäusen zu Schmaus,
Die Tellerlein werden gelecket.

Und leer sind die Schüsseln; die Mäuslein im Nu
Verrascheln in Mauer und Holze;
Nun läßt es dem Mägdlein auch länger nicht Ruh,
Sie schüttelt ihr Kleidchen, sie schnürt sich die Schuh,
Dann tritt sie einher mit Stolze.

Es leuchtet ein Spiegel aus goldnem Gestell,
Da schaut sie hinein mit Lachen;
Gleich schaut auch heraus ein Mägdelein hell,
Das ist ihr einziger Spielgesell;
Nun woll'n sie sich lustig machen.

Sie nickt voll Huld, ihr gehört ja das Reich;
Da neigt sich das Spiegelkindlein,
Da neigt sich das Kind vor dem Spiegel zugleich,
Da neigen sich beide gar anmutreich,
Da lächeln die rosigen Mündlein.

Und wie sie lächeln, so hebt sich der Fuß,
Es rauschen die seidenen Röcklein,
Die Händchen werfen sich Kuß um Kuß,
Das Kind mit dem Kinde nun tanzen muß,
Es tanzen im Nacken die Löcklein.

Der Mond scheint voller und voller herein,
Auf dem Estrich gaukeln die Flimmer:
Im Takte schweben die Mägdelein,
Bald tauchen sie tief in die Schatten hinein,
Bald stehn sie in bläulichem Schimmer.

Nun sinken die Glieder, nun halten sie an
Und atmen aus Herzens Grunde;
Sie nahen sich schüchtern und beugen sich dann
Und knien voreinander und rühren sich an
Mit dem zarten, unschuldigen Munde.

Doch müde werden die beiden allein
Von all der heimlichen Wonne;

Sehnsüchtig flüstert das Mägdelein:
„Ich mag nicht mehr tanzen im Mondenschein,
Ach, käme doch endlich die Sonne!"

Sie klettert hinunter ein Trepplein schief
Und schleicht hinab in den Garten.
Die Sonne schlief, und die Grille schlief:
„Hier will ich sitzen im Grase tief,
Und der Sonne will ich warten."

Doch als nun morgens um Busch und Gestein
Verhuschet das Dämmergemunkel,
Da werden dem Kinde die Äugelein klein;
Sie tanzte zu lange beim Mondenschein,
Nun schläft sie bei Sonnengefunkel.

Nun liegt sie bei den Blumen dicht
Auf grünem, blitzendem Rasen:
Und es schauen ihr in das süße Gesicht
Die Nachtigall und das Sonnenlicht
Und die kleinen, neugierigen Hasen.

Von Katzen

Vergangnen Maitag brachte meine Katze
Zur Welt sechs allerliebste kleine Kätzchen,
Maikätzchen, alle weiß mit schwarzen Schwänzchen.
Fürwahr, es war ein zierlich Wochenbettchen!
Die Köchin aber – Köchinnen sind grausam,
Und Menschlichkeit wächst nicht in einer Küche –
Die wollte von den sechsen fünf ertränken,
Fünf weiße, schwarzgeschwänzte Maienkätzchen
Ermorden wollte dies verruchte Weib.
Ich half ihr heim! – Der Himmel segne
Mir meine Menschlichkeit! Die lieben Kätzchen,
Sie wuchsen auf und schritten binnen kurzem
Erhobnen Schwanzes über Hof und Herd;
Ja, wie die Köchin auch ingrimmig drein sah,
Sie wuchsen auf, und nachts vor ihrem Fenster
Probierten sie die allerliebsten Stimmchen.
Ich aber, wie ich sie so wachsen sahe,
Ich preis mich selbst und meine Menschlichkeit. –
Ein Jahr ist um, und Katzen sind die Kätzchen,
Und Maitag ist's! – Wie soll ich es beschreiben,
Das Schauspiel, das sich jetzt vor mir entfaltet!
Mein ganzes Haus, vom Keller bis zum Giebel,
Ein jeder Winkel ist ein Wochenbettchen!
Hier liegt das eine, dort das andre Kätzchen,
In Schränken, Körben, unter Tisch und Treppen,
Die Alte gar – nein, es ist unaussprechlich,
Liegt in der Köchin jungfräulichem Bette!
Und jede, jede von den sieben Katzen

Hat sieben, denkt euch! sieben junge Kätzchen,
Maikätzchen, alle weiß mit schwarzen Schwänzchen!
Die Köchin rast, ich kann der blinden Wut
Nicht Schranken setzen dieses Frauenzimmers;
Ersäufen will sie alle neunundvierzig!
Mir selber, ach, mir läuft der Kopf davon –
O Menschlichkeit, wie soll ich dich bewahren!
Was fang ich an mit sechsundfünfzig Katzen! –

Weihnachtslied

Vom Himmel in die tiefsten Klüfte
Ein milder Stern herniederlacht;
Vom Tannenwalde steigen Düfte
Und hauchen durch die Winterlüfte,
Und kerzenhelle wird die Nacht.

Mir ist das Herz so froh erschrocken,
Das ist die liebe Weihnachtszeit!
Ich höre fernher Kirchenglocken
Mich lieblich, heimatlich verlocken
In märchenstille Herrlichkeit.

Ein frommer Zauber hält mich wieder,
Anbetend, staunend muß ich stehn;
Es sinkt auf meine Augenlider
Ein goldner Kindertraum hernieder,
Ich fühl's, ein Wunder ist geschehn.

Gräber an der Küste

Mit Kränzen haben wir das Grab geschmückt,
Die stille Wiege unsrer jungen Toten;
Den grünsten Efeu haben wir gepflückt,
Die spätsten Astern, die das Jahr geboten.

Hier ruhn sie waffenlos in ihrer Gruft,
Die man hinaustrug aus dem Pulverdampfe;
Vom Strand herüber weht der Meeresduft,
Die Schläfer kühlend nach dem heißen Kampfe.

Es steigt die Flut; vom Ring des Deiches her
Im Abendschein entbrennt der Wasserspiegel;
Ihr schlafet schön! Das heimatliche Meer
Wirft seinen Glanz auf euren dunklen Hügel.

Und rissen sie die Farben auch herab,
Für die so jung ihr ginget zu den Bleichen,
O, schlafet ruhig! Denn von Grab zu Grab
Wehn um euch her der Feinde Wappenzeichen.

Nicht euch zum Ruhme sind sie aufgesteckt;
Doch künden sie, daß eure Kugeln trafen,
Daß, als ihr euch zur ewgen Ruh gestreckt,
Den Feind ihr zwanget, neben euch zu schlafen.

Ihr aber, denen ohne Trommelschlag
Durch Feindeshand bereitet ward der Rasen,
Hört dieses Lied! Und harret auf den Tag,
Daß unsre Reiter hier Reveille blasen!

Doch sollte dieser heiße Lebensstreit
Verlorengehn wie euer Blut im Sande
Und nur im Reiche der Vergangenheit
Der Name leben dieser schönen Lande:

In diesem Grabe, wenn das Schwert zerbricht,
Liegt deutsche Ehre fleckenlos gebettet!
Beschützen konntet ihr die Heimat nicht,
Doch habt ihr sterbend sie vor Schmach gerettet.

Nun ruht ihr, wie im Mutterschoß das Kind,
Und schlafet aus auf heimatlichem Kissen;
Wir andern aber, die wir übrig sind,
Wo werden wir im Elend sterben müssen!

Schon hatten wir zu festlichem Empfang
Mit Kränzen in der Hand das Haus verlassen;
Wir standen harrend ganze Nächte lang,
Doch nur die Toten zogen durch die Gassen. –

So nehmet denn, ihr Schläfer dieser Gruft,
Die spätsten Blumen, die das Jahr geboten!
Schon fällt das Laub im letzten Sonnenduft –
Auch dieses Sommers Kranz gehört den Toten.

[Nach der Schlacht bei Idstedt 1850 hatten die Dänen Schleswig besetzt. – Empfang: Am 4. 10. 1850
schlug der Sturm der Schleswig-Holsteiner auf Friedrichstadt b. Husum fehl.]

Abschied

Kein Wort, auch nicht das kleinste, kann ich sagen,
Wozu das Herz den vollen Schlag verwehrt;
Die Stunde drängt, gerüstet steht der Wagen,
Es ist die Fahrt der Heimat abgekehrt.

Geht immerhin – denn eure Tat ist euer –
Und widerruft, was einst das Herz gebot,
Und kauft, wenn dieser Preis auch nicht zu teuer,
Dafür euch in der Heimat euer Brot!

Ich aber kann des Landes nicht, des eignen,
In Schmerz verstummte Klagen mißverstehn;
Ich kann die stillen Gräber nicht verleugnen,
Wie tief sie jetzt in Unkraut auch vergehn. –

Du, deren zarte Augen mich befragen, –
Der dich mir gab, gesegnet sei der Tag!
Laß nur dein Herz an meinem Herzen schlagen
Und zage nicht! Es ist derselbe Schlag.

Es strömt die Luft – die Knaben stehn und lauschen,
Vom Strand herüber dringt ein Möwenschrei;
Das ist die Flut! Das ist des Meeres Rauschen;
Ihr kennt es wohl; wir waren oft dabei.

Von meinem Arm in dieser letzten Stunde
Blickt einmal noch ins weite Land hinaus,
Und merkt es wohl, es steht auf diesem Grunde,
Wo wir auch weilen, unser Vaterhaus.

Wir scheiden jetzt, bis dieser Zeit Beschwerde
Ein andrer Tag, ein besserer gesühnt;
Denn Raum ist auf der heimatlichen Erde
Für Fremde nur und was den Fremden dient.

Doch ist's das flehendste von den Gebeten:
Ihr mögt dereinst, wenn mir es nicht vergönnt,
Mit festem Fuß auf diese Scholle treten,
Von der sich jetzt mein heißes Auge trennt! –

Und du, mein Kind, mein jüngstes, dessen Wiege
Auch noch auf diesem teuren Boden stand,
Hör mich! – denn alles andere ist Lüge –
Kein Mann gedeihet ohne Vaterland!

Kannst du den Sinn, den diese Worte führen,
Mit deiner Kinderseele nicht verstehn,
So soll es wie ein Schauer dich berühren
Und wie ein Pulsschlag in dein Leben gehn!

[1853]

[Abschied: von Husum nach Potsdam.]

Der Beamte

Er reibt sich die Hände: „Wir kriegen's jetzt!
Auch der frechste Bursche spüret
Schon bis hinab in die Fingerspitz,
Daß von oben er wird regieret.

Bei jeder Geburt ist künftig sofort
Der Antrag zu formulieren,
Daß die hohe Behörde dem lieben Kind
Gestatte zu existieren!"

Fritz Reuter
1810–1874

De Kirschbom

In Rittermannshagen, dor was mal en Mann,
De läd sik woll hen, üm tau starwen,
Un wil nu doch keiner wat mitnemen kann,
So let hei sin Kinner dat arwen.

So deilt hei sin Hus un sin Hof un sin Feld
Tau gliken Deil för sin Döchter.
„Ok kriggt nu en jede von jug glikes Geld
Un de Hälft von den Goren," so seggt er.

Un kum, dat de Oll verstorwen nu was
Un was in Freden begrawen,
Dunn rafften de beiden mit Hast un mit Haß
Dat Arwdeil tausam, as de Raben.

Dat Geld, dat würd deilt, un de Hofstäd' dortau,
Un kein' von de beid' was taufreden;
Un as sei sik deilten den Goren genau,
Dunn heww'n sei sik gruglischen streden.

In den middelsten Stig würd en Kirschbom sin,
Nich rechtsch un nich linksch stunn hei 'ranner.
„Dat 's min!" säd de öllst', „de Kirschbom is min," –
„Du büst woll nich klauk," säd de anner.

Un as nu de Kirschen rip wiren binah,
Dunn wull ok de öllst sei sik austen.
„Herut ut den Bom! Herunner! Ik slah!"
Rep de jüngst. „Dat sall di wat hausten!"

Sei schüllen sik 'rüm, un sei fohrten tausam
Un kratzten sik af de Gesichter,
Sei slogen sik krumm, un sei slogen sik lahm
Un lepen tauletzt nah den Richter.

De Kirschbom, de bläuht, de Kirschbom, de drog,
De Avvekaten, de kemen;
Dat Frugensvolk jöhrlich sik wedder slog,
Denn kein' von ehr wull sik bequemen.

De Kirschbom, de bläuht, de Kirschbom, de drog,
Un jöhrlich gaww 't en Getagel,
Un wil dat eine de anner slog,
Vertehrten de Kirschen de Vagel.

Dat Hus, dat is hen, un de Arwschaft verdahn,
Üm Geld un Gaud sünd sei 'rümmer;
De Kirschbom is lang all verdrögt un vergahn,
De Strid äwerst wohret noch ümmer.

Not- und Liebeswerke

Herr Paster Zahn tau Hogen-Zittel
Hett sin Bed'kinner vör sik stahn
Un kümmt denn nu up dat Kapitel,
Wat Not- un Liebeswerke sünd.
„Nun sag mal," seggt Herr Paster Zahn,
„Nun sag mir du mal, liebes Kind,
Was Not- und Liebeswerke sind?"
Un wen'nt sik an lütt Fiken Schachten,
Ut de ehr'n lütten roden Mund
Un ut de Ogen krall un rund
Noch Kinnerspill un Hägen lachten.
„Du weißt es," seggt de Paster, „wie ich merke,
Was sind wohl Not- und Liebeswerke?
Du gibst gewiß mir drauf Bescheid." –
Un Fiken kikt den framen Mann
So recht vertrut unschüllig an:
„Wenn ein' den annern frigen deiht."

Klaus Groth
1819–1899

Abendfreden

De Welt is rein so sachen,
As leeg se deep in Drom,
Man hört ni ween'n noch lachen,
Se's lisen as en Bom.

Se snackt man mank de Blœder,
As snack en Kind in Slap,
Dat sünd de Wegenleder
Vœr Köh un stille Schap.

Nu liggt dat Dörp in Dunkeln,
Un Newel hangt dervœr,
Man hört man eben munkeln,
As keem't vun Minschen her.

Man hört dat Veh int Grasen,
Un allens is in Fred,
Sogar en schüchtern Hasen
Sleep mi vœr de Föt.

Da's wul de Himmelsfreden,
Ahn Larm und Strit un Spott,
Dat is en Tid tum Beden –
Hör mi, du frame Gott!

He much nich mehr

Levt harr he as en Christenminsch
Un arbeidt, as dat hör,
He harr sin Lust, he harr sin Last,
He much toletz ni mehr.

He weer ni krank un doch ni recht,
He leeg un harr keen Rau,
De an sin Bett seet, weer sin Knecht,
Ok de weer old un grau.

He seggt: Vertell mit wat, Jehann!
Denn klœn de vun tovœrn,
Un as se beid noch Burßen weern
Un Jungs un halwe Gœrn.

He hör em to as na en Leed,
As wenn he Wunner hör,
He lev noch mal de schöne Tid
Un frei se noch mal dœr.

Denn sä he: Nu is't nog, Jehann,
Ik föhl, nu kumt uns Herr.
Do mak he sacht de Ogen to,
He much toletz ni mehr.

Matten de Has'

Lütt Matten de Has',
De mak sik en Spaß,
He weer bi't Studeern,
Dat Danzen to lehrn,
Und danz ganz alleen
Op de achtersten Been.

Keem Reinke de Voss
Un dach: da's en Kost!
Un seggt: Lüttje Matten,
So flink op'e Padden?
Un danzst hier alleen
Op'e achtersten Been?

Kumm, lat uns tosam!
Ik kann as de Dam!
De Krei, de spelt Fitel,
Denn geit dat canditel,
Denn geit dat mal schön,
Op de achtersten Been!

Lütt Matten gev Pot.
De Voss beet em dot
Un sett sik in Schatten,
Verspis' de lütt Matten:
De Krei, de kreeg een
Vun de achtersten Been.

Gottfried Keller
1819–1890

Stille der Nacht

Willkommen, klare Sommernacht,
Die auf betauten Fluren liegt!
Gegrüßt mir, goldne Sternenpracht,
Die spielend sich im Weltraum wiegt!

Das Urgebirge um mich her
Ist schweigend, wie mein Nachtgebet;
Weit hinter ihm hör ich das Meer,
Im Geist, und wie die Brandung geht.

Ich höre einen Flötenton,
Den mir die Luft von Westen bringt,
Indes herauf im Osten schon
Des Tages leise Ahnung dringt.

Ich sinne, wo in weiter Welt
Jetzt sterben mag ein Menschenkind –
Und ob vielleicht den Einzug hält
Das viel ersehnte Heldenkind.

Doch wie im dunklen Erdental
Ein unergründlich Schweigen ruht,
Ich fühle mich so leicht zumal
Und wie die Welt so still und gut.

Der letzte leise Schmerz und Spott
Verschwindet aus des Herzens Grund,
Es ist, als tät der alte Gott
Mir endlich seinen Namen kund.

Unter Sternen

Wende dich, du kleiner Stern,
Erde! wo ich lebe,
Daß mein Aug, der Sonne fern,
Sternenwärts sich hebe!

Heilig ist die Sternenzeit,
Öffnet alle Grüfte;
Strahlende Unsterblichkeit
Wandelt durch die Lüfte.

Mag die Sonne nun bislang
Andern Zonen scheinen,
Hier fühl ich Zusammenhang
Mit dem All und Einen!

Hohe Lust, im dunklen Tal,
Selber ungesehen,
Durch den majestätschen Saal
Atmend mitzugehen!

Schwinge dich, o grünes Rund,
In die Morgenröte!
Scheidend rückwärts singt mein Mund
Jubelnde Gebete!

Sommernacht

Es wallt das Korn weit in die Runde
Und wie ein Meer dehnt es sich aus;
Doch liegt auf seinem stillen Grunde
Nicht Seegewürm noch andrer Graus;
Da träumen Blumen nur von Kränzen
Und trinken der Gestirne Schein.
O goldnes Meer, dein friedlich Glänzen
Saugt meine Seele gierig ein!

In meiner Heimat grünen Talen,
Da herrscht ein alter schöner Brauch:
Wann hell die Sommersterne strahlen,
Der Glühwurm schimmert durch den Strauch,

Dann geht ein Flüstern und ein Winken,
Das sich dem Ährenfelde naht,
Da geht ein nächtlich Silberblinken
Von Sicheln durch die goldne Saat.

Das sind die Bursche jung und wacker,
Die sammeln sich im Feld zuhauf
Und suchen den gereiften Acker
Der Witwe oder Waise auf,
Die keines Vaters, keiner Brüder
Und keines Knechtes Hilfe weiß –
Ihr schneiden sie den Segen nieder,
Die reinste Lust ziert ihren Fleiß.

Schon sind die Garben fest gebunden
Und rasch in einen Ring gebracht;
Wie lieblich flohn die kurzen Stunden,
Es war ein Spiel in kühler Nacht!
Nun wird geschwärmt und hell gesungen
Im Garbenkreis, bis Morgenluft
Die nimmermüden braunen Jungen
Zur eignen schweren Arbeit ruft.

Abendlied

Augen, meine lieben Fensterlein,
Gebt mir schon so lange holden Schein,
Lasset freundlich Bild um Bild herein:
Einmal werdet ihr verdunkelt sein!

Fallen einst die müden Lider zu,
Löscht ihr aus, dann hat die Seele Ruh;
Tastend streift sie ab die Wanderschuh,
Legt sich auch in ihre finstre Truh.

Noch zwei Fünklein sieht sie glimmend stehn,
Wie zwei Sternlein innerlich zu sehn,
Bis sie schwanken und dann auch vergehn,
Wie von eines Falters Flügelwehn.

Doch noch wandl ich auf dem Abendfeld,
Nur dem sinkenden Gestirn gesellt;
Trinkt, o Augen, was die Wimper hält,
Von dem goldnen Überfluß der Welt!

Die Zeit geht nicht

Die Zeit geht nicht, sie stehet still,
Wir ziehen durch sie hin;
Sie ist ein Karavanserai,
Wir sind die Pilger drin.

Ein Etwas, form- und farbenlos,
Das nur Gestalt gewinnt,
Wo ihr drin auf und nieder taucht,
Bis wieder ihr zerrinnt.

Es blitzt ein Tropfen Morgentau
Im Strahl des Sonnenlichts;
Ein Tag kann eine Perle sein
Und ein Jahrhundert nichts.

Es ist ein weißes Pergament
Die Zeit und jeder schreibt
Mit seinem roten Blut darauf,
Bis ihn der Strom vertreibt.

An dich, du wunderbare Welt,
Du Schönheit ohne End,
Auch ich schreib meinen Liebesbrief
Auf dieses Pergament.

Froh bin ich, daß ich aufgeblüht
In deinem runden Kranz;
Zum Dank trüb ich die Quelle nicht
Und lobe deinen Glanz.

Ich hab in kalten Wintertagen

Ich hab in kalten Wintertagen,
In dunkler, hoffnungsarmer Zeit
Ganz aus dem Sinne dich geschlagen,
O Trugbild der Unsterblichkeit!

Nun, da der Sommer glüht und glänzet,
Nun seh ich, daß ich wohlgetan;
Ich habe neu das Herz umkränzet,
Im Grabe aber ruht der Wahn.

Ich fahre auf dem klaren Strome,
Er rinnt mir kühlend durch die Hand;
Ich schau hinauf zum blauen Dome –
Und such kein bessres Vaterland.

Nun erst versteh ich, die da blühet,
O Lilie, deinen stillen Gruß,
Ich weiß, wie hell die Flamme glühet,
Daß ich gleich dir vergehen muß!

Flackre, ewges Licht im Tal

Flackre, ewges Licht im Tal,
Friedlich vor dem Fronaltare:
Auch dein Küster liegt einmal,
Der das Öl hat, auf der Bahre!

Rausche fort, du tiefer Fluß!
Dein Gesang wird fortbestehen;
Aber jede Welle muß
Endlich doch im Meer vergehen.

Nachtviolen, süß und stark
Duftet ihr durch diese Lauben,
Und ihr wißt das feinste Mark
Luft und Erde schnell zu rauben.

Von der warmen Nacht geküßt,
Säumt ihr nicht, es auszuhauchen,
Eh ihr selber wieder müßt
Eure Köpflein untertauchen.

Aus des Äthers dunklem Raum
Perlen leuchtend goldne Sonnen,
Kommen, schwinden wie ein Traum,
Doch gefüllt bleibt stets der Bronnen.

Und nur du, mein armes Herz,
Du allein willst ewig schlagen,
Deine Lust und deinen Schmerz
Endlos durch die Himmel tragen?

Ewig neu der Wirbel ist,
Zahllos aller Dinge Menge,
Und es bleibt uns keine Frist,
Zu beharren im Gedränge.

Wie der Staub im Sonnenstrahle
Wallt's vorüber, Kern und Schale –
Ewig ist, begreifst es du,
Sehnend Herz? nur deine Ruh!

Frühlingsglaube

Es wandert eine schöne Sage
Wie Veilchenduft auf Erden um,
Wie sehnend eine Liebesklage
Geht sie bei Tag und Nacht herum.

Das ist das Lied vom Völkerfrieden
Und von der Menschheit letztem Glück,
Von goldner Zeit, die einst hienieden,
Der Traum als Wahrheit, kehrt zurück,

Wo einig alle Völker beten
Zum Einen König, Gott und Hirt,
Von jenem Tag, wo den Propheten
Ihr leuchtend Recht gesprochen wird.

Dann wird's nur Eine Schmach noch geben,
Nur Eine Sünde in der Welt:
Des Eigen-Neides Widerstreben,
Der es für Traum und Wahnsinn hält.

Wer jene Hoffnung gab verloren
Und böslich sie verloren gab,
Der wäre besser ungeboren;
Denn lebend wohnt er schon im Grab.

Rote Lehre

„Ich bin rot und hab's erwogen
Und behaupt es unverweilt!
Könnt ich, würd ich jeden köpfen,
Der nicht meine Meinung teilt!"

In des Baders enger Stube
Vetter Hansen also sprach,
Eben als 'nem feisten Bäcker
Jener in die Ader stach.

Und des Blutes muntrer Bogen
Aus dem dicken drallen Arm
Fiel dem Vetter auf die Nase,
Sie begrüßend freundlich warm.

Bleich, entsetzt fuhr er zusammen,
Wusch darauf sich siebenmal;
Doch noch lang rümpft er die Nase,
Fühlt noch lang den warmen Strahl.

Mittags widert ihm die Suppe,
Rötlich dampft sie wie noch nie;
Immer geht es so der alten
Grauen Eselstheorie!

Manches Brünnlein mag noch springen
In das Gras mit rotem Schein;
Doch der Freiheit echter, rechter
Letzter Sieg wird trocken sein.

Revolution

„Es wird schon gehn!" ruft in den Lüften
Die Lerche, die am frühsten wach;
„Es wird schon gehn!" rollt in den Grüften
Ein unterirdisch Wetter nach.
„Es geht!" rauscht es in allen Bäumen
Und lieblich wie Schalmeienton.
„Es geht schon!" hallt es in den Träumen
Der fieberkranken Nation.

Die Städte werden reg und munter,
„Es geht!" erschallt's von Haus zu Haus;
Schon steigt der Ruhm in sie hinunter
Und wählt sich seine Kinder aus.

Die Morgensonne ruft: „Erwache,
O Volk, und eile auf den Markt!
Bring auf das Forum deine Sache!
Im Freien nur ein Volk erstarkt!

Trag all dein Lieben und dein Hassen
Und Lust und Leid im Sturmesschritt,
Dein schlagend Herz frei durch die Gassen,
Ja bring den ganzen Menschen mit!
Laß strömen all dein Sein und Denken
Und kehr dein Innerstes zu Tag!
Die Kindheit braucht dich nicht zu kränken,
Wenn du ein Kind von gutem Schlag!"

Die Morgensonne ruft: „Erwache!",
Klopft unterm Dach am Fenster an;
„Steh auf und schau zu unsrer Sache,
Sie geht, sie geht auf guter Bahn!
Ich lege Gold auf deine Zunge!
Ich lege Feuer in dein Wort!
So mach dich auf, mein lieber Junge,
Und schlag dich zu dem Volke dort!"

Er eilt, und es empfängt die Menge
Ihn hoffend auf dem weiten Plan;
Stolz trägt sein Kind des Volks Gedränge
Zur Rednerbühne hoch hinan.
Nun geht ein Leuchten und Gewittern
Aus seinem Mund durch jedes Herz;
Durch goldne Säle weht ein Zittern –
Es wird schon gehn, schon fließt das Erz.

Wie eine Braut am Hochzeitstage,
So ist ein Volk, das sich erkennt;
Wie rosenrot vom heißen Schlage,
Vom Liebespuls ihr Antlitz brennt!
Zum ersten Mal wird sie es inne,
Wie schön sie sei, und fühlt es ganz:
So stehet in der Freiheitsminne
Ein Volk mit seinem Siegeskranz.

Doch wenn es nicht von Güte strahlet
Wie eine hochbeglückte Braut,
So ist sein Lohn ihm ausgezahlet
Und seine Freiheit fährt ins Kraut.
Ein böses Weib, ein giftger Drache
Und böses Volk sind all *ein* Fluch,
Und traurig spinnt die beste Sache
Sich in ihr graues Leichentuch!

Parteileben

Wer *über* den Parteien sich wähnt mit stolzen Mienen,
Der steht zumeist vielmehr beträchtlich *unter* ihnen.

Trau keinem, der nie Partei genommen
Und immer im Trüben ist geschwommen!
Doch wird dir jener auch nicht frommen,
Der nie darüber hinaus will kommen.

Fällt einer ab von eurer Schar,
So laßt ihn laufen und richtet nicht;
Doch dem, der zu euch stoßen will
Von dort, dem schauet ins Gesicht!

„Was du nicht willst, das man dir tu,
Das füg auch keinem andern zu!"
Laß *die* Gesinnung merklich sein,
So ist der halbe Sieg schon dein.

Zu diesem Wort lacht manch ein Schuft,
Der sich auf den Erfolg beruft;
Doch du erlebst, daß er wird wandern,
's trifft eben einen nach dem andern!

Halte fest an der Partei, wenn du ein Parteimann bist;
Aber unbewegt verleugne jeden Lügner und Sophist!

Betrachtet eurer Gegner Schwächen
Und lernt, am besten euch zu rächen,
Das eigne Unkraut auszustechen!

Wenn schlechte Leute zanken, riecht's übel um sie her;
Doch wenn sie sich versöhnen, so stinkt es noch viel mehr!

Als Gegner achte, wer es sei!
Strauchdiebe aber sind keine Partei!

Der Narr des Grafen von Zimmern

Was rollt so zierlich, klingt so lieb
Treppauf und -ab im Schloß?
Das ist des Grafen Zeitvertrieb
Und stündlicher Genoß:
Sein Narr, annoch ein halbes Kind
Und rosiges Gesellchen,
So leicht und luftig wie der Wind,
Und trägt den Kopf voll Schellchen.

Noch ohne Arg, wie ohne Bart,
An Possen reich genug,
Ist doch der Fant von guter Art
Und in der Torheit klug;
Und was vergecken und verdrehn
Die zappeligen Hände,
Gerät ihm oft wie aus Versehn
Zuletzt zum guten Ende.

Der Graf mit seinem Hofgesind
Weilt in der Burgkapell,
Da ist, wie schon das Amt beginnt,
Kein Ministrant zur Stell;
Rasch nimmt der Pfaff den Narrn beim Ohr
Und zieht ihn zum Altare;
Der Knabe sieht sich fleißig vor,
Daß er nach Bräuchen fahre.

Und gut, als wär er's längst gewohnt,
Bedient er den Kaplan;
Doch wenn's die Müh am besten lohnt,
Bricht oft der Unstern an:
Denn als die heilge Hostia
Vom Priester wird erhoben,
O Schreck! so ist kein Glöcklein da,
Den süßen Gott zu loben!

Ein Weilchen bleibt es totenstill;
Erbleichend lauscht der Graf,
Der gleich ein Unheil ahnen will,
Das ihn vom Himmel traf.
Doch schon hat sich der Narr bedacht,
Den Handel zu versöhnen:
Die Kappe schüttelt er mit Macht,
Daß alle Glöcklein tönen!

Da strahlt von dem Ciborium
Ein goldnes Leuchten aus;
Es glänzt und duftet um und um
Im kleinen Gotteshaus,
Wie wenn des Himmels Majestät
In frischen Veilchen läge:
Der Herr, der durch die Wandlung geht –
Er lächelt auf dem Wege!

Conrad Ferdinand Meyer
1825–1898

Fülle

Genug ist nicht genug! Gepriesen werde
Der Herbst! Kein Ast, der seiner Frucht entbehrte!
Tief beugt sich mancher allzureich beschwerte,
Der Apfel fällt mit dumpfem Laut zur Erde.

Genug ist nicht genug! Es lacht im Laube!
Die saftge Pfirsche winkt dem durstgen Munde!
Die trunknen Wespen summen in die Runde:
„Genug ist nicht genug!" um eine Traube.

Genug ist nicht genug! Mit vollen Zügen
Schlürft Dichtergeist am Borne des Genusses,
Das Herz, auch es bedarf des Überflusses,
Genug kann nie und nimmermehr genügen!

Schwarzschattende Kastanie

Schwarzschattende Kastanie,
Mein windgeregtes Sommerzelt,
Du senkst zur Flut dein weit Geäst,
Dein Laub, es durstet und es trinkt,
Schwarzschattende Kastanie!
Im Porte badet junge Brut
Mit Hader oder Lustgeschrei,
Und Kinder schwimmen leuchtend weiß
Im Gitter deines Blätterwerks,
Schwarzschattende Kastanie!
Und dämmern See und Ufer ein
Und rauscht vorbei das Abendboot,
So zuckt aus roter Schiffslatern
Ein Blitz und wandert auf dem Schwung
Der Flut, gebrochnen Lettern gleich,
Bis unter deinem Laub erlischt
Die rätselhafte Flammenschrift,
Schwarzschattende Kastanie!

Nachtgeräusche

Melde mir die Nachtgeräusche, Muse,
Die ans Ohr des Schlummerlosen fluten!
Erst das traute Wachtgebell der Hunde,
Dann der abgezählte Schlag der Stunde,
Dann ein Fischer-Zwiegespräch am Ufer,
Dann? Nichts weiter als der ungewisse
Geisterlaut der ungebrochnen Stille,
Wie das Atmen eines jungen Busens,
Wie das Murmeln eines tiefen Brunnens,
Wie das Schlagen eines dumpfen Ruders,
Dann der ungehörte Tritt des Schlummers.

In Harmesnächten

Die Rechte streckt' ich schmerzlich oft
 In Harmesnächten
Und fühlt' gedrückt sie unverhofft
 Von einer Rechten —
Was Gott ist, wird in Ewigkeit
 Kein Mensch ergründen,
Doch will er treu sich allezeit
 Mit uns verbünden.

Die toten Freunde

Das Boot stößt ab von den Leuchten des Gestads.
Durch rollende Wellen dreht sich der Schwung des Rads.
Schwarz qualmt des Rohres Rauch . . . Heut hab ich schlecht,
Das heißt mit lauter jungem Volk gezecht –

Du, der gestürzt ist mit zerschossner Stirn,
Und du, verschwunden auf einer Gletscherfirn,
Und du, verlodert wie schwüler Blitzesschein,
Meine toten Freunde, saget, gedenkt ihr mein?

Wogen zischen um Boot und Räderschlag,
Dazwischen jubelt ein dumpfes Zechgelag,
In den Fluten braust ein sturmgedämpfter Chor,
Becher läuten aus tiefer Nacht empor.

Schwüle

Trüb verglomm der schwüle Sommertag,
Dumpf und traurig tönt mein Ruderschlag –
Sterne, Sterne – Abend ist es ja –
Sterne, warum seid ihr noch nicht da?

Bleich das Leben! Bleich der Felsenhang!
Schilf, was flüsterst du so frech und bang?
Fern der Himmel und die Tiefe nah –
Sterne, warum seid ihr noch nicht da?

Eine liebe, liebe Stimme ruft
Mich beständig aus der Wassergruft –
Weg, Gespenst, das oft ich winken sah!
Sterne, Sterne, seid ihr nicht mehr da?

Endlich, endlich durch das Dunkel bricht –
Es war Zeit! – ein schwaches Flimmerlicht –
Denn ich wußte nicht, wie mir geschah.
Sterne, Sterne, bleibt mir immer nah!

Eingelegte Ruder

Meine eingelegten Ruder triefen,
Tropfen fallen langsam in die Tiefen.

Nichts, das mich verdroß! Nichts, das mich freute
Niederrinnt ein schmerzenloses Heute!

Unter mir – ach, aus dem Licht verschwunden –
Träumen schon die schönern meiner Stunden.

Aus der blauen Tiefe ruft das Gestern:
Sind im Licht noch manche meiner Schwestern?

Zwei Segel

Zwei Segel erhellend
Die tiefblaue Bucht!
Zwei Segel sich schwellend
Zu ruhiger Flucht!

Wie eins in den Winden
Sich wölbt und bewegt,
Wird auch das Empfinden
Des andern erregt.

Begehrt eins zu hasten,
Das andre geht schnell,
Verlangt eins zu rasten,
Ruht auch sein Gesell.

Im Spätboot

Aus der Schiffsbank mach ich meinen Pfühl,
Endlich wird die heiße Stirne kühl!
O wie süß erkaltet mir das Herz!
O wie weich verstummen Lust und Schmerz!
Über mir des Rohres schwarzer Rauch
Wiegt und biegt sich in des Windes Hauch.
Hüben hier und wieder drüben dort
Hält das Boot an manchem kleinen Port:
Bei der Schiffslaterne kargem Schein
Steigt ein Schatten aus und niemand ein.
Nur der Steurer noch, der wacht und steht!
Nur der Wind, der mir im Haare weht!
Schmerz und Lust erleiden sanften Tod:
Einen Schlummrer trägt das dunkle Boot.

Säerspruch

Bemeßt den Schritt! Bemeßt den Schwung!
Die Erde bleibt noch lange jung!
Dort fällt ein Korn, das stirbt und ruht.
Die Ruh ist süß. Es hat es gut.
Hier eins, das durch die Scholle bricht.
Es hat es gut. Süß ist das Licht.
Und keines fällt aus dieser Welt
Und jedes fällt, wie's Gott gefällt.

Auf Goldgrund

Ins Museum bin zu später
Stunde heut ich noch gegangen,
Wo die Heilgen, wo die Beter
Auf den goldnen Gründen prangen.

Dann durchs Feld bin ich geschritten
Heißer Abendglut entgegen,
Sah, die heut das Korn geschnitten,
Garben auf die Wagen legen.

Um die Lasten in den Armen,
Um den Schnitter und die Garbe
Floß der Abendglut, der warmen,
Wunderbare Goldesfarbe.

Auch des Tages letzte Bürde,
Auch der Fleiß der Feierstunde
War umflammt von heilger Würde,
Stand auf schimmernd goldnem Grunde.

Auf dem Canal grande

Auf dem Canal grande betten
Tief sich ein die Abendschatten,
Hundert dunkle Gondeln gleiten
Als ein flüsterndes Geheimnis.

Aber zwischen zwei Palästen
Glüht herein die Abendsonne,
Flammend wirft sie einen grellen
Breiten Streifen auf die Gondeln.

In dem purpurroten Lichte
Laute Stimmen, hell Gelächter,
Überredende Gebärden
Und das frevle Spiel der Augen.

Eine kurze kleine Strecke
Treibt das Leben leidenschaftlich
Und erlischt im Schatten drüben
Als ein unverständlich Murmeln.

Der Marmorknabe

In der Capuletti Vigna graben
Gärtner, finden einen Marmorknaben,
Meister Simon holen sie herbei,
Der entscheide, welcher Gott es sei.

Wie den Fund man dem Gelehrten zeigte,
Der die graue Wimper forschend neigte,
Kniet' ein Kind daneben: Julia,
Die den Marmorknaben finden sah.

„Welches ist dein süßer Name, Knabe?
Steig ans Tageslicht aus deinem Grabe!
Eine Fackel trägst du? Bist beschwingt?
Amor bist du, der die Herzen zwingt?"

Meister Simon, streng das Bild betrachtend,
Eines Kindes Worte nicht beachtend,
Spricht: „Er löscht die Fackel. Sie verloht.
Dieser schöne Jüngling ist der Tod."

Der römische Brunnen

Aufsteigt der Strahl und fallend gießt
Er voll der Marmorschale Rund,
Die, sich verschleiernd, überfließt
In einer zweiten Schale Grund;
Die zweite gibt, sie wird zu reich,
Der dritten wallend ihre Flut,
Und jede nimmt und gibt zugleich
Und strömt und ruht.

In der Sistina

In der Sistine dämmerhohem Raum,
Das Bibelbuch in seiner nervgen Hand,
Sitzt Michelangelo in wachem Traum,
Umhellt von einer kleinen Ampel Brand.

Laut spricht hinein er in die Mitternacht,
Als lauscht' ein Gast ihm gegenüber hier,
Bald wie mit einer allgewaltgen Macht,
Bald wieder wie mit seinesgleichen schier:

„Umfaßt, umgrenzt hab ich dich, ewig Sein,
Mit meinen großen Linien fünfmal dort!
Ich hüllte dich in lichte Mäntel ein
Und gab dir Leib, wie dieses Bibelwort.

Mit wehnden Haaren stürmst du feurigwild
Von Sonnen immer neuen Sonnen zu,
Für deinen Menschen bist in meinem Bild
Entgegenschwebend und barmherzig du!

So schuf ich dich mit meiner nichtgen Kraft:
Damit ich nicht der größre Künstler sei,
Schaff mich – ich bin ein Knecht der Leidenschaft –
Nach deinem Bilde schaff mich rein und frei!

Den ersten Menschen formtest du aus Ton,
Ich werde schon von härterm Stoffe sein,
Da, Meister, brauchst du deinen Hammer schon,
Bildhauer Gott, schlag zu! Ich bin der Stein.“

Michelangelo und seine Statuen

Du öffnest, Sklave, deinen Mund,
Doch stöhnst du nicht. Die Lippe schweigt.
Nicht drückt, Gedankenvoller, dich
Die Bürde der behelmten Stirn.
Du packst mit nervger Hand den Bart,
Doch springst du, Moses, nicht empor.
Maria mit dem toten Sohn,
Du weinst, doch rinnt die Träne nicht.
Ihr stellt des Leids Gebärde dar,
Ihr meine Kinder, ohne Leid!
So sieht der freigewordne Geist
Des Lebens überwundne Qual.
Was martert die lebendge Brust,
Beseligt und ergötzt im Stein.
Den Augenblick verewigt ihr,
Und sterbt ihr, sterbt ihr ohne Tod.
Im Schilfe wartet Charon mein,
Der pfeifend sich die Zeit vertreibt.

Möwenflug

Möwen sah um einen Felsen kreisen
Ich in unermüdlich gleichen Gleisen,
Auf gespannter Schwinge schweben bleibend,
Eine schimmernd weiße Bahn beschreibend,
Und zugleich in grünem Meeresspiegel
Sah ich um dieselben Felsenspitzen
Eine helle Jagd gestreckter Flügel
Unermüdlich durch die Tiefe blitzen.
Und der Spiegel hatte solche Klarheit,
Daß sich anders nicht die Flügel hoben

Tief im Meer als hoch in Lüften oben,
Daß sich völlig glichen Trug und Wahrheit.

Allgemach beschlich es mich wie Grauen,
Schein und Wesen so verwandt zu schauen,
Und ich fragte mich, am Strand verharrend,
Ins gespenstische Geflatter starrend:
Und du selber? Bist du echt beflügelt?
Oder nur gemalt und abgespiegelt?
Gaukelst du im Kreis mit Fabeldingen?
Oder hast du Blut in deinen Schwingen?

Stapfen

In jungen Jahren war's. Ich brachte dich
Zurück ins Nachbarhaus, wo du zu Gast,
Durch das Gehölz. Der Nebel rieselte,
Du zogst des Reisekleids Kapuze vor
Und blicktest traulich mit verhüllter Stirn.
Naß ward der Pfad. Die Sohlen prägten sich
Dem feuchten Waldesboden deutlich ein,
Die wandernden. Du schrittest auf dem Bord,
Von deiner Reise sprechend. Eine noch,
Die längre, folge drauf, so sagtest du.
Dann scherzten wir, der nahen Trennung klug
Das Angesicht verhüllend, und du schiedst,
Dort wo der First sich über Ulmen hebt.
Ich ging denselben Pfad gemach zurück,
Leis schwelgend noch in deiner Lieblichkeit,
In deiner wilden Scheu, und wohlgemut
Vertrauend auf ein baldig Wiedersehn.

Vergnüglich schlendernd, sah ich auf dem Rain
Den Umriß deiner Sohlen deutlich noch
Dem feuchten Waldesboden eingeprägt,
Die kleinste Spur von dir, die flüchtigste,
Und doch dein Wesen: wandernd, reisehaft,
Schlank, rein, walddunkel, aber o wie süß!
Die Stapfen schritten jetzt entgegen dem
Zurück dieselbe Strecke Wandernden:
Aus deinen Stapfen hobst du dich empor
Vor meinem innern Auge. Deinen Wuchs
Erblickt ich mit des Busens zartem Bug.
Vorüber gingst du, eine Traumgestalt.
Die Stapfen wurden jetzt undeutlicher,
Vom Regen halb gelöscht, der stärker fiel.
Da überschlich mich eine Traurigkeit:
Fast unter meinem Blick verwischten sich
Die Spuren deines letzten Gangs mit mir.

Laß scharren deiner Rosse Huf!

Geh nicht, die Gott für mich erschuf!
Laß scharren deiner Rosse Huf
 Den Reiseruf!

Du willst von meinem Herde fliehn?
Und weißt ja nicht, wohin, wohin
 Dich deine Rosse ziehn!

Die Stunde rinnt! Das Leben jagt!
Wir haben uns noch nichts gesagt –
 Bleib, bis es tagt!

Du darfst aus meinen Armen fliehn?
Und weißt ja nicht, wohin, wohin
 Dich deine Rosse ziehn ...

Lethe

Jüngst im Traume sah ich auf den Fluten
Einen Nachen ohne Ruder ziehn,
Strom und Himmel stand in matten Gluten
Wie bei Tages Nahen oder Fliehn.

Saßen Knaben drin mit Lotoskränzen,
Mädchen beugten über Bord sich schlank,
Kreisend durch die Reihe sah ich glänzen
Eine Schale, draus ein jedes trank.

Jetzt erscholl ein Lied voll süßer Wehmut,
Das die Schar der Kranzgenossen sang –
Ich erkannte deines Nackens Demut,
Deine Stimme, die den Chor durchdrang.

In die Welle tauch ich. Bis zum Marke
Schaudert ich, wie seltsam kühl sie war.
Ich erreicht die leise ziehnde Barke,
Drängte mich in die geweihte Schar.

Und die Reihe war an dir zu trinken,
Und die volle Schale hobest du,
Sprachst zu mir mit trautem Augenwinken:
„Herz, ich trinke dir Vergessen zu!"

Dir entriß in trotzgem Liebesdrange
Ich die Schale, warf sie in die Flut,
Sie versank und siehe, deine Wange
Färbte sich mit einem Schein von Blut.

Flehend küßt ich dich in wildem Harme,
Die den bleichen Mund mir willig bot,
Da zerrannst du lächelnd mir im Arme
Und ich wußt es wieder – du bist tot.

Die tote Liebe

Entgegen wandeln wir
Dem Dorf im Sonnenkuß,
Fast wie das Jüngerpaar
Nach Emmaus,
Dazwischen leise
Redend schritt
Der Meister, dem sie folgten
Und der den Tod erlitt.
So wandelt zwischen uns
Im Abendlicht
Unsre tote Liebe,
Die leise spricht.
Sie weiß für das Geheimnis
Ein heimlich Wort,
Sie kennt der Seelen
Allertiefsten Hort.
Sie deutet und erläutert
Uns jedes Ding,
Sie sagt: So ist's gekommen,
Daß ich am Holze hing.
Ihr habet mich verleugnet
Und schlimm verhöhnt,
Ich saß im Purpur,
Blutig, dorngekrönt,
Ich habe Tod erlitten,
Den Tod bezwang ich bald,
Und geh in eurer Mitten

Als himmlische Gestalt –
Da ward die Weggesellin
Von uns erkannt,
Da hat uns wie den Jüngern
Das Herz gebrannt.

Chor der Toten

Wir Toten, wir Toten sind größere Heere
Als ihr auf der Erde, als ihr auf dem Meere!
Wir pflügten das Feld mit geduldigen Taten,
Ihr schwinget die Sicheln und schneidet die Saaten,
Und was wir vollendet und was wir begonnen,
Das füllt noch dort oben die rauschenden Bronnen,
Und all unser Lieben und Hassen und Hadern,
Das klopft noch dort oben in sterblichen Adern,
Und was wir an gültigen Sätzen gefunden,
Dran bleibt aller irdische Wandel gebunden,
Und unsere Töne, Gebilde, Gedichte
Erkämpfen den Lorbeer im strahlenden Lichte,
Wir suchen noch immer die menschlichen Ziele –
Drum ehret und opfert! Denn unser sind viele!

Schillers Bestattung

Ein ärmlich düster brennend Fackelpaar, das Sturm
Und Regen jeden Augenblick zu löschen droht.
Ein flatternd Bahrtuch. Ein gemeiner Tannensarg
Mit keinem Kranz, dem kargsten nicht, und kein Geleit!
Als brächte eilig einen Frevel man zu Grab.
Die Träger hasteten. Ein Unbekannter nur,
Von eines weiten Mantels kühnem Schwung umweht,
Schritt dieser Bahre nach. Der Menschheit Genius war's.

Friede auf Erden!

Da die Hirten ihre Herde
Ließen und des Engels Worte
Trugen durch die niedre Pforte
Zu der Mutter und dem Kind,
Fuhr das himmlische Gesind
Fort im Sternenraum zu singen,
Fuhr der Himmel fort zu klingen:
„Friede, Friede! auf der Erde!"

Seit die Engel so geraten,
O wie viele blutge Taten
Hat der Streit auf wildem Pferde,
Der geharnischte, vollbracht!

In wie mancher heilgen Nacht
Sang der Chor der Geister zagend,
Dringlich flehend, leis verklagend:
„Friede, Friede . . . auf der Erde!"

Doch es ist ein ewger Glaube,
Daß der Schwache nicht zum Raube
Jeder frechen Mordgebärde
Werde fallen allezeit:
Etwas wie Gerechtigkeit
Webt und wirkt in Mord und Grauen
Und ein Reich will sich erbauen,
Das den Frieden sucht der Erde.

Mählich wird es sich gestalten,
Seines heilgen Amtes walten,
Waffen schmieden ohne Fährde,
Flammenschwerter für das Recht,
Und ein königlich Geschlecht
Wird erblühn mit starken Söhnen,
Dessen helle Tuben dröhnen:
Friede, Friede auf der Erde!

Bettlerballade

Prinz Bertarit bewirtet Veronas Bettlerschaft
Mit Weizenbrot und Kuchen und edlem Traubensaft.
Gebeten ist ein jeder, der sich mit Lumpen deckt,
Der, heischend auf den Brücken der Etsch, die Rechte reckt.

Auf edlen Marmorsesseln im Saale thronen sie,
Durch Riss' und Löcher gucken Ellbogen, Zeh und Knie.
Nicht nach Geburt und Würden, sie sitzen grell gemischt,
Jetzt werden noch die Hasen und Hühner aufgetischt. ·

Der tastet nach dem Becher. Er durstet und ist blind.
Den Krüppel ohne Arme bedient ein frommes Kind.
Ein reizend stumpfes Näschen geckt unter struppschem Schopf,
Mit wildem Mosesbarte prahlt ein Charakterkopf.

Die Herzen sind gesättigt. Beginne, Musica!
Ein Dudelsack, ein Hackbrett und Geig und Harf ist da –
Der Prinz, noch schier ein Knabe, wie Gottes Engel schön,
Erhebt den vollen Becher und singt durch das Getön:

„Mit frisch gepflückten Rosen bekrön ich mir das Haupt,
Des Reiches ehrne Krone hat mir der Ohm geraubt.
Er ließ mir Tag und Sonne! Mein übrig Gut ist klein!
So will ich mit den Armen als Armer fröhlich sein!"

Ein Bettler stürzt ins Zimmer: „Grumell, wo kommst du her?"
Der Schreckensbleiche stammelt: „Ich lausch von ungefähr,
Gebettet an der Hofburg – Dein Ohm schickt Mörder aus,
Nimm meinen braunen Mantel!" Erzschritt umdröhnt das Haus.

„Drück in die Stirn den Hut dir! Er schattet tief! Geschwind!
Da hast du meinen Stecken! Entspring, geliebtes Kind!"
Die Mörder nahen klirrend. Ein Bettler schleicht davon.
„Wer bist du? Zeig das Antlitz!" Gehobne Dolche drohn.

„Laß ihn! Es ist Grumello! Ich kenn das Loch im Hut!
Ich kenn den Riß im Ärmel! Wir opfern edler Blut!"
Sie spähen durch die Hallen und suchen Bertarit,
Der unter dunkelm Mantel dem dunkeln Tod entflieht.

Er fuhr in fremde Länder und ward darob zum Mann.
Er kehrte heim gepanzert. Den Ohm erschlug er dann.
Verona nahm er stürmend in rotem Feuerschein.
Am Abend lud der König Veronas Bettler ein.

Die Füße im Feuer

Wild zuckt der Blitz. In fahlem Lichte steht ein Turm.
Der Donner rollt. Ein Reiter kämpft mit seinem Roß,
Springt ab und pocht ans Tor und lärmt. Sein Mantel saust
Im Wind. Er hält den scheuen Fuchs am Zügel fest.
Ein schmales Gitterfenster schimmert goldenhell
Und knarrend öffnet jetzt das Tor ein Edelmann . . .

„Ich bin ein Knecht des Königs, als Kurier geschickt
Nach Nîmes. Herbergt mich! Ihr kennt des Königs Rock!"
„Es stürmt. Mein Gast bist du. Dein Kleid, was kümmert's mich?
Tritt ein und wärme dich! Ich sorge für dein Tier!"
Der Reiter tritt in einen dunkeln Ahnensaal,
Von eines weiten Herdes Feuer schwach erhellt,
Und je nach seines Flackerns launenhaftem Licht
Droht hier ein Hugenott im Harnisch, dort ein Weib,
Ein stolzes Edelweib aus braunem Ahnenbild . . .
Der Reiter wirft sich in den Sessel vor dem Herd
Und starrt in den lebendgen Brand. Er brütet, gafft . . .
Leis sträubt sich ihm das Haar. Er kennt den Herd, den Saal . . .
Die Flamme zischt. Zwei Füße zucken in der Glut.

Den Abendtisch bestellt die greise Schaffnerin
Mit Linnen blendend weiß. Das Edelmägdlein hilft.
Ein Knabe trug den Krug mit Wein. Der Kinder Blick
Hangt schreckensstarr am Gast und hangt am Herd entsetzt . . .
Die Flamme zischt. Zwei Füße zucken in der Glut.
„Verdammt! Dasselbe Wappen! Dieser selbe Saal!
Drei Jahre sind's . . . Auf einer Hugenottenjagd . . .
Ein fein, halsstarrig Weib . . . ‚Wo steckt der Junker? Sprich!'
Sie schweigt. ‚Bekenn!' Sie schweigt. ‚Gib ihn heraus!' Sie schweigt.
Ich werde wild. *Der* Stolz! Ich zerre das Geschöpf . . .

Die nackten Füße pack ich ihr und strecke sie
Tief mitten in die Glut . . . ‚Gib ihn heraus!' . . . Sie schweigt . . .
Sie windet sich . . . Sahst du das Wappen nicht am Tor?
Wer hieß dich hier zu Gaste gehen, dummer Narr?
Hat er nur einen Tropfen Bluts, erwürgt er dich."
Eintritt der Edelmann. „Du träumst! Zu Tische, Gast . . ."

Da sitzen sie. Die drei in ihrer schwarzen Tracht
Und er. Doch keins der Kinder spricht das Tischgebet.
Ihn starren sie mit aufgerissnen Augen an –
Den Becher füllt und übergießt er, stürzt den Trunk,
Springt auf: „Herr, gebet jetzt mir meine Lagerstatt!

Müd bin ich wie ein Hund!" Ein Diener leuchtet ihm,
Doch auf der Schwelle wirft er einen Blick zurück
Und sieht den Knaben flüstern in des Vaters Ohr . . .
Dem Diener folgt er taumelnd in das Turmgemach.

Fest riegelt er die Tür. Er prüft Pistol und Schwert.
Gell pfeift der Sturm. Die Diele bebt. Die Decke stöhnt.
Die Treppe kracht . . . Dröhnt hier ein Tritt? . . . Schleicht dort ein Schritt? . . .
Ihn täuscht das Ohr. Vorüberwandelt Mitternacht.
Auf seinen Lidern lastet Blei und schlummernd sinkt
Er auf das Lager. Draußen plätschert Regenflut.

Er träumt. „Gesteh!" Sie schweigt. „Gib ihn heraus!" Sie schweigt.
Er zerrt das Weib. Zwei Füße zucken in der Glut.
Aufsprüht und zischt ein Feuermeer, das ihn verschlingt . . .
„Erwach! Du solltest längst von hinnen sein! Es tagt!"
Durch die Tapetentür in das Gemach gelangt,
Vor seinem Lager steht des Schlosses Herr – ergraut,
Dem gestern dunkelbraun sich noch gekraust das Haar.

Sie reiten durch den Wald. Kein Lüftchen regt sich heut.
Zersplittert liegen Ästetrümmer quer im Pfad.
Die frühsten Vöglein zwitschern, halb im Traume noch.
Friedselge Wolken schwimmen durch die klare Luft,
Als kehrten Engel heim von einer nächtgen Wacht.
Die dunkeln Schollen atmen kräftgen Erdgeruch.
Die Ebne öffnet sich. Im Felde geht ein Pflug.
Der Reiter lauert aus den Augenwinkeln: „Herr,
Ihr seid ein kluger Mann und voll Besonnenheit
Und wißt, daß ich dem größten König eigen bin.
Lebt wohl. Auf Nimmerwiedersehn!" Der andre spricht:
„Du sagst's! dem größten König eigen! Heute ward
Sein Dienst mir schwer . . . Gemordet hast du teuflisch mir
Mein Weib! Und lebst! . . . Mein ist die Rache, redet Gott."

Aus: *Huttens letzte Tage*

XXXVI
Deutsche Libertät

Ein lustig Trommeln zieht den Strand entlang
Mit gellen Pfeifen und mit Kriegsgesang.

Sie lösen ihre Stücke. Rauch und Dampf.
Er lichtet sich. Standarten, Roßgestampf.

Gewaltge Körper! Es ist eine Lust,
Wie sie daher stolzieren selbstbewußt.

's ist Schwyzerboden. Üppig fließt der Sold,
Wild, immer wilder brennt der Durst nach Gold.

Die Älpler haben Lebensüberfluß
Und starkes Blut, daß man sie schröpfen muß.

Wem ziehn sie bei? Die Lilien seh ich wehn,
Zu König Franz wird dieser Reislauf gehn.

Nicht treibt der Schweizer seinen bösen Lauf
Allein. Der Landsknecht nimmt es mit ihm auf.

Der deutsche Ritter auch, er ficht und rauft
Für jeden fremden König, der ihn kauft.

Fürst, Pfaffe, Bauer, Städte, Ritterschaft,
Ein jedes trotzt auf eigne Lebenskraft!

Zum Henker eine Freiheit, die vergißt,
Was sie der Reichesehre schuldig ist!

Zum Teufel eine deutsche Libertät,
Die prahlerisch in Feindeslager steht!

Geduld! Es kommt der Tag, da wird gespannt
Ein einig Zelt ob allem deutschen Land!

Geduld! Wir stehen einst um *ein* Panier
Und wer uns scheiden will, den morden wir!

Geduld! Ich kenne meines Volkes Mark!
Was langsam wächst, das wird gedoppelt stark.

Geduld! Was langsam reift, das altert spat!
Wann andre welken, werden wir ein Staat.

Emanuel Geibel
1815–1884

Morgenwanderung

Wer recht in Freuden wandern will,
Der geh der Sonn entgegen;
Da ist der Wald so kirchenstill,
Kein Lüftchen mag sich regen;
Noch sind nicht die Lerchen wach,
Nur im hohen Gras der Bach
Singt leise den Morgensegen.

Die ganze Welt ist wie ein Buch,
Darin uns aufgeschrieben
In bunten Zeilen manch ein Spruch,
Wie Gott uns treu geblieben;
Wald und Blumen nah und fern
Und der helle Morgenstern
Sind Zeugen von seinem Lieben.

Da zieht die Andacht wie ein Hauch
Durch alle Sinnen leise,
Da pocht ans Herz die Liebe auch
In ihrer stillen Weise,
Pocht und pocht, bis sich's erschließt,
Und die Lippe überfließt
Von lautem, jubelndem Preise.

Und plötzlich läßt die Nachtigall
Im Busch ihr Lied erklingen,
In Berg und Tal erwacht der Schall
Und will sich aufwärts schwingen,
Und der Morgenröte Schein
Stimmt in lichter Glut mit ein:
Laßt uns dem Herrn lobsingen.

Der Mai ist gekommen, die Bäume schlagen aus,
Da bleibe, wer Lust hat, mit Sorgen zu Haus;
Wie die Wolken wandern am himmlischen Zelt,
So steht auch mir der Sinn in die weite, weite Welt.

Herr Vater, Frau Mutter, daß Gott euch behüt!
Wer weiß, wo in der Ferne mein Glück mir noch blüht!
Es gibt so manche Straße, da nimmer ich marschiert,
Es gibt so manchen Wein, den ich nimmer noch probiert.

Frisch auf drum, frisch auf im hellen Sonnenstrahl
Wohl über die Berge, wohl durch das tiefe Tal!

Die Quellen erklingen, die Bäume rauschen all,
Mein Herz ist wie 'ne Lerche und stimmet ein mit Schall.

Und abends im Städtlein da kehr ich durstig ein:
„Herr Wirt, Herr Wirt, eine Kanne blanken Wein!
Ergreife die Fiedel, du lustger Spielmann du,
Von meinem Schatz das Liedel sing ich dazu."

Und find ich keine Herberg, so lieg ich zu Nacht
Wohl unter blauem Himmel, die Sterne halten Wacht:
Im Winde die Linde, die rauscht mich ein gemach,
Es küsset in der Früh das Morgenrot mich wach.

O Wandern, o Wandern, du freie Burschenlust!
Da wehet Gottes Odem so frisch in die Brust;
Da singet und jauchzet das Herz zum Himmelszelt:
Wie bist du doch so schön, o du weite, weite Welt!

Reue

Die Nacht war schwarz, die Luft war schwül,
Ich fand nicht Schlaf auf meinem Pfühl,
Mein Sinn ward trüb und trüber;
Da schritten die Tage der alten Zeit
Zu langem, langem Zug gereiht
Wehklagend mir vorüber:

„Du hattest den Lenz, und du hast ihn entlaubt,
Du hattest das Heil, und du hast nicht geglaubt,
Du hattest ein Herz zum Lieben,
Du hast es vertändelt mit eitlem Schein;
Nun bist du zuletzt allein, allein
Mit deinem Jammer geblieben.

Und wie du ringst in bangem Gebet,
Es ist zu spät, es ist zu spät,
Du darfst von Rast nicht wissen;
Dein einsam Herz ist dein Gericht."
Ich aber drückte mein Angesicht
Lautweinend in die Kissen.

Für Musik

Nun die Schatten dunkeln,
Stern an Stern erwacht:
Welch ein Hauch der Sehnsucht
Flutet in der Nacht!

Durch das Meer der Träume
Steuert ohne Ruh,

Steuert meine Seele
Deiner Seele zu.

Die sich dir ergeben,
Nimm sie ganz dahin!
Ach, du weißt, daß nimmer
Ich mein eigen bin.

Türmerlied

Wachet auf! ruft euch die Stimme
Des Wächters von der hohen Zinne,
Wach auf, du weites deutsches Land!
Die ihr an der Donau hauset
Und wo der Rhein durch Felsen brauset
Und wo sich türmt der Düne Sand!
Habt Wacht am Heimatsherd,
In treuer Hand das Schwert,
Jede Stunde!
Zu scharfem Streit
Macht euch bereit!
Der Tag des Kampfes ist nicht weit.

Hört ihr's dumpf im Osten klingen?
Er möcht euch gar zu gern verschlingen,
Der Geier, der nach Beute kreist.
Hört im Westen ihr die Schlange?
Sie möchte mit Sirenensange
Vergiften euch den frommen Geist.
Schon naht des Geiers Flug,
Schon birgt die Schlange klug
Sich zum Sprunge;
Drum haltet Wacht
Um Mitternacht
Und wetzt die Schwerter für die Schlacht!

Reiniget euch in Gebeten,
Auf daß ihr vor den Herrn könnt treten,
Wenn er um euer Werk euch frägt;
Keusch im Lieben, fest im Glauben,
Laßt euch den treuen Mut nicht rauben,
Seid einig, da die Stunde schlägt!
Das Kreuz sei eure Zier,
Eur Helmbusch und Panier
In den Schlachten.
Wer in dem Feld
Zu Gott sich hält,
Der hat allein sich wohl gestellt.

Sieh herab vom Himmel droben,
Herr, den der Engel Zungen loben,
Sei gnädig diesem deutschen Land!
Donnernd aus der Feuerwolke
Sprich zu den Fürsten, sprich zum Volke
Und lehr uns stark sein Hand in Hand!
Sei du uns Fels und Burg,
Du führst uns wohl hindurch.
Halleluja!
Denn dein ist heut
Und alle Zeit
Das Reich, die Kraft, die Herrlichkeit.

Deutschlands Beruf

Soll's denn ewig von Gewittern
Am umwölkten Himmel braun?
Soll denn stets der Boden zittern,
Drauf wir unsre Hütten baun?
Oder wollt ihr mit den Waffen
Endlich Rast und Frieden schaffen?

Daß die Welt nicht mehr, in Sorgen
Um ihr leichterschüttert Glück,
Täglich bebe vor dem Morgen,
Gebt ihr ihren Kern zurück!
Macht Europas Herz gesunden,
Und das Heil ist euch gefunden.

Einen Hort geht aufzurichten,
Einen Hort im deutschen Land!
Sucht zum Lenken und zum Schlichten
Eine schwerterprobte Hand,
Die den güldnen Apfel halte
Und des Reichs in Treuen walte.

Sein gefürstet Banner trage
Jeder Stamm, wie er's erkor,
Aber über alle rage
Stolzentfaltet eins empor,
Hoch, im Schmuck der Eichenreiser,
Wall' es vor dem deutschen Kaiser.

Wenn die heilge Krone wieder
Eine hohe Scheitel schmückt,
Aus dem Haupt durch alle Glieder
Stark ein einger Wille zückt,
Wird im Völkerrat vor allen
Deutscher Spruch aufs neu erschallen.

Dann nicht mehr zum Weltgesetze
Wird die Laun' am Seinestrom,
Dann vergeblich seine Netze
Wirft der Fischer aus in Rom,
Länger nicht mit seinen Horden
Schreckt uns der Koloß im Norden.

Macht und Freiheit, Recht und Sitte,
Klarer Geist und scharfer Hieb
Zügeln dann aus starker Mitte
Jeder Selbstsucht wilden Trieb,
Und es mag am deutschen Wesen
Einmal noch die Welt genesen.

[1861]

Moritz Graf von Strachwitz
1822–1847

Das Herz von Douglas

„Graf Douglas, presse den Helm ins Haar,
Gürt um dein lichtblau Schwert,
Schnall an dein schärfstes Sporenpaar
Und sattle dein schnellstes Pferd!

Der Totenwurm pickt in Scones Saal,
Ganz Schottland hört ihn hämmern,
König Robert liegt in Todesqual,
Sieht nimmer den Morgen dämmern!" –

Sie ritten vierzig Meilen fast
Und sprachen Worte nicht vier,
Und als sie kamen vor Königs Palast,
Da blutete Sporn und Tier.

König Robert lag im Norderturm,
Sein Auge begann zu zittern:
„Ich höre das Schwert von Bannockburn
Auf der Treppe rasseln und schüttern!

Ha! Gottwillkomm, mein tapfrer Lord!
Es geht mit mir zu End.
Und du sollst hören mein letztes Wort
Und schreiben mein Testament:

Es war am Tag von Bannockburn,
Da aufging Schottlands Stern,
Es war am Tag von Bannockburn,
Da schwur ich's Gott dem Herrn:

Ich schwur, wenn der Sieg mir sei verliehn
Und fest mein Diadem,
Mit tausend Lanzen wollt ich ziehn
Hin gen Jerusalem.

Der Schwur wird falsch, mein Herz steht still,
Es brach in Müh und Streit,
Es hat, wer Schottland bändigen will,
Zum Pilgern wenig Zeit.

Du aber, wenn mein Wort verhallt
Und aus ist Stolz und Schmerz,
Sollst schneiden aus meiner Brust alsbald
Mein schlachtenmüdes Herz.

Du sollst es hüllen in roten Samt
Und schließen in gelbes Gold,
Und es sei, wenn gelesen mein Totenamt,
Im Banner das Kreuz entrollt.

Und nehmen sollst du tausend Pferd'
Und tausend Helden frei
Und geleiten mein Herz in des Heilands Erd,
Damit es ruhig sei!"

„Nun vorwärts, Angus und Lothian,
Laßt flattern den Busch vom Haupt,
Der Douglas hat des Königs Herz,
Wer ist es, der's ihm raubt?

Mit den Schwertern schneidet die Taue ab,
Alle Segel in die Höh!
Der König fährt in das schwarze Grab,
Und wir in die schwarzblaue See."

Sie fuhren Tage neunzig und neun,
Gen Ost war der Wind gewandt,
Und bei dem hundertsten Morgenschein,
Da stießen sie an das Land.

Sie ritten über die Wüste gelb,
Wie im Tale blitzt der Fluß,
Die Sonne stach durchs Helmgewölb
Als wie ein Bogenschuß.

Und die Wüste war still, und kein Lufthauch blies,
Und schlaff hing Schärpe und Fahn,
Da flog in Wolken der stäubende Kies,
Draus flimmernde Spitzen sahn.

Und die Wüste ward voll, und die Luft erscholl,
Und es hob sich Wolk' an Wolk',
Aus jeder berstenden Wolke quoll
Speerwerfendes Reitervolk.

Zehntausend Lanzen funkelten rechts,
Zehntausend schimmerten links,
„Allah, il Allah!" scholl es rechts,
„Il Allah!" scholl es links. –

Der Douglas zog die Zügel an,
Und still stand Herr und Knecht:
„Beim heiligen Kreuz und St. Alban,
Das gibt ein grimmig Gefecht!"

Eine Kette von Gold um den Hals ihm hing,
Dreimal um ging sie rund,
Eine Kapsel an der Kette hing,
Die zog er an den Mund:

„Du bist mir immer gegangen voran,
O Herz! bei Tag und Nacht,
Drum sollst du auch heut, wie du stets getan,
Vorangehn in die Schlacht.

Und verlasse der Herr mich drüben nicht,
Wie ich hier dir treu verblieb,
Und gönne mir noch auf das Heidengezücht
Einen christlichen Schwerteshieb."

Er warf den Schild auf die linke Seit
Und band den Helm herauf,
Und als zum Würgen er saß bereit,
In den Bügeln stand er auf:

„Wer dies Geschmeid mir wieder schafft,
Des Tages Ruhm sei sein!"
Da warf er das Herz mit aller Kraft
In die Feinde mitten hinein.

Sie schlugen das Kreuz mit dem linken Daum,
Die Rechte den Schaft legt' ein,
Die Schilde zurück und los den Zaum!
Und sie ritten drauf und drein. –

Und es war ein Stoß, und es war eine Flucht
Und rasender Tod rundum,
Und die Sonne versank in die Meeresbucht,
Und die Wüste war wieder stumm.

Und der Stolz des Ostens, er lag gefällt
Im meilenweiten Kreis,
Und der Sand ward rot auf dem Leichenfeld,
Der nie mehr wurde weiß.

Von den Heiden allen durch Gottes Huld
Entrann nicht Mann noch Pferd,
Kurz ist die schottische Geduld
Und lang ein schottisch Schwert!

Doch wo am dicksten ringsumher
Die Feinde lagen im Sand,
Da hatte ein falscher Heidenspeer
Dem Grafen das Herz durchrannt.

Und er schlief mit klaffendem Kettenhemd,
Längst aus war Stolz und Schmerz,
Doch unter dem Schilde festgeklemmt
Lag König Roberts Herz.

Aus: *Venedig*

6

Kannst du das Leben nicht lebendig leben,
Statt über diesen feuerntrunknen Farben
Auf schwarzem Fittich alten Grams zu schweben?

Venedig fiel und seine Helden starben! –
Doch sieh, der Markusplatz ist lauter Feuer
Und wirft ins Wasser tausend Strahlengarben.

Hier schwimmt die Lust und wirft hinweg das Steuer,
Hier wehn der Schönheit jugendlichste Lichter
Um alter Meister herrlichstes Gemäuer.

Da unten aber wohnt es dicht und dichter;
Und zwingt dich nicht zum reizenden Vergessen
Die Lebensfülle strahlender Gesichter?

Der tiefe Himmel wölbt den Platz indessen
Mit Amethyst zum säulenstolzen Saale,
In keinem schönern bist du je gesessen!

Umsonst, umsonst! Mein Auge schmerzt vom Strahle,
Mein Herz ist müde – laß schnell dein Ruder triefen,
Mein Gondolier, hinab den Gran Canale!

Wenn Licht und Lärm sich hinter uns verliefen,
Dann kann mein Aug auf Mondeswellen schweifen
In öder Fenster schwermutsvolle Tiefen.

Hier weht von wundervollen Säulenknäufen
Der Schwermut Schlingkraut über Tor und Mauer,
Hier kann mein Herz im Stillen blühn und reifen.

Nicht kam ich her zu diesem Wonneschauer,
Venetia, daß kurzer Glanz mich bade,
Ich kam zu dir, zu teilen deine Trauer.

Kein Fenster klirrt auf meinem öden Pfade,
Und nur die Welle, träumerisch und trübe,
Spielt an Venedigs marmorne Gestade

Mit leisem Schlag ein Lied – verlorner Liebe!

Theodor Fontane
1819–1898

Meine Gräber

Kein Erbbegräbnis mich stolz erfreut,
Meine Gräber liegen weit zerstreut,
Weit zerstreut über Stadt und Land,
Aber all in märkischem Sand.

Verfallene Hügel, die Schwalben ziehn,
Vorüber schlängelt sich der Rhin,
Über weiße Steine, zerbröckelt all,

Blickt der alte Ruppiner Wall,
Die Buchen stehn, die Eichen rauschen,
Die Gräberbüsche Zwiesprach tauschen,
Und Haferfelder weit auf und ab –
Da ist meiner Mutter Grab.

Und ein andrer Platz, dem verbunden ich bin:
Berglehnen, die Oder fließt dran hin,
Zieht vorüber in trägem Lauf,
Gelbe Mummeln schwimmen darauf.
Am Ufer Werft und Schilf und Rohr,
Und am Abhange schimmern Kreuze hervor,
Auf eines fällt heller Sonnenschein –
Da hat mein Vater seinen Stein.

Der Dritte, seines Todes froh,
Liegt auf dem weiten Teltow-Plateau,
Dächer von Ziegel, Dächer von Schiefer,
Dann und wann eine Krüppelkiefer,
Ein stiller Graben die Wasserscheide,
Birken hier und da eine Weide,
Zuletzt eine Pappel am Horizont,
Im Abendstrahle sie sich sonnt.
Auf den Gräbern Blumen und Aschenkrüge,
Vorüber in Ferne rasseln die Züge,
Still bleibt das Grab und der Schläfer drin –
Der Wind, der Wind geht drüber hin.

Würd es mir fehlen, würd ich's vermissen?

Heute früh, nach gut durchschlafener Nacht,
Bin ich wieder aufgewacht.
Ich setzte mich an den Frühstückstisch,
Der Kaffee war warm, die Semmel war frisch,
Ich habe die Morgenzeitung gelesen,
(Es sind wieder Avancements gewesen).
Ich trat ans Fenster, ich sah hinunter,
Es trabte wieder, es klingelte munter,
Eine Schürze (beim Schlächter) hing über dem Stuhle,
Kleine Mädchen gingen nach der Schule –
Alles war freundlich, alles war nett,
Aber wenn ich weiter geschlafen hätt
Und tät von alledem nichts wissen,
Würd es mir fehlen, würd ich's vermissen?

Die Alten und die Jungen

„Unverständlich sind uns die Jungen",
Wird von den Alten beständig gesungen;
Meinerseits möcht ich's damit halten:
„Unverständlich sind mir die Alten."

Dieses am Ruder bleiben Wollen
In allen Stücken und allen Rollen,
Dieses sich unentbehrlich Vermeinen
Samt ihrer „Augen stillem Weinen",

Als wäre der Welt ein Weh getan –
Ach, ich kann es nicht verstahn.
Ob unsre Jungen, in ihrem Erdreisten,
Wirklich was Besseres schaffen und leisten,
Ob dem Parnasse sie näher gekommen
Oder bloß einen Maulwurfshügel erklommen,
Ob sie, mit andern Neusittenverfechtern,

Die Menschheit bessern oder verschlechtern,
Ob sie Frieden sän oder Sturm entfachen,
Ob sie Himmel oder Hölle machen –
Eins läßt sie stehn auf siegreichem Grunde:
Sie haben den Tag, sie haben die Stunde;
Der Mohr kann gehn, neu Spiel hebt an,
Sie beherrschen die Szene, *sie* sind dran.

Fester Befehl

In Arkadien wurd auch ich geboren.
Auch ich habe mal auf Freiheit geschworen.

Ich haßte Schranzen und Fürstenschmeichler,
Glaubte beinah an Held und Eichler,
Und Herwegh, Karl Beck und Dingelsteten
Erhob ich zu meinen Leibpoeten.

„. . . Auf dem offnen Meere der Freiheit schwimmen . . .
Ein Volk muß immer sich selbst bestimmen,
Ein Volk geht immer die rechten Wege,
Nieder die Polizeigehege,
Nieder die possidentes beati –"
So dacht auch ich. O, tempi passati!

Freiheit freilich. Aber zum Schlimmen
Führt der Masse Sich-selbst-Bestimmen,
Und das Klügste, das Beste, Bequemste,
Das auch *freien* Seelen weitaus Genehmste
Heißt doch schließlich, ich hab's nicht Hehl:
Festes Gesetz und fester Befehl.

[Possidentes beati: die glücklichen Besitzenden. – tempi passati: verschwundene Zeiten.]

Es kribbelt und wibbelt weiter

Die Flut steigt bis an den Ararat,
Und es hilft keine Rettungsleiter,
Da bringt die Taube Zweig und Blatt –
Und es kribbelt und wibbelt weiter.

Es sicheln und mähen von Ost nach West
Die apokalyptischen Reiter,
Aber ob Hunger, ob Krieg, ob Pest,
Es kribbelt und wibbelt weiter.

Ein Gott wird gekreuzigt auf Golgatha,
Es brennen Millionen Scheiter,
Märtyrer hier und Hexen da,
Doch es kribbelt und wibbelt weiter.

So banne dein Ich in dich zurück
Und ergib dich und sei heiter;
Was liegt an dir und deinem Glück?
Es kribbelt und wibbelt weiter.

Die Frage bleibt

Halte dich still, halte dich stumm,
Nur nicht forschen, warum? warum?

Nur nicht bittre Fragen tauschen,
Antwort ist doch nur wie Meeresrauschen.

Wie's dich auch aufzuhorchen treibt,
Das Dunkel, das Rätsel, die Frage bleibt.

Ausgang

Immer enger, leise, leise
Ziehen sich die Lebenskreise,
Schwindet hin, was prahlt und prunkt,
Schwindet Hoffen, Hassen, Lieben,
Und ist nichts in Sicht geblieben
Als der letzte dunkle Punkt.

Schloß Eger

Lärmend, im Schloß zu Eger,
Über dem Ungarwein,
Sitzen die Würdenträger
Herzogs Wallenstein:
Tertschka, des Feldherrn Schwager,
Illo und Kinsky dazu,
Ihre Heimat das Lager,
Und die Schlacht ihre Ruh.

Lustig flackern die Kerzen;
Aber der Tertschka spricht:
„Ist mir's Nacht im Herzen
Oder vorm Gesicht?
Diese Lichter leuchten
Wie in dunkler Gruft,
Und die Wände, die feuchten,
Hauchen Grabesluft."

Feurig funkelt der Unger;
Aber der Kinsky spricht:
„Draußen bei Frost und Hunger
Schüttelte so mich's nicht,
Hielte lieber bei Lützen
Wieder in Qualm und Rauch;
Wolle Gott uns schützen,
Oder – der Teufel auch."

Illo nur, Herz wie Kehle
Hält er bei Laune sich,
Dicht ist seine Seele
Gegen Hieb und Stich,

Trägt ein Büffelkoller
Wie sein Körper traun,
Lustiger und toller
War er nie zu schaun.

Und vom Trunke heiser
Ruft er jetzt und lacht:
„Das erst ist der Kaiser,
Wer den Kaiser macht;
Eid und Treue brechen,
Taten wir's allein?
Hoch der König der Tschechen,
Herzog Wallenstein!" –

Burg- und Schloßbewohner
Ruhen . . . Da sieh, in Stahl,
Buttlersche Dragoner
Dringen in den Saal;
Buttler selbst, im Helme,
Tritt an den Illo: „Sprich,
Seid ihr Schurken und Schelme
Oder gut kaiserlich?!"

Hei, da fahren die Klingen
Wie von selber heraus,
Von dem Pfeifen und Schwingen
Löschen die Lichter aus;
Weiter geht es im Dunkeln,
Nein, im Dunkeln nicht:
Ihrer Augen Funkeln
Gibt das rechte Licht.

Tertschka fällt; daneben
Kinsky mit Fluch und Schwur;
Mehr um Tod wie Leben
Ficht selbst Illo nur,
Schlägt blindhin in Scherben
Schädel und Flaschen jetzt,
Wie ein Eber im Sterben
Noch die Hauer wetzt.

Licht und Fackel kommen,
Geben düstren Schein:
Ineinander verschwommen
Blinken Blut und Wein;

Überall im Saale
Leichen in buntem Gemisch,
Stumm, vor seinem Mahle,
Sitzt der Tod am Tisch.

Buttler aber, wie Wetter,
Donnert jetzt: „Laßt sie ruhn!
Das sind erst die Blätter,
An die Wurzel nun."
Bald in Schlosses Ferne
Hört man's krachen und schrei'n; –
Schau nicht in die Sterne,
Rette dich, Wallenstein!

Archibald Douglas

„Ich hab es getragen sieben Jahr,
Und ich kann es nicht tragen mehr!
Wo immer die Welt am schönsten war,
Da war sie öd und leer.

Ich will hintreten vor sein Gesicht
In dieser Knechtsgestalt,
Er kann meine Bitte versagen nicht,
Ich bin ja worden alt.

Und trüg er noch den alten Groll,
Frisch wie am ersten Tag,
So komme, was da kommen soll,
Und komme, was da mag."

Graf Douglas spricht's. Am Weg ein Stein
Lud ihn zu harter Ruh,
Er sah in Wald und Feld hinein,
Die Augen fielen ihm zu.

Er trug einen Harnisch rostig und schwer,
Darüber ein Pilgerkleid. –
Da horch! Vom Waldrand scholl es her
Wie von Hörnern und Jagdgeleit.

Und Kies und Staub aufwirbelte dicht,
Her jagte Meut und Mann,
Und ehe der Graf sich aufgericht't,
Waren Roß und Reiter heran.

König Jakob saß auf hohem Roß,
Graf Douglas grüßte tief;
Dem König das Blut in die Wange schoß,
Der Douglas aber rief:

„König Jakob, schaue mich gnädig an,
Und höre mich in Geduld,
Was meine Brüder dir angetan,
Es war nicht meine Schuld.

Denk nicht an den alten Douglasneid,
Der trotzig dich bekriegt,
Denk lieber an deine Kinderzeit,
Wo ich dich auf den Knien gewiegt.

Denk lieber zurück an Stirlingschloß,
Wo ich Spielzeug dir geschnitzt,
Dich gehoben auf deines Vaters Roß
Und Pfeile dir zugespitzt.

Denk lieber zurück an Linlithgow,
An den See und den Vogelherd,
Wo ich dich fischen und jagen froh
Und schwimmen und springen gelehrt.

O denk an alles, was einsten war,
Und sänftige deinen Sinn –
Ich hab es gebüßet sieben Jahr,
Daß ich ein Douglas bin."

„„„Ich seh dich nicht, Graf Archibald,
Ich hör deine Stimme nicht,
Mir ist, als ob ein Rauschen im Wald
Von alten Zeiten spricht.

Mir klingt das Rauschen süß und traut,
Ich lausch ihm immer noch,
Dazwischen aber klingt es laut:
Er ist ein Douglas doch.

Ich seh dich nicht, ich höre dich nicht,
Das ist alles, was ich kann –
Ein Douglas vor meinem Angesicht
Wär ein verlorener Mann.""'

König Jakob gab seinem Roß den Sporn,
Bergan ging jetzt sein Ritt,
Graf Douglas faßte den Zügel vorn
Und hielt mit dem Könige Schritt.

Der Weg war steil, und die Sonne stach,
Und sein Panzerhemd war schwer,
Doch ob er schier zusammenbrach,
Er lief doch nebenher.

„König Jakob, ich war dein Seneschall,
Ich will es nicht fürder sein,
Ich will nur warten dein Roß im Stall
Und ihm schütten die Körner ein.

Ich will ihm selber machen die Streu
Und es tränken mit eigner Hand,
Nur laß mich atmen wieder aufs neu
Die Luft im Vaterland!

Und willst du nicht, so hab einen Mut,
Und ich will es danken dir,
Und zieh dein Schwert und triff mich gut
Und laß mich sterben hier."

König Jakob sprang herab vom Pferd,
Hell leuchtete sein Gesicht,
Aus der Scheide zog er sein breites Schwert,
Aber fallen ließ er es nicht.

„„„Nimm's hin, nimm's hin und trag es neu
Und bewache mir meine Ruh!
Der ist in tiefster Seele treu,
Wer die Heimat liebt wie du.

Zu Roß, wir reiten nach Linlithgow,
Und du reitest an meiner Seit,
Da wollen wir fischen und jagen froh
Als wie in alter Zeit.""'

John Maynard

John Maynard!

„Wer ist John Maynard?"

„„„John Maynard war unser Steuermann,
Aus hielt er, bis er das Ufer gewann,
Er hat uns gerettet, er trägt die Kron,
Er starb für uns, unsre Liebe sein Lohn.
John Maynard.""'

* *

*

Die „Schwalbe" fliegt über den Eriesee,
Gischt schäumt um den Bug wie Flocken von Schnee;
Von Detroit fliegt sie nach Buffalo –
Die Herzen aber sind frei und froh,
Und die Passagiere mit Kindern und Fraun
Im Dämmerlicht schon das Ufer schaun,
Und plaudernd an John Maynard heran
Tritt alles: 'Wie weit noch, Steuermann?'
Der schaut nach vorn und schaut in die Rund:
„Noch dreißig Minuten. . . Halbe Stund."

Alle Herzen sind froh, alle Herzen sind frei –
Da klingt's aus dem Schiffsraum her wie Schrei,
„Feuer!" war es, was da klang,
Ein Qualm aus Kajüt und Luke drang,
Ein Qualm, dann Flammen lichterloh,
Und noch zwanzig Minuten bis Buffalo.

Und die Passagiere, bunt gemengt,
Am Bugspriet stehn sie zusammengedrängt,
Am Bugspriet vorn ist noch Luft und Licht,
Am Steuer aber lagert sich's dicht,
Und ein Jammern wird laut: „Wo sind wir? wo?"
Und noch fünfzehn Minuten bis Buffalo. –

Der Zugwind wächst, doch die Qualmwolke steht,
Der Kapitän nach dem Steuer späht,
Er sieht nicht mehr seinen Steuermann,
Aber durchs Sprachrohr fragt er an:
‚Noch da, John Maynard?'
 „Ja, Herr. Ich bin."
‚Auf den Strand! In die Brandung!'
 „Ich halte drauf hin."
Und das Schiffsvolk jubelt: „Halt aus! Hallo!"
Und noch zehn Minuten bis Buffalo. – –

‚Noch da, John Maynard?' Und Antwort schallt's
Mit ersterbender Stimme: „Ja, Herr, ich halt's!"
Und in die Brandung, was Klippe, was Stein,
Jagt er die „Schwalbe" mitten hinein.
Soll Rettung kommen, so kommt sie nur so.
Rettung: der Strand von Buffalo!

* *
*

Das Schiff geborsten. Das Feuer verschwelt.
Gerettet alle. Nur *einer* fehlt!

* *
*

Alle Glocken gehn; ihre Töne schwell'n
Himmelan aus Kirchen und Kapell'n,
Ein Klingen und Läuten, sonst schweigt die Stadt,
Ein Dienst nur, den sie heute hat:
Zehntausend folgen oder mehr,
Und kein Aug im Zuge, das tränenleer.

Sie lassen den Sarg in Blumen hinab,
Mit Blumen schließen sie das Grab,
Und mit goldner Schrift in den Marmorstein
Schreibt die Stadt ihren Dankspruch ein:
„Hier ruht John Maynard! In Qualm und Brand
Hielt er das Steuer fest in der Hand,
Er hat uns gerettet, er trägt die Kron,
Er starb für uns, unsre Liebe sein Lohn.
 John Maynard."

Die Brück am Tay
(28. Dezember 1879)

When shall we three meet again?
Macbeth.

„Wann treffen wir drei wieder zusamm?"
 „Um die siebente Stund, am Brückendamm."
 „Am Mittelpfeiler."
 „Ich lösche die Flamm."
„Ich mit."
 „Ich komme vom Norden her."
„Und ich vom Süden."
 „Und ich vom Meer."

„Hei, das gibt einen Ringelreihn,
Und die Brücke muß in den Grund hinein."

„Und der Zug, der in die Brücke tritt
Um die siebente Stund?"
 „Ei, der muß mit."
„Muß mit."
 „Tand, Tand
Ist das Gebilde von Menschenhand!"

*

Auf der Norderseite, das Brückenhaus –
Alle Fenster sehen nach Süden aus,
Und die Brücknersleut ohne Rast und Ruh
Und in Bangen sehen nach Süden zu,
Sehen und warten, ob nicht ein Licht
Übers Wasser hin „Ich komme" spricht,
„Ich komme, trotz Nacht und Sturmesflug,
Ich, der Edinburgher Zug."

Und der Brückner jetzt: „Ich seh einen Schein
Am anderen Ufer. Das muß er sein.
Nun, Mutter, weg mit dem bangen Traum,
Unser Johnie kommt und will seinen Baum,
Und was noch am Baume von Lichtern ist,
Zünd alles an wie zum Heiligen Christ,
Der will heuer *zweimal* mit uns sein –
Und in elf Minuten ist er herein."

Und es war der Zug. Am Süderturm
Keucht er vorbei jetzt gegen den Sturm,
Und Johnie spricht: „Die Brücke noch!
Aber was tut es, wir zwingen es doch.
Ein fester Kessel, ein doppelter Dampf,
Die bleiben Sieger in solchem Kampf.
Und wie's auch rast und ringt und rennt,
Wir kriegen es unter, das Element.

Und unser Stolz ist unsre Brück;
Ich lache, denk ich an früher zurück,
An all den Jammer und all die Not
Mit dem elend alten Schifferboot;
Wie manche liebe Christfestnacht
Hab ich im Fährhaus zugebracht
Und sah unsrer Fenster lichten Schein
Und zählte und konnte nicht drüben sein."

Auf der Norderseite, das Brückenhaus –
Alle Fenster sehen nach Süden aus,
Und die Brücknersleut ohne Rast und Ruh
Und in Bangen sehen nach Süden zu;
Denn wütender wurde der Winde Spiel,
Und jetzt, als ob Feuer vom Himmel fiel,
Erglüht es in niederschießender Pracht
Überm Wasser unten . . . Und wieder ist Nacht.

„Wann treffen wir drei wieder zusammen?"
 „Um Mitternacht, am Bergeskamm."
 „Auf dem hohen Moor, am Erlenstamm."
„Ich komme."
 „Ich mit."
 „Ich nenn euch die Zahl."
„Und ich die Namen."
 „Und ich die Qual."
„Hei!
 Wie Splitter brach das Gebälk entzwei."
 „Tand, Tand
Ist das Gebilde von Menschenhand."

Herr von Ribbeck auf Ribbeck im Havelland

Herr von Ribbeck auf Ribbeck im Havelland,
Ein Birnbaum in seinem Garten stand,
Und kam die goldene Herbsteszeit
Und die Birnen leuchteten weit und breit,
Da stopfte, wenn's Mittag vom Turme scholl,
Der von Ribbeck sich beide Taschen voll,
Und kam in Pantinen ein Junge daher,
So rief er: „Junge, wiste ne Beer?"
Und kam ein Mädel, so rief er: „Lütt Dirn,
Kumm man röwer, ick hebb ne Birn."

So ging es viel Jahre, bis lobesam
Der von Ribbeck auf Ribbeck zu sterben kam.
Er fühlte sein Ende. 's war Herbsteszeit,
Wieder lachten die Birnen weit und breit;
Da sagte von Ribbeck: „Ich scheide nun ab.
Legt mir eine Birne mit ins Grab."
Und drei Tage darauf, aus dem Doppeldachhaus,
Trugen von Ribbeck sie hinaus,
Alle Bauern und Büdner mit Feiergesicht
Sangen „Jesus meine Zuversicht",
Und die Kinder klagten, das Herze schwer:
„He is dod nu. Wer giwt uns nu ne Beer?"

So klagten die Kinder. Das war nicht recht –
Ach, sie kannten den alten Ribbeck schlecht;
Der *neue* freilich, der knausert und spart,
Hält Park und Birnbaum strenge verwahrt.
Aber der *alte*, vorahnend schon
Und voll Mißtraun gegen den eigenen Sohn,
Der wußte genau, was damals er tat,
Als um eine Birn ins Grab er bat,
Und im dritten Jahr aus dem stillen Haus
Ein Birnbaumsprößling sproßt heraus.

Und die Jahre gehen wohl auf und ab,
Längst wölbt sich ein Birnbaum über dem Grab,
Und in der goldenen Herbsteszeit
Leuchtet's wieder weit und breit.
Und kommt ein Jung übern Kirchhof her,
So flüstert's im Baume: „Wiste ne Beer?"
Und kommt ein Mädel, so flüstert's: „Lütt Dirn,
Kumm man röwer, ick gew di ne Birn."

So spendet Segen noch immer die Hand
Des von Ribbeck auf Ribbeck im Havelland.

Die Balinesenfrauen auf Lombok

Unerhört,
Auf Lombok hat man sich empört,
Auf der Insel Lombok die Balinesen
Sind mit Mynheer unzufrieden gewesen.

Und die Mynheers faßt ein Zürnen und Schaudern:
„Aus mit dem Brand, ohne Zögern und Zaudern!"
Und allerlei Volk, verkracht, verdorben,
Wird von Mynheer angeworben,
Allerlei Leute mit Mausergewehren
Sollen die Balinesen bekehren.
Vorwärts, ohne Sinn und Plan;
Aber auch planlos wird es getan:
Hinterlader arbeitete gut,
Und die Männer liegen in ihrem Blut.

Die Männer. Aber groß anzuschaun
Sind da noch sechzig stolze Fraun,
All eingeschlossen zu Wehr und Trutz
In eines Buddhatempels Schutz.
Reichgekleidet, goldgeschmückt,
Ihr jüngstes Kind an die Brust gedrückt,
Hochaufgericht't eine jede stand,
Den Feind im Auge, den Dolch in der Hand.

Die Kugeln durchschlagen Trepp und Dach –
„Wozu hier noch warten, feig und schwach?"
Und die Türen auf und hinab ins Tal,
Hoch ihr Kind und hoch den Stahl
(Am Griffe funkelt der Edelstein),
So stürzen sie sich in des Feindes Reihn.
Die Hälfte fällt tot, die Hälfte fällt wund,
Aber jede will sterben zu dieser Stund,
Und die Letzten, in stolzer Todeslust,
Stoßen den Dolch sich in die Brust.

Mynheer derweilen in seinem Kontor,
Malt sich christlich Kulturelles vor.

Preußisches Volkslied

Ja, man ist uns vieles schuldig,
Ja, wir könnten freier sein,
Doch geduldig nur, geduldig,
Auch die Freiheit stellt sich ein.
 Und so lange tapfer essen
 Dürfen wir und schlürfen Wein,
 Ei, da kann man schon vergessen
 Daß wir sollten freier sein.

Ja, man hat uns viel versprochen,
Hat uns stark den Hof gemacht,
Hat die Schwüre dann gebrochen
Und uns weidlich ausgelacht.
 Doch, ihr Brüder, tapfer essen
 Dürfen wir und schlürfen Wein,
 Drum gegessen und vergessen,
 Daß wir sollten freier sein.

Wo man geht und steht: „Bezahle!"
Heißt es, wie nicht recht gescheit;
Wahrlich unsre Generale
Plündern uns in Friedenszeit.
 Doch, ihr Brüder, usw.

Ja, entsetzlich ist die Zeitung,
Wirkt wie bestes Opium,
So politisch ist die Leitung,
Daß wir stets politisch dumm.
 Doch, ihr Brüder, usw.

Ja, wir möchten laut versichern:
Das ist gut und das ist schlecht,
Und nicht so verstohlen kichern,
Wenn ihr rechten Unsinn sprecht.
 Doch, ihr Brüder, usw.

Ja, man ist uns vieles schuldig,
Ja, wir könnten freier sein,
Doch geduldig nur, geduldig,
Auch die Freiheit stellt sich ein.
 Und so lange tapfer essen
 Dürfen wir und schlürfen Wein,
 Ei, da kann man schon vergessen,
 Daß wir sollten freier sein.

Kaiser Wilhelms Rückkehr
(17. März 1871)

Dreifarbig, kranzumwunden
Unsre Fahnen flattern und wehn,
Das waren Festesstunden,
Wie keine wir noch gesehn;
Vielhunderttausendtönig
In Lüften die Grüße ziehn:
Willkommen *Kaiser* König,
Willkommen in Berlin.

Nun steiget höher, ihr Schwalben,
Und kündet, was es sei:
Blauer Himmel allenthalben,
Und das Wetter ist vorbei.

Es ward uns viel beschieden,
Es ward uns großes Glück:
König Wilhelm bringt uns den Frieden
Und bringt uns sich selber zurück.

Er bringt uns sich selber wieder
Und Neues zu allem, was war,
Nun entsprießt ein stolzer Gefieder
Dem alten preußischen Aar.
Das Alte hoch und das Neue
Vom Niemen bis an den Rhein –
Und wir flechten die alte Treue
In die neue Krone hinein.

Neueste Väterweisheit

Zieh nun also in die Welt,
Tue beharrlich, was dir gefällt,
Werde keiner Gefühle Beute,
Meide sorglich arme Leute,
Werde kein gelehrter Klauber,

Wissenschaft ist fauler Zauber,
Sei für Rothschild statt für Ranke,
Nimm den Main und laß die Panke,
Nimm den Butt und laß die Flunder,
Geld ist Glück, und Kunst ist Plunder,
Vorwärts auf der schlechtsten Kragge,
Wenn nur unter großer Flagge.
Pred'ge Tugend, pred'ge Sitte,
Millionär ist dann das dritte,
Quäl dich nicht mit „wohlerzogen".
Vorwärts mit dem Ellenbogen,
Und zeig jedem jeden Falles:
„Du bist nichts, und ich bin alles."

[Rothschild: Name einflußreicher Bankiers. – Ranke: Leopold von R., preuß. Historiker (1795–1886). –
Panke: Nebenfluß der Spree, mündet in Berlin.]

Nur nicht loben

Schreibt wer in Deutschland historische Stücke,
So steht er auf der Schillerbrücke.

Macht er den Helden zugleich zum Damöte,
So heißt es: Egmont, siehe Goethe.

Schildert er Juden, ernst oder witzig,
Ist es Schmock oder Veitel Jtzig.

Schildert er einige hübsche Damen,
Heißt es: Dumas . . . Ehebruchsdramen.

Jeder Einfall, statt ihn zu loben,
Wird einem andern zugeschoben.

Ein Glück, so hab ich oft gedacht,
Daß Zola keine Balladen gemacht.

Hermann Lingg
1820–1905

Die Seestädte

Vor allen Städten seid ihr Meeresbräute
Die herrlichsten. Der Tiefe Schätze quellen
Zu euch empor, des Glückes Segel schwellen
An euren Strand der fernsten Länder Beute.

Da, Tyrus, Indien dir Weihrauch streute,
Und da, Korinth, zu deinen Marmorschwellen
Der Römer kam, da auf den hohen Wellen
Dein Leu, Venedig, allen Flaggen dräute;

Da war's, da zog der Ruhm durch Siegestore,
Da schien die Mittagsglut von goldnen Dächern
Auf Heldenbilder längs der Korridore.

Müd lächelnd sahn die Herren der besiegten
Meerwelle zu, indes in Prunkgemächern
Den Perlenfächer ihre Töchter wiegten.

Verfall

Schwer ist der Völker Schlaf, wenn eingeschlafen
Fern im Gebirg der Adler ihrer Taten,
Wenn ihre Banner Fremde niedertraten,
Wenn ihre Schiffe ruhn im seichten Hafen.

Auf Trümmern blühn Zypressen und Agaven,
Und wo sonst Knaben schon um Waffen baten,
Stehn jetzt die letzten Männer, stumm, verraten,
Und sterben ruhmlos hin wie andre Sklaven.

Die Sitten kranken, tot sind Ruhm und Ehre,
Die Kraft versiegt, man schlägt die freie Wehre,
Man schlägt voll Furcht das freie Wort in Bande.

Entschleiert durch die Gassen wallt die Schande,
Der Schönheit Blüte reift gemeinen Lüsten,
Und schuldig ist das Kind schon an den Brüsten.

Wilhelm Raabe
1831–1910

Des Menschen Hand

Legt in die Hand das Schicksal dir ein Glück,
Mußt du ein andres wieder fallenlassen;
Schmerz und Gewinn erhältst du Stück um Stück,
Und Tiefersehntes wirst du bitter hassen.

Des Menschen Hand ist eine Kinderhand,
Sie greift nur zu, um achtlos zu zerstören;
Mit Trümmern überstreuet sie das Land,
Und was sie hält, wird ihr doch nie gehören.

Des Menschen Hand ist eine Kinderhand,
Sein Herz ein Kinderherz im heftgen Trachten.
Greif zu und halt! . . . Da liegt der bunte Tand,
Und klagen müssen nun, die eben lachten.

Legt in die Hand das Schicksal dir den Kranz,
So mußt die schönste Pracht du selbst zerpflücken;
Zerstören wirst du selbst des Lebens Glanz
Und weinen über den zerstreuten Stücken.

Zum Schillerfest 1859

I

Die Zeit ist schwer! Dumpf grollt des Volkes Klagen:
Will nie der Morgen ob den Wassern tagen?
Die Zeit ist schwer! Wann kommt der Strahl der Sonnen?
Wann haben wir den neuen Tag gewonnen?

Die Zeit ist schwer! In Millionen Herzen
Bewegt sich neu das alte Wort der Schmerzen:
O Vaterland – so klingt es fort beständig –
Nicht tot bist du und bist doch nicht lebendig!

Wird nie ein Retter kommen diesem Lande?
Wird kein Befreier lösen unsre Bande?
Wird der Messias nie erscheinen in der Welt?
Wird nie der Baum blühn auf dem Walserfeld?

So geht es um in aller Städte Mauern,
In Wald und Feld, bei Bürgern und bei Bauern,
Bei reich und arm, bei Männern und bei Frauen –
Tiefinnre Hoffnung und geheimstes Grauen!

Schwer ist die Zeit, doch hat sie gute Zeichen;
Es will die Nacht dem lichten Morgen weichen.
Nicht stets gehört die Zeit den Neidern und den Hassern,
Denn Gottes Geist, der schwebt ja auf den Wassern!

II

Es galt in unserm Volk einst diese Sitte:
Ward in Gefahr ein Fürst gewählet in der Mitte
Der Besten, hob man ihn laut jauchzend auf den Schild
Und zeigte so in ihm dem Volk des Volkes Bild.

Und so auch jetzt! In diesen bösen Tagen
Ward neu die Art der alten Heldensagen:
Der Freiheit Sänger auf den Schild gehoben,
Wie hält das Vaterland so hoch, so stolz ihn droben!

Um *einen* Führer scharen sich die Stämme,
Die Schranken fallen ein, gebrochen sind die Dämme;
Der Franken Herz, das Herz der Schwaben, Bayern, Sachsen
Zum Herz des Vaterlands in ihm zusammenwachsen!

Das deutsche Reich, so ist's noch nicht verloren,
Der Deutschen König ist aufs neue so erkoren,
Des Geistes Reich aufs neue fest gegründet,
Des Geistes Volk zu Kampf und Sieg verbündet!

Schwer ist die Zeit, doch gut sind ihre Zeichen,
Wohl muß die Nacht dem Licht der Sonne weichen!
Nicht mehr gehört die Welt den Neidern und den Hassern,
Ja, Gottes Geist schwebt immer auf den Wassern!

Die Glocken hallen, und die Banner wehen
Dem großen Feste, das wir heut begehen!
Die Herzen schlagen, und die Augen glänzen
Dem stolzen Bilde, das wir heut bekränzen
Am Krönungstag des Geists, in Tat, in Wort, in Liedern –
Ein einig einzig Volk, ein einzig Volk von Brüdern!

Beruhigung

Auf alle Höhen
Da wollt ich steigen,
Zu allen Tiefen
Mich niederneigen.
Das Nah und Ferne
Wollt ich erkünden,
Geheimste Wunder
Wollt ich ergründen.
Gewaltig Sehnen,
Unendlich Schweifen,
Im ewgen Streben
Ein Nieergreifen –
Das war mein Leben.

Nun ist's geschehen; –
Aus allen Räumen
Hab ich gewonnen
Ein holdes Träumen.
Nun sind umschlossen
Im engsten Ringe,
Im stillsten Herzen
Weltweite Dinge.
Lichtblauer Schleier
Sank nieder leise;
In Liebesweben,
Goldzauberkreise –
Ist nun mein Leben.

Wilhelm Busch
1832–1908

Dilemma

Das glaube mir – so sagte er –
Die Welt ist mir zuwider,
Und wenn die Grübelei nicht wär,
So schöß ich mich darnieder.

Was aber wird nach diesem Knall
Sich späterhin begeben?
Warum ist mir mein Todesfall
So eklig wie mein Leben?

Mir wäre doch, potzsapperlot,
Der ganze Spaß verdorben,
Wenn man am Ende gar nicht tot,
Nachdem daß man gestorben.

Es wohnen die hohen Gedanken
In einem hohen Haus.
Ich klopfte, doch immer hieß es:
Die Herrschaft fuhr eben aus!

Nun klopf ich ganz bescheiden
Bei kleineren Leuten an.
Ein Stückel Brot, ein Groschen
Ernähren auch ihren Mann.

Sei ein braver Biedermann,
Fange tüchtig an zu loben!
Und du wirst von uns sodann
Gerne mit emporgehoben.

Wie, du ziehst ein schiefes Maul?
Willst nicht, daß dich andre adeln?
Na, denn sei mir nur nicht faul
Und verlege dich aufs Tadeln.

Gelt, das ist ein Hochgenuß,
Schwebst du so mit Wohlgefallen
Als ein sel'ger Kritikus
Hocherhaben über allen.

Es sitzt ein Vogel auf dem Leim,
Er flattert sehr und kann nicht heim.
Ein schwarzer Kater schleicht herzu,
Die Krallen scharf, die Augen gluh.
Am Baum hinauf und immer höher
Kommt er dem armen Vogel näher.

Der Vogel denkt: Weil das so ist
Und weil mich doch der Kater frißt,
So will ich keine Zeit verlieren,
Will noch ein wenig quinquilieren
Und lustig pfeifen wie zuvor.
Der Vogel, scheint mir, hat Humor.

Es stand vor eines Hauses Tor
Ein Esel mit gespitztem Ohr,
Der käute sich sein Bündel Heu
Gedankenvoll und still entzwei. —
Nun kommen da und bleiben stehn
Der naseweisen Buben zween,
Die auch sogleich, indem sie lachen,
Verhaßte Redensarten machen,
Womit man denn bezwecken wollte,
Daß sich der Esel ärgern sollte. —
Doch dieser hocherfahrne Greis
Beschrieb nur einen halben Kreis,
Verhielt sich stumm und zeigte itzt
Die Seite, wo der Wedel sitzt.

Wer möchte diesen Erdenball
Noch fernerhin betreten,
Wenn wir Bewohner überall
Die Wahrheit sagen täten.

Ihr hießet uns, wir hießen euch
Spitzbuben und Halunken,
Wir sagten uns fatales Zeug
Noch eh wir uns betrunken.

Und überall im weiten Land,
Als langbewährtes Mittel,
Entsproßte aus der Menschenhand
Der treue Knotenknittel.

Da lob ich mir die Höflichkeit,
Das zierliche Betrügen.
Du weißt Bescheid, ich weiß Bescheid;
Und allen macht's Vergnügen.

Pst!

Es gibt ja leider Sachen und Geschichten,
Die reizend und pikant,
Nur werden sie von Tanten und von Nichten
Niemals genannt.

Verehrter Freund, so sei denn nicht vermessen,
Sei zart und schweig auch du.
Bedenk: Man liebt den Käse wohl, indessen
Man deckt ihn zu.

Romanze vom nützlichen Soldaten

Rieke näht auf die Maschine,
Nischke ist beis Militär,
Dennoch aber ließ sie ihne
Niemals nahe bei sich her.

Wozu, fragte sie verächtlich,
Wozu hilft mich der Soldat,
Wenn man bloß durch ihn hauptsächlich
So viel hohe Steuern hat.

Einstmals ging sie in das Holze,
Nischke wollte gerne mit;
Aber nein, partu nicht wollt se,
Daß er ihr dahin beglitt.

Plötzlich springt aus dem Gebüsche
Auf ihr zu ein alter Strolch;
Stiere Augen, wie die Fische,
Kalte Hände, wie der Molch.

Runter, schreit er, mit die Kleider,
Denn Sie lebt im Überfluß,

Da ich ein Fabrikarbeiter,
Der sich was verdienen muß.

Weinend fällt das Kleid und Röckchen,
Zitternd löst sich der Turnür,
Nur ein kurzes Unterglöckchen
Schützt vor Scham und Kälte ihr.

Bauz! Da fällt ein Schuß mit Schroten.
Fluchend läuft der Vagabund
Mit verletztem Hosenboden
In des Waldes Hintergrund.

Das tat Nischke, der trotz allen
Rieken heimlich nachgeschleicht,
Die sich unter Dankeslallen
Jetzt um seinen Hals verzweigt.

Oh, ihr Mädchens, laßt euch raten,
Ehrt und liebet den Soldat;
Weil er sonst vor seine Taten
Nicht viel zu verzehren hat.

Detlev von Liliencron
1844–1909

Heidebilder

Tiefeinsamkeit spannt weit die schönen Flügel,
Weit über stille Felder aus.
Wie ferne Küsten grenzen graue Hügel,
Sie schützen vor dem Menschengraus.

Im Frühling fliegt in mitternächtiger Stunde
Die Wildgans hoch in raschem Flug.
Das alte Gaukelspiel: in weiter Runde
Hör ich Gesang im Wolkenzug.

Verschlafen sinkt der Mond in schwarze Gründe,
Beglänzt noch einmal Schilf und Rohr.
Gelangweilt ob so mancher holden Sünde,
Verläßt er Garten, Wald und Moor.

Die Mittagsonne brütet auf der Heide,
Im Süden droht ein schwarzer Ring.
Verdurstet hängt das magere Getreide,
Behaglich treibt ein Schmetterling.

Ermattet ruhn der Hirt und seine Schafe,
Die Ente träumt im Binsenkraut.
Die Ringelnatter sonnt in trägem Schlafe
Unregbar ihre Tigerhaut.

Im Zickzack zuckt ein Blitz, und Wasserfluten
Entstürzen gierig dunklem Zelt.
Es jauchzt der Sturm und peitscht mit seinen Ruten
Erlösend meine Heidewelt.

In Herbstestagen bricht mit starkem Flügel
Der Reiher durch den Nebelduft.
Wie still es ist; kaum hör ich um den Hügel
Noch einen Laut in weiter Luft.

Auf eines Birkenstämmchens schwanker Krone
Ruht sich ein Wanderfalke aus.
Doch schläft er nicht, von seinem leichten Throne
Äugt er durchdringend scharf hinaus.

Der alte Bauer mit verhaltnem Schritte
Schleicht neben seinem Wagen Torf.
Und holpernd, stolpernd schleppt mit lahmem Tritte
Der alte Schimmel ihn ins Dorf.

Die Sonne leiht dem Schnee das Prachtgeschmeide,
Doch ach! wie kurz ist Schein und Licht.
Ein Nebel tropft, und traurig zieht im Leide
Die Landschaft ihren Schleier dicht.

Ein Häslein nur fühlt noch des Lebens Wärme,
Am Weidenstumpfe hockt es bang.
Doch kreischen hungrig schon die Rabenschwärme
Und hacken auf den sichern Fang.

Bis auf den schwarzen Schlammgrund sind gefroren
Die Wasserlöcher und der See.
Zuweilen geht ein Wimmern, wie verloren,
Dann stirbt im toten Wald ein Reh.

Tiefeinsamkeit, es schlingt um deine Pforte
Die Erika das rote Band.
Von Menschen leer, was braucht es noch der Worte,
Sei mir gegrüßt, du stilles Land.

573

Der Heidebrand

„Herr Hardesvogt, vom Whisttisch weg,
Viel Menschen sind in Gefahr.
Es brennt die Heide von Djernisbeg
Und das Moor von Munkbrarupkar."
Schon steh ich im Bügel, schon bin ich im Sitz,
In den Sattel springt der Gendarm wie der Blitz.
Just schlägt es im Städtchen Glock zwölfe;
Wir reiten, als hetzten uns Wölfe.

Hier schläft ein Garten in Mitternachtsruh,
Dort dämmert im Mondschein der Busch.
Und Felder und Wälder verschwinden im Nu,
Wir fliegen vorüber im Husch.
Und sieh, in der Ebne stäubt Funkengeschwärm,
Schon murmelt herüber verworrener Lärm.
Es gilt! Die Sporen dem Pferde,
Der Leibgurt berührt fast die Erde.

Runter vom Gaule, wir sind am Ort
Und stehn in Rauch und Qualm.
Das Feuer frißt gierig: das Kraut ist verdorrt,
Vom Sommer vertrocknet der Halm.
Inmitten der dampfenden Pußta, o Graus,
Lodert hell ein einzelnes Haus.
Und aus dem sengenden Schilfe
Ruft's markerschütternd um Hilfe.

Sechshundert Mann gruben den Graben breit
Und geboten dem Feuer Haltein,
Sechshundert Mann sind zum Retten bereit
Und schauen verzweiflungsvoll drein:
Unmöglich ist es, zum brennenden Haus
Sich durchzukämpfen, vergeblicher Strauß,
Denn kaum sind im Torfe die Sohlen,
So rösten sie schon wie Kohlen.

Das Schreien wird schwächer, dann hat es ein End,
Das Haus ist abgebrannt.
In der Heide züngelt es, zischelt und brennt,
Doch nur bis zum Grabenrand.
Im Osten zeigt sich ein purpurner Streif,
Auf Ähren und Blumen und Gras fällt der Reif.
Und ruhig im alten Bogen
Kommt die Sonne heraufgezogen.

Und nun heran! Wer hat es getan?
Wer weiß, wie das Feuer entstand?
Wer hat es entzündet mit flackerndem Span?
Nur heran, wer die Spuren fand.

Kein Junge hütete Gans oder Schaf,
Die Heide lag gestern im Sonntagsschlaf.
Und wie noch die Frage besprochen,
Da kommt was den Sandweg gekrochen.

Es humpelt heran ein kümmerlich Weib,
Sie stützt sich schwer auf den Stock.
Viel Jahre drücken den alten Leib,
Von Erde beschmutzt ist der Rock.
Das ist Wiebke Peters, und Wieb ist gefeit,
Der gehörte die Kate! so ruft es und schreit.
Mit Jubel umringt sie die Menge,
Doch Wieb wackelt aus dem Gedränge.

Und stellt sich grade vor mir auf
Und blinzelt hin übers Moor.
Und alle die Leute stehn zu Hauf,
Ein gestikulierender Chor.
So wartet sie lange, ich laß ihr die Ruh,
Zuweilen schließt sie die Augen zu.
Ich kanns vom Gesicht ihr schon lesen:
„Herr Hardesvogt, *ich* bins gewesen."

„Wiebke Peters, erzähle, was weißt du vom Brand,
Wie kam das Feuer so schnell?"
Die Tränen fallen ihr auf die Hand,
Ihr Schluchzen klingt wie Gebell.
Dann wieder lacht sie vor sich hin,
Und ganz verwirrt scheint plötzlich ihr Sinn.
Und, wie nach genossener Rache,
Läßt sie höhnisch sich aus zur Sache:

„Die Kate, in der ich geboren war,
Die abgebrannt diese Nacht,
In der hatt ich an achtzig Jahr
Mich mühsam durchs Leben gebracht.
Mein Mann starb früh; ein Sohn blieb nach,
Der ließ mich im Stich, als ich krank war und schwach.
Oft hab ich ihm bittend geschrieben,
Doch stets ist er weggeblieben.

Vergangnes Jahr endlich kehrt er zurück
Und fordert, ich solle hinaus
Und dann, ein altes verbrauchtes Stück,
Verwelken im Armenhaus.
Ich bat die Gerichte, die halfen mir auch;
Im Schornstein zog wieder der einsame Rauch.
Da kam nochmals vor einigen Tagen
Mein Sohn mit Weib und mit Wagen.

Und gestern, Herr, gestern um Mittagszeit,
Ich konnte doch nichts dafür,

Daß meinetwegen Zank und Streit,
Sie warfen mich aus der Tür.
Ich schlug mir die alten Knochen wund
Und liegen blieb ich wie'n Hund.
Dann trieb mich ein heißes Verlangen,
Und ich bin zu Nis Nissen gegangen.

Dort kauft ich Zündhölzer, Petroleum
Und ging aufs Feld hinaus.
Und als am Abend alles stumm,
Schlich ich wie ne Füchsin ans Haus.
Ich horchte am Laden, an Ritz und Spalt;
Daß alles im Schlafe, ich merkt es bald.
Und eh sie erwachten beide,
Entzündete rings ich die Heide.

Vom Walde sah ich den Feuerschein,
Es lachte mir das Herz.
Den Angstruf hört ich, das Hilfeschrein,
Es lachte mir das Herz.
Und als die Kate zusammenschlug,
Meine Seele zum Himmel ein Amen trug.
Das, Herr, ist meine Geschichte;
Hier stell ich mich dem Gerichte."

In einer großen Stadt

Es treibt vorüber mir im Meer der Stadt
Bald der, bald jener, einer nach dem andern.
Ein Blick ins Auge, und vorüber schon.
 Der Orgeldreher dreht sein Lied.

Es tropft vorüber mir ins Meer des Nichts
Bald der, bald jener, einer nach dem andern.
Ein Blick auf seinen Sarg, vorüber schon.
 Der Orgeldreher dreht sein Lied.

Es schwimmt ein Leichenzug im Meer der Stadt,
Querweg die Menschen, einer nach dem andern.
Ein Blick auf meinen Sarg, vorüber schon.
 Der Orgeldreher dreht sein Lied.

Heimgang in der Frühe

In der Dämmerung,
Um Glock zwei, Glock dreie,
Trat ich aus der Tür
In die Morgenweihe.

Klanglos liegt der Weg,
Und die Bäume schweigen,

Und das Vogellied
Schläft noch in den Zweigen.

Hör ich hinter mir
Sacht ein Fenster schließen.
Will mein strömend Herz
Übers Ufer fließen?

Sieht mein Sehnen nur
Blond und blaue Farben?
Himmelsrot und Grün
Samt den andern starben.

Ihrer Augen Blau
Küßt die Wölkchenherde,
Und ihr blondes Haar
Deckt die ganze Erde.

Was die Nacht mir gab,
Wird mich lang durchbeben;
Meine Arme weit
Fangen Lust und Leben.

Eine Drossel weckt
Plötzlich aus den Bäumen,
Und der Tag erwacht
Still aus Liebesträumen.

Einen Sommer lang

Zwischen Roggenfeld und Hecken
Führt ein schmaler Gang;
Süßes, seliges Verstecken
Einen Sommer lang.

Wenn wir uns von ferne sehen,
Zögert sie den Schritt,
Rupft ein Hälmchen sich im Gehen,
Nimmt ein Blättchen mit.

Hat mit Ähren sich das Mieder
Unschuldig geschmückt,
Sich den Hut verlegen nieder
In die Stirn gerückt.

Finster kommt sie langsam näher,
Färbt sich rot wie Mohn;
Doch ich bin ein feiner Späher,
Kenn die Schelmin schon.

Noch ein Blick in Weg und Weite,
Ruhig liegt die Welt,
Und es hat an ihre Seite
Mich der Sturm gesellt.

Zwischen Roggenfeld und Hecken
Führt ein schmaler Gang;
Süßes, seliges Verstecken
Einen Sommer lang.

Sommernacht

An ferne Berge schlug die Donnerkeulen
Ein rasch verrauschtes Nachmittaggewitter.
Die Bauern zogen heim auf müden Gäulen,
Und singend kehrten Winzervolk und Schnitter.
Auf allen Dächern qualmten blaue Säulen
Genügsam himmelan, ein luftig Gitter.
Nun ist es Nacht, es geistern schon die Eulen,
Einsam aus einer Laube klingt die Zither.

Acherontisches Frösteln

Schon nascht der Star die rote Vogelbeere,
Zum Erntekranze juchheiten die Geigen.
Und warte nur, bald nimmt der Herbst die Schere
Und schneidet sich die Blätter von den Zweigen.
Dann ängstet in den Wäldern eine Leere;
Durch kahle Äste wird ein Fluß sich zeigen,
Der schläfrig an mein Ufer treibt die Fähre,
Die mich hinüberholt ins kalte Schweigen.

Rückblick

Eh mir aus der Scheide schoß
Blitz und blank der Degen,
Ließ noch einmal Mann und Roß
Kurzer Rast ich pflegen.

Und die Hand als Augenschild,
Meine Lider sanken;
Rasch vorbei, ein wechselnd Bild,
Flogen die Gedanken.

Kinderland, du Zauberland,
Haus und Hof und Hecken.
Hinter blauer Wälderwand
Spielt die Welt Verstecken.

Weiter nun in bunten Reihn
Zog mein wüstes Leben.
Wenig Taten, vieler Schein,
Windige Spinneweben.

Würfel, Weiber, Wein, Gesang,
Jugendrasche Quelle,
Und im wilden Wogendrang
Schwamm ich mit der Welle.

Doch Dragoner glänzen hell
Dort an jenem Hügel.
An die Pferde! Fertig! Schnell
Klebt der Sporn am Bügel.

Zügel fest, Fanfarenruf,
Donnernd schwappt der Rasen;
Bald sind wir mit flüchtigem Huf
An den Feind geblasen.

Anprall, Fluch und Stoß und Hieb,
Kann den Arm nicht sparen.
Wo mir Helm und Handschuh blieb,
Hab ich nicht erfahren.

Sattelleere, Sturz und Staub,
Klingenkreuz und Scharten.
Trunken schwenkt die Faust den Raub
Flatternder Standarten.

Täuschend gleicht des Feindes Flucht
Tollgehetzten Hammeln.
Freudig ruft in Wald und Schlucht
Mein Signal zum Sammeln.

Schweiß und Blut an Stirn und Schwert,
Laß es tropfen, tropfen.
Dankbar muß ich meinem Pferd
Hals und Mähne klopfen.

Nächtens dann beim Feuerschein,
Nach des Kampfes Mühe,
Fielen mir Gedanken ein
Aus des Tages Frühe.

Schwamm ich viele Jahre lang
Steuerlos im Leben,
Hat mir heut der scharfe Gang
Wink und Ziel gegeben.

Der Turmbläser

Es war am längsten Tag. Um neun Uhr abends
Durchging ich eine lange helle Straße.
Sie schien bewohnt von allen Menschenklassen.
Und ein Gewimmel war es überall.
Ich höre im Vorbeigehn immer nur
Von jedem mir Begegnenden drei Worte:
Genuß und Geld und nur Genuß und Geld
Und auch, wo Arbeit wer gesucht, gefunden,
Und wer vergebens Arbeit nachgegangen.
Und Arbeit, Arbeit nur, um zu genießen,
Um Weib und Kind mit Sorgen zu ernähren,
Zu atmen; welch ein kümmerliches Los.

Als ich mich mühte nun, mich durchzudrängen,
Fiel mir ein Zug auf jedem Antlitz auf,
Auf jedem Antlitz, das in schneller Folge
An mir vorüberschoß und schob und trieb:
Entsagung war's, und hinter dieser Trauer
Ein rasendes Verlangen, mitzunehmen,
Was mitzunehmen ist im kurzen Leben.

Als ich am Dom des heiligen Michael
Vorüberkam, da hört ich plötzlich klar,
Da hört ich eine einsame Posaune,
Die oben auf dem Turm geblasen wurde.
Ich sah hinauf: Aus einem Schalloch blinkte
Das Instrument im letzten Abendschein.
Und der es blies, so hoch und fern er stand,
Ich konnt ihn deutlich sehn: den alten Mann
Mit seinem langen weißen würdigen Barte.
Und der Choral erscholl, den alle kennen:
Wer nur den lieben Gott läßt walten
Und hoffet auf ihn alle Zeit,
Den wird er wunderbar erhalten
In jeder Widerwärtigkeit.
Und feierlich und in virtuosem Spiele
Klang es wie Engelstöne durch die Luft
Hin über allen Wust und Schmutz und Lärm,
Hin über alle Gier in hehrer Reinheit.
Ist das der letzte Christ, der oben steht,
Der jetzt, unangefochten von der Sünde,
In Glaubenstiefe seinem frommen Herzen
Die Warnung mild und ernst entströmen läßt?
Ein letzter Mahnruf: Kommt, o kommt zu mir,
Eh euch ein furchtbares Ereignis alle,
Euch alle in den Schlund der Hölle zieht?

Hafenlegende

Der Schiffer schaukelt aus dem Hafen;
Vom Steuer sieht er noch das Haus,
Wo er die letzte Nacht geschlafen,
Dann führt der Sturm ihn frisch hinaus.

Und Jahr auf Jahr verweht im Winde;
Wie hat er oft zurückgedacht,
Im Traum geschaut die alte Linde,
Die Haus und Weib und Kind bewacht.

Und draußen, fern in heißen Zonen,
Häuft Reichtum sich um seinen Mast.
Die treue Arbeit muß sich lohnen:
Fast sinkt, zu schwer, die goldne Last.

Sein Anker fällt am Heimatstrande.
Dort hat der Krieg sein Land zerstört;
Im Dorfe riecht es noch vom Brande,
Sein Kind ist tot, sein Weib betört.

Und lange starrt er auf die Stelle,
Wo einst sein kurzes Lindenglück,
Wo einst ihm eine liebe Schwelle –
Dann speit er aus und kehrt zurück.

Und läßt ein Boot sich fertig machen
Und rudert weg in Wahn und Weh.
Verlassen schwankt und treibt ein Nachen
Möwenumschrien auf leerer See.

Der Handkuß

Viere lang,
Zum Empfang,
Vorne Jean,
Elegant,
 Fährt meine süße Lady.

Königin,
Hoher Sinn.
Ihre Hand,
Interessant,
 Küßt meine süße Lady.

Schilderhaus,
Wache raus.
Schloßportal,
Und im Saal
 Steht meine süße Lady.

Viere lang,
Vom Empfang,
Vorne Jean,
Elegant,
 Kommt meine süße Lady.

Hofmarschall,
Pagenwall.
Sehr graziös,
Merveillös
 Knixt meine süße Lady.

Nun wie war's
Heut bei Czars?
Ach, ich bin
Noch ganz hin,
 Haucht meine süße Lady.

Nach und nach,
Allgemach,
Ihren Mann
Wieder dann
 Kennt meine süße Lady.

Das Ohrenspiel Abdallahs

Durch die weite, breite Steppe
Ritt ich eines Sommerabends,
Ritt ich meinen Hengst Abdallah.
Weil wir auf dem Heimweg waren,
Schritt er aus mit raschern Hufen,
Ahnt er doch den nahen Stall.

Nichts zu sehen, nichts zu hören:
Keiner Grille zart Gezirpe,
Keines Vogels Aufgeschrecktheit,
Keines Wildes fern Gebelle.
Nirgends Häuser, nirgends Menschen,
Nirgends Wälder, Hügel, Täler,
Einzig nur der lose Sand.

Immer nickte mit der Stirne,
Daß die schwarze Mähne wellte,
Immerfort mein Hengst Abdallah,
Immer fort und immer weiter.
In Bewegung immerwährend
Waren auch die schlanken Ohren,
Alle beide bald nach vorne,
Alle beide bald nach rückwärts.

Nun das rechte spitz nach vorne
Und das linke spitz nach rückwärts,
Nun das linke spitz nach vorne
Und das rechte spitz nach rückwärts,
Unaufhörlich. Was, zum Kuckuck,
Hört denn doch mein Hengst Abdallah?
Keiner stört ja unsre Stille,
Nirgend Szene und Gefahr.

Dacht ich mir: Was meinen Ohren,
Trotz der grenzenlosen Ruhe,
Trotz des Friedens, bleibt verloren,
Das erhorcht mein Hengst Abdallah.
Aber *was* erhorcht mein Hengst?

Hört er wilde Reiter nahen,
Die auf meine Spur gesandt sind?
Hört er ihre Säbel rasseln,
Hört er ihre Sättel knarren,
Viele, viele Meilen fern?

Oder einen müden Wandrer,
Der am Wüstensaum verschmachtet

Und zu Gott die letzten Seufzer
Sterbend in den Himmel schickt?

Oder, wo die Steppe endet,
Sitzen unter Palmenkronen
Zwei Verliebte, sehr verliebte,
Und er hört die heißen Küsse,
Und er hört die heißen Schwüre,
Immer heißern Schwur und Kuß?

Hört er ferne Klageklänge?
Hört er Hochzeitslieder klingen?
Hört er alles, was auf Erden
Jubelt, betet, flucht und schluchzt?

Hört er gar die Sterne summen,
Gottes Engel jubilieren,
Hört die ganze Weltmusik?

Pidder Lüng

„Frii es de Feskfang,
Frii es de Jaght,
Frii es de Strönthgang,
Frii es de Naght,
Frii es de See, de wilde See
En de Hörnemmer Rhee."

Der Amtmann von Tondern, Henning Pogwisch,
Schlägt mit der Faust auf den Eichentisch:
Heut fahr ich selbst hinüber nach Sylt
Und hol mir mit eigner Hand Zins und Gült.
Und kann ich die Abgaben der Fischer nicht fassen,
Sollen sie Nasen und Ohren lassen,
Und ich höhn ihrem Wort:
 Lewwer duad üs Slaav.

Im Schiff vorn der Ritter, panzerbewehrt,
Stützt sich finster auf sein langes Schwert.
Hinter ihm, von der hohen Geistlichkeit,
Steht Jürgen, der Priester, beflissen, bereit.
Er reibt sich die Hände, er bückt den Nacken.
Der Obrigkeit helf ich, die Frevler packen;
In den Pfuhl das Wort:
 Lewwer duad üs Slaav.

Gen Hörnum hat die Prunkbarke den Schnabel gewetzt,
Ihr folgen die Ewer, kriegsvolkbesetzt.
Und es knirschen die Kiele auf den Sand,
Und der Ritter, der Priester springen ans Land,
Und waffenrasselnd hinter den beiden
Entreißen die Söldner die Klingen den Scheiden.
Nun gilt es, Friesen:
 Lewwer duad üs Slaav!

Die Knechte umzingeln das erste Haus,
Pidder Lüng schaut verwundert zum Fenster heraus.
Der Ritter, der Priester treten allein
Über die ärmliche Schwelle hinein.
Des langen Peters starkzählige Sippe
Sitzt grad an der kargen Mittagskrippe.
Jetzt zeige dich, Pidder:
 Lewwer duad üs Slaav!

Der Ritter verneigt sich mit hämischem Hohn,
Der Priester will anheben seinen Sermon.
Der Ritter nimmt spöttisch den Helm vom Haupt
Und verbeugt sich noch einmal: Ihr erlaubt,
Daß wir euch stören bei euerm Essen,
Bringt hurtig den Zehnten, den ihr vergessen,
Und euer Spruch ist ein Dreck:
 Lewwer duad üs Slaav.

Da reckt sich Pidder, steht wie ein Baum:
Henning Pogwisch, halt deine Reden im Zaum.
Wir waren der Steuern von jeher frei,
Und ob du sie wünschst, ist uns einerlei.
Zieh ab mit deinen Hungergesellen;
Hörst du meine Hunde bellen?
Und das Wort bleibt stehn:
 Lewwer duad üs Slaav!

Bettelpack! fährt ihn der Amtmann an,
Und die Stirnader schwillt dem geschienten Mann:
Du frißt deinen Grünkohl nicht eher auf,
Als bis dein Geld hier liegt zu Hauf.
Der Priester zischelt von Trotzkopf und Bücken
Und verkriecht sich hinter des Eisernen Rücken.
O Wort, geh nicht unter:
 Lewwer duad üs Slaav!

Pidder Lüng starrt wie wirrsinnig den Amtmann an.
Immer heftiger in Wut gerät der Tyrann,
Und er speit in den dampfenden Kohl hinein:
Nun geh an deinen Trog, du Schwein.
Und er will, um die peinliche Stunde zu enden,
Zu seinen Leuten nach draußen sich wenden.
Dumpf dröhnt's von drinnen:
 Lewwer duad üs Slaav!

Einen einzigen Sprung hat Pidder getan,
Er schleppt an den Napf den Amtmann heran
Und taucht ihm den Kopf ein und läßt ihn nicht frei,
Bis der Ritter erstickt ist im glühheißen Brei.
Die Fäuste dann lassend vom furchtbaren Gittern,
Brüllt er, die Türen und Wände zittern,
Das stolzeste Wort:
 Lewwer duad üs Slaav!

Der Priester liegt ohnmächtig ihm am Fuß.
Die Häscher stürmen mit höllischem Gruß,
Durchbohren den Fischer und zerren ihn fort;
In den Dünen, im Dorf rasen Messer und Mord.
Pidder Lüng doch, eh sie ganz ihn verderben,
Ruft noch einmal im Leben, im Sterben
Sein Herrenwort:
 Lewwer duad üs Slaav!

Wer weiß wo
Schlacht bei Kolin, 18. Juni 1757

Auf Blut und Leichen, Schutt und Qualm,
Auf roßzerstampften Sommerhalm
Die Sonne schien.
Es sank die Nacht. Die Schlacht ist aus,
Und mancher kehrte nicht nach Haus
Einst von Kolin.

Ein Junker auch, ein Knabe noch,
Der heut das erste Pulver roch,
Er mußte dahin.
Wie hoch er auch die Fahne schwang,
Der Tod in seinen Arm ihn zwang,
Er mußte dahin.

Ihm nahe lag ein frommes Buch,
Das stets der Junker bei sich trug,
Am Degenknauf.
Ein Grenadier von Bevern fand
Den kleinen erdbeschmutzten Band
Und hob ihn auf.

Und brachte heim mit schnellem Fuß
Dem Vater diesen letzten Gruß,
Der klang nicht froh.
Dann schrieb hinein die Zitterhand:
„Kolin. Mein Sohn verscharrt im Sand.
Wer weiß wo."

Und der gesungen dieses Lied
Und der es liest, im Leben zieht
Noch frisch und froh.
Doch einst bin ich und bist auch du
Verscharrt im Sand zur ewigen Ruh,
Wer weiß wo.

Tod in Ähren

Im Weizenfeld, in Korn und Mohn,
Liegt ein Soldat, unaufgefunden,
Zwei Tage schon, zwei Nächte schon,
Mit schweren Wunden, unverbunden.

Durstüberquält und fieberwild,
Im Todeskampf den Kopf erhoben.
Ein letzter Traum, ein letztes Bild;
Sein brechend Auge schlägt nach oben.

Die Sense sirrt im Ährenfeld,
Er sieht sein Dorf im Arbeitsfrieden,
Ade, Ade, du Heimatwelt —
Und beugt das Haupt und ist verschieden.

Die Musik kommt

Klingling, bumbum und tschingdada,
Zieht im Triumph der Perserschah?
Und um die Ecke brausend bricht's
Wie Tubaton des Weltgerichts,
 Voran der Schellenträger.

Brumbrum, das große Bombardon,
Der Beckenschlag, das Helikon,
Die Piccolo, der Zinkenist,
Die Türkentrommel, der Flötist,
 Und dann der Herre Hauptmann.

Der Hauptmann naht mit stolzem Sinn,
Die Schuppenketten unterm Kinn;
Die Schärpe schnürt den schlanken Leib,
Beim Zeus! das ist kein Zeitvertreib!
 Und dann die Herren Leutnants.

Zwei Leutnants, rosenrot und braun,
Die Fahne schützen sie als Zaun;
Die Fahne kommt, den Hut nimm ab,
Der bleiben treu wir bis ans Grab!
 Und dann die Grenadiere.

Der Grenadier im strammen Tritt,
In Schritt und Tritt und Tritt und Schritt,
Das stampft und dröhnt und klappt und flirrt,
Laternenglas und Fenster klirrt.
 Und dann die kleinen Mädchen.

Die Mädchen alle, Kopf an Kopf,
Das Auge blau und blond der Zopf;
Aus Tür und Tor und Hof und Haus
Schaut Mine, Trine, Stine aus.
 Vorbei ist die Musike.

Klingling, tschingtsching und Paukenkrach,
Noch aus der Ferne tönt es schwach,
Ganz leise bumbumbumbum tsching;
Zog da ein bunter Schmetterling,
 Tschingtsching, bum, um die Ecke?

Spruch

Gib den Flamberg nie aus Händen,
In Triumph selbst und Genuß,
Denn du brauchst ihn aller Enden
Bis zum letzten Atemschluß.
Frieden wirst du nie erkämpfen;
Dennoch! Schmück dir Schwert und Schmerz
Hin und wieder mit Aurikeln,
Und bekränze auch dein Herz.

Friedrich Nietzsche
1844–1900

Das Wort

Lebendgem Worte bin ich gut:
Das springt heran so wohlgemut,
Das grüßt mit artigem Genick,
Ist lieblich selbst im Ungeschick,
Hat Blut in sich, kann herzhaft schnauben,
Kriecht dann zum Ohre selbst dem Tauben,
Und ringelt sich und flattert jetzt,
Und was es tut – das Wort ergetzt.
Doch bleibt das Wort ein zartes Wesen,
Bald krank und aber bald genesen.
Willst ihm sein kleines Leben lassen,
Mußt du es leicht und zierlich fassen,

Nicht plump betasten und bedrücken,
Es stirbt oft schon an bösen Blicken –
Und liegt dann da, so ungestalt,
So seelenlos, so arm und kalt,
Sein kleiner Leichnam arg verwandelt,
Von Tod und Sterben mißgehandelt.
Ein totes Wort – ein häßlich Ding,
Ein klapperdürres Kling-Kling-Kling.
Pfui allen häßlichen Gewerben,
An denen Wort und Wörtchen sterben!

Unter Feinden
(Nach einem Zigeuner-Sprüchwort)

Dort der Galgen, hier die Stricke
Und des Henkers roter Bart,
Volk herum und giftge Blicke –
Nichts ist neu dran meiner Art!
Kenne dies aus hundert Gängen,
Schrei's euch lachend ins Gesicht:
Unnütz, unnütz, mich zu hängen!
Sterben? Sterben kann ich nicht!

Bettler ihr! Denn euch zum Neide
Ward mir, was ihr – nie erwerbt:
Zwar ich leide, zwar ich leide –
Aber ihr – ihr sterbt, ihr sterbt!
Auch nach hundert Todesgängen
Bin ich Atem, Dunst und Licht –
Unnütz, unnütz, mich zu hängen!
Sterben? Sterben kann ich nicht!

Der neue Columbus

Freundin! – sprach Columbus – traue
Keinem Genueser mehr!
Immer starrt er in das Blaue –
Fernstes lockt ihn allzusehr!

Fremdestes ist nun mir teuer!
Genua – das sank, das schwand –
Herz, bleib kalt! Hand, halt das Steuer!
Vor mir Meer – und Land? – und Land? – – –

Stehen fest wir auf den Füßen!
Nimmer können wir zurück!
Schau hinaus: von fernher grüßen
Uns Ein Tod, Ein Ruhm, Ein Glück!

Vereinsamt

Die Krähen schrein
Und ziehen schwirren Flugs zur Stadt:
Bald wird es schnein. –
Wohl dem, der jetzt noch – Heimat hat!

Nun stehst du starr,
Schaust rückwärts, ach! wie lange schon!
Was bist du Narr
Vor Winters in die Welt – entflohn?

Die Welt – ein Tor
Zu tausend Wüsten stumm und kalt!
Wer das verlor,
Was du verlorst, macht nirgends halt.

Nun stehst du bleich,
Zur Winter-Wanderschaft verflucht,
Dem Rauche gleich,
Der stets nach kältern Himmeln sucht.

Flieg, Vogel, schnarr
Dein Lied im Wüsten-Vogel-Ton! –
Versteck, du Narr,
Dein blutend Herz in Eis und Hohn!

Die Krähen schrein
Und ziehen schwirren Flugs zur Stadt:
– Bald wird es schnein,
Weh dem, der keine Heimat hat!

Venedig

An der Brücke stand
Jüngst ich in brauner Nacht.
Fernher kam Gesang:
Goldener Tropfen quoll's
Über die zitternde Fläche weg.
Gondeln, Lichter, Musik –
Trunken schwamm's in die Dämmrung hinaus . . .

Meine Seele, ein Saitenspiel,
Sang sich, unsichtbar berührt,
Heimlich ein Gondellied dazu,
Zitternd vor bunter Seligkeit.
– Hörte jemand ihr zu? . . .

Die Sonne sinkt

1

Nicht lange durstest du noch,
 Verbranntes Herz!
Verheißung ist in der Luft,
Aus unbekannten Mündern bläst mich's an,
 – Die große Kühle kommt . . .

Meine Sonne stand heiß über mir im Mittage:
Seid mir gegrüßt, daß ihr kommt,
 Ihr plötzlichen Winde,
Ihr kühlen Geister des Nachmittags!

Die Luft geht fremd und rein.
Schielt nicht mit schiefem
 Verführerblick
Die Nacht mich an? . . .
Bleib stark, mein tapfres Herz!
Frag nicht: warum? –

2

Tag meines Lebens!
Die Sonne sinkt.
Schon steht die glatte
 Flut vergüldet.

Warm atmet der Fels:
 Schlief wohl zu Mittag
Das Glück auf ihm seinen Mittagsschlaf?
 In grünen Lichtern
Spielt Glück noch der braune Abgrund herauf.

Tag meines Lebens!
Gen Abend geht's.
Schon glüht dein Auge
 Halbgebrochen,
Schon quillt deines Taus
 Tränengeträufel,
Schon läuft still über weiße Meere
 Deiner Liebe Purpur,
Deine letzte zögernde Seligkeit . . .

3

Heiterkeit, güldene, komm!
 Du des Todes
Heimlichster, süßester Vorgenuß!
– Lief ich zu rasch meines Wegs?
Jetzt erst, wo der Fuß müde ward,
 Holt dein Blick mich noch ein,
 Holt dein *Glück* mich noch ein.

Rings nur Welle und Spiel.
 Was je schwer war,
Sank in blaue Vergessenheit,
Müßig steht nun mein Kahn.

Sturm und Fahrt – wie verlernt' er das!
 Wunsch und Hoffen ertrank,
 Glatt liegt Seele und Meer.

Siebente Einsamkeit!
 Nie empfand ich
Näher mir süße Sicherheit,
Wärmer der Sonne Blick.
– Glüht nicht das Eis meiner Gipfel noch?
 Silbern, leicht, ein Fisch
Schwimmt nun mein Nachen hinaus . . .

Gustav Falke
1853–1916

Zwei

Drüben du, mir deine weiße
Rose übers Wasser zeigend,
Hüben ich, dir meine dunkle
Sehnsüchtig entgegen neigend.

In dem breiten Strome, der uns
Scheidet, zittern unsre blassen
Schatten, die vergebens suchen,
Sich zu finden, sich zu fassen.

Und so stehn wir, unser Stammeln
Stirbt im Wind, im Wellenrauschen,
Und wir können nichts als unsre
Stummen Sehnsuchtswinke tauschen.

Leis, gespenstig, zwischen unsern
Dunklen Ufern schwimmt ein wilder
Schwarzer Schwan, und seltsam schwanken
Unsre blassen Spiegelbilder.

Winter

Ein weißes Feld, ein stilles Feld.
Aus veilchenblauer Wolkenwand
Hob hinten, fern am Horizont,
Sich sacht des Mondes roter Rand.

Und hob sich ganz heraus und stand
Bald eine runde Scheibe da,
In düstrer Glut. Und durch das Feld
Klang einer Krähe heisres Krah.

Gespenstig durch die Winternacht
Der große dunke Vogel glitt,
Und unten huschte durch den Schnee
Sein schwarzer Schatten lautlos mit.

Närrische Träume

Heute nacht träumte mir, ich hielt
den Mond in der Hand
wie eine große, gelbe Kegelkugel
und schob ihn ins Land,
als gälte es alle Neune.
Er warf einen Wald um, eine alte Scheune,
zwei Kirchen mitsamt den Küstern, o weh,
und rollte in die See.

Heute nacht träumte mir, ich warf
den Mond ins Meer.
Die Fische all erschraken, und die Wellen
spritzten umher
und löschten alle Sterne.
Und eine Stimme, ganz aus der Ferne,
schalt: Wer pustet mir mein Licht aus?
Jetzt ist's dunkel im Haus.

Heute nacht träumte mir, es war
rabenfinster rings.
Da kam was leise auf mich zugegangen,
wie auf Zehen ging's.
Da wollt ich mich verstecken,
stolperte über den Wald, über die Scheune vor Schrecken,
über die Kirchen mitsamt den Küstern, o weh,
und fiel in die See.

Heute nacht träumte mir, ich sei
der Mond im Meer.
Die Fische alle glotzten und standen
im Kreis umher.
So lag ich seit Jahren,
sah über mir hoch die Schiffe fahren
und dacht, wenn jetzt wer über Bord sich biegt
und sieht, wer hier liegt
zwischen Schollen und Flundern,
wie wird der sich wundern!

Deutschland, Deutschland über alles

Ich hörte gestern von einem Dichter,
den hatte das deutsche Philistergelichter
langsam um seinen Verstand gebracht
und sich nichts Böses dabei gedacht.

Schustergesellen und Oberlehrer,
Staatsminister und Pudelscherer,
Buchhändler, Schriftsteller und Juristen,
Bäckermeister und Pianisten,
Sozialdemokraten und Bismarckverehrer,
und nochmals die Herren Oberlehrer,
sie alle hatten bei Bier und Skat
sich wacker beteiligt an dieser Tat.

Er wollte keine „Geschichten" schreiben,
den schönen Adolar nicht beweiben.
Er hatte nie Freudenhymnen verloren,
wenn irgendwo ein Prinz geboren,
hatte nie für die lieben Kleinen geschrieben,
war immer selbstherrlich ein Dichter geblieben.
Drum hatten sie ihn nicht weiter beachtet,
bis Hunger und Wahnsinn ihn umnachtet.

Ich hörte, zufällig zur selben Zeit,
als ihn das Irrenhaus umfangen,
hätt am Stammtisch mit Wichtigkeit
Herr Doktor Platt sich lang und breit
über die deutsche Kunst ergangen,
über deutschen Geist und deutsches Gemüt:
„Nirgends, meine Herren, blüht
die Poesie wie in deutschen Landen.
Wir sind – hier hat er das Seidel geschwenkt –
sozusagen mit Poesie durchtränkt."
Da sind sie begeistert aufgestanden
und haben, zu heiliger Glut entfacht,
der Kunst ein dreifach Hoch gebracht.

Von diesem unglücklichen deutschen Poeten
hat mir vergangene Nacht geträumt.
Ich war an sein Sterbebett getreten.
Das Leben hatte so lange gesäumt,
daß ich den letzten Funken sah
dem zitternden Erlöschen nah.
Ein irres Blinken. Ein brechender Blick.
Doch lag darin ein ganzes Geschick:
Nicht Haß, nicht Klage, nicht Bitterkeit,
kein letzter Trotz und Widerstreit,
nur ein unendlich tiefes Weh,
daß ich immer dies Auge seh,
wie es so aus dem Sterben heraus
noch schaute nach Verständnis aus.

Als ich noch voller Grausen stand,
huschten Schatten über die Wand,
vier dunkle Gestalten. Ich wandte mich um.
Ich sah vier Männer mit einem Sarg.
Der eine, rot und dick und dumm,
sah aus wie'n Faß, mocht's auch wohl sein.

Der andre, ein Reisender in Wein
oder Wichse, war sicher ein Matador
beim Skat. Er kam mir genau so fad
und so lächerlich süß und schmachtend vor
wie ein Kartenbube. Der dritte war,
beim ersten Blick gleich sah man's klar,
ein Militär, ein hoher Grad:
Reserveleutnant, eitel Glanz,
schneidig, gebildet, „voll und ganz".
Der vierte, mit Brille und Bratenrock,
war alt und dürr und steif wie ein Stock,
sah aus, als hätt er Homer und Virgil
und den ganzen Horaz und sonst noch viel
Höchsteigenhändig im Urtext verfaßt.

Diese vier, mich packte ein Schaudern,
stopften gleichgültig, ohne zu zaudern,
beinahe mit unziemlicher Hast
den Toten in ihren schwarzen Schrein,
als wär er ein Bündel Flicken, hinein,
hockten ihn auf und trugen den armen
Dichter weg, und als Leichencarmen
sangen sie kräftig, höchst passenden Falles:
Deutschland, Deutschland über alles.

Gebet

Herr, laß mich hungern dann und wann,
Satt sein macht stumpf und träge,
Und schick mir Feinde, Mann um Mann,
Kampf hält die Kräfte rege.

Gib leichten Fuß zu Spiel und Tanz,
Flugkraft in goldene Ferne,
Und häng den Kranz, den vollen Kranz,
Mir höher in die Sterne.

Heinrich Kämpchen
1847–1912

Knappenliebe

Ich denke dein im tiefsten Bergverließ,
Du bist mein Stern, du hellest mir die Nacht.
Wenn ich die Schicht beginn, wenn ich sie schließ,
Mit dir ist sie begonnen und vollbracht.

Ich denke dein – fern von dem goldnen Tag –,
Nicht hemmt dein Bild die düstre Felsenwand.
Du bist mir nah beim wilden Wetterschlag,
Und deine Flügel halten mich umspannt.

Ich denke dein im Schoß der ewgen Nacht,
Und nimmer hat ihr Grauen mich geschreckt.
Der Schwaden flammt, der wilde Donner kracht,
Mich hält der Liebe Götterschild gedeckt.

Ich denke dein – und ist es Schicksals Schluß,
Schließt mich der Berg in seine Klüfte ein,
Ich sende sterbend dir den letzten Kuß,
Und sterbend, Mädchen, sterbend denk ich dein.

Ideal und Prosa

Wer nie im Schacht die Keilhau schwang,
Wer nie, von Pulverdampf umgeben,
Nach Luft und Atem röchelnd rang,
Der kennt dich nicht, du Bergmannsleben.

Man wirft uns in die Gruft hinein,
Wer bürgt, daß nicht zerschmettert färben
Wir unten blutig das Gestein?
Es geht auf Leben oder Sterben.

Und wer den Bergebau besang
Und wer ihn pries in Melodieen,
Er wolle nur zwei Monde lang
Mit uns durch seine Grüfte ziehen.

Er habe nur wie wir im Schacht,
Durchleuchtet nie von Tageshelle,
So manche schwere Schicht vollbracht,
Den bleichen Tod als Mitgeselle.

Und meinen Kopf setz ich zum Pfand,
Ihm sind die Lieder ausgegangen –
Das Schaumgold ,Ideal' verschwand
Dort, wo die ,Prosa' angefangen.

Das Bergmannselend

Wie Wehruf schallt es,
Wie Klaggestöhne,
Mit dumpfem Röcheln
Tief aus den Grüften
Im Bauch der Erde.

Wer klagt, wer ruft da
In solchen Lauten,
Verzweiflungsbangen,
Entsetzensvollen,
Aus Nacht und Öde –
O sagt, wer ruft da?

Voll Schaudern hör ich,
Der Lichtgewohnte,
Der Qualentrückte,

Am Sonnentage
Die düstern Laute.

Ich höre Wimmern,
Ich höre Ächzen,
Vermischt mit Flüchen,
Mit wilden, grausen –
Und Hohngelächter,
Wie Spuk der Hölle,
Wie der Verdammten
Schmerzhaft Gewinsel,
Voll Wut und Ohnmacht.

Dazwischen dumpfes
Gepoch und Hämmern,
Und Brechen, Fallen,

Und Dröhnen, Knallen,
Als ob Dämone
Am Werk geschäftig.
Dann wieder Fluchen
Und Qualgestöhne
Und gelles Lachen.

Wer ist der Rufer?
Ich frag es wieder,
Im Erdengrunde,
Im dunkeln, düstern,
Wer ist der Rufer?

O gebt mir Kunde
Von dem, was unten,
So fern vom Tage,
Mit seinem Grollen
Das Herz mir ängstigt.

Und endlich, endlich –
Aus Erdentiefen,
Aus Nacht und Nebeln,
Durch Felsenwände
Kommt mir die Antwort:
„Das Bergmannselend!"

Aus seinen Grüften,
Aus seinen Klüften
Zu dir am Tage,
Du Lichtgewohnter,
Du Kettenfreier,
Schickt seine Klagen
Der arme Bergmann.

Im Dämmerdunkel,
In Qualm und Brodem –
(Du hörst sein Röcheln,
Du hörst sein Wimmern
Und seine Flüche,
Tief, tief im Grunde) –
Schafft der Helote.

Ihn hält das Elend,
Ihn hält der Hunger,
Der Kampf ums Dasein,

Der grimme, wilde,
Gebannt im Schachte.

Dort in der Enge,
In Dunst und Qualme,
Entblößten Leibes,
Nicht menschenwürdig,
Gräbt er die Kohlen.

An seinem Schweiße,
An seinem Odem
(Ihm stirbt die Lunge
Vom Kohlenstaube)
Wärmt sich der Tagmensch
In Schloß und Hütte.

So gräbt und schaufelt,
So wühlt und scharret
Sich Maulwurfsgänge
Im Bauch der Erde
Der arme Bergmann.

Er vegetieret –
Ein Elendsdasein
An Leib und Seele
Im Frönerjoche –
Er vegetieret.

Doch nicht für immer! –
Auch ihm, dem Maulwurf,
Dem Erddurchwühler,
Dem Lichtentwöhnten,
Glühn schon der Zukunft
Rotgoldne Lichter.

Sein Jammern, Klagen,
Sein Fluchen, Grollen
Wird bald verhallen.
Und aus den Grüften
Und aus den Klüften
Steigt er zu Tage,
Zur Sonnenhelle,
Ein Mensch zu Menschen,
Mit Lieb und Hoffen.

Sklavensold

Heil, heil dem Bergmann an der Ruhr!
Er prunkt jetzt mit der goldnen Uhr.
Es trägt sie in der Tasche stolz
Der Hauer und der Strossenbolz.

Das Christkind hat sie jüngst beschert,
Die Uhr, wohl sechzig Mark an Wert,
Dem, der da fünfundzwanzig Jahr
Geschuftet hat mit Haut und Haar.

Mit Haut und Haar auf einem Schacht,
Auf einem Werk bei Tag und Nacht.
Das ist Beding – und billig nur –
Für eine goldne Weihnachtsuhr.

Ihr seht, es ist kein eitler Wahn,
Die Zechenherren sind human
Und schenken extra eine Uhr
Den Arbeitsschafen für die Schur.

Nicht wahr, ein königlicher Lohn?
Für fünfundzwanzigjährge Fron
Die goldne Sechzigmärkeruhr.
Heil, heil dem Bergmann an der Ruhr!

[1905]

Max Kegel
1850–1902

Drei Worte des Wahns
(Nach Schiller)

Drei Worte ruft ihr, bedeutungsschwer,
Ihr tapferen Mordspatrioten.
Sie schallen vergeblich, ihr Klang ist leer,
Drum werden sie auch nicht verboten.
Dem Volke ist all seine Tatkraft geraubt,
Solang es an diese drei Worte noch glaubt.

Mit *Gott* zieht ihr in den blutigen Streit
Und fleht ihn um Sieg im Gefechte.
Der Gegner zum Himmel ebenfalls schreit,
Daß er euch doch vernichten möchte.
O gäb's einen Gott, wie ihr ihn euch denkt,
Er hätte euch längst in die Hölle versenkt.

Für den *König* ihr eure Schwerter schwingt,
Sein Recht ist euch teuer und heilig,
Doch wenn sich ein andrer die Krone erringt,
Dann wechselt die Farben ihr eilig;
Dann zieht für den Neuen ihr wieder hinaus
Und wahrt seine Rechte im blutigen Strauß.

Fürs *Vaterland* gebet ihr gern euer Blut,
Sooft einen Krieg man entzündet,
O sagt, was für euch wohl das Vaterland tut,
Wenn ihr euch in Nöten befindet?
Helft ihr euch nicht selber aus euerer Not,
So sterbt ihr den langsamen Hungertod.

Darum, Proletarier, sei nicht „Patriot",
Doch die Menschenliebe bewahre!

Was kein Pfaffe je lehrte, kein Herrscher gebot,
Es ist dennoch das Edle, das Wahre!
Es kommt nicht von oben, da hofft es der Tor,
Das Volk muß es bringen von selber hervor.

Karl Henckell
1864–1929

Das Lied vom Eisenarbeiter

Es stampft und dröhnt mit dumpfem Ton
Und qualmt und raucht ringsum,
Und Mann an Mann in schwerer Fron
An seinem Platze stumm.
Der Hammer sinkt, die Esse sprüht,
Das Eisen in der Flamme glüht.

Frühmorgens, wenn der Schlemmer träg
Auf weichem Pfühl sich reckt,
Macht sich der Lohnsklav auf den Weg,
Vom Dampfpfiff aufgeschreckt.

Und Tag für Tag um kargen Sold
Rührt er die rauhe Hand,
Er geizt um Ehre nicht, um Gold
Und all den glatten Tand.

Kein süßes Lied berührt sein Ohr,
Durch das die Sorge gellt,
Kein Dichter öffnet ihm das Tor
Zu einer schönern Welt.

Er denkt, der Mensch sei gleich und frei,
Ob auch in Schweiß und Ruß –
Der Hochmut rollt an ihm vorbei,
Der Stolz vergällt den Gruß.

Wohl nagt am Herzen weh und wund
Ihm oft sein bittres Los,
Dann bricht ein Fluch aus trotzigem Mund,
Verschlungen vom Getos:

„Das ist ein grausam Weltgebot,
Fremd sind sich Herr und Knecht."
Sein Auge blitzt, sein Feuer loht:
„Allmächtiger, sei gerecht!

Und wenn ein Gott im Himmel nicht
Den Schrei der Not versteht,
Dann stürm herein, du Weltgericht,
Wo alles untergeht!"
Der Hammer sinkt, die Esse sprüht,
Das Eisen in der Flamme glüht.

Börsencafé

Das Café braust von Stimmen,
Es summt und saust und schwirrt,
Zigarren rötlich glimmen,
Geschirr und Silber klirrt.

Weißlichter durch den Schleier
Der Tabakwolken sprühn –
Fortunas heiße Freier
Vor wilder Wollust glühn.

Plötzlich die Atmosphäre
Zerschneidet scharf und fahl

Langsam die gelbe Mähre
Des Börsenfürsten Baal.

Vom Bluthund Not begleitet,
Umkrallt vom Vampir Qual,
Gott Mammon golden reitet
Gigantisch durch den Saal.

Des starren Blicks Gewalten,
Sie heischen stummen Zoll,
Der Knechte Hände falten
Sich betend andachtsvoll.

Apokalypse

Ein Feuer seh ich lohen
Fern übers finstere Land,
Ich sehe den Schatten drohen
Einer ungeheueren Hand.

Das Feuer schlägt aus den Schloten,
Rauchwolken wirbelnd, empor,
Es flattern die Flammen, die roten,
Wie Banner mit pechschwarzem Flor.

Die Schattenfaust ungeheuer
Ergreift die scharlachne Trophä',
Auf stürzender Städte Gemäuer
Den Fackelbrand schleudert sie jäh.

Es wütet die brodelnde Erde
In grauenerregender Brunst,
Und es wiehern die höllischen Pferde
Wild durch den blutdampfenden Dunst.

Feuerbrand

Ich bin ein Feuerbrand und schwimme
In einem Eismeer hin und her.
Es kommt die Nacht, wo ich verglimme,
Dann sprüh ich keine Funken mehr.

Die Robben und die weißen Bären,
Sie glotzen grimm auf meine Glut.
Wenn meine Flammen kraftlos wären,
Gleich fräße mich die kalte Brut.

Die Brut muß Brand und Lohe scheuen,
Sie watschelt weit herum im Kreis –
Ich muß die roten Funken streuen,
Bis ich vergeh in Nacht und Eis.

Morgengruß

Tief getaucht in Sonnengluten
Ragt des Berges Haupt empor,
Lichtgewirkte Schleier fluten,
Niederwallt der Silberflor.

Hoch am Nacken seh ich schwellen
Süßer Trauben Perlenreihn,
Aus den Brüsten seh ich quellen
Milden, kraftgezeugten Wein.

Bäume schatten früchteprangend,
Vollbelastet deinen Fuß,
Frohen Blickes dich umfangend
Biet ich dir den Morgengruß.

Sei gegrüßt, vom Morgenstrahle
Glanzumwobnes Vaterland!
Leuchtest auf mit einem Male,
Seit der Dämmrung Schatten schwand.

Mächtig wächst dein Haupt, erhoben
Zu des Lichtes Wunderquell,
Reicher Segen strömt von oben,
Und die Früchte reifen schnell.

Wie der Seele bittres Leiden
Deine Herrlichkeit versüßt!
Zukunftsahnend laß mich scheiden –
Deutschland, Mutter, sei gegrüßt!

Karl Kaiser
1868– (Todesdatum unbekannt)

Proletarier-Pfingsten

Ob wir länderweit geschieden,
Fremde Dialekte sprechen:
Gleich ist unser Hoffnungsbrüten,
Daß die Ketten endlich brechen!
Ob auch lautverschieden schallen
Unsre Worte, unsre Lieder;
Wo sich schwiel'ge Fäuste ballen,
Wissen alle Arbeitsbrüder,
Wissen alle Arbeitsbienen,
Die da hungern, die da keuchen,
Wem es gilt. Und auf den Mienen
Flammt der Satz: Es sind die Reichen!
Überall die Augen sprühen,
Funken jedem Hirn entstieben:
„Will kein Herrgott sich bemühen –
Schützen wir uns selbst vor Dieben!"
Überall die Lippen beben,
Wo die Marseillais', das barsche
Freiheitslied, mit stolzem Schweben
Zieht einher im Sturmschrittmarsche. –
Ob die Sprachen auch verschieden,
Oh! Wir haben Zeichendeuter!
Ob Franzosen, Deutsche, Briten –
Alle sind wir Hungerleider!
Alle, ob wir mit dem Magen
Oder mit dem Kopfe darben,
Gleiche Sorgen, gleiche Klagen,
Internationale Farben! –
Ohne Wunder volapüken
Wir, die Armen und Geringsten;
Ohne Wunder überbrücken
Jede Sprache unsre Pfingsten!

[volapüken: in der künstlichen Weltsprache ‚Volapük' sprechen; sie wurde erstmals 1880 veröffentlicht.]

Arbeiteridylle

Solang er lebte noch zu Haus
Bei seinen Eltern, hielt er's aus.
Es ging halbwegs erträglich
Mit zwei Mark täglich.

Da starben sie, er stand allein,
Da fiel ihm nächtlich oftmals ein:
Solch Leben ist doch kläglich –
Trotz zwei Mark täglich.

Da sah er sie – sie sah ihn auch –
Er liebte sie, uralter Brauch,
Versteht sich ganz unsäglich –
Mit zwei Mark täglich.

Zum Standesamtspfaff kam Besuch,
Ließ registrieren sich ins Buch –
Die Zeilen grinsten fräglich:
Mit zwei Mark täglich!! –

Sie rackerten, sie darbten viel
Und kamen endlich auch ans Ziel:
Verreckt sind sie buchstäblich
Mit zwei Mark täglich! –

Richard Dehmel
1863–1920

Manche Nacht

Wenn die Felder sich verdunkeln,
Fühl ich, wird mein Auge heller;
Schon versucht ein Stern zu funkeln,
Und die Grillen wispern schneller.

Jeder Laut wird bilderreicher,
Das Gewohnte sonderbarer,
Hinterm Wald der Himmel bleicher,
Jeder Wipfel hebst sich klarer.

Und du merkst es nicht im Schreiten,
Wie das Licht verhundertfältigt
Sich entringt den Dunkelheiten.
Plötzlich stehst du überwältigt.

An die Ersehnte

Ich habe dich Gerte getauft, weil du so schlank bist
Und weil mich Gott mit dir züchtigen will
Und weil eine Sehnsucht in deinem Gang ist
Wie in schmächtigen Pappeln im April.

Ich kenne dich nicht – aber eines Tages
Wirst du im Sturm an meine Türe klopfen,
Und ich werde öffnen auf dies Klopfen,
Und meine zuchtlose Brust wird gleichen Schlages
An deine zuchtlosen Brüste klopfen.

Denn ich kenne dich – deine Augen glänzen wie Knospen,
Und du willst blühen, blühen, blühen!
Und deine jungen Gedanken sprühen
Wie gepeitschte Sträucher an Sturzbächen;
Und du möchtest wie ich den Stürmen Gottes trotzen
Oder zerbrechen!

Aufblick

Über unsre Liebe hängt
Eine tiefe Trauerweide.
Nacht und Schatten um uns beide.
Unsre Stirnen sind gesenkt.

Wortlos sitzen wir im Dunkeln.
Einstmals rauschte hier ein Strom,
Einstmals sahn wir Sterne funkeln.
Ist denn alles tot und trübe?
Horch –: ein ferner Mund –: vom Dom –:

Glockenchöre . . . Nacht . . . Und Liebe . . .

Die Armen
Nach Verhaeren

Sie sind so, diese armen Herzen,
Ganz ausgehöhlt von stummen Schmerzen,
Blaß und wie Teiche voll Geweine:
Rings Leichensteine.

Sie sind so, diese armen Rücken,
Verkrümmt vom Tragen und vom Bücken
Krummer als auf den Dünenhütten
Die Dachschütten.

Sie sind so, diese armen Hände,
Zittrig wie Gräser im Gelände,
Wie dürre Gräser, die zittern
Vor nahen Gewittern.

Sie sind so, diese armen Augen,
Die nur zu Dienst und Demut taugen,
Trauervoller als die von Tieren,
Wenn sie nach Freiheit stieren.

So sind sie, diese armen Leute;
Dem Elend fallen sie zur Beute
Mit lammgeduldiger Gebärde
Rings auf der freien Flur der Erde.

Lied der Gehenkten
Villons Epitaph
als er nebst etlichen zum Galgen verurteilt war

O Mensch, o Bruder, machst du hier einst Rast,
Verhärte nicht dein Herz vor unsrer Pein;
Denn wenn du Mitleid mit uns Armen hast,
Wird Gott der Herr dir einst gewogen sein.
Hier hängen wir, so Stücker acht bis neun;

Ach, unser Fleisch, einst unser liebst Ergetzen,
Jetzt ist es längst verfault und hängt in Fetzen,
Samt unsern Knochen fast zu Staub zerfallen.
Doch wolle keiner seinen Witz dran wetzen –
Nein: bittet Gott, daß er verzeih uns allen!

Mißachte, Bruder, nicht dies unser Flehn;
Du weißt ja, der du unser Bruder bist,
Obgleich uns nach Gesetz und Recht geschehn,
Daß nicht ein jeder Mensch vernünftig ist.
Verwende dich von Herzen als ein Christ
Beim Sohn der Jungfrau, daß er seine Gnade,
Da wir nun tot sind, auch auf uns entlade
Und uns behüte vor des Satans Krallen.
Die Seele, Bruder, stirbt nicht mit am Rade –
Ja: bittet Gott, daß er verzeih uns allen!

Sturzregen haben unsern Leib zerspült,
Die Sonne uns geschwärzt und ausgedörrt,
Krähn, Raben uns die Augen ausgewühlt,
Uns Bart und Brauen aus der Haut gezerrt.
Niemals, kein Stündchen Ruh am warmen Herd;
Nur wipp und wapp und immer wippwapp wieder,
Umschwärmt von Krähn, die Winde um die Glieder,
Zerhackt, zerlöcherter als Hosenschnallen!
Ja: vor Uns Brüdern seid ihr sicher, Brüder –
Doch: bittet Gott, daß er verzeih uns allen!

Ballade vom Volk

Bahnhofsgewühl;
Am Sperrgitter staut sich's.
Schutzleute brüllen;
Und rings glotzen tausend
Tiergesichter,
Hundegesichter,
Fuchsgesichter, ein Wolfsgesicht,
Schafsgesichter, Gänsegesichter,
Ein kollernder Truthahn,
Grunzende Schweine –
 Volk.

Der Zug fährt ein, hält.
Das Gewühl wird still,
Einen Augenblick still.
Am Fenster erscheint
Bismarck
Und grüßt;
Und rings jubeln tausend
Leuchtende, glühende,
Funkelnde, strahlende,
Erzengelhelle Menschengesichter –
 Volk.

Die stille Stadt

Liegt eine Stadt im Tale,
Ein blasser Tag vergeht;
Es wird nicht lange dauern mehr,
Bis weder Mond noch Sterne,
Nur Nacht am Himmel steht.

Von allen Bergen drücken
Nebel auf die Stadt;
Es dringt kein Dach, nicht Hof noch Haus,
Kein Laut aus ihrem Rausch heraus,
Kaum Türme noch und Brücken.

Doch als den Wandrer graute,
Da ging ein Lichtlein auf im Grund;
Und durch den Rauch und Nebel
Begann ein leiser Lobgesang,
Aus Kindermund.

Der Arbeitsmann

Wir haben ein Bett, wir haben ein Kind,
 mein Weib!
Wir haben auch Arbeit, und gar zu zweit,
Und haben die Sonne und Regen und Wind.
Und uns fehlt nur eine Kleinigkeit,
Um so frei zu sein, wie die Vögel sind:
 Nur Zeit.

Wenn wir sonntags durch die Felder gehn,
 mein Kind,
Und über den Ähren weit und breit
Das blaue Schwalbenvolk blitzen sehn,
Oh, dann fehlt uns nicht das bißchen Kleid,
Um so schön zu sein, wie die Vögel sind:
 Nur Zeit.

Nur Zeit! Wir wittern Gewitterwind,
 wir Volk.
Nur eine kleine Ewigkeit;
Uns fehlt ja nichts, mein Weib, mein Kind,
Als all das, was durch uns gedeiht,
Um so kühn zu sein, wie die Vögel sind.
 Nur Zeit!

Erntelied

Es steht ein goldnes Garbenfeld,
Das geht bis an den Rand der Welt.
 Mahle, Mühle, mahle!

Es kommt ein dunkles Abendrot,
Viel arme Leute schrein nach Brot.
 Mahle, Mühle, mahle!

Es stockt der Wind im weiten Land,
Viel Mühlen stehn am Himmelsrand.
 Mahle, Mühle, mahle!

Es hält die Nacht den Sturm im Schoß,
Und morgen geht die Arbeit los.
 Mahle, Mühle, mahle!

Es fegt der Sturm die Felder rein,
Es wird kein Mensch mehr Hunger schrein.
 Mahle, Mühle, mahle!

Lied an meinen Sohn

Der Sturm behorcht mein Vaterhaus,
Mein Herz klopft in die Nacht hinaus,
Laut; so erwacht ich vom Gebraus

Des Forstes schon als Kind.
Mein junger Sohn, hör zu, hör zu:
In deine ferne Wiegenruh
Stöhnt meine Worte dir im Traum der Wind.

Einst hab ich auch im Schlaf gelacht,
Mein Sohn, und bin nicht aufgewacht
Vom Sturm; bis seine graue Nacht
Wie heute kam.
Dumpf brandet heut im Forst der Föhn,
Wie damals, als ich sein Getön
Vor Furcht wie meines Vaters Wort vernahm.

Horch, wie der knospige Wipfelsaum
Sich sträubt, sich beugt, von Baum zu Baum;
Mein Sohn, in deinen Wiegentraum
Zornlacht der Sturm – hör zu, hör zu!
Er hat sich nie vor Furcht gebeugt!
Horch, wie er durch die Kronen keucht:
Sei *Du!* sei *Du!* –

Und wenn dir einst von Sohnespflicht,
Mein Sohn, dein alter Vater spricht,
Gehorch ihm nicht, gehorch ihm nicht:
Horch, wie der Föhn im Forst den Frühling braut!
Hoch, er bestürmt mein Vaterhaus,
Mein Herz tönt in die Nacht hinaus,
Laut – –

Anno Domini 1812

Über Rußlands Leichenwüstenei
Faltet hoch die Nacht die blassen Hände;
Funkeläugig durch die weiße, weite,
Kalte Stille starrt die Nacht und lauscht.
Schrill kommt ein Geläute.

Dumpf ein Stampfen von Hufen, fahl flatternder Reif;
Ein Schlitten knirscht, die Kufe pflügt
Stiebende Furchen, die Peitsche pfeift,
Es dampfen die Pferde, Atem fliegt,
Flimmernd zittern die Birken.

„Du – was hörtest du von Bonaparte" –
Und der Bauer horcht und will's nicht glauben,
Daß da hinter ihm der steinern starre
Fremdling mit den harten Lippen
Worte so voll Trauer sprach.

Antwort sucht der Alte, sucht und stockt,

Stockt und staunt mit frommer Furchtgebärde:
Aus dem Wolkensaum der Erde,
Brandrot aus dem schwarzen Saum,
Taucht das Horn des Mondes hoch.

Düster wie von Blutschnee glimmt die lange Straße,
Wie von Blutfrost perlt es in den Birken,
Wie von Blut umtropft sitzt Der im Schlitten.
„Mensch, was *sagt* man von dem großen Kaiser?“
Düster schrillt das Geläute.

Die Glocken rasseln; es klingt, es klagt;
Der Bauer horcht, hohl rauscht's im Schnee.
Und schwer nun, feiervoll und sacht,
Wie uralt Lied so stark und weh
Tönt sein Wort ins Öde:

„Groß am Himmel stand die schwarze Wolke,
Fressen wollte sie den heiligen Mond;
Doch der heilige Mond steht noch am Himmel,
Und zerstoben ist die schwarze Wolke.
Volk, was weinst du?

Trieb ein stolzer kalter Sturm die Wolke,
Fressen sollte sie die stillen Sterne.
Aber ewig blühn die stillen Sterne;
Nur die Wolke hat der Sturm zerrissen,
Und den Sturm verschlingt die Ferne.

Und es war ein großes schwarzes Heer,
Und es war ein stolzer kalter Kaiser.
Aber unser Mütterchen, das heilige Rußland,
Hat viel tausend tausend stille warme Herzen;
Ewig, ewig blüht das Volk.“

Hohl verschluckt der Mund der Nacht die Laute,
Dumpfhin rauschen die Hufe, die Glocken wimmern;
Auf den kalten Birken flimmert
Rot der Reif, der mondbetaute.
Den Kaiser schauert.

Durch die leere Ebne irrt sein Blick:
Über Rußlands Leichenwüstenei
Faltet hoch die Nacht die blassen Hände,
Glänzt der dunkelrot gekrümmte Mond,
Eine blutige Sichel Gottes.

Otto Julius Bierbaum
1865–1910

Traum durch die Dämmerung

Weite Wiesen im Dämmergrau;
Die Sonne verglomm, die Sterne ziehn;
Nun geh ich zu der schönsten Frau,
Weit über Wiesen im Dämmergrau,
Tief in den Busch von Jasmin.

Durch Dämmergrau in der Liebe Land;
Ich gehe nicht schnell, ich eile nicht;
Mich zieht ein weiches, samtenes Band
Durch Dämmergrau in der Liebe Land,
In ein blaues, mildes Licht.

Faunsflötenlied

Ich glaube an den großen Pan,
Den heiter heiligen Werdegeist;
Sein Herzschlag ist der Weltentakt,
In dem die Sonnenfülle kreist.

Es wird und stirbt und stirbt und wird,
Kein Ende und kein Anbeginn.
Sing, Flöte, dein Gebet der Lust!
Das ist des Lebens heiliger Sinn.

Pans Flucht

Grün umbuscht und bunt umblüht,
Mittagssonnenüberglüht,
Inselheckensicher sitzt
Pan und schnitzt.

Schnitzt aus Fliederholze sich
Eine Flöte meisterlich;
Und er setzt sie an den Bart
Fliederzart.

Zierlich, sacht,
Und er lacht:
Blas ich damit auf dem See
In der Nacht,
Wird den wackern Dichtern weh
In der Nacht.

Blas ich damit süß am Tage,
Ach!
Weck ich ihnen Dichterklage,
Ach!

Wehe, weh mir armem Pan,
Was ich tu, ist mißgetan,
Denn, dieweil ich schlief, indessen
Haben sie es ganz vergessen,
Wie sich's lacht.

Leise flötet er. Das klingt,
Wie wenn zwischen frischem Moose
Über Kiesel, glatte große,
Eine helle Quelle springt.
Wie des blauen Flieders Duft
Schwebt dies Tönen durch die Luft,
Voll und lind.

Und die Flöte hört ein Kind,
Das im Busche Blumen brach.
Und es geht dem Klange nach,
Herzgeschwind.

Dachte hier sich ganz allein,
Und nun flötet einer.

603

Wer mag dieser Flöter sein?
So wie der kann's keiner,
Keiner, den sie je gehört;
Ach, sie ist ganz tonbetört,
Und ihr Herz schlägt schnelle.
Sicher, gar ein schöner Mann
Ist, der also flöten kann,
Und ein junger Geselle.

Und sie schürzt sich hoch den Rock,
Folgt dem Klange immerzu,
Busch durch über Stein und Stock,
Nein doch, hu!:
Der da flötet, ist ein Bock!

Himmel, ach, wie sieht der aus!

Braune Haare, dick und kraus,
Um und um;
Und die Nase und die Beine,
Die sind krumm!
Hat ein Wackelschwänzchen gar
Und zwei Hörner, wunderbar!
Aber Kleider keine.

Und sie lacht und lacht und lacht,
Bis ihr Tränen rinnen.

Pan ist aus dem Lied erwacht,
Und er flieht von hinnen.
Flieht in tiefste Einsamkeit,
Menschensicher, menschenweit.

Max Dauthendey
1867–1918

Die Scharen von mächtigen Raben

Es fliegen im Abend tief über die Ähren
Die Scharen von mächtigen Raben,
Wie Geheimnisse lautlos, die sich begraben,
Wie Gedanken, die sich im Zwielicht mehren.

Und es hängen die Ähren zum Straßengraben,
Als ob sie Sehnsucht nach Menschen haben.
Es steht noch ein Mäher im Klee, im dunkeln;
Du hörst nicht die Sense, du siehst nur ein Funkeln.

Es huscht noch ein Vogel schnell in die Hecke,
Die Feldwege schlängeln sich hinter Verstecke,
Die Raben kreisen und machen Runden,
Tauchen unter und sind in der Erde verschwunden.

O Grille, sing

O Grille, sing,
Die Nacht ist lang.
Ich weiß nicht, ob ich leben darf
Bis an das End von deinem Sang.

Die Fenster stehen aufgemacht.
Ich weiß nicht, ob ich schauen darf
Bis an das End von dieser Nacht.

O Grille, sing, sing unbedacht,
Die Lust geht hin,
Und Leid erwacht.
Und Lust im Leid, –
Mehr bringt sie nicht, die lange Nacht.

Alleingelassen bei Erinnerungen

Jetzt sitzt der weiße Schlaf vor allen Wintertüren,
Die Fenster sind gleich blassen Eierschalen,
Dahinter leben Straßen voll Gespenster
Und Stimmen, die uns ferne Menschen malen.

Man kann die Welt nicht sehen und nur spüren.
Wie Blinde ahnt man dunkel das Geschehen,
Alleingelassen bei Erinnerungen,
Die an den Türen wie die Bettler stehen,

Die bei den Ofenflammen warm sich rühren,
Erregt mit nimmersatten Hungerzungen.
Sie können uns an magern Händen führen
Und haben in der Asche noch nicht ausgesungen.

Ich grübe mir gern in die Stille ein Grab

Ich fühle mich tot, als wär ich erfroren,
Als hätt sich die Welt zu sterben verschworen.
Ich grübe mir gern in die Stille ein Grab
Und warte begraben deine Wiederkehr ab.

Vom langen Warten versteinen die Wangen,
Doch lebt auch im Stein noch ein sehnend Verlangen.
Ich weiß nur, daß ich nichts fühlen will;
Vielleicht steht dann endlich das Warten still.

Der Wind, der heult vor den nächtlichen Toren,
Als würde da draußen nur Unglück geboren.
Er klagt wie ein Hund in die Leere hinein,
Und stets drängen Hunger und Sehnsucht herein.

Isolde Kurz
1853–1944

Schlummerflocken

Niedersank der Tag. Aus dunklen Toren
Sternenäugig wird die Nacht geboren.

Ohne Steuer, jetzt vom Land gestoßen,
Schwebt die Seele überm Bodenlosen.

Selig wie erlöste Geister schwanken
In dem Kahn der Nacht die Traumgedanken,

Und ein Albatros im Schiff zu Gaste
Breitet weiße Schwingen überm Maste.

Seh ich Wolkenzüge windgetragen?
Sind's Gebirge, die aus Traumland ragen?

Ferne durch zerrissne Nebel blinken
Seines Wunderports Korallenzinken.

Alle Segel ein, die Winde stocken.
Leise, leise fallen Schlummerflocken.

Richard Beer-Hofmann
1866–1945

Schlaflied für Mirjam

Schlaf mein Kind – schlaf, es ist spät!
Sieh wie die Sonne zur Ruhe dort geht,
Hinter den Bergen stirbt sie im Rot.
Du – du weißt nichts von Sonne und Tod,
Wendest die Augen zum Licht und zum Schein –
Schlaf, es sind soviel Sonnen noch dein,
Schlaf mein Kind – mein Kind, schlaf ein!

Schlaf mein Kind – der Abendwind weht.
Weiß man, woher er kommt, wohin er geht?
Dunkel, verborgen die Wege hier sind,
Dir, und auch mir, und uns allen, mein Kind!
Blinde – so gehn wir und gehen allein,
Keiner kann Keinem Gefährte hier sein –
Schlaf mein Kind – mein Kind, schlaf ein!

Schlaf mein Kind und horch nicht auf mich!
Sinn hats für mich nur, und Schall ists für dich.
Schall nur, wie Windeswehn, Wassergerinn,
Worte – vielleicht eines Lebens Gewinn!
Was ich gewonnen gräbt mit mir man ein,
Keiner kann Keinem ein Erbe hier sein –
Schlaf mein Kind – mein Kind, schlaf ein!

Schläfst du, Mirjam? – Mirjam, mein Kind,
Ufer nur sind wir, und tief in uns rinnt
Blut von Gewesenen – zu Kommenden rollts,
Blut unsrer Väter, voll Unruh und Stolz.
In uns sind Alle. Wer fühlt sich allein?
Du bist ihr Leben – ihr Leben ist dein – –
Mirjam, mein Leben, mein Kind – schlaf ein!

‚Der einsame Weg‘
An Arthur Schnitzler

Alle Wege, die wir treten,
Münden in die Einsamkeit –
Nimmermüde Stunden jäten
Aus, was wuchs an Lust und Leid.

Alles Glück und alles Elend
Blaßt zu fernem Widerschein –
Was beseligend, was quälend,
Geht – läßt uns mit uns allein.

Schritt ich eben nicht im Reigen?
Und was traf, das traf gemeinsam –
Bietet keine Hand sich? – Schweigen
Sieht mich an – der Weg wird einsam!

Ob ich stieg von Glückes-Thronen,
Ob ich klomm aus Leidens-Gründen –
Dort, wohin ich geh zu wohnen,
Will sich Keiner zu mir finden.

Ein Erkennen nur, mit klaren
Augen will mich hingeleiten:
Daß auch *vorher* um mich waren –
Unerkannt – *nur Einsamkeiten*

[„Der einsame Weg": Schauspiel von Arthur Schnitzler (1862–1931), 1904.]

Christian Morgenstern
1871–1914

Erster Schnee

Aus silbergrauen Gründen tritt
ein schlankes Reh
im winterlichen Wald
und prüft vorsichtig, Schritt für Schritt,
den reinen, kühlen, frischgefallnen Schnee.

Und Deiner denk ich, zierlichste Gestalt.

Nachts übern Markt

Die Luft ist schwarz und kalt.
Der Löwe pfeilt
den starren Maulstrahl in den finstern Born.

Der Zeder Spalt
durchsticht ein Sternendorn.

Weh dem, der weilt . . .

Die drei Spatzen

In einem leeren Haselstrauch
da sitzen drei Spatzen, Bauch an Bauch.

Der Erich rechts und links der Franz
und mitten drin der freche Hans.

Sie haben die Augen zu, ganz zu,
Und obendrüber da schneit es, hu!

Sie rücken zusammen dicht an dicht.
So warm wie der Hans hats niemand nicht.

Sie hören alle drei ihrer Herzlein Gepoch
Und wenn sie nicht weg sind, so sitzen sie noch.

Die Trichter

Zwei Trichter wandeln durch die Nacht.
Durch ihres Rumpfs verengten Schacht
fließt weißes Mondlicht
still und heiter
auf ihren
Waldweg
u. s.
w.

Der Tanz

Ein Vierviertelschwein und eine Auftakteule
trafen sich im Schatten einer Säule,
die im Geiste ihres Schöpfers stand.
Und zum Spiel der Fiedelbogenpflanze
reichen sich die zwei zum Tanze
Fuß und Hand.

Und auf seinen dreien rosa Beinen
hüpft das Vierviertelschwein graziös,
und die Auftakteul auf ihrem einen
wiegte rhythmisch ihr Gekrös.
Und der Schatten fiel,
und der Pflanze Spiel
klang verwirrend melodiös.

Doch des Schöpfers Hirn war nicht von Eisen,
und die Säule schwand, wie sie gekommen war,
und so mußte denn auch unser Paar
wieder in sein Nichts zurücke reisen.
Einen letzten Strich
tat der Geigerich –
und dann war nichts weiter zu beweisen.

Das ästhetische Wiesel

Ein Wiesel
saß auf einem Kiesel
inmitten Bachgeriesel.

Wißt ihr,
weshalb?

Das Mondkalb
verriet es mir
im Stillen:

Das raffinier-
te Tier
tats um des Reimes willen.

Igel und Agel

Ein Igel saß auf einem Stein
und blies auf einem Stachel sein.
Schalmeiala, schalmeialü!
Da kam sein Feinslieb Agel
und tat ihm schnigel schnagel
zu seinen Melodein.
Schnigula schnagula
schnaguleia lü!

Das Tier verblies sein Flötenhemd ...
„Wie siehst du aus so furchtbar fremd!?"
Schalmeiala, schalmeialü –.
Feins-Agel ging zum Nachbar, ach!
Den Igel aber hat der Bach
zum Weiher fortgeschwemmt.
Wigula wagula
waguleia wü
tü tü ...

Der Werwolf

Ein Werwolf eines Nachts entwich
von Weib und Kind und sich begab
an eines Dorfschullehrers Grab
und bat ihn: „Bitte, beuge mich!"

Der Dorfschulmeister stieg hinauf
auf seines Blechschilds Messingknauf
und sprach zum Wolf, der seine Pfoten
geduldig kreuzte vor dem Toten:

„Der Werwolf", sprach der gute Mann,
„des Weswolfs, Genitiv sodann,
dem Wemwolf, Dativ, wie mans nennt,
den Wenwolf, – damit hats ein End."

Dem Werwolf schmeichelten die Fälle,
er rollte seine Augenbälle.
„Indessen", bat er, „füge doch
zur Einzahl auch die Mehrzahl noch!"

Der Dorfschulmeister aber mußte
gestehn, daß er von ihr nichts wußte.
Zwar Wölfe gäbs in großer Schar,
doch „Wer" gäbs nur im Singular.

Der Wolf erhob sich tränenblind –
er hatte ja doch Weib und Kind!!
Doch da er kein Gelehrter eben,
so schied er dankend und ergeben.

Die Fingur

Es lacht die Nachtalp-Henne,
es weint die Windhorn-Gans,
es bläst der schwarze Senne
zum Tanz.

Ein Uhu-Tauber turtelt
nach seiner Uhuin.
Ein kleiner Sechs-Elf hurtelt
von Busch zu Busch dahin ...

Und Wiedergänger gehen,
und Raben rufen kolk,
und aus den Teichen sehen
die Fingur und ihr Volk ...

Möwenlied

Die Möwen sehen alle aus,
als ob sie Emma hießen.
Sie tragen einen weißen Flaus
und sind mit Schrot zu schießen.

Ich schieße keine Möwe tot,
ich laß sie lieber leben –
und füttre sie mit Roggenbrot
und rötlichen Zibeben.

O Mensch, du wirst nie nebenbei
der Möwe Flug erreichen.
Wofern du Emma heißest, sei
zufrieden, ihr zu gleichen.

Fisches Nachtgesang

Fisches Nachtgesang: das tiefste deutsche Gedicht.

Palmström

Palmström steht an einem Teiche
und entfaltet groß ein rotes Taschentuch:
Auf dem Tuche ist eine Eiche
dargestellt sowie ein Mensch mit einem Buch.

Palmström wagt nicht, sich hineinzuschneuzen.
Er gehört zu jenen Käuzen,
die oft unvermittelt-nackt
Ehrfurcht vor dem Schönen packt.

Zärtlich faltet er zusammen,
was er eben erst entbreitet.
Und kein Fühlender wird ihn verdammen,
weil er ungeschneuzt entschreitet.

Vice Versa

Ein Hase sitzt auf einer Wiese,
des Glaubens, niemand sähe diese.

vom vis-à-vis gelegnen Berg
ein Mensch den kleinen Löffelzwerg.

Doch, im Besitze eines Zeißes,
betrachtet voll gehaltnen Fleißes

Ihn aber blickt hinwiederum
ein Gott von fern an, mild und stumm.

Das Einhorn

Das Einhorn lebt von Ort zu Ort
nur noch als Wirtshaus fort.

Man geht hinein zur Abendstund
und sitzt den Stammtisch rund.

Wer weiß! Nach Jahr und Tag sind wir
auch ganz wie jenes Tier.

Hotels nur noch, darin man speist –
(so völlig wurden wir zu Geist).

Im „Goldnen Menschen" sitzt man dann
und sagt sein Solo an . . .

Arno Holz 1863 – 1929

Een Boot is noch Buten!

„Ahoi! Klaas Nielsen und Peter Jehann!
Kiekt nach, ob wi noch nich to Mus sind!
Ji hewt doch gesehn dem Klabautermann?
Gott Lob, dat wi wedder to Hus sind!"
Die Fischer riefens und stießen ans Land
und zogen die Kiele bis hoch auf den Strand,
denn dumpf an rollten die Fluten;
Han Jochen aber rechnete nach
und schüttelte finster sein Haupt und sprach:
„Een Boot is noch buten!"

Und ernster keuchte die braune Schar
Dem Dorf zu über die Dünen,
Schon grüßten von fern mit zerwehtem Haar
die Fraun an den Gräbern der Hünen.
Und „Korl!" hieß es und „Leiw Marie!"
„t is doch man schön, dat ji wedder hie!"
Dumpf an rollten die Fluten –
„Un Hinrich, min Hinrich! Wo is denn dee?!"
Und Jochen wies in die brüllende See:
„Een Boot is noch buten!"

Am Ufer dräute der Möwenstein,
drauf stand ein verrufnes Gemäuer,
dort schleppten sie Werg und Strandholz hinein
und gossen Öl in das Feuer.
Das leuchtete weit in die Nacht hinaus
und sollte rufen: O komm nach Haus!
Dumpf an rollen die Fluten –
hier steht dein Weib in Nacht und Wind
und jammert laut auf und küßt dein Kind:
„Een Boot is noch buten!"

Doch die Nacht verrann und die See ward still,
und die Sonne schien in die Flammen,
Da schluchzte die Ärmste: „As Gott will!"
und bewußtlos brach sie zusammen!
Sie trugen sie heim auf schmalem Brett,
dort liegt sie nun fiebernd im Krankenbett,
und draußen plätschern die Fluten;
dort spielt ihr Kind, ihr „lütting Jehann",
und lallt wie träumend dann und wann:
„Een Boot is noch buten!"

Winter

Du lieber Frühling, wohin bist du gegangen?
Noch schlägt mein Herz, was deine Vögel sangen.
Die ganze Welt war wie ein Blumenstrauß.

Längst ist das aus!
Die ganze Welt ist jetzt, o weh,
Barfüßle im Schnee!
Die schwarzen Bäume stehn und frieren.
Im Ofen die Bratäpfel musizieren,
das Dach hängt voll Eis.
Und doch! Bald kehrst du wieder, ich weiß, ich weiß!

Bald kehrst du wieder,
oh, nur ein Weilchen,
und blaue Lieder
duften die Veilchen!

Ein Bild

Aus Sandstein ist das gelbliche Portal,
die roten Säulen aus Granit gehauen,
und seitwärts in ein weißes Piedestal
vergräbt ein Löwe seine Marmorklauen.
Doch schwarz verhängt sind alle Fenster heut,
und Lichter brennen nur im Erdgeschosse,
der Straßendamm ist hoch mit Stroh bestreut,
und lautlos drüberhin rollt die Karosse.

Das Treppenhaus verteidigt der Portier
und schüttelt grimmig seine graue Mähne,
und naht gar einer aus der Hautevolee,
dann fletscht er zerberusgleich seine Zähne.
Im Prunksaal trauern hinter Flor und Taft
die bunten Inderstoffe aus Lahore,
auch schleicht die goldbetreßte Dienerschaft
nur auf Spitzzehen durch die Korridore.

Der hochgeborne Hausherr, Exzellenz,
schwankt wie ein Rohr umher auf bleicher Düne,
die erste Redekraft des Parlaments
fehlt heute abermals auf der Tribüne.
Zwar trat man gestern erst in den Etat,
doch hat sein Fehlen diesmal gute Gründe:
Schon viermal war der greise Hausarzt da
und meinte, daß es sehr bedenklich stünde.

Nach Eis und Himbeer wird gar oft geschellt,
doch mäuschenstill ist es im Krankenzimmer,
und seine düstre Teppichpracht erhellt
nur einer Ampel rötliches Geflimmer.
Weit offen steht die Tür zum Vestibül,
und wie im Traum nur plätschert die Fontäne,
die Luft umher ist wie gewitterschwül,
denn ach, die „gnäd'ge Fraa" hat heut – Migräne!

Ein Andres

Fünf wurmzernagte Stiegen gehts hinauf
ins letzte Stockwerk einer Mietskaserne;
hier hält der Nordwind sich am liebsten auf,
und durch das Dachwerk schaun des Himmels Sterne.
Was sie erspähn, oh, es ist grad genug,
um mit dem Elend brüderlich zu weinen:
Ein Stückchen Schwarzbrot und ein Wasserkrug,
ein Werktisch und ein Schemel mit drei Beinen.

Das Fenster ist vernagelt durch ein Brett,
und doch durchpfeift der Wind es hin und wieder,
und dort auf jenem strohgestopften Bett
liegt fieberkrank ein junges Weib danieder.
Drei kleine Kinder stehn um sie herum,
die stieren Blicks an ihren Zügen hangen,
vor vielem Weinen ward ihr Mündlein stumm,
und keine Träne mehr netzt ihre Wangen.

Ein Stümpfchen Talglicht gibt nur trüben Schein,
doch horch, es klopft, was mag das nur bedeuten?
Es klopft, und durch die Tür tritt nun herein
ein junger Herr, geführt von Nachbarsleuten.
Der Armenhilfsarzt ists aus dem Revier,
den sie geholt aus Mitleid mit der Kranken,
indes ihr Mann in Branntwein und in Bier
sich selbst betäubt und seine Wutgedanken.

Der junge Doktor aber nimmt das Licht
und tritt mit ihm ans Bett des armen Weibes,
doch gelb wie Wachs und spitz ist ihr Gesicht
und kalt und starr die Glieder ihres Leibes.
Da schluchzt sein Herz, indes das Licht verkohlt,
von nie gekannter Wehmut überschlichen:
Weint, Kinder, weint! ich bin zu spät geholt,
denn eure Mutter ist bereits – verblichen.

Phantasus

1.

Ihr Dach stieß fast bis an die Sterne,
vom Hof her stampfte die Fabrik,
es war die richtge Mietskaserne
mit Flur- und Leiermannsmusik!
Im Keller nistete die Ratte,
parterre gabs Branntwein, Grog und Bier,
und bis ins fünfte Stockwerk hatte
das Vorstadtelend sein Quartier.

Dort saß er nachts vor seinem Lichte
– duck nieder, nieder, wilder Hohn! –
und fieberte und schrieb Gedichte,
ein Träumer, ein verlorner Sohn!
Sein Stübchen konnte grade fassen
ein Tischchen und ein schmales Bett;
er war so arm und so verlassen,
wie jener Gott aus Nazareth!

Doch pfiff auch dreist die feile Dirne,
die Welt, ihn aus: Er ist verrückt!
ihm hatte leuchtend auf die Stirne
der Genius seinen Kuß gedrückt.
Und wenn vom holden Wahnsinn trunken
er zitternd Vers an Vers gereiht,
dann schien auf ewig ihm versunken
die Welt und ihre Nüchternheit.

In Fetzen hing ihm seine Bluse,
sein Nachbar lieh ihm trocknes Brot,
er aber stammelte: O Muse!
und wußte nichts von seiner Not.
Er saß nur still vor seinem Lichte,
allnächtlich, wenn der Tag entflohn,
und fieberte und schrieb Gedichte,
ein Träumer, ein verlorner Sohn!

Unvergessbare Sommersüße

Rote Dächer!

Aus den Schornsteinen,
hier und da
Rauch;
oben, hoch, in sonniger Luft,
ab und zu
Tauben!

Es ist Nachmittag.

Aus
Mohdrickers Garten her
gackert
eine Henne;
Bruthitze
brastet;
die ganze Stadt . . . riecht nach Kaffee.

Daß mir doch dies alles noch so lebendig geblieben ist!

Ich bin ein kleiner achtjähriger Junge,
liege,
das Kinn in beide Fäuste,
platt auf dem Bauch
und
kucke durch die Bodenluke.

Unter mir . . . steil, der Hof . . . hinter mir,
weggeworfen,
ein Buch.

. . . Franz Hoffmann . . .

„Die
Sklavenjäger".

Wie still das ist!

Nur drüben,
in Knorrs Regenrinne,
zwei Spatzen, die sich um einen Strohhalm zanken,
irgendwo ein Mann, der sägt,
und,
dazwischen,
deutlich von der Kirche her,
in kurzen Pausen regelmäßig jämmernd,
der Kupferschmied Thiel.

Wenn ich unten runter sehe,
sehe ich gerade auf Mutters Blumenbrett.

Ein Topf Goldlack,
zwei
Töpfe Levkojen, eine Geranie,
Fuchsien
und,
mittendrin,
zierlich, in einem Zigarrenkistchen,
ein
Hümpelchen Reseda.

Wie . . . das . . . riecht!
Bis
zu . . . mir . . . rauf!

Und
die . . . Farben . . . die
Farben!

Jetzt!

Wie der Wind drüber weht!

Die
wunder-,
wunder-, wunder-
. . .schönen . . .
Farben!

Nie . . . blinkten . . . mir
schönere!

Ein
halbes Leben,
ein
ganzes Menschenalter
verrann!

Ich
schließe die Augen.

Ich
sehe sie . . . noch immer!

Mählich durchbrechende Sonne

Schönes,
grünes, weiches
Gras.

Drin
liege ich.

Inmitten goldgelber
Butterblumen!

Über mir . . . warm . . . der Himmel:

Ein
weites, schütteres,
lichtwühlig, lichtblendig, lichtwogig
zitterndes
Weiß,
das mir die
Augen
langsam . . . ganz . . . langsam
schließt.

Wehende . . . Luft . . . kaum merklich
ein Duft, ein
zartes . . . Summen.

Nun
bin ich fern
von jeder Welt,
ein sanftes Rot erfüllt mich ganz,
und
deutlich . . . spüre ich . . . wie die
Sonne
mir durchs Blut
rinnt.

Minutenlang.

Versunken
alles . . . Nur noch
ich.
Selig!

Otto zur Linde
1873–1938

Herbstsonne Wolken
Die Birke

Herbstsonne. Wolken. Die Birke
Biegt sich im böigen Wind.
Durch dünneres Baumlaubgewirke
Kühleres Sonnenlicht rinnt.

Levkojen und Astern im Strauße
Duften nicht. Und Amaryll
Und letzte Geranien vorm Hause
Blühen so herbstspät und still,

So schweigend gegen den Tod hin –
Die Trauben blau am Balkon.
Eine Krähe krächzt, warnende Botin
Des Winters, der wartet schon.

Soll nun das Würgen des Jahres
Wieder in Winter gehn?
Herbstsommer, Herbstwinter schon war es,
Wir sahen kein Ostern aufstehn.

Der Sommer ging, und die Nacht sank,
Der Tag kam und der Tod.
Wir waren des Blühens unachtsam,
Und des Singens war uns nicht not.

Wohl hörten wir Lieder von Lippen
So rot, die sind nun bleich:
Kerzen und Christkinderkrippen,
Und ein Schneefeld schmerzenreich.

Und ein Acker mit blutroten Raden,
Und ein Feldrain mit Knabenkraut;
Tausend tote Solaten
Hat jeder Tag geschaut.

Tausend im Tag und im Volke
Wie lang, oh wie lang ist ein Jahr!
Über der Welt eine blutrote Wolke,
Überm Feld eine Aaskrähenschar.

Und ein Kreuz am Himmel, das weitet
Seine Arme nach Ost und nach West,
Darunter aber schreitet
Der Krieg, der Tod, die Pest.

Am Himmel steht ein Stern am Zaun,
Der hält die Wacht mit seinem Schein.
Da kann er beider Wege schaun,
Er sitzt auf flachem Meilenstein.

Der Zaun umsteht ein stilles Haus,
Durchs Fenster schwimmt ein Licht hervor.
Zwei Wege liegen gradeaus,
Der schwarze Hund schläft vor dem Tor.

Die Nacht liegt beider Wege stumm,
Die Sehnsucht wandert durch die Welt.
Der Stern geht um sein Haus herum,
Der schwarze Hund im Traume bellt.

Da kräht der rote Hahn im Traum,
Da krähn die Hähne überweg,
Da streicht der Wind im Lichterbaum,
Da weht ein Wetterleuchten schräg.

Der Traum, der schrak, schläft wieder ein;
Der Stern beschließt den Rundgang nun,
Er sitzt verschlafen auf dem Stein:
Die Nacht muß unbehütet ruhn.

Die Sehnsucht geht auf dunklem Pfad: –
Die andre Sehnsucht gerne fänd.
Zwei Wege führen weit und grad:
Im Wächterhaus die Lampe brennt.

. . . Und leuchtet übern Zaun ein Stück,
Wo sich der Weg mit Wege trifft,
Im Graben hockt das greise Glück:
Und liest am Kreuz des Weisers Schrift

Ein Weg führt rechts, führt links ein Weg,
Zwei Wege führen durch die Welt,
Und als der Tag kam übern Steg –
Ein toter Vogel lag im Feld.

Meine Welt, die ich gebaut um mich,
Ist versunken.
Ach, mein Lied, das ich bei Sternen sang,
Ist verweht; mein Traumschloß trug der Wind.
Meine Flügel hängen an dem Horn des Monds,
Meine Leyer
Liegt bei toten Schiffen.
Meinen Strand umgrenzt die Düne vorgebaut,
Mich vom Meere trennend; ach, mein Land
Geht nach innen zu den müden Hütten.
Auf dem Herd, da ich mich setzte, glüht kein Brand
In der Asche meiner einsamen Not.
Wenn die Sonne sinkt zu Meer, steigt aus dem Ried
Eine Frau im grauen Rock und schwarzen Tuch.
Aus dem Beutel, wo ihr Strickzeug und ihr Vesperbrot
Und ein alt, vergilbtes Traumbuch eingestopft,
Zieht mit magern Fingern sie ein
Dünngespieltes, fettig Kartenpack:
Mir Patience zu legen auf dem Küchentisch.
Wenn die Uhr schlägt zehne, sinkt ihr Haupt zur Brust
Und sie schläft, die letzte Karte noch auf ihrem Schoß.
Auf der Schwelle knarrt ein Stelzfuß, der so leis eintritt
Und so unbeholfen, und dann schaut der Mann
– Alter, abgelohnter Seemann – ängstlich, ob die Frau
Nicht erwache, und er frägt
Mich um Feuer für den Tonstumpf . . .
Ach! wer zu dem kalten Herd
Eines Nachbars eine kalte Pfeife trägt,
Ist noch ärmer als ein Kartenblatt,
Letztes, ungespielt.

Amarylle

Oh stille Amarylle,
Du blühst, wenn Herbst schon leer.
Von Frucht- und Blütenfülle
Bliebst du mir und nichts mehr.

Ich trug dich in mein Zimmer,
Balkon war schon zu kalt.
Leucht Sommers letzten Schimmer
Du mir. Das Jahr ist alt.

Und alt ist auch mein Herz schon,
Und weiß ist schon mein Haar.
Sei du mein letzter Herbstlohn –
Stumm, traurig. Und was mir war

An Herzblühn und Geistfruchtzeit,
Ist abgewelkt, wurmtaub.
Auf Schmerz und Mühn und Sucht streut
Enttäuschung totes Laub.

Ach, wenn auf meinem Grab nur
Die stille Flamme ständ!
Oh Amaryll, ich hab nur
Das Licht, das jenseits brennt.

Frank Wedekind
1864–1918

Der Tantenmörder

Ich hab' meine Tante geschlachtet,
Meine Tante war alt und schwach;
Ich hatte bei ihr übernachtet
Und grub in den Kisten-Kasten nach.

Was nutzt es, daß sie sich noch härme?
Nacht war es rings um mich her –
Ich stieß ihr den Dolch in die Därme,
Die Tante schnaufte nicht mehr.

Da fand ich goldene Haufen,
Fand auch an Papieren gar viel
Und hörte die alte Tante schnaufen
Ohn' Mitleid und Zartgefühl.

Das Geld war schwer zu tragen,
Viel schwerer die Tante noch.
Ich faßte sie bebend am Kragen
Und stieß sie ins tiefe Kellerloch. –

Ich hab' meine Tante geschlachtet,
Meine Tante war alt und schwach;
Ihr aber, o Richter, ihr trachtet
Meiner blühenden Jugend-Jugend nach.

Reaktion

Glaubt es mir, ihr treuen Brüder,
Ich begreif' es, daß ihr flennt,
Weil ihr heut in mir nicht wieder
Euren alten Freund erkennt.

Einen Maulkorb laßt euch reichen
Aus dem stärksten Eisendraht;
Schließt den Bund mit euresgleichen
Für das Flottenseptennat.

Statt zu klagen und zu weinen
An der Freiheit lichtem Thron,
Dicht' ich heute lieber einen
Hymnus auf die Reaktion.

Maulkorb, Maulkorb über alles;
Wenn der Maulkorb richtig sitzt,
Wird man immer schlimmsten Falles
Noch als Hofpoet benützt.

Laßt das Jammern, es ist kindisch,
Weil ihr in den Wolken schwebt;
Teure Brüder, werdet hündisch,
Weil ihr unter Hunden lebt.

Aber glaubt nur nicht, ich rede
Hier von preußischer Dressur!
Nein bei Gott, ich meine jede
So im allgemeinen nur.

Heilig halt' ich unser Preußen
Mit der Losung Bum-bum-bum;
Deutschlands Glück zusammenschweißen
Ist sein Evangelium.

*

Auf den Preuß'schen Eisenbahnen
Und besonders in Berlin
Fahren fromme Untertanen
Gottesfürchtig her und hin.

Überall zum Butterbrote
Findet jeder ein Glas Bier.
Setzt es manchmal ein paar Tote,
Großer Gott, wer kann dafür!

Denn auf diesen Eisenbahnen,
Wie das offen anerkannt,
Sterben deutsche Untertanen
Ihren Tod fürs Vaterland.

Sparen muß man, wo das Sparen
Keinen Nachteil involviert;
Sei der Mensch zu Tod gefahren,
Oder sei er füsiliert!

Und der Fiskus voll Ergötzen
Klimpert mit dem Resultat –
Plötzlich sieht er mit Entsetzen
Dort ein buntes Zeitungsblatt.

Er erbebt: O Schreck, o Grauen!
Wer hat mir das angetan?
Muß ich solch ein Unheil schauen
Hier auf meiner Eisenbahn!

Wer das freie Wort nicht ohne
Zittern mehr vernehmen kann,
Stellt sich hinter die Kanone
Und davor den Untertan.

Oh, dies Blatt ist ein Verderben,
Wie die Welt kein schlimmres hat,
Mag das halbe Deutschland sterben,
Aber konfisziert das Blatt!

Laßt in Grund und Boden fahren
Alles, was noch Beine hat,
Möge Gott uns nur bewahren
Vor dem bunten Zeitungsblatt,

Das den Teufel führt im Schilde
Und sich weiht dem freien Geist
Und das unser Staatsgebilde
In die tiefste Hölle reißt! –

Sprach's, und alsobald verboten
Ward das Blatt. Das Volk blieb stumm,
Doch es drehten sich die Toten
Sämtlich auf den Gleisen um.

Heil euch nun, ihr Eisenbahnen,
Von dem bunten Blatt befreit,
Das dem Wohl der Untertanen,
Das der Wahrheit sich geweiht.

Deutschland, Deutschland über alles,
Über alles in der Welt,
Perle du des Erdenballes,
Sag' mir, wie dir das gefällt?

Stefan George
1868–1933

Mühle lass die arme still
Da die heide ruhen will.
Teiche auf den tauwind harren ·
Ihrer pflegen lichte lanzen
Und die kleinen bäume starren
Wie getünchte ginsterpflanzen.

Weisse kinder schleifen leis
Überm see auf blindem eis
Nach dem segentag · sie kehren
Heim zum dorf in stillgebeten ·
Die beim fernen gott der lehren ·
Die schon bei dem naherflehten.

Kam ein pfiff am grund entlang?
Alle lampen flackern bang.
War es nicht als ob es riefe?
Es empfingen ihre bräute
Schwarze knaben aus der tiefe . . .
Glocke läute glocke läute!

Der Herr der Insel

Die fischer überliefern dass im süden
Auf einer insel reich an zimmt und öl
Und edlen steinen die im sande glitzern
Ein vogel war der wenn am boden fussend
Mit seinem schnabel hoher stämme krone
Zerpflücken konnte · wenn er seine flügel
Gefärbt wie mit dem saft der Tyrer-schnecke
Zu schwerem niedrem flug erhoben: habe
Er einer dunklen wolke gleichgesehn.
Des tages sei er im gehölz verschwunden ·
Des abends aber an den strand gekommen ·
Im kühlen windeshauch von salz und tang
Die süsse stimme hebend dass delfine
Die freunde des gesanges näher schwammen
Im meer voll goldner federn goldner funken.
So habe er seit urbeginn gelebt ·
Gescheiterte nur hätten ihn erblickt.
Denn als zum erstenmal die weissen segel
Der menschen sich mit günstigem geleit
Dem eiland zugedreht sei er zum hügel
Die ganze teure stätte zu beschaun gestiegen ·
Verbreitet habe er die grossen schwinger
Verscheidend in gedämpften schmerzeslauten.

Stimmen im Strom

Liebende klagende zagende wesen
Nehmt eure zuflucht in unser bereich ·
Werdet geniessen und werdet genesen ·
Arme und worte umwinden euch weich.

Leiber wie muscheln · korallene lippen
Schwimmen und tönen in schwankem palast ·
Haare verschlungen in ästige klippen
Nahend und wieder vom strudel erfasst.

Bläuliche lampen die halb nur erhellen ·
Schwebende säulen auf kreisendem schuh –
Geigend erzitternde ziehende wellen
Schaukeln in selig beschauliche ruh.

Müdet euch aber das sinnen das singen ·
Fliessender freuden bedächtiger lauf ·
Trifft euch ein kuss: und ihr löst euch in ringen
Gleitet als wogen hinab und hinauf.

621

Komm in den totgesagten park und schau:
Der schimmer ferner lächelnder gestade ·
Der reinen wolken unverhofftes blau
Erhellt die weiher und die bunten pfade.

Dort nimm das tiefe gelb · das weiche grau
Von birken und von buchs · der wind ist lau ·
Die späten rosen welkten noch nicht ganz ·
Erlese küsse sie und flicht den kranz ·

Vergiss auch diese lezten astern nicht ·
Den purpur um die ranken wilder reben ·
Und auch was übrig blieb von grünem leben
Verwinde leicht im herbstlichen gesicht.

Wir schreiten auf und ab im reichen flitter
Des buchenganges beinah bis zum tore
Und sehen aussen in dem feld vom gitter
Den mandelbaum zum zweitenmal im flore.

Wir suchen nach den schattenfreien bänken
Dort wo uns niemals fremde stimmen scheuchten ·
In träumen unsre arme sich verschränken ·
Wir laben uns am langen milden leuchten

Wir fühlen dankbar wie zu leisem brausen
Von wipfeln strahlenspuren auf uns tropfen
Und blicken nur und horchen wenn in pausen
Die reifen früchte an den boden klopfen.

Die blume die ich mir am fenster hege
Verwahrt vorm froste in der grauen scherbe
Betrübt mich nur trotz meiner guten pflege
Und hängt das haupt als ob sie langsam sterbe.

Um ihrer frühern blühenden geschicke
Erinnerung aus meinem sinn zu merzen
Erwähl ich scharfe waffen und ich knicke
Die blasse blume mit dem kranken herzen.

Was soll sie nur zur bitternis mir taugen?
Ich wünschte dass vom fenster sie verschwände . . .
Nun heb ich wieder meine leeren augen
Und in die leere nacht die leeren hände.

Des sehers wort ist wenigen gemeinsam:
Schon als die ersten kühnen wünsche kamen
In einem seltnen reiche ernst und einsam
Erfand er für die dinge eigne namen –

DIE hier erdonnerten von ungeheuern
Befehlen oder lispelten wie bitten ·
DIE wie Paktolen in rubinenfeuern
Und bald wie linde frühlingsbäche glitten ·

An deren kraft und klang er sich ergezte ·
Sie waren wenn er sich im höchsten schwunge
Der welt entfliehend unter träume sezte
Des tempels saitenspiel und heilge zunge.

Nur sie – und nicht der sanften lehre lallen ·
Das mütterliche – hat er sich erlesen
Als er im rausch von mai und nachtigallen
Sann über erster sehnsucht fabelwesen ·

Als er zum lenker seiner lebensfrühe
Im beten rief ob die verheissung löge . . .
Erflehend dass aus zagen busens mühe
Das denkbild sich zur sonne heben möge.

Es lacht in dem steigenden jahr dir
Der duft aus dem garten noch leis.
Flicht in dem flatternden haar dir
Eppich und ehrenpreis.

Die wehende saat ist wie gold noch ·
Vielleicht nicht so hoch mehr und reich ·
Rosen begrüssen dich hold noch ·
Ward auch ihr glanz etwas bleich.

Verschweigen wir was uns verwehrt ist ·
Geloben wir glücklich zu sein ·
Wenn auch nicht mehr uns beschert ist
Als noch ein rundgang zu zwein.

Der hügel wo wir wandeln liegt im schatten ·
Indes der drüben noch im lichte webt ·
Der mond auf seinen zarten grünen matten
Nur erst als kleine weisse wolke schwebt.

Die strassen weithin-deutend werden blasser ·
Den wandrern bietet ein gelispel halt ·
Ist es vom berg ein unsichtbares wasser
Ist es ein vogel der sein schlaflied lallt?

Der dunkelfalter zwei die sich verfrühten
Verfolgen sich von halm zu halm im scherz . . .
Der rain bereitet aus gesträuch und blüten
Den duft des abends für gedämpften schmerz.

DIE MASKE

Hell wogt der saal vom spiel der seidnen puppen.
Doch eine barg ihr fieber unterm mehle
Und sah umwirbelt von den tollen gruppen
Dass nicht mehr viel am aschermittwoch fehle.

Sie schleicht hinaus zum öden park · zum flachen
Gestade · wirkt noch kurz dem mummenschanze
Und beugt sich fröstelnd übers eis . . ein krachen
Dann stumme kälte · fern der ruf zum tanze.

Keins von den artigen rittern oder damen
Ward sie gewahr bedeckt mit tang und kieseln . .
Doch als im frühling sie zum garten kamen
Erhob sich oft vom teich ein dumpfes rieseln.

Die leichte schar aus scherzendem jahrhundert
Vernahm wol dass es drunten seltsam raune . .
Nur hat sie sich nicht sehr darob gewundert
Sie hielt es einfach für der wellen laune.

LEO XIII

Heut da sich schranzen auf den thronen brüsten
Mit wechslermienen und unedlem klirren:
Dreht unser geist begierig nach verehrung
Und schauernd vor der wahren majestät
Zum ernsten väterlichen angesicht
Des Dreigekrönten wirklichen Gesalbten
Der hundertjährig von der ewigen burg
Hinabsieht: schatten schön erfüllten daseins.

Nach seinem sorgenwerk für alle welten
Freut ihn sein rebengarten: freundlich greifen
In volle trauben seine weissen hände ·
Sein mahl ist brot und wein und leichte malve
Und seine schlummerlosen nächte füllt
Kein wahn der ehrsucht · denn er sinnt auf hymnen
An die holdselige Frau · der schöpfung wonne ·
Und an ihr strahlendes allmächtiges kind.

‚Komm heiliger knabe! hilf der welt die birst
Dass sie nicht elend falle! einziger retter!
In deinem schutze blühe mildre zeit
Die rein aus diesen freveln sich erhebe . .
Es kehre lang erwünschter friede heim
Und brüderliche bande schlinge liebe!'
So singt der dichter und der seher weiss:
Das neue heil kommt nur aus neuer liebe.

Wenn angetan mit allen würdezeichen
Getragen mit dem baldachin – ein vorbild
Erhabnen prunks und göttlicher verwaltung –
ER eingehüllt von weihrauch und von lichtern
Dem ganzen erdball seinen segen spendet:
So sinken wir als gläubige zu boden
Verschmolzen mit der tausendköpfigen menge
Die schön wird wenn das wunder sie ergreift.

[Leo XIII: 1810–1903, Papst von 1878–1903.]

ENTRÜCKUNG

Ich fühle luft von anderem planeten.
Mir blassen durch das dunkel die gesichter
Die freundlich eben noch sich zu mir drehten.

Und bäum und wege die ich liebte fahlen
Dass ich sie kaum mehr kenne und Du lichter
Geliebter schatten – rufer meiner qualen –

Bist nun erloschen ganz in tiefern gluten
Um nach dem taumel streitenden getobes
Mit einem frommen schauer anzumuten.

Ich löse mich in tönen · kreisend · webend ·
Ungründigen danks und unbenamten lobes
Dem grossen atem wunschlos mich ergebend.

Mich überfährt ein ungestümes wehen
Im rausch der weihe wo inbrünstige schreie
In staub geworfner beterinnen flehen:

Dann seh ich wie sich duftige nebel lüpfen
In einer sonnerfüllten klaren freie
Die nur umfängt auf fernsten bergesschlüpfen.

Der boden schüttert weiss und weich wie molke . .
Ich steige über schluchten ungeheuer ·
Ich fühle wie ich über lezter wolke

In einem meer kristallnen glanzes schwimme –
Ich bin ein funke nur vom heiligen feuer
Ich bin ein dröhnen nur der heiligen stimme.

Wer je die flamme umschritt
Bleibe der flamme trabant!
Wie er auch wandert und kreist:
Wo noch ihr schein ihn erreicht
Irrt er zu weit nie vom ziel.
Nur wenn sein blick sie verlor
Eigener schimmer ihn trügt:
Fehlt ihm der mitte gesetz
Treibt er zerstiebend ins all.

AUF NEUE TAFELN SCHREIBT DER NEUE STAND:
Lasst greise des erworbnen guts sich freuen
Das ferne wettern reicht nicht an ihr ohr.
Doch alle jugend sollt ihr sklaven nennen
Die heut mit weichen klängen sich betäubt
Mit rosenketten überm abgrund tändelt.
Ihr sollt das morsche aus dem munde spein
Ihr sollt den dolch im lorbeerstrausse tragen
Gemäss in schritt und klang der nahen Wal.

DER DICHTER IN ZEITEN DER WIRREN
DEM ANDENKEN DES GRAFEN BERNHARD UXKULL

Der Dichter heißt im stillern gang der zeit
Beflügelt kind das holde träume tönt
Und schönheit bringt ins tätige getrieb.
Doch wenn aus übeln sich das wetter braut
Das schicksal pocht mit lauten hammerschlägen
Klingt er wie rauh metall und wird verhört . .

Wenn alle blindheit schlug · er einzig seher
Enthüllt umsonst die nahe not . . dann mag
Kassandra-warnen heulen durch das haus
Die tollgewordne menge sieht nur eins:
Das pferd · das pferd! und rast in ihren tod.
Denn mag profeten-ruf des stammgotts groll
Vermelden und den trab von Assurs horden
Die das erwählte volk in knechtschaft schleppen:
Der weise Rat hat sichreren bericht
Verlacht den mahner · sperrt ihn ins verlies.
Wenn rings die Heilige Stadt umzingelt ist
Bürger und krieger durcheinander rennen
Fürsten und priester drin sich blutig raufen
Um einen besenstiel indes schon draussen
Das stärkste bollwerk fällt: er seufzt und schweigt.
Wenn der erobrer dann mit raub und brand
Hereinstürmt und ins joch zwingt mann und weib
Ein teil wutschäumend seine eigne schuld
Abwälzend auf den andren lädt · ein teil
Entbehrungsmüd sich um die brocken balgt
Die ihm der freche sieger vorwirft · johlend
Und tanzend sich betäubt · am riste leckt
Der tritt und schlägt: Er fernab fühlt allein
Das ganze elend und die ganze schmach.
Geh noch einmal zum berg zu deinen geistern
Und bring uns tröstlicheren spruch der löse
Aus dieser trübsal! . . also spricht ein greis . .
Was soll hier himmels stimme wo kein ohr ist
Für die des plansten witzes? was soll rede
Vom geiste wo kein allgemeiner trieb ist
Als der des trogs? wo jede zunft die andre
Beschimpfend stets ihr leckes boot empfiehlt
Das kläglich scheiterte · heil sucht in mehrung
Ihr lieben tandes? wo die klügsten fabeln
Vom frischen aufbau mit den alten sünden
Und raten: macht euch klein wie würmer dass euch
Der donner schont der blitz euch nicht gewahrt . . .
Der ganze stamm der lebenden der hinfuhr
Durch lange irrsal wird vor seinen götzen
Die ihn in staub und niedrigkeit geworfen
So oft sie lügen immer weiter räuchern
Hat seines daseins oberstes gesetz
Hat was ihm den bestand verbürgt vergessen
Glaubt an den Lenker nicht · braucht nicht den Sühner
Will sich mit list aus dem verhängnis ziehn.
Noch härtre pflugschar muss die scholle furchen
Noch dickrer nebel muss die luft bedräun . .
Der blassest blaue schein aus wolkenfinster
Bricht auf die Heutigen erst herein wenn alles
Was eine sprache spricht die hand sich reicht
Um sich zu wappnen wider den verderb –
Gleichviel ob rot ob blau ob schwarz die fahlen

Verschlissnen fahnenfetzen von sich schüttelt
Und tag und nacht nur an die Vesper denkt.
Der Sänger aber sorgt in trauer-läuften
Dass nicht das mark verfault · der keim erstickt.
Er schürt die heilige glut die über-springt
Und sich die leiber formt · er holt aus büchern
Der ahnen die verheissung die nicht trügt
Dass die erkoren sind zum höchsten ziel
Zuerst durch tiefste öden ziehn dass einst
Des erdteils herz die welt erretten soll . .
Und wenn im schlimmsten jammer lezte hoffnung
Zu löschen droht: so sichtet schon sein aug
Die lichtere zukunft. Ihm wuchs schon heran
Unangetastet von dem geilen markt
Von dünnem hirngeweb und giftigem flitter
Gestählt im banne der verruchten jahre
Ein jung geschlecht das wieder mensch und ding
Mit echten maassen misst · das schön und ernst
Froh seiner einzigkeit · vor Fremden stolz ·
Sich gleich entfernt von klippen dreisten dünkels
Wie seichtem sumpf erlogner brüderei
Das von sich spie was mürb und feig und lau
Das aus geweihtem träumen tun und dulden
Den einzigen der hilft den Mann gebiert . .
Der sprengt die ketten fegt auf trümmerstätten
Die ordnung · geisselt die verlaufnen heim
Ins ewige recht wo grosses wiederum gross ist
Herr wiederum herr · zucht wiederum zucht · er heftet
Das wahre sinnbild auf das völkische banner
Er führt durch sturm und grausige signale
Des frührots seiner treuen schar zum werk
Des wachen tags und pflanzt das Neue Reich.

Einem Jungen Führer im Ersten Weltkrieg

Wenn in die heimat du kamst aus dem zerstampften gefild
Heil aus dem prasselnden guss höhlen von berstendem schutt
Keusch fast die rede dir floss wie von notwendigem dienst
Von dem verwegensten ritt von den gespanntesten mühn . .
Freier die schulter sich hob drauf man als bürde schon lud
Hunderter schicksal:

Lag noch im ruck deines arms zugriff und schneller befehl
In dem sanft-sinnenden aug obacht der steten gefahr
Drang eine kraft von dir her sichrer gelassenheit
Dass der weit ältre geheim seine erschüttrung bekämpft
Als sich die knabengestalt hochaufragend und leicht
Schwang aus dem sattel.

Anders als ihr euch geträumt fielen die würfel des streits . .
Da das zerrüttete heer sich seiner waffen begab

Standest du traurig vor mir wie wenn nach prunkendem fest
Nüchterne woche beginnt schmückender ehren beraubt . .
Tränen brachen dir aus um den vergeudeten schatz
Wichtigster jahre.

Du aber tu es nicht gleich unbedachtsamem schwarm
Der was er gestern bejauchzt heute zum kehricht bestimmt
Der einen markstein zerhaut dran er strauchelnd sich stiess . .
Jähe erhebung und zug bis an die pforte des siegs
Sturz unter drückendes joch bergen in sich einen sinn
Sinn in dir selber.

Alles wozu du gediehst rühmliches ringen hindurch
Bleibt dir untilgbar bewahrt stärkt dich für künftig getös . .
Sieh · als aufschauend um rat langsam du neben mir schrittst
Wurde vom abend der sank um dein aufflatterndes haar
Um deinen scheitel der schein erst von strahlen ein ring
Dann eine krone.

Wenn einst dies geschlecht sich gereinigt von schande
Vom nacken geschleudert die fessel des fröners
Nur spürt im geweide den hunger nach ehre:
Dann wird auf der walstatt voll endloser gräber
Aufzucken der blutschein . . dann jagen auf wolken
Lautdröhnende heere dann braust durchs gefilde
Der schrecklichste schrecken der dritte der stürme:
Der toten zurückkunft!

Wenn je dieses volk sich aus feigem erschlaffen
Sein selber erinnert der kür und der sende:
Wird sich ihm eröffnen die göttliche deutung
Unsagbaren grauens . . dann heben sich hände
Und münder ertönen zum preise der würde
Dann flattert im frühwind mit wahrhaftem zeichen
Die königsstandarte und grüsst sich verneigend
Die Hehren · die Helden!

Du schlank und rein wie eine flamme
Du wie der morgen zart und licht
Du blühend reis vom edlen stamme
Du wie ein quell geheim und schlicht

Begleitest mich auf sonnigen matten
Umschauerst mich im abendrauch
Erleuchtest meinen weg im schatten
Du kühler wind du heisser hauch

Du bist mein wunsch und mein gedanke
Ich atme dich mit jeder luft
Ich schlürfe dich mit jedem tranke
Ich küsse dich mit jedem duft

Du blühend reis vom edlen stamme
Du wie ein quell geheim und schlicht
Du schlank und rein wie eine flamme
Du wie der morgen zart und licht.

Richard Schaukal
1874–1942

Persepolis

Im blauen Mondlicht baden weiße hohe Treppen.
Säulenschatten schweigen auf den marmornen Stufen.
Lüstern suchend
auf weichen Tatzen
schleichen Löwen
über die Stiegen.

Böse große Vögel

Und große Vögel kamen durch die Nacht
mit krummen und verachtend scharfen Schnäbeln.
Sie haben alles Leben schnöd betrachtet
mit klugen bösen kalten grauen Augen
und sind in Nebelfernen dann geflogen
mit weithinschattenden und stummen Flügeln.

Mozarts Spinett

Dem schmächtigen Gerät zum ersten Male
ist reiner Glocken klarer Klang entquollen:
Tropfen, die perlend bald im Becken rollen,
bald lauter plätschernd in basaltner Schale

vom Rande rinnen, blitzender Opale
träufelnde Reihen, bald in einem tollen
trommelnden Tanze stürmen, bald vom vollen
Winde gewiegt in Schleiern wehn zu Tale.

Und wie das Mondlicht blaue Silberseiden
über den Rasen rings um die Fontäne
flutend ergießt, erweitert sich die Szene:

der Fluß erglänzt metallen unter Weiden,
aus weißer Götter schweigenden Verstecken
flackert Geflüster längs den Taxushecken.

Hugo von Hofmannsthal
1874–1929

Vorfrühling

Es läuft der Frühlingswind
Durch kahle Alleen,
Seltsame Dinge sind
In seinem Wehn.

Er hat sich gewiegt,
Wo Weinen war,
Und hat sich geschmiegt
In zerrüttetes Haar.

Er schüttelte nieder
Akazienblüten
Und kühlte die Glieder,
Die atmend glühten.

Lippen im Lachen
Hat er berührt,
Die weichen und wachen
Fluren durchspürt.

Er glitt durch die Flöte
Als schluchzender Schrei,
An dämmernder Röte
Flog er vorbei.

Er flog mit Schweigen
Durch flüsternde Zimmer
Und löschte im Neigen
Der Ampel Schimmer.

Es läuft der Frühlingswind
Durch kahle Alleen,
Seltsame Dinge sind
In seinem Wehn.

Durch die glatten
Kahlen Alleen
Treibt sein Wehn
Blasse Schatten.

Und den Duft,
Den er gebracht,
Von wo er gekommen
Seit gestern Nacht.

Erlebnis

Mit silbergrauem Dufte war das Tal
Der Dämmerung erfüllt, wie wenn der Mond
Durch Wolken sickert. Doch es war nicht Nacht.
Mit silbergrauem Duft des dunklen Tales
Verschwammen meine dämmernden Gedanken,
Und still versank ich in dem webenden,
Durchsichtgen Meere und verließ das Leben.
Wie wunderbare Blumen waren da
Mit Kelchen dunkelglühend! Pflanzendickicht,
Durch das ein gelbrot Licht wie von Topasen
In warmen Strömen drang und glomm. Das Ganze
War angefüllt mit einem tiefen Schwellen
Schwermütiger Musik. Und dieses wußt ich,
Obgleich ichs nicht begreife, doch ich wußt es:
Das ist der Tod. Der ist Musik geworden,

Gewaltig sehnend, süß und dunkelglühend,
Verwandt der tiefsten Schwermut.
 Aber seltsam!
Ein namenloses Heimweh weinte lautlos
In meiner Seele nach dem Leben, weinte,
Wie einer weint, wenn er auf großem Seeschiff
Mit gelben Riesensegeln gegen Abend
Auf dunkelblauem Wasser an der Stadt,
Der Vaterstadt, vorüberfährt. Da sieht er
Die Gassen, hört die Brunnen rauschen, riecht
Den Duft der Fliederbüsche, sieht sich selber,
Ein Kind, am Ufer stehn, mit Kindesaugen,
Die ängstlich sind und weinen wollen, sieht
Durchs offne Fenster Licht in seinem Zimmer –
Das große Seeschiff aber trägt ihn weiter
Auf dunkelblauem Wasser lautlos gleitend
Mit gelben fremdgeformten Riesensegeln.

Reiselied

Wasser stürzt, uns zu verschlingen,
Rollt der Fels, uns zu erschlagen,
Kommen schon auf starken Schwingen
Vögel her, uns fortzutragen.

Aber unten liegt ein Land,
Früchte spiegelnd ohne Ende
In den alterslosen Seen.
Marmorstirn und Brunnenrand
Steigt aus blumigem Gelände,
Und die leichten Winde wehn.

Die Beiden

Sie trug den Becher in der Hand
– Ihr Kinn und Mund glich seinem Rand –,
So leicht und sicher war ihr Gang,
Kein Tropfen aus dem Becher sprang.

So leicht und fest war seine Hand:
Er ritt auf einem jungen Pferde,
Und mit nachlässiger Gebärde
Erzwang er, daß es zitternd stand.

Jedoch, wenn er aus ihrer Hand
Den leichten Becher nehmen sollte,
So war es beiden allzu schwer:
Denn beide bebten sie so sehr,
Daß keine Hand die andre fand
Und dunkler Wein am Boden rollte.

631

Lebenslied

Den Erben laß verschwenden
An Adler, Lamm und Pfau
Das Salböl aus den Händen
Der toten alten Frau!
Die Toten, die entgleiten,
Die Wipfel in dem Weiten –
Ihm sind sie wie das Schreiten
Der Tänzerinnen wert!

Er geht wie den kein Walten
Vom Rücken her bedroht.
Er lächelt, wenn die Falten
Des Lebens flüstern: Tod!
Ihm bietet jede Stelle
Geheimnisvoll die Schwelle;
Es gibt sich jeder Welle
Der Heimatlose hin.

Der Schwarm von wilden Bienen
Nimmt seine Seele mit;
Das Singen von Delphinen
Beflügelt seinen Schritt:
Ihn tragen alle Erden
Mit mächtigen Gebärden.
Der Flüsse Dunkelwerden
Begrenzt den Hirtentag!

Das Salböl aus den Händen
Der toten alten Frau
Laß lächelnd ihn verschwenden
An Adler, Lamm und Pfau.
Er lächelt der Gefährten. –
Die schwebend unbeschwerten
Abgründe und die Gärten
Des Lebens tragen ihn.

Dein Antlitz . . .

Dein Antlitz war mit Träumen ganz beladen.
Ich schwieg und sah dich an mit stummem Beben.
Wie stieg das auf! Daß ich mich einmal schon
In frühern Nächten völlig hingegeben.

Dem Mond und dem zuviel geliebten Tal,
Wo auf den leeren Hängen auseinander
Die magern Bäume standen und dazwischen
Die niedern kleinen Nebelwolken gingen

Und durch die Stille hin die immer frischen
Und immer fremden silberweißen Wasser
Der Fluß hinrauschen ließ – wie stieg das auf!

Wie stieg das auf! Denn allen diesen Dingen
Und ihrer Schönheit – die unfruchtbar war –
Hingab ich mich in großer Sehnsucht ganz,
Wie jetzt für das Anschaun von deinem Haar
Und zwischen deinen Lidern diesen Glanz!

Weltgeheimnis

Der tiefe Brunnen weiß es wohl,
Einst waren alle tief und stumm,
Und alle wußten drum.

Wie Zauberworte, nachgelallt
Und nicht begriffen in den Grund
So geht es jetzt von Mund zu Mund.

Der tiefe Brunnen weiß es wohl;
In den gebückt, begriffs ein Mann,
Begriff es und verlor es dann.

Und redet' irr und sang ein Lied –
Auf dessen dunklen Spiegel bückt
Sich einst ein Kind und wird entrückt.

Und wächst und weiß nichts von sich selbst
Und wird ein Weib, das einer liebt
Und – wunderbar wie Liebe gibt!

Wie Liebe tiefe Kunde gibt! –
Da wird an Dinge, dumpf geahnt,
In ihren Küssen tief gemahnt . . .

In unsern Worten liegt es drin,
So tritt des Bettlers Fuß den Kies,
Der eines Edelsteins Verlies.

Der tiefe Brunnen weiß es wohl,
Einst aber wußten alle drum,
Nun zuckt im Kreis ein Traum herum.

Ballade des äußeren Lebens

Und Kinder wachsen auf mit tiefen Augen,
Die von nichts wissen, wachsen auf und sterben,
Und alle Menschen gehen ihre Wege.

Und süße Früchte werden aus den herben
Und fallen nachts wie tote Vögel nieder
Und liegen wenig Tage und verderben.

Und immer weht der Wind, und immer wieder
Vernehmen wir und reden viele Worte
Und spüren Lust und Müdigkeit der Glieder.

Und Straßen laufen durch das Gras, und Orte
Sind da und dort, voll Fackeln, Bäumen, Teichen,
Und drohende, und totenhaft verdorrte . . .

Wozu sind diese aufgebaut? und gleichen
Einander nie? und sind unzählig viele?
Was wechselt Lachen, Weinen und Erbleichen?

Was frommt das alles uns und diese Spiele,
Die wir doch groß und ewig einsam sind
Und wandernd nimmer suchen irgend Ziele?

Was frommts, dergleichen viel gesehen haben?
Und dennoch sagt der viel, der „Abend" sagt,
Ein Wort, daraus Tiefsinn und Trauer rinnt

Wie schwerer Honig aus den hohlen Waben.

Terzinen

I

Über Vergänglichkeit

Noch spür ich ihren Atem auf den Wangen:
Wie kann das sein, daß diese nahen Tage
Fort sind, für immer fort, und ganz vergangen?

Dies ist ein Ding, das keiner voll aussinnt,
Und viel zu grauenvoll, als daß man klage:
Daß alles gleitet und vorüberrinnt.

Und daß mein eignes Ich, durch nichts gehemmt,
Herüberglitt aus einem kleinen Kind
Mir wie ein Hund unheimlich stumm und fremd.

Dann: daß ich auch vor hundert Jahren war
Und meine Ahnen, die im Totenhemd,
Mit mir verwandt sind wie mein eignes Haar,

So eins mit mir als wie mein eignes Haar.

II

Die Stunden! wo wir auf das helle Blauen
Des Meeres starren und den Tod verstehn,
So leicht und feierlich und ohne Grauen,

Wie kleine Mädchen, die sehr blaß aussehn,
Mit großen Augen, und die immer frieren,
An einem Abend stumm vor sich hinsehn

Und wissen, daß das Leben jetzt aus ihren
Schlaftrunknen Gliedern still hinüberfließt
In Bäum und Gras, und sich matt lächelnd zieren

Wie eine Heilige, die ihr Blut vergießt.

III

Wir sind aus solchem Zeug wie das zu Träumen,
Und Träume schlagen so die Augen auf
Wie kleine Kinder unter Kirschenbäumen,

Aus deren Krone den blaßgoldnen Lauf
Der Vollmond anhebt durch die große Nacht.
. . . Nicht anders tauchen unsre Träume auf,

Sind da und leben wie ein Kind, das lacht,
Nicht minder groß im Auf- und Niederschweben
Als Vollmond, aus Baumkronen aufgewacht.

Das Innerste ist offen ihrem Weben;
Wie Geisterhände in versperrtem Raum
Sind sie in uns und haben immer Leben.

Und drei sind Eins: ein Mensch, ein Ding, ein Traum.

Manche freilich . . .

Manche freilich müssen drunten sterben,
Wo die schweren Ruder der Schiffe streifen,

Andre wohnen bei dem Steuer droben,
Kennen Vogelflug und die Länder der Sterne.

Manche liegen immer mit schweren Gliedern
Bei den Wurzeln des verworrenen Lebens,
Andern sind die Stühle gerichtet
Bei den Sibyllen, den Königinnen,
Und da sitzen sie wie zu Hause,
Leichten Hauptes und leichter Hände.

Doch ein Schatten fällt von jenen Leben
In die anderen Leben hinüber,
Und die leichten sind an die schweren
Wie an Luft und Erde gebunden:

Ganz vergessener Völker Müdigkeiten
Kann ich nicht abtun von meinen Lidern,
Noch weghalten von der erschrockenen Seele
Stummes Niederfallen ferner Sterne.

Viele Geschicke weben neben dem meinen,
Durcheinander spielt sie alle das Dasein,
Und mein Teil ist mehr als dieses Lebens
Schlanke Flamme oder schmale Leier.

Ein Traum von großer Magie

Viel königlicher als ein Perlenband
Und kühn wie junges Meer im Morgenduft,
So war ein großer Traum – wie ich ihn fand.

Durch offene Glastüren ging die Luft.
Ich schlief im Pavillon zu ebner Erde,
Und durch vier offne Türen ging die Luft –

Und früher liefen schon geschirrte Pferde
Hindurch und Hunde eine ganze Schar
An meinem Bett vorbei. Doch die Gebärde

Des Magiers – des Ersten, Großen – war
Auf einmal zwischen mir und einer Wand:
Sein stolzes Nicken, königliches Haar.

Und hinter ihm nicht Mauer: es entstand
Ein weiter Prunk von Abgrund, dunklem Meer
Und grünen Matten hinter seiner Hand.

Er bückte sich und zog das Tiefe her.
Er bückte sich, und seine Finger gingen
Im Boden so, als ob es Wasser wär.

Vom dünnen Quellenwasser aber fingen
Sich riesige Opale in den Händen
Und fielen tönend wieder ab in Ringen.

Dann warf er sich mit leichtem Schwung der Lenden –
Wie nur aus Stolz – der nächsten Klippe zu;
An ihm sah ich die Macht der Schwere enden.

In seinen Augen aber war die Ruh
Von schlafend- doch lebendgen Edelsteinen.
Er setzte sich und sprach ein solches Du

Zu Tagen, die uns ganz vergangen scheinen,
Daß sie herkamen trauervoll und groß:
Das freute ihn zu lachen und zu weinen.

Er fühlte traumhaft aller Menschen Los,
So wie er seine eignen Glieder fühlte.
Ihm war nichts nah und fern, nichts klein und groß.

Und wie tief unten sich die Erde kühlte,
Das Dunkel aus den Tiefen aufwärts drang,
Die Nacht das Laue aus den Wipfeln wühlte,

Genoß er allen Lebens großen Gang
So sehr – daß er in großer Trunkenheit
So wie ein Löwe über Klippen sprang.
. .

Cherub und hoher Herr ist unser Geist –
Wohnt nicht in uns, und in die obern Sterne
Setzt er den Stuhl und läßt uns viel verwaist:

Doch Er ist Feuer uns im tiefsten Kerne
– So ahnte mir, da ich den Traum da fand –
Und redet mit den Feuern jener Ferne

Und lebt in mir wie ich in meiner Hand.

Der Jüngling in der Landschaft

Die Gärtner legten ihre Beete frei,
Und viele Bettler waren überall
Mit schwarzverbundnen Augen und mit Krücken –
Doch auch mit Harfen und den neuen Blumen,
Dem starken Duft der schwachen Frühlingsblumen.

Die nackten Bäume ließen alles frei:
Man sah den Fluß hinab und sah den Markt,
Und viele Kinder spielen längs den Teichen.
Durch diese Landschaft ging er langsam hin
Und fühlte ihre Macht und wußte – daß
Auf ihn die Weltgeschicke sich bezogen.

Auf jene fremden Kinder ging er zu
Und war bereit, an unbekannter Schwelle
Ein neues Leben dienend hinzubringen.
Ihm fiel nicht ein, den Reichtum seiner Seele,
Die frühern Wege und Erinnerung
Verschlungner Finger und getauschter Seelen
Für mehr als nichtigen Besitz zu achten.

Der Duft der Blumen redete ihm nur
Von fremder Schönheit – und die neue Luft
Nahm er stillatmend ein, doch ohne Sehnsucht:
Nur daß er dienen durfte, freute ihn.

Verse auf ein kleines Kind

Dir wachsen die rosigen Füße,
Die Sonnenländer zu suchen:
Die Sonnenländer sind offen!
An schweigenden Wipfeln blieb dort

Die Luft der Jahrtausende hangen,
Die unerschöpflichen Meere
Sind immer noch, immer noch da.
Am Rande des ewigen Waldes
Willst du aus der hölzernen Schale
Die Milch mit der Unke dann teilen?
Das wird eine fröhliche Mahlzeit,
Fast fallen die Sterne hinein!
Am Rande des ewigen Meeres
Schnell findest du einen Gespielen:
Den freundlichen guten Delphin.
Er springt dir ans Trockne entgegen,
Und bleibt er auch manchmal aus,
So stillen die ewigen Winde
Dir bald die aufquellenden Tränen.
Es sind in den Sonnenländern
Die alten, erhabenen Zeiten
Für immer noch, immer noch da!
Die Sonne mit heimlicher Kraft,
Sie formt dir die rosigen Füße,
Ihr ewiges Land zu betreten.

Der Kaiser von China spricht:

In der Mitte aller Dinge
Wohne Ich, der Sohn des Himmels.
Meine Frauen, meine Bäume,
Meine Tiere, meine Teiche
Schließt die erste Mauer ein.
Drunten liegen meine Ahnen:
Aufgebahrt mit ihren Waffen,
Ihre Kronen auf den Häuptern,
Wie es einem jeden ziemt,
Wohnen sie in den Gewölben.
Bis ins Herz der Welt hinunter
Dröhnt das Schreiten meiner Hoheit.
Stumm von meinen Rasenbänken,
Grünen Schemeln meiner Füße,
Gehen gleichgeteilte Ströme
Osten-, west- und süd- und nordwärts,
Meinen Garten zu bewässern,
Der die weite Erde ist.
Spiegeln hier die dunkeln Augen,
Bunten Schwingen meiner Tiere,

Dunkle Mauern, dichte Wälder
Und Gesichter vieler Völker.
Meine Edlen, wie die Sterne,
Wohnen rings um mich, sie haben
Namen, die ich ihnen gab,
Namen nach der einen Stunde,
Da mir einer näher kam,
Frauen, die ich ihnen schenkte,
Und den Scharen ihrer Kinder;
Allen Edlen dieser Erde
Schuf ich Augen, Wuchs und Lippen,
Wie der Gärtner an den Blumen.
Aber zwischen äußern Mauern
Wohnen Völker meine Krieger,
Völker meine Ackerbauer.
Neue Mauern und dann wieder
Jene unterworfnen Völker,
Völker immer dumpfern Blutes,
Bis ans Meer, die letzte Mauer,
Die mein Reich und mich umgibt.

637

Rainer Maria Rilke
1875–1926

Ich lebe mein Leben in wachsenden Ringen,
die sich über die Dinge ziehn.
Ich werde den letzten vielleicht nicht vollbringen,
aber versuchen will ich ihn.

Ich kreise um Gott, um den uralten Turm,
und ich kreise jahrtausendelang;
und ich weiß noch nicht: bin ich ein Falke, ein Sturm
oder ein großer Gesang.

Werkleute sind wir: Knappen, Jünger, Meister,
und bauen dich, du hohes Mittelschiff.
Und manchmal kommt ein ernster Hergereister,
geht wie ein Glanz durch unsre hundert Geister
und zeigt uns zitternd einen neuen Griff.

Wir steigen in die wiegenden Gerüste,
in unsern Händen hängt der Hammer schwer,
bis eine Stunde uns die Stirnen küßte,
die strahlend und als ob sie Alles wüßte
von dir kommt, wie der Wind vom Meer.

Dann ist ein Hallen von dem vielen Hämmern
und durch die Berge geht es Stoß um Stoß.
Erst wenn es dunkelt lassen wir dich los:
Und deine kommenden Konturen dämmern.

Gott, du bist groß.

Wie der Wächter in den Weingeländen
seine Hütte hat und wacht,
bin ich Hütte, Herr, in deinen Händen
und bin Nacht, o Herr, von deiner Nacht.

Weinberg, Weide, alter Apfelgarten,
Acker, der kein Frühjahr überschlägt,
Feigenbaum, der auch im marmorharten
Grunde hundert Früchte trägt:

Duft geht aus aus deinen runden Zweigen.
Und du fragst nicht, ob ich wachsam sei;
furchtlos, aufgelöst in Säften, steigen
deine Tiefen still an mir vorbei.

Herbsttag

Herr: es ist Zeit. Der Sommer war sehr groß.
Leg deinen Schatten auf die Sonnenuhren,
und auf den Fluren laß die Winde los.

Befiehl den letzten Früchten voll zu sein;
gieb ihnen noch zwei südlichere Tage,
dränge sie zur Vollendung hin und jage
die letzte Süße in den schweren Wein.

Wer jetzt kein Haus hat, baut sich keines mehr.
Wer jetzt allein ist, wird es lange bleiben,
wird wachen, lesen, lange Briefe schreiben
und wird in den Alleen hin und her
unruhig wandern, wenn die Blätter treiben.

Abend

Der Abend wechselt langsam die Gewänder,
die ihm ein Rand von alten Bäumen hält;
du schaust: und von dir scheiden sich die Länder,
ein himmelfahrendes und eins, das fällt;

und lassen dich, zu keinem ganz gehörend,
nicht ganz so dunkel wie das Haus, das schweigt,
nicht ganz so sicher Ewiges beschwörend
wie das, was Stern wird jede Nacht und steigt –

und lassen dir (unsäglich zu entwirrn)
dein Leben bang und riesenhaft und reifend,
so daß es, bald begrenzt und bald begreifend,
abwechselnd Stein in dir wird und Gestirn.

Abschied

Wie hab ich das gefühlt was Abschied heißt.
Wie weiß ichs noch: ein dunkles unverwundnes
grausames Etwas, das ein Schönverbundnes
noch einmal zeigt und hinhält und zerreißt.

Wie war ich ohne Wehr, dem zuzuschauen,
das, da es mich, mich rufend, gehen ließ,
zurückblieb, so als wärens alle Frauen
und dennoch klein und weiß und nichts als dies:

Ein Winken, schon nicht mehr auf mich bezogen,
ein leise Weiterwinkendes –, schon kaum
erklärbar mehr: vielleicht ein Pflaumenbaum,
von dem ein Kuckuck hastig abgeflogen.

Ausgesetzt auf den Bergen des Herzens. Siehe, wie klein dort,
siehe: die letzte Ortschaft der Worte, und höher,
aber wie klein auch, noch ein letztes
Gehöft von Gefühl. Erkennst du's?
Ausgesetzt auf den Bergen des Herzens. Steingrund
unter den Händen. Hier blüht wohl
einiges auf; aus stummem Absturz
blüht ein unwissendes Kraut singend hervor.
Aber der Wissende? Ach, der zu wissen begann
und schweigt nun, ausgesetzt auf den Bergen des Herzens.
Da geht wohl, heilen Bewußtseins,
manches umher, manches gesicherte Bergtier,
wechselt und weilt. Und der große geborgene Vogel
kreist um der Gipfel reine Verweigerung. – Aber
ungeborgen, hier auf den Bergen des Herzens . . .

Schlußstück

Der Tod ist groß.
Wir sind die Seinen
lachenden Munds.
Wenn wir uns mitten im Leben meinen,
wagt er zu weinen
mitten in uns.

Liebes-Lied

Wie soll ich meine Seele halten, daß
sie nicht an deine rührt? Wie soll ich sie
hinheben über dich zu andern Dingen?
Ach gerne möcht ich sie bei irgendwas
Verlorenem im Dunkel unterbringen
an einer fremden stillen Stelle, die
nicht weiterschwingt, wenn deine Tiefen schwingen.
Doch alles, was uns anrührt, dich und mich,
nimmt uns zusammen wie ein Bogenstrich,
der aus zwei Saiten *eine* Stimme zieht.
Auf welches Instrument sind wir gespannt?
Und welcher Geiger hat uns in der Hand?
O süßes Lied.

Der Panther
Im Jardin des Plantes, Paris

Sein Blick ist vom Vorübergehn der Stäbe
so müd geworden, daß er nichts mehr hält.
Ihm ist, als ob es tausend Stäbe gäbe
und hinter tausend Stäben keine Welt.

Der weiche Gang geschmeidig starker Schritte,
der sich im allerkleinsten Kreise dreht,
ist wie ein Tanz von Kraft um eine Mitte,
in der betäubt ein großer Wille steht.

Nur manchmal schiebt der Vorhang der Pupille
sich lautlos auf –. Dann geht ein Bild hinein,
geht durch der Glieder angespannte Stille –
und hört im Herzen auf zu sein.

Der Schwan

Diese Mühsal, durch noch Ungetanes
schwer und wie gebunden hinzugehn,
gleicht dem ungeschaffnen Gang des Schwanes.

Und das Sterben, dieses Nichtmehrfassen
jenes Grunds, auf dem wir täglich stehn,
seinem ängstlichen Sich-Niederlassen –:

in die Wasser, die ihn sanft empfangen
und die sich, wie glücklich und vergangen,
unter ihm zurückziehn, Flut um Flut;
während er unendlich still und sicher
immer mündiger und königlicher
und gelassener zu ziehn geruht.

Das Karussell
Jardin du Luxembourg

Mit einem Dach und seinem Schatten dreht
sich eine kleine Weile der Bestand
von bunten Pferden, alle aus dem Land,
das lange zögert, eh es untergeht.
Zwar manche sind an Wagen angespannt,
doch alle haben Mut in ihren Mienen;
ein böser roter Löwe geht mit ihnen
und dann und wann ein weißer Elefant.

Sogar ein Hirsch ist da, ganz wie im Wald,
nur daß er einen Sattel trägt und drüber
ein kleines blaues Mädchen aufgeschnallt.

Und auf dem Löwen reitet weiß ein Junge
und hält sich mit der kleinen heißen Hand,
dieweil der Löwe Zähne zeigt und Zunge.

Und dann und wann ein weißer Elefant.

Und auf den Pferden kommen sie vorüber,
auch Mädchen, helle, diesem Pferdesprunge

fast schon entwachsen; mitten in dem Schwunge
schauen sie auf, irgendwohin, herüber –

Und dann und wann ein weißer Elefant.

Und das geht hin und eilt sich, daß es endet,
und kreist und dreht sich nur und hat kein Ziel.
Ein Rot, ein Grün, ein Grau vorbeigesendet,
ein kleines kaum begonnenes Profil –.
Und manchesmal ein Lächeln, hergewendet,
ein seliges, das blendet und verschwendet
an dieses atemlose blinde Spiel . . .

Römische Fontäne
Borghese

Zwei Becken, eins das andre übersteigend
aus einem alten runden Marmorrand,
und aus dem oberen Wasser leis sich neigend
zum Wasser, welches unten wartend stand,

dem leise redenden entgegenschweigend
und heimlich, gleichsam in der hohlen Hand,
ihm Himmel hinter Grün und Dunkel zeigend
wie einen unbekannten Gegenstand;

sich selber ruhig in der schönen Schale
verbreitend ohne Heimweh, Kreis aus Kreis,
nur manchmal träumerisch und tropfenweis

sich niederlassend an den Moosbehängen
zum letzten Spiegel, der sein Becken leis
von unten lächeln macht mit Übergängen.

Archäischer Torso Apollos

Wir kannten nicht sein unerhörtes Haupt,
darin die Augenäpfel reiften. Aber
sein Torso glüht noch wie ein Kandelaber,
in dem sein Schauen, nur zurückgeschraubt,

sich hält und glänzt. Sonst könnte nicht der Bug
der Brust dich blenden, und im leisen Drehen
der Lenden könnte nicht ein Lächeln gehen
zu jener Mitte, die die Zeugung trug.

Sonst stünde dieser Stein entstellt und kurz
unter der Schultern durchsichtigem Sturz
und flimmerte nicht so wie Raubtierfelle;

und bräche nicht aus allen seinen Rändern
aus wie ein Stern: denn da ist keine Stelle,
die dich nicht sieht. Du mußt dein Leben ändern.

Spätherbst in Venedig

Nun treibt die Stadt schon nicht mehr wie ein Köder,
der alle aufgetauchten Tage fängt.
Die gläsernen Paläste klingen spröder
an deinen Blick. Und aus den Gärten hängt

der Sommer wie ein Haufen Marionetten
kopfüber, müde, umgebracht.
Aber vom Grund aus alten Waldskeletten
steigt Willen auf: als sollte über Nacht

der General des Meeres die Galeeren
verdoppeln in dem wachen Arsenal,
um schon die nächste Morgenluft zu teeren

mit einer Flotte, welche ruderschlagend
sich drängt und jäh, mit allen Flaggen tagend,
den großen Wind hat, strahlend und fatal.

Aus: *Duineser Elegien:*

Die erste Elegie

Wer, wenn ich schriee, hörte mich denn aus der Engel
Ordnungen? und gesetzt selbst, es nähme
einer mich plötzlich ans Herz: ich verginge von seinem
stärkeren Dasein. Denn das Schöne ist nichts
als des Schrecklichen Anfang, den wir noch grade ertragen,
und wir bewundern es so, weil es gelassen verschmäht,
uns zu zerstören. Ein jeder Engel ist schrecklich.

Und so verhalt ich mich denn und verschlucke den Lockruf
dunkelen Schluchzens. Ach, wen vermögen
wir denn zu brauchen? Engel nicht, Menschen nicht,
und die findigen Tiere merken es schon,
daß wir nicht sehr verläßlich zu Haus sind
in der gedeuteten Welt. Es bleibt uns vielleicht
irgend ein Baum an dem Abhang, daß wir ihn täglich
wiedersähen; es bleibt uns die Straße von gestern
und das verzogene Treusein einer Gewohnheit,
der es bei uns gefiel, und so blieb sie und ging nicht.

O und die Nacht, die Nacht, wenn der Wind voller Weltraum
uns am Angesicht zehrt –, wem bliebe sie nicht, die ersehnte,
sanft enttäuschende, welche dem einzelnen Herzen

mühsam bevorsteht. Ist sie den Liebenden leichter?
Ach, sie verdecken sich nur mit einander ihr Los.

Weißt du's *noch* nicht? Wirf aus den Armen die Leere
zu den Räumen hinzu, die wir atmen; vielleicht daß die Vögel
die erweiterte Luft fühlen mit innigerm Flug.

Ja, die Frühlinge brauchten dich wohl. Es muteten manche
Sterne dir zu, daß du sie spürtest. Es hob
sich eine Woge heran im Vergangenen, oder
da du vorüberkamst am geöffneten Fenster,
gab eine Geige sich hin. Das alles war Auftrag.
Aber bewältigtest du's? Warst du nicht immer
noch von Erwartung zerstreut, als kündigte alles
eine Geliebte dir an? (Wo willst du sie bergen,
da doch die großen fremden Gedanken bei dir
aus und ein gehn und öfters bleiben bei Nacht.)
Sehnt es dich aber, so singe die Liebenden; lange
noch nicht unsterblich genug ist ihr berühmtes Gefühl.
Jene, du neidest sie fast, Verlassenen, die du
so viel liebender fandst als die Gestillten. Beginn
immer von neuem die nie zu erreichende Preisung;
denk: es erhält sich der Held, selbst der Untergang war ihm
nur ein Vorwand, zu sein: seine letzte Geburt.
Aber die Liebenden nimmt die erschöpfte Natur
in sich zurück, als wären nicht zweimal die Kräfte,
dieses zu leisten. Hast du der Gaspara Stampa
denn genügend gedacht, daß irgend ein Mädchen,
dem der Geliebte entging, am gesteigerten Beispiel
dieser Liebenden fühlt: daß ich würde wie sie?
Sollen nicht endlich uns diese ältesten Schmerzen
fruchtbarer werden? Ist es nicht Zeit, daß wir liebend
uns vom Geliebten befrein und es bebend bestehn:
wie der Pfeil die Sehne besteht, um gesammelt im Absprung
mehr zu sein als er selbst. Denn Bleiben ist nirgends.

Stimmen, Stimmen. Höre, mein Herz, wie sonst nur
Heilige hörten: daß sie der riesige Ruf
aufhob vom Boden; sie aber knieten,
Unmögliche, weiter und achtetens nicht:
So waren sie hörend. Nicht, daß du *Gottes* ertrügest
die Stimme, bei weitem. Aber das Wehende höre,
die ununterbrochene Nachricht, die aus Stille sich bildet.
Es rauscht jetzt von jenen jungen Toten zu dir.
Wo immer du eintratst, redete nicht in Kirchen
zu Rom und Neapel ruhig ihr Schicksal dich an?
Oder es trug eine Inschrift sich erhaben dir auf,
wie neulich die Tafel in Santa Maria Formosa.
Was sie mir wollen? leise soll ich des Unrechts
Anschein abtun, der ihrer Geister
reine Bewegung manchmal ein wenig behindert.

Freilich ist es seltsam, die Erde nicht mehr zu bewohnen,
kaum erlernte Gebräuche nicht mehr zu üben,
Rosen, und andern eigens versprechenden Dingen
nicht die Bedeutung menschlicher Zukunft zu geben;
das, was man war in unendlich ängstlichen Händen,
nicht mehr zu sein, und selbst den eigenen Namen
wegzulassen wie ein zerbrochenes Spielzeug.
Seltsam, die Wünsche nicht weiterzuwünschen. Seltsam,
alles, was sich bezog, so lose im Raume
flattern zu sehen. Und das Totsein ist mühsam
und voller Nachholn, daß man allmählich ein wenig
Ewigkeit spürt. – Aber Lebendige machen
alle den Fehler, daß sie zu stark unterscheiden.
Engel (sagt man) wüßten oft nicht, ob sie unter
Lebenden gehn oder Toten. Die ewige Strömung
reißt durch beide Bereiche alle Alter
immer mit sich und übertönt sie in beiden.

Schließlich brauchen sie uns nicht mehr, die Früheentrückten,
man entwöhnt sich des Irdischen sanft, wie man den Brüsten
milde der Mutter entwächst. Aber wir, die so große
Geheimnisse brauchen, denen aus Trauer so oft
seliger Fortschritt entspringt –: *könnten* wir sein ohne sie?
Ist die Sage umsonst, daß einst in der Klage um Linos
wagende erste Musik dürre Erstarrung durchdrang;
daß erst im erschrockenen Raum, dem ein beinah göttlicher Jüngling
plötzlich für immer enttrat, das Leere in jene
Schwingung geriet, die uns jetzt hinreißt und tröstet und hilft.

Aus: *Sonette an Orpheus*

Erster Teil

VII

Rühmen, das ists! Ein zum Rühmen Bestellter,
ging er hervor wie das Erz aus des Steins
Schweigen. Sein Herz, o vergängliche Kelter
eines den Menschen unendlichen Weins.

Nie versagt ihm die Stimme am Staube,
wenn ihn das göttliche Beispiel ergreift.
Alles wird Weinberg, alles wird Traube,
in seinem fühlenden Süden gereift.

Nicht in den Grüften der Könige Moder
straft ihm die Rühmung lügen, oder
daß von den Göttern ein Schatten fällt.

Er ist einer der bleibenden Boten,
der noch weit in die Türen der Toten
Schalen mit rühmlichen Früchten hält.

IX

Nur wer die Leier schon hob
auch unter Schatten,
darf das unendliche Lob
ahnend erstatten.

Nur wer mit Toten vom Mohn
aß, von dem ihren,
wird nicht den leisesten Ton
wieder verlieren.

Mag auch die Spieglung im Teich
oft uns verschwimmen:
Wisse das Bild.

Erst in dem Doppelbereich
werden die Stimmen
ewig und mild.

Zweiter Teil

XIII

Sei allem Abschied voran, als wäre er hinter
dir, wie der Winter, der eben geht.
Denn unter Wintern ist einer so endlos Winter,
daß, überwinternd, dein Herz überhaupt übersteht.

Sei immer tot in Eurydike –, singender steige,
preisender steige zurück in den reinen Bezug.
Hier, unter Schwindenden, sei, im Reiche der Neige,
sei ein klingendes Glas, das sich im Klang schon zerschlug.

Sei – und wisse zugleich des Nicht-Seins Bedingung,
den unendlichen Grund deiner innigen Schwingung,
daß du sie völlig vollziehst dieses einzige Mal.

Zu dem gebrauchten sowohl, wie zum dumpfen und stummen
Vorrat der vollen Natur, den unsäglichen Summen,
zähle dich jubelnd hinzu und vernichte die Zahl.

XV

O Brunnen-Mund, du gebender, du Mund,
der unerschöpflich Eines, Reines, spricht, –
du, vor des Wassers fließendem Gesicht,
marmorne Maske. Und im Hintergrund

der Aquädukte Herkunft. Weither an
Gräbern vorbei, vom Hang des Apennins
tragen sie dir dein Sagen zu, das dann
am schwarzen Altern deines Kinns

vorüberfällt in das Gefäß davor.
Dies ist das schlafend hingelegte Ohr,
das Marmorohr, in das du immer sprichst.

Ein Ohr der Erde. Nur mit sich allein
redet sie also. Schiebt ein Krug sich ein,
so scheint es ihr, daß du sie unterbrichst.

XXIX

Stiller Freund der vielen Fernen, fühle,
wie dein Atem noch den Raum vermehrt.
Im Gebälk der finstern Glockenstühle
laß dich läuten. Das, was an dir zehrt,

wird ein Starkes über dieser Nahrung.
Geh in der Verwandlung aus und ein.
Was ist deine leidendste Erfahrung?
Ist dir Trinken bitter, werde Wein.

Sei in dieser Nacht aus Übermaß
Zauberkraft am Kreuzweg deiner Sinne,
ihrer seltsamen Begegnung Sinn.

Und wenn dich das Irdische vergaß,
zu der stillen Erde sag: Ich rinne.
Zu dem raschen Wasser sprich: Ich bin.

Es winkt zu Fühlung fast aus allen Dingen,
aus jeder Wendung weht es her: Gedenk!
Ein Tag, an dem wir fremd vorübergingen,
entschließt im künftigen sich zum Geschenk.

Wer rechnet unseren Ertrag? Wer trennt
uns von den alten, den vergangnen Jahren?
Was haben wir seit Anbeginn erfahren,
als daß sich eins im anderen erkennt?

Als daß an uns Gleichgültiges erwarmt?
O Haus, o Wiesenhang, o Abendlicht,
auf einmal bringst du's beinah zum Gesicht
und stehst an uns, umarmend und umarmt.

Durch alle Wesen reicht der *eine* Raum:
Weltinnenraum. Die Vögel fliegen still
durch uns hindurch. O, der ich wachsen will,
ich seh hinaus, und *in* mir wächst der Baum.

Ich sorge mich, und in mir steht Haus.
Ich hüte mich, und in mir ist die Hut.
Geliebter, der ich wurde: an mir ruht
der schönen Schöpfung Bild und weint sich aus.

Komm du, du letzter, den ich anerkenne,
heilloser Schmerz im leiblichen Geweb:
wie ich im Geiste brannte, sieh, ich brenne
in dir; das Holz hat lange widerstrebt,
der Flamme, die du loderst, zuzustimmen,

nun aber nähr' ich dich und brenn in dir.
Mein hiesig Mildsein wird in deinem Grimmen
ein Grimm der Hölle nicht von hier.
Ganz rein, ganz planlos frei von Zukunft stieg
ich auf des Leidens wirren Scheiterhaufen,
so sicher nirgend Künftiges zu kaufen
um dieses Herz, darin der Vorrat schwieg.
Bin ich es noch, der da unkenntlich brennt?
Erinnerungen reiß ich nicht herein.
O Leben, Leben: Draußensein.
Und ich in Lohe. Niemand der mich kennt.

Rudolf Borchardt
1877–1945

Gesang im Dunkeln

Diese Nacht in schattenhaften Wäldern
Lief ich hinter einer dunklen Rehe,
Da sie meinen Atem hörte, floh sie,
Blickte wild aus ihren schiefen Augen.

Wo sind Rosen, die ich brechen wollte?
Diese Hände sind so leer wie gestern,
Meine Sohlen sind bestaubt und blutend,
Meine Haare hangen voller Dornen.

Diese Nacht bei deinem Rosengarten
Riß, wie riß ich an den Eisengittern!
Fliederblätter faßt ich mit den Lippen!
Kalte Büsche stachen meine Wange.

Diese Nacht war wie die andern alle,
Heute Nacht wird sein wie alle Nächte,
Ich vergehe unter deinem Atem,
Ich zerreiße unter deinen Händen.

Zwischen Bäumen, Berg hinan die Felsen
Tanz ich hin wie eine Fackel brennend,
Sang ein Vogel fern, ich kann nicht hören,
Weint es hinter mir, ich weiß es nimmer.

Meine Ohren sind bedrängt von Schluchzen,
Nichts wie Tränen braust mirs vor den Augen,
Ich vergehe unter deinem Atem,
Ich zerreiße, wiß es, ich zerreiße!

Abschied

Wir haben nicht wie Knecht und Magd am Zaun
Gelegenheit; und nicht wie Brautgesellen
Den Trost, ein heimlich Scheiden zu bestellen:
Wo aller Augen wartend auf uns schaun,
Soll dieses Schwert durch unsre Seele haun:
Kein Baum, den zwanzig an der Wurzel fällen,
Stirbt allgemein besudelter im Grellen:
Nur noch verachten gilt, und sich vertraun,

Und, wie Ermordete im alten Stück
Noch schwatzen, vorwärts du und ich zurück,
Im Griff das schwarze Eingeweide tragend,
Fortsteigen, gleichen Fußes und Gesichts;
Und erst wo keins mehr zusieht, in das Nichts
Quer treten, ohne Laut vornüberschlagend.

Autumnus

I

Vor allen Göttern in des Jahres Reihn
So stumm, so staunend lernten wir zu beten –
Nun sind wir in den dritten Kreis getreten,
Das Jahr ist reif, die Blätter wurden Wein,
Und was nicht reifte, schläft in kahlen Beeten
Des alten Sommers unter Schleiern ein –
Sie könnten von den blinden Fäden sein,
Die eben deinem Schritt vorbei verwehten.

Ein neu Gesicht hat sich zu uns gesellt.
Aus finstren Schatten lacht es braun und bunt,
Dies ist Autumnus, der den Apfel hält.
Rot wirbelts um ihn, gelber sinkts zu Grund,
Mit starken Augen bindet er die Welt.
Die Traube schwillt um seinen schweren Mund.

[Autumnus: Herbst.]

Kürzester Tag

In eine Winterfrühe hebst du dich,
So hingegeben in den Stundenschlag
Wie einer Jugendliedern lauschen mag,
Und lauschend nicht mehr hört, und tief in sich
Die alten Augen wendet bitterlich:
Nun ist doch Morgen, und das Licht wie zag!
Am Himmel steht der hoffnungslose Tag
Im Unsichtbaren unerschütterlich.

Es ist nicht schwer, von Tischen aufzustehen,
Wo alle Becher umgeworfen sind
Und wüste Decken in die Nachtluft wehen –
Es ist beinahe leicht, durch diesen Wind
Und nun durch diesen ersten Schnee zu gehen!
Du fühlst dein Herz nicht mehr und bist wie blind.

Nachklang

Frei sein ist nichts: ich wollte, ich wäre dein
So völlig einwärts wie der Baum der Rinde,

Die er bewohnt und tränkt; der Pol dem Stein
Magnet, der Demant seinem Fürstenkinde.
Im Winde totes Laub ist frei; Gesinde
Sind die entworfenen Sterne vor dem Schrein
Des Herrn: das Loblied laß mich, nicht den Schrei sein,
O Herz der Ordnungen! laß mich nicht frei sein,
Frei sein ist nichts: ich wollt, ich wäre dein!

Ode mit dem Granatapfel
An Schröder

Diese Frucht der Persephoneia, Gastfreund,
Schont ich dir und mir in Gedanken herbstlang –
Dir und mir vor Nacht, da das erstemal Orion im Osten

Groß mit Hunden hinter dem Jahr heraufkommt,
Brach ich heut die zeitige Last: nicht klagend,
Wohl nicht klagend; aber der alten Totenklage gedenkend.

Wenn das Fest ist, dies, da man Ihrer andenkt,
Ihnen nichts als alternde Blumen, nichts als
Bettlerlicht auf Knieen ins unbekränzte Dunkel hinabreicht,

Dann nicht ohn ein reiferes Zeichen sollst du,
Ohn ein Opfer, das dir gemäßer sei, nicht
Stehn und suchen: Nimm den geheimnisvollen Apfel des Hades.

Denn die Schale, wo sie schon aufbricht, wer sie
Längshin durchreißt, Nester der Purpurkerne
Schöpfend schenkt, wie sollt es ihn reun, ob berstend einer zerblute,

Da nach Keim sie unten verhungern, dein Blut
Nicht bis hin langt? Sühne das Nichts und Fast-Nichts
Gleichnishaft und scheide: Du hast nur Bilder, Mensch, deiner Gottheit!

Alle, die wir wurden und da sind, wohnen
An der Grenze. Jede Sekunde stößt an
Reifes Jenseits, draus keine Hand mehr Händen Wirkliches abnimmt.

Dennoch, Bruder, nimm du sie dennoch, Ernte
Gib sie dennoch, die ich der Herbstglut preisgab,
Weiter – halb gab: Denn in der Baumnacht, taulos, haftete jahrlang

Stets licht-abseits stille die kalte Halbfrucht,
Grün und fremd, dem emsigen Vielfuß kundig,
Spinngeweben heimlich, und trank von Glut noch Regen bis heut nicht.

Besser so: Es muß für die Reinsten etwas
Keusch, ein Ei sein, das in der eignen Hut wächst,
Kühl, ein Herz, das, vielen genehm, dem Einen Einsamer anhangt.

Uns auch bräunt am Leben die Wange, Gastfreund,
Unsres Herbsttages, Kern über Kern entfaltend,
Lautlos wachsend, warten auch wir nach ganz vernichteter Jugend:

Was untröstlich gegen den Stamm blickt, standhaft
Abgewandt von Sonnen, die Heutges bunter
Sehn als gestern, dies zu entdecken wehrt mir, außer der Andacht,

Auch dies Zwielicht, da mir mit Tau ins Nachtbeet
Weit im Bogen fahrende Gäste kehren –
Faltern gleich, doch eben um ein unsagbar Deutliches anders,

Ob sie gleich, wie jene, bei Tag wer weiß wo,
Nachts, wer weiß woher, mit dem Seglerlaut des
Flugs angeisternd, vor dem nur heut noch schönen Munde sich stillen.

Mit den Schuhen

Was man will, kann man nicht geben,
Und man gibt nur, was man muß,
Also gibt man einen Kuß
Und man gäbe gern das Leben.

Also gibt man einen Strauß
Statt des Gartens um ein Haus,
Gibt das Buch als den Entgelt
Für die Weisheit aller Welt,

Drängt den Ring an einen Finger,
Schlingt die Kette um den Hals, –
Alles nur ein wie geringer
Abschlag auf die Schuld des Alls!

Jenes Alls, in dem man ist,
Wenn man eine liebt, –
Wer der Gabe Sinn vergißt,
Was hat er, was er gibt?

Alle Gabe ist nur Sinn
Und Bild in einer Hülle.
Seit ich fühle alle Fülle,
Weiß ich erst, wie arm ich bin!

Mach mich du, geliebtes Kind
Zum reichsten von den Leuten!
Sieh nicht an, was Gaben sind
Nur an, was sie bedeuten!

Für das ganze Feld die Ähre,
Für den Himmel nimm den Stern,
Und mich selbst für was ich gern
Um Deinetwillen wäre!

Diese Hände mit den Schuhn –
Fühle, was sie nur vertreten,
Sieh nicht, was sie eben tun,
Nur was sie lieber täten!

Nimm sie so, wie ich sie sende
Denn sie meinen, Süße –
Lieber legt ich beide Hände
Unter deine Füße!

Zwar sie stehn für keine Gabe
– Dennoch sei das Spiel verziehn!
Alles ist ja nur geliehn
Solang ich dich nicht habe.

Wolf Graf von Kalckreuth
1887–1906

Nun sinkt die Dämmerung zum Himmelsrand,
Gelassen, wie ein Zug von grauen Reihern,
Und leise hüllt sie mit saphirnen Schleiern
In tiefes Ruhen das erstorbne Land.

Gelassen, wie ein Zug von grauen Reihern,
Zerschmilzt der Wolken duftgeeintes Band.
In tiefem Ruhn liegt das erstorbne Land.
Ein spätes Rot blinkt aus den schmalen Weihern.

Es schmilzt der Wolken duftgeeintes Band,
Die Nacht erhebt sich riesenhaft und bleiern,
Ein spätes Rot blinkt aus den schmalen Weihern.
Nun ist die große Sonne ausgebrannt.

Die Nacht erhebt sich riesenhaft und bleiern,
Die unser furchterfülltes Auge bannt.
Nun ist die große Sonne ausgebrannt,
Bis wir in ew'ger Sternendämmrung feiern.

Rudolf G. Binding
1867–1938

Trauer

Verweinte Wälder kommen mir entgegen.
Verweinte Pappel wartet mein am Weg.
Versengtes Dorf kann sich vor Schmerz nicht legen.
Im Fluß versinkend klagt zerfleischter Steg.

Die Städte jammern weit im Rund geschändet:
Brandwunden bluten wie zerrissene Scham.
Hilflos stehn Häuser reihenweis geblendet
und schwarze Gossen spiegeln schwarzen Gram.

Gehöfte winseln wie verendende Hunde
ins Land, die ihren Herrn verloren haben.
Sie würgen ihren Schutt; und ihre Stunde
kommt, noch bevor die Disteln sie begraben.

Ein Krähenschleier treibt wie tote Fetzen
über die Äcker, trauriger Winde Spiel.

Zerquälte, brache Furchenleiber setzen
sich hungernd auf, ob noch kein Same fiel.

Die Welt gleicht einem ausgeräumten, schragen
und öden Sterbsaal: selbst die Leichen
– letztes armseliges Erinnerungszeichen
daß hier einst Leben war – hat man hinausgetragen.

Spruch für eine Sonnenuhr
Auf dem Hochzeitsturm in Darmstadt

Der Tag geht über mein Gesicht.
Die Nacht sie tastet leis vorbei.
Und Tag und Nacht ein gleich Gewicht
Und Nacht und Tag ein Einerlei.

Es schreibt die dunkle Schrift der Tag
und dunkler noch schreibt sie die Nacht.
Und keiner lebt der deuten mag
was beider Schatten ihm gebracht.

Und ewig kreist die Schattenschrift.
Leblang stehst du im dunklen Spiel.
Bis einmal dich die Deutung trifft:
Die Zeit ist um. Du bist am Ziel.

Liebe

Nun stehn die Hirsche still auf dunklen Schneisen,
die Löwen stehen still im Felsentor;
nun schweigen Nachtigallen ihrer Weisen
und Sterne, Sterne hören auf zu kreisen
und aus den Sonnen tritt kein Tag hervor.

In gleiche Nacht sind wir nun eingetaucht,
in gleichen Tag und wieder Tag und Nacht,
ein gleiches Sterben hat uns angehaucht,
zwei Leben sind im Augenblick verraucht
und gleiches Wissen hat uns stumm gemacht.

Es ist als ob die Welt sanft von uns wich –.
Die Löwen stehen still im Felsentor
und Sterne, Sterne – Mond und Stern verblich
und alles starb, als du und ich
und ich und du sich Herz in Herz verlor.

Ricarda Huch
1864–1947

Du kamst zu mir, mein Abgott, meine Schlange,
In dunkler Nacht, die um dich her erglühte.
Ich diente dir mit Liebesüberschwange
Und trank das Feuer, das dein Atem sprühte.
Du flohst, ich suchte lang in Finsternissen.
Da kannten mich die Götter und Dämonen
An jenem Glanze, den ich dir entrissen,
Und führten mich ins Licht, mit dir zu thronen.

Uralter Worte kundig kommt die Nacht;
Sie löst den Dingen Rüstung ab und Bande,
Sie wechselt die Gestalten und Gewande
Und hüllt den Streit in gleiche braune Tracht.

Da rührt das steinerne Gebirg sich sacht
Und schwillt wie Meer hinüber in die Lande.
Der Abgrund kriecht verlangend bis zum Rande
Und trinkt der Sterne hingebeugte Pracht.

Ich halte dich und bin von dir umschlossen,
Erschöpfte Wandrer wiederum zu Haus;
So fühl ich dich in Fleisch und Blut gegossen,

Von deinem Leib und Leben meins umkleidet.
Die Seele ruht von langer Sehnsucht aus,
Die eins vom andern nicht mehr unterscheidet.

Nachtigall und Rose

Dornen, Dornen trägst du, blasse Rose,
Dran sich deine Nachtigall verblutet;
Denn verordnet sind euch diese Lose:
Dich bannt Schönheit, Liebe sie durchflutet.

Heil im Feuer schmelzender Gesänge
Schimmert diamanten deine Krone;
Sehnsuchtsvoll nach dem versagten Lohne
Stürzt die Liederbrust ins Dorngedränge.

Süß verendet die entzückte Flöte.
Daß sich euer streng Geschick versöhne,
Rose, glüht nun in der Purpurröte
Ihres Liebestodes deine Schöne.

Wiegenlied
aus dem Dreißigjährigen Kriege

Horch, Kind, horch, wie der Sturmwind weht
Und rüttelt am Erker!
Wenn der Braunschweiger draußen steht,
Der faßt uns noch stärker.
Lerne beten, Kind, und falten fein die Händ,
Damit Gott den tollen Christian von uns wend!

Schlaf, Kind, schlaf, es ist Schlafenszeit,
Ist Zeit auch zum Sterben.
Bist du groß, wird dich weit und breit
Die Trommel anwerben.
Lauf ihr nach, mein Kind, hör deiner Mutter Rat;
Fällst du in der Schlacht, so würgt dich kein Soldat.

„Herr Soldat, tu mir nichts zuleid
Und laß mir mein Leben!" –
„Herzog Christian führt uns zum Streit,

Kann kein Pardon geben.
Lassen muß der Bauer mir sein Gut und Hab,
Zahle nicht mit Geld, nur mit dem kühlen Grab."

Schlaf, Kind, schlaf, werde stark und groß.
Die Jahre, sie rollen;
Folgst bald selber auf stolzem Roß
Herzog Christian dem Tollen.
Wie erschrickt der Paff und wirft sich auf die Knie –
„Für den Bauer nicht Pardon, den Pfaffen aber nie!"

Still, Kind, still, wenn Herr Christian kommt,
Der lehrt dich zu schweigen!
Sei fein still, bis dir selber frommt,
Ein Roß zu besteigen.
Sei fein still, dann bringt der Vater bald dir Brot,
Wenn nach Rauch der Wind nicht schmeckt und nicht der Himmel rot.

Heroische Landschaft

Aus unsichtbarer Urne schwillt
Der Strom unendlich in der Ebne blaues Reich.
Kein Busch, der ihn verhüllt,
Kein Brückenband faßt ihn zusammen,
Stark fließt er, unaufhaltsam, lautlos weich.
Vielleicht daß Rosse schnaubend ihn durchschwammen
Einst in der Schlacht Verzweiflungsdrang;
Daß Blätter von den Eschen, die dort stehn,
Mit herbstlich wildem Klang
Wie von Trompeten
Nach drüben wehn.
Nun seh ich Götter feurig ihn betreten,
Drei: Mittag, Tod und Ruhm;
Schicksal im Sinn,
Von einer breiten Fahne rot umrauscht.
Wohin? Wohin?
Zu ferner Völker Rauch und Heiligtum?
Zu eines Helden Gruft?
Die Seele lauscht –
Vorüber; noch ein Klirren in der Luft.

Mein Herz, mein Löwe, hält seine Beute fest,
Sein Geliebtes fest in den Fängen,
Aber Gehaßtes gibt es auch,
Das er niemals entläßt
Bis zum letzten Hauch,
Was immer die Jahre verhängen.
Es gibt Namen, die beflecken
Die Lippen, die sie nennen,
Die Erde mag sie nicht decken,
Die Flamme mag sie nicht brennen.
Der Engel, gesandt, den Verbrecher
Mit der Gnade von Gott zu betauen,
Wendet sich ab voll Grauen
Und wird zum zischenden Rächer.
Und hätte Gott selbst so viel Huld,
Zu waschen die blutrote Schuld,
Bis der Schandfleck verblaßte, –
Mein Herz wird hassen, was es haßte,
Mein Herz hält fest seine Beute,
Daß keiner dran künstle und deute,
Daß kein Lügner schminke das Böse,
Verfluchtes vom Fluche löse.

Lulu von Strauß und Torney
1873–1956

Das Gericht von Calais

König Eduard in seinem Zelte stand
Um das Kreuz des Schwertes geklemmt die Hand:
„Wer ist das, der mir von Gnade spricht?
Was soll das Wort mir? Heut kenn' ich es nicht.
Gnade genug der Rebellenstadt,
Wenn das Schwert nicht schlägt, was da Atem hat!
Gesprochen hab' ich, und damit gut:
Vier ihrer Bürger mit Gut und Blut,
Barfuß im Hemd ihrer Besten vier,
Den Strick um den Hals im Staub vor mir,
Im Staube vor meinem Königszelt,
Daß ich tue mit ihnen, was mir gefällt –
Oder drei Tage Mord und Brand,
Daß es raucht bis Brest und bis Flanderland,
Daß es heißt noch in spätester Enkel Tag:
Hier ist der Ort, wo Calais einst lag!"

Und die Boten hörten's, den Tod im Blick,
Und neigten sich stumm und ritten zurück.
Sie ritten ins Stadttor wegbestaubt –
Am Markte drängte sich Haupt an Haupt,
Bürger an tausend, Kind und Frau,
Schmal die Wangen, von Hunger grau.
Und die Boten ritten vors Rathaustor,
Die Stufen stiegen sie stumm empor,
Und der Markt lag wartend und bang und still.
„Höre, Calais, was der König will:
Mit Gut und Blut eurer Bürger hier
Barfuß im Hemde der Besten vier,
Den Strick um den Hals vor dem Königszelt,
Daß er tue mit ihnen, was ihm gefällt –
Oder drei Tage Mord und Brand,
Daß es raucht bis Brest und bis Flanderland,
Daß es heißt noch in spätester Enkel Tag:
Hier ist der Ort, wo Calais einst lag."

Einen Herzschlag Stille, und zwei und drei –
Dann brauste es auf, ein einziger Schrei,
Und die Mütter rissen die Kinder empor
Und lagen auf Knien vorm Rathaustor,
Und schlugen die Brüste und heulten laut:
Wo ist ein Gott, der vom Himmel schaut?
Und die Männer bebten, die Luft war voll
Von dem Jammer, der wie die Meerflut schwoll.

Da klang eine Stimme, klang und rief
Durch Heulen und Beten, stark und tief,
Eine Stimme wie Gottes Barmherzigkeit:
„Weint nicht, Brüder, Gott ist nicht weit!"
Und siehe, hoch auf den Stufen stand
Jakob Saint Pierre, der hob die Hand:
„Da sei Gott vor, daß ein Volk verdirbt,
Wenn Eines Blut ihm das Leben wirbt!
Von den Besten will er, der König spricht?
Gott helf mir, Brüder, das bin ich nicht!
Doch mein Haus steht hoch übern Markt daher,
Meine Schiffe fahren auf manchem Meer,
Meine Söhne sitzen im Rat der Stadt,
Ihr wißt, wie Gott mich gesegnet hat!
Und wenn ich würdig zum Opfer bin, –
Einer für Tausend: nehmt mich hin!"

Und wie er noch sprach, da erklang ein Schritt,
Drei Stufen nahm er mit einem Tritt,
Der junge Jan Thassart schwang den Hut:
„Brüder, auch mich mit Gut und Blut!"
„Mein Herr, mein Liebster, erbarmt Euch mein,
Euer Haar noch braun, Euer Sohn noch klein –"
Jan Thassart löste die Frauenhand,
Die zitternd ihm um die Knie sich spannt:
„Siehe der Tausend Todesnot!
Tröste dich Gott! mich ruft der Tod!
Du auch, mein Bruder? So sind wir zu drein!
Wer will zum Tode der Vierte sein?"
Und sieh, noch einer, gebeugt am Stock,
Edeles Rauchwerk am Ratsherrnrock,
Der schlug ein Kreuz mit der welken Hand
Als er droben neben Jan Thassart stand,
Und rief, daß dröhnend der Marktplatz scholl:
„Sei Gott uns gnädig! Die Zahl ist voll!"

Da lief ein Schluchzen den Marktplatz entlang,
Das Schluchzen jauchzte, und jauchzte Dank!
Und sie drängten und küßten Hand und Kleid
Den Vieren da oben todgeweiht.
Und hundert Füße hinauf im Sturm
Die steilen Treppen zum Glockenturm,
Und hundert Hände am Glockenstrang,
Daß die große Glocke dazwischen sang!

Zwanzig Glocken, ein Totenchor, –
Da tat sich auf das Sankt Martinstor,
Und Weinen der Frauen, laut und bang,
Klagte die Gassen zum Tor entlang.
Und sie schritten heraus zu Zwein und Zwein
Mit nacktem Fuß über Kies und Stein,
Barhaupt im Hemde, in stolzer Schmach,
Um den Nacken die Stricke, die schleiften nach.

Und hinter ihnen mit scheuem Tritt
Barfuß im Sande noch Eine schritt,
Der tropften die Tränen groß und warm
Auf ein flaumig Köpfchen in ihrem Arm.
Jan Thassarts Weib schritt gebeugt und stumm.
Und das Stadttor schlug zu. Und sah keiner sich um.
– – – – – – – – – – – – – – – –
Geflüster scheu in dem Zelte ging,
Darüber das Banner von England hing.
In der Lippe die Zähne und zornig blaß,
Der König brütend am Brettspiel saß
Und schob einen Stein und horchte zur Tür
Und murrte verbissen: „Noch nicht hier?“
Da lärmte es draußen, die Wache rief,
Ein nahend Brausen durchs Lager lief.
Und ein rascher Ruf in das Zelt hinein:
„Die von Calais, Sire!“ „Laßt sie ein!“
Barfuß im Hemde, gebeugt das Knie,
Zu Füßen des Königs lagen sie,
Den Strick um den Nacken, in Staub und Schmach,
Die Blicke gesenkt und keiner sprach. –
Stumm stand der König, die Stirn in Brand,
An das Brettspiel stieß er mit jäher Hand,
Die Steine rollten am Boden her, –
Und die Stille im Zelte war lang und schwer,
War schwer und lang, bis sie hart zerbrach –
König Eduard von England sprach,
Sprach: „Calais, ich zertrete dich!
Ruft mir den Henker!“ Und wandte sich.

Und der graue Graf Kent fuhr heiß empor,
Streng die Brauen: „Da sei Gott vor,
Daß mein König und Herr so Arges tut
Und rechtlos richtet unschuldig Blut
Und schimpflich befleckte vor Gott und Welt
Den Schild, der die Ehre von England hält!“
Kalt maß ihn der König: „Frug ich dich?
Ruft mir den Henker!“ – und wandte sich.
Und des Bischofs von Lincoln weißes Haar
Drängte sich rasch durch der Hofherrn Schar:
„Sire, um Gottes Barmherzigkeit!
Schont, was stumm hier um Gnade schreit!

Wehe, wenn Er, der Richter ist,
Mit gleichem Maße, wie Ihr, einst mißt!“
Der König sah um, am Schwert die Hand,
Ein finsteres Feuer im Aug’ ihm stand:
„Bischof, Ihr auch?“ Er lachte hart,
„Ich rat’ Euch, daß Ihr die Weisheit spart!
Vorwärts, Wachen, den Henker her!“
Zum Ausgang schritt er, sein Fuß war schwer –
Doch sieh, da schlugen den Vorhang breit
Der Pagen zweie auf Knieen beiseit,
Und die Königin mitten im Zelte stand
Und hielt eines zitternden Weibes Hand,
Und atmend lag ihr und schlummerwarm
Ein flaumig Köpfchen geduckt im Arm, –
Und Jan Thassart ward wie das Zelttuch weiß,
Als sie glühend trat in der Männer Kreis:
„Sire, das Kind, das im Arm mir ruht,
Das fordert von Euch seines Vaters Blut!
Blind ist Rache und richtet schlecht!
Gnade, Sire, heißt des Siegers Recht –“
„Gnade dem, der des Todes wert?“
Hart stieß den Boden des Königs Schwert,
Und sein Hund erschrak und kroch scheu zur Tür
Vor der Stimme des Herrn: „Was willst du hier?
Krieg ist Krieg, und Weib ist Weib –
Suche dir Weiberzeitvertreib!“

Da ging der Atem ihr schwer und bang,
Das Wasser heiß ihr ins Auge sprang,
Und sie preßte auf Knieen, tränenblind,
In die Arme das fremde Bürgerskind.
„Und zürnt mir des Königs Angesicht,
Den König von England suche ich nicht, –
Meinen liebsten Herrn, der im Arm mir lag,
Den rufe ich, ob er mich hören mag:
Bei dem Ring der Hand hier, der Euer ist,
Bei den Lippen, die Euer Mund geküßt,
Bei dem Herzen hier, das an Eurem schlug,
Bei dem Sohne, den dieser Schoß Euch trug,
Bei dem, was schlummert noch ungewiegt
Und Euch bald, will’s Gott, in den Armen liegt, –
Erbarmt der Liebe Euch, Herr und Freund,
Die um diese bebt, die um diese weint!
Erbarmt Euch über dies Kindlein hier –
Auf Knien flehe ich: gebt sie mir!“

Stumm war der König. Er stand und sah
Auf das glühende Weib zu Füßen da,
Auf der Stirne Demut und heilig Leid,
Auf der Augen heiße Barmherzigkeit.
Und die Stille im Zelt war schwer und lang –

Er biß die Lippe, ein Tropfen sprang, –
Er schritt zur Pforte, den Zorn im Blick,
Und atmete hart – und sah zurück:
„So wahr ich stark und ein König bin, –
Weib, du bist stärker! So nimm sie hin!"

Ein Schritt verklang, eine Zelttür schloß –
Vier zitternde Herzen Riegel los!
Erwachend jauchzte ein Kinderschrei, –
Und draußen am Zelt ging der Tod vorbei!

Die Tulipan

Es gehen so viele Straßen ins Land hinein,
Straßen wie weiße Bänder im Sonnenschein,
Straßen, darüber die Blitze des hohen Sommers stehn,
Straßen, darüber in Wolken Staub und Regen wehn.
Und wer auf den weißen Straßen einen Sommer lang zieht,
Der schreitet mit rüstigen Füßen und frischem Lied,
Und wer zwei Jahre und dreie wandert her und hin,
Dem werden die Sohlen müde, und friedlos der Sinn,
Und wer da liegt auf den Straßen sieben Jahr und mehr,
Dem verweht im Staube der Straßen das Glück und die Ehr! –

Es wandern zwei durch die Heide, die rot in Blüte steht,
Die waren vom Wind der Straßen zusammengeweht:
Ein brauner Schmiedegeselle mit krausem Haar,
Der fuhr durch Städte und Länder ins siebte Jahr;
Der andre ein junger Gärtner. Der spricht und lacht:
„Was daheim wohl die Mutter für Augen macht!
Meine lederne Katze ist von Gulden schwer,
Ich komme weit aus der Fremde, von Holland her.
Mir schenkte mein guter Meister, als ich wandern ging,
Hier diese Samenzwiebel, ein edel selten Ding,
Die trägt eine feine Blume, wie keiner im Dorf sie kennt,
Die zwischen den grünen Blättern rot wie Feuer brennt!
In meiner Mutter Garten, bei Minz und Majoran,
Da soll mir wachsen und blühen die Blume Tulipan!"
Der Braune schritt ihm zur Seite und horchte stumm,
Drei Birken standen am Wege, da sah er sich spähend um,
Es glomm ihm unter den Brauen ein gieriges Feuer an,
Es kam eine böse Stunde über den fahrenden Mann.
Er riß aus dem breiten Gurte den Schmiedehammer hervor, –
Kein Auge hat's gesehen, gehört kein menschlich Ohr:
Er scharrte eine Grube im Laub im Laub am Straßenrand,
Und vergaß die tote Tulipan in der wächsernen Totenhand. –

Im letzten Haus im Dorfe, da ging es kling und klang,
Daß rot der Funkenregen über die Straße sprang.
Es stand die junge Meisterin und spähte in Sonne und Wind:
„Du fremder brauner Geselle, was läufst du so geschwind?

Sie trugen um die Lichtmeßzeit zu Grabe mir den Mann,
Was sprichst du in der Schmiede nicht das Handwerk an?" –
Die Erntesicheln gingen über das falbe Land,
Als der fremde Geselle zuerst am Amboß stand,
Die raschelnden Blätter stoben im kalten Winde hin,
Da küßte er Feierabends seine Meisterin,
Und als die Straßen im Lande lagen weiß verschneit,
Da nähte die junge Wittib sich wieder ein Hochzeitskleid. –

Es singt die blonde Meistersfrau den lieben langen Tag,
Und horcht vom Herd herüber auf den Hammerschlag.
Es führt der neue Meister den Schmiedehammer gut,
Er steht mit nackten Armen in roter Flackerglut,
Er sitzt an eignem Tische vor Weib und Hausgesind,
Als hätte sein Herz vergessen der Straßen Sonne und Wind.
Und stampft vor seiner Schmiede ein eisenloses Pferd,
Es ist des Reiters Woher, Wohin ihm keiner Frage wert,
Und kommt ein fechtender Bruder vorbei mit staubigem Schuh,
Er schlägt mit zornigem Gruße vor ihm die Türe zu.

Es singt die blonde Meistersfrau, so lange die Sonne lacht,
Was stört sie auf vom Kissen in mancher Nacht?
Dumpf die Luft in der Kammer, die Wand von Mondlicht fahl,
Der Meister fährt vom Schlafe auf in irrer Qual,
Er schreit, als würgt ihm das Grauen die Kehle zu:
„Liegt einer am Straßenrande, der gibt nicht Ruh!"
„Mann, wer gibt nicht Ruhe!" Sie fliegt am ganzen Leib.
Da schüttelt er wild die Fäuste: „Verflucht dein Lauschen, Weib!"
Grau der Wintermorgen, der ins Fenster scheint.
Finster des Meisters Stirne. Die Meisterin sitzt und weint.
– – – – – – – – – – – – – – – – –
Nun weht das linde Tauen ins Land hinein,
Es schmelzen die weißen Streifen am braunen Ackerrain,
Es geht ein Schwatzen der Stare über das Wiesenland,
Die Weidenkätzchen stäuben draußen am Straßenrand.
Draußen am Straßenrande wacht heimlich Leben auf:
Es hebt sich ein grüner Finger aus dürrem Laub herauf,
Der Finger reckt sich höher, wie wenn er droht,
Es bricht aus seiner Spitze ein dunkeltiefes Rot!
Kinder haben's gesehen, die kamen den Weg entlang,
Als der Küster Schule hielt, lief es von Bank zu Bank.
Der Schäfer trieb vorüber, der hob die Hand:
„Der Böse hat das Kraut gesät! Gott wende Krieg und Brand!"
Der Pfarrer aber schickt ins Feld des Meßners Sohn hinaus:
„Geh, grab mir für mein Gartenbeet das Herrgottswunder aus!" –
Der Bub hat um sein Messser die braune Faust gepreßt:
Wie hält die schwarze Erde so zäh ihr Eigen fest!
Und wie die Schollen bröckeln, da blinkt ein fahles Weiß,
Und wie die Klinge tiefer gräbt, da wird ihm kalt und heiß, –
Er kommt im letzten Abendschein schreiend heimgerannt:
„Es wächst die Blume Tulipan aus einer Knochenhand!"

Nun geht im Dorfe ein Fragen und Raunen an:
„Wo draußen die Birken stehen, ist schwere Tat getan!
Aber der heimliche Frevel hat nicht geruht:
Es wuchs eine rote Blume aus ungesühntem Blut!
Gott weiß, wohin des Weges, Gott weiß, woher er kam,
Der hier an offner Straße so böse Abfahrt nahm!
Gott weiß, wo eins im Lande um ihn in Sorgen geht!
Gott weiß, wo eine Türe umsonst ihm offen steht!
Und liegt er verscharrt im Sande wie ein verreckter Hund,
Wir wollen ein Grab ihm schenken in geweihtem Grund!"
Lehrling und Geselle liefen ins Dorf hinein,
Am Amboß in der Schmiede der Meister ist allein.
Er schlägt, wie wenn der Amboß in Stücke springen soll:
Die gottverdammten Glocken! was bimmeln sie wie toll?
Sie läuten den zur Ruhe, der an der Straße lag!
Es springen die roten Funken bei jedem Hammerschlag,
Der Meister hört den Hammer und sonst nicht Laut noch Schritt, –
Was war das für ein Schatten, der über den Amboß glitt?
Und wie er jäh sich wendet, die Stirne naß von Schweiß,
Steht Eine auf der Schwelle, bis in die Lippen weiß.
Die roten Flammen knistern, sonst kein Laut umher,
Es fallen ihre Worte wie Tropfen, bang und schwer.
Aug in Auge schaun die zwei sich an:
„Der dir nicht Ruh gegeben, – ist's der mit der Tulipan?"
Stille. Ein hartes Lachen aus des Meisters Mund.
„Jetzt muß er wohl Ruhe geben in geweihtem Grund!"
Wieder Schweigen. Und Glocken in das Schweigen herein, –
In den Augen des Mannes lauert ein böser Schein,
Er schließt die Faust um den Hammer wie spielend zu:
„Schwatzhaft ist Weiberzunge. Wann gibt die Ruh?"
Da schreit sie in jähem Schrecken, ihr Blut gerinnt,
Sie jagt hinaus und das Dorf entlang wie taub und blind,
Sie hört nicht die wirren Stimmen rufen hinter ihr,
Sie sieht nur des Pfarrers weißes Haar, vor seines Hauses Tür,
Da bricht das Weib in die Kniee und schluchzt auf seine Hand:
„Hilf Gott, er will mich erschlagen, – wie den am Straßenrand!"

Die Richtstatt ist hoch am Berge und droht ins Land hinein, –
Da gehen die weißen Straßen im Sonnenschein.
Straßen, darüber die Blitze des hohen Sommers stehn,
Straßen, darüber in Wolken Staub und Regen wehn,
Straßen, von denen zum Himmel heimliche Bluttat schreit,
Auf denen Einer verloren Ehre und Seligkeit!
Und wenn sie den Leib da droben richten mit dem Schwert, –
Gott sei gnädig der Seele, die ihre Straße fährt!

Einst

Und wenn ich selber längst gestorben bin,
Wird meine Erde wieder blühend stehen,
Und Saat und Sichel, Schnee und Sommerpracht
Und weißer Tag und blaue Mitternacht
Wird über die geliebte Scholle gehen.

Und werden Tage ganz wie heute sein:
Die Gärten voll vom Dufte der Syringen,
Und weiße Wolken, die im Blauen ziehn,
Und junger Felder seidnes Ährengrün,
Und drüberhin ein endlos Lerchensingen!

Und werden Kinder lachen vor dem Tor
Und an den Hecken grüne Zweige brechen,
Und werden Mädchen wandern Arm in Arm
Und durch den Sommerabend still und warm
Mit leisen Lippen von der Liebe sprechen!

Und wird wie heut der junge Erdentag
Von keinem Gestern wissen mehr noch sagen,
Und wird wie heut doch jeder Sommerwind
Aus tausend Tagen, die vergessen sind,
Geheime Süße auf den Flügeln tragen!

Börries Freiherr von Münchhausen
1874–1945

Bauernaufstand

Die Glocken stürmten vom Bernwardsturm,
Der Regen durchrauschte die Straßen,
Und durch die Glocken und durch den Sturm
Gellte des Urhorns Blasen.

Das Büffelhorn, das lange geruht,
Veit Stoßperg nahms aus der Lade,
Das alte Horn, es brüllte nach Blut
Und wimmerte: „Gott genade!"

Ja, gnade dir Gott, du Ritterschaft!
Der Bauer stund auf im Lande,
Und tausendjährige Bauernkraft
Macht Schild und Schärpe zu Schande!

Die Klingsburg hoch am Berge lag,
Sie zogen hinauf in Waffen,
Aurammte der Schmied mit einem Schlag
Das Tor, das er fronend geschaffen.

Dem Ritter fuhr ein Schlag ins Gesicht,
Und ein Spaten zwischen die Rippen, –
Er brachte das Schwert aus der Scheide nicht,
Und nicht den Fluch von den Lippen.

Aufrauschte die Flamme mit aller Kraft,
Brach Balken, Bogen und Bande, –
Ja, gnade dir Gott, du Ritterschaft:
Der Bauer stund auf im Lande!

Jenseits

Jenseits des Tales standen ihre Zelte,
Vorm rotem Abendhimmel quoll der Rauch,
Und war ein Singen in dem ganzen Heere,
Und ihre Reiterbuben sangen auch.

Sie putzten klirrend am Geschirr der Pferde,
Hertänzelte die Marketenderin,
Und unterm Singen sprach der Knaben einer:
„Mädchen, du weißts, wo ging der König hin?" –

Diesseits des Tales stand der junge König
Und griff die feuchte Erde aus dem Grund,
Sie kühlte nicht die Glut der armen Stirne,
Sie machte nicht sein krankes Herz gesund.

Ihn heilten nur zwei knabenfrische Wangen,
Und nur ein Mund, den er sich selbst verbot,
– Noch fester schloß der König seine Lippen
Und sah hinüber in das Abendrot.

Jenseits des Tales standen ihre Zelte,
Vorm roten Abendhimmel quoll der Rauch,
Und war ein Lachen in dem ganzen Heere,
Und jener Reiterbube lachte auch.

Ballade vom Brennesselbusch

Liebe fragte Liebe: „Was ist noch nicht mein?"
Sprach zur Liebe Liebe: „Alles, alles dein!"
Liebe küßte Liebe: „Liebste, liebst du mich?"
Küßte Liebe Liebe: „Ewig, ewiglich!" – –

Hand in Hand hernieder stieg er mit Maleen
Von dem Heidehügel, wo die Nesseln stehn,
Eine Nessel brach er, gab er ihrer Hand,
Zu der Liebsten sprach er: „Uns brennt heißrer Brand!

Lippe glomm auf Lippe, bis die Lust zum Schmerz,
Bis der Atem stockte, brannte Herz an Herz,
Darum, wo nur Nesseln stehn am Straßenrand,
Wolln wir daran denken, was uns heute band!" –

Spricht von Treu die Liebe, sagt sie ‚ewig' nur, –
Ach, die Treu am Mittag gilt nur bis zwölf Uhr,
Treue gilt am Abend, bis die Nacht begann –
Und doch weiß ich Herzen, die verbluten dran.

Krieg verschlug das Mädchen, wie ein Blatt verweht,
Das im Wind die Wege fremder Koppeln geht,
Und ihr lieber Liebster stieg zum Königsthron,
Eine Königstochter nahm der Königssohn. –

Sieben Jahre gingen, und die Nessel stand
Sieben Jahr an jedem deutschen Straßenrand,
Wer hat Treu gehalten? Gott alleine weiß,
Ob nicht wunde Treue brennet doppelt heiß!

Bei der Jagd im Walde stand mit schwerem Sinn,
Stand am Knick der König bei der Königin,
Nesselblatt zum Munde hob er wie gebannt,
Und die Lippe brannte, wie sie einst gebrannt:

„Brennettelbusch,
Brennettelbusch so kleene,
Wat steihst du so alleene!
Brennettelbusch,
Wo is myn Tyd 'eblewen,
Un wo is myn Maleen?"

„Sprichst mit fremder Zunge?" frug die Königin,
„So sang ich als Junge", sprach er vor sich hin.

Heim sie ritten schweigend, Abend hing im Land, –
Seine Lippen brannten, wie sie einst gebrannt!

Durch den Garten streifte still die Königin,
Zu der Magd am Flusse trat sie heimlich hin,
Welche Wäsche spülte noch im Sternenlicht,
Tränen sahn die Sterne auf der Magd Gesicht:

„Brennettelbusch,
Brennettelbusch so kleene,
Wat steihst du so alleeene!
Brennettelbusch,
Ik' hev de Tyd 'eweten,
Dar was ik nich alleen!"

Sprach die Dame leise: „Sah ich dein Gesicht
Unter dem Gesinde? Nein, ich sah es nicht!"
Sprach das Mädchen leiser: „Konntest es nicht sehn,
Gestern bin ich kommen, und ich heiß Maleen!" –

Viele Wellen wallen weit ins graue Meer,
Eilig sind die Wellen, ihre Hände leer,
Eine schleicht so langsam mit den Schwestern hin,
Trägt in nassen Armen eine Königin. – –

Liebe fragte Liebe: „Sag, weshalb du weinst?"
Raunte Lieb zur Liebe: „Heut ist nicht mehr wie einst!"
Liebe klagte Liebe: „Ists nicht wie vorher?"
Sprach zur Liebe Liebe: „Nimmer – nimmermehr."

Lederhosen-Saga

Es war ein alter schwarzbrauner Hirsch,
Großvater schoß ihn auf der Pirsch,
Und weil seine Decke so derb und dick,
Stiftete er ein Familienstück.
Nachdem er lange nachgedacht,
Ward eine Hose daraus gemacht,
Denn Geschlechter kommen, Geschlechter vergehen,
Hirschlederne Reithosen bleiben bestehen.

Er trug sie dreiundzwanzig Jahr,
Eine wundervolle Hose es war!
Und als mein Vater sie kriegte zu Lehen,
Da hatte die Hose gelernt zu stehen!
Steif und mit durchgebeulten Knien
Stand sie abends vor dem Kamin, –
Schweiß, Regen, Schnee – ja, mein Bester:
Eine lederne Hose wird immer fester!

Und als mein Vater an die Sechzig kam,
Einen Umbau der Hose er vor sich nahm,
Das Leder freilich war unerschöpft,
Doch die Büffelhornknöpfe warn dünngeknöpft
Wie alte Groschen, wie Scheibchen nur, –
Er erwarb eine neue Garnitur.

Und dann allmählich machte das Reiten
Ihm nicht mehr den Spaß wie in früheren Zeiten,
Besonders der Trab in den hohen Kadenzen
Ist kein Vergnügen für Exzellenzen,
So fiel die Hose durch Dotation
An mich in der dritten Generation.

Ein Reiterleben in Niedersachsen –
Die Gaben der Hose warn wieder gewachsen!
Sie saß jetzt zu Pferde wie aus Guß

Und hatte wunderbaren Schluß,
Und abends stand sie mit krummen Knien
Wie immer zum Trocknen am Kamin.

Aus Großvaters Tagen herüberklingt
Eine ferne Sage, die sagt und singt,
Die Hose hätte in jungen Tagen
Eine prachtvoll grüne Farbe getragen,
Mein Vater dagegen – weiß ich genau –
Nannte die Hose immer grau.

Seit neunzehnhundert ist sie zu schaun
Etwa wie guter Tabak: braun!
So entwickelt sie, fern jedem engen Geize,
Immer neue ästhetische Reize,

Und wenn mein Ältester einst sie trägt,
Wer weiß, ob sie nicht ins Blaue schlägt!

Denn fern im Nebel der Zukunft schon
Seh ich die Hose an meinem Sohn.
Er wohnt in ihr, wie wir drin gewohnt,
Und es ist nicht nötig, daß er sie schont,
Ihr Leder ist gänzlich unerschöpft, –
Die Knöpfe nur sind wieder durchgeknöpft,
Und er stiftet, folgend der Väter Spur,
Eine neue Steinnußgarnitur.

Ja, Geschlechter kommen, Geschlechter gehen,
Hirschlederne Reithosen bleiben bestehen.

Agnes Miegel
1879–1964

Die Nibelungen

In der dunkelnden Halle saßen sie,
Sie saßen geschart um die Flammen,
Hagen Tronje zur Linken, sein Schwert auf dem Knie,
Die Könige saßen zusammen.

Schön Kriemhild kauerte nah der Glut.
Von ihren schmalen Händen
Zuckte der Schein wie Gold und Blut
Und sprang hinauf an den Wänden.

König Gunter sprach: „Mein Herz geht schwer,
Hör ich den Ostwind klagen!
Spielmann, lang deine Fiedel her,
Sing uns von frohen Tagen!"

Aufflog ein jubelnder Bogenstrich
Und flatterte an den Balken,
Herr Volker sang: „Einst zähmte ich
Einen edelen Falken . . ."

Die blonde Kriemhild blickte auf
Und sprach mit Tränen und leise:
„Spielmann, hör mit dem Liede auf,
Sing eine andre Weise!"

Die braune Fiedel raunte alsbald
Träumend und ganz versonnen,

Herr Volker sang: „Im Odenwald
Da fließt ein kühler Bronnen . . ."

Die blonde Kriemhild wandte sich
Und sprach mit Tränen und bange:
„Mein Herz schlägt laut und fürchtet sich
Und bebt bei deinem Sange . . ."

Anhub die Fiedel zum drittenmal
Aufweinend in Gram und Leide,
Herrn Volkers Stimme sang im Saal,
Wie ein Vogel auf nächtiger Heide:

„Es glimmt empor aus ewiger Nacht
Heißer als alle Feuersglut,
Gelb wie das Aug der Zwergenbrut,
Das gierig seinen Glanz bewacht, –
O weh der Lust, die mich gezeugt!

Wie Brunft nach Brunft im Forste schreit,
Wie nach der Lohe lechzt die Glut,
So treibt die Gier nach Menschenblut
Ans Licht den Hort der Dunkelheit, –
O weh dem Schoß, der mich gebar!

Es ruft den Neid, es weckt den Mord,
Stört auf die Drachen Trug und List,
Hetzt Rachsucht, die die Rache frißt,
Und immer röter glüht der Hort, –
O weh der Brust, die mich gesäugt!

Es treibt und schwimmt im Purpurquell,
Es trinkt den Quell und lechzt nach mehr,
Es braust und schäumt, die Flut steigt schnell,
Breit wie die Donau strömt es her, –
O weh der Lieb, die lieb mir war!

Es schäumt und braust, atmet und steigt,
Schon brandet's draußen an die Tür,
Es klopft und pocht, der Riegel weicht,
Nun flutet's heiß und rot herfür, –
Weh über mich, weh über euch!"

Jäh bei dem letzten Bogenstrich
Sprangen die Saiten und schrieen,
Hagen von Tronje neigte sich
Und wiegte sein Schwert auf den Knieen.

Die Könige saßen bleich und verstört,
Doch die schöne Kriemhild lachte,
Sie sprach: „Nie hab ich ein Lied gehört,
Das mich lustiger machte!"

Sie kniete nieder und schürte die Glut.
Von ihren schmalen Händen
Zuckte der Schein wie Gold und Blut
Und sprang hinauf an den Wänden.

Die Frauen von Nidden

Die Frauen von Nidden standen am Strand
Über spähenden Augen die braune Hand,
Und die Boote nahten in wilder Hast,
Schwarze Wimpel flogen züngelnd am Mast.

Die Männer banden die Kähne fest
Und schrieen: „Drüben wütet die Pest!
In der Niedrung von Heydekrug bis Schaaken
Gehn die Leute im Trauerlaken!"

Da sprachen die Frauen: „Es hat nicht Not, –
Vor unsrer Türe lauert der Tod,
Jeden Tag, den uns Gott gegeben,
Müssen wir ringen um unser Leben,

Die wandernde Düne ist Leides genug,
Gott wird uns verschonen, der uns schlug!" –
Doch die Pest ist des Nachts gekommen
Mit den Elchen über das Haff geschwommen.

Drei Tage lang, drei Nächte lang,
Wimmernd im Kirchstuhl die Glocke klang.
Am vierten Morgen, schrill und jach,
Ihre Stimme in Leide brach.

Und in dem Dorf, aus Kate und Haus,
Sieben Frauen schritten heraus.
Sie schritten barfuß und tiefgebückt,
In schwarzen Kleidern, buntgestickt.

Sie klommen die steile Düne hinan,
Schuh und Strümpfe legten sie an
Und sie sprachen: „Düne, wir sieben
Sind allein noch übrig geblieben.

Kein Tischler lebt, der den Sarg uns schreint,
Nicht Sohn noch Enkel, der uns beweint,
Kein Pfarrer mehr, uns den Kelch zu geben,
Nicht Knecht noch Magd ist mehr unten am Leben, –

Nun, weiße Düne, gib wohl acht:
Tür und Tor ist Dir aufgemacht,
In unsre Stuben wirst Du gehn
Herd und Hof und Schober verwehn, –

Gott vergaß uns, er ließ uns verderben.
Sein verödetes Haus sollst Du erben,
Kreuz und Bibel zum Spielzeug haben, –
Nur, Mütterchen, komm uns zu begraben!

Schlage uns still ins Leichentuch,
Du unser Segen, – einst unser Fluch.
Sieh, wir liegen und warten ganz mit Ruh", –

Und die Düne kam und deckte sie zu.

Viktoria

Schutzgeist unsres Volkes, strahlende Göttin,
Durch deine Schwingen braust orgelnden Herbststurms Gesang.
In den funkelnden Morgen lenkst du den Wagen,
Hell im Frühlicht leuchtet dein Mädchengesicht.
Unter dir, durch des Tores hallende Säulen
Fluten wie Ströme, Menschen und Wagen vorbei.
Und es jauchzt dein Herz in die Brandung des Lebens,
In der Propeller Gedröhn hoch im leuchtenden Blau.
Über dir schwebt wie ein Adler das schimmernde Flugzeug,

Unter dir hallt Marschtritt und klingendes Spiel,
Klingt ein Lied von jungen gläubigen Lippen,
Rauschen der Jugend scharlachne Fahnen im Wind!

Straffer faßt du die Zügel, mit schnaubenden Nüstern
Werfen die Rosse ihr Haupt und hoch
 hältst du dein Zeichen empor!
Und du wendest das Haupt auf dem herrlichen Nacken,
Deine meerhellen Augen sehn dein geliebtes Land:

Schimmernder Firste Kette blauzackig im Süden,
Endloser Wälder geheimnisvoll rauschendes Herz.
Burgengeschmückte Ströme und rauchende Essen,
Und Gehöft an Gehöft, grummetumduftet, im Feld.
Um der Halligen Kranz, um Bodden und sandige Nehrung
Schäumt im Herbstlicht nie ruhender Brandung Saum.
Über den leeren Strom grüßen purpurn die Mauern
Deines Grenzlands, das dich als erstes verehrt.
Da erstirbt dein Lächeln, du neigst das Zeichen
Stumm und ernst, gefallenen Söhnen zum Gruß.
Aber wieder hebst du den Blick, dem Lichte entgegen,
In die Lieder der Jugend hallt dein eigenes Lied:
Wie sie dich hart bedrängt seit deiner Kindheit Tagen,
Waffengeübte Waise auf belagerter Burg!
Wie du wuchsest, dir und den Völkern zum Wunder,
Wie du Kranz um Kranz wandest ums kornblonde Haupt!
Wie des Korsen Heer (o Entsetzen, es klang unsre Sprache,
Unser Ruf aus der Tuben Geschmetter zu dir)
Schon dich Jungfrau ergriff, schon dich bezwungen geglaubt – – –

Tiefer trinkst du den Herbstwind und blickst in die Wolken als siehst du
Zu dir fluten dein Heer zum Siegen und Sterben bereit.
Und du lachst wie ein sorgloses Kind.
 Noch immer
Trug dich aus Not und Bedrängnis in letzter Stunde das Schicksal,
Trug dich dein eigenes Herz sieghaft zur Sonne empor!

Da wiehert das Viergespann. Sie spüren, die Ungeduldgen,
Durch die schwingende Leine deinen klopfenden Puls.
Sie stampfen die Steine, sie fühlen im schütternden Wagen
Antwortgebend das Klingen der ehernen Sohlen,
Die du wieder an deine Füße geknüpft.
Sie hören, aufrauschend im Wind, deine Schwingen und scharlachnen Fahnen.
Hören wie Wogen das Lied branden am Wagenbug.

Schutzgeist unseres Volkes, strahlende Jungfrau,
Du im Licht auffahrende Siegsgöttin,
 zieh uns voran!

Wagen an Wagen

Um Allerseelen
In der dunklen Nacht,
Wenn vor uns stehen,
Die immer neu unserm Herzen fehlen, –
Erinnrung erwacht
An die alten Kirchen, die Hügel im Feld,
Wo sie schlafen, Vätern und Nachbarn gesellt,
In verlorener Heimat über der See, –
Und an Alle, die hilflos und einsam starben,
An Alle, die sinkend im Eis verdarben,
Die keiner begrub, nur Wasser und Schnee,
Auf dem Weg unsrer Flucht, – dem Weg ohne Gnade!

Und wir ziehn im Traum verwehte Pfade
Wagen an Wagen, endloser Zug,
Der ein Volk von der Heimat trug!

Von Norden, von Osten kamen wir,
Über Heide und Ströme zogen wir,
Nach Westen wandernd, Greis, Frau und Kind.
Wir kamen gegangen, wir kamen gefahren,
Mit Schlitten und Bündel, mit Hund und Karren,
Gepeitscht vom Wind, vom Schneelicht blind, –
 Und Wagen an Wagen.

Zuckend wie Nordlicht am Himmel stand
Verlassner Dörfer und Städte Brand
Und um uns heulte und pfiff der Tod
Auf glühendem Ball durch die Luft getragen
Und der Schnee wurde rot
Und es sanken wie Garben die hilflos starben
Und wir zogen weiter,
 Wagen an Wagen, – –

Und kamen noch einmal, trügrisches Hoffen
Durch friedliches Land.
Tür stand uns offen
Bei jenen, die nicht unser Leiden gekannt.
Sie kamen, sie winkten, sie reichten uns Brot, –
Sie luden die Not
Am warmen Herde zu sich als Gast.
Scheune und Stroh rief Müde zur Rast.
Doch wir konnten nicht bleiben.
Wir zogen vorüber
 Wagen an Wagen.

Und hörten durch Sturm und Flockentreiben
Das Glockenlied ihrer Türme noch

Und hörten doch
Das Dröhnen des Krieges, der hinter uns zog.
Und vom Wegkreuz bog,
Blutend, mit ausgebreiteten Armen,
Sich dorngekrönter Liebe Erbarmen.

Wir konnten nicht halten, wir konnten nicht knien.
Sie kamen hinter uns, Wagen an Wagen, –
Unsre Herzen nur schrien:
 O blick nach uns hin!

Wir wandern, wir wandern, endloser Zug,
Volk, das die Geißel des Krieges schlug,
Entwurzelter Wald, von der Flut getragen, –
 Wohin!
 Wohin? – – –

Heimweh

Ich hörte heute morgen
Am Klippenhang die Stare schon.
Sie sangen wie daheim, –
Und doch war es ein andrer Ton.

Und blaue Veilchen blühten
Auf allen Hügeln bis zur See.
In meiner Heimat Feldern
Liegt in den Furchen noch der Schnee.

In meiner Stadt im Norden
Stehn sieben Brücken, grau und greis,
An ihre morschen Pfähle
Treibt dumpf und schütternd jetzt das Eis.

Und über grauen Wolken
Es fein und engelslieblich klingt, –
Und meiner Heimat Kinder
Verstehen, was die erste Lerche singt.

Hermann Hesse
1877–1962

Chopin

I

Schütte wieder ohne Wahl
Über mich die bleichen, großen
Lilien deiner Wiegenlieder,
Deiner Walzer rote Rosen.

Flicht darein den schweren Hauch
Deiner Liebe, die im Welken
Duft verstreut, und deines Stolzes
Schaukelschlanke Feuernelken.

II

Grande Valse

Ein kerzenheller Saal
Und Sporengeläut und Tressengold.
In meinen Adern klingt das Blut.
Mein Mädchen, gib mir den Pokal!
Und nun zum Tanz! Der Walzer tollt;
Erhitzt vom Wein mein Brausemut
Nach aller ungenossenen Lust begehrt –

Vor den Fenstern wiehert mein Pferd.

Und vor den Fenstern hüllt die Nacht
Das dunkle Feld. Es trägt der Wind
Von fern Kanonendonner her.
Noch eine Stunde bis zur Schlacht!
– Tanz rascher, Schatz; die Zeit verrinnt,
Es wiegt der Sturm die Binsen hin und her,
Die nächste Nacht mein Bette sind –

Mein Totenbett vielleicht. – Juchhe, Musik!
In durstigen Zügen trinkt mein heißer Blick
Das junge, schöne, rote Leben ein,
Und trinkt sich nimmer satt an seinem Licht.
Noch einen Tanz! Wie bald! und Kerzenschein
Und Klang und Lust verlischt; der Mondschein flicht
Schwermütig seinen Kranz in Tod und Graus.
– Juchhe, Musik! Vom Tanz erbebt das Haus,
Erregt am Pfeiler klirrt mein hängend Schwert. –

Vor den Fenstern wiehert mein Pferd.

III

Berceuse

Sing mir dein liebes Wiegenlied!
Seit meine Jugend von mir schied,
Mag ich so gern die Weise hören.
Komm zu mir, süßer Wunderklang,
Nur du kannst noch die Nacht entlang
Mein ruheloses Herz betören.

Leg mir aufs Haar die schmale Hand
Und laß von unsrem Heimatland,
Von totem Ruhm und Glück uns träumen.
Gleich einem Stern, der einsam zieht,
Soll flackerhell dein Märchenlied
Die Nächte meiner Schwermut säumen.

Und stelle mir zu Häupten doch
Den Rosenstrauß! Er duftet noch
Und träumt sich heimwärts wehbeklommen.
Ich bin ja auch so welk und schwank,
Gebrochen und am Heimweh krank,
Und kann nicht mehr nach Hause kommen.

Höhe des Sommers

Das Blau der Ferne klärt sich schon
Vergeistigt und gelichtet
Zu jenem süßen Zauberton,
Den nur September dichtet.

Der reife Sommer über Nacht
Will sich zum Feste färben,
Da alles in Vollendung lacht
Und willig ist zu sterben.

Entreiß dich, Seele, nun der Zeit,
Entreiß dich deinen Sorgen
Und mache dich zum Flug bereit
In den ersehnten Morgen.

Im Nebel

Seltsam, im Nebel zu wandern!
Einsam ist jeder Busch und Stein,
Kein Baum sieht den andern,
Jeder ist allein.

Voll von Freunden war mir die Welt,
Als noch mein Leben licht war;
Nun, da der Nebel fällt,
Ist keiner mehr sichtbar.

Wahrlich, keiner ist weise,
Der nicht das Dunkel kennt,
Das unentrinnbar und leise
Von allen ihn trennt.

Seltsam, im Nebel zu wandern!
Leben ist Einsamsein.
Kein Mensch kennt den andern,
Jeder ist allein.

Vergänglichkeit

Vom Baum des Lebens fällt
Mir Blatt um Blatt,
O taumelbunte Welt,
Wie machst du satt,
Wie machst du satt und müd,
Wie machst du trunken!

Was heut noch glüht,
Ist bald versunken.
Bald klirrt der Wind
Über mein braunes Grab,
Über das kleine Kind
Beugt sich die Mutter herab.
Ihre Augen will ich wiedersehn,
Ihr Blick ist mein Stern,
Alles andre mag gehn und verwehn,
Alles stirbt, alles stirbt gern.
Nur die ewige Mutter bleibt,
Von der wir kamen,
Ihr spielender Finger schreibt
In die flüchtige Luft unsre Namen.

Auf den Tod eines kleinen Kindes

Jetzt bist du schon gegangen, Kind,
Und hast vom Leben nichts erfahren,
Indes in unsern welken Jahren
Wir Alten noch gefangen sind.

Ein Atemzug, ein Augenspiel,
Der Erde Luft und Licht zu schmecken,
War dir genug und schon zu viel;
Du schliefest ein, nicht mehr zu wecken.

Vielleicht in diesem Hauch und Blick
Sind alle Spiele, alle Mienen
Des ganzen Lebens dir erschienen,
Erschrocken zogst du dich zurück.

Vielleicht wenn unsre Augen, Kind,
Einmal erlöschen, wird uns scheinen,
Sie hätten von der Erde, Kind,
Nicht mehr gesehen als die deinen.

Spruch

So mußt du allen Dingen
Bruder und Schwester sein,
Daß sie dich ganz durchdringen,
Daß du nicht scheidest Mein und Dein.

Kein Stern, kein Laub soll fallen –
Du mußt mit ihm vergehn!
So wirst du auch mit allen
Allstündlich auferstehn.

Einem Freunde
mit dem Gedichtbuch
(1942)

Was mich je bewegte und erfreute
Seit den sagenhaften Jugendtagen,
All dies Flüchtige und bunt Zerstreute
An Besinnungen und Träumereien,
An Gebeten, Werbungen und Klagen
Findest du auf diesen Seiten wieder.
Ob erwünscht sie oder unnütz seien,
Wollen wir nicht allzu ernstlich fragen –
Nimm sie freundlich auf, die alten Lieder!
Uns, den Altgewordnen, ist das Weilen

Im Vergangenen erlaubt und tröstlich,
Hinter diesen vielen tausend Zeilen
Blüht ein Leben, und es war einst köstlich.
Werden wir zur Rechenschaft gezogen,
Daß wir uns mit solchem Tand befaßten,
Tragen wir wohl leichter unsre Lasten
Als die Flieger, die heut nacht geflogen,
Als der Heere arme, blutige Herde,
Als die Herrn und Großen dieser Erde.

Traurigkeit
November 1944

Die mir noch gestern glühten,
Sind heut dem Tod geweiht,
Blüten fallen um Blüten
Vom Baum der Traurigkeit

Ich seh sie fallen, fallen
Wie Schnee auf meinen Pfad,
Die Schritte nicht mehr hallen,
Das lange Schweigen naht.

Der Himmel hat nicht Sterne,
Das Herz nicht Liebe mehr,
Es schweigt die graue Ferne,
Die Welt ward alt und leer.

Wer kann sein Herz behüten
In dieser bösen Zeit?
Es fallen Blüten um Blüten
Vom Baum der Traurigkeit.

In Sand geschrieben
1947

Daß das Schöne und Berückende
Nur ein Hauch und Schauer sei,
Daß das Köstliche, Entzückende,
Holde ohne Dauer sei:
Wolke, Blume, Seifenblase,
Feuerwerk und Kinderlachen,
Frauenblick im Spiegelglase
Und viel andre wunderbare Sachen,
Daß sie, kaum entdeckt, vergehen,
Nur von Augenblickes Dauer,
Nur ein Duft und Windeswehen,
Ach, wir wissen es mit Trauer,
Und das Dauerhafte, Starre
Ist uns nicht so innig teuer:
Edelstein mit kühlem Feuer,
Glänzendschwere Goldesbarre;
Selbst die Sterne, nicht zu zählen,
Bleiben fern und fremd, sie gleichen
Uns Vergänglichen nicht, erreichen
Nicht das Innerste der Seelen.
Nein, es scheint das innigst Schöne,
Liebenswerte dem Verderben
Zugeneigt, stets nah dem Sterben,
Und das Köstlichste: die Töne

Der Musik, die im Entstehen
Schon enteilen, schon vergehen,
Sind nur Wehen, Strömen, Jagen
Und umweht von leiser Trauer,
Denn auch nicht auf Herzschlags Dauer
Lassen sie sich halten, bannen;
Ton um Ton, kaum angeschlagen,
Schwindet schon und rinnt von dannen.

So ist unser Herz dem Flüchtigen,
Ist dem Fließenden, dem Leben
Treu und brüderlich ergeben,
Nicht dem Festen, Dauertüchtigen.
Bald ermüdet uns das Bleibende,
Fels und Sternwelt und Juwelen,
Uns in ewigem Wandel treibende
Wind- und Seifenblasenseelen,
Zeitvermählte, Dauerlose,
Denen Tau am Blatt der Rose,
Denen eines Vogels Werben
Eines Wolkenspieles Sterben,
Schneegeflimmer, Regenbogen,
Falter, schon hinweg geflogen,
Denen eines Lachens Läuten,

Das uns im Vorübergehen
Kaum gestreift, ein Fest bedeuten
Oder wehtun kann. Wir lieben,
Was uns gleich ist und verstehen,
Was der Wind in Sand geschrieben.

Stufen

Wie jede Blüte welkt und jede Jugend
Dem Alter weicht, blüht jede Lebensstufe,
Blüht jede Weisheit auch und jede Tugend
Zu ihrer Zeit und darf nicht ewig dauern.
Es muß das Herz bei jedem Lebensrufe
Bereit zum Abschied sein und Neubeginne,
Um sich in Tapferkeit und ohne Trauern
In andre, neue Bindungen zu geben.
Und jedem Anfang wohnt ein Zauber inne,
Der uns beschützt und der uns hilft, zu leben.

Wir sollen heiter Raum um Raum durchschreiten,
An keinem wie an einer Heimat hängen,
Der Weltgeist will nicht fesseln uns und engen,
Er will uns Stuf' um Stufe heben, weiten.
Kaum sind wir heimisch einem Lebenskreise
Und traulich eingewohnt, so droht Erschlaffen;
Nur wer bereit zu Aufbruch ist und Reise,
Mag lähmender Gewöhnung sich entraffen.

Es wird vielleicht auch noch die Todesstunde
Uns neuen Räumen jung entgegen senden,
Des Lebens Ruf an uns wird niemals enden . . .
Wohlan denn, Herz, nimm Abschied und gesunde!

Hans Carossa
1878–1956

Heimweg

Dämmert mein Garten?	Vom Himmel atmet
Rauscht schon der Fluß?	Des Mondes Traum,
Noch glüht mein Leben	Bleich webt eine Wolke,
Von deinem Kuß,	Grün schmilzt ihr Saum.
Noch trinkt mein Auge,	Das Wasser führt Schollen
Von dir erhellt,	Herab aus der Nacht,
Nur dich, nur deinen Bann	Es trägt jede Scholle
Im Bann der Welt.	Von Licht schwere Fracht.

Eine Harfe von Drähten
Summt in der Allee,
Spuren von Rädern
Glänzen im Schnee,

Glänzen und deuten
Heilig zu dir zurück –
Ich weiß, daß du noch wachst
Tief tief im Glück.

Der Schirm deiner Lampe
Färbt dich wie Wein,
Du hauchst in das Eis
Deines Fensters hinein,

Deine Augen träumen
Herüber zum Fluß, –
Du bist nur noch Leben
Von meinem Kuß.

Alter Baum im Sonnenaufgang

Frühnebel steigt aus einsam altem Baum.
Es lichten sich die weiten Astwerkräume,
Die purpurbraunen, rostbespritzten Blätter,
Die nur der Frost noch festhält. Schwarz von Osten
Aufwogt Gebirg. Aus hoher Gipfelzacke
Strömt weißer Brand und saugt in großen Zügen
Den Dunst nach oben, schräge Strahlen lagern
Herab, leis knisternd fallen Blätter –
Und stärker schüttert Licht. Es klingt, braust, – schaudernd
Erwacht der dunkle Baumgeist; in die Sonne
Reckt er sich tausendzweigig, nieder
Wirft er die breite purpurne Belaubung,
Und Himmel, Himmel füllt das nackte Holz.

Unzugänglich schien der Gipfel;
Nun begehn wir ihn so leicht.
Fern verdämmern erste Wege,
Neue Himmel sind erreicht.

Urgebirg und offne Länder
Schweben weit, in Eins verspielt.
Städte, die wir nachts durchzogen,
Sind ein einfach-lichtes Bild.

Helle Wolke streift herüber;
Uns umweht ihr Schattenlauf.
Große blaue Falter schlagen
Sich wie Bücher vor uns auf.

Der alte Brunnen

Lösch aus dein Licht und schlaf! Das immer wache
Geplätscher nur vom alten Brunnen tönt.
Wer aber Gast war unter meinem Dache,
Hat sich stets bald an diesen Ton gewöhnt.

Zwar kann es einmal sein, wenn du schon mitten
Im Traume bist, daß Unruh geht ums Haus,
Der Kies beim Brunnen knirscht von harten Tritten,
Das helle Plätschern setzt auf einmal aus,

Und du erwachst, – dann mußt du nicht erschrecken!
Die Sterne stehn vollzählig überm Land,
Und nur ein Wandrer trat ans Marmorbecken,
Der schöpft vom Brunnen mit der hohlen Hand.

Er geht gleich weiter, und es rauscht wie immer.
O freue dich, du bleibst nicht einsam hier.
Viel Wandrer gehen fern im Sternenschimmer,
Und mancher noch ist auf dem Weg zu dir.

Stern über der Lichtung

Die Knechte fällen Baum um Baum im Wald.
Wie Vogelnest, vom Herbste preisgegeben,
So sichtbar ist nun unser Aufenthalt,
Und alle schaun in unser Werktagsleben.

Das leise, schaurige Gebraus ist stumm,
Das unsre Mühen trug auf heiliger Schwinge –
Wir müssen feiern. Unsre Zeit ist um.
Wir gehn hinaus und zählen Jahresringe,

Halb trunken von des Harzes herbem Hauch.
Doch während wir die Silberzweige brechen
Vom Fichtenwipfel zwischen Stein und Strauch,
Scheint uns der Himmel heimlich zuzusprechen.

Aus tiefem Abend glänzt ein heller Stern,
Den wir vor lauter Wald sonst nie gesehen.
Er mahnt zur Heimkehr, und wir folgen gern.
Wir müssen vor dem klaren Licht bestehen.

Warum geben wir uns hin
Jedem eitlen Grauen?
Laßt uns doch mit höchstem Sinn
Dem Gestirn vertrauen,

Das zwar ewig nicht vernimmt
Unser Jubeln, Klagen,
Doch sein Licht so milde stimmt,
Daß wir es ertragen!

Finsternisse fallen dichter
Auf Gebirge, Stadt und Tal.
Doch schon flimmern kleine Lichter
Tief aus Fenstern ohne Zahl.

Immer klarer, immer milder,
Längs des Stroms gebognem Lauf,
Blinken irdische Sternenbilder
Nun zu himmlischen hinauf.

Was einer ist, was einer war,
Beim Scheiden wird es offenbar.
Wir hörens nicht, wenn Gottes Weise summt,
Wir schaudern erst, wenn sie verstummt.

Rudolf Alexander Schröder
1878–1962

Deutscher Schwur

Heilig Vaterland
In Gefahren,
Deine Söhne stehn,
Dich zu wahren.
Von Gefahr umringt,
Heilig Vaterland,
Schau, von Waffen blinkt
Jede Hand.

Ob sie dir ins Herz
Grimmig zielen,
Ob dein Erbe sie
Dreist beschielen,
Schwören wir bei Gott
Vor dem Weltgericht:
Deiner Feinde Spott
Wird zunicht.

Nord und Süd entbrennt,
Ost und Westen;
Dennoch wanken nicht
Deine Festen.
Heilig Herz, getrost,
Ob Verrat und Mord
Dräue West und Ost,
Süd und Nord.

Bei den Sternen steht,
Was wir schwören;
Der die Sterne lenkt,
Wird uns hören:
Eh der Fremde dir
Deine Kronen raubt,
Deutschland, fallen wir
Haupt bei Haupt.

Heilig Vaterland,
Heb zur Stunde
Kühn dein Angesicht
In die Runde.
Sieh uns all entbrannt,
Sohn bei Söhnen stehn:
Du sollst bleiben, Land!
Wir vergehn.
[1914]

Hymne

Land des Glaubens, deutsches Land,
Land der Väter und der Erben,
Uns im Leben und im Sterben
Haus und Herberg, Trost und Pfand,
Sei den Toten zum Gedächtnis,
Den Lebend'gen zum Vermächtnis,
Freudig vor der Welt bekannt,
Land des Glaubens, deutsches Land!

Land der Hoffnung, Heimatland,
Ob die Wetter, ob die Wogen
Über dich hinweggezogen,

677

Ob die Feuer dich verbrannt,
Du hast Hände, die da bauen,
Du hast Herzen, die vertrauen;
Lieb und Treue halten Stand,
Land der Hoffnung, Heimatland!

Land der Liebe, Vaterland,
Heilger Grund, auf den sich gründet,
Was in Lieb und Leid verbündet
Herz mit Herzen, Hand mit Hand:
Frei wie wir dir angehören
Und uns dir zu eigen schwören,
Schling um uns dein Friedensband,
Land der Liebe, Vaterland!

September-Ode

1

Mir ist noch immer, wie mir vorzeiten war,
Als durch den Garten, unter den hangenden,
 Fruchtüberladnen Apfelbäumen
 Mitten ins Schattengewirr der Vollmond

Aufs Rasenfeld verlorene Zeichen schrieb,
Die sich verschoben, wenn aus dem knorrichten,
 Umfinsterten Genist ein Apfel
 Fiel und die raschelnden Zweige wankten.

Der Nußbaum stand vor breiterer Dämmerung
Und barg in Blätterbuchten die reife Tracht,
 Da schon ins Gras vereinzelt schwarzer,
 Bitterer, beizender Abfall hinlag

Und modrig barst, und aus dem zerschlißnen Balg
Die Kerngehäuse kollerten. – Apfelruch
 Und brauner Würzgeschmack der Walnuß
 Lief mit dem Atem der Spätjahrsrose

Durch schalen Heuduft sterbender Sommerzeit
Und schräger Mond, der drüben im schlummernden,
 Im Strom den schmalen Spiegelstreifen
 Zog, den die Schleier des Schilfrohrs säumten.

September war's und heitere Nacht und warm,
Warm wie die Nacht hier droben und hell, wie hier
 Der volle Mond durch Apfelbäume
 Blickt und am Grunde die Schatten sprenkelt.

2

Mond und September, Schatten im Gras und Nacht.
Und heut? Und morgen? Wähnst du noch allzeit, Herz,
 Als wär dein erstes und dein letztes
 Wieder das gleiche Gesicht? Ein Anfang,

Ein unaufhebbar deiniger? – Andres ward.
Denn hier steht Sommer, Sommer auf steilem Land.
 Blick hin: ob nicht im Silberzwielicht
 Silbern durch spärliches Laub der Firn glänzt.

Und doch! Und aber! Sternengewölk am Berg
Und warme Nacht. Und über dem Wiesenrain
 Das schräge Licht. Und von gemähten
 Gräsern der Rauch; und die Rose duftet.

Wohl. Anders ward's. – Ein Leben wird ausgelebt;
Und jeder Aufblick unter den Wimpern trägt
 Ein neu Gesicht und zeigt dir andre,
 Fremde: und freilich, der Zufall haftet

Nicht, wo er hinfiel. Wandern ist Menschenlos,
Dein Los und aller. Bist du der Junge noch,
 Der einmal stand, dem unter dunkel
 Raunenden Zweigen das Herz geschaudert?

Bist du der Alte? – Frage dich nicht. Blick hin.
Nicht mit den Jahren altet das Herz. Hier gilt
 Und heut, was immer galt: September,
 Mond und ein Schatte von Apfelbäumen.

3

Im hohen Sommer, Freunde, gedenk ich euch.
Ich bin's. Noch immer. Aber ihr andern, sagt,
 Seid ihr's? Und dünkt mich doch, als dürft es
 Nur meinen Finger, um euch zu fassen.

Ihr kamt im Mittag unter die Schatten her
Und kommt bei Nacht; und älteste Worte gehn
 Von Mund zu Mund, und ein Gelächter
 Waltet im Kreis, und Gesang wird rege.

Ihr denn und ich. – Und immer das alte Jahr
Blüht mit dem Frühling, schüttet den Herbst hervor,
 Schleicht mit dem Fluß durch Sommerschwaden,
 Schichtet das Wintergehölz im Herde.

Blickt nicht die Röte morgens herauf, blickt nicht
Zum Abend nieder? Atmet nicht Sterngewölk

Und glüht der Mittag? Einig Leben,
Einig und allen vertraut, wie Treue,

Die zwischen Menschen waltet, ein erst Gesicht,
Uns unverfremdbar, die wir die gleichen sind
 Und gleiche waren, Mann dem Manne,
 Knabe dem Knaben; und wird nicht anders.

Drum bleibt mir eines, wie mir das andre blieb,
Herbst und der Sommer, Berg und das Rasenfeld,
 Da mir der Mond im Äpfelschatten
 Ehe sein Zeichen: September hinschrieb.

4

Mond und Gewölk und Schatten im Gras und Nacht.
Und stehst und kennst dich, daß du der Alte bist
 Und nicht das Kind. Und kennst die Freunde
 Fern und verschollen und weißt, die leben,

Nicht minder einsam, als es die Toten sind;
Einsam wie du. Kränkt jeden der gleiche Raub.
 Ah, wahrlich, rascher denn die Jahreszeit
 Altern und wandeln die Menschenherzen!

Willst's angedenken? Alles Gedenken trügt.
Willst in das Deine kehren? Die Lampe winkt
 Wie sonst vom Fenster; zwar die gleiche
 Nimmer und nimmer das Haus, das eine,

Das dir zu eigen hörte, das Heimathaus,
Dein erst Gesicht. – So sage nur: Mein; du lügst.
 Es ist geliehn, ist wie der Wechsel
 Sonnen und Monden; und auch die Treue

Fährt mit dem Wind, läuft schneller denn Wind. Ein Sand
Verschluckt den Wassertropfen. – Der Mensch gewahrt
 Nur wenig Jahre. Wohl, sein Herz faßt
 Auch von den wenigen kaum ein Wenigs.

Und doch. Hier dies begreift er und hat und hält's,
Ein unabdingbar Eigenes: Ewigkeit
 Gilt hier vor meinem Fuß, den Mondlicht
 Malen und Gartengezweig, der Schatte.

Reisesegen

Setz leicht den Fuß, begehre kein Verweilen,
 Am Rand der Straße schneide dir den Stab;
Bleib, der du bist, und durch bestaubte Meilen
 Getröste dich der Pilgerschaft ans Grab.

Dir zugeteilt, gemeine Gift mit allen,
 Brot, Früchte, Wasser, sollst du nicht verschmähn.
Den bunten Raub, mit dem sie sich gefallen,
 Laß hinter dir: er hindert dich am Gehn.

Brich nicht das Herz, wo du das Brot gebrochen,
 Das deine nicht und das der andern nicht;
Ein freundlich Wort, zur rechten Zeit gesprochen,
 Ein Händedruck, der nicht zuviel verspricht:

Und dennoch Treue, die sich schickt zu dienen,
 Und Glaube, der nicht fordert und nicht schilt;
So wird die Welt, die Wüste dir geschienen,
 Zu deinem Werk und deinem Bild.

Für Otto von Taube

Vom alten Mann

Mit altem Mann geht's wunderlich:
Hat viel gelernt, muß viel verlernen.
 Ihm ist, als wollt sein eigen Ich
 Sich leis aus ihm entfernen.

Des Abschiednehmens lichte Zeit
Verzehrt das flockichte Gewimmel;
 In goldner Wölbung hoch und weit
 Blaut über ihm der Himmel.

Noch weist zu Füßen mir die Flur,
Als wär's durch Spiegel des Geschehens,
 Die alt-vertraute Zauberspur
 Des Kommens und des Gehens.

Die alt-vertraute Zauberspur,
Trotz alles Haderns, Zorns und Grämens
 Geliebt, warum? –, und ist doch nur
 Die Spur des Abschiednehmens.

O Abschiednehmen, goldne Zeit,
Gern bin ich deines Winks gewärtig,
 Vom Ziel des Weges nicht mehr weit
 Und dennoch reisefertig!

Mir altem Mann geht's wunderlich,
Hab viel verlernt, muß Neues lernen. –
 S'ist an der Zeit: befreunde dich
 Der Nacht und ihren Sternen.

In der Nacht gesungen

Hohe, feierliche Nacht,
Unbegreifliches Gepränge,
 Aug, das über unsrer Enge
 Fragend in der Fremde wacht,
Hohe, feierliche Nacht!

Goldne Schrift am Firmament,
Ach, wer deutet uns im Blauen,
 Das wir nur durch Tränen schauen,
 Was so fern, so selig brennt,
Goldne Schrift am Firmament?

Dunkler Saal voll Sphärenklang,
Taub vom Lärm des eignen Lebens,
 Hört dies dumpfe Ohr vergebens
 Deiner Lichter Lobgesang,
Dunkler Saal voll Sphärenklang!

Holde Nacht, von Sternen klar,
Spende Trost, wem Trost mag werden,
 Überm Elend aller Erden
 Wunder, ewig wunderbar,
Holde Nacht, von Sternen klar!

Ina Seidel
1885–1974

Trost

Unsterblich duften die Linden –
Was bangst du nur?
Du wirst vergehn, und deiner Füße Spur
Wird bald kein Auge mehr im Staube finden.
Doch blau und leuchtend wird der Sommer stehn
Und wird mit seinem süßen Atemwehn
Gelind die arme Menschenbrust entbinden.
Wo kommst du her? Wie lang bist du noch hier?
Was liegt an dir?
Unsterblich duften die Linden –

Der Pflüger

Mit wuchtigen Knien,
Von Krähen umschrien,
Im Dunst seiner Pferde,
Die Fäuste am Sterz –
Samt Pflugschar und Rossen
Selbst bodenentquollen,
Stampft er jetzt die Schollen
Und zwingt in die Erde
Sein reißendes Erz.

Die Brache umbrechen,
Heißt Kräfte lossprechen,
Die Erde braucht Hände,
Zu lösen ihr Herz.
Mann, Pflugschar und Rosse:
Von Erde genommen,
Zur Erde gekommen.
Gestalt aus Gelände
Im dampfenden März.

Regennacht

Ach, du allzuferner Nächster, höre
Meine Stimme atmen durch den Regen,
Wenn der Sommerwolken Flüsterchöre
Sich im Laub durch kurze Nächte regen –

In dem Laub des jungen Pfirsichbaumes.

In dem Pfirsichbäumchen an der Mauer
Düsterrot die reifen Früchte hangen.
Morgens perlen weiß in klarer Trauer
Silbertropfen auf den rauhen Wangen –

In der flücht'gen Trauer eines Traumes.

Durch den Traum gehn lautlos unsre Füße,
Lächeln unsre Herzen sich entgegen.
Durch den Traum strömt einig alle Süße:
Tränen, Pflanzensäfte, Blut und Regen –

682

Tropfend aufgelöst sind Raum und Wände.

Tropfen, Tropfen flüstern, seufzen, eilen,
Vom verhüllten Vollmond schauert Kühle.
Warst du fern so viele viele Meilen,
Den ich durch mein Blut jetzt wandern fühle?

Süßer Regen, regne ohne Ende. –

Abschied

Ich ließ die Türe offen.
Langsam ging ich die Stufen.
Ich dachte: vielleicht, daß du riefest –
Aber du hast nicht gerufen.

Ach, das ist der Regen
Auf meinem Gesicht.
Ich bin von dir gegangen.
Du fühltest es nicht.

Du bist gegangen – ach –
Und ich hatte so viel noch zu fragen.
Du hattest Antwort – ach –
Und hast sie von hinnen getragen.

Nun sitze ich, arm, allein,
Mit meiner dunkelen Seele,
Und wandle zu Klang den Stein
Und hauche mein Herz durch die Kehle.

Totenmahl

Einmal noch als deine Gäste
Sitzen wir um deinen Tisch,
Schön gedeckt ist er zum Feste,
Blumen leuchten zart und frisch.
Laßt Kristall und Silber klirren,
Weil so fremd und unbeseelt
Heute unsre Stimmen schwirren . . .
Weh – die *eine* Stimme fehlt!

Nie in dieser Tafelrunde
Waren wir wie heut vereint,
Jeder birgt die gleiche Wunde,
Alle haben wir geweint.
Aber Wein und Speisen schieben
Wir mit Lächeln hin und her:
Lasset uns einander lieben,
Denn der *eine* Stuhl steht leer!

Wenn wir uns vom Mahl erheben –
Ach, wir wissen's nur zu gut –
Springt der Ring, der uns umgeben,
Bricht der Zauber, der hier ruht,
Sinken auf dem Herd die Flammen,
Der so selig Obdach bot –
Denn wer ruft uns jetzt zusammen?
Heimat – Heimat, *du* bist tot!

Graue Tage

Wie graue Bettler schleichen diese Tage
Mit leeren Händen über meine Schwelle
Und sehn mich an bei jedem Stundenschlage
Und zögern bis zur letzten trüben Helle –
Und warten mit geduldiger Gebärde,
Ob ich sie nicht mit Segen füllen werde.

Und wenn sie still von meiner Türe weichen,
Gehn sie dahin und werden Gottes Knechte,
Um mir den tränenbittren Kelch zu reichen
Im Schatten ferner, todesdunkler Nächte:
Weil ich sie gehn hieß ohne eine Gabe,
Weil ich sie arm und leer gelassen habe. –

Die Zuflucht
Ricarda Huch
zum achtzigsten Geburtstag
18. Juli 1944

Was bleibt uns in den Trümmern unsrer Welt
Für Zuflucht aus dem Labyrinth der Trauer?
Was ist noch da, woran der Mensch sich hält,
Als der Gestirne unberührte Dauer,
An deren Starrheit doch das Herz zerschellt –

Auch ist das Meer und der Gebirge Wall
Ganz unverändert, brausend und gelassen.
Wir aber irren taumelnd durch das All
Und können diesen strengen Trost nicht fassen –
Verloren sind wir ohne Widerhall.

Du unterm Kreuz, du Menschheit unterm Joch,
Dem Schweigen der Gestirne preisgegeben,
Dir blieb ein Trost, *ein* Balsam blieb dir doch,
Ein Heiltrank, eingedampft aus Blut und Leben,
Aus deinen eignen Tränen blieb dir noch!

Den königlichen Seelen zugewandt,
Die unter uns in der Zerstreuung wohnen,
Ob ungekrönt, ob ohne Thron und Land,
Doch machtumstrahlt im Abglanz von Aeonen:
So halten wir den Finsternissen stand!

So nähren wir das Herz mit reinem Licht
Aus durchgeglühter Seelen harten Siegen,
Aus tieferprobter Seelen Zuversicht,
Die in sich selbst in altem Wissen wiegen
Tagaus, tagein die Welt ins Gleichgewicht.

Da ist nicht Dauer, nicht Vergänglichkeit,
Nicht End', nicht Anfang, Mündung nicht noch Quelle.
Der Geist schwebt überm dunklen Meer der Zeit
Und ihm verwehrt der Engel keine Schwelle.
Nie stürzt er aus der Heimat: Ewigkeit.

Gertrud von le Fort
1876–1971

Hymnen an die Kirche

Ich bin in das Gesetz deines Glaubens gefallen wie in ein nackendes Schwert!
Mitten durch meinen Verstand ging seine Schärfe, mitten durch die Leuchte meiner Er-
<div align="right">kenntnis!</div>
Nie wieder werde ich wandeln unter dem Stern meiner Augen und am Stabe meiner Kraft!
Du hast meine Ufer weggerissen und hast Gewalt angetan der Erde zu meinen Füßen!
Meine Schiffe treiben im Meer: alle meine Anker hast du gelichtet!
Die Ketten meiner Gedanken sind zerbrochen, sie hängen wie Wildnis im Abgrund.
Ich irre wie ein Vogel um meines Vaters Haus, ob ein Spalt ist, der dein fremdes Licht einläßt,
Aber es ist keiner auf Erden, außer der Wunde in meinem Geist –
Ich bin in das Gesetz deines Glaubens gefallen wie in ein nackendes Schwert!

Aber es geht noch Kraft aus von deinen Dornen, und aus deinen Abgründen tönt Gesang.
Deine Schatten liegen auf meinem Herzen wie Rosen, und deine Nächte sind wie starker
<div align="right">Wein:</div>
Ich will dich noch lieben, wo meine Liebe zu dir endet. Ich will dich noch wollen, wo ich
<div align="right">dich nicht mehr will.</div>
Wo ich selbst anfange, da will ich aufhören,
 und wo ich aufhöre,
 da will ich ewiglich bleiben.
Wo meine Füße sich weigern, mit mir zu gehen, da will ich mich einknien,
Und wo meine Hände versagen, da will ich sie falten.
Ich will zu Hauch werden in Herbsten des Stolzes und zu Schnee in Wintern der Zweifel,
Ja, wie in Gräbern von Schnee soll alle Frucht in mir schlafen.
Ich will Staub werden vor dem Fels deiner Lehre und Asche vor der Flamme deines Gebots –
Ich will meine Arme zerbrechen, ob ich dich mit ihren Schatten umfange.

Die Heimatlosen

Wir sind von einem edlen Stamm genommen,
Der Schuld vermählt,
Wir sind auf dunklen Wegen hergekommen
Wund und gequält.

Wir hielten einst ein Vaterland umfangen –
Gott riß uns los –
Wir sind durch Feuer und durch Blut gegangen
Verfolgt und bloß.

Des Abgrunds Engel hat uns überflogen –
Wer bannt sein Heer?

Wir sind am Rand der Hölle hingezogen –
Uns graust nicht mehr.

Durch jede Schmach sind wir hindurchgebrochen
Bis ins Gericht:
Wir hörten Worte, die ihr nie gesprochen –
O redet nicht!

Uns winkt hier niemals Heimat mehr wie andern,
Uns hält kein Band,
Gott riß uns los, wir müssen wandern, wandern –
Wüst liegt das Land,

Wüst liegt die Stadt, wüst liegen Hof und Hallen,
Die Hand ward leer,
Wir sahen eine Welt in Trümmer fallen –
Uns trifft nichts mehr,

Ziel eines Hasses oder Spottes,
Was liegt daran?
Wir sind die Heimatlosen unsres Gottes –
Er nimmt uns an.

Die Schuld ist ausgeweint, wir sind entronnen
Ins letzte Weh:
Die ewge Gnade öffnet ihre Bronnen –
Blut wird zu Schnee.

Deutsches Leid

Schiffer, zieh fort die Brücke,
Du lockst mich nimmermehr an Bord,
Ich weiß von keinem Glücke,
Ich weiß von keinem Zufluchtsort.

Und ob sich draußen weiten
Noch Länder froh und gastbereit,
Und ihre Arme breiten
Wie fremder Mütter Lindigkeit:

Ich würde doch entbehren
Bei ihres reichen Tisches Brot,
Ich würde mich verzehren
Nach meiner Heimat bittrer Not,

Ich stünde doch in Ketten
Mitten im festlich hohen Saal,
Ich könnt mich niemals retten
Vor meines Volkes Schuld und Qual.

Mir bräche doch in Scherben
Des vollen Bechers Prunkgerät,
Ich müßte dennoch, dennoch sterben,
Wenn Deutschland untergeht.

Und wenn er einst erscheinet . . .

Und wenn er einst erscheinet,
Den jede Sehnsucht meinet,
Des heilgen Friedens Tag:

Wer wird die Hände binden,
Daß sich die Herzen finden,
Wer hört noch ihren eingen Schlag?

Ich, ich, das edle Leiden,
Ich will die Völker kleiden,
Daß sie wie Schwestern gehn,
In meines Mantels Falten
Will ich sie liebreich halten
Wenn sie einander wiedersehn.

Da gibt es kein Verkennen,
Auf jedem Mund wird brennen
Desselben Trankes Glut:
Ich fülle alle Scherben
Im großen Weltverderben
Mit tiefer, reiner Schmerzensflut.

Blüh auf, zertretnes Leben,
Mir ist anheimgegeben
Der Abend dieser Zeit:
Was dich zu Tod getroffen,
Das wird dein letztes Hoffen:
Ich bin die große Einigkeit!

Mein ist die Königskrone,
Mein ist der Thron der Throne,
Sonst wird kein Herrscher sein,
Kein Herz wird mehr versteinen –
Es werden Alle weinen
Unsäglich gleich – unsäglich mein!

Konrad Weiß
1880–1940

Gebet auf dem Wasser

Scharf wie die Schwalbe überm Wasser,
Die Möwe stark im Himmelszelt,
ein Pfeil im Fluge niemals lasser
laß mich durcheilen, Herr, die Welt.

Die Nahrung, die er hascht im Fluge,
Der Vogel, die ihn vorwärts reißt,
die sich vergönnt uns im Verzuge,
die Speise sei dein heilger Geist.

Laß mir nicht Zeit, wie Mücklein spielen,
daraus dem Vogel Beute wird,
ich selber Beute, willst du zielen,
und Pfeil sei, der nach Beute schwirrt.

Und schneller, daß kein Wort ich finde
im Wind von deinem Angesicht,
es leuchtet noch, eh ich erblinde,
dein Abendrot im Augenlicht.

Erhoben wartet das Gestade,
Eindringling öffnet sich die Ruh,
halt ein, Herr, wer verfällt der Gnade,
dein Steg eilt jählings auf mich zu.

Schon hebt sich die durchzogne Welle,
die Furche teilt und wiegt sich glatt,
und über die bewegte Schwelle
fahr ich in deine heilge Stadt.

Aktäon

Wer so mit Schallen bläst,
es sinkt das Glück
des Jagens nicht ins Herz zurück,
ein Odem, der an Wälder stößt
und wiederkehrt und unerlöst
gebiert es Stück für Stück.

Jungfrau zu dir gesinnt,
die sein Verlies
mit Macht aufbrach und ihn verstieß,

die Hindin ist allzu geschwind,
es braust, die Seele hebt ein Wind,
er will doch nichts als dies:

Die Eile nicht, die Flucht,
die Beute nicht,
nichts als wie in dein Augenlicht
Gleich einem Blitz in dunkle Schlucht
in seines Sturzes kranker Wucht
verwurzelt und verflicht.

687

Der Horcher, wann es lockt,
von wannen tief
das Echo, das zu kommen rief,
das, wenn des Jagens Fuß ihm stockt,
Ruf immer weiter klingt und lockt,
der niemals wieder schlief,

er wendet, wendet nicht
vor reiner Qual
ihm ausgetan im Erdensaal,
wer bricht dies eingeborne Licht,
es trägt den Schall an Wälder dicht
der Jäger ohne Wahl.

Nun sieht er, wie es kreist
im vollen Rund,
als sei mit reinem Glockenmund
sein Herz und sein Verlies gespeist,
mit Macht, die ihn von dannen reißt
zum unlösbaren Bund.

Noch horcht er auf den Ton,
noch steht er still,
ein Baum, der sich entschälen will,
ein Hirsch umringt von Wassers Drohn,
in einem Blitz ein kaltes Lohn,
ein Halten und kein Ziel.

Der Meute ist er frei,
der jetzt verzagt,
der seinen Blick zum Grund gewagt,
er ist im reinen Ton entzwei,
er trägt den Blitz wie ein Geweih,
nun wird er selbst gejagt.

Der Mond

Ein abgebrochnes Stück,
dem goldnen gleich vom Pol
herabgedrückt zum Hohl
der bangen Mitternacht,
bleibt ihm mit scharfem Rand zurück,

wem? Diesem, der da blickt,
und weil er Atem holt,
nicht dies Gesicht von Gold
bewacht, und weil er wacht
und bangt, die finstre Bucht
mit Atem zu sich selber schickt.

Schon ist der Donner dort,
o wache nicht, du mußt
sonst sammeln in der Brust
mit trümmerhafter Sucht
was, kalt dies Gold der Nacht,
das Monde wechselnd hängt am Ort.

Nun wird er Blut und Ruß,
nun steht er auf dem Bord
des Rachens und verdorrt
beflammt, und von der Nacht
verschlungen, bebst du bis zum Fuß.

Abendwacht

Der Abend kommt, ein regenkalter Tag
verbleicht im letzten Schnee auf Baum und Busch,
die Last, die er nicht zwang und die er wusch,
drückt er erliegend tiefer in den Hag.

Wie Flügel liegts umher, verlorner Flaum,
das früh geborne Laub wird schwarz und starrt,
es gähnt von Gräbern, offenen, und hart
im Zwielicht kummervoll steht auf der Baum.

Das Dunkel kommt, auf kalten Fliesen hält
der Tag noch zögernd eine letzte Wacht,
unruhig wird das trübe Herz zur Nacht
kaltbrandig wie vom Müßiggang gequält.

Die eine Rose

Für Veit Roßkopf

Während wir uns schlugen auf den Wegen,
Wort um Worte rührten,
was die Worte wollten, tiefer spürten,
während wir dem Sinn entgegen
uns durch wache Wildnis trugen,
um ein schlafend Bild umsonst doch Worte
wacher schickend nur sein Schlafen schürten,
und von Ort zu Orte
horchten und die Zungen in uns schlugen,

fiel auf eine Rose vieler Regen.

Mann aus Erde

Dem alles nur im Geist geschah,
du meinst, die Grenze sei so nah,
dein armes Sein in Gottes Licht zu zücken,
du unlösbarer Zeitvertreib,
du mußt, o unverklärter Leib,
den Stein erst überm Grabe rücken.

Nun überfällt die Seelenangst
dich wieder, daß du stockst und bangst,
zurückwillst zu der Markverwesung Schmerzen,
Verjüngter du in dem Gericht
des Wortes, werde Fleisch, dann bricht
die Ader ein zum ewgen Herzen.

Ich erstaune tief in Scheu . . .

Ich erstaune tief in Scheu,
wie sich alles fügt,
nicht gewollt und nur getreu
mich kein Ding betrügt,

wie ich einen Willen tun
in Entfernung muß,
doch der Wille hüllt mich nun
wie in Baumes Nuß.

Immer in Bewegung ich
war doch immer Ruh,
wie ich dachte, regend mich,
handeltest nur du.

Wirf die Nuß ins Ackerland,
Wenn der Baum erbebt,
ich bin nicht, in deiner Hand
Sieh die Schöpfung lebt,

ich bin alles, Mensch auch ich,
wandelirrer Stern,
ihn gebar die Jungfrau sich
und ich harre gern.

Unerschütterlich erblüht
wird dies Herz in Gott,
singe mir das Wiegenlied,
Jungfrau Kummernot.

Alfred Mombert
1872–1942

Ich lag. Und neben mir lag eine Liebende
am Strand des feuerüberglänzten Meeres,
die hielt umschlungen meine große Nacktheit.
Und neben uns stand die Erscheinung eines Mannes,
der war starr in Verwunderung versunken
über die Klippen, über die vielen Inseln;
auf seinem großgeöffneten Gesicht
brandete der rote Schein der Wogen.
Und ganz in Fernen zwischen wasserlosen Hügeln
lagerte ein Heer Bewaffneter;
dort spiegelte der rote Schein der Wogen
auf blanken Panzern,
auf grauen Augen.

Ich aber lag. Ich atmete die kühle Luft der Freiheit.
Ich war so frei wie das Lächeln meiner Lippe.
Ich war so frei wie das feuerüberglänzte Meer.

Als ich erwachte, atmete das Meer
und blickte in den Mond. Bei mir im Boot
saß hoch ein Schatten. Einen silbernen Helm
auf dem Haupt.
 – Ich griff nach ihm, ich griff
in leere Luft. Und meine Hand erschien
im Wasser nachgespiegelt, ganz in Silber.

Ich sprach: Du bist so kalt und klar,
es fließt dein Blut in Silberadern,
es schießt die Möwe frei durch deinen Leib,
du wohnst auf glattem Spiegel hier im Mondlicht.
Du willst und hoffest nicht. Du rührst dich nicht.

Er sprach: Du bist so grausig göttlich,
voll ringender Geburten, und ist dein Antlitz
zermalmt und ausgebrannt von Gier und Wahnsinn,
du wohnst in Abendlandschaft, überschüttet
von wüstem Traum-Gestein und großen Spinnen.
Du träumst und stürmst. Du lebst.

Und danach lehnte sich der Schatten zärtlich
an meine Brust. Ich fühlte kühl am Haupt
den Silberhelm.

Einen Strauß wildfunkelnder Blumen
streckt eine Geist-Hand
über mein verhülltes Haupt.
Ich sitze im Nachtschatten
einer Riesenmauer.
Tief, an meine Füße, wogt das Meer.
Milliarden goldener Fische
drehen sich drin im Tanz.
Es glänzt bis ganz hinaus,
ganz hinaus in die Nacht.
– Und flüstert.

*

Oben, über mir
auf endloser Mauerhöhe,
beginnt eine Posaune zu blasen.
Sie quillt ganz auf.
Drin in den Tonwogen
steht Einer.
Was Der ist, bin Ich auch.
Doch bin ich nicht so hoch oben.

*

Er ist so hoch oben.
Wenn ich hinaufzudenken versuche,
schrumpft das goldglitzernde Meer zum Teich.
Ich will nur Eines noch:
Ihm ins Antlitz schauen.

*

Ich glaube, Er denkt immer an mich.
Oben über mir
denkt er immer an mich.
Er ist so hoch oben,
daß er nicht mehr schaffen kann.
Er denkt immer, immer
an meiner Hände schöpferische Macht.

*

Im Nachtschatten der Mauer
betracht ich meine Hände.
Mond und Sterne eilen jubelnd herbei
und leuchten dazu.
Mein Herz braust in strahlender Seligkeit,
da ich meine Hände erblicke.

In Dämmerung lehnst du gegen die Türe.
Schnüre mein Herz nicht so hart!

Welten ruf ich auf.
Alle Sterne erscheinen.
Doch zuletzt muß ich weinen
vor deiner blutigen Gegenwart.

Ich bette mich an eisige Räder.
Du hüllst mich in uralt graue Gewänder.

Auf meinen Höhen sitzend hör ichs rieseln.
Wann es den Wald durchbricht, so sind es Bäche;
und unten in der Tiefe sind es Meere,
die brausen groß hinaus.
Aber hier auf den Höhen sind es Tränen.
Hier brichts hervor.

Ich möchte mein Haupt hinhalten wie die Berge.
Ich möchte weinen, wie die Berge weinen.

Mich umkränzt ein Hof von fernen Sonnen.
Mich umringt ein Hof von Glück.
In einem Strahlen-Kranze zieht mein Flug
rollende Welten mit sich und ihr Glück.

Eine Feder meine Schwinge will ich wehen lassen.
Sie verflammt wohl wo an einer Sonne.
Aber vielleicht auch findet sie offene Gassen
nach der Menschen schwimmendem Märchen-Land:

Sinkt hinein in die irdische Maien-Nacht:
auf schlafenden Marktplatz
in Deutschland:
Und erzählt von mir und meinem Glück.

Theodor Däubler
1876–1934

Die Erde treibt im Norden tausend blaue Feuerblüten
Und übermittelt ihren Sehnsuchtstraum der Nacht,
Drum soll der Mensch auch seinen Flammenkelch behüten,
Wenn er, durch ihn belebt und lichterfüllt, erwacht.

Fürwahr, mir sind die Glutanschürer Gärtnerscharen
Von einer langbegrabnen, auferstandnen Pracht:
Versteinte Wälder wollen sich uns offenbaren,
Und Pilger holen sie aus finsterem Erdenschacht.

Ja, Pilger graben, wühlen sich stets mehr hinunter,
Stets tiefer in der Erdenmutter dunkles Heiligtum;
Ihr Herzschlag, ihr Gehämmerwerk, erhält sie munter:
Asketen aber sind sie zu des Urlichts Ruhm.

Auf ihrer Freiheit, ihrer Glutenkernesnähe
Beruht und tagt das ganze Dasein dieser Welt,
Sie sorgen, daß der Totgeglaubte auferstehe,
Durch sie wird jede Nacht vom Nordlichte erhellt.

So wandeln wir in wunderbaren Flammengärten,
Es türmen Feuerlauben sich ins Grau empor,
Die fernen Drachen wurden freundliche Gefährten
Und schimmern still vor meines Weibes sicherm Tor.

Ihr Grubenarbeiter, Ergrübler freier Wunder,
Vertraut dem Irrlicht nicht, das listig euch umschwirrt;
Bleibt unbeirrte, biedre Erdenherzerkunder,
Seid eurer eignen Willenstiere ernster Hirt!

Der Sonne könnt ihr bloß im Erdenschoße nahen,
Dort unten stößt ihr auf den Sinn von dieser Welt,
Und auch das Licht der Dinge, die noch nie geschahen,
Wird, grundbestimmt durch euch in uns hervorgeschwellt.

Aus: *Venedig*

Auf des Tages Abendschleppe
Streut der Mond sein Lichtgeschmeid,
Über ferner Alpentreppe
Funkelt noch das Purpurkleid.

Doch ein Ruhestundenschleier
Glitzert jetzt allein am Meer,
Schwangespenster, Silberreiher
Wimmeln, schwimmen ringsumher.

Wie in einem Irisbecken
Ruht der goldene Honigmond,
Zarte Wolkenhände strecken
Ihn empor, wo Sirius thront.

Viele ernsterglimmte Lichter
Nicken wieder schläfrig ein,
Denn des Mondes Flor wird dichter,
Alles, alles funkelt rein.

Da vor unserm Gondelbuge
Rauscht ein weißer Fabelschwan,
Rüstet er sich gar zum Fluge?
Immer huscht er um den Kahn.

Kaum hält unser Fährmann inne,
Taucht das Tier ins Meer hinab,
Und in bleicher Silberrinne
Biegst du um ein Marmorkap.

In den heimlichen Kanälen
Ist der Schwan dann wieder da,
Dichtumloht von Mondjuwelen
Lenkt und leuchtet er beinah.

Seine weißen Flimmerglieder
Sind viel zarter als ein Traum,
Rings verliert er sein Gefieder,
Oder ist es Gischt und Schaum?

Landschaft

Rote Mühlen stehen an verschneitem Ufer:
Grüne Wellen tragen Eis statt gelben Schaum.
Schwarze Vögel, Unglückskünder, Unheilrufer,
Hocken hoch und schwer in einem hohlen Baum.

O wie viele Tiere im Gezweige nisten:
Meine bösen Stunden aber sind noch mehr.
Sorgenvögel müssen dort ihr Leben fristen:
Späher durch die Silberäste hin und her.

Und ich weiß es nicht, ist so etwas ein Traum?
Denn ich baue ihn empor, den kahlen Baum!
Doch die fremden Vögel kamen ungerufen:
Ich kenne keine Fernen, die sie schufen.

Plötzlich drehen sich die Räder meiner Mühlen:
Bloß für einen Augenblick erbraust der Sturm.
Jetzt muß ich die Vögel in mir selber fühlen:
Weiter schleicht der eisgefleckte Wasserwurm.

Die Vorsonne

Ich bin der Glaube an die Macht der Sonnen,
Und meine Inbrunst zeitigt alle Strahlen!
Ich walle aus mir selber in die Zahlen
Und halte mich von Ewigkeit umsponnen.

In mir erschöpfen nimmer sich die Bronnen;
Mein Ich entstammt ja festen Wahlen
Der Ringnatur in ihren Wandelqualen:
Drum werde ich. Doch hat mich nichts begonnen!

Ich bin! und weil ich bin, so will ich leben.
Und da ich leben will, bin ich ein Wesen:
Doch ewig nur, als wahrstes Sein und Streben!

Ich bin nur ich in meinem Micherlesen,
Und um zu werden, muß ich mir entschweben,
Denn nur auf mir beruht das Urgenesen.

Karl Wolfskehl
1869–1948

Wir sind gewandert zum abend nieder,
Auf heissen lippen uralte lieder
Lieder der wüste lieder der meere
Lieder der sternen-nacht leuchtende schwere,
Wir sangen und sangen vom höchsten hort
Der mit uns gewandert zur ferne fort
Vom dreimal heilig verheissenden wort.

In allen landen ein angstsieches gasten
An allen tagen qualbitteres fasten,
Wo ist das erbe du der uns erkoren?
In singen und wandern sind wir verloren
Nun nicken wir blicken wir heimwehwund
Ein lied nur flieht vom bebenden mund
Das lied vom ewigen todesbund.

Herbst

Die nebel eilen
Auf breiten strassen
Zum singen des wassers
Die nebel eilen.

Am ufer verschwiegen
Schlummern die barken
Der fahrten müde
Am ufer verschwiegen.

Blaudunstig und leise
Entfliehen die tage
Mit weichem geflüster
Blaudunstig und leise.

Der dich dürfte lenken
Du boot meiner träume –
Du harrest des starken
Der dich dürfte lenken!

O wär ich der ferge
Zum eden zum eiland
In heilige lenze
O wär ich der ferge!

Nova Apocalypsis

Endchrist endchrist du wurdest zum spott
Statt deiner kommt der fliegengott.

Larven aus faulenden hirnen gekrochen
Sind nun ins leben hereingebrochen

Breiten sich dreist über alle gassen:
„Das reich ist unser: wir kommen in massen.

Der geht noch aufrecht – reisset ihn um
Der hat noch ein antlitz – zerret es krumm!

Der schreitet noch – er schleiche und hinke
Der schaut noch – macht dass er schiele und zwinke!

Kein arm: wir brauchen nur taster und greifer
Kein blut: wir brauchen nur gallert und geifer.

Hinweg mit seelen und höhen und himmeln
Wir brauchen nur staub: wir die kriechen und wimmeln."

Ob die sterne stehn ob die wasser gehn
Mag die lider nicht heben zum sehn
Tot mein mund, kein schrei zerrisse
Schnürende finsternisse.

Bis die wimpel flaggt steil übers meer
Bin ich gereiht in der unholde heer
Muss an den tau-benezten grenzen
Harren herbsten und lenzen

Bis mein meer seine segel hisse.

Ewiger Auszug

Die dunklen Bürden.
Die dunklen Würden.
Wir keuchen unter ihrer Last,
Wir Herde sonder Hürde.
Zur Unrast wird uns Rast um Rast.
Den Andern wüst, uns selbst verhasst –
O dass uns Frieden würde!
Und doch die Krücke leicht der Faust,
Weil Seine Losung uns enthaust.
Und doch ein Glanz um uns gebreitet,
Weil Er vor unsern Wegen schreitet.
Und doch hält aus des Herzens Schrein,
Weils drinnen ruft: *so* muss es sein!
Ihr seid als Pforten aufgetan,
Ihr immer neu Geschürten,
Zum Stamm erstarkt der Splitterspan,
Ihr einst und stets Gekürten,
Durch Wogen und Wust Geführten:
Stern-Augen schaun euch an!

Else Lasker-Schüler
1869–1945

Fortissimo

Du spieltest ein ungestümes Lied,
Ich fürchtete mich nach dem Namen zu fragen,
Ich wusste, er würde das alles sagen,
Was zwischen uns wie Lava glüht.

Da mischte sich die Natur hinein
In unsere stumme Herzensgeschichte,
Der Mondvater lachte mit Vollbackenschein,
Als machte er komische Liebesgedichte.

Wir lachten heimlich im Herzensgrund,
Doch unsere Augen standen in Thränen
Und die Farben des Teppichs spielten bunt
In Regenbogenfarbentönen.

Wir hatten beide dasselbe Gefühl,
Der Smyrnateppich wäre ein Rasen,
Und die Palmen über uns fächelten kühl,
Und unsere Sehnsucht begann zu rasen

Und unsere Sehnsucht riss sich los
Und jagte uns mit Blutsturmwellen:
Wir sanken in das Smyrnamoos
Urwild und schrieen wie Gazellen.

Morituri

Du hast ein dunkles Lied mit meinem Blut geschrieben,
Seitdem ist meine Seele jubellahm.
Du hast mich aus dem Rosenparadies vertrieben,
Ich musst sie lassen, Alle, die mich lieben.
Gleich einem Vagabund jagt mich der Gram.

Und in den Nächten, wenn die Rosen singen,
Dann brütet still der Tod – ich weiss nicht was –
Ich möchte Dir mein wehes Herze bringen,
Den bangen Zweifel und mein müh'sam Ringen
Und alles Kranke und den Hass!

[Morituri: die dem Tod Geweihten.]

Königswille

Ich will vom Leben der gazellenschlanken
Mädchen mit glühenden Rosengedanken,
Wenn glanzlose Sterne mein Sterbelied singen
Und bleiche Winde durch die Totenstadt weh'n
Und vom Licht mein warmes Leben erzwingen.

Ich will vom Leben der wettergebräunten
Knaben, die nie eine Thräne weinten,

Wenn die Tode vor meinen Herzthoren steh'n
Und mit der Kraft meiner Seele ringen.

Ich will vom Leben der weissen Gluten
Der Sonne und von der Wolke Morgenbluten
Dem quellenden Rot der Himmelsbrust.
Bis meine Lippen sich wieder färben
Und junger Odem durchströmt meine Brust . . .
Ich will nicht sterben!

Herzkirschen waren meine Lippen beid'

Ach, ich irre wie die Todsünde
Über wilde Haiden und Abgründe,
Über weinende Blumen im Herbstwind,
Die dicht von Brennesseln umklammert sind.

Herzkirschen waren meine Lippen beid',
Sie sind nun bleich und schweigend wie das Leid.
Ich suchte ihn im Abend, in der Dämmerung früh,
Und trank mein Blut und meine Süssigkeit.

Der Schatten, der auf meiner Wange glüht,
Wie eine Trauerrose ist er aufgeblüht
Aus meiner Seele Sehnsuchtsmelodie.

Frühling

Wir wollen wie der Mondenschein
Die stille Frühlingsnacht durchwachen,
Wir wollen wie zwei Kinder sein.
Du hüllst mich in dein Leben ein
Und lehrst mich so wie du zu lachen.

Ich sehnte mich nach Mutterlieb
Und Vaterwort und Frühlingsspielen,
Den Fluch, der mich durchs Leben trieb,
Begann ich, da er bei mir blieb,
Wie einen treuen Feind zu lieben.

Nun blühn die Bäume seidenfein
Und Liebe duftet von den Zweigen.
Du mußt mir Mutter und Vater sein
Und Frühlingsspiel und Schätzelein
Und ganz mein eigen.

Chaos

Die Sterne fliehen schreckensbleich
Vom Himmel meiner Einsamkeit,
Und das schwarze Auge der Mitternacht
Starrt näher und näher.

Ich finde mich nicht wieder
In dieser Todverlassenheit,

Mir ist, ich lieg von mir weltenweit
Zwischen grauer Nacht der Urangst.

Ich wollte, ein Schmerzen rege sich
Und stürze mich grausam nieder
Und riß mich jäh an mich!
Und es lege eine Schöpferlust
Mich wieder in meine Heimat
Unter der Mutterbrust.

Meine Mutterheimat ist seeleleer,
Es blühen dort keine Rosen
Im warmen Odem mehr. –
... Möcht einen Herzallerliebsten haben,
Und mich in seinem Fleisch vergraben.

Weltschmerz

Ich, der brennende Wüstenwind,
Erkaltete und nahm Gestalt an.

Wo ist die Sonne, die mich auflösen kann,
Oder der Blitz, der mich zerschmettern kann!

Blick nun, ein steinernes Sphinxhaupt,
Zürnend zu allen Himmeln auf.

Der Letzte

Ich lehne am geschlossenen Lid der Nacht
Und horche in die Ruhe.

Alle Sterne träumen von mir,
Und ihre Strahlen werden goldener,
Und meine Ferne undurchdringlicher.

Wie mich der Mond umwandelt,
Immer blindes Geschimmer murmelnd,
Ein Derwisch ist er in seinem Wandeltanz.

Weißgelbenjung hing sein Schein

Schaumleicht an der Nacht,
Und jäh über die Wolken sein Lawinengedröhn
Immer grauab,
Mir zur Seite streifte sein Gold.

Mein Heimatmeer lauscht still in meinem Schoß,
Helles Schlafen – dunkles Wachen ...
In meiner Hand liegt schwer mein Volk begraben,
Und Wetter ziehen schüchtern über mich.

Ich lehne am geschlossenen Lid der Nacht
Und horche in die Ruhe.

Weltende

Es ist ein Weinen in der Welt,
Als ob der liebe Gott gestorben wär,
Und der bleierne Schatten, der niederfällt,
Lastet grabesschwer.

Komm, wir wollen uns näher verbergen . . .
Das Leben liegt in aller Herzen
Wie in Särgen.

Du! wir wollen uns tief küssen –
Es pocht eine Sehnsucht an die Welt,
An der wir sterben müssen.

Und suche Gott

Ich habe immer vor dem Rauschen meines Herzens gelegen,
Nie den Morgen gesehen,
Nie Gott gesucht.
Nun aber wandle ich um meines Kindes
Goldgedichtete Glieder
Und suche Gott.

Ich bin müde vom Schlummer,
Weiß nur vom Antlitz der Nacht.
Ich fürchte mich vor der Frühe,
Sie hat ein Gesicht
Wie die Menschen, die fragen.

Ich habe immer vor dem Rauschen meines Herzens gelegen;
Nun aber taste ich um meines Kindes
Gottgelichtete Glieder.

Gebet

Ich suche allerlanden eine Stadt,
Die einen Engel vor der Pforte hat.
Ich trage seinen großen Flügel
Gebrochen schwer am Schulterblatt
Und in der Stirne seinen Stern als Siegel.

Und wandle immer in die Nacht . . .
Ich habe Liebe in die Welt gebracht –
Daß blau zu blühen jedes Herz vermag,
Und hab ein Leben müde mich gewacht,
In Gott gehüllt den dunklen Atemschlag.

O Gott, schließ um mich deinen Mantel fest;
Ich weiß, ich bin im Kugelglas der Rest,
Und wenn der letzte Mensch die Welt vergießt,
Du mich nicht wieder aus der Allmacht läßt
Und sich ein neuer Erdball um mich schließt.

Mein Volk

Der Fels wird morsch,
Dem ich entspringe
Und meine Gotteslieder singe . . .
Jäh stürz ich vom Weg
Und riesele ganz in mir
Fernab,
Allein über Klagegestein
Dem Meer zu.

Hab ich mich so abgeströmt
Von meines Blutes
Mostvergorenheit.
Und immer, immer noch den Widerhall
In mir,
Wenn schauerlich gen Ost
Das morsche Felsgebein,
Mein Volk
Zu Gott schreit.

Abraham und Isaak

Abraham baute in der Landschaft Eden
Sich eine Stadt aus Erde und aus Blatt
Und übte sich mit Gott zu reden.

Die Engel ruhten gern vor seiner frommen Hütte
Und Abraham erkannte jeden;
Himmlische Zeichen ließen ihre Flügelschritte.

Bis sie dann eimal bang in ihren Träumen
Meckern hörten die gequälten Böcke,
Mit denen Isaak Opfern spielte hinter Süßholzbäumen.

Und Gott ermahnte: Abraham!!
Er brach vom Kamm des Meeres Muscheln ab und Schwamm
Hoch auf den Blöcken den Altar zu schmücken.

Und trug den einzigen Sohn gebunden auf den Rücken
Zu werden seinem großen Herrn gerecht –
Der aber liebte seinen Knecht.

Jakob

Jakob war der Büffel seiner Herde.
Wenn er stampfte mit den Hufen,
Sprühte unter ihm die Erde.

Brüllend ließ er die gescheckten Brüder.
Rannte in den Urwald an die Flüsse,
Stillte dort das Blut der Affenbisse.

Durch die müden Schmerzen in den Knöcheln
Sank er vor dem Himmel fiebernd nieder,
Und sein Ochsgesicht erschuf das Lächeln.

Gedenktag

Das Meer steigt rauschend übers Land,
Inbrünstig fallen Wasser aus den Höhen.
Still brennt die Kerze noch in meiner Hand.

Ich möchte meine liebe Mutter wiedersehen ...
Begraben hab' ich meinen Leib im kühlen Sand,
Doch meine Seele will von dieser Welt nicht gehen.

Und hat sich von mir abgewandt.
Ich wollte immer ihr ein Kleid aus Muscheln nähen;
In meinen rauhen Körper wurde sie verbannt.

Doch meine liebe Mutter gab sie mir zum Pfand.
Ich suche meine Seele überall auf Zehen;
Die nistete an meiner roten Felsenwand,
Und noch in meinem Auge irrt ihr Spähen.

Mein blaues Klavier

Ich habe zu Hause ein blaues Klavier
Und kenne doch keine Note.

Es steht im Dunkel der Kellertür,
Seitdem die Welt verrohte.

Es spielen Sternenhände vier
– Die Mondfrau sang im Boote –
Nun tanzen die Ratten im Geklirr.

Zerbrochen ist die Klaviatür ...
Ich beweine die blaue Tote.

Ach liebe Engel öffnet mir
– Ich aß vom bitteren Brote –
Mir lebend schon die Himmelstür –
Auch wider dem Verbote.

Ein alter Tibetteppich

Deine Seele, die die meine liebet,
Ist verwirkt mit ihr im Teppichtibet.

Strahl in Strahl, verliebte Farben,
Sterne, die sich himmellang umwarben.

Unsere Füße ruhen auf der Kostbarkeit,
Maschentausendabertausendweit.

Süßer Lamasohn auf Moschuspflanzenthron,
Wie lange küßt dein Mund den meinen wohl
Und Wang die Wange buntgeknüpfte Zeiten schon?

Abschied

Ich wollte dir immerzu
Viele Liebesworte sagen,

Nun suchst du ruhlos
Nach verlorenen Wundern.

Aber wenn meine Spieluhren spielen
Feiern wir Hochzeit.

O, deine süßen Augen
Sind meine Lieblingsblumen.

Und dein Herz ist mein Himmelreich ...
Laß mich hineinschaun.

Du bist ganz aus glitzernder Minze
Und so weich versonnen.

Ich wollte dir immerzu
Viele Liebesworte sagen,

Warum tat ich das nicht?

Ein Lied

Hinter meinen Augen stehen Wasser,
Die muß ich alle weinen.

Immer möcht ich auffliegen,
Mit den Zugvögeln fort;

Buntatmen mit den Winden
In der großen Luft.

O ich bin so traurig – – – –
Das Gesicht im Mond weiß es.

Drum ist viel samtne Andacht
und nahender Frühmorgen um mich.

Als an deinem steinernen Herzen
Meine Flügel brachen,

Fielen die Amseln wie Trauerrosen
Hoch vom blauen Gebüsch.

Alles verhaltene Gezwitscher
Will wieder jubeln,

Und ich möchte auffliegen
Mit den Zugvögeln fort.

Es kommt der Abend

Es kommt der Abend und ich tauche in die Sterne,
Daß ich den Weg zur Heimat im Gemüte nicht verlerne
Umflorte ich auch längst mein armes Land.

Es ruhen unsere Herzen liebverwandt,
Gepaart in einer Schale:
Weiße Mandelkerne –

..... Ich weiß, du hältst wie früher meine Hand
Verwunschen in der Ewigkeit der Ferne
Ach meine Seele rauschte, als dein Mund es mir gestand.

Ein Liebeslied

Komm zu mir in der Nacht – wir schlafen engverschlungen.
Müde bin ich sehr, vom Wachen einsam.
Ein fremder Vogel hat in dunkler Frühe schon gesungen,
Als noch mein Traum mit sich und mir gerungen.

Es öffnen Blumen sich vor allen Quellen
Und färben sich mit deiner Augen Immortellen

Komm zu mir in der Nacht auf Siebensternenschuhen
Und Liebe eingehüllt spät in mein Zelt.
Es steigen Monde aus verstaubten Himmelstruhen.

Wir wollen wie zwei seltene Tiere liebesruhen
Im hohen Rohre hinter dieser Welt.

Ich säume liebentlang

Ich säume liebentlang durchs Morgenlicht,
Längst lebe ich vergessen – im Gedicht.
Du hast es einmal mir gesprochen.

Ich weiß den Anfang –
Weiter weiß ich von mir nicht.
Doch hörte ich mich schluchzen im Gesang.

Es lächelten die Immortellen hold in deinem Angesicht,
Als du im Liebespsalme unserer Melodie
Die Völker tauchtest und erhobest sie.

An Apollon

Es ist am Abend im April.
Der Käfer kriecht ins dichte Moos.
Er hat so Angst – die Welt so groß!

Die Wirbelwinde hadern mit dem Leben,
Ich halte meine Hände still ergeben
Auf meinem frommbezwungenen Schoß.

Ein Engel spielte sanft auf blauen Tasten,
Langher verklungene Phantasie.
Und alle Bürde meiner Lasten,
Verklärte und entschwerte sie.

Jäh tut mein sehr verwaistes Herz mir weh –
Blutige Fäden spalten seine Stille.
Zwei Augen blicken wund durch ihre Marmorhülle
In meines pochenden Granates See.

Er legte Brand an meines Herzens Lande –
Nicht mal sein Götterlächeln
Ließ er mir zum Pfande.

Heinrich Lautensack
1881–1919

Das verstörte Fest

Alle Uhren wurden angehalten.
Nie mehr werde Tag! hieß die Parole
in dem Saal, der voller Spukgestalten
schwamm im starken Duft der Nachtviole.

Und die Zeit stand still in Uhrgehäusen.
Und phantastisch – ohne Augenlider! –
hingen Tausende von Fledermäusen
– Kopf nach unten – als Girlanden nieder.

Zaub'rer, Teufel, Wichte und Lemuren!
Goldner Sekt gefror im Silberkühler.
Aus der Damen kupfernen Frisuren
streckten Nachtinsekten Riesenfühler.

– Plötzlich sprangen Tor und Tür entsiegelt,
und – wie graute da den Nachtgespenstern! –
von den Porphyrsäulen abgespiegelt
glomm ein rosa Licht in allen Fenstern.

Und herein trat – tauig frisch die Wangen,
deren Karmesin sich noch erhöhte,
als sie spürte, wie sie hier empfangen! –
eine Huldgestalt: die Morgenröte.

Viele flohn, unnennbar eingeschüchtert,
mit den Stirnen fast im Staub darnieder.
Selbst der Trunkenste schien jäh ernüchtert.
– Tag ward. – Und die Uhren gingen wieder.

Jakob van Hoddis
1887–1942

Weltende

Dem Bürger fliegt vom spitzen Kopf der Hut,
In allen Lüften hallt es wie Geschrei,
Dachdecker stürzen ab und gehn entzwei
Und an den Küsten – liest man – steigt die Flut.

Der Sturm ist da, die wilden Meere hupfen
An Land, um dicke Dämme zu zerdrücken.
Die meisten Menschen haben einen Schnupfen.
Die Eisenbahnen fallen von den Brücken.

Der Träumende

Kay Heinrich Nebel gewidmet

Blaugrüne Nacht, die stummen Farben glimmen.
Ist er bedroht vom roten Strahl der Speere
Und rohen Panzern? Ziehn hier Satans Heere?
Die gelben Flecke, die im Schatten schwimmen,
Sind Augen wesenloser großer Pferde.
Sein Leib ist nackt und bleich und ohne Wehre.
Ein fades Rosa eitert aus der Erde.

Morgentraum

Und auf den Straßen tönt der Schrei des Riesen
Durch Kinderlärmen und den Sturmgesang
Der Telegraphendrähte. Horch! Er brüllt.
Wie Wagenrasseln tönt sein Ruf zum Kampf.

Zum Kampf mit Ihm, um den die Engel weinen?
Das Opferlamm, des Blut die Welt verhüllt,
Daß alle Sonnen nur verdrossen scheinen?

Und des Planeten Antlitz taucht jetzt auf
Mit schmutzigem Haar, vom Fiebertraum entzahnt,
Und heisrer Atem fauchend übers Meer
Sich Schmerzenswege auf zum Himmel bahnt.

Dann siehst du Menschen wie in Kerkern wohnen,
In Zimmern hockend, jedem Blick bedrängt.
Der Horizont ist mit Geschrei verhängt.
Doch Lachen schallt von goldenen Wolkenthronen.

Und Markt und Straßen, wo die Wagen rasseln,
Der Ruf des Riesen mahnend überquert.
Wie Mittagswut und tausend Flammen prasseln.
Und kalt und blutig naht dir Gottes Schwert.

Die Himmelsschlange

Sonne glüht und Nächte schweigen,
Aus den hellen Fenstern steigen
Die Gespenster,
Unzucht treibend
In der Luft.
Und die Stadt
Verhüllt der Duft
Ihrer Schnapsgesichter.

„Laßt uns durch die großen Hallen
Der betörten Himmel wallen;
Denn der Mond ist doch schon fern.
Es verglomm der Grimm der Sterne.
Ist es Funkel, ist es dunkel,
Ist es Sang, Gebet, Gemunkel,
Sind's Paläste oder Plunder?
Schweigt, wir sind im Reich der Wunder."

Hunderttausend Heere ziehen
Durch die Wolkenplane.
Hunderttausend Freunde fliehen
Vor der Wolken Karawane.
Ach, dem Denker wird es übel,
Der das Heut' bedenken soll.
Steckt ihn in den Wasserkübel.
Er ist toll.

Andante

Aufblühen Papierwiesen
Leuchtend und grün,
Da stehen drei Kühe
Und singen kühn:

In goldene Eimer
Fließt unser Saft.
In farbige Reimer
Ergießt unsere Kraft.

„O Wälder, o Wolken,
O farbige Winde,
Wir werden gemolken
Geschwinde, geschwinde . . .

Wir stehen hier, im Chor beisammen,
Auf knotigem Beine
Und die Kräfte der Erde sind
Angesammelt zu frohem Vereine."

Sie bocken bei Tag und sie trillern bei Nacht.

Ernst Stadler
1883–1914

Der Spruch

In einem alten Buche
 stieß ich auf ein Wort,
Das traf mich wie ein Schlag
 und brennt durch meine Tage fort:
Und wenn ich mich
 an trübe Lust vergebe,
Schein, Lug und Spiel zu mir
 anstatt des Wesens hebe,
Wenn ich gefällig mich
 mit raschem Sinn belüge,
Als wäre Dunkles klar, als wenn nicht Leben
 tausend wild verschlossne Tore trüge,

Und Worte wiederspreche,
 deren Weite nie ich ausgefühlt,
Und Dinge fasse,
 deren Sein mich niemals aufgewühlt,
Wenn mich willkommner Traum
 mit Sammethänden streicht,
Und Tag und Wirklichkeit
 von mir entweicht,
Der Welt entfremdet,
 fremd dem tiefsten Ich,
Dann steht das Wort mir auf:
 Mensch, werde wesentlich!

Vorfrühling

In dieser Märznacht
 trat ich spät aus meinem Haus.
Die Straßen waren aufgewühlt von Lenzgeruch
 und grünem Saatregen.

Winde schlugen an. Durch die verstörte Häusersenkung
 ging ich weit hinaus
Bis zu dem unbedeckten Wall und spürte:
 meinem Herzen schwoll ein neuer Takt entgegen.

In jedem Lufthauch
 war ein junges Werden ausgespannt.
Ich lauschte,
 wie die starken Wirbel mir im Blute rollten.
Schon dehnte sich bereitet Acker.
 In den Horizonten eingebrannt
War schon die Bläue hoher Morgenstunden,
 die ins Weite führen sollten.

Die Schleusen knirschten.
 Abenteuer brach aus allen Fernen.
Überm Kanal, den junge Ausfahrtwinde wellten,
 wuchsen helle Bahnen,
In deren Licht ich trieb.
 Schicksal stand wartend in umwehten Sternen.
In meinem Herzen lag ein Stürmen
 wie von aufgerollten Fahnen.

Form ist Wollust

Form und Riegel mußten erst zerspringen,
Welt durch aufgeschlossne Röhren dringen:
Form ist Wollust, Friede, himmlisches Genügen,
Doch mich reißt es, Ackerschollen umzupflügen.
Form will mich verschnüren und verengen,
Doch ich will mein Sein in alle Weiten drängen –
Form ist klare Härte ohn' Erbarmen,
Doch mich treibt es zu den Dumpfen, zu den Armen,
Und in grenzenlosem Michverschenken
Will mich Leben mit Erfüllung tränken.

Der Aufbruch

Einmal schon haben Fanfaren
 mein ungeduldiges Herz blutig gerissen,
Daß es, aufsteigend wie ein Pferd,
 sich wütend ins Gezäum verbissen.
Damals schlug Tambourmarsch
 den Sturm auf allen Wegen,
Und herrlichste Musik der Erde
 hieß uns Kugelregen.
Dann, plötzlich, stand Leben stille.
 Wege führten zwischen alten Bäumen.
Gemächer lockten.
 Es war süß, zu weilen und sich versäumen,

Von Wirklichkeit den Leib
 so wie von staubiger Rüstung zu entketten,
Wollüstig sich in Daunen
 weicher Traumstunden einzubetten.
Aber eines Morgens
 rollte durch Nebelluft das Echo von Signalen,
Hart, scharf, wie Schwerthieb pfeifend. Es war
 wie wenn im Dunkel plötzlich Lichter aufstrahlen.
Es war wie wenn durch Biwakfrühe
 Trompetenstöße klirren,
Die Schlafenden aufspringen und die Zelte abschlagen
 und die Pferde schirren.

707

Ich war in Reihen eingeschient,
 die in den Morgen stießen, Feuer über Helm und Bügel,
Vorwärts, in Blick und Blut die Schlacht,
 mit vorgehaltnem Zügel.
Vielleicht würden uns
 am Abend Siegesmärsche umstreichen,
Vielleicht lägen wir irgendwo ausgestreckt
 unter Leichen.
Aber vor dem Erraffen
 und vor dem Versinken
Würden unsre Augen sich an Welt und Sonne satt
 und glühend trinken.

Fahrt über die Kölner Rheinbrücke bei Nacht

Der Schnellzug tastet sich
 und stößt die Dunkelheit entlang.
Kein Stern will vor. Die ganze Welt ist nur ein enger,
 nachtumschienter Minengang,
Darein zuweilen Förderstellen
 blauen Lichtes jähe Horizonte reißen: Feuerkreis
Von Kugellampen, Dächern, Schloten,
 dampfend, strömend .. nur sekundenweis ..
Und wieder alles schwarz.
 Als führen wir ins Eingeweid der Nacht zur Schicht.
Nun taumeln Lichter her .. verirrt, trostlos vereinsamt ..
 mehr .. und sammeln sich .. und werden dicht.
Gerippe grauer Häuserfronten liegen bloß,
 im Zwielicht bleichend, tot –
etwas muß kommen .. o, ich fühl es schwer
Im Hirn. Eine Beklemmung singt im Blut.
 Dann dröhnt der Boden plötzlich wie ein Meer:
Wir fliegen, aufgehoben,
 königlich durch nachtentrissne Luft, hoch übern Strom.
 O Biegung der Millionen Lichter, stumme Wacht,
Vor deren blitzender Parade
 schwer die Wasser abwärts rollen.
 Endloses Spalier, zum Gruß gestellt bei Nacht!
Wie Fackeln stürmend! Freudiges!
 Salut von Schiffen über blauer See! Bestirntes Fest!
Wimmelnd, mit hellen Augen hingedrängt!
 Bis wo die Stadt
 mit letzten Häusern ihren Gast entläßt.
Und dann die langen Einsamkeiten. Nackte Ufer.
 Stille. Nacht. Besinnung. Einkehr. Kommunion.
 Und Glut und Drang
Zum Letzten, Segnenden. Zum Zeugungsfest.
 Zur Wollust. Zum Gebet. Zum Meer.
 Zum Untergang.

Georg Heym
1887–1912

Der Himmel wird so schwarz, als würd es Nacht.
Der bleiche Schein der fernen Blitze loht,
Wie Todes Aug aus gelber Maske droht.
Das Wetter zieht herauf in dunkler Pracht.

Der erste Windstoß preßt die Kiefern rauh.
Die Raben wirbeln auf wie schwarzes Laub.
Vom weißen Strande wälzt sich hoch der Staub
Und zieht zur See hinaus wie Wolken grau.

Die Möwen ziehn am Wasser ihren Kreis.
Ihr Fittich ist wie Frauenschultern rein.
Des Ufers Villen stehen in dem Schein
Des wetterdunklen Himmels seltsam weiß.

Der Regen rauscht in Abends Dunkelheit.
Fern in den Wolken noch der Donner hallt.
Im Wind und Regen friert der Uferwald
Wie in Novemberabends Traurigkeit.

O weiter, weiter Abend. Da verglühen
Die langen Hügel an dem Horizont,
Wie klarer Träume Landschaft bunt besonnt.
O weiter Abend, wo die Saaten sprühen

Des Tages Licht zurück in goldnem Schein.
Hoch oben singen Schwalben, winzig klein.

Auf allen Feldern glitzert ihre Jagd,
Im Wald des Rohres und in hellen Buchten,
Wo hohe Masten stehn. Doch in den Schluchten
Der Hügel hinten nistet schon die Nacht.

Der Abend

Versunken ist der Tag in Purpurrot,
Der Strom schwimmt weiß in ungeheurer Glätte.
Ein Segel kommt. Es hebt sich aus dem Boot
Am Steuer groß des Schiffers Silhouette.

Auf allen Inseln steigt des Herbstes Wald
Mit roten Häuptern in den Raum, den klaren.
Und aus der Schluchten dunkler Tiefe hallt
Der Waldung Ton, wie Rauschen der Kitharen.

Das Dunkel ist im Osten ausgegossen,
Wie blauer Wein kommt aus gestürzter Urne.
Und ferne steht, vom Mantel schwarz umflossen,
Die hohe Nacht auf schattigem Kothurne.

Ophelia

I

Im Haar ein Nest von jungen Wasserratten,
Und die beringten Hände auf der Flut
Wie Flossen, also treibt sie durch den Schatten
Des großen Urwalds, der im Wasser ruht.

Die letzte Sonne, die im Dunkel irrt,
Versenkt sich tief in ihres Hirnes Schrein.
Warum sie starb? Warum sie so allein
Im Wasser treibt, das Farn und Kraut verwirrt?

Im dichten Röhricht steht der Wind. Er scheucht
Wie eine Hand die Fledermäuse auf.
Mit dunklem Fittich, von dem Wasser feucht
Stehn sie wie Rauch im dunklen Wasserlauf,

Wie Nachtgewölk. Ein langer, weißer Aal
Schlüpft über ihre Brust. Ein Glühwurm scheint
Auf ihrer Stirn. Und eine Weide weint
Das Laub auf sie und ihre stumme Qual.

II

Korn. Saaten. Und des Mittags roter Schweiß.
Der Felder gelbe Winde schlafen still.
Sie kommt, ein Vogel, der entschlafen will.
Der Schwäne Fittich überdacht sie weiß.

Die blauen Lider schatten sanft herab.
Und bei der Sensen blanken Melodien
Träumt sie von eines Kusses Karmoisin
Den ewigen Traum in ihrem ewigen Grab.

Vorbei, vorbei. Wo an das Ufer dröhnt
Der Schall der Städte. Wo durch Dämme zwingt
Der weiße Strom. Der Widerhall erklingt
Mit weitem Echo. Wo herunter tönt

Hall voller Straßen. Glocken und Geläut.
Maschinenkreischen. Kampf. Wo westlich droht
In blinde Scheiben dumpfes Abendrot,
In dem ein Kran mit Riesenarmen dräut,

Mit schwarzer Stirn, ein mächtiger Tyrann,
Ein Moloch, drum die schwarzen Knechte knien.
Last schwerer Brücken, die darüber ziehn
Wie Ketten auf dem Strom, und harter Bann.

Unsichtbar schwimmt sie in der Flut Geleit.
Doch wo sie treibt, jagt weit den Menschenschwarm
Mit großem Fittich auf ein dunkler Harm,
Der schattet über beide Ufer breit.

Vorbei, vorbei. Da sich dem Dunkel weiht
Der westlich hohe Tag des Sommers spät,
Wo in dem Dunkelgrün der Wiesen steht
Des fernen Abends zarte Müdigkeit.

Der Strom trägt weit sie fort, die untertaucht,
Durch manchen Winters trauervollen Port.
Die Zeit hinab. Durch Ewigkeiten fort,
Davon der Horizont wie Feuer raucht.

Die Dämonen der Städte

Sie wandern durch die Nacht der Städte hin,
Die schwarz sich ducken unter ihrem Fuß.
Wie Schifferbärte stehen um ihr Kinn
Die Wolken schwarz vom Rauch und Kohlenruß.

Ihr langer Schatten schwankt im Häusermeer
Und löscht der Straßen Lichterreihen aus.
Er kriecht wie Nebel auf dem Pflaster schwer
Und tastet langsam vorwärts Haus für Haus.

Den einen Fuß auf einen Platz gestellt,
Den anderen gekniet auf einen Turm,
Ragen sie auf, wo schwarz der Regen fällt,
Panspfeifen blasend in den Wolkensturm.

Um ihre Füße kreist das Ritornell
Des Städtemeers mit trauriger Musik,
Ein großes Sterbelied. Bald dumpf, bald grell
Wechselt der Ton, der in das Dunkel stieg.

Sie wandern an dem Strom, der schwarz und breit
Wie ein Reptil, den Rücken gelb gefleckt
Von den Laternen, in die Dunkelheit
Sich traurig wälzt, die schwarz den Himmel deckt.

Sie lehnen schwer auf einer Brückenwand
Und stecken ihre Hände in den Schwarm
Der Menschen aus, wie Faune, die am Rand
Der Sümpfe bohren in den Schlamm den Arm.

Einer steht auf. Dem weißen Monde hängt
Er eine schwarze Larve vor. Die Nacht,
Die sich wie Blei vom finstern Himmel senkt,
Drückt tief die Häuser in des Dunkels Schacht.

Der Städte Schultern knacken. Und es birst
Ein Dach, daraus ein rotes Feuer schwemmt.
Breitbeinig sitzen sie auf seinem First
Und schrein wie Katzen auf zum Firmament.

In einer Stube voll von Finsternissen
Schreit eine Wöchnerin in ihren Wehn.
Ihr starker Leib ragt riesig aus den Kissen,
Um den herum die großen Teufel stehn.

Sie hält sich zitternd an der Wehebank.
Das Zimmer schwankt um sie von ihrem Schrei,
Da kommt die Frucht. Ihr Schoß klafft rot und lang
Und blutend reißt er von der Frucht entzwei.

Der Teufel Hälse wachsen wie Giraffen.
Das Kind hat keinen Kopf. Die Mutter hält
Es vor sich hin. In ihrem Rücken klaffen
Des Schrecks Froschfinger, wenn sie rückwärts fällt.

Doch die Dämonen wachsen riesengroß.
Ihr Schläfenhorn zerreißt den Himmel rot.
Erdbeben donnert durch der Städte Schoß
Um ihren Huf, den Feuer überloht.

Der Gott der Stadt

Auf einem Häuserblocke sitzt er breit.
Die Winde lagern schwarz um seine Stirn.
Er schaut voll Wut, wo fern in Einsamkeit
Die letzten Häuser in das Land verirrn.

Vom Abend glänzt der rote Bauch dem Baal,
Die großen Städte knien um ihn her.
Der Kirchenglocken ungeheure Zahl
Wogt auf zu ihm aus schwarzer Türme Meer.

Wie Korybanten-Tanz dröhnt die Musik
Der Millionen durch die Straßen laut.
Der Schlote Rauch, die Wolken der Fabrik
Ziehn auf zu ihm, wie Duft von Weihrauch blaut.

Das Wetter schwelt in seinen Augenbrauen.
Der dunkle Abend wird in Nacht betäubt.
Die Stürme flattern, die wie Geier schauen
Von seinem Haupthaar, das im Zorne sträubt.

Er streckt ins Dunkel seine Fleischerfaust.
Er schüttelt sie. Ein Meer von Feuer jagt
Durch eine Straße. Und der Glutqualm braust
Und frißt sie auf, bis spät der Morgen tagt.

Deine Wimpern, die langen,
Deiner Augen dunkele Wasser,
Laß mich tauchen darein,
Laß mich zur Tiefe gehn.

Steigt der Bergmann zum Schacht
Und schwankt seine trübe Lampe
Über der Erze Tor,
Hoch an der Schattenwand,

Sieh, ich steige hinab,
In deinem Schoß zu vergessen,
Fern, was von oben dröhnt,
Helle und Qual und Tag.

An den Feldern verwächst,
Wo der Wind steht, trunken vom Korn,
Hoher Dorn, hoch und krank
Gegen das Himmelsblau.

Gib mir die Hand,
Wir wollen einander verwachsen,
Einem Wind Beute,
Einsamer Vögel Flug,

Hören im Sommer
Die Orgel der matten Gewitter,
Baden in Herbsteslicht,
Am Ufer des blauen Tags.

An Hildegard K.

Träumerei in Hellblau

Alle Landschaften haben
Sich mit Blau gefüllt.
Alle Büsche und Bäume des Stromes
Der weit in den Norden schwillt.

Blaue Länder der Wolken,
Weiße Segel dicht,
Die Gestade des Himmels in Fernen
Zergehen in Wind und Licht.

Wenn die Abende sinken
Und wir schlafen ein,
Gehen die Träume, die schönen,
Mit leichten Füßen herein.

Zymbeln lassen sie klingen
In den Händen licht.
Manche flüstern, und halten
Kerzen vor ihr Gesicht.

Der Krieg

Aufgestanden ist er, welcher lange schlief,
Aufgestanden unten aus Gewölben tief.
In der Dämmrung steht er, groß und unerkannt,
Und den Mond zerdrückt er in der schwarzen Hand.

In den Abendlärm der Städte fällt es weit,
Frost und Schatten einer fremden Dunkelheit,
Und der Märkte runder Wirbel stockt zu Eis.
Es wird still. Sie sehn sich um. Und keiner weiß.

In den Gassen faßt es ihre Schulter leicht.
Eine Frage. Keine Antwort. Ein Gesicht erbleicht.
In der Ferne wimmert ein Geläute dünn
Und die Bärte zittern um ihr spitzes Kinn.

Auf den Bergen hebt er schon zu tanzen an
Und er schreit: Ihr Krieger alle, auf und an.
Und es schallet, wenn das schwarze Haupt er schwenkt,
Drum von tausend Schädeln laute Kette hängt.

Einem Turm gleich tritt er aus die letzte Glut,
Wo der Tag flieht, sind die Ströme schon voll Blut.
Zahllos sind die Leichen schon im Schilf gestreckt,
Von des Todes starken Vögeln weiß bedeckt.

Über runder Mauern blauem Flammenschwall
Steht er, über schwarzer Gassen Waffenschall.
Über Toren, wo die Wächter liegen quer,
Über Brücken, die von Bergen Toter schwer.

In die Nacht er jagt das Feuer querfeldein
Einen roten Hund mit wilder Mäuler Schrein.
Aus dem Dunkel springt der Nächte schwarze Welt,
Von Vulkanen furchtbar ist ihr Rand erhellt.

Und mit tausend roten Zipfelmützen weit
Sind die finstren Ebnen flackend überstreut,
Und was unten auf den Straßen wimmelt hin und her,
Fegt er in die Feuerhaufen, daß die Flamme brenne mehr.

Und die Flammen fressen brennend Wald um Wald,
Gelbe Fledermäuse zackig in das Laub gekrallt.
Seine Stange haut er wie ein Köhlerknecht
In die Bäume, daß das Feuer brause recht.

Eine große Stadt versank in gelbem Rauch,
Warf sich lautlos in des Abgrunds Bauch.
Aber riesig über glühnden Trümmern steht
Der in wilde Himmel dreimal seine Fackel dreht,

Über sturmzerfetzter Wolken Widerschein,
In des toten Dunkels kalte Wüstenein,
Daß er mit dem Brande weit die Nacht verdorr,
Pech und Feuer träufet unten auf Gomorrh.
[nach der Handschrift.]

Lichter gehen jetzt die Tage
In der sanften Abendröte
Und die Hecken sind gelichtet,
Drin der Städte Türme stecken
Und die buntbedachten Häuser.

Und der Mond ist eingeschlafen
Mit dem großen weißen Kopfe
Hinter einer großen Wolke.
Und die Straßen gehen bleicher
Durch die Häuser und die Gärten.

Die Gehängten aber schwanken
Freundlich oben auf den Bergen
In der schwarzen Silhouette,
Drum die Henker liegen schlafend,
Unterm Arm die feuchten Beile.

August Stramm
1874–1915

Traum

Durch die Büsche winden Sterne
Augen tauchen blaken sinken
Flüstern plätschert
Blüten gehren
Düfte spritzen
Schauer stürzen
Winde schnellen prellen schwellen
Tücher reißen
Fallen schrickt in tiefe Nacht.

Verzweifelt

Droben schmettert ein greller Stein
Nacht grant Glas
Die Zeiten stehn
Ich
Steine.
Weit
Glast
Du!

Sehnen

Die Hände strecken
Starre bebt
Erde wächst an Erde
Dein Nahen fernt
Der Schritt ertrinkt
Das Stehen jagt vorüber
Ein Blick
Hat
Ist!
Wahnnichtig
Icht!

714

Schlachtfeld

Schollenmürbe schläfert ein das Eisen
Blute filzen Sickerflecke
Roste krumen
Fleische schleimen
Saugen brünstet um Zerfallen.
Mordesmorde
Blinzen
Kinderblicke.

Schrapnell

Der Himmel wirft Wolken
Und knattert zu Rauch.
Spitzen blitzen.
Füße wippen stiebig Kiesel.
Augen kichern in die Wirre
Und
Zergehren.

Patrouille

Die Steine feinden
Fenster grinst Verrat
Äste würgen
Berge Sträucher blättern raschlig
Gellen
Tod.

Wache

Das Turmkreuz schrickt ein Stern
Der Gaul schnappt Rauch
Eisen klirrt verschlafen
Nebel streichen
Schauer
Starren Frösteln
Frösteln
Streicheln
Raunen
Du!

Albert Ehrenstein
1886–1950

Leid

Wie bin ich vorgespannt
Dem Kohlenwagen meiner Trauer!
Widrig wie eine Spinne
Bekriecht mich die Zeit.
Fällt mein Haar,
Ergraut mein Haupt zum Feld,

Darüber der letzte
Schnitter sichelt.
Schlaf umdunkelt mein Gebein.
Im Traum schon starb ich,
Gras schoß aus meinem Schädel,
Aus schwarzer Erde war mein Kopf.

715

Der Kriegsgott

Heiter rieselt ein Wasser,
Abendlich blutet das Feld,
Aber aufreckend
Das wildbewachsene Tierhaupt,
Den Menschen feind, zerschmetter ich, Ares,
Zerkrachend schwaches Kinn und Nase,
Türme abdrehend vor Wut, eure Erde.
Lasset ab, den Gott zu rufen, der nicht hört.
Nicht hintersinnet ihr dies:
Meine Unterteufel herrschen auf Erden,
Sie heißen Unvernunft und Tollwut.
Menschenhäute spannt ich
An Stangen um die Städte.
Der ich der alten Burgen wanke Tore
Auf meine Dämonsschultern lud,
Ich schütte aus die dürre Kriegszeit,
Steck Europa in den Kriegssack.
Rot umblüht euer Blut
Meinen Schlächterarm,

Wie freut mich der Anblick!
Der Feind flammt auf
In regenbitterer Nacht,
Geschosse zerhacken euere Frauen,
Auf den Boden
Verstreut sind die Hoden
Euerer Söhne
Wie die Körner von Gurken.
Unabwendbar euren Kinderhänden
Köpft euere Massen der Tod.
Blut gebt ihr für Kot,
Reichtum für Not,
Schon speien die Wölfe
Nach meinen Festen,
Euer Aas muß sie übermästen.
Bleibt noch ein Rest
Nach Ruhr und Pest?
Aufheult in mir die Lust,
Euch gänzlich zu beenden!

Der Selbstmörder

Ich bin einer der Versunkenen,
Die durch tausend Wälder schweigen,
Ich bin einer der Ertrunkenen,
Die kein Leid je wieder zeugen.

Ihr aber freut euch des Schiffs,
Verekelt mit Segeln den See.
Ich will tiefer zur Tiefe.
Stürzen, schmelzen, erblinden zu Eis.

O Sirupsprache der Gletscher!
Was soll mir der Gipfel –
Die Sonne betrat ihn!
Am Berge lockt mich der Abgrund,

Der Entspanner, Erlöser, Empfänger.

Bahnen, wohltätige Bahnen!
Niederfährt eiserne Kraft
Unselige Menschen.

Ich grüße den Tod.
Denn Sein ist Gefängnis,
Im Hirn haust die Qual,
Das Auge verengt Welt,
Und schlecht ist Geschlecht,
Es vermehrt sich.

Schön ist es, ein Skelett zu sein oder Sand.

Christus spricht

Des Mondes Bauch nimmt ab,
Das Meer verrauscht,
Die Welt vereist,
Der Schleier der Nacht
Fällt mit den Sternen.
Der Herbstkranich ruft.
Ich wische mir den Fuß ab,
Der eure Erde betrat.
Ich bin das Feuer,

Ihr habet mich kalt gemacht.
Wer wird die Sonne anzünden,
Wenn es Winter ist.

Verzweiflung

Wochen, Wochen sprach ich kein Wort;
Ich leb einsam, verdorrt.
Der Himmel hat keinen Stern.
Ich stürbe so gern.

Meine Augen betrübt die Enge,
Ich verkriech mich in einen Winkel,
Klein möcht ich sein: eine Spinne –
Aber niemand zerdrückt mich.

Keinem hab ich Schlimmes getan,
Allen Guten half ich ein wenig.
Glück, dich soll ich nicht haben.
Man will mich nicht lebend begraben.

Ausgesetzt

Der Mond bespuckt
Den blaßgrauen Jüngling
Mit sterbendem Licht.

Das Frühlingsmädchen zeigt
Ihre Schenkel
Dem Spiegel
Und haucht
Zu ihrer einsamen Scham:
Wann?

Ihr Götter in Himmeln der Überwelt,
Ihr Menschen in Urwäldern irdischer Natur!
Die todeswürdige Erde
Gebiert zu viel Wesen,
Kinder schluchzen verlassen
Am Wildstrom des Lebens.

Alfred Lichtenstein
1889–1914

Die Dämmerung

Ein dicker Junge spielt mit einem Teich.
Der Wind hat sich in einem Baum gefangen.
Der Himmel sieht verbummelt aus und bleich,
Als wäre ihm die Schminke ausgegangen.

Auf lange Krücken schief herabgebückt
Und schwatzend kriechen auf dem Feld zwei Lahme.
Ein blonder Dichter wird vielleicht verrückt.
Ein Pferdchen stolpert über eine Dame.

An einem Fenster klebt ein fetter Mann.
Ein Jüngling will ein weiches Weib besuchen.
Ein grauer Clown zieht sich die Stiefel an.
Ein Kinderwagen schreit und Hunde fluchen.

Die Ritze

Der Friedhof liegt etwas im Abend,
Und schläfrig geigt sein Wind
Von Dingen, die lange vergessen
Und seltsam zu sagen wohl sind.

Die Blätter der Bäume verflüstern
Geheimnis Grab zu Grab.
Und aus einer Ritze am Himmel
Fällt nächstens ein Goldstück hinab.

Der Rauch auf dem Felde

Lene Levi lief am Abend
Trippelnd, mit gerafften Röcken,
Durch die langen, leeren Straßen
Einer Vorstadt.

Und sie sprach verweinte, wehe,
Wirre, wunderliche Worte,
Die der Wind warf, daß sie knallten
Wie die Schoten,

Sich an Bäumen blutig ritzten
Und verfetzt an Häusern hingen
Und in diesen tauben Straßen
Einsam starben.

Lene Levi lief, bis alle
Dächer schiefe Mäuler zogen,
Und die Fenster Fratzen schnitten
Und die Schatten

Ganz betrunkne Späße machten –
Bis die Häuser hilflos wurden
Und die stumme Stadt vergangen
War in weiten

Feldern, die der Mond beschmierte . . .
Lenchen nahm aus ihrer Tasche
Eine Kiste mit Zigarren,
Zog sich weinend

Aus und rauchte . . .

Prophezeiung

Einmal kommt – ich habe Zeichen –
Sterbesturm aus fernem Norden.
Überall stinkt es nach Leichen.
Es beginnt das große Morden.

Finster wird der Himmelsklumpen,
Sturmtod hebt die Klauentatzen:
Nieder stürzen alle Lumpen,
Mimen bersten. Mädchen platzen.

Polternd fallen Pferdeställe.
Keine Fliege kann sich retten.
Schöne homosexuelle
Männer kullern aus den Betten.

Rissig werden Häuserwände.
Fische faulen in dem Flusse.
Alles nimmt sein ekles Ende.
Krächzend kippen Omnibusse.

Ernst Blass
1890–1939

Vormittag

Den grünen Rasen sprengt ein guter Mann.
Der zeigt den Kindern seinen Regenbogen,
Der in dem Strahle auftaucht dann und wann.
Und die Elektrische ist fortgezogen

Und rollt ganz ferne. Und die Sonne knallt
Herunter auf den singenden Asphalt.
Du gehst im Schatten, ernsthaft, für und für.
Die Lindenbäume sind sehr gut zu dir.

Im Schatten setzt du dich auf eine Bank;
Die ist schon morsch; – auch du bist etwas krank –
Du tatest heiter, daß ihr nicht ein Bein birst.

Und fühlst auf deinem Herzen deine Uhr,
Und träumst von einer schimmernden Figur
Und dieses auch: daß du einst
nicht mehr sein wirst.

Die Jungfrau

Jongleure setzen ihre Köpfe ab
Und schmeißen sie hell pfeifend in die Luft.
Die Knochen meckern, wenn mit lautem Klapp
Ein Kopf ins Universum sich verpufft.

. . Jetzt Neger, die auf Dromedaren reiten.
Und nun tanzt du in deinem engen Rocke,
Der fixe Klöppel einer mächtgen Glocke,
Die laut zerlärmt die Zulukaffrigkeiten.

719

Du tanzt vorbei an zitternden Profilen
Verwirrter Antlitze, die dich beschielen.
Du tanzest aus – und gehst allein nach Haus.

Und während weiß sich dehnen deine Lippen,
Wird rot und zottig deinen Leib umwippen
Die Nacht wie eine Riesenfledermaus.

Der Dichter

O ihr Smaragden all in meiner Krone!
Ich fahre durch die grau-verschwommne Enge
Mit schiefem Munde. Nirgendwo ich wohne.
In meinen Ohren sausen die Gesänge.

Unruhe bringt mich manchmal fast zum Weinen.
Kopfschmerzen sitzen tief in meinem Auge.
Ach, daß mein Blick noch einmal dazu tauge,
Den Glanz zu sehn von meinen Edelsteinen!

Georg Trakl
1887–1914

Musik im Mirabell

Ein Brunnen singt. Die Wolken stehn
Im klaren Blau, die weißen, zarten.
Bedächtig stille Menschen gehn
Am Abend durch den alten Garten.

Der Ahnen Marmor ist ergraut.
Ein Vogelzug streift in die Weiten.
Ein Faun mit toten Augen schaut
Nach Schatten, die ins Dunkel gleiten.

Das Laub fällt rot vom alten Baum
Und kreist herein durchs offne Fenster.
Ein Feuerschein glüht auf im Raum
Und malet trübe Angstgespenster.

Ein weißer Fremdling tritt ins Haus.
Ein Hund stürzt durch verfallene Gänge.
Die Magd löscht eine Lampe aus,
Das Ohr hört nachts Sonatenklänge.

Rondel

Verflossen ist das Gold der Tage,
Des Abends braun und blaue Farben:
Des Hirten sanfte Flöten starben
Des Abends blau und braune Farben
Verflossen ist das Gold der Tage.

Die Bauern

Vorm Fenster tönendes Grün und Rot.
Im schwarzverräucherten, niederen Saal
Sitzen die Knechte und Mägde beim Mahl;
Und sie schenken den Wein und sie brechen das Brot.

Im tiefen Schweigen der Mittagszeit
Fällt bisweilen ein karges Wort.
Die Äcker flimmern in einem fort
Und der Himmel bleiern und weit.

Fratzenhaft flackert im Herd die Glut
Und ein Schwarm von Fliegen summt.
Die Mägde lauschen blöd und verstummt
Und ihre Schläfen hämmert das Blut.

Und manchmal treffen sich Blicke voll Gier,
Wenn tierischer Dunst die Stube durchweht.
Eintönig spricht ein Knecht das Gebet
Und ein Hahn kräht unter der Tür.

Und wieder ins Feld. Ein Grauen packt
Sie oft im tosenden Ährengebraus
Und klirrend schwingen ein und aus
Die Sensen geisterhaft im Takt.

Verklärter Herbst

Gewaltig endet so das Jahr
Mit goldnem Wein und Frucht der Gärten.
Rund schweigen Wälder wunderbar
Und sind des Einsamen Gefährten.

Da sagt der Landmann: Es ist gut.
Ihr Abendglocken lang und leise
Gebt noch zum Ende frohen Mut.
Ein Vogelzug grüßt auf der Reise.

Es ist der Liebe milde Zeit.
Im Kahn den blauen Fluß hinunter
Wie schön sich Bild an Bildchen reiht –
Das geht in Ruh und Schweigen unter.

Menschheit

Menschheit vor Feuerschlünden aufgestellt,
Ein Trommelwirbel, dunkler Krieger Stirnen,
Schritte durch Blutnebel; schwarzes Eisen schellt,
Verzweiflung, Nacht in traurigen Gehirnen:
Hier Evas Schatten, Jagd und rotes Geld.
Gewölk, das Licht durchbricht, das Abendmahl.
Es wohnt in Brot und Wein ein sanftes Schweigen
Und jene sind versammelt zwölf an Zahl.
Nachts schrein im Schlaf sie unter Ölbaumzweigen;
Sankt Thomas taucht die Hand ins Wundenmal.

De profundis

Es ist ein Stoppelfeld, in das ein schwarzer Regen fällt.
Es ist ein brauner Baum, der einsam dasteht.
Es ist ein Zischelwind, der leere Hütten umkreist.
Wie traurig dieser Abend.

Am Weiler vorbei
Sammelt die sanfte Waise noch spärliche Ähren ein.
Ihre Augen weiden rund und goldig in der Dämmerung
Und ihr Schoß harrt des himmlischen Bräutigams.

Bei der Heimkehr
Fanden die Hirten den süßen Leib
Verwest im Dornenbusch.

Ein Schatten bin ich ferne finsteren Dörfern.
Gottes Schweigen
Trank ich aus dem Brunnen des Hains.

Auf meine Stirne tritt kaltes Metall
Spinnen suchen mein Herz.
Es ist ein Licht, das in meinem Mund erlöscht.

Nachts fand ich mich auf einer Heide,
Starrend von Unrat und Staub der Sterne.
Im Haselgebüsch
Klangen wieder kristallne Engel.

[De profundis: Aus der Tiefe.]

In den Nachmittag geflüstert

Sonne, herbstlich dünn und zag,
Und das Obst fällt von den Bäumen.
Stille wohnt in blauen Räumen
Einen langen Nachmittag.

Sterbeklänge von Metall;
Und ein weißes Tier bricht nieder.
Brauner Mädchen rauhe Lieder
Sind verweht im Blätterfall.

Stirne Gottes Farben träumt
Spürt des Wahnsinns sanfte Flügel.
Schatten drehen sich am Hügel
Von Verwesung schwarz umsäumt.

Dämmerung voll Ruh und Wein;
Traurige Guitarren rinnen.
Und zur milden Lampe drinnen
Kehrst du wie im Traume ein.

Verfall

Am Abend, wenn die Glocken Frieden läuten,
Folg ich der Vögel wundervollen Flügen,
Die lang geschart, gleich frommen Pilgerzügen,
Entschwinden in den herbstlich klaren Weiten.

Hinwandelnd durch´den dämmervollen Garten
Träum ich nach ihren helleren Geschicken
Und fühl der Stunden Weiser kaum mehr rücken.
So folg ich über Wolken ihren Fahrten.

Da macht ein Hauch mich von Verfall erzittern.
Die Amsel klagt in den entlaubten Zweigen.
Es schwankt der rote Wein an rostigen Gittern,

Indes wie blasser Kinder Todesreigen
Um dunkle Brunnenränder, die verwittern,
Im Wind sich fröstelnd blaue Astern neigen.

An den Knaben Elis

Elis, wenn die Amsel im schwarzen Wald ruft,
Dieses ist dein Untergang.
Deine Lippen trinken die Kühle des blauen Felsenquells.

Laß, wenn deine Stirne leise blutet
Uralte Legenden
Und dunkle Deutung des Vogelflugs.

Du aber gehst mit weichen Schritten in die Nacht,
Die voll purpurner Trauben hängt,
Und du regst die Arme schöner im Blau.

Ein Dornenbusch tönt,
Wo deine mondenen Augen sind.
O, wie lange bist, Elis, du verstorben.

Dein Leib ist eine Hyazinthe,
In die ein Mönch die wächsernen Finger taucht.
Eine schwarze Höhle ist unser Schweigen,

Daraus bisweilen ein sanftes Tier tritt
Und langsam die schweren Lider senkt.
Auf deine Schläfen tropft schwarzer Tau,

Das letzte Gold verfallener Sterne.

Der Herbst des Einsamen

Der dunkle Herbst kehrt ein voll Frucht und Fülle,
Vergilbter Glanz von schönen Sommertagen.
Ein reines Blau tritt aus verfallener Hülle;
Der Flug der Vögel tönt von alten Sagen.
Gekeltert ist der Wein, die milde Stille
Erfüllt von leiser Antwort dunkler Fragen.

Und hier und dort ein Kreuz auf ödem Hügel;
Im roten Wald verliert sich eine Herde.
Die Wolke wandert übern Weiherspiegel;
Es ruht des Landmanns ruhige Geberde.
Sehr leise rührt des Abends blauer Flügel
Ein Dach von dürrem Stroh, die schwarze Erde.

Bald nisten Sterne in des Müden Brauen;
In kühle Stuben kehrt ein still Bescheiden
Und Engel treten leise aus den blauen
Augen der Liebenden, die sanfter leiden.
Es rauscht das Rohr; anfällt ein knöchern Grauen,
Wenn schwarz der Tau tropft von den kahlen Weiden.

Geistliche Dämmerung

Stille begegnet am Saum des Waldes
Ein dunkles Wild;
Am Hügel endet leise der Abendwind,

Verstummt die Klage der Amsel,
Und die sanften Flöten des Herbstes
Schweigen im Rohr.

Auf schwarzer Wolke
Befährst du trunken von Mohn
Den nächtigen Weiher,

Den Sternenhimmel.
Immer tönt der Schwester mondene Stimme
Durch die geistliche Nacht.

Ein Winterabend

Wenn der Schnee ans Fenster fällt,
Lang die Abendglocke läutet,
Vielen ist der Tisch bereitet
Und das Haus ist wohlbestellt.

Mancher auf der Wanderschaft
Kommt ans Tor auf dunklen Pfaden.
Golden blüht der Baum der Gnaden
Aus der Erde kühlem Saft.

Wanderer tritt still herein;
Schmerz versteinerte die Schwelle.
Da erglänzt in reiner Helle
Auf dem Tische Brot und Wein.

Gesang des Abgeschiedenen
An Karl Borromaeus Heinrich

Voll Harmonien ist der Flug der Vögel. Es haben die grünen Wälder
Am Abend sich zu stilleren Hütten versammelt;
Die kristallenen Weiden des Rehs.
Dunkles besänftigt das Plätschern des Bachs, die feuchten Schatten

Und die Blumen des Sommers, die schön im Winde läuten.
Schon dämmert die Stirne dem sinnenden Menschen.

Und es leuchtet ein Lämpchen, das Gute, in seinem Herzen
Und der Frieden des Mahls; denn geheiligt ist Brot und Wein
Von Gottes Händen, und es schaut aus nächtigen Augen
Stille dich der Bruder an, daß er ruhe von dorniger Wanderschaft.
O das Wohnen in der beseelten Bläue der Nacht.

Liebend auch umfängt das Schweigen im Zimmer die Schatten der Alten,
Die purpurnen Martern, Klage eines großen Geschlechts,
Das fromm nun hingeht im einsamen Enkel.

Denn strahlender immer erwacht aus schwarzen Minuten des Wahnsinns
Der Duldende an versteinerter Schwelle
Und es umfängt ihn gewaltig die kühle Bläue und die leuchtende Neige des Herbstes,

Das stille Haus und die Sagen des Waldes,
Maß und Gesetz und die mondenen Pfade der Abgeschiedenen.

Grodek

Am Abend tönen die herbstlichen Wälder
Von tödlichen Waffen, die goldnen Ebenen
Und blauen Seen, darüber die Sonne
Düstrer hinrollt; umfängt die Nacht
Sterbende Krieger, die wilde Klage
Ihrer zerbrochenen Münder.
Doch stille sammelt im Weidengrund
Rotes Gewölk, darin ein zürnender Gott wohnt
Das vergoßne Blut sich, mondne Kühle;
Alle Straßen münden in schwarze Verwesung.
Unter goldnem Gezweig der Nacht und Sternen
Es schwankt der Schwester Schatten durch den schweigenden Hain,
Zu grüßen die Geister der Helden, die blutenden Häupter;
Und leise tönen im Rohr die dunkeln Flöten des Herbstes.
O stolzere Trauer! ihr ehernen Altäre
Die heiße Flamme des Geistes nährt heute ein gewaltiger Schmerz,
Die ungebornen Enkel.

Walter Flex
1887–1917

Schwertgruß

Seis' drum! Herzen zu Staub und Schwerter zu Rost!
Wen schert's?
Mannesleben war immerdar Raub und Kost
des hauenden Schwerts.

Wiese und Wald auch schlingt die Erde hinab
zum Tod.
Lebenswiege ist immer ein Lebensgrab,
so ist's Gottesgebot.

Männerblut schluckt die dampfende Erde ein
im Streit,
daß auf der Erde Gottes Männer gedeihn
in Ewigkeit.

Alles Verwesliche stirbt, so heiß es nach Licht
begehrt.
Müssen wir sterben – es stirbt sich am schlecht'sten nicht
am malmenden Schwert.

Beide wohl, Zage und Helden, fällt der Stahl.
Doch sprecht:
Mischt das Schwert auch dem Feigen die Lust zur Qual?
Das Schwert ist gerecht.

Auf das Herz unsrer Toten im fremden Sand
legt Stahl
als eine Handvoll Erde vom Vaterland
und als Heldenmal.

Stahl ist Heimaterde vom ehernen Mark
des Lands.
Feuer und Wasser der Heimat machten ihn stark
und tief an Glanz.

Sei's drum – Schwerter zu Rost und Herzen zu Staub!
Wen schert's?
Ohne den Tod bleibt die fruchtbare Erde taub.
So freut euch des Schwerts!

Deutsche Schicksalsstunde

Nun schlägt der Haß wie Wetter
in alles deutsche Land.
Vernichter oder Retter,
erschein' im Weltenbrand!

Wir sind der Haß der Erde,
ob Mann, ob Weib, ob Kind.
Doch was auch daraus werde,
wir bleiben, was wir sind!

Die Welt will keine Liebe
von uns. Wir wissen das
und kühl'n im Kampfgetriebe
die Stirn am fremden Haß.

Der Stolz nur kann uns taugen
zum Labetrunk der Kraft.
Narr, wer auf fremde Augen
und fremde Mäuler gafft!

Will euch nach Liebe dürsten,
so liebt, was deutsch und echt!
Wir woll'n mit Liebe fürsten
den ärmsten deutschen Knecht.

Wir steh'n vor Gott im Bunde
und teilen Recht und Schuld
und werfen vor die Hunde
des Fremden Haß und Huld.

So laßt uns schwör'n und singen
in Nacht und Sturm hinein,
deutsch bis zum Todesringen
und nichts als deutsch zu sein!

Wildgänse rauschen durch die Nacht
Mit schrillem Schrei nach Norden –
Unstäte Fahrt! Habt acht, habt acht!
Die Welt ist voller Morden.

Fahrt durch die nachtdurchwogte Welt,
Graureisige Geschwader!
Fahlhelle zuckt, und Schlachtruf gellt,
Weit wallt und wogt der Hader.

Rausch' zu, fahr' zu, du graues Heer!
Rauscht zu, fahrt zu nach Norden!
Fahrt ihr nach Süden übers Meer –
Was ist aus uns geworden!

Wir sind wie ihr ein graues Heer
Und fahr'n in Kaisers Namen,
Und fahr'n wir ohne Wiederkehr,
Rauscht uns im Herbst ein Amen!

Oskar Kanehl
1888–1929

Sieg

Die Glockentürme schreien neuen Sieg.

Was ist? Tausend und mehr
Menschenbrüder
liegen ermordet.
Tausend und mehr von uns.
Tausend und mehr von denen,
die eine Kriegslaune unsre Feinde nennt.
Tausend und mehr schleppt man in Hospitäler,
scheußlich verstümmelt.
Tausend und mehr von uns.
Tausend und mehr von den Feinden.
Unübersehbar (krähen die Zeitungen)
ist die Zahl der Gefangenen
und das erbeutete Kriegsmaterial.
Unübersehbar (sage ich Euch)
ist das Heer der Toten
und das Heer der Verwundeten.
Auf beiden Seiten.
Unübersehbar die Tränen
der Mütter und Witwen und Kinder und Bräute.
Unübersehbar gehobene Hungerhände.
Unübersehbar Jammer und Wahnsinn.
Eine reiche Stadt liegt
mit all ihrer Hände und Geister Arbeit

eingeäschert.
Besudelt ist ihr Stein mit Blut.
Ihre stillen Bürger verängstigt.
Weithin ist der Boden verwühlt.
Eine Ernte zertrampelt.
Weithin ist der Wald verwüstet.
Das aufgeschreckte Wild verscheucht.
Ungehindert mästen sich die Aastiere.
Über dem Lande ist der Himmel zerfetzt.
Von dieser Stätte hat sich Gott gewendet.
Was ist?
Wer rührt da freventlichen Jubellärm?

Ich will Euch ins Gesicht treffen
und predigen:
Herunter mit den Glocken
und werft sie ins Tal.
Schlagt Euch die Fäuste in die Augen
und fallt auf die Erde,
euer unverdientestes Geschenk.
Und klagt und weint.
Und klagt und weint.
Und schämt euch,
eures unglückseligen, gemeinen
Sieges.

Erich Mühsam
1878–1934

Ich weiß von allem Leid ...

Ich weiß von allem Leid, fühl alle Scham
und möchte helfen aller Kreatur.
Der Liebe such ich aus dem Haß die Spur,
dem Menschenglück den Weg aus Not und Gram.
Den Trostbedürftigen geb ich Wort und Rat,
den Haltbedürftigen reich ich meine Hand.
Doch keiner war noch, der mein Wort verstand,
und keiner, der die Hand ergriffen hat.
Ich weiß vom Leide nur, fühl nur die Scham, –

und kann doch selber nicht Erlöser sein,
wie jener Jesus, der die ganze Pein
der Welt auf seine schwachen Schultern nahm.

Kalender (1913)

Januar: Der Reiche klappt den Pelz empor,
und mollig glüht das Ofenrohr.
Der Arme klebt, daß er nicht frier,
sein Fenster zu mit Packpapier.

Februar: Im Fasching schaut der reiche Mann
sich gern ein armes Mädchen an.
Wie zärtlich oft die Liebe war,
wird im November offenbar.

März: Im Jahre achtundvierzig schien
die neue Zeit heraufzuziehn.
Ihr, meine Zeitgenossen wißt,
daß heut noch nicht mal Vormärz ist.

April: Wer Diplomate werden will,
nehm sich ein Muster am April.
Aus heiterm Blau bricht der Orkan,
und niemand hat's nachher getan.

Mai: Der Revoluzzer fühlt sich stark.
Des Reichen Vorschrift ist ihm Quark.
Er feiert stolz den ersten Mai.
(Doch fragt er erst die Polizei.)

Juni: Mit Weib und Kind in die Natur,
zur Heilungs-, Stärkungs-, Badekur.
Doch wer da wandert bettelarm,
den fleppt der würdige Gendarm.

Juli: Wie so ein Schwimmbad doch erfrischt,
wenn's glühend heiß vom Himmel zischt!
Dem Vaterland dient der Soldat,
kloppt Griffe noch bei dreißig Grad.

August: Wie arg es zugeht auf der Welt,
wird auf Kongressen festgestellt.
Man trinkt, man tanzt, man redet froh,
und alles bleibt beim status quo.

September: Vorüber ist die Ferienzeit.
Der Lehrer hält den Stock bereit.
Ein Kind sah Berg und Wasserfall,
das andre nur den Schweinestall.

Oktober: Zum Herbstmanöver rücken an
der Landwehr- und Reservemann.

Es drückt der Helm, es schmerzt das Bein.
O welche Lust, Soldat zu sein!

November Der Tag wird kurz. Die Kälte droht.
Da tun die warmen Kleider not.
Ach, wärmte doch der Pfandschein so
wie der versetzte Paletot!

Dezember: Nun teilt der gute Nikolaus
die schönen Weihnachtsgaben aus.
Das arme Kind hat sie gemacht,
dem reichen werden sie gebracht.

Soldatenlied

Wir lernten in der Schlacht zu stehn
bei Sturm und Höllenglut.
Wir lernten in den Tod zu gehn,
nicht achtend unser Blut.
Und wenn sich einst die Waffe kehrt
auf die, die uns den Kampf gelehrt,
sie werden uns nicht feige sehn.
Ihr Unterricht war gut.

Wir töten, wie man uns befahl,
mit Blei und Dynamit,
für Vaterland und Kapital,
für Kaiser und Profit.
Doch wenn erfüllt die Tage sind,
dann stehn wir auf für Weib und Kind
und kämpfen, bis durch Dunst und Qual
die lichte Sonne sieht.

Soldaten! Ruft's von Front zu Front:
Es ruhe das Gewehr!
Wer für die Reichen bluten konnt,
kann für die Seinen mehr.
Ihr drüben! Auf zur gleichen Pflicht!
Vergeßt den Freund im Feinde nicht!
In Flammen ruft der Horizont
nach Hause jedes Heer.

Lebt wohl, ihr Brüder! Unsre Hand,
daß ferner Friede sei!
Nie wieder reiß das Völkerband
in rohem Krieg entzwei.
Sieg allen in der Heimatschlacht!
Dann sinken Grenzen, stürzt die Macht,
und alle Welt ist Vaterland,
und alle Welt ist frei!

Gesang der Arbeiter

Völker erhebt euch und kämpft für die ewigen Rechte!
Kämpft und erobert die Freiheit dem Menschengeschlechte!
Reif ist die Zeit. Völker erhebt euch zum Streit!
Duldet nicht Herren noch Knechte.

Brüder der Arbeit, vereint eure Kräfte zum Bunde!
Einigkeit richtet die Macht der Tyrannen zugrunde.
Stürzt sie in Nacht! Sammelt die eigene Macht!
Arbeiter nützet die Stunde!

Schließt, Proletarier, ihr den Verband der Nationen!
Jeder für alle, so sprengt ihr die Liga der Drohnen.
Baut euch die Welt, die keine Zwietracht zerschellt!
Lasset den Frieden drin wohnen.

Machet ein Ende dem Krieg und dem Raub und dem Grauen!
Gleichheit den Völkern, den Rassen, den Männern und Frauen!
Gleichheit versöhnt. Arbeit, durch Gleichheit verschönt,
wird euch die Freiheit erbauen.

Paul Zech
1881–1946

Fabrikstraße tags

Nichts als Mauern. Ohne Gras und Glas
zieht die Straße den gescheckten Gurt
der Fassaden. Keine Bahnspur surrt.
Immer gänzt das Pflaster wassernaß.

Streift ein Mensch dich, trifft sein Blick dich kalt
bis ins Mark; die harten Schritte haun
Feuer aus dem turmhoch steilen Zaun,
noch sein kurzes Atmen wolkt geballt.

Keine Zuchthauszelle klemmt
in ein Eis das Denken wie dies Gehn
zwischen Mauern, die nur sich besehn.

Trägst du Purpur oder Büßerhemd –:
immer drückt mit riesigem Gewicht
Gottes Bannfluch: uhrenlose Schicht.

Fräser

Gebietend blecken weiße Hartstahl-Zähne
aus dem Gewirr der Räder. Mühlen gehn profund,
sie schütten auf den Ziegelgrund
die Wolkenbrüche krauser Kupferspäne.

Die Gletscherkühle riesenhafter Birnen
beglänzt Fleischnackte, die von Öl umtropft
Die Kämme rühren; während automatenhaft gestopft
die Scheren das Gestränge dünn zerzwirnen.

Ein Fäusteballen hin und wieder und ein Fluch,
Werkmeisterpfiffe, widerlicher Brandgeruch
an Muskeln jäh empor geleckt: zu töten!

Und es geschieht, daß sich die bärtigen Gesichter röten,
daß Augen wie geschliffene Gläser stehn
und scharf, gespannt nach innen sehn.

Gießerei

Kippwagen rudern durch die Lichterstreu
der Halle hin und her wie Fischerschuten.
Die Öfen rauchen, große Schober Heu,
grau-grün aus einem Gürtel Kupfernuten.

Die Tiegel zwischen sich an harten Zangen,
baun sich die Gießer um den Herd herum.
Noch klebt die Speise funkenlos und stumm
an Stangen, die probierend in den Kessel langen.

Doch wenn der dunkle Gong erschrillt,
der dünne Strom der Birne jäh zur Sintflut schwillt –:
zischt Schwalg aus abertausend Zitzen.

Ein heißes höllenhaftes Silber-Spritzen
will münden . . . Aus dem Schein wird Elfenbein,
ein Mastodont und schmeißt die Eisenwände ein.

Kleine Katastrophe

Zehn Männer wurden vom Gestein erschlagen,
vom Rauch verschluckt und wieder ausgespien.
Der Doktor stolperte mit eingesackten Knien
und ließ die Leichen in das Schauhaus tragen.

Zerstückelt, schwarz verbrannt und rot zerschunden,
so lagen sie in Reih und Glied;
Was in der Früh noch sang sein Morgenlied,
verblutete aus unverbundenen Wunden.

Schon schwätzen Ahnungen, die blinden Boten
sich in das Dorf hinunter und von Haus zu Haus
und trieben die erschrockenen Frauen hinaus.

Die stürmten das vergitterte Portal
des Beingebäudes in verbissener Qual
und schlugen sich verzweifelt um die Toten.

Der Idiot

Mit einem Blick, der tief nach innen horcht,
und in den Fäusten fest die Eisenhacke –:
durchwatet er den gelben Sumpf der Schlacke,
wie wenn ein Bauer pflügend über Stoppeln storcht.

Stumm lebt er die Legende vom verlorenen Sohn.
Sein Lachen wuchs nicht auf in Zierstrauch-Gärten.

Was er erfuhr, hieß –: Hunger, Hiebe, Härten
bis zu dem Tage vor der Kommunion.

An seiner Stirn zerschlug ein Lump den Fuselkrug,
sein Husten blutet, keucht Tuberkulose
und macht ihn für die Schicht im Schacht nicht Manns genug.

Manchmal schwärt Tobsucht quer durch sein Gehirn und bricht
wie Licht aus einer roten Fensterrose
nach außen und entmenschlicht ein verwandertes Gesicht.

Alfons Petzold
1882–1923

Die Teilnahmslosen

Da stehen sie und regen schwer die Glieder
in den durchdampften Räumen der Fabrik.
Ein jeder senkt auf seine Arbeit nieder
den noterstarrten, teilnahmslosen Blick.

Sie sind nicht Menschen mehr, sind nur Maschinen,
die in dem vorgeschrieb'nen Stundenkreis
sich drehen müssen, ohne daß von ihnen
nur einer seine Kraft zu schätzen weiß.

Sie können nimmer ihre Hände spannen
nach ihrer Tage mühevollem Tun
um eigne Werke; was sie je begannen,
muß halbvollendet tot im Dunkel ruhn.

Sie schaffen abertausend Gegenstände,
sie machen viele Dinge stark und groß;
doch ist nicht Gott im Regen ihrer Hände,
und was von ihnen kommt, ist seelenlos.

Der Arbeitslose

Staub auf den Schuhen und auf der getretenen Seele,
schleicht er den Weg der stummen Vergrollten dahin,
springt ihm kein fröhliches Wort aus der trockenen Kehle;
Suche nach Arbeit drückt seinen grübelnden Sinn.

Seine Tage sind dunkel, die Sonne verhüllen
graudampfende Nebel. Er hebt nicht die Blicke empor.
Die Klänge der Arbeit, die alle Straßen erfüllen,
brausen um ihn wie ein hohnvoll spottender Chor.

Wie doch die Stunden in quälendem Hoffen sich dehnen,
indes ihn vorwärtspeitscht die hungernde Not.
Er klopft an die Türen, dahinter die Hämmer dröhnen,
all seine Sinne schreien nach Arbeit und Brot.

Alles umsonst. Der Taglauf beugt sich dem Ende.
Wiederum nichts. Seine Lippen flüstern es matt.
Er schaut im Haß auf die schwielenbedeckten Hände
und schleicht hinaus auf das lehmige Feld vor der Stadt.

Gerrit Engelke
1890–1918

Die Fabrik

Düster, breit, kahl und eckig
Liegt im armen Vorort die Fabrik.
Zuckend schwillt, schrill und brutal
Aus den Toren Maschinen-Musik.

Schlot und Rohr und Schlot und Schlot,
Heißdurchkochtes Turmgestein,
Speien dickes Qualmgewölk
Über traurigstarre Häuser, Straßenkot.

Tausend Mann, Schicht um Schicht,
Saugt die laute Arbeits-Hölle auf.
Zwingt sie all in harte Pflicht
Stunde um Stunde.

Bis der Pfiff heiser gellt:
Aus offnem Tore strömen dann
Mädchen, Frauen, Mann und Mann –
Blasses Volk – müde – verquält –

Schläft der Ort –: glüh und grell
Schreit aus hundert Fenstern Licht!
Kraftgesumm, Rädersausen, Qualm durchbricht
Roh und dumpf die Nacht –

Tag und Nacht: Lärm und Dampf,
Immer Arbeit, immer Kampf:
Unerbittlich schröpft das Moloch-Haus
Stahl und Mensch um Menschen aus.

Seele

Straßenbahnschienen klirren,
Hundert Menschen umschwirren,
Fabriken umrauchen dich,
Im Ohre gellt dir: – Messerstich,
Geschäft, Diebstahl, Geld, Brand –
Wände stürzen über dir ein:
Du verkümmerst, wirst klein und gemein –
 Hinaus!
Hinaus aufs Land!

Lied des Kohlenhäuers

Wir wracken, wir hacken,
Mit hangendem Nacken,
Im wachsenden Schacht
Bei Tage, bei Nacht –

Wir fallen und fallen auf schwankender Schale
Ins lampendurchwanderte Erde-Gedärm –
Die Andern, sie schweben auf schwankender Schale
Steilauf in das Licht! in das Licht! in den Lärm.
Wir fallen und fallen auf schwankender Schale –

Wir wracken, wir hacken,
Mit hangendem Nacken,

Im wachsenden Schacht
Bei Tage, bei Nacht –

Wir wühlen und wühlen auf wässernder Sohle,
Wir lösen vom Flöze mit rinnendem Schweiß
Und fördern zu Tage die dampfende Kohle.
Uns Häuern im Flöze ist heißer als heiß –
Wir wühlen und wühlen auf wässernder Sohle.

Wir wracken, wir hacken,
Mit hangendem Nacken,
Im wachsenden Schacht
Bei Tage, bei Nacht –

Wir pochen und pochen, wir bohrenden Würmer,
Im häuser- und gleisüberwachsenen Rohr,
Tief unter dem Meere, tief unter dem Türmer, –
Tief unter dem Sommer. Wir pochen im Rohr,
Wir pochen, wir pochen, wir bohrenden Würmer.

Wir wracken, wir hacken,
Mit hangendem Nacken,
Im wachsenden Schacht
Bei Tage, bei Nacht –

Wir speisen sie Alle mit nährender Wärme:
Den pflügenden Lloyd im atlantischen Meer:
Die erdenumkreisenden Eisenzug-Schwärme:
Der Straßenlaternen weitflimmerndes Heer:
Der ragenden Hochöfen glühende Därme:
Wir nähren sie Alle mit Lebensblut-Wärme!

Wir wracken, wir hacken,
Mit hangendem Nacken,
Im wachsenden Schacht
Bei Tage, bei Nacht –

Wir können mit unseren schwieligen Händen
Die Lichter ersticken, die Brände der Welt!
Doch – hocken wir fort in den drückenden Wänden:
Wir klopfen und bohren und klopfen für Geld –
Doch hocken wir fort in den drückenden Wänden:

Wir wracken, wir hacken,
Mit hangendem Nacken,
Im wachsenden Schacht
Bei Tage, bei Nacht –

Wir pochen und pochen durch Wochen und Jahre,
Wir fahren lichtauf – mit „Glück-Auf"! dann hinab –
Wir pochen und pochen von Wochen – zur Bahre –
Und Mancher schürft unten sein eigenes Grab –
Wir pochen, wir pochen durch Wochen und Jahre.

Wir wracken, wir hacken,
Mit hangendem Nacken,
Im wachsenden Schacht
Bei Tage, bei Nacht –

Der Tod im Schacht

Zweihundert Männer sind in den Schacht gefahren.
Mütter drängen sich oben in Scharen.
 Rauch steigt aus dem Schacht.

Die Kohlenwälder nachtunten glühen,
Urwilde Sonnenfeuer sprühen.
 Rauch steigt aus dem Schacht.

Retter sind hinab gestiegen;
Kamen nicht wieder, sie blieben liegen.
 Rauch steigt aus dem Schacht.

Der Brandschlund frißt seine Opfer – und lauert.
Die brennenden Stollen werden zugemauert.
 Rauch steigt aus dem Schacht.

Zweihundert waren in den Schacht gefahren.
Mütter weinen an leeren Bahren.
 Rauch steigt aus dem Schacht.

Franz Werfel
1890–1945

Als mich dein Wandeln an den Tod verzückte

Als mich dein Dasein tränenwärts entrückte
Und ich durch dich ins Unermeßne schwärmte,
Erlebten diesen Tag nicht Abgehärmte,
Mühselig Millionen Unterdrückte?

Als mich dein Wandeln an den Tod verzückte,
War um uns Arbeit und die Erde lärmte,
Und Leere gab es, gottlos Unerwärmte,
Es lebten und es starben Niebeglückte!

Da ich von dir geschwellt war zum Entschweben,
So viele waren, die im Dumpfen stampften,
An Pulten schrumpften und vor Kesseln dampften.

Ihr Keuchenden auf Straßen und auf Flüssen!!
Gibt es kein Gleichgewicht in Welt und Leben,
Wie werd' ich diese Schuld bezahlen müssen!?

Das Allerweichste auf Erden überwindet das Allerhärteste auf Erden

Laotse

Lächeln Atmen Schreiten

Schöpfe du, trage du, halte
Tausend Gewässer des Lächelns in deiner Hand!
Lächeln, selige Feuchte ist ausgespannt
All übers Antlitz.
Lächeln ist keine Falte,
Lächeln ist Wesen vom Licht.
Durch die Räume bricht Licht, doch ist es noch nicht.
Nicht die Sonne ist Licht,
Erst im Menschengesicht
Wird das Licht als Lächeln geboren.
Aus den tönenden, leicht unsterblichen Toren,
Aus den Toren der Augen wallte
Frühling zum erstenmal, Himmelsgischt,
Lächelns nieglühender Brand.
Im Regenbrand des Lächelns spüle die alte Hand,
Schöpfe du, trage du, halte!

Lausche du, horche du, höre!
In der Nacht ist der Einklang des Atems los,
Der Atem, die Eintracht des Busens groß.
Atem schwebt
Über Feindschaft finsterer Chöre.
Atem ist Wesen vom höchsten Hauch.
Nicht der Wind, der sich taucht
In Weid, Wald und Strauch,
Nicht das Wehn, vor dem die Blätter sich drehn . . .
Gottes Hauch wird im Atem der Menschen geboren.
Aus den Lippen, den schweren,
Verhangen, dunkel, unsterblichen Toren
Fährt Gottes Hauch, die Welt zu bekehren.
Auf dem Windmeer des Atems hebt an
Die Segel zu brüsten im Rausche,
Der unendlichen Worte nächtlich beladener Kahn.
Horche du, höre du, lausche!

Sinke hin, kniee hin, weine!
Sieh der Geliebten erdenlos schwindenden Schritt!
Schwinge dich hin, schwinde ins Schreiten mit!
Schreiten entführt
Alles ins Reine, alles ins Allgemeine.
Schreiten ist mehr als Lauf und Gang,

Der sternenden Sphäre Hinauf und Entlang,
Mehr als des Raumes tanzender Überschwang.
Im Schreiten des Menschen wird die Bahn der Freiheit geboren.
Mit dem Schreiten der Menschen tritt
Gottes Anmut und Wandel aus allen Herzen und Toren.
Lächeln, Atem und Schritt
Sind mehr als des Lichtes, des Windes, der Sterne Bahn.
Die Welt fängt im Menschen an.
Im Lächeln, im Atem, im Schritt der Geliebten ertrinke!
Weine hin, kniee hin, sinke!

Veni Creator Spiritus

Komm heiliger Geist du, schöpferisch!
Den Marmor unsrer Form zerbrich!
Daß nicht mehr Mauer krank und hart
Den Brunnen dieser Welt umstarrt,
Daß wir gemeinsam und nach oben
Wie Flammen in einander toben!

Tauch auf aus unsern Flächen wund
Delphin von aller Wesen Grund,
Alt allgemein und heiliger Fisch!
Komm reiner Geist du, schöpferisch,
Nach dem wir ewig uns entfalten,
Kristallgesetz der Weltgestalten!

Wie sind wir alle Fremde doch!
Wie unterm letzten Hemde noch
Die Schattengreise im Spital
Sich hassen bis zum letzten Mal,
Und jeder, eh' er ostwärts mündet,
Allein sein Abendlicht entzündet,

So sind wir eitel eingespannt,
Und hocken bös an unserm Rand,
Und morden uns an jedem Tisch.
Komm heiliger Geist du, schöpferisch
Aus uns empor mit tausend Flügen!
Zerbrich das Eis in unsern Zügen!

Daß tränenhaft und gut und gut
Aufsiede die entzückte Flut,
Daß nicht mehr fern und unerreicht
Ein Wesen um das andre schleicht,
Daß jauchzend wir in Blick, Hand, Mund und Haaren,
Und in uns selbst dein Attribut erfahren!

Daß, wer dem Bruder in die Arme fällt,
Dein tiefes Schlagen süß am Herzen hält,
Daß, wer des armen Hundes Schaun empfängt,

Von deinem weisen Blicke wird beschenkt,
Daß alle wir in Küssens Überflüssen
Nur deine reine heilige Lippe küssen!

Die Wortemacher des Krieges

Erhabene Zeit! Des Geistes Haus zerschossen
Mit spitzem Jammer in die Lüfte sticht.
Doch aus den Rinnen, Ritzen, Kellern, Gossen,
Befreit und jauchzend das Geziefer bricht.

Das Einzige, wofür wir einig lebten,
Des Brudertums in uns das tiefe Fest,
Wenn wir vor tausend Himmeln niederbebten,
Ist nun der Raub für eine Rattenpest.

Die Tröpfe lallen, und die Streber krächzen,
Und nennen Mannheit ihren alten Kot.
Daß nur die fetten Weiber ihnen lechzen,
Wölbt sich die Ordensbrust ins Morgenrot.

Die Dummheit hat sich der Gewalt geliehen,
Die Bestie darf hassen, und sie singt.
Ach, der Geruch der Lüge ist gediehen,
Daß er den Duft des Blutes überstinkt.

Das alte Lied! Die Unschuld muß verbluten,
Indes die Frechheit einen Sinn erschwitzt.
Und eh nicht die Gerichts-Posaunen tuten,
Ist nur Verzweiflung, was der Mensch besitzt.

August 1914

Fremde sind wir auf der Erde alle

Tötet euch mit Dämpfen und mit Messern,
Schleudert Schrecken, hohe Heimatworte,
Werft dahin um Erde euer Leben!
Die Geliebte ist euch nicht gegeben.
Alle Lande werden zu Gewässern,
Unterm Fuß zerrinnen euch die Orte.

Mögen Städte aufwärts sich gestalten,
Niniveh, ein Gottestrotz von Steinen!
Ach es ist ein Fluch in unserm Wallen:
Flüchtig muß vor uns das Feste fallen,
Was wir halten, ist nicht mehr zu halten,
Und am Ende bleibt uns nichts als Weinen.

Berge sind und Flächen sind geduldig,
Staunen, wie wir auf- und niederweichen.
Fluß wird alles, wo wir eingezogen.
Wer zum Sein noch Mein sagt, ist betrogen.
Schuldvoll sind wir, und uns selber schuldig,
Unser Teil ist: Schuld, sie zu begleichen!

Mütter leben, daß sie uns entschwinden.
Und das Haus ist, daß es uns zerfalle.
Selige Blicke, daß sie uns entfliehen.
Selbst der Schlag des Herzens ist geliehen,
Fremde sind wir auf der Erde Alle,
Und es stirbt, womit wir uns verbinden.

Hekuba

Manchmal geht sie durch die Nacht der Erde.
Sie, das schwerste ärmste Herz der Erde.
Wehet langsam unter Laub und Sternen,
Weht durch Weg und Tür und Atemwandern,
Alte Mutter, elendste der Mütter.

So viel Milch war einst in diesen Brüsten,
So viel Söhne gab es zu betreuen, –
Weh dahin! – Nun weht sie nachts auf Erden,
Alte Mutter, Kern der Welt, erloschen,
Wie ein kalter Stern sich weiterwälzet.

Unter Stern und Laub weht sie auf Erden
Nachts durch tausend ausgelöschte Zimmer,
Wo die Mütter schlafen, junge Weiber,
Weht vorüber an den Gitterbetten
Und dem hellen runden Schlaf der Kinder.

Manchmal hält am Haupt sie eines Bettes,
Und sie sieht sich um mit solchem Wehe,
Sie, ein dürftiger Wind von Schmerz gestaltet,
Daß der Schmerz in ihr Gestalt erst findet,
Und das Licht in toten Lampen weinet.

Und die Frauen steigen aus den Betten,
Wie sie fortweht, – nackten schweren Schrittes,
Sitzen lange an dem Schlaf der Kinder,
Schauen langsam in die Zimmertrübe,
Tränen habend unbegriffnen Wehes.

Das Bleibende

Solang noch der Tatrawind leicht
Slovakische Blumen bestreicht,
Solang wirken Mädchen sie ein
In trauliche Buntstickerein.

Solang noch im bayrischen Wald
Die Axt im Morgengraun hallt,
Solang auch der Einsame sitzt,
Der Gott und die Heiligen schnitzt.

Solang auf ligurischer Fahrt
Das Meer seine Fischer gewahrt,
Solang wird am Strande es schaun
Die spitzenklöppelnden Fraun.

Ihr Völker der Erde, mich rührt
Das Bleibende, das ihr vollführt.
Ich selbst, ohne Volk ohne Land,
Stütz nun meine Stirn in die Hand.

Dezemberabend in Wien 1936

O winterliche Fünf-Uhr-Stunde!
Der Himmel überm Kahlenberg
Vertropft die blasse Seitenwunde
Ins aufgebauschte Wolkenwerg.

In Grinzing und in Heiligenstadt
Entspringt das Licht in langen Zeilen.
Mondhoch bewacht ein Ziffernblatt
Den Park, wo frierend Menschen eilen.

Mein Blick geht den Vermummten nach,
Die mühsam sich durchs Dunkel treiben.
Ein schweres Omen stäubt vom Dach
Drei Würfe Schnee an meine Scheiben.

Yvan Goll
1891–1950

In uralten Seen

In uralten Seen
Hausen die traurigen Fische
Mit den Augen aus Furcht

Indessen die rosa Hügel rundum tanzen
Wie die Hügel der Bibel

Auf Schaumpferdchen schaukelt
Ein kleiner Wind –

Aus unseren uralten Augen
Lächelt es golden
Doch darunter haust eine traurige Furcht

Heimat

Ein Schweizerhaus. Ein Dreadnought. Ein Boulevard:
Ich schluchze überall nach Gott!
Ich weiß: ich hab ein rotes Herz und schwarzes Haar:
Ich weiß so viel und weiß nicht Gott!

Oft trösten
Die Flöten stilisierter Hirten
Den Verirrten . . .
Da schenk ich mich ganz Ausgelösten
Der blauen Schattentochter, die am Wegbaum kniet . . .

Und schluchze noch nach Gott,
Der vor mir flieht . . .

[Dreadnought: ‚Fürchtenichts‘; früheres englisches Schlachtschiff.]

Chor der Proletarier

Vergebens in den Kohleschächten
Wollten die Gleichheit wir errechten.
Vergebens in den Nachtkavernen
Wollten wir Menschenwürde lernen.
Vergebens in zwielichten Schenken
Wollten wir Liebe groß verschenken.
Vergebens in Versammlungsreden
Verlangten wir das Licht für jeden.
Nun sagen sie, beim Brudermorden

Sei'n wir zu guten Bürgern worden,
Und gönnen uns den Ruhm der Narren,
Dieweil sie Massengräber scharren.

Des Dichters Tod

Die Sterne rosten
Langsam oxydiert sie der Frost
Es regnet dort und überall
Der Wind wirft mit zerbrochenen Vögeln um sich
Und schreit –
Erkaltet wie ein Krater auf dem Mond
Ist mein Herz
Ich friere langsam in das All hinüber

Kölner Dom

Rheinkohle statt Gold
Die Fische und die nackten Nymphen
Sterben im romantischen Wasser aus
Über die Brücke fahren nur Trauerzüge
In Särgen wird das letzte Gold geschmuggelt
Der Osten exportiert seine Frühsonne
Aurora ist kein Frauenname mehr
Doch paßt er gut für eine Aktiengesellschaft

Wir kamen von Frankreich
Über den Bahnhof hinaus fuhr unser Zug in den Kölner Dom
Die Lokomotive hielt vor dem Allerheiligsten
Und kniete sanft
Zehn Tote kamen direkt ins Paradies
Petrus „English spoken" auf dem Ärmel, bekam ein gutes Trinkgeld

Die glasgemalten Engel telephonierten
Und flogen hinüber zur Cox-Bank
Rosa Dollarschecks einzulösen
Gegen Mittag wurde ein neuer Zug gen Warschau gebildet.

Trauermarsch

Was bin ich immer in den Leichenzügen,
Von Regen hingepeitscht, von Rabenflügen
Umweht, und schaue alte irre Witwen tanzen,
Und Nonnen beten still, und Knaben halten lachend die Monstranzen.
Was bin ich immer bei den Zweifelhaften,
Bei Toten und Verwünschten, die am Krame haften,
Im kalten Regenwind der Einsamkeiten!
Was hör' ich immerdumpfe Särge in die Erde gleiten,
Kirchtürme rasen wie gegeißelt um den Himmel immer,

In jeder Gasse hockt ein bettelndes Gewimmer:
Mein Leben ist ein Regnen und ein Klagen,
Ein langes Sterben von Novembertagen.

Feuerharfe

Brennender Dornbusch
Anbruch innerster Verwandlung

Feuerharfe
Meiner frühen Schmerzen

Gewicht aus Rauch meines Wunschs
Magre Gluten der Revolten

Rosenbrände meiner Dome
Feuerfester Engel dieser Erde

Aschenrabe
Friß die Reste des Vergessens

Vater aller wilden Flammen
Segne deinen Feuersohn

Der Regenpalast

Ich hab dir einen Regenpalast erbaut
Aus Alabastersäulen und Bergkristall
 Daß du in tausend Spiegeln
 Immer schöner dich für mich wandelst

Die Wasserpalme nährt uns mit grauem Most
Aus hohen Krügen trinken wir silbernen Wein
 Welch ein perlmutternes Konzert!
 Trunkne Libelle im Regenurwald!

Im Käfig der Lianen ersehnst du mich
Die Zauberbienen saugen das Regenblut
 Aus deinen blauen Augenkelchen
 Singende Reiher sind deine Wächter

Aus Regenfenstern blicken wir wie die Zeit
Mit Regenfahnen über das Meer hinweht
 Und mit dem Schlachtheer fremder Stürme
 Elend in alten Morästen endet

Mit Regendiamanten bekleid ich dich
Heimlicher Maharadscha des Regenreichs
 Des Wert und Recht gewogen wird
 Nach den gesegneten Regenjahren

Du aber strickst mir verstohlen im Perlensaal
Durchwirkt von Hanf und Träne ein Regentuch
 Ein Leichentuch breit für uns beide
 Bis in die Ewigkeit warm und haltbar

Aus: *Malaiische Liebeslieder*

Wenn Sturm
Wie eine Meute hungernder Hunde
Sich über die Hügel wirft

Und mit blutenden Lefzen
Die ahnungslosen Mandelbäume zerreisst
Die unflüggen Lerchen
In plötzlichen Bächen ertränkt
Und die Köpfe der Anemonen
Wegfegt

Es zittert nichts
So bis ins Innerste
Wie ich
Wenn du dich näherst in der Nacht

Schlief ich in deinem Arm?
War's nicht ein brauner Adlerflügel
Gebogen wie ein Tor
Der mich aus meinem Fleisch enthob
Und mich mir selbst entriss
Und in den Kampf mit Wind und Göttern mischte?

In dieser einen Nacht
Hab ich Jahrhunderte als Urgeschöpf verbracht –
Und nun erwacht
Duftet auf meiner Schläfe
Die Rose deiner Hand

Joachim Ringelnatz
1883–1934

Die Schnupftabaksdose

Es war eine Schnupftabaksdose,
Die hatte Friedrich der Große
Sich selbst geschnitzelt aus Nußbaumholz.
Und darauf war sie natürlich stolz.

Da kam ein Holzwurm gekrochen.
Der hatte Nußbaum gerochen.
Die Dose erzählte ihm lang und breit
Von Friedrich dem Großen und seiner Zeit.

Sie nannte den alten Fritz generös.
Da aber wurde der Holzwurm nervös
Und sagte, indem er zu bohren begann:
„Was geht mich Friedrich der Große an!"

Logik

Die Nacht war kalt und sternenklar,
Da trieb im Meer bei Norderney
Ein Suahelischnurrbarthaar. –
Die nächste Schiffsuhr wies auf drei.

Mir scheint da mancherlei nicht klar,
Man fragt doch, wenn man Logik hat,
Was sucht ein Suahelihaar
Denn nachts um drei am Kattegatt?

Turnermarsch
(Melodie: Leise flehen meine Lieder)

Schlagt die Pauken und Trompeten,
Turner in die Bahn!
Turnersprache laßt uns reden.
Vivat Vater Felix Dahn!
Laßt uns im Gleichschritt aufmarschieren,
Ein stolzes Regiment.
Laßt die Fanfaren tremulieren!
Faltet die Fahnen ent!

Die harte Brust dem Wetter darzubieten,
Reißt die germanische Lodenjoppe auf!
Kommet zu Hauf!
Wir wollen uns im friedlichen Wettkampf üben.

Braust drei Hepp-hepps und drei Hurras
Um die deutschen Eichenbäume!
Trinkt auf das Wohl der deutschen Frauen ein Glas,
Daß es das ganze Vaterland durchschäume.
Heil! Umschlingt euch mit Herz und Hand,
Ihr Brüder aus Nord-, Süd- und Mitteldeutschland!
Daß einst um eure Urne
Eine gleiche Generation turne.

Bumerang

War einmal ein Bumerang;
War ein Weniges zu lang.
Bumerang flog ein Stück,
Aber kam nicht mehr zurück.
Publikum – noch stundenlang –
Wartete auf Bumerang.

Abendgebet einer erkälteten Negerin

Ich suche Sternengefunkel.
Sonne brennet mich dunkel.
Sonne drohet mit Stich.

Warum brennt mich die Sonne im Zorn?
Warum brennt sie gerade mich?
Warum nicht Korn?

Ich folge weißen Mannes Spur.
Der Mann war weiß und roch so gut.
Mir ist in meiner Muschelschnur
So négligé zu Mut.

Kam in mein Wigwam
Weit über das Meer,
Seit er zurückschwamm,
Das Wigwam
Blieb leer.

Drüben am Walde
Kängt ein Guruh – –

Warte nur balde
Kängurst auch du.

Im Park

Ein ganz kleines Reh stand am ganz kleinen Baum
Still und verklärt wie im Traum.
Das war des Nachts elf Uhr zwei.
Und dann kam ich um vier
Morgens wieder vorbei,
Und da träumte noch immer das Tier.
Nun schlich ich mich leise – ich atmete kaum –
Gegen den Wind an den Baum,
Und gab dem Reh einen ganz kleinen Stips.
Und da war es aus Gips.

Die Strömung

Die Strömung strömte Süd-Nord-West
Und bog sich dann im Bogen.
In ihrer Mitte kam ein Rest
Von einem Boot gezogen.

Dann kam ein Wasserleichelchen;
Es war von außen offenbar
Noch ziemlich frisch.
Dahinter trieb ein Speichelchen,
Das abgesondert war
Von einem Fisch.
Dem folgte sehr viel Kohlendreck.
Das Wasser wurde trüber.
Dann gondelte verdorbener Speck

Fischunterzupft vorüber.

Dann trieb ein Balken stumpf vorbei
Dann nichts, dann ein Stück Dichtung,
Ein Flaschenkork und andrerlei, –
Alles in gleicher Richtung.

Dann kam ein Rest von einem Boot.
Ihm folgte eine gelbe
Chinesenleiche, stark zersetzt.
Und alles, was ich sah, war tot,
War unbedeutend und zuletzt
Im Grunde stets dasselbe.

Überall

Überall ist Wunderland.
Überall ist Leben.
Bei meiner Tante im Strumpfenband.

Wie irgendwo daneben.
Überall ist Dunkelheit.

Kinder werden Väter.
Fünf Minuten später
Stirbt sich was für einige Zeit.
Überall ist Ewigkeit.

Wenn du einen Schneck behauchst,
Schrumpft er ins Gehäuse,
Wenn du ihn in Kognak tauchst,
Sieht er weiße Mäuse.

Die Kartenlegerin

Das Schiff war schon im Hafen leck.
Man besserte an dem Schaden.
Das Schiff hatte Fässer geladen
Und Passagiere im Zwischendeck.

Mittags stieg eine Negerin
In das Matrosenlogis.
Sie wäre Kartenlegerin,
Bedeutete sie.

„Two shillings" – oder ein Kleidungsstück,
Sie zeigte auf wollene Sachen.
So eine weiß manchmal, wie man sein Glück
Kann machen.

Sie redeten voreinander dumm,
Gaben der Alten zu saufen,
Drückten ihr lachend am Busen herum
Und ließen sie dann laufen.

Nachts hockte die alte, schwarze Kuh
An Deck zwischen Fässern und Tauen.
Vor ihr lag Kuttel Daddeldu
Dienstmüde und dachte an Frauen.

Da legte die Kartenlegerin
Die Karten, die ihn betrafen,
An Deck und murmelte vor sich hin.
Kuttel war eingeschlafen.

Sie murmelte Worte in den Wind.
Das Schiff fing an zu rollen.
Das Schiff und die Menschen darauf sind
Verschollen.

Gedicht in Bi-Sprache

Ibich habibebi dibich,
Lobittebi, sobi liebib.
Habist aubich dubi mibich
Liebib? Neibin, vebirgibib.

Nabih obidebir febirn,
Gobitt seibi dibir gubit.
Meibin Hebirz habit gebirn
Abin dibir gebirubiht.

Arm Kräutchen

Ein Sauerampfer auf dem Damm
Stand zwischen Bahngeleisen,
Machte vor jedem D-Zug stramm,
Sah viele Menschen reisen

Und stand verstaubt und schluckte Qualm
Schwindsüchtig und verloren,
Ein armes Kraut, ein schwacher Halm,
Mit Augen, Herz und Ohren.

Sah Züge schwinden, Züge nahn.
Der arme Sauerampfer
Sah Eisenbahn um Eisenbahn,
Sah niemals einen Dampfer.

Die neuen Fernen

In der Stratosphäre,
Links vom Eingang, führt ein Gang
(Wenn er nicht verschüttet wäre)
Sieben Kilometer lang
Bis ins Ungefähre.

Dort erkennt man weit und breit
Nichts. Denn dort herrscht Dunkelheit.
Wenn man da die Augen schließt
Und sich langsam selbst erschießt,
Dann erinnert man sich gern
An den deutschen Abendstern.

Hans Arp
1887–1966

Opus Null

1

Ich bin der große Derdiedas
das rigorose Regiment
der Ozonstengel prima Qua
der anonyme Einprozent.

Das P. P. Tit. und auch die Po
Posaune ohne Mund und Loch
das große Herkulesgeschirr
der linke Fuß vom rechten Koch.

Ich bin der lange Lebenslang
der zwölfte Sinn im Eierstock
der insgesamte Augustin
im lichten Zelluloserock.

2

Er zieht aus seinem schwarzen Sarg
um Sarg um Sarg um Sarg hervor.
Er weint mit seinem Vorderteil
und wickelt sich in Trauerflor.

Halb Zauberer halb Dirigent
taktiert er ohne Alpenstock
sein grünes Ziffernblatt am Hut
und fällt von seinem Kutscherbock.

Dabei stößt er den Ghettofisch
von der möblierten Staffelei.
Sein langer Würfelstrumpf zerreißt
zweimal entzwei dreimal entdrei.

3

Er sitzt mit sich in einem Kreis.
Der Kreis sitzt mit dem eignen Leib.
Ein Sack mit einem Kamm der steht
dient ihm als Sofa und als Weib.

Der eigne Leib der eigne Sack.
Der Vonvon und die linke Haut.
Und tick und tack und tipp und topp
der eigne Leib fällt aus der Braut.

Er schwingt als Pfund aus seinem Stein
die eigne Braut im eignen Sack.
Der eigne Leib im eignen Kreis
fällt nackt als Sofa aus dem Frack.

4

Mit seiner Dampfmaschine treibt
er Hut um Hut aus seinem Hut
und stellt sie auf in Ringelreihn
wie man es mit Soldaten tut.

Dann grüßt er sie mit seinem Hut
der dreimal grüßt mit einem du.
Das traute sie vom Kakasie
ersetzt er durch das Kakadu.

Er sieht sie nicht und grüßt sie doch
er sie mit sich und läuft um sich.
Die Hüte inbegriffen sind
und deckt den Deckel ab vom Ich.

Sekundenzeiger

daß ich als ich
ein und zwei ist
daß ich als ich
drei und vier ist
daß ich als ich
wieviel zeigt sie
daß ich als ich
tickt und tackt sie
daß ich als ich
fünf und sechs ist
daß ich als ich
sieben acht ist
daß ich als ich
wenn sie steht sie
daß ich als ich
wenn sie geht sie
daß ich als ich
neun und zehn ist
daß ich als ich
elf und zwölf ist.

die notendurft

bim bim ausglim du kurzer kind
hinfall der
rot ist der
rot ist du und du
also auch der harfenschlaf
also auch der monddudu
also auch der adlerstall

wau wau glirrwirrli zirr
hinfall das
rot ist das
rot ist du und du
also auch das dadahaus
also auch das muffelohr
also auch das maskenfleisch

bim bim ausglim du kurzer kind
hinfall die
rot ist die
rot ist du und du
also auch die flaschennot
also auch die zungenfracht
also auch die notendurft

Das Fibelmeer

Im Meer beginnt es langsam schwarz zu schneien.
Das Euter läutet an dem Wasserast.
Das Rad der Fische will sich Pfeifen leihen
denn schrecklich schwankt der große Meerpalast.

Die Wasservögte ankern nach den toten Sternen.
Den Leuchtturm steckt der Wind in seinen Sack.
Die Bernsteintiere ziehn gemolken in die Fernen
gefolgt von leckem Zwerg und Kinderwrack.

Der Sturm schlägt auf die Pauken und die Knallen.
Die Schwämme tauchen auf mit wildem Schrei.
Der Wind spitzt sich von neuem seine Krallen
und hängt sich Kapitäne ins Geweih.

Ein großes Mondtreffen ist anberaumt worden.
Monde und alles, was mit dem Mond zu tun hat,
werden sich da einstellen.
Mondquellen,
befiederte Monde,
Mondglocken,
weiße Monde mit diamantenem Nabel,
Monde mit Handgriffen aus Elfenbein,
winzige Mondlakaien, die über alles gerne
Polstermöbel mit kochend heißem Wasser begießen,
größenwahnsinnige Rosen,
die sich für einen Mond halten.
Weiße Monde, die schwarze Tränen weinen,
Mondanagramme, die beinahe ausschließlich
aus Anna bestehen
und denen nur einige Gramme
Mond beigefügt wurden.
Ein Mondkonglomerat von silbernen Zweigen,
das sich silbern weiterverzweigt
und an dem Mondfrüchte reifen.
Ein nackter Mond, wie alle Monde nackt,
jedoch mit einem Hut, an dem ein Feigenblatt
befestigt ist.
Altehrwürdige Mondeier

und darunter viele schrecklich verschimmelte
in Sfumatosänften.
Leider ist nicht alles Mond, was Silber ist.
Einige blümerante Unholde sind unter
den freßsäckenden Talmimonden,
die eine Schattenmatte um die andere Schattenmatte,
Riesentränen aus Pech,
und mit gleicher Lust die eigene Brut
verschlingen, verschlingen, verschlingen.
Doppelköpfige Monde,
Monde mit einem Nabel von gewaltiger Brisanz
und was sich darauf reimt wie
Glanz, Kranz, Vakanz, Byzanz, Hans.
Ja, auch Mondfahrer und Mondträumer,
wie ich einer bin,
werden sich zu dem Mondtreffen einstellen.

Kurt Schwitters
1887–1948

Wechsellehre

Menschen leiden tausend null.
Vergebung senken gifte Schatten.
Vergebung senken Tiefen.
Vergebung sternt Himmel.
Leiden Tiefen tausend null.
Leiden tausend.
Über.

Beingrenzen

Grenzen
Grenzen
Grenzen
Ein Bein
Ein
Bein
Graben
Graben
Ein Bein

Welt voll Irrsinn

Ich
Du
Er sie es
Wir ihr sie
Ein Friedhof,
Lebendige Forellensauce überlaut.
Ich über du
Überlaut
Forellenfriedhof über
Er du Forellenfisch
Lebendig still
Du!
Ein Friedhof überstill

Wir leben
Wir
Forelle lebt Friedhof
Lebendige Forelle spielt
Wir spielen Leben
Ich spiele du,
Still
Spielen wir?
Leben wir?
Wir
Ihr
Sie

Cigarren [elementar]

Cigarren
Ci
garr
ren
Ce
i
ge
a
err
err
e
en
Ce
CeI
CeIGe
CeIGeA
CeIGeAErr
CeIGeAErrEr
CeIGeAErrErr
CeIGeAErrErr
ErrEEn
EEn
En
Ce
i
ge
a
err
err
e
en
Ci
garr
ren
Cigarren (Der letzte Vers wird gesungen).

[1921]

751

Eisuhren

Sieden Uhren sieden hauchen Eis
Glut bröckelt Glut sieden Eis
Uhren kochen Uhren Eis sieden Glut
Uhren kochen Eis
Mimose, Apfelsine, Aphrodite, Tulpe Flora, Aphrodite.
Ich wandere am Leben einen toten Fisch.

Stumm

Ein Wurm hängt am Angelhaken.
Ein Fisch beißt den Wurm.
Der Fisch beißt auch den Angelhaken.
Die Angel zieht den Fisch.
Nun hängt der Fisch an der Angel.
Die Angel zieht ihn in die Luft.
Der Fisch stirbt in der Luft.
Die Angel stirbt den Fisch.
Ein neuer Wurm hängt am Angelhaken.
Ein neuer Fisch beißt den neuen Wurm.
Und neues Leben blüht aus den Ruinen.

Gottfried Benn
1886–1956

Kleine Aster

Ein ersoffener Bierfahrer wurde auf den Tisch gestemmt.
Irgendeiner hatte ihm eine dunkelhellila Aster
zwischen die Zähne geklemmt.
Als ich von der Brust aus
unter der Haut
mit einem langen Messer
Zunge und Gaumen herausschnitt,
muß ich sie angestoßen haben, denn sie glitt
in das nebenliegende Gehirn.
Ich packte sie ihm in die Brusthöhle
zwischen die Holzwolle,
als man zunähte.
Trinke dich satt in deiner Vase!
Ruhe sanft,
kleine Aster!

Schöne Jugend

Der Mund eines Mädchens, das lange im Schilf gelegen hatte,
sah so angeknabbert aus.
Als man die Brust aufbrach, war die Speiseröhre so löcherig.
Schließlich in einer Laube unter dem Zwerchfell
fand man ein Nest von jungen Ratten.
Ein kleines Schwesterchen lag tot.
Die andern lebten von Leber und Niere,
tranken das kalte Blut und hatten
hier eine schöne Jugend verlebt.
Und schön und schnell kam auch ihr Tod:
Man warf sie allesamt ins Wasser.
Ach, wie die kleinen Schnauzen quietschten!

Mann und Frau gehn durch die Krebsbaracke

Der Mann:
Hier diese Reihe sind zerfallene Schöße
und diese Reihe ist zerfallene Brust.
Bett stinkt bei Bett. Die Schwestern wechseln stündlich.

Komm, hebe ruhig diese Decke auf.
Sieh, dieser Klumpen Fett und faule Säfte,
das war einst irgendeinem Mann groß
und hieß auch Rausch und Heimat.

Komm, sieh auf diese Narbe an der Brust.
Fühlst du den Rosenkranz von weichen Knoten?
Fühl ruhig hin. Das Fleisch ist weich und schmerzt nicht.

Hier diese blutet wie aus dreißig Leibern.
Kein Mensch hat so viel Blut.
Hier dieser schnitt man
erst noch ein Kind aus dem verkrebsten Schoß.

Man läßt sie schlafen. Tag und Nacht. – Den Neuen
sagt man: hier schläft man sich gesund. – Nur sonntags
für den Besuch läßt man sie etwas wacher.

Nahrung wird wenig noch verzehrt. Die Rücken
sind wund. Du siehst die Fliegen. Manchmal
wäscht sie die Schwester. Wie man Bänke wäscht.

Hier schwillt der Acker schon um jedes Bett.
Fleisch ebnet sich zu Land. Glut gibt sich fort.
Saft schickt sich an zu rinnen. Erde ruft.

Nachtcafé

824: Der Frauen Liebe und Leben.
Das Cello trinkt rasch mal. Die Flöte
rülpst tief drei Takte lang: das schöne Abendbrot.
Die Trommel liest den Kriminalroman zu Ende.

Grüne Zähne, Pickel im Gesicht
winkt einer Lidrandentzündung.

Fett im Haar
spricht zu offenem Mund mit Rachenmandel
Glaube Liebe Hoffnung um den Hals.

Junger Kropf ist Sattelnase gut.
Er bezahlt für sie drei Biere.

Bartflechte kauft Nelken,
Doppelkinn zu erweichen.

B-moll: die 35. Sonate.
Zwei Augen brüllen auf:
Spritzt nicht das Blut von Chopin in den Saal,
damit das Pack drauf rumlatscht!
Schluß! He, Gigi! –

Die Tür fließt hin: Ein Weib.
Wüste ausgedörrt. Kanaanitisch braun.
Keusch. Höhlenreich. Ein Duft kommt mit. Kaum Duft.
Es ist nur eine süße Vorwölbung der Luft
gegen mein Gehirn.

Eine Fettleibigkeit trippelt hinterher.

D-Zug

Braun wie Kognak. Braun wie Laub. Rotbraun. Malaiengelb.
D-Zug Berlin–Trelleborg und die Ostseebäder.

Fleisch, das nackt ging.
Bis in den Mund gebräunt vom Meer.
Reif gesenkt, zu griechischem Glück.
In Sichel-Sehnsucht: wie weit der Sommer ist!
Vorletzter Tag des neunten Monats schon!

Stoppel und letzte Mandel lechzt in uns.
Entfaltungen, das Blut, die Müdigkeiten,
die Georginennähe macht uns wirr.

Männerbraun stürzt sich auf Frauenbraun:

Eine Frau ist etwas für eine Nacht.
Und wenn es schön war, noch für die nächste!
Oh! Und dann wieder dies Bei-sich-selbst-Sein!
Diese Stummheiten! Dies Getriebenwerden!

Eine Frau ist etwas mit Geruch.
Unsägliches! Stirb hin! Resede.
Darin ist Süden, Hirt und Meer.
An jedem Abhang lehnt ein Glück.

Frauenhellbraun taumelt an Männerdunkelbraun:

Halte mich! Du, ich falle!
Ich bin im Nacken so müde.
Oh, dieser fiebernde süße
letzte Geruch aus den Gärten.

O Nacht –:

O Nacht! Ich nahm schon Kokain,
und Blutverteilung ist im Gange,
das Haar wird grau, die Jahre fliehn,
ich muß, ich muß im Überschwange
noch einmal vorm Vergängnis blühn.

O Nacht! Ich will ja nicht so viel,
ein kleines Stück Zusammenballung,
ein Abendnebel, eine Wallung
von Raumverdrang, von Ichgefühl.

Tastkörperchen, Rotzellensaum,
ein Hin und Her und mit Gerüchen,
zerfetzt von Worte-Wolkenbrüchen –:
zu tief im Hirn, zu schmal im Traum.

Die Steine flügeln an die Erde,
nach kleinen Schatten schnappt der Fisch,
nur tückisch durch das Ding-Gewerde
taumelt der Schädel-Flederwisch.

O Nacht! Ich mag dich kaum bemühn!
Ein kleines Stück nur, eine Spange
von Ichgefühl – im Überschwange
noch einmal vorm Vergängnis blühn!

O Nacht, o leih mir Stirn und Haar,
verfließ dich um das Tag-verblühte;
sei, die mich aus der Nervenmythe
zu Kelch und Krone heimgebar.

O still! Ich spüre kleines Rammeln:
es sternt mich an – es ist kein Spott –:
Gesicht, ich: mich, einsamen Gott,
sich groß um einen Donner sammeln.

Valse triste

Verfeinerung, Abstieg, Trauer –
dem Wüten der Natur,
der Völker, der Siegesschauer
folgt eine andere Spur:
Verwerfen von Siegen und Thronen,
die große Szene am Nil,
wo der Feldherr der Pharaonen
den Liedern der Sklavin verfiel.

Durch den Isthmus, griechisch, die Wachen,
Schleuder, Schilde und Stein
treibt im Zephir ein Nachen
tieferen Meeren ein:
die Parthenongötter, die weißen,
ihre Zeiten, ihr Entstehn,
die schon Verfall geheißen
und den Hermenfrevel gesehn.

Verfeinerte Rinden, Blöße.
Rauschnah und todverfärbt
das Fremde, das Steile, die Größe,
die das Jahrhundert erbt,
getanzt aus Tempeln und Toren
schweigenden Einsamseins,
Erben und Ahnen verloren:
Niemandes –: deins!

Getanzt vor den finnischen Schären –
Valse triste, der Träume Schoß,
Valse triste, nur Klänge gewähren
dies eine menschliche Los:
Rosen, die blühten und hatten,
und die Farben fließen ins Meer,
blau, tiefblau atmen die Schatten
und die Nacht verzögert so sehr.

Getanzt vor dem einen, dem selten
blutenden Zaubergerät,
das sich am Saume der Welten
öffnet: Identität –:
einmal in Versen beschworen,
einmal im Marmor des Steins,
einmal zu Klängen erkoren:
Niemandes –: seins!

Niemandes –: beuge, beuge
dein Haupt in Dorn und Schlehn,
in Blut und Wunden zeuge
die Form, das Auferstehn,
gehüllt in Tücher, als Labe
den Schwamm mit Essig am Rohr,
so tritt aus den Steinen, dem Grabe
Auferstehung hervor.

Erst wenn

Nicht die Olivenlandschaft,
nicht das Tyrrhenische Meer
sind die große Bekanntschaft:
die weißen Städte sind leer,
die Dinge lagern in stummen
Gewölben aus Substanz,
und keine Schatten vermummen
den regungslosen Glanz.

Leer steht die Weinzisterne,
in Strahlen fassungslos
bietet sie nichts an Ferne
und an Zerstörungsstoß
und hilft nicht auszubreiten,
was im Gehirne schlief:
sie bietet Südlichkeiten,
doch nicht das Südmotiv.

Ein Hof polarer Reste,
Eiszeiten, Schollenwand
selbst um die Villa d'Este
und ihren Ginsterbrand:
erst wenn die Schöpfungswunde
sich still eröffnet hat,
steigt die Verströmungsstunde
vom Saum der weißen Stadt.

Aus Fernen, aus Reichen

Was dann nach jener Stunde
sein wird, wenn dies geschah,
weiß niemand, keine Kunde
kam je von da,
von den erstickten Schlünden
von dem gebrochnen Licht,
wird es sich neu entzünden,
ich meine nicht.

Doch sehe ich ein Zeichen:
über das Schattenland
aus Fernen, aus Reichen
eine große, schöne Hand,
die wird mich nicht berühren,
das läßt der Raum nicht zu:
doch werde ich sie spüren,
und das bist du.

Und du wirst niedergleiten
Am Strand, am Meer,
aus Fernen, aus Weiten:
„– erlöst auch er;"
ich kannte deine Blicke
und in des tiefsten Schoß
sammelst du unsere Glücke,
den Traum, das Los.

Ein Tag ist zu Ende,
die Reifen fortgebracht,
dann spielen noch zwei Hände
das Lied der Nacht,
vom Zimmer, wo die Tasten
den dunklen Laut verwehn,
sieht man das Meer und die Masten
hoch nach Norden gehn.

Wenn die Nacht wird weichen,
wenn der Tag begann,
trägst du Zeichen,
die niemand deuten kann,
geheime Male
von fernen Stunden krank
und leerst die Schale,
aus der ich vor dir trank.

Sieh die Sterne, die Fänge

Sieh die Sterne, die Fänge
Lichts und Himmel und Meer,
welche Hirtengesänge,
dämmernde, treiben sie her,
du auch, die Stimmen gerufen
und deinen Kreis durchdacht,
folge die schweigenden Stufen
abwärts dem Boten der Nacht.

Wenn du die Mythen und Worte
entleert hast, sollst du gehn,
eine neue Götterkohorte
wirst du nicht mehr sehn,
nicht ihre Euphratthrone,
nicht ihre Schrift und Wand –
gieße, Myrmidone,
den dunklen Wein ins Land.

Wie dann die Stunden auch hießen,
Qual und Tränen des Seins,
alles blüht im Verfließen
dieses nächtigen Weins,
schweigend strömt die Äone,
kaum noch von Ufern ein Stück –
gib nun dem Boten die Krone,
Traum und Götter zurück.

Wer allein ist –

Wer allein ist, ist auch im Geheimnis,
immer steht er in der Bilder Flut,
ihrer Zeugung, ihrer Keimnis,
selbst die Schatten tragen ihre Glut.

Trächtig ist er jeder Schichtung
denkerisch erfüllt und aufgespart,
mächtig ist er der Vernichtung
allem Menschlichen, das nährt und paart.

Ohne Rührung sieht er, wie die Erde
eine andere ward, als ihm begann,
nicht mehr Stirb und nicht mehr Werde:
formstill sieht ihn die Vollendung an.

Einsamer nie –

Einsamer nie als im August:
Erfüllungsstunde – im Gelände
die roten und die goldenen Brände,
doch wo ist deiner Gärten Lust?

Die Seen hell, die Himmel weich,
die Äcker rein und glänzen leise,
doch wo sind Sieg und Siegsbeweise
aus dem von dir vertretenen Reich?

Wo alles sich durch Glück beweist
und tauscht den Blick und tauscht die Ringe
im Weingeruch, im Rausch der Dinge –:
dienst du dem Gegenglück, dem Geist.

Astern

Astern – schwälende Tage,
alte Beschwörung, Bann,
die Götter halten die Waage
eine zögernde Stunde an.

Noch einmal die goldenen Herden
der Himmel, das Licht, der Flor,
was brütet das alte Werden
unter den sterbenden Flügeln vor?

Noch einmal das Ersehnte,
den Rausch, der Rosen Du –
der Sommer stand und lehnte
und sah den Schwalben zu,

Noch einmal ein Vermuten,
wo längst Gewißheit wacht:
die Schwalben streifen die Fluten
und trinken Fahrt und Nacht.

Tag, der den Sommer endet

Tag, der den Sommer endet,
Herz, dem das Zeichen fiel:
die Flammen sind versendet,
die Fluten und das Spiel.

Die Bilder werden blasser,
entrücken sich der Zeit,
wohl spiegelt sie noch ein Wasser,
doch auch dies Wasser ist weit.

Du hast eine Schlacht erfahren,
trägst noch ihr Stürmen, ihr Fliehn,
indessen die Schwärme, die Scharen,
die Heere weiterziehn.

Rosen und Waffenspanner,
Pfeile und Flammen weit –:
die Zeichen sinken, die Banner –:
Unwiederbringlichkeit.

Chopin

Nicht sehr ergiebig im Gespräch,
Ansichten waren nicht seine Stärke,
Ansichten reden drum herum,
wenn Delacroix Theorien entwickelte,
wurde er unruhig, er seinerseits konnte
die Notturnos nicht begründen.

Schwacher Liebhaber;
Schatten in Nohant,
wo George Sands Kinder
keine erzieherischen Ratschläge
von ihm annahmen.

Brustkrank in jener Form
mit Blutungen und Narbenbildung,
die sich lange hinzieht;
stiller Tod
im Gegensatz zu einem
mit Schmerzparoxysmen
oder durch Gewehrsalven:
man rückte den Flügel (Erard) an die Tür
und Delphine Potocka
sang ihm in der letzten Stunde
ein Veilchenlied.

Nach England reiste er mit drei Flügeln:
Pleyel, Erard, Broadwood,
spielte für zwanzig Guineen abends
eine Viertelstunde
bei Rothschilds, Wellingtons, im Strafford House
und vor zahllosen Hosenbändern;
verdunkelt von Müdigkeit und Todesnähe
kehrte er heim
auf den Square d'Orléans.

Dann verbrennt er seine Skizzen
und Manuskripte,
nur keine Restbestände, Fragmente, Notizen,
diese verräterischen Einblicke –
sagte zum Schluß:
„Meine Versuche sind nach Maßgabe dessen vollendet,
was mir zu erreichen möglich war."

Spielen sollte jeder Finger
mit der seinem Bau entsprechenden Kraft,
der vierte ist der schwächste
(nur siamesisch zum Mittelfinger).
Wenn er begann, lagen sie
auf e, fis, gis, h, c.

Wer je bestimmte Präludien
von ihm hörte,
sei es in Landhäusern oder
in einem Höhengelände
oder aus offenen Terrassentüren
beispielsweise aus einem Sanatorium,
wird es schwer vergessen.

Nie eine Oper komponiert,
keine Symphonie,
nur diese tragischen Progressionen
aus artistischer Überzeugung
und mit einer kleinen Hand.

Gedichte

Im Namen dessen, der die Stunden spendet,
im Schicksal des Geschlechts, dem du gehört,
hast du fraglosen Aug's den Blick gewendet
in eine Stunde, die den Blick zerstört,
die Dinge dringen kalt in die Gesichte
und reißen sich der alten Bindung fort,
es gibt nur ein Begegnen: im Gedichte
die Dinge mystisch bannen durch das Wort.

Am Steingeröll der großen Weltruine,
dem Ölberg, wo die tiefste Seele litt,
vorbei am Posilip der Anjouine,
dem Stauferblut und ihrem Racheschritt:
ein neues Kreuz, ein neues Hochgerichte,
doch eine Stätte ohne Blut und Strang,
sie schwört in Strophen, urteilt im Gedichte,
die Spindeln drehen still: die Parze sang.

Im Namen dessen, der die Stunden spendet,
erahnbar nur, wenn er vorüberzieht
an einem Schatten, der das Jahr vollendet,
doch unausdeutbar bleibt das Stundenlied –
ein Jahr am Steingeröll der Weltgeschichte,
Geröll der Himmel und Geröll der Macht,
und nun die Stunde, deine: im Gedichte
das Selbstgespräch des Leides und der Nacht.

Welle der Nacht

Welle der Nacht – Meerwidder und Delphine
mit Hyakinthos leichtbewegter Last,
die Lorbeerrosen und die Travertine
wehn um den leeren istrischen Palast,

Welle der Nacht – zwei Muscheln miterkoren,
die Fluten strömen sie, die Felsen her,
dann Diadem und Purpur mitverloren,
die weiße Perle rollt zurück ins Meer.

Wenn etwas leicht

Wenn etwas leicht und rauschend um dich ist
wie die Glyzinienpracht an dieser Mauer,
dann ist die Stunde jener Trauer,
daß du nicht reich und unerschöpflich bist,

nicht wie die Blüte oder wie das Licht:
in Strahlen kommend, sich verwandelnd,
an ähnlichen Gebilden handelnd,
die alle nur der eine Rausch verflicht,

der eine Samt, auf dem die Dinge ruhn
so strömend und so unzerspalten,
die Grenze ziehn, die Stunden halten
und nichts in jener Trauer tun.

Ein Wort

Ein Wort, ein Satz –: aus Chiffren steigen
erkanntes Leben, jäher Sinn,
die Sonne steht, die Sphären schweigen
und alles ballt sich zu ihm hin.

Ein Wort – ein Glanz, ein Flug, ein Feuer,
ein Flammenwurf, ein Sternenstrich –
und wieder Dunkel, ungeheuer,
im leeren Raum um Welt und Ich.

Verlorenes Ich

Verlorenes Ich, zersprengt von Stratosphären,
Opfer des Ion –: Gamma-Strahlen-Lamm –
Teilchen und Feld –: Unendlichkeitschimären
auf deinem grauen Stein von Notre-Dame.

Die Tage gehn dir ohne Nacht und Morgen,
die Jahre halten ohne Schnee und Frucht
bedrohend das Unendliche verborgen –
die Welt als Flucht.

Wo endest du, wo lagerst du, wo breiten
sich deine Sphären an – Verlust, Gewinn –:
ein Spiel von Bestien: Ewigkeiten,
an ihren Gittern fliehst du hin.

Der Bestienblick: die Sterne als Kaldaunen,
der Dschungeltod als Seins- und Schöpfungsgrund,
Mensch, Völkerschlachten, Katalaunen
hinab den Bestienschlund.

Die Welt zerdacht. Und Raum und Zeiten
und was die Menschheit wob und wog,
Funktion nur von Unendlichkeiten –
die Mythe log.

Woher, wohin – nicht Nacht, nicht Morgen,
kein Evoë, kein Requiem,
du möchtest dir ein Stichwort borgen –
allein bei wem?

Ach, als sich alle einer Mitte neigten
und auch die Denker nur den Gott gedacht,
sie sich den Hirten und dem Lamm verzweigten,
wenn aus dem Kelch das Blut sie rein gemacht,

und alle rannen aus der einen Wunde,
brachen das Brot, das jeglicher genoß –
o ferne zwingende erfüllte Stunde,
die einst auch das verlorne Ich umschloß.

Abschied

Du füllst mich an wie Blut die frische Wunde
und rinnst hernieder seine dunkle Spur,
du dehnst dich aus wie Nacht in jener Stunde,
da sich die Matte färbt zur Schattenflur,
du blühst wie Rosen schwer in Gärten allen,
du Einsamkeit aus Alter und Verlust,
du Überleben, wenn die Träume fallen,
zuviel gelitten und zuviel gewußt.

Entfremdet früh dem Wahn der Wirklichkeiten,
versagend sich der schnell gegebenen Welt,
ermüdet von dem Trug der Einzelheiten,
da keine sich dem tiefen Ich gesellt;
nun aus der Tiefe selbst, durch nichts zu rühren,
und die kein Wort und Zeichen je verrät,
mußt du dein Schweigen nehmen, Abwärtsführen
zu Nacht und Trauer und den Rosen spät.

Manchmal noch denkst du dich –: die eigene Sage –:
das warst du doch –? ach, wie du dich vergaßt!
war das dein Bild? war das nicht deine Frage,
dein Wort, dein Himmelslicht, das du besaßt?
Mein Wort, mein Himmelslicht, dereinst besessen,
mein Wort, mein Himmelslicht, zerstört, vertan –
wem das geschah, der muß sich wohl vergessen
und rührt nicht mehr die alten Stunden an.

Ein letzter Tag –: spätglühend, weite Räume,
ein Wasser führt dich zu entrücktem Ziel,
ein hohes Licht umströmt die alten Bäume
und schafft im Schatten sich ein Widerspiel,
von Früchten nichts, aus Ähren keine Krone
und auch nach Ernten hat er nicht gefragt –
er spielt sein Spiel, und fühlt sein Licht und ohne
Erinnern nieder – alles ist gesagt.

Statische Gedichte

Entwicklungsfremdheit
ist die Tiefe des Weisen,
Kinder und Kindeskinder
beunruhigen ihn nicht,
dringen nicht in ihn ein.

Richtungen vertreten,
Handeln,
Zu- und Abreisen
ist das Zeichen einer Welt,
die nicht klar sieht.
Vor meinem Fenster
– sagt der Weise –
liegt ein Tal,
darin sammeln sich die Schatten,
zwei Pappeln säumen einen Weg,
du weißt – wohin.

Perspektivismus
ist ein anderes Wort für seine Statik:
Linien anlegen,
sie weiterführen
nach Rankengesetz –
Ranken sprühen –,
auch Schwärme, Krähen,
auswerfen in Winterrot von Frühhimmeln,

dann sinken lassen –

du weißt – für wen.

Was schlimm ist

Wenn man kein Englisch kann,
von einem guten englischen Kriminalroman zu hören,
der nicht ins Deutsche übersetzt ist.

Bei Hitze ein Bier sehn,
das man nicht bezahlen kann.

Einen neuen Gedanken haben,
den man nicht in einen Hölderlinvers einwickeln kann,
wie es die Professoren tun.

Nachts auf Reisen Wellen schlagen hören
und sich sagen, daß sie das immer tun.

Sehr schlimm: eingeladen sein,
wenn zu Hause die Räume stiller,

der Café besser
und keine Unterhaltung nötig ist.

Am schlimmsten:
nicht im Sommer sterben,
wenn alles hell ist
und die Erde für Spaten leicht.

Auferlegt

Was Er uns auferlegt, ist ohnegleichen,
die Löwen lachen und die Schlange singt,
sie leben in gewiesenen Bereichen,
in die das Schicksal keine Reue bringt.

Was Er uns auferlegt, ist so verschlossen,
man ahnt es manchmal, doch man sieht es nie,
und was man sieht, ist schauerübergossen,
grau, übergrau, gesteigertes Cap Gris.

Was Er den Tag entlang und auch die Nächte
uns auferlegt, ist einzig, daß man irrt,
das Tränen macht, kein Glück und keine Mächte
geben ein Etwas, welches Inhalt wird.

Was Er dir auferlegt in deine Hände:
ein Flockenspielen, das du nie gewinnst,
was Er dir auferlegt, das ist am Ende,
das ist um dich ein gläsernes Gespinst.

Eingeengt

Eingeengt in Fühlen und Gedanken
deiner Stunde, der du anbestimmt,
wo so viele Glücke Trauer tranken,
einer Stunde, welche Abschied nimmt.

Trauer nur – die Sturm- und Siegeswogen,
Niederlagen, Gräber, Kuß und Kranz,
Trauer nur – die Heere abgezogen,
sammeln sie sich wo – wer weiß es ganz?

Denke dann der Herzen wechselnd Träumen,
andere Götter, anderes Bemühn,
denk der Reiche, die Pagoden säumen,
wo die feuerroten Segel blühn,

denke andres: wie vom Himmel erben
Nord und Süd durch Funken und durch Flut,
denke an das große Mammutsterben
in den Tundren zwischen Eis und Glut,

eingeengt von Fühlen und Gedanken
bleibt in dich ein großer Strom gelegt,
seine Melodie ist ohne Schranken,
trauerlos und leicht und selbstbewegt.

Reisen

Meinen Sie Zürich zum Beispiel
sei eine tiefere Stadt,
wo man Wunder und Weihen
immer als Inhalt hat?

Meinen Sie, aus Habana,
weiß und hibiskusrot,
bräche ein ewiges Manna
für Ihre Wüstennot?

Bahnhofstraßen und Rueen,
Boulevards, Lidos, Laan –
selbst auf den Fifth Avenueen
fällt Sie die Leere an –

Ach, vergeblich das Fahren!
Spät erst erfahren Sie sich:
bleiben und stille bewahren
das sich umgrenzende Ich.

Nur zwei Dinge

Durch so viel Formen geschritten,
durch Ich und Wir und Du,
doch alles blieb erlitten
durch die ewige Frage: wozu?

Das ist eine Kinderfrage.
Dir wurde erst spät bewußt,
es gibt nur eines: ertrage
– ob Sinn, ob Sucht, ob Sage –
dein fernbestimmtes: Du mußt.

Ob Rosen, ob Schnee, ob Meere,
was alles erblühte, verblich,
es gibt nur zwei Dinge: die Leere
und das gezeichnete Ich.

Oskar Loerke
1884–1941

Blauer Abend in Berlin

Der Himmel fließt in steinernen Kanälen;
Denn zu Kanälen steilrecht ausgehauen
Sind alle Straßen, voll vom Himmelblauen;
Und Kuppeln gleichen Bojen, Schlote Pfählen

Im Wasser. Schwarze Essendämpfe schwelen
Und sind wie Wasserpflanzen anzuschauen.
Die Leben, die sich ganz am Grunde stauen,
Beginnen sacht vom Himmel zu erzählen,

Gemengt, entwirrt nach blauen Melodien.
Wie eines Wassers Bodensatz und Tand
Regt sie des Wassers Wille und Verstand

Im Dünen, Kommen, Gehen, Gleiten, Ziehen.
Die Menschen sind wie grober bunter Sand
Im linden Spiel der großen Wellenhand.

Tote Tage

Tage, wo der lange Regenbesen
Geisterhaft im Garten scheuert, zischt,
Und die Welt, was sie gehabt, gewesen,
Nebelnd zur Vergangenheit verwischt.

Tage, wo man dumpf von Schrank zu Schranke
Wandert und in leere Fächer sieht,
Aufhorcht, wie der Laut im Schlosse kranke,
Und um seinethalb den Schlüssel zieht,

Und den Schlüssel dreht und drückt am Barte,
Wärmt, vergißt in schlaff geschlossner Faust,
Wann ein Feuer durch des Ofens Scharte
Unverständlich wie das goldne Leben saust.

Pansmusik

Ein Floß schwimmt aus dem fernen Himmelsrande,
Drauf tönt es dünn und blaß
Wie eine alte süße Sarabande.
Das Auge wird mir naß.

Es ist, wie wenn den weiten Horizonten
Die Seele übergeht,
Der Himmel auf den Ebnen, den besonnten,
Aufhorcht wie ein Prophet

Und eine arme Weise in die Ohren
Der höhern Himmel spricht:
Das Spielen wankt, im Spielen unverloren,
Das Licht wankt durch das Licht.

Heut fährt der Gott der Welt auf einem Floße,
Er sitzt auf Schilf und Rohr,
Und spielt die sanfte, abendliche, große,
Und spielt die Welt sich vor.

Er spielt das große Licht der Welt zur Neige,
Tief aus sich her den Strom
Durch Ebnen mit der Schwermut langer Steige
Und Ewigkeitsarom.

Er baut die Ebenen und ihre Städte
Mit weichen Mundes Ton
Und alles Werden bin in dieses späte
Verspieltsein und Verlohn:

Doch alles wie zu stillendem Genusse
Den Augen bloß, dem Ohr.
So fährt er selig auf dem großen Flusse
Und spielt die Welt sich vor.

So fährt sein Licht und ist bald bei den größern,
Orion, Schwan und Bär:
Sie alle scheinen Flöße schon mit Flößern
Der Welt ins leere Meer.

Bald wird die Grundharmonika verhallen,
Die Seele schläft mir ein,
Bald wird der Wind aus seiner Höhe fallen,
Die Tiefe nicht mehr sein.

Der Wein der Nacht

Die falbe Stadt genießt des Nachtweins Letze,
Es fliegt Getürm wie Vogelschlag so leicht,
Haus weht zu Hause, säumt den Saum der Plätze:
Nachtfaltersegel, die ihr Ziel erreicht.

Daß Glocke, Huf und Rad wie Regen klingen,
Tupft sie ein Baum lind auf, ein grüner Schwamm.
Der Markt mit seinen lauten Silberlingen
Verrauscht schon über meiner Bank am Stamm.

Doch ich bin Trinker und bin Trunk der Trauer,
Die alle Namen spricht! – Wie wohnt die Zeit
So sicher in viel Namen ohne Dauer,
Als wärens Berge für die Ewigkeit!

Wie jäh sich warme Tiere scharen, trunken
Von Schicksals Ungeduld, zur Todesfahrt,
Entwirbeln meine Leben zu den Sternenfunken
Und welken schon, bei ihnen aufgebahrt.

Der Rauschkrug

Auch mir war ein Rauschkrug hingestellt.
Aber da Mühe micht abseits hielt,
Hab ich nicht getrunken.

Endlich bin ich wiedergekehrt.
Der wehende Staub dieser Welt
War in das Glas gesunken.

Rein untergetaucht, kommt wieder ein besudelter Bissen,
Ein Floß – wohin? – für kleine geflügelte Tote,
Mücken, die nicht mehr von Traurigkeit wissen.

Das Angesicht der Erde wird bald abendfahl.
Bälder ist ein Angesicht voll Blässe
Zum Spiegel dieses Glases gekommen.

Blitzleuchtend ergießt sich der Erde Abendmahl.
Aber meine Flut hat abgenommen,
Bodensatz sank durch getrübte Nässe.

Vergossne Welt

Auf Eispalmen der Fenster sitzt die Sternvogelherde.
Vergebens erwartet sie draußen der Holunder:
Im abgeglommnen Jenseits abgeglommner Zunder.
Der Eismond rinnt, ein Ölfleck, auf der Erde.

Draußen erfriert vergoßne Welt. Sie trieft mir von den Schuhen feucht.
Die Bretter, drauf ich wandre, knarren etwas Weises.
Eine kleine Erdöllampe scheucht
Die letzten Vögel aus dem Kristallwald des Eises.

Einsam bin ich in meinem unbekannten Gebein.
Die Tür, die unverschlossen ist,
Läßt niemand ein.
Ich schöpfe, was vergossen ist.

Mondfrost

Der gelbe Heilige fährt langsam droben,
Wo unsre Blicke nichts mehr hassen,
Von kühlster Höhe Murmeltieren
Gefolgt zuerst, nun längst verlassen.

Du, Kind, warfst eine Asternblüte
Hinauf zu ihm – und hast getroffen.
Doch er läßt sie von seiner Wange fallen.
Dort oben hat auch Liebe nichts zu hoffen.

Der Silberdistelwald

Mein Haus, es steht nun mitten
Im Silberdistelwald.
Pan ist vorbeigeschritten.
Was stritt, hat ausgestritten
In seiner Nachtgestalt.

Die bleichen Disteln starren
Im Schwarz, ein wilder Putz.
Verborgne Wurzeln knarren:
Wenn wir Pans Schlaf verscharren,
Nimmt niemand ihn in Schutz.

Vielleicht, daß eine Blüte
Zu tiefer Kommunion
Ihm nachfiel und verglühte:
Mein Vater du, ich hüte,
Ich hüte dich, mein Sohn.

Der Ort liegt waldinmitten,
Von stillstem Licht gefleckt.
Mein Herz – nichts kam geritten,
Kein Einhorn kam geschritten –
Mein Herz nur schlug erweckt.

Die Laubwolke

Beständig ist das leicht Verletzliche.

Lange hing die grüne Wolke über der Erde,
Wohin ging sie?

Im neuen Frühling schwebt sie wieder an
Und erfüllt ihren Ort
Zwischen Grund und Höhe.
Vom Winde gesteuert,
Vom Regen gedrängt,
Vom Licht gehoben,
Kehrt sie immer zurück
Und bleibt so viele Jahre.

Jedesmal in den herbstlichen Lichtern
Klagts aus ihr: ich sinke, warum ich?

Und lauter mit dem Sinn von Dichtern:
Es stürzt mich, ja, warum nicht mich?

Wird es dann Winter –
Im Himmel kriecht gekrümmtes Gestäbe,
Den einmal gewachsenen Abstand nicht ändernd,
Eins des andern vielleicht nicht gewahr,
Doch beisammen in gleicher Spreizung.

Zwischen Grund und Höhe,
Von der Säge des Gärtners unzerrissen,
Von der Axt des Fällers nicht getroffen,
Bleibt das Gesetz:
Beständig ist das leicht Verletzliche.

Gebetsfrage

Warum hast du uns zugedacht
Ein Geistesfeuer, Vater,
Um das dein böser Feind sich müht
Und Pfähle für das Fleisch uns glüht,
Eh wir uns strecken in die tiefe Nacht?

Von deinem Atem duftet warm
Die alte Tanne, Vater.
Und wenn an ihrem Fuß die Säge
Schon zischt, noch rauscht der Wipfel träge,
Eh er ins Nichtsein zuckt – ein Rabenschwarm.

Um Kälber hab ich oft geweint,
Die wir dir stahlen, Vater.
Ihr Fuß hüpft heute aus der Hütte,
Ihr Blut hüpft morgen in die Bütte.
Du strafst uns nicht. Ist denn dein Herz versteint?

Dein Wohnsitz schweigt. Du hast genug gelehrt.
Wir konnten selten, Vater,
Die Schriften deines Griffels lesen,
Sind deine Kinder nie gewesen.
Dein Feuer hat uns Glück und Glied verzehrt.

Leitspruch
November 1940

Jedwedes blutgefügte Reich
Sinkt ein, dem Maulwurfshügel gleich.
Jedwedes lichtgeborne Wort
Wirkt durch das Dunkel fort und fort.

Wilhelm Lehmann
1882–1968

An meinen ältesten Sohn

Die Winterlinde, die Sommerlinde
Blühen getrennt –
In der Zwischenzeit, mein lieber Sohn,
Geht der Gesang zu End.

Die Schwalbenwurz zieht den Kalk aus dem Hügel
Mit weißen Zehn,
Ich kann es unter der Erde
Im Dunkeln sehn.

Ein Regen fleckt die grauen Steine –
Der letzte Ton
Fehlt dem Goldammermännchen zum Liede.
Sing du ihn, Sohn.

Altjahrsabend

Aus der durchhöhlten Rübe springt die Maus.
Der steife Wind zwingt das Holunderblatt zu tagelangem Purzelbaum –
Die leere Rübenbacke klafft,
Die Tauben peitscht der Wind ans Haus.

Den Bauernpferden wächst das Haar wie Moos so dicht.
Das Jahr geht hin. Kein Anfang ist und Ende nicht.
Die Eichel fällt – die Einsamkeit erschrickt, und Öde schluckt den Ton.
Sie schluckt auch meiner Sohle Lärmen, sie vergaß mich schon.

Mond im Januar

Ich spreche Mond. Da schwebt er,
Glänzt über dem Krähennest.
Einsame Pfütze schaudert
Und hält ihn fest.

Der Wasserhahnenfuß erstarrt,
Der Teich friert zu.
Auf eisiger Vitrine
Gleitet mein Schuh.

Von Bretterwand blitzt Schneckenspur.
Die Sterblichen schlafen schon –
Diana öffnet ihren Schoß
Endymion.

Oberon

Durch den warmen Lehm geschnitten
Zieht der Weg. Inmitten
Wachsen Lolch und Bibernell.
Oberon ist ihn geritten,
Heuschreckschnell.

Oberon ist längst die Sagenzeit hinabgeglitten.
Nur ein Klirren
Wie von goldnen Reitgeschirren
Bleibt,
Wenn der Wind die Haferkörner reibt.

Ahnung im Januar

Münchhausens Horn ist aufgetaut,
Zerbrochene Gefangenschaft!
Erstarrter Ton wird leise laut,
In Holz und Stengel treibt der Saft.

Ob Juniluft den Stier umblaut,
Den Winterstall ein Wald durchlaubt?
Ist es Europa, die ihn kraut?
Leicht richtet er das schwere Haupt.

Dem Anruf als ein Widerhall,
Aus Lehmesklumpen, eisig, kahl,
Steigt Ammernleib, ein Federball,
Schon viele Male, erstes Mal.

So warmen Fußes, Sommergeist,
Daß unter dir das Eis zerreißt –
Verheißung, und schon brenne ich,
Erfüllung, wie ertrag ich dich?

Heile Welt

Erschrockne Ammer flog vorbei,
Als sähe sie Morgan le Fay –
Die Welt brach wie ihr Lied entzwei,
Sie sang nicht aus.

Von blauem Dufte eine Wand –
Bin ich vorm Wald Brozeliand?

Bin nicht Gawain, Merlin zu sprechen,
Doch kann die blaue Wand ich brechen
Ins grüne Haus.

Die Sage singt, er säß gefangen
Und käme nie mehr hergegangen.

Begrub man ihn, die Schöpferlust
Begrub man nicht. Aus seiner Brust

Steigt Jahr um Jahr

Die Engelwurz. Ihr Stengel hebt
Ein weißes Dach, geflügelt schwebt
Ein Früchtepaar.

Aus seinem Schlaf steigt Baldrian,
Die Wurzel tut ihn wieder an.

Rotzagel kommt, den grauen Rücken
Vor seinem weisen Herrn zu bücken,
Schwanzfächer steil.

Das Lieschgras streichelt meine Hände,
Die Ammer singt ihr Lied zu Ende,
Die Welt bleibt heil.

771

Abgeblühter Löwenzahn

Verwandle dich und werde leicht,
Zerfasere zu Samenhaar!
Gemindert schwebt, ein dünnes Korn,
Was gestern Strahlenball noch war.

Verwandlungsträchtig, warst du kaum,
Und saugst dich frisch im Leben fest,
Das dich und mich, treuloser Staub,
An keiner Stelle weilen läßt.

Begleite Vers die Flüchtigkeit,
Gebiete er, gebiete zart.
Sei, wie von meinem Finger du,
Das Schwindende von ihm bewahrt.

Ein zweites Dasein überwächst
Das erste, das geopfert liegt.
Verweh es denn wie Löwenzahn,
Damit es traumgekräftigt fliegt.

Auf sommerlichem Friedhof (1944)
In memoriam Oskar Loerke

Der Fliegenschnäpper steinauf, steinab.
Der Rosenduft begräbt dein Grab.
Es könnte nirgend stiller sein.
Der darin liegt, erschein, erschein!

Der Eisenhut blitzt blaues Licht.
Komm, wisch den Schweiß mir vom Gesicht.
Der Tag ist süß und ladet ein,
Noch einmal säßen wir zu zwein.

Sirene heult, Geschützmaul bellt.
Sie morden sich: es ist die Welt.
Komm nicht! Komm nicht! Laß mich allein,
Der Erdentag lädt nicht mehr ein.
Ins Qualenlose flohest du,
O Grab, halt deine Tür fest zu!

Deutsche Zeit 1947

Blechdose rostet, Baumstumpf schreit.
Der Wind greint. Jammert ihn die Zeit?
Spitz das Gesicht, der Magen leer,
Den Krähen selbst kein Abfall mehr.

Verlangt nach Lust der dürre Leib,
Für Brot verkauft sich Mann und Weib.
Ich lache nicht, ich weine nicht,
Zu Ende geht das Weltgedicht.

Da seine Strophe sich verlor,
Die letzte, dem ertaubten Ohr,
Hat sich die Erde aufgemacht,
Aus Winterohnmacht spät erwacht.

Zwar schlug das Beil die Hügel kahl,
Versuch, versuch es noch einmal.
Sie mischt und siebt mit weiser Hand:
In Wangenglut entbrennt der Hang,
Zu Anemone wird der Sand.

Sie eilen, grämlichen Gesichts.
Es blüht vorbei. Es ist ein Nichts.
Mißglückter Zauber? Er gelang.
Ich bin genährt. Ich hör Gesang.

Februarmond

Ich seh den Mond des Februar sich lagern
Auf reinen Himmel, türkisblauen.
In wintergelben Gräsern, magern,
Gehn Schafe, ruhen, kauen.

Dem schönsten folgt der Widder, hingerissen.
Die Wolle glänzt, gebadete Koralle.
Ich weiß das Wort, den Mond zu hissen,
Ich bin im Paradiese vor dem Falle.

Testament des Sommers

Mach mich schön, spricht Sommertag.
Ehe ich verscheide,
Streue als den letzten Putz
Rose ihre Seide.

Meines Leichenhemdes Naht
Nähe dünner Faden.
Seidenraupe müßtest du
Ihn zu spinnen laden.

Lösen mich die Lüfte auf,
Soll es niemand klagen,
Unbekannten Dichter laß
Ein paar Verse sagen.

Max Herrmann-Neisse
1886–1941

Im Vollmondglanze

Die Strandkabinen sind im Vollmondglanze
wie Marmorbilder auf dem weißen Sand,
und über sie wirft seine Flammenlanze
des Leuchtturms schmale, geisterbleiche Hand.

Man hört die Wellen seinen Fels berennen,
der unberührt den Stürmen widersteht.
In fernen Schiffen fremde Lichter brennen,
der tote Lotse auf den Wogen geht.

Weit draußen wetterleuchten Wolkenkämpfe,
es grollt des Schlachtenrufers dunkler Baß.
Aus Dünenkesseln steigen schwüle Dämpfe,
vom Tau der Nacht sind Pfahl und Fahne naß.

Nur ein paar flüchtige Sterne, schon im Schwinden,
haben die Welt mit einem Blick bedacht;
dann ist sie mit den Wassern und den Winden
allein und mit dem nackten Glanz der Nacht.

Heimatlos

Wir ohne Heimat irren so verloren
und sinnlos durch der Fremde Labyrinth.
Die Eingebornen plaudern vor den Toren
vertraut im abendlichen Sommerwind.
Er macht den Fenstervorhang flüchtig wehen
und läßt uns in die lang entbehrte Ruh
des sichren Friedens einer Stube sehen
und schließt sie vor uns grausam wieder zu.
Die herrenlosen Katzen in den Gassen,
die Bettler, nächtigend im nassen Gras,
sind nicht so ausgestoßen und verlassen
wie jeder, der ein Heimatglück besaß
und hat es ohne seine Schuld verloren
und irrt jetzt durch der Fremde Labyrinth.
Die Eingebornen träumen vor den Toren
und wissen nicht, daß wir ihr Schatten sind.

Ein deutscher Dichter
bin ich einst gewesen

Ein deutscher Dichter bin ich einst gewesen,
die Heimat klang in meiner Melodie,
ihr Leben war in meinem Lied zu lesen,
das mit ihr welkte und mit ihr gedieh.

Die Heimat hat mir Treue nicht gehalten,
sie gab sich ganz den bösen Trieben hin,
so kann ich nur ihr Traumbild noch gestalten,
der ich ihr trotzdem treu geblieben bin.

In ferner Fremde mal' ich ihre Züge
zärtlich gedenkend mir mit Worten nah,
die Abendgiebel und die Schwalbenflüge
und alles Glück, was einst mir dort geschah.

Doch hier wird niemand meine Verse lesen,
ist nichts, was meiner Seele Sprache spricht;
ein deutscher Dichter bin ich einst gewesen,
jetzt ist mein Leben Spuk wie mein Gedicht.

Georg Kaiser
1878–1945

Ballade von Cäsars Ende

Rom hieß eine Stadt und alle Römer
hatten in den Adern heißes Blut.
Als sie Cäsar einst tyrannisch reizte,
kochte es sofort in Siedeglut.

Nicht die Warnung konnte Cäsarn hindern:
hüte vor des Märzen Iden dich.
Er verfolgte seine frechen Ziele
und sah schon als Herrn der Römer sich.

Immer schlimmer schlug ihn die Verblendung,
nur sein Wort galt noch im Capitol.
Und den weisen Rat der Senatoren
schmähte er gemein und höhnisch Kohl.

Da kam stolzes Römerblut in Wallen.
Selbst der Freund bleibt keinem Cäsar treu,
wenn ihn dieser nur für seine Zwecke
kalt mißbraucht und sagt es ohne Scheu.

Heimlich trafen nachts sich die Verschwörer
und beredeten mit Eifer sich.
Und genau am Tag des Märzesiden
stach ihm Brutus den verdienten Stich.

Cäsar sank von seinem Sitz und stierte
seinen Mörder an, als ob's nicht wahr.
Et tu, Brute – rief er auf lateinisch,
wie es dort die Landessprache war.

Lasse keiner sich vom Wahn verführen,
daß er mehr als jeder andre gelt':
Cäsar wollte mit dem Schwert regieren
und ein Messer hat ihn selbst gefällt.

[1932]

Oradour

Sie bäumten sich: daß sie gezwungen sengten
und in den aufgebrachten Feuerbrand
die Läufe schießend unaufhörlich lenkten,
bis sich im Schutt nichts Lebendes befand.

Sie sperrten sich mit heiligem Verwahren:
daß sie nur taten, was die Weisung hieß –
weh' dem, der in erschüttertem Gebaren
die Waffe wanken oder sinken ließ.

Sie mühten sich mit immer neuem Schildern:
daß die ein Urteil treffe und sie keins –
nicht kann es ihnen sich vor jenen mildern
und Weiser und Gewiesene sind eins.

Kurt Tucholsky
1890–1935

Mutterns Hände

Hast uns Stulln jeschnitten
un Kaffe jekocht
 un de Töppe rübajeschohm –
un jewischt und jenäht
un jemacht und jedreht . . .
 alles mit deine Hände.

Hast de Milch zujedeckt,
uns Bobongs zujesteckt
 un Zeitungen ausjetragen –
hast die Hemden jezählt
und Kartoffeln jeschält . . .
 alles mit deine Hände.

Hast uns manches Mal
bei jroßen Schkandal
 auch 'n Katzenkopp jejeben.
Hast uns hochjebracht.
Wir wahn Sticker acht,
sechse sind noch am Leben . . .
 alles mit deine Hände.

Heiß warn se un kalt.
Nu sind se alt.
 Nu bist du bald am Ende.
Da stehn wa nu hier,
und denn komm wir bei dir
 und streicheln deine Hände.

Augen in der Gross-Stadt

Wenn du zur Arbeit gehst
am frühen Morgen,
wenn du am Bahnhof stehst
mit deinen Sorgen:
 da zeigt die Stadt
 dir asphaltglatt
 im Menschentrichter
 Millionen Gesichter:
Zwei fremde Augen, ein kurzer Blick,
die Braue, Pupillen, die Lider –
Was war das? vielleicht dein Lebensglück . . .
vorbei, verweht, nie wieder.

Du gehst dein Leben lang
auf tausend Straßen;
du siehst auf deinem Gang,
die dich vergaßen.
 Ein Auge winkt,
 die Seele klingt;
 du hasts gefunden,
 nur für Sekunden . . .
Zwei fremde Augen, ein kurzer Blick,
die Braue, Pupillen, die Lider –
Was war das? kein Mensch dreht die Zeit zurück . . .
vorbei, verweht, nie wieder.

Du mußt auf deinem Gang
durch Städte wandern;
siehst einen Pulsschlag lang
den fremden Andern.
 Es kann ein Feind sein,
 es kann ein Freund sein,
 es kann im Kampfe dein
 Genosse sein.
Es sieht hinüber
und zieht vorüber . . .
Zwei fremde Augen, ein kurzer Blick,
die Braue, Pupillen, die Lider –

Was war das?
Von der großen Menschheit ein Stück!
Vorbei, verweht, nie wieder.

Wenn die Igel in der Abendstunde
Für achtstimmigen Männerchor

Wenn die Igel in der Abendstunde
still nach ihren Mäusen gehn,
hing auch ich verzückt an deinem Munde,
und es war um mich geschehn –
 Anna-Luise –!

Dein Papa ist kühn und Geometer,
er hat zwei Kanarienvögelein;
auf den Sonnabend aber geht er
gern zum Pilsner in'n Gesangverein –
 Anna-Luise –!

Sagt' ich: „Wirst die meine du in Bälde?“,
blicktest du voll süßer Träumerei
auf das grüne Vandervelde,
und du dachtest dir dein Teil dabei,
 Anna-Luise –!

Und du gabst dich mir im Unterholze
einmal hin und einmal her,
und du fragtest mich mit deutschem Stolze,
ob ich auch im Krieg gewesen wär . . .
 Anna-Luise –!

Ach, ich habe dich ja so belogen!
Hab gesagt, mir wär ein Kreuz von Eisen wert,
als Gefreiter wär ich ausgezogen,
und als Hauptmann wär ich heimgekehrt –
 Anna-Luise –!

Als wir standen bei der Eberesche,
wo der Kronprinz einst gepflanzet hat,
raschelte ganz leise deine Wäsche,
und du strichst dir deine Röcke glatt,
 Anna-Luise –!

Möchtest nie woandershin du strichen!
Siehst du dort die ersten Sterne gehn?
Habe Dank für alle unvergesserlichen
Stunden und auf Wiedersehn!
 Anna-Luise –!

Denn der schönste Platz, der hier auf Erden mein,
das ist Heidelberg in Wien am Rhein,
 Seemannslos.
Keine, die wie du die Flöte bliese . . .!
Lebe wohl! Leb wohl.
 Anna-Luise –!

Luftveränderung

Fahre mit der Eisenbahn,
fahre, Junge, fahre!
Auf dem Deck vom Wasserkahn
wehen deine Haare.

Tauch in fremde Städte ein,
lauf in fremden Gassen;
höre fremde Menschen schrein,
trink aus fremden Tassen.

Flieh Betrieb und Telefon,
grab in alten Schmökern,
sieh am Seinekai, mein Sohn,
Weisheit still verhökern.

Lauf in Afrika umher,
reite durch Oasen;
lausche auf ein blaues Meer,
hör den Mistral blasen!

Wie du auch die Welt durchflitzt
ohne Rast und Ruh –:
Hinten auf dem Puffer sitzt
du.

Ideal und Wirklichkeit

In stiller Nacht und monogamen Betten
denkst du dir aus, was dir am Leben fehlt.
Die Nerven knistern. Wenn wir das doch hätten,
was uns, weil es nicht da ist, leise quält.
 Du präparierst dir im Gedankengange
 das, was du willst – und nachher kriegst dus nie . . .
 Man möchte immer eine große Lange,
 und dann bekommt man eine kleine Dicke –
 C'est la vie –!

Sie muß sich wie in einem Kugellager
in ihren Hüften biegen, groß und blond.
Ein Pfund zu wenig – und sie wäre mager,
wer je in diesen Haaren sich gesonnt . . .
 Nachher erliegst du dem verfluchten Hange,
 der Eile und der Phantasie.
 Man möchte immer eine große Lange,
 und dann bekommt man eine kleine Dicke –
 Ssälawih –!

Man möchte eine helle Pfeife kaufen
und kauft die dunkle – andere sind nicht da.
Man möchte jeden Morgen dauerlaufen
und tut es nicht. Beinah . . . beinah . . .
 Wir dachten unter kaiserlichem Zwange
 an eine Republik . . . und nun ists die!
 Man möchte immer eine große Lange,
 und dann bekommt man eine kleine Dicke –
 Ssälawih –!

Der andre Mann

Du lernst ihn in einer Gesellschaft kennen.
Er plaudert. Er ist zu dir nett.
Er kann dir alle Tenniscracks nennen.
Er sieht gut aus. Ohne Fett.
 Er tanzt ausgezeichnet. Du siehst ihn dir an . . .
 Dann tritt zu euch beiden dein Mann.

Und du vergleichst sie in deinem Gemüte.
Dein Mann kommt nicht gut dabei weg.
Wie er schon dasteht – du liebe Güte!
Und hinten am Hals der Speck!
 Und du denkst bei dir so: „Eigentlich . . .
 Der da wäre ein Mann für mich!"

Ach, gnädige Frau! Hör auf einen wahren
und guten alten Papa!
Hättst du den Neuen: in ein, zwei Jahren

ständest du ebenso da!
 Dann kennst du seine Nuancen beim Kosen;
 dann kennst du ihn in Unterhosen;
 dann wird er satt in deinem Besitze;
 dann kennst du alle seine Witze.
 Dann siehst du ihn in Freude und Zorn,
 von oben und unten, von hinten und vorn . . .
Glaub mir: wenn man uns näher kennt,
gibt sich das mit dem happy end.
Wir sind manchmal reizend, auf einer Feier . . .
und den Rest des Tages ganz wie Herr Meyer.
Beurteil uns nie nach den besten Stunden.

Und hast du einen Kerl gefunden,
mit dem man einigermaßen auskommen kann:
 dann bleib bei dem eigenen Mann!

Der Graben

Mutter, wozu hast du deinen aufgezogen?
Hast dich zwanzig Jahr mit ihm gequält?
Wozu ist er dir in deinen Arm geflogen,
und du hast ihm leise was erzählt?
 Bis sie ihn dir weggenommen haben.
 Für den Graben, Mutter, für den Graben.

Junge, kannst du noch an Vater denken?
Vater nahm dich oft auf seinen Arm.
Und er wollt dir einen Groschen schenken,
und er spielte mit dir Räuber und Gendarm.
 Bis sie ihn dir weggenommen haben.
 Für den Graben, Junge, für den Graben.

Drüben die französischen Genossen
lagen dicht bei Englands Arbeitsmann.
Alle haben sie ihr Blut vergossen,
und zerschossen ruht heut Mann bei Mann.
 Alte Leute, Männer, mancher Knabe
 in dem einen großen Massengrabe.

Seid nicht stolz auf Orden und Geklunker!
Seid nicht stolz auf Narben und die Zeit!
In die Gräben schickten euch die Junker,
Staatswahn und der Fabrikantenneid.
 Ihr wart gut genug zum Fraß für Raben,
 für das Grab, Kamraden, für den Graben!

Werft die Fahnen fort! Die Militärkapellen
spielen auf zu euerm Todestanz.
Seid ihr hin: ein Kranz von Immortellen –
das ist dann der Dank des Vaterlands.

Denkt an Todesröcheln und Gestöhne.
Drüben stehen Väter, Mütter, Söhne,
schuften schwer, wie ihr, ums bißchen Leben.
Wollt ihr denen nicht die Hände geben?
Reicht die Bruderhand als schönste aller Gaben
übern Graben, Leute, übern Graben –!

Die Mäuler auf!

Heilgebrüll und völksche Heilung,
schnittig, zackig, forsch und päng!
Staffelführer, Sturmabteilung,
Blechkapellen, schnädderädäng!
 Judenfresser, Straßenmeute . . .
 Kleine Leute. Kleine Leute.

Arme Luder brülln sich heiser,
tausend Hände fuchteln wild.
Hitler als der selige Kaiser,
wie ein schlechtes Abziehbild.
 Jedes dicken Schlagworts Beute:
 Kleine Leute! Kleine Leute!

Tun sich mit dem teutschen Land dick,
grunzen wie das liebe Vieh.
Allerbilligste Romantik –
hinten zahlt die Industrie.
 Hinten zahlt die Landwirtschaft.
 Toben sie auch fieberhaft:
 Sind doch schlechte deutsche Barden,
 bunte Unternehmergarden!
 Bleiben gestern, morgen, heute
 kleine Leute! kleine Leute!

Beschlagnahmefreies Gedicht

 Ich bin klein.
 Mein Herz ist rein.
Soll niemand drin wohnen als nach Belieben auszufüllen allein.
Lieb Vaterland, magst ruhig sein,
fest steht, daß Ponds Creme das beste für die Haut ist.
 Hipp.
Wer seine Obrigkeit läßt walten,
der bleibet immer wohlbehalten.
 Hipp, hipp.
Wenn ich nur meinen Adolf hab,
bis an mein schwarz-weiß-rotes Grab.
 Hurra.
Ein Veilchen stund an Baches Ranft,
so preußisch-blau, so lind und sanft;
da kam ein kleines Schaf daher,
jetzt steht da gar kein Veilchen mehr.
 Hurra.
Ein Richter steht im Walde,
so still und stumm.
Er war republikanisch bis zuletzt,
drum haben sie ihn in den Wald versetzt,

und da steht nun der Richter,
auf seinem linken Bein,
 ganz allein.
Lieb Vaterland (siehe oben).
Siehst du die Brigg dort auf den Wellen?
„Rechts müßt ihr steuern!" hallt der Schrei.
Die Republik kann nicht zerschellen,
Frau Wirtin hatte auch ein Ei.
Die Zeiten werden schön und schöner.
Ich denk an Männer, kühn und barsch:
An Noske, Geßler und auch Groener.
Lieb Vaterland (siehe oben).

[Noske, Geßler, Groener: Minister in der Weimarer Republik.]

Klabund
1890–1928

Einmal noch den Abend halten

Einmal noch den Abend halten
Im versinkenden Gefühl!
Der Gestalten, der Gewalten
Sind zu viel.

Sie umbrausen den verwegnen Leuchter,
Der die Nacht erhellt.
Friebriger und feuchter
Glänzt das Angesicht der Welt.

Erste Sterne, erste Tropfen regnen,
Immer süßer singt das Blatt am Baum.
Und die brüderlichen Blitze segnen
Blau wie Veilchen den erwachten Traum.

Als Gott der Herr auf Erden ging

Als Gott der Herr auf Erden ging,
Da freute sich ein jedes Ding;
Ein jedes Ding, ob groß, ob klein,
Es wollte doch gesegnet sein.

Die Kreatur in ihrer Not,
Der Mensch in Kümmernis und Tod,
Der breite Strom, das weite Land,
Sie fühlten Gottes Gnadenhand.

Es hört der Frosch zu quaken auf,
Der Hund hält inn in seinem Lauf,
Der Regen hätt geregnet nicht,
Bevor ihn Gott gesegnet nicht.

Der hohe Turm verneigte sich,
Die Antilope zeigte sich.
Und Efeulaub und Wiesengrün
Erkannten und lobpriesen ihn.

Von aller Art der Mensch allein
Geriet in Schand und Sündenpein.
Hätt er nicht Gott so oft verkannt,
Er ging noch heute durch das Land.

Hätt er nicht Gott so oft gesteint,
Wir wären noch mit ihm vereint.
Die Erde wär das Himmelreich
Und jeder Mensch ein Engel gleich.

Ich baumle mit de Beene

Meine Mutter liegt im Bette,
Denn sie kriegt das dritte Kind;
Meine Schwester geht zur Mette,
Weil wir so katholisch sind.
Manchmal troppt mir eine Träne
Und im Herzen pupperts schwer;
Und ich baumle mit de Beene,
Mit de Beene vor mich her.

Neulich kommt ein Herr gegangen
Mit 'nem violetten Schal,
Und er hat sich eingehangen,
Und es ging nach Jeschkenthal!
Sonntag war's. Er grinste: „Kleene,
Wa, dein Port'menée is leer?"
Und ich baumle mit de Beene,
Mit de Beene vor mich her.

Vater sitzt zum 'zigsten Male,
Wegen „Hm" in Plötzensee,
Und sein Schatz, der schimpft sich Male,
Und der Mutter tut's so weh!
Ja, so gut wie der hat's keener,
Fressen kriegt er und noch mehr,
Und er baumelt mit de Beene,
Mit de Beene vor sich her.

Manchmal in den Vollmondnächten
Is mir gar so wunderlich:
Ob sie meinen Emil brächten,
Weil er auf dem Striche strich!
Früh um dreie krähten Hähne,
Und ein Galgen ragt, und er . . .
Und er baumelt mit de Beene,
Mit de Beene vor sich her.

Ironische Landschaft

Gleich einem Zuge grau zerlumpter Strolche
Bedrohlich schwankend wie betrunkne Särge
Gehn Abendwolken über jene Berge,
In ihren Lumpen blitzen rote Sonnendolche.

Da wächst, ein schwarzer Bauch, aus dem Gelände
Der Landgendarm, daß er der Ordnung sich beflisse,
Und scheucht mit einem bösen Schütteln seiner Hände
Die Abendwolkenstrolche fort ins Ungewisse.

Die Ballade des Vergessens

In den Lüften schreien die Geier schon,
Lüstern nach neuem Aase.
Es hebt so mancher die Leier schon
Beim freibiergefüllten Glase,
Zu schlagen siegreich den alt bösen Feind,
Tät er den Humpen pressen . . .
Habt ihr die Tränen, die ihr geweint,
Vergessen, vergessen, vergessen?

Habt ihr vergessen, was man euch tat,
Des Mordes Dengeln und Mähen?
Es läßt sich bei Gott der Geschichte Rad
Beim Teufel nicht rückwärts drehen.

Der Feldherr, der Krieg und Nerven verlor,
Er trägt noch immer die Tressen.
Seine Niederlage erstrahlt in Glor
Und Glanz: Ihr habt sie vergessen.

Vergaßt ihr die gute alte Zeit,
Die schlechteste je im Lande?
Euer Herrscher hieß Narr, seine Tochter Leid,
Die Hofherren Feigheit und Schande.
Er führte euch in den Untergang
Mit heitern Mienen, mit kessen.
Längst habt ihr bei Wein, Weib und Gesang
Vergessen, vergessen, vergessen.

Wir haben Gott und Vaterland
Mit geifernden Mäulern geschändet,
Wir haben mit unsrer dreckigen Hand
Hemd und Meinung gewendet.
Es galt kein Wort mehr ehrlich und klar,
Nur Lügen unermessen . . .
Wir hatten die Wahrheit so ganz und gar
Vergessen, vergessen, vergessen.

Millionen krepierten in diesem Krieg,
Den nur ein paar Dutzend gewannen.
Sie schlichen nach ihrem teuflischen Sieg
Mit vollen Säcken von dannen.
Im Hauptquartier bei Wein und Sekt
Tat mancher sein Liebchen pressen.
An der Front lag der Kerl, verlaust und verdreckt
Und vergessen, vergessen, vergessen.

Es blühte noch nach dem Kriege der Mord,
Es war eine Lust, zu knallen.
Es zeigte in diesem traurigen Sport
Sich Deutschland über allen.
Ein jeder Schurke hielt Gericht,
Die Erde mit Blut zu nässen.
Deutschland, du sollst die Ermordeten nicht
Und nicht die Mörder vergessen!

O Mutter, du opferst deinen Sohn
Armeebefehlen und Ordern.
Er wird dich einst an Gottes Thron
Stürmisch zur Rechenschaft fordern.
Dein Sohn, der im Graben, im Grabe schrie
Nach dir, von Würmern zerfressen . . .
Mutter, Mutter, du solltest es nie
Vergessen, vergessen, vergessen!

Ihr heult von Kriegs- und Friedensschluß – hei!
Der andern – Ihr wollt euch rächen:
Habt ihr den frechen Mut, euch frei
Von Schuld und Sühne zu sprechen?
Sieh deine Fratze im Spiegel hier
Von Haß und Raffgier besessen:
Du hast, war je eine Seele in dir,
Sie vergessen, vergessen, vergessen.

Einst war der Krieg noch ritterlich,
Als Friedrich die Seinen führte,
In der Faust die Fahne – nach Schweden nicht schlich
Und nicht nach Holland 'chapierte.
Einst galt noch im Kampfe Kopf gegen Kopf
Und Mann gegen Mann – indessen
Heut drückt der Chemiker auf den Knopf,
Und der Held ist vergessen, vergessen.

Der neue Krieg kommt anders daher,
Als ihr ihn euch geträumt noch.
Er kommt nicht mit Säbel und Gewehr,
Zu heldischer Geste gebäumt noch:
Er kommt mit Gift und Gasen geballt,
Gebraut in des Teufels Essen.
Ihr werdet, ihr werdet ihn nicht so bald
Vergessen, vergessen, vergessen.

Ihr Trommler, trommelt, Trompeter, blast:
Keine Parteien gibts mehr, nur noch Leichen!
Berlin, Paris und München vergast,
Darüber die Geier streichen.
Und wer die Lanze zum Himmel streckt,
Sich mit wehenden Winden zu messen –
Der ist in einer Stunde verreckt
Und vergessen, vergessen, vergessen.

Es fiel kein Schuß. Steif sitzen und tot
Kanoniere auf der Lafette.
Es liegen die Weiber im Morgenrot,
Die Kinder krepiert im Bette.
Am Potsdamer Platz Gesang und Applaus:
Freiwillige Bayern und Hessen . . .
Ein gelber Wind – das Lied ist aus
Und auf ewige Zeiten vergessen.

Ihr kämpft mit Dämonen, die keiner sieht,
Vor Bazillen gelten nicht Helden,
Es wird kein Nibelungenlied
Von eurem Untergang melden.
Zu spät ist's dann, von der Erde zu fliehn
Mit etwa himmlischen Pässen.
Gott hat euch aus seinem Munde gespien
Und vergessen, vergessen, vergessen.

Ihr hetzt zum Krieg, zum frischfröhlichen Krieg,
Und treibt die Toren zu Paaren.
Ihr werdet nur einen einzigen Sieg:
Den Sieg des Todes gewahren.
Die euch gerufen zur Vernunft,
Sie schmachten in den Verlässen:
Christ wird sie bei seiner Wiederkunft
Nicht vergessen, vergessen, vergessen.

[echapieren: entweichen.]

Karl Bröger
1886–1944

Bekenntnis

Immer schon haben wir eine Liebe zu dir gekannt,
bloß wir haben sie nie mit einem Namen genannt.
Als man uns rief, da zogen wir schweigend fort,
auf den Lippen nicht, aber im Herzen das Wort
 Deutschland.

Unsre Liebe war schweigsam; sie brütete tiefversteckt.
Nun ihre Zeit gekommen, hat sie sich hochgereckt.
Schon seit Monden schirmt sie in Ost und West dein Haus,
und sie schreitet gelassen durch Sturm und Wettergraus.
 Deutschland.

Daß kein fremder Fuß betrete den heimischen Grund,
stirbt ein Bruder in Polen, liegt einer in Flandern wund.
Alle hüten wir deiner Grenze heiligen Saum.
Unser blühendstes Leben für deinen dürrsten Baum,
 Deutschland.

Immer schon haben wir eine Liebe zu dir gekannt,
bloß wir haben sie nie bei ihrem Namen genannt.
Herrlich zeigte es aber deine größte Gefahr,
daß dein ärmster Sohn auch dein getreuester war.
 Denk es, o Deutschland.

[1914]

Kohle, schwarze Kohle, graben wir.
Höllendunkel decken das Revier.

Hinten hallt der Fäustel hart Gepoch.
Nur das schwache Lämpchen schimmert noch.

Und wir ringen stumm mit Stein und Erz,
brechen wir der Erde an das Herz.

Unten schließt uns Qual und Grauen ein.
Droben glänzt die Stadt in hohem Schein.

Karrt der Korb uns wieder an den Tag,
sinken andre ab zu Plag und Schlag.

Doch wir wissen auch: Was oben flammt,
ist ein Glanz, der aus der Tiefe stammt.

Nichts kann uns rauben
Liebe und Glauben
zu diesem Land.
Es zu erhalten
und zu gestalten
sind wir gesandt.

Mögen wir sterben!
Unseren Erben
gilt dann die Pflicht:
Es zu erhalten
und zu gestalten
Deutschland stirbt nicht.

Heinrich Lersch
1889–1936

Soldatenabschied

Laß mich gehn, Mutter, laß mich gehn!
All das Weinen kann uns nichts mehr nützen,
denn wir gehn, das Vaterland zu schützen!
Laß mich gehn, Mutter, laß mich gehn.
Deinen letzten Gruß will ich vom Mund dir küssen:
Deutschland muß leben, und wenn wir sterben müssen!

Wir sind frei, Vater, wir sind frei!
Tief im Herzen brennt das heiße Leben,
frei wären wir nicht, könnten wir's nicht geben.
Wir sind frei, Vater, wir sind frei!
Selber riefst du einst in Kugelgüssen:
Deutschland muß leben, und wenn wir sterben müssen!

Uns ruft Gott, mein Weib, uns ruft Gott!
Der uns Heimat, Brot und Vaterland geschaffen,
Recht und Mut und Liebe, das sind seine Waffen,
uns ruft Gott, mein Weib, uns ruft Gott!
Wenn wir unser Glück mit Trauern büßen:
Deutschland muß leben, und wenn wir sterben müssen!

Tröste dich, Liebste, tröste dich!
Jetzt will ich mich zu den andern reihen,
du sollst keinen feigen Knechten freien!
Tröste dich, Liebste, tröste dich!
Wie zum ersten Male wollen wir uns küssen:
Deutschland muß leben, und wenn wir sterben müssen!

Nun lebt wohl, Menschen, lebet wohl!
Und wenn wir für euch und unsere Zukunft fallen,
soll als letzter Gruß zu euch hinüberhallen:
Nun lebt wohl, ihr Menschen, lebet wohl!
Ein freier Deutscher kennt kein kaltes Müssen:
Deutschland muß leben, und wenn wir sterben müssen!

Brüder

Es lag schon lang ein Toter vor unserm Drahtverhau,
Die Sonne auf ihn glühte, ihn kühlte Wind und Tau.

Ich sah ihm alle Tage in sein Gesicht hinein,
und immer fühlt ich's fester: Es muß mein Bruder sein.

Ich sah in allen Stunden, wie er so vor mir lag,
und hörte seine Stimme aus frohem Friedenstag.

Oft in der Nacht ein Weinen, das aus dem Schlaf mich trieb:
Mein Bruder, lieber Bruder – hast du mich nicht mehr lieb?

Bis ich, trotz allen Kugeln, zur Nacht mich ihm genaht
und ihn geholt. – Begraben: – Ein fremder Kamerad.

Es irrten meine Augen. – Mein Herz, du irrst dich nicht:
Es hat ein jeder Toter des Bruders Angesicht.

Wir Werkleute all

Wir Werkleute all, wir alte und junge, wir Männer und Fraun,
die wir nur Flammen, Gluten, Massen und Kräfte schaun,
wir, die wir die Flammen, Gluten und Kräfte bezwingen:
hört unsere Fäuste das Lied der Arbeit singen.

Wir Werkleute all tragen unter dem blauen Tuch
wie ihr eine Seele, die weint und jubelt unter Segen und Fluch,
und neben dem lauten Leben ein Menschsein mit allen Gefühlen,
in Liebe und Frühling, in Armut und Not, Erde und Himmel wühlen.

Wir Werkleute all sind allen Werks Fundament!
Auf unseren Leibern stehn die Maschinen, auf unseren Leibern der Hochofen brennt;
auch unsere Seelen zwingen wir in Hebel und Walzen, Räder und Achsen,
darum kann sie nicht mit steilen Bäumen in Gottes Himmel wachsen.

Wir Werkleute all hüten Gottes Erde und machen sie untertan,
darum ist Gott uns gnädig, wenn wir im Tod uns ihm nahn –,
– und zerbräch diese Erde, loderten aus den Spalten des Erdkerns Flammen –
wir Werkleute all, wir schmiedeten sie wieder mit stählernen Ringen aus Trägern und Schie-
nen zusammen.

Selbstbildnis

Ich bin, wie du, ein armer Knecht,
Bin ein Prolet von Gottes Gnaden.
Mit allem, was da gut und schlecht,
Bin ich ein Mensch, von Gott beladen.

Ein Kind noch, mich die Arbeit nahm,
Und preßte mich mit harten Knochen,
Der Mutter Zucht, der Jugend Scham
Sind unter ihrem Griff zerbrochen.
Den Tag verschafft in Ruß und Rauch,
Den Abend irr und wirr vertrunken,
Die Straße rief mit Baum und Strauch.
Ich spie den Herren an den Bauch.
Bin dann, ein Vagabund, versunken,

Ein fauler Lump, verfolgt vom Spott.

Wo keine Eisenwerke dröhnten,
Da trat aus Wald und Wiese Gott,
Mit seiner Welt mich zu versöhnen;
Er ward mein Reisekamerad,
Bracht' mich zurück an die Maschinen,
Zu Kumpel, Kolleg, Mann und Weib,
Die alle, weltfromm, dem Leben dienen.

Von seinem Kuß blüht noch mein Leib,
Sein Atem will in Liedern leben.
Ich muß die Welt, die wilde Welt,
Den Brüdern um mich wiedergeben.

Morgenlied der neuen Arbeiter

Leuchte, scheine, goldne Sonne
Über dieses freie Land;
Felder, Wälder, Städte hülle
In dein helles Lichtgewand.
Laß die weiten Äcker reifen
Und die kleinen Gärten blühn,
Leuchte hell in die Fabriken,
Wo wir uns im Schatten mühn:
Leuchte, goldne Sonne, scheine,
Spende deines Segens Kraft.
Bruder: deine Hand! Hier meine!
Arbeitsbrüder, uns vereine
Eine heil'ge Leidenschaft.

Tu dich auf, du Tor der Halle,
Sonne, breche hell hinein.
Wollt ihr, werkende Maschinen,
Neuen Volkes Helfer sein?
Euer Rattern, euer Dröhnen
Klingt wie freudig Ja-Geschrei.
Kampf ist Arbeit, Arbeit Liebe.
Kämpfend schaffen wir uns frei!
Hoch der Bergmann, der verloren
Tief im Schacht die Kohlen haut,
Der mit Dynamos, Motoren
Kraft aus seinem Leib geboren,
Unsre neue Welt erbaut.

Tausend laute Räder brausen,
Städte tönen, stromentlang
Ziehn die schwerbeladnen Schiffe,
Braust der Eisenbahn Gesang,
In Millionen Menschenherzen
Zieht der Glaube freudig ein:
Was des Volkes Hände schaffen,
Soll des Volkes Eigen sein.
Land und Freiheit unser Eigen,
Menschenwürde unser Recht!
Kraft soll sich der Schwachheit neigen,
Brüderlich einander zeigen:
Keiner Herr und keiner Knecht.

Leuchte, scheine, goldne Sonne
Unserm Vormarsch in die Welt,
Uns, die nun im Aufgang stehen,
Keine Macht noch Fesseln hält.
Alte? Junge? Neue Menschen!
Werkbeglückt einander nahn,
Menschen, keinem andern Geiste
Als der Liebe untertan.
Drum, mein Hammer, schwing und schalle,
Läute Frieden, Hammerschlag!
Ruf mit deinem Stahlgesange
Stadtvolk, Landvolk, Brüder alle
In den großen Arbeitstag.

[1934]

Max Mell
1882–1971

Der milde Herbst von anno 45

Ich Uralter kanns erzählen, wie der Herbst durch jenes Jahr
wie ein Strom rann und ein Spiegel hundert Abendröten war.

An Obstbäumen lehnten Leitern, knackten unter Eil und Fleiß
und die Kinder schmausten immer, und die Kranken lachten leis.

Auf dem Boden rochs nach Äpfeln, in den Kellern feucht nach Wein,
und wer eine Sense ansah, dem fiel doch der Tod nicht ein.

War ein Herbst so lang wie jeder; Sonne sinkt und Stunde schlägt;
doch an jedes Leben, schien uns, war ein Kleines zugelegt.

Hochsommernacht

Ich liege wach und lausche,
ich weiß, es ist schon spät,
ich horch auf die Musik hinaus,
die in den Wiesen geht.

Die Sonne, die sie tranken,
hat tief sie aufgeregt,
daß lang noch an der Last des Lichts
ihr Puls im Dunkeln trägt.

Vom Lindenbaume löst sich
ein Wehen ganz gering,
das wandelt kühl zu mir herein
und sucht den Schmetterling,

Der irgend in die Stube
vom Tag mir ward geführt
und nun an seinem Plätzchen still
die finstern Schwingen rührt.

Weihnachtschoral

Jahr, dein Haupt neig!
Still abwärts steig!
Dein Teil ist bald verbrauchet.
Soviel nur Lust
noch darleihn mußt,
als uns ein Tannenzweiglein hauchet.

Herz, werde groß!
Denn namenlos
soll Lieb in dir geschehen.
Welt, mach dich klein!
Schließ still dich ein!
Du sollst vor Kindesaug bestehen!

Susette Gontard,
den Hyperion lesend

O Wintertage! Von des Liebsten Gaben
zu hundertfachem Frühlingsblühn verklärt,
wie seid ihr weit! . . . Du sprachst: die Götter haben
ein andres Leben Liebenden gewährt.

Wir pflückten Blumen von vereisten Scheiben,
das Feld voll Schnee gab uns den Erntekranz,
und aus den Ländern, wo die Blüten bleiben,
brach auch durch Wolken heiligender Glanz.

Bist du nicht nah? Es tasten meine Hände
auf diese Blätter, die voll Tränen sind,
als ob ich drinnen allen Sommer fände,
der meinem Herzen zu entfliehn beginnt.

Weh mir, wo nehm ich, will es Winter werden,
die Blumen, die mir sonst dein Lieben fand?
Wo Sonnenschein und Schatten dieser Erden?
Einsiedlerin . . . nicht nur in Griechenland.

Friedrich Schnack
1888–1977

Läuterung

Des Schlafes Haus ist mondgeschmückt,
Der tiefe Strom der Brunnen geht.
Lilie und Lotos sind gepflückt,
In alle Welt ein Garten weht.

Süß lebt der Vogel Zeitvorbei
Am Hoffnungsbaum im Weltgesang,
Der Schattenwälder schwarzer Mai
Lodert im wölkigen Untergang.

Des Schlafes Korn rauscht fremd und schwer,
Mütter tauchen aus ewigem Schein,
Lächeln und winken die Seele her,
Dunkel und kinderklein.

Langsam zerbricht das Erdengesicht
In des Schlafes Geduld.
Zuckend löst sich im geistigen Licht
Die unsägliche Schuld.

Vogelwolke

Ich sehe eine Vogelwolke reisen
Vom Nordlandkap, wo Meere tot vereisen.
Ich höre eine Vogelwolke sausen,
Da dürre Winde in den Wäldern brausen.
Hoch über meinem Haus

Weht eine Vogelfahne welthinaus,
Die winkt und rauscht nach südlichen Gestaden,
Wo Morgengötter in den Fluten baden.

Der Nebel dampft empor, Herbstfeuer kochen,
Die letzten Früchte sind gebrochen.
Das Land ist leer,
Kein Wandrer schweift im Talgrund mehr.

Ich sehe eine Vogelwolke wogen,
Ein Vogelbogen kommt vom Nord gezogen.
Ein geisterschwarzer Seelenriesenflügel
Schwimmt ungeheuer über Wald und Trauerhügel
Und rauscht im späten Tage
Hinab in eine große Wandersage.

Einhorn

Das Einhorn geht im Garten auf die Weide:
Siehst du es nicht?
Sein Fell ist weiße Seide,
Sein Horn ein Stoß von Licht.

Am Morgen in der Amselstunde
Kam es vom Wald herein
Und trug durch meine Rosenrunde
Einen Strahl von Elfenbein.

Vor dem Dickicht meiner Büsche
Seh ich einen Lichtgeist stehn,
Seines Kleides Hauch und Rüsche
In den Gartenlüften wehn.

Er ist meines Einhorns Hirte,
Er behütet Huf und Horn.
Und es schnaubt das Schöngeschirrte
Hinter blauem Rittersporn.

Georg von der Vring
1889–1968

Dorf bei Nacht

Wie eine ausgehöhlte Frucht,
Darin die Kerze scheint,
Liegt dort das Dorf in dunkler Bucht,
Und alles lebt vereint.

Die Grille sagt den schwarzen Reim,
Derweil die Stunde rinnt.
Wer weiterreist, verliert ein Heim,
Der weiß nicht was gewinnt.

Man trinkt den Wein wie Öl und schweigt.
Der Turm tut seinen Schlag.
Und wird das leere Glas gezeigt,
So ist noch lang kein Tag.

Schwarz

Nacht ohne dich.
Wer wird mein Herz bewahren?

Der Mond erblich.
Die Vogelwolken fahren.
Vorüberstrich
Ein Schwarm von schwarzen Jahren.

Die letzte Rose

Wer hat dieser letzten Rose
Ihren letzten Duft verliehn?
Tritt hinaus ins Sonnenlose,
Atme ihn und spüre ihn,

Wie er rot im Offenbaren
Und verschwebender wie Wein
Wesen kündet, die nie waren
Und die hier nie werden sein.

Nacht der Grillen

Es zeichnet mit dem Silberstift
Die Grill an ihrer Geisterschrift.

Wer liest die Zeilen, hört ihr Wort?
Die Nacht ist schon im ganzen Ort.

Und der noch wacht, er deutet's nicht,
Was ihre Schrift in eins verflicht:

Gestillte Lieb und Lieb, die bleibt,
So lang der Silberstift noch schreibt.

Dauer

Als eine weiße Schneebeere
Möcht ich dein letztes Wort sein.
Niemand spricht es mehr aus.
Aber die weiße Schneebeere am Haus
Wird noch dort sein
Jahrein jahraus.

Georg Britting
1891–1964

Rausch

Rausch, mein riesiger, bartumwallter
Bruder, tritt zu mir herein!
Sieh dies Glas! Das ist ein alter,
Mondscheingelber, feurigkühler, brennendkalter Wein.

Morgenroter, abendroter
Vetter: Saug am Ziegenschlauch,

Daß ein butterheller, fetter
Wein dir salbt den Bauch!

Neige dich, mein riesenhafter
Purpurbruder, über mich!
Torkelnd, ein erschlaffter Knabe,
Dem das Wangenrot verblich,

Berg ich tief mich in den Falten
Deines Kleides. In den roten Klüften
Träume ich die alten Träume,
Hingelagert an den Hügeln deiner Hüften.

Sommergefühl

Kurzer Sommer, glühender, bleib! Dein Anhauch
Zwar verdrießt das ängstliche Gras. Das Korn doch
Liebt dich, der sich rötende Wein. Die Grille
Singt dir ein Loblied,

Und die Lerche, wenn sie ins Blaue klettert,
Tut es trillernd, dir zu gefallen, und des
Wilden Klatschmohns purpurne Blüte ist ein
Feuriger Juhschrei!

In den kühlen, glänzenden Nächten richtet
Sich das grüne Gras wieder auf. Die Schnecke
Wandert durch das taunasse Land und sieht nicht
Oben die Sterne:

Ihren Fühlern sind sie entrückt! Sie fürchtet
Jetzt schon wie die Kröte im schwarzen Hohlweg,
Wie der Salamander im Sumpf den süßen,
Rosigen Morgen.

September

September, er wills mit der ganzen Kraft,
Dem störrischen Hochmut der Leidenschaft,
Das Fliehende will er noch halten.
Doch hüpfen die Äpfel vom Baum ihm fort,
Die Goldbirnen stürzen, das Gras verdorrt,
Die Flüsse und Weiher erkalten.

Die Wolken sind auch schon so weiß nicht mehr,
Und Pilzgeruch bringen die Nebel her
Auf regenfeucht schleppenden Füßen.
Den Brombeersucher, den mag er nicht,
Drum schärft er den Dolch, der die Hand zersticht:
Die Gier soll der Räuber nur büßen!

Nur manchmal, am Mittag, im weißen Glast,
Da tut er, als wär er der Sommer fast,
Da fühlt er sich noch wie ein Junger.
Da hat er noch Gold und ein Knabenherz,
Und treibt mit der Muhme, der Schlange, Scherz,
Und gibt ihr die Maus für den Hunger.

Nie schrie dann im Hof so verliebt der Hahn,
Es fangen die Blumen zu brennen an,
In Feuer stehn ringsum die Gärten.
Jetzt sammelt im Weine sich süß die Glut,
Drum heben die Winzer voll Dank den Hut
Vor ihm, den sie immer verehrten.

Doch nach einer regendurchtobten Nacht,
Scheel sieht er die nasse, vergilbte Pracht,
Zerrauft und wie Besen die Schober.
Da weiß er, nun gilt es nach Haus zu gehn,
Und ohne sich noch einmal umzusehn
Überläßt er die Welt dem Oktober.

Was hat, Achill . . .

Unbehelmt,
Voran der Hundemeute,
Über das kahle Vorgebirge her
Auf ihrem Rappen eine,
Den Köcher an der bleichen Mädchenhüfte.

Ein Falke kreist im blauen, großen,
Unermeßlich blauen,
Großen Himmel.

Er wird niederstoßen,
Die harten Krallen und den krummen Schnabel
Im Blut zu tränken, dem purpurnen Saft,
An dem das Falkenvolk sich wild berauscht.

Die nackte Brust der Reiterin.
Ihr glühend Aug.
Die Tigerhunde.
Der Rappe, goldgezügelt.
Sie hält ihn an.

Mit allem Licht
Tritt aus den Wäldern vor
Der Mann der Männer.
Die Tonnenbrust.
Auf starkem Hals das apfelkleine Haupt.

Er sieht die Reiterin.
Und sie sieht ihn.
So stehn sich zwei Gewitter still
Am Morgen- und am Abendhimmel gegenüber.

Der Falke schwankt betrunken auf der Beute.
Was hat, Achill,
Dein Herz?
Was auch sein Schlag bedeute:
Heb auf den Schild aus Erz!

[Reiterin: die Amazone Penthesilea, die vor Troja im Zweikampf mit Achill fiel.]

Winterbild

In solcher Stund gefror das Lied im Horn.
Im Dorngesträuch verendet still das Reh.
Vom Wind gestäupt duckt sich das Dorf im Schnee,
Und in der Waldschlucht stirbt der weiße Zorn

Der Silberquelle bei der krummen Föhre.
Rauhreif am Maule kommt der Fuchs, der rote,
Sein Mahl zu haben, und er hebt die Pfote
Wie Hunde tun: ob ihn auch niemand störe,
Und ihm das Beste von dem Fund gehöre!

Die Krähen nahn verspätet sich dem Orte
Mit wildem Schrei, schwarzglänzende Kohorte.

Richard Billinger
1893–1965

Landregen

Wie ein Riese trag ich dich,
Regen, durch die dunklen Stuben!
Tümpel deine Knechte gruben.
In das Feld der Weiher wich.

Nun ich flammend mich erraffe,
durch die wüsten Wege stapfe,
auf umschwemmtem Stege wate,
meinem Herzen Atem schaffe –

schwillt, von meinem Hauch entzündet,
schnell des Äthers Lichtesstärke!
Gottgeschwächt vom Regenwerke
liegen Wolken tot, entmündet.

Knechte

Knechte jubeln durch die Nacht.
Ich öffne meine Fenster sacht,
um dem Gesang zu lauschen.
Er klingt so klar, so siegeshell.
Gern möcht ich armer Schreibgesell
mit all den Knechten tauschen!

Ihr Leib ist frei und muskelhart.
Gottarm die Seel und rauh der Bart,
der Rock in Fetzen ging.
Doch Knechte haben sondre Art.
Sie haben sich den Stolz bewahrt
gleich Herrn und Edeling.

Sie gehen tags den Pflügertrott.
Sie rufen hü, sie rufen hott
und spucken in die Hände.
Die Arbeit Tier und Menschen frißt.
Der Bauer karg den Lohn zumißt
und schüret Zornesbrände.

Und schickt die Nacht die Sterne aus –
aus jedem Hof, aus jedem Haus
zieht froh der Knechte Schwarm.
Den Bauern deckt der Tuchent zu.
Schlaf nur! bald weckt dich aus der Ruh
der Knechte starker Arm.

Gebet der Knechte und Mägde

Von den Bäumen geuß den Schatten!
Aus dem Felsen schlag die Quelle!
Wiesen schenk uns, Feld und Matten
und, ach, eines Hauses Schwelle!

Arbeit gabst du unsern Eltern,
Arbeit schickst du unsern Kindern,
und die Trauben, die wir keltern,
dürfen unsern Durst nicht lindern.

Herr des Himmels, Herr auf Erden,
soll dein Nam uns heilig heißen,
laß uns endlich teilhaft werden
dieser Ziegen, Öchslein, Geißen,

dieses süßen Edengartens,
dieser Äpfel, still gespriesen!
End die Zeit des Harrens, Wartens!
Sense, mähe *unsre* Wiesen!

Josef Weinheber
1892–1945

Liebhartstal

Das bißchen Wein, das südseits noch gedeiht,
lockt Sonntags kleine Leute in die Schenken.
Gekicher, Kreischen, Schrammeln, Trunkenheit,
Schaubudenlust, Lampions und Hüteschwenken –

Ein Rest von Wienertum, verfälscht, gestreckt,
so wie der Wein aus den verbliebnen Gärten.
Dienstmädchenelend, festtäglich geschleckt,
Familienzank, Geraunz von Knasterbärten.

Im Herbst jedoch, an einem Wochentag,
ist alles hier wie einst: Kastanien liegen
vom Baum geplatzt am Weg; der Amselschlag
müht sich umsonst, die Stille zu besiegen.

Melancholie streicht sanft durch die Alleen,
liegt als Musik auf den gelösten Lehnen.
Und steigst du höher, siehst du fern und schön
die heißgeliebte Stadt ins Blau sich dehnen.

Arbeiter

Wir Hände millionenmal,
in Werkstatt und Maschinensaal
den Griff zu machen hingestellt;
gleich reich, gleich arm in aller Welt.
Gedungen für den Bissen Brot,
aus Nöte dienend einer Not,
alltage unten, alltag klein,
mit Worten nimmer zu befrein,
so lang geduldig, Weib, Kind, Mann,
als uns ein Herr befehlen kann.

Des freien Himmels lang entwöhnt,
durch ein Stück Garten ausgesöhnt,
mit Gras und Zaun und Laubenbank,
so wüßten wir dem Leben Dank,
so wär die Arbeit nicht zu schwer,
wenn nur schon wieder Arbeit wär.
Daß aber immer Arbeit sei,
steh uns ein gutes Schicksal bei,
damit die oben, Mann, Weib, Kind,
wahrhaben, daß wir Menschen sind.

795

Dezember

Im Stall bei Esel, Ochs und Rind
zur Nacht geboren ward das Kind.
Und wieder still wie ehedem
der Stern leucht' über Bethlehem.
Gott in der Höh sei Preis und Ehr,
und Fried den Menschen weit umher.
Gevatter, schlachte du ein Schwein,
back Honigbrot, fahr auf den Wein
und heiz die Stuben nach Gebühr,
daß uns das Kindlein ja nicht frier!
Wir feierns mit bei Trunk und Schmaus:
Die Glock schlägt zwölf – Das Jahr ist aus.

Notturno

Kiesweg und Mond überm Baume:
Alles ist leise gesagt.
Alles ist innen im Traume.

Spur um den Mund, die es klagt,
Stirn, die hinauf zu den Sternen
leidet und lodert und fragt.

Ach, aus der Reue zu lernen:
Jegliches ist nur geschenkt,
uns von uns selbst zu entfernen.

Zeit, wo die Kühle sich senkt!
Stund, wo der heimlich Verstörte
bitter den Abschied bedenkt.

Daß doch dein Herz es noch hörte!
Fühl, wie der Nachthimmel ragt,
der uns vor jenem betörte.

Spur um den Mund, die es klagt,
Kiesweg und Mond überm Baume.
Kerze, verflackernd im Raume:
Alles ist leise gesagt . . .

Im Grase

Glocken und Zyanen,
Thymian und Mohn.
Ach, ein fernes Ahnen
hat das Herz davon.

Und im sanften Nachen
trägt es so dahin.
Zwischen Traum und Wachen
frag ich, wo ich bin.

Seh die Schiffe ziehen,
fühl den Wellenschlag,
weiße Wolken fliehen
durch den späten Tag –

Glocken und Zyanen,
Mohn und Thymian.
Himmlisch wehn die Fahnen
über grünem Plan:

Löwenzahn und Raden,
Klee und Rosmarin.
Lenk es, Gott, in Gnaden
nach der Heimat hin.

Das ist deine Stille.
Ja, ich hör dich schon.
Salbei und Kamille,
Thymian und Mohn,

und schon halb im Schlafen
– Mohn und Thymian –
landet sacht im Hafen
nun der Nachen an.

Das reine Gedicht

Du gabst im Schlafe, Gott, mir das Gedicht.
Ich werde es im Wachen nie begreifen.
Nachbildend Zug um Zug das Traumgesicht,
nur sehnen kann ich mich und Worte häufen.

Da es ein Klang war, sollt ich es nicht hören?
Da es ein Bild war, sollt ich es nicht sehn?
Nun wird die Oberfläche mich betören,
im Tonfall wird der Klang zuschanden gehn.

Wie war es doch? Es war in seligem Traume.
Nur noch in solchem Wachsein lebe ich.
Die Augen schließend, raubt es mich dem Raume.
Traum schlägt den Blick auf, und ich schaue dich.

Hymnus auf die deutsche Sprache

O wie raunt, lebt, atmet in deinem Laut
der tiefe Gott, dein Herr; unsre Seel,
die da ist das Schicksal der Welt.
Du des Erhabenen
starres Antlitz,
mildes Auge des Traumes,
eherne Schwertfaust!

Eine helle Mutter, eine dunkle Geliebte,
stärker, fruchtbarer, süßer als all deine Schwestern;
bittern Kampfes, jeglichen Opfers wert:
Du gibst dem Herrn die Kraft des Befehls und Demut dem Sklaven.
Du gibst dem Dunklen Dunkles
und dem Lichte das Licht.
Du nennst die Erde und den Himmel: deutsch!

Du unverbraucht wie dein Volk!
Du tief wie dein Volk!
Du schwer und spröd wie dein Volk!
Du wie dein Volk niemals beendet!

Im fernen Land
furchtbar allein,
das Dach nicht über dem Haupte
und unter den Füßen die Erde nicht:
Du einzig seine Heimat,
süße Heimat dem Sohn des Volks.

Du Zuflucht in das Herz hinab,
du über Gräbern Siegel des Kommenden, teures Gefäß
ewigen Leides!
Vaterland uns Einsamen, die es nicht kennt,
unzerstörbar Scholle dem Schollenlosen,

797

unsrer Nacktheit ein weiches Kleid,
unserem Blut eine letzte Lust,
unserer Angst eine tiefe Ruhe:

Sprache unser!
Die wir dich sprechen in Gnaden, dunkle Geliebte!
Die wir dich schweigen in Ehrfurcht, heilige Mutter!

Zeitloses Lied

Draußen gehn Helden und Knechte
klirrend die schreckliche Bahn.
Augen der heimlichen Mächte
rühren mich Schlafenden an.
Fern in der goldenen Stille
rauschen mir Brandung und Hain,
aber ein göttlicher Wille
läßt mich im Grabe allein.

Einsamkeit, Schwester des Todes,
hält mir die wirkende Hand.
Flamme des Leidens, verloht es
hin in das heilige Land;
loht um die hohen Gestalten
mit der krystallenen Stirn,
auf dem Gebirgen der Alten
schimmert der ewige Firn.

Beispiel und tiefes Begreifen
unserem Untergang,
grüß ich die Reinen und Reifen
mit dem verborgenen Sang,
singe das Lied des Verlornen,
festlich dem Ende geweiht,
willig dem Spruche der Nornen,
edle Vergangenheit.

Vor die gefährdeten Füße
werfen sich Schweigen und Hohn,
nimmer begriffener Süße
zieht mir das Leben davon;
aber der Stern hält Treue,
der mit der tödlichen Pracht:
Nie noch erschuf sich das Neue
solch einen König der Nacht.

Schatten ihr duldender Brüder,
ferne, vergessen und still,
nehmt mich und leget mich nieder,
wo es die Gottheit will.
Mir ein Lager aus Feuer,
mir ein Byssusgewand!
Tiefer lebt ich und treuer
da ich euch Tröstliche fand.

Draußen gehn Helden und Knechte
klirrend die schreckliche Bahn,
Augen der heimlichen Mächte
rühren mich Schlafenden an.
Fern in der goldenen Stille
rauschen mir Brandung und Hain,
und jener göttliche Wille
läßt uns im Grabe allein.

Auf das Vergängliche

Gern gehen die Sänger voraus. Ihnen genügt nicht,
was vergeht auf der Erde, zu preisen: Die nahen
wirklichen Dinge, die Herzen, leidend
das Vergängliche: Geburt und Zeugung und Sterben,
jenes täglich Getane, jenes
das die Stunde verlangt: den Krug und die Schüssel
und die Uhr, und das Bett mit dem Schlaf, und
alles, dieses Getreue.
Ihnen steht im Aufblick der Held. Der entflammt mit
unvergänglichem Untergang die Gesichte.
Oder der andere, der da redet mit Gott und ledig
unsrer Gesetze, schwebt, der Heilige zwingt sie.
Denn das Ewige: Nacht und Tod, die Gestirne,

fern die Berge der Götter, vielleicht auch
noch die Liebenden in dem
Augenblick der höchsten Verzückung: Dieses
Ewige ist ihre Ordnung.
Aber genügt nicht,
schon der Grashalm, das feierlich runde
Kreisen der Sense, oder zwei Hände am Abend
unter der Lampe ruhend, weise vom guten
Sinn des Vollbrachten? Genügt nicht,
ohne Übermut zu brechen das Brot,
zu teilen, zu essen?
Sähen sie jenes und sagtens, ohne den Aufwand
stärkerer Worte, wie fühlten
wir uns sicher! Aber wir fragen und zweifeln
doch und verwerfen das Beispiel, fromm zu genügen.
Ihre, die Größe
jener Gesichte verführt uns,
und wir bleiben am Rande; hörn die Gesänge,
schauen, bewundern, verehrn. Und inmitten
darf das Einfache einfach geschehn. Ein geringes
„Du" ist der Preis. Kein Sang.

 Aber dort ist die Liebe.

Aus: *Die deutschen Tugenden im Kriege*

Vorspruch

Jedwedes Volk, das leben will,
braucht Tucht und Zucht, nicht Tand und Spiel.
Das eine fault vor Überfluß,
das andre kämpft, sein' Not ist Muß.
Weil wir nun alle, Mann, Weib, Kind,
Soldaten, *nur* Soldaten sind,
beschwört der Sänger – bis zum Sieg! –
die deutschen Tugenden im Krieg.

Wir *haben* sie, noch ungetrübt:
Er nennt nur, was ihr bluthaft übt.
Ihr schweigt davon, denn Würd und Ehr
bedarf der großen Wort nicht mehr.
Und Ehr und Würde sind zuletzt
der Born, der alle Ausfahrt netzt.
Fahr aus, gut's Schwert, dir selb zu Ruhm;
Der Deutschen Art heißt: Heldentum!

Ritterliches Handeln

Der Mut allein genügt zwar nicht.
Die *Großmut* ist sein Kehrgesicht.
Gerechte Kraft bestätigt sich
am Schwachen: Sie schlägt ritterlich.
Geschlagner Feind, der ehrlich stritt,
hat Schmach genug, ist mit uns quitt.
An Greis, Weib, Kind, entblößtem Mann
ein Schuft nur sich vergreifen kann.
Der Krieg ist hart, doch kein Entzwein,
den Untermenschen zu befrein.
Der Deutsche, immer groß im Streit,
gewahr sein Höchstes: Menschlichkeit!

Gehorsam

Wer nicht gehorchen kann, kann nie
befehlen, wenn er noch so schrie.
Begreift: Was würde aus der Welt,
wenn jeder tut, was ihm gefällt!
Gehorsam setzt die Ordnung fest,
nach welcher Gott sich messen läßt.
Er sei dem Glauben gleich: So groß,
so fraglos und bedingungslos!
Ein Volk, das nicht zu folgen weiß,
zerstört die Stufen, gibt sich preis.
Vom stärksten Willen überdacht,
geschieht die Rettung, wirkt die Macht.

Treue

Es war seit je der Deutschen Brauch
die Treue bis zum letzten Hauch.
So schwören wir in großer Not
die alte Treue bis zum Tod!
Wem schwören wir? Dem starken Mann,
dem Führer schwören wir voran,
alsdann dem Blut, dem Land, dem Reich,
ist keine Treu der unsern gleich.
Ist keine Treu der *seinen* gleich,
so fügte sich, so strahlt das Reich.
In fernen Sagen sei's gesagt,
was Treu um Treu getan, gewagt.

Einsatzbereitschaft

Dies ist ein Krieg, wie nie gekannt:
Das Vaterland braucht jede Hand.
Vor jenen, die dem Tod sich weihn,
das größte Opfer ist zu klein!
Es werde größer Tag für Tag,
damit der Sieg gelingen mag!
Was Wesen schon: mein Leben, mein
Gesichert- und Befriedetsein?
Das ganze Volk ist in Gefahr.
Auf! Rettet! Nehmt die Kräfte wahr!
Ist auch die kleinste nicht zu klein –
Wir gehn dahin, das Reich muß sein!

Uneigennützigkeit

Deutsch sein hieß immer, heißt erst nun,
ein Ding um seiner selbst zu tun.
Wer bloß im Hinblick auf Gewinn
das seine tut, zeigt Knechtessinn.
Wer aber gar des Landes Not
zum Schlechten nutzt, verdient den Tod.
Da hab' er dann Profit und Geld!
Er war zu klein, der feine Held.
Wir brauchen die Verdiener nicht.
Wir brauchen Pflicht und wieder Pflicht,
und reines Herz und saubre Händ',
daß Gott die Not zum Guten wend'!

Ewiges Deutschland
(Akrostichon)

Ewiges Deutschland, deine Dauer sang
wilde Heide schon und Urwald wüst
im Äon vor dem, jahrtausendlang.

Götter sanken hin, es kam der Krist.
Edle Fürsten, fast den Göttern gleich,
schufen an dem Geist, der deiner ist.

Deutend schon ertönte da der Leich,
ehrend deine erste Wirklichkeit
und den Traum, der Fülle war, das Reich.

Tausend Jahre aberandrer Zeit
stürzten dir hinab in deinen Schoß,
chiliastisch Wirrsal, Schwund und Streit.

Lang im Traum und lange hoffnungslos,
anhebt, kommendem Äon bereit,
neu und dauernd wirklich, tatengroß,

Deutschland, seine dritte Ewigkeit.

Werner Bergengruen
1892–1964

Die vier Elemente

Höre, Volk, den Dichter, hör den Weisen,
der die alte Vierzahl heilig nennt!
Gott der Herr, gevierfacht sich zu preisen,
setzte Element um Element.

Allen Dingen sind sie eingewoben,
Brennen, Fließen, Wehen und Beruhn.
Und der Mensch, die Schöpfung ganz zu proben,
muß den Gang durch solche Vierfalt tun.

Feuer, Feuer ists, dem wir entstammen!
Feuers Brunst hat Leib zu Leib gebeugt,
und zwei Flammen loderten zusammen.
Feuer, Feuer ists, das dich gezeugt!

Linde Fluten quollen dir entgegen,
nährend schloß dich stilles Wasser ein.
Und zu ungestümerem Bewegen
wuchs dir langsam Ader, Haut und Bein.

Neunmal füllten sich der Vierzahl Wochen.
Aus der fruchtbar dunklen Muttergruft
bist du Drängender hervorgebrochen,
und du atmetest die süße Luft.

Herb und schmeichelnd hat sie dich empfangen,
Amme, Herrscherin, Gespiel und Braut,
drängte dich und kühlte deine Wangen,
brach das Licht und gab der Zunge Laut.

Glut und Strömung reißen dich zu Taten,
allen Stürmen gattet sich dein Schrei –
kreischend in die Erde fährt der Spaten,
und er legt die letzte Hausung frei.

Haben wir dich treulich einbefohlen
in die Hut des vierten Elements,
rauschen Fittiche, dich heimzuholen,
und so gehst du in die Quintessenz.

Also ist die Pilgerschaft gemündet
und die Bahn im goldnen Ziel verklärt.
In den vieren ist die Welt gegründet
und vom fünften strahlenhaft genährt.

Wandrer, heiße alle Ängste schweigen,
niemals fällst du aus der Schöpfung Schoß,
bist ein Sohn in seinem Erb und Eigen,
und dein Erbe ist unmeßlich groß.

Die heile Welt

Wisse, wenn in Schmerzensstunden
dir das Blut vom Herzen spritzt:
Niemand kann die Welt verwunden,
nur die Schale wird geritzt.

Tief im innersten der Ringe
ruht ihr Kern getrost und heil.
Und mit jedem Schöpfungsdinge
hast du immer an ihm teil.

Ewig eine strenge Güte
wirket unverbrüchlich fort.
Ewig wechselt Frucht und Blüte,
Vogelzug nach Süd und Nord.

Felsen wachsen, Ströme gleiten,
und der Tau fällt unverletzt.
Und dir ist von Ewigkeiten
Rast und Wanderbahn gesetzt.

Neue Wolken glühn im Fernen,
neue Gipfel stehn gehäuft,
Bis von nie erblickten Sternen
dir die süße Labung träuft.

Alte Mordstelle

Nur der Wind umzäunt die Stelle,
alles Wachstum wuchert frei,
Federnelke, Küchenschelle,
Wiesenschaum und Akelei.

Hügel nicht noch Fruchtgefilde
grenzen, gliedern das Gebreit,
und vom Himmel stürzt die wilde
Schwermut der Unendlichkeit.

Niemand weiß, wer hier begraben,
niemand weiß, wer ihn erschlug,
niemand, wer als Totengaben
Stein um Stein zusammentrug.

Wars ein Knabe? Wars ein Alter?
Eine bleiche Pilgerin?
Nur zwei knochenweiße Falter
ziehn gelassen drüber hin.

Manchmal um die Mittagsstunde,
wenn die Luft vor Hitze bebt,
scheints, daß eine dunkle Kunde
unerfaßt vorüberschwebt.

Wers auch sei, mit Summestimmen,
jährig, wenn der Sommer flammt,
halten ihm die wilden Immen
treu ein spätes Totenamt.

Jeden schauert es verstohlen,
den sein Gang des Weges führt,
so, als hätten seine Sohlen
jäh das eigne Grab berührt.

Auf ein Grab

Der hier begraben liegt, hat nicht viel Geld erworben
und außer dieser hier nie eine Liegenschaft.
Er ist wie jedermann geboren und gestorben,
und niemand rühmte ihn um Tat- und Geisteskraft.

Da er nichts hinterließ, ist er wohl längst vergessen.
Du, Fremder, bleibe stehn und merk auf diese Schrift.
Dann sag mir, ob sein Lob nicht manches übertrifft,
das in der Leute Mund und ihrem Ohr gesessen.

Daß jedes Jahr geblüht, war seine größte Lust!
Da schritt er ohne Hut gemächlich über Land.
Und wenn zur Winterszeit er erstmals heizen mußt,
dann hat er wie den Schlaf den Ofen Freund genannt.

Er teilte brüderlich sein Brot mit Hund und Meise
und wer es sonst begehrt. Hat niemanden verdammt,
hat niemanden gehaßt als nur das Steueramt,
sprach nie vom Börsenkurs und selten über Preise.

Versichert war er nicht und nicht im Sportvereine.
Er ging zu keiner Wahl, er diente keinem Herrn,
sang nicht im Kirchenchor. Zeitungen hielt er keine.
Doch daß ichs nicht vergeß: er hatte Rettich gern.

Er rauchte Caporal. Ist wenig nur gereist.
Dafür hats ihn gefreut, in jungem Gras zu ruhn.
Dann war er noch bemüht, gar niemand wehzutun,
und lobte Gottes Treu und Zuger Kirschengeist.

802

Du, Wandrer, bitt für ihn. Und bleibe eingedenk,
daß Gott dein Kämmrer ist, dein Truchseß und dein Schenk.

Der Hund in der Kirche

Wie gedacht ich jenes Tags der Worte,
die das Weib aus Kanaan gesprochen:
„Fressen doch die Hündlein von den Brocken,
die von ihrer Herren Tische fallen!"

In der dörflich bunten, halbgefüllten,
in der sommerlich geschmückten Kirche
betete der Priester am Altare:
„Dieses reine, unbefleckte Opfer,
milder Vater, wolltest du gesegnen!"

Durch die Stille, die der Bitte folgte,
klang ein dünnes, trippelndes Bewegen
von der Tür, im Rücken der Gemeinde,
zaghaft erst, verlegen, dann geschwinder.
Viele Augen wandten sich zur Seite.
Manche Fromme runzelte die Stirne,
gern bereit, ein Ärgernis zu nehmen.

Auf den schwarz und weiß geschachten Fliesen
kam ein kleiner Hund auf kurzen Beinen
flink den Mittelgang entlanggelaufen,
ohne Abkunft, bäuerlicher Artung,
mißgefärbt und haarig wie ein Wollknäul,
aber drollig, jung und voller Neugier.

Tief am Boden lag die schwarze Nase,
witternd, schnuppernd suchte er die Richtung.
Er verhielt, er hob die rechte Pfote
eingewinkelt an, er hob die Ohren
und mit freudigem Kläffen schoß er schräge
ganz nach vorne zu den linken Bänken,
wo gedrängt die kleinen Mädchen knieten.

Ihrer eine, sonntäglich gekleidet,
siebenjährig, schlank und schmalgesichtig,
ward von jäher Röte überflutet,
und behend den dunkelbraunen Scheitel
neigte tief sie über ihr Gebetbuch.

Doch nun stießen sie die Nachbarinnen
kichernd an, voll Eifer und nicht ohne
eine kleine heilige Schadenfreude.

Selig, daß die Herrin er gefunden,

mit dem Stummelschwänzchen munter wedelnd,
suchte durchs Gewirr der Kinderfüße
sich der Hund zu ihr hindurchzuzwängen.

Kein Verleugnen half mehr, und die Kleine,
zitternd fast und nicht mehr fern den Tränen,
schnellte auf und schob sich widerwillig
durch die Reihe, schon den Hund im Arme,
knickste in des Hochaltares Richtung
und begann geschwind zur Tür zu flüchten
auf den schwarz und weiß geschachten Fliesen.
Und ein Sonnenstrahl fiel durch das bunte
Fenster und beglänzte ihre Haare
und das rote, glühende Gesichtchen.

Doch noch war der Ausgang nicht gewonnen,
als das Glöckchen hell zur Wandlung schellte.
Alle knieten. Und das Kind hielt inne,
wandte sich und mit gesenktem Scheitel
ging es hurtig in die Kniee nieder.
Sorglich mit der Linken hielt die Kleine
eng den Hund gepreßt an ihre Brüstchen
und bekreuzte gläubig mit der Rechten
sich und ihn.
 Da lächelte am Pfeiler
fromm der Löwe Hieronymi.

Das Getier der heiligen Geschichten,
dieses schneller, jenes erst mit Zögern,
schwer verstehend, wie es manches Art ist,
tats ihm nach auf Bildern und Altären
überall. Es hoben an zu lächeln
Ochs und Esel und der Fisch des Jonas,
Lucä Stier und des Johannes Adler,
Hund und Hirsch des heiligen Hubertus,
Martins Pferd und des Georgius Streithengst,
Lamm und Taube, endlich die gekrümmte
Schlange unterm Fuß der Gottesmutter.

Aus der Orgel aber stieg verstohlen
silberhell ein winziges Gelächter,
tropfte, perlte, wenigen vernehmlich.
Doch dann schwoll sie auf und rief mit Jauchzen:
„Lobt Ihn, alle Kreatur!"

Die Heimkehr

Tritt in den ewigen Bildersaal,
Nimm Sternen-Brot und-Wein.
Du sollst beim großen Abendmahl
In deinem Erbteil sein.

Es zeigen sich und neigen dir
Die alten Zeichen groß.
Das Einhorn legt die Silberzier
Gesenkt in deinen Schoß.

Die Flügel hebt der Pelikan
Weißblitzend zum Empfang.
Die Leier glänzt, dich grüßt der Schwan
Mit süßem Sterbesang.

Der königliche Vogel Greif
Bringt dir zum Gastgeschenk
Den siebenfarbnen Pfauenschweif,
Orion sein Gehenk.

Der Drache wird dein Weggesell,
Die Schlange dein Gespiel.
Du trägst ein goldnes Löwenfell,
Das dunkle Kleid zerfiel.

Durch Welten gingst du, Wanderstern,
Und bist zum alten Herd
Und bist zum Vater und zum Herrn
Geliebter heimgekehrt.

So wachse tönend himmelauf,
Du vorbeseelter Lehm.
Die Mittnachtsrose blüht am Knauf
Von deinem Diadem.

Wer will die Reinen von den Schuldigen scheiden?

Wer will die Reinen von den Schuldigen scheiden?
Und welcher Reine hat sich nicht befleckt?
Es wird die Sichel Kraut und Unkraut schneiden,
wenn sie des Erntetages Spruch vollstreckt.

In jedem Torweg steht geheim ein Rächer.
Uns allen ist ein Bittertrunk gemein.
Schlagt mich ans Kreuz! Es soll der Schächer
mit Ihm im Paradiese sein.

Mit einer Halskette

Die Kette hat nicht Ende
Und hat nicht Anbeginn.
Es gehn durch deine Hände
Die weißen Kugeln hin.

Du willst die Kugeln zählen,
Sie haben keine Zahl.
Willst eine dir erwählen,
Doch keine steht zur Wahl.

Sie sind so glatt geschliffen,
So sänftlich dem Gefühl.
Die Hand, die sie ergriffen,
Die heiße Hand wird kühl.

O edle Kugelründung,
Vollkommene Gestalt!
Verheißung und Verkündung
Der göttlichen Gewalt.

Sie hat nicht lauten Willen,
Schließt alle Form in sich.
Sie ruht gewiß im Stillen
Und unantastbarlich.

Sollst in der Kette finden
Den urgeheimen Sinn.
Sie schien bestimmt, zu binden,
Und wird zur Löserin.

Zum Ring, der unanfänglich
Und endelos sich schließt,
Damit du unvergänglich
Das große Inbild siehst.

Du sollst die Kugeln tragen,
Zu schöner Schnur gereiht.
Du bist in allen Tagen
Ein Kind der Ewigkeit.

Wandlung

Löse dich von Haus und Haft,
Eh der Herd verglimmt.
Denn zu Gottes Wanderschaft
Bist du vorbestimmt.

Hufschlag hart am Straßenbord,
Wagenspur und Tritt
Löscht der blasse Regen fort
Und dich selber mit.

Raste stumm am falben Rain.
Laub ist braun gehäuft,
Da der graue Bitterwein
Aus der Wolke träuft.

Namenloses Zeitenkind,
Baum im Wanderschuh!
Was am Prellstein hockt und sinnt,
Das bist nicht mehr du.

Gib dich der verborgnen Hand,
Die dich angerührt.
Hebe dich vom Grabenrand.
Geh. Du bist geführt.

Kaschubisches Weihnachtslied

Wärst du, Kindchen, im Kaschubenlande,
Wärst du, Kindchen doch bei uns geboren!
Sieh, du hättest nicht auf Heu gelegen,
Wärst auf Daunen weich gebettet worden.

Kindchen, wie wir dich gefüttert hätten!
Früh am Morgen weißes Brot mit Honig,
Frische Butter wunderweiches Schmorfleisch,
Mittags Gerstengrütze, gelbe Tunke,

Nimmer wärst du in den Stall gekommen,
Dicht am Ofen stünde warm dein Bettchen,
Der Herr Pfarrer käme selbst gelaufen,
Dich und deine Mutter zu verehren.

Gänsefleisch und Kuttelfleck mit Ingwer,
Fette Wurst und goldnen Eierkuchen,
Krug um Krug das starke Bier aus Putzig!
Kindchen, wie wir dich gefüttert hätten!

Kindchen, wie wir dich gekleidet hätten!
Müßtest eine Schaffellmütze tragen,
Blauen Mantel von kaschubischem Tuche,
Pelzgefüttert und mit Bänderschleifen.

Und wie wir das Herz dir schenken wollten!
Sieh, wir wären alle fromm geworden,
Alle Knie würden sich dir beugen,
Alle Füße Himmelswege gehen.

Hätten dir den eignen Gurt gegeben,
Rote Schuhchen für die kleinen Füße,
Fest und blank mit Nägelchen beschlagen!
Kindchen, wie wir dich gekleidet hätten!

Niemals würde eine Scheune brennen,
Sonntags nie ein trunkner Schädel bluten, –
Wärst du, Kindchen, im Kaschubenlande,
Wärst du, Kindchen, doch bei uns geboren! –

Staub zu Staube

*Memento, homo, quia pulvis es,
et in pulverem reverteris.*

Was du verspieltest, wirst du nicht gewahr.
Was dir geschenkt ward, hast du schlecht behütet.
Umworben hast du Abgrund und Gefahr
Und aberwitzig auf dich selbst gewütet.

Die Kunst, zu leben, hast du nicht gelernt,
wo du gefischt, da rissen Netz und Reuse.
Hast je und je die taube Nuß entkernt:
ein wenig Staub umschloß nur ihr Gehäuse.

Ein wenig Staub. So ist dir angezeigt,
was von dir bleiben wird.
 Laß alle Trübsal fahren!
Frohlocke auf! Was dir der düstre Staub verschweigt,
es will dem innern Blick sich herrlich offenbaren.

Der Staub ist niemals taub, und niemals ist er tot.
Vom Staub der Frühe kam der erste deiner Ahnen.
Auf jedem Stäubchen ruhn Verheißung und Gebot,
Und golden blitzt es auf in breiten Sonnenbahnen.

Weit wölkt der Staub im Wind, senkt sich dem Boden ein.
Er strotzt von Trächtigkeit in Milliarden Keimen.
Der süße Lebenssaft für Blüte, Korn und Wein
gebiert sich still und schäumt ans Licht aus dem Geheimen.

Ergib dich ihm. So bist du selbst, beseelter Staub,
das taubenweiße Brot, die bernsteingelbe Traube.
Du zeugst das Schwalbenlied, du nährst Gewürm und Laub.
Füg dich mit Freuden hin. Erkenn, vertrau und glaube.

[Motto: Gedenke, Mensch, weil du Staub bist,
wirst du wieder zu Staub werden.]

Erkenntnis

Allendlich soll der Blick die Fährten lesen,
getrost, von jeder Schleiernis genesen,
in der er schmerzlich sich dahingemüht.
Der Welt Gesetz will allenthalb erscheinen:
Der Anfang blüht, der Fortgang heißt Versteinen,
bis daß zuletzt der Grabstein auferblüht.

Carl Zuckmayer
1896–1977

Cognac im Frühling

Ich bin im braunen Cognac-See ertrunken.
Sechs Monde schwimmt mein Leichnam wie ein Fisch,
Mit weißem Bauch noch unverwest und frisch,
Ein Freund der bitteren Angostura-Unken.

Ich ward geländet, bis ins Grab gesunken,
Im Wurzelreich ein trunkner Frühlingsgast,
Mein Hügel grünt im Schatten der Spelunken,
Aus meinem Herzen wächst der Seidelbast.

Du roter Strom Burgunds, aus allen Poren
Sproßt mir der wilde Rebstock ohne Rast,
Das Senfkorn keimt versteckt in meinen Ohren,
Aus meinem Herzen wächst der Seidelbast.

Der Augen Blau ist längst zu Anemonen,
Der Haare Schwarz zu Büffelgras verblaßt,
In meinem Magen mag der Maulwurf wohnen,
Aus meinem Herzen wächst der Seidelbast.

Tief aus der Erde schallt betrunknes Lallen
Der Würmer, die an meinem Leib gepraßt,
All meine Knochen sind zu Staub zerfallen,
Aus meinem Herzen wächst der Seidelbast.

Das Essen

Ein Mensch beim Essen ist ein gut Gesicht,
Wenn er nichts denkt und nur die Kiefer mahlen,
Die Zähne malmen und die Blicke strahlen
Von einem sonderbaren Urweltlicht.

Vorspeisen sind wie Segel über Buchten,
Schlank und zum Hafen schnellend in erregter Fahrt,
Indes die schweren Fleischgerichte wuchten
Gewaltig über Wiesen von Gemüsen zart.

Welch ein entzücktes Spiel: zu hohen Festen
Erlesner Bissen Liebreiz zu erflehn,
Und welche Lust: sich mächtig vollzumästen,
Satt und mit Saft gefüllt vom Hals bis zu den Zeh'n.

Fischfleisch ist weiß und heilig oder rosen,
Und manchmal rauchgebeizt und lauchgewürzt.
Auch kleine Fische gibt's in blanken Dosen,
Die man wie Schnäpse jach hinunterstürzt.

Wildbret: Du Perle Cumberlands, von edler Fäule,
Und nackter Horden rohgebratner Fraß!
Wohl dem, der Schneehuhn oder Rentierkeule
(Gespickt, mit Sahne) hoch im Norden aß.

Beefsteak tatare ist fast so stark an Gnade
Wie ein am Grill gebratnes Lendenstück,
Und viele Götter leben im Salate,
Saftrot und samenkerngeschwellt das Weib Tomate,
Und grünes Kraut im Frühling ist ein kühles Glück.

Wenn du Kartoffeln oder Spargel ißt,
Schmeckst du den Sand der Felder und den Wurzelsegen,
Des Himmels Hitze und den großen Regen,
Die kühlen Wässer und den warmen Mist.

Laßt mich hier schweigen vom Besoffensein,
Vom tiefsten, tödlichsten Hinübergleiten,
Vom hellsten, wachsten Indiewindereiten,
Die Welt ist groß und unser Wort ist klein.

Laßt mich hier schweigen von dem Blutgericht
Geheimster Liebe in verrauschten Zeiten –
Laßt mich nur essen, dankbar und bescheiden –
Ein Mensch beim Essen ist ein gut Gesicht.

Lob der Spatzen

Grau mit viel Braun und wenig weißen Federn,
Das Männchen auf der Brust mit schwarzem Fleck,
Sie leben unter Palmen, Fichten, Zedern,
Und auch in jedem Straßendreck.

In Ingolstadt und in der City Boston,
Am Hoek van Holland und am Goldnen Horn
Ist überall der Spatz auf seinem Posten
Und fürchtet nicht des Schöpfers Zorn.

Inmitten schwarzer Dschungeln von Fabriken
Und todgeladner Drähte Kreuz und Quer
Sieht man die Spatzen flattern, nisten, brüten, mausern, picken,
Als ob die Welt ein Schutzpark wär!

Es stört sie nicht der Lärm der Transmissionen
Und keineswegs das Tempo unsrer Zeit –
Sie leben (schnell und langsam) seit Äonen
Wo sie der Himmel hingeschneit.

Als Jesus über Gräser, Zweige, Blumen
Einritt, und alle Hosianna schrien,
Da pickt' ein Spatz gemächlich gelbe Krumen
Aus dem noch warmen Mist der weißen Eselin.

Herr gib uns Kraft und Mut wie Deinen Spatzen,
Mach unser Leben ihrem Rinnstein gleich.
Dann mag wer will von edleren Tauben schwatzen,
Denn unser ist Dein gutes Erdenreich.

Totenlied für Klabund

An Deine Bahre treten,
Klabund, in langer Reih,
Die Narren und Propheten,
Die Tiere und Poeten,
Und ich bin auch dabei.

Es kommen die Hamburger Mädchen
Samt Neger und Matros,
Wo werden sie jetzt ihre Pfundstück
Und all die Sorgen los?

Es kommen die englischen Fräuleins,
Wie Morcheln, ohne Kinn,
Wo sollen denn die Armen jetzt
Mit ihrer Unschuld hin?

Es kommt am Humpelstocke
Der Leierkastenmann
Und fängt aus tiefster Orgelbrust
Wie ein Hund zu heulen an.

Es kommt der Wilhelm Fränger,
Die Laute in der Hand,
Aus seinen Zirkusaugen rinnt
Statt Tränen blutiger Sand.

Es kommen alle Vögel
Und zwitschern ohne Ruh,
Sie decken Dich wie junge Brut
Mit flaumigen Federn zu.

Es kommt ein Handwerksbursche
Mit rotem Augenlid,
Der kritzelt auf ein Telegramm-Formular
Dein schönstes Liebeslied.

Es kommt auf Beinen wie ein Reh
Ein dünner grauer Mann,
Der stellt die Himmelsleiter
Zu Deinen Füßen an.

Elegie von Abschied und Wiederkehr

Ich weiß, ich werde alles wiedersehn.
Und es wird alles ganz verwandelt sein,
Und ich werde durch erloschne Städte gehn,
Darin kein Stein mehr auf dem andern Stein –
Und selbst wo noch die alten Steine stehen,
Sind es nicht mehr die altvertrauten Gassen –
Ich weiß, ich werde alles wiedersehen
Und nichts mehr finden, was ich einst verlassen.

Der breite Strom wird noch zum Abend gleiten.
Auch wird der Wind noch durch die Weiden gehn,
Die unberührt in sinkenden Gezeiten
Die stumme Totenwacht am Ufer stehn.
Ein Schatten wird an unsrer Seite schreiten
Und tiefste Nacht um unsre Schläfen wehn –
Dann mag erschauernd in den Morgen reiten,
Wer lebend schon sein eignes Grab gesehn.

Ich weiß, ich werde zögernd wiederkehren,
Wenn kein Verlangen mehr die Schritte treibt.
Entseelt ist unsres Herzens Heimbegehren,
Und was wir brennend suchten, liegt entleibt.
Leid wird zu Flammen, die sich selbst verzehren,
Und nur ein kühler Flug von Asche bleibt –
Bis die Erinnrung über dunklen Meeren
Ihr ewig Zeichen in den Himmel schreibt.

Geschrieben in Amerika, Herbst 1939

Peter Gan
1894–1974

Die ‚Windrose' spricht

Ich bin das Erlebte als Lied
und bin das Erlittne als Reim:
was dunkel verworren geschieht,
es findet verwandelt als Lied
ins Klare, ins Gültige heim.

Die allunermeßliche Welt,
unzählige Sterne dazu,
und was der Gedanke enthält:
unendlich die innere Welt,
mein Friedhof wiegt alle zur Ruh.

Da schlafen im stillen Revier
die Mumien schwarz und verdorrt
in Gräbern aus weißem Papier.
Tritt ein in das stille Revier.
Vielleicht gefällt es dir dort.

Preislied auf eine Seifenblase

Seifenblase, himmelwärts verloren,
aus Entzücken an der Welt geboren
und aus eines Kindes Vaterhand
in den Wind auf Wanderschaft gesandt.

Schaumgeborene und Schaumgesäugte,
in der Taufe wunderlich Erzeugte,
mühelos geboren durch ein Kind:
Adamsatem, Gottesatem, Wind.

Du Gestalt aus nichts als heiler Hülle,
du aus Leere übervolle Fülle,
Wiederholung des verlornen Alls,
Wiederheilung seines Sündenfalls.

Durchsichtbare Haut und selber sehend,
Äußeres als Inneres verstehend,
mit der Milch der Mutter schlafgestillt,
Ebenbild aus lauter Ebenbild.

Auf dem Meeresgrunde einer Schüssel
schliefst du, Himmelsschloß und Himmelsschlüssel,
Herz, in dem das Herz des Himmels schlief,
bis dich dein Beruf ins Licht berief.

Sieh, und wo wir Menschen uns mit Jammern
jämmerlich an einen Strohhalm klammern,
makellos und nabellos, ein Ei,
gibst du ihn um Gottes Willen frei.

Auf eine Oktoberrose

Herbstzeitlose, Wintervorverkündende,
Fieberflamme im entlaubten Strauch,
Brand im Nebelrauch,
wie in dir das reif sich ründende

Jahr, wie das sich sanft ins Strenge findende
still verträumt im blassen Überall,
wenn der Flockenfall
leis, der Eis und Schnee verkündende,

anhebt, wie das sinkend und verschwindende
untergeht in weißer Helligkeit,
und es schneit und schneit.
Du, wie einst Homer, erblindende

Rose! unser Jahr,
das in deinem Kelch sich ründende, –
alles wurde wahr!
Und du bist die dies Verkündende.

Die Toten

Immer fremder werden wir den Erben,
schon die Enkel kennen uns nicht mehr.
Dieses nochmal nach dem Tode sterben
fällt uns Armen fast nochmal so schwer.

Immer noch in unsern morschen Tüchern
geistern wir umher und schwören stumm
auf die Wahrheit in den alten Büchern.
Keiner kehrt sich um.

Gertrud Kolmar
1894–1943

Verwandlungen

Ich will die Nacht um mich ziehn als ein warmes Tuch
Mit ihrem weißen Stern, mit ihrem grauen Fluch,
Mit ihrem wehenden Zipfel, der die Tagkrähen scheucht,
Mit ihren Nebelfransen, von einsamen Teichen feucht.

Ich hing im Gebälke starr als eine Fledermaus,
Ich lasse mich fallen in Luft und fahre nun aus.
Mann, ich träumte dein Blut, ich beiße dich wund,
Kralle mich in dein Haar und sauge an deinem Mund.

Über den stumpfen Türmen sind Himmelswipfel schwarz.
Aus ihren kahlen Stämmen sickert gläsernes Harz
Zu unsichtbaren Kelchen wie Oportowein.
In meinen braunen Augen bleibt der Widerschein.

Mit meinen goldbraunen Augen will ich fangen gehn,
Fangen den Fisch in Gräben, die zwischen Häusern stehn,
Fangen den Fisch der Meere: und Meer ist ein weiter Platz
Mit zerknickten Masten, versunkenem Silberschatz.

Die schweren Schiffsglocken läuten aus dem Algenwald.
Unter den Schiffsfiguren starrt eine Kindergestalt,
In Händen die Limone und an der Stirn ein Licht.
Zwischen uns fahren die Wasser; ich behalte dich nicht.

Hinter erfrorener Scheibe glühn Lampen bunt und heiß,
Tauchen blanke Löffel in Schalen, buntes Eis;
Ich locke mit roten Früchten, draus meine Lippen gemacht,
Und bin eine kleine Speise in einem Becher von Nacht.

Die Jüdin

Ich bin fremd.

Weil sich die Menschen nicht zu mir wagen,
Will ich mit Türmen gegürtet sein,
Die steile, steingraue Mütze tragen
In Wolken hinein.

Ihr findet den erzenen Schlüssel nicht
Der dumpfen Treppe. Sie rollt sich nach oben,
Wie platten, schuppigen Kopf erhoben
Eine Otter ins Licht.

Ach, diese Mauer morscht schon wie Felsen,
Den tausendjähriger Strom bespült;
Die Vögel mit rohen, faltigen Hälsen
Hocken, in Höhlen verwühlt.

In den Gewölben rieselnder Sand,
Kauernde Echsen mit sprenkligen Brüsten –
Ich möcht eine Forscherreise rüsten
In mein eigenes uraltes Land.

Ich kann das begrabene Ur der Chaldäer
Vielleicht entdecken noch irgendwo,
Den Götzen Dagon, das Zelt der Hebräer,
Die Posaune von Jericho.

Die jene höhnischen Wände zerblies,
Schwärzt sich in Tiefen, verwüstet, verbogen;
Einst hab ich dennoch den Atem gesogen,
Der ihre Töne stieß.

Und in Truhen, verschüttet vom Staube,
Liegen die edlen Gewänder tot,
Sterbender Glanz aus dem Flügel der Taube
Und das Stumpfe des Behemoth.

Ich kleide mich staunend. Wohl bin ich klein,
Fern ihren prunkvoll mächtigen Zeiten,
Doch um mich starren die schimmernden Breiten
Wie Schutz, und ich wachse ein.

Nun seh ich mich seltsam und kann mich nicht kennen,
Da ich vor Rom, vor Karthago schon war,
Da jäh in mir die Altäre entbrennen
Der Richterin und ihrer Schar.

Von dem verborgenen Goldgefäß
Läuft durch mein Blut ein schmerzliches Gleißen,
Und ein Lied will mit Namen mich heißen,
Die mir wieder gemäß.

Himmel rufen aus farbigen Zeichen.
Zugeschlossen ist euer Gesicht:
Die mit dem Wüstenfuchs scheu mich umstreichen,
Schauen es nicht.

Riesig zerstürzende Windsäulen wehn,
Grün wie Nephrit, rot wie Korallen,
Über die Türme. Gott läßt sie verfallen
Und noch Jahrtausende stehn.

Die graue Nacht

Die graue Nacht ist mit silbernen Nadeln gerafft.
Kahler Stamm starrt hinan, riesiger Säulenschaft.

Der Kirschbäume Wipfel sind wie Schleier verweht,
Breit kauert der Kiefer buckliger Unhold am Beet.

Alles ist anders. Nirgends lugen mehr Häuser hervor,
Giebel stieren, steil, schwarz, Pyramiden, empor.

Im Finstern sind irgendwo kleine Vierecke hell –
Surrendes Grillenzirpen, reißendes Hundegebell.

Eine goldsprühende Otter zischt im Fernen der Zug.
Sacht auf Boden und Baum tröpfelts aus bläulichem Krug.

Ich wandre im Garten, weiter und weiter, schon längst nicht mehr hier.
Und wenn es ganz dunkel geworden ist, bin ich bei dir.

Trauerspiel

Der Tiger schreitet seine Tagesreise
Viel Meilen fort.
Zuweilen gegen Abend nimmt er Speise
Am fremden Ort.

Die Eisenstäbe: alles, was dahinter
Vergeht und säumt,
Ist Schrei und Stich und frostig fahler Winter
Und nur geträumt.

Er gleitet heim: und mußte längst verlernen,
Wie Heimat sprach.
Der Käfig stutzt und wittert sein Entfernen
Und hetzt ihm nach.

Er flackert heller aus dem blinden Schmerze,
Den er nicht nennt,
Nur eine goldne rußgestreifte Kerze,
Die glitzernd sich zu Tode brennt.

Ewiger Jude

Meine Schuhe
Bringen Staub der tausend Straßen mit.
Keine Ruhe, keine Ruhe;
Immer weiter schleppt mich böser Schritt.

An den Wänden
Vor den Häusern steht die Bank nicht mehr;
Und ich tast mit blöden Händen
Um die Mauern meiner Wiederkehr.

Meilensteine,
Daß der Stock sich manchmal lehnen kann.
Ach, ich weine, ach, ich weine;
Denn ich bin ein alter, alter Mann.

Meine Rippen
Hart und faßbar schon wie Totenbein.
Diese runden, blutgefüllten Lippen,
Die dem Bittenden ins Antlitz spein!

Hetzt die Tölen!
Keiner, der den Riß im Kaftan flickt.
Meine Augen sind nur Aschenhöhlen,
Drin ein roter Funke trüb erstickt.

Von der Planke
Holt man Krusten, die sonst niemand ißt.
Und ich danke, und ich danke
Für die Gabe, die der Schimmel frißt.

Zittrig Schleichen
Um die Menschenstimme, die mich schmäht.
Ach, das Zeichen, gelbes Zeichen,
Das ihr Blick auf meine Lumpen näht.

Ist bemakelt
Meine Stirn mit wunderlicher Schrift?
So verworren, so gekrakelt,
Daß sie nirgends mehr den Deuter trifft.

Meine Sünden
Müssen alle da geschrieben stehn
Mit den Namen, mit den Gründen:
Seht sie an; ich kann sie selbst nicht sehn.

Ruft die Hunde!
Ach, ich bin ein alter, alter Mann.
Schlagt die Wunde, Todeswunde,
Ewig dem, der niemals sterben kann!

Maurische Legende

Fahrt auf, ihr Toten, fahret auf und zeugt!
Hier ist der Wein, wir wollen ihn um euch verschütten,
Und sind die braunen Brote unsrer Hütten.
Wir sind die Judenfraun – und keine, die ein Kind mehr säugt.

Wir weinen. Dennoch bringen wir gemaltes Angesicht,
Und dennoch schließen wir den Arm in schweres Goldgespänge
Und leuchten mit des Halses blitzendem Gehänge,
Und unsre Herzen kennen unsre Leiber nicht.

Die Herzen: dieses weiße Herz der Braut,
Die unvollbracht verfällt in ihrer Schöne,
Das rote Herz der Witwe ohne Söhne;
Sie ist wie Stein, dem Götzentempel eingebaut.

So haben wir gekauert, so zu Gott geschrien:
In Öden rings, in wüsten Gärten liegt der Mann erschlagen.
Die Feinde höhnen, weil wir niemals Frucht mehr tragen,
Kein süßer Weinberg aufsteigt mehr an unsern Knien.

Wir sind das brache Feld. Der Herr hat sich erbarmt.
Der Herr hat eine späte Saat uns zugesprochen.
Ihr Schweigenden, die Maurenwut durchstochen,
Er will, daß ihr uns einmal noch umarmt.

Kommt, Bräute, zieht das bärtige, geliebte Haupt vom Sand
An eure Brüste ... Weiber, gleitet nieder
Und preßt euch warm an blutbespülte Glieder,
Und gib, du Mädchen, still dich der bestaubten Hand.

Dies ist nicht Frevel: Daß ihr mit dem Tode ruht.
Dies nicht. Wie möchte Gott sein Volk ersticken?
Kehrt heim im Morgen, ohne umzublicken.
Und seid der Krug, die Scholle diesem letzten Blut.

Und laßt es keimen not- und freudevoll
Und seine Ähren reifen über alle Erde,
Daß ihm ein Sichelblatt geschmiedet werde
Und eine Pflugschar, die ihm Furchen reißen soll.

Friedrich Bischoff
1896–1976

Fastnacht

Jene Fastnacht – ja, so wars, ihr Leute,
Eisgang donnerte im Fluß,
Klang wie geisterndes Geläute
Zwischen Scherz und Kuß.

Pauke, Waldhorn, Klarinette:
Lustig gings im Wirtshaus zu,
Bis der Strom aus seinem Bette
Aufstand ohne Ruh.

Schneevermummt, mit grünem Zapfenzahne,
Aus des Wassermannes Reich,
Stieg dann einer aus dem Kahne,
Alle schauten bleich . . .

Wen der sich zum Tanz genommen,
Keiner weiß es heute mehr,
Eine Larve ist hinabgeschwommen,
Rauhreif hinterher.

Bunzlauer Kaffeekanne

In der Ofenröhre, wo es schmorend schmauchte,
Duft von Äpfeln, der sich heut noch schmecken läßt,
Hockte sie, die brave, braungebauchte
Kaffeekanne, wie die Glucke warm im Nest.

Urgroßvater hatte schon am Henkel
Sich die gichtigen Finger gern gewärmt,
Und nun tat es frostverklammt der Enkel,
Wenn die Schneeballschlacht im Dorf verlärmt.

Mutter hatte ihm davon erzählt,
Wie ein solches Ding in Töpfers Händen
Mählich sich dem Sinn vermählt,
Ein Gefäß zu sein mit runden Wänden.

Und die Jungenshand, die Schnee geballt,
Fühlte heimlich nach der alten Kanne,
Deckel, Wölbung – eine Fingerspanne –
Suchte sie das Weltgeheimnis der Gestalt.

Doch die stumme Alterlauchte
Bog sich nur, um Kaffee einzuschenken,
Und der Junge trank, indes sie würzig rauchte,
Und die Schöpfung Traum blieb, niemals auszudenken.

Schlesisches Rondell

Der Himmel war so groß – und größer
Als rings das Land, uns kindlich zugetan.
Doch auf dem Flusse zogen Flößer
Und schauten fremd und blickten uns nicht an.
Ganz ferne, weit, und groß und größer,
Da rührten Berge blau hinan,
Und fuhren in dem Himmel wie die Flößer
Und wurden groß und immer größer –
O Himmel meiner Heimat! Schau mich an!

Das Lied der Mägde, fernhin weint es –
Vom Apfelgarten scholl es her.
Ich hör es noch – hör's nimmermehr,
Mein Herz singt nur, mein Blut, so scheint es.
Vom Heimweh dumpf gemacht und schwer,
Trägt es das alte Lied mit her,
Ein weh zersungnes und verweintes . . .

Der Schatten eines Falters an der Wand,
Der nach der Lampe stößt mit wildem Schwunge.
Im Flur traumzwitschern Schwalbenjunge,
Der Sandmann winkt und nimmt mich bei der Hand –
Wie ist das nah, und doch mir längst entwandt,
Die Zeit nur dreht sich fort im alten Schwunge:
Der Schatten eines Falters an der Wand.

Die Roggenschober fern am Himmelsrande,
Wo abends scheu die Mädchen gingen –
Vom Himmel fiel ein goldnes Klingen,
Ein Lerchenlied, zum Unterpfande.
Der rote Mohn, durch den sie gingen,
Wie eine Liebesspur im Feuerbrande,
So glomm es hin am fernen Himmelsrande.

Zu zwein und drein, gekniet ins Abendrot,
Vor dem die Nebel feucht gerinnen,
Die Schar Kartoffelleserinnen,
Und in der Luft ein Duft von Rauch und Brot.
Ein Mühlenflügel fährt ins Abendrot
Und wischt es fort und fahl von hinnen,
Und mahlt das Brot aus Schweiß und Fleiß und Not
Für die Kartoffelleserinnen.

Vom Waldlicht übergrünt, kommt breit der Fluß gezogen,
Noch knarrt das Wehr, stampft schwer sein Wassergang.

Ich hör ihm zu, wo einst den Weg entlang
Die Treidlerknechte sind gezogen –
Im Strom versunken funkelt ihr Gesang,
Und rauscht mir nach, ein Leben lang,
So wie der Fluß vorbeigezogen.

Manfred Hausmann
* 1898

Jahre des Lebens

Ich blies die Kerze aus und sank ins Kissen,
fast trug der Schlaf mich wogend schon davon,
da kam es zu mir aus dem Ungewissen,
das Fischerliedchen wieder von Bayonne.

Des Abends, wenn wir in die Ferne sahn,
sangst du es manchmal mit erhobnem Kinn.
Die Lichterzeilen einer Straßenbahn
glitten dahinten durch die Vorstadt hin.

Dein winziger Balkon, unmerklich bebend,
hing mit den Blumen in der grauen Luft.
Ein Windlicht dämmerte, am Faden schwebend,
in dem Geranke und Narzissenduft.

Ein wenig rauschte noch die Stadt herauf.
Es war April, wir liebten uns vielleicht,
wir waren jung, wir wachten eben auf,
noch hatte uns das Leben nicht erreicht.

Kein Wort, kein Kuß, kein hastiges Umfangen,
nur dieses leise Liedchen von Bayonne.
Die Sehnsucht war so groß in uns und das Verlangen,
doch sagten wir einander nichts davon.

Das fiel mir eins ums andre wieder ein,
als ich ins Kissen sank, zum Schlaf bereit,
das Lied, die Nacht, die Unschuld dort zu zwein,
die Sehnsucht, der April, die Traurigkeit.

Ich lag in meinem Bett noch lange wach
und dachte an die Jahre meines Lebens.
Verloren, dachte ich, verloren! Ach,
wie war seither doch alles so vergebens!

Liebe

Wenn wir uns nicht mehr haben und uns sehnen,
dann ist's, als hätten wir uns endlich ganz.
Doch wenn wir nahe sind und uns geborgen wähnen,
verdunkelt sich die Lust, verblaßt der Glanz.

Die Ferne ist es nicht und nicht die Nähe.
Ach, immer lebt das Innigste allein.
Laß uns, wie gut es auch, wie schlimm es um uns stehe,
laß uns barmherzig zueinander sein!

Die Stunde bleibt nicht

Nun schlägt es zwei. Wir sitzen in dem Lichterspiel
der Sonnenkringel unterm Laubengang
und fühlen uns so nah, als wären wir am Ziel,
und vor uns blüht's den Gartenweg entlang.

Aber die Stunde bleibt nicht. Nichts auf Erden bleibt.
Die Blüten bleiben nicht des Apfelbaums,
Der Dufthauch nicht, der warm vorübertreibt,
das Summen nicht im Flirrn des Wiesenschaums.

Und was wir fühlen jetzt, der Einklang des Geschicks,
ich weiß es wohl, auch das wird untergehn.
Nichts bleibt. Komm, gönne mir das Dunkel deines Blicks!
Ich weiß es wohl und kann's doch nie verstehn.

Der Weihnachtsstern

Mögt ihr auch in die allerfernste Ferne,
die flimmernde, des Weltenraumes spähn,
ihr könnt nur Sterne, immer neue Sterne,
doch nirgend könnt ihr meinesgleichen sehn.

Ich komme aus der andern Welt und Zeit
zufolge Gottes deutender Gebärde
und ziehe über Bethlehems Gebreit
und über all die Traurigkeit der Erde.

Denkt nicht, ich wäre schon, ich selbst, das Licht.
Das Licht ist unbegreiflich eins und keins.
Ich bin, der sich im Erdendämmer bricht,
der Schein nur, nur der Widerschein des Scheins,

ein Zeichen nur in dieser Nacht und Stille.
Vielleicht daß einer, der mich sieht, sich bang
erhebt und aufbricht und aus seiner Fülle
ins Ungewisse geht sein Leben lang.

Elisabeth Langgässer
1899–1950

Frühling 1946

Holde Anemone,
bist du wieder da
und erscheinst mit heller Krone
mir Geschundenem zum Lohne
wie Nausikaa?

Windbewegtes Bücken,
Woge, Schaum und Licht!
Ach, welch sphärisches Entzücken
nahm dem staubgebeugten Rücken
endlich sein Gewicht?

Aus dem Reich der Kröte
steige ich empor,
unterm Lid noch Plutons Röte
und des Totenführers Flöte
gräßlich noch im Ohr.

Sah in Gorgos Auge
eisenharten Glanz,
ausgesprühte Lügenlauge
hört' ich flüstern, daß sie tauge
mich zu töten ganz.

Anemone! Küssen
laß mich dein Gesicht:
Ungespiegelt von den Flüssen
Styx und Lethe, ohne Wissen
um das Nein und Nicht.

Ohne zu verführen,
lebst und bist du da,
still mein Herz zu rühren,
ohne es zu schüren –
Kind Nausikaa!

Sommerende

Hat auch die Made verrostet
Pflaume und Spilling wie toll –
da sie, von Wahnsinn umglostet,
selbst sich im Fruchtfleisch gekostet,
war sie der Pfeil des Apoll.

Mochte das Eichhorn die Schalen,
knisternder Nußkerne voll,
scharf wie durch Feuer zermahlen –
zuckend im Laubwerk, dem fahlen,
war es der Blitz des Apoll.

Spilling und Nüsse und Pflaumen,
ach, wie es pochte und scholl:
„Spinnweb läuft bald übern Daumen,
Süßigkeit löst sich vom Gaumen
und von der Erde Apoll!"

Gleichzeitig

Mohn an der römischen Mauer,
Träume von Ewigkeit her!
Bachbett voll glitzernder Trauer,
Gruß aus dem Marmarameer.
Rostiges Eisen. Kanister.
Fliegenumwimmeltes Aas.
Troja und Friedhof Geschwister
Tief unter Nesseln und Gras.

Ausdrusch, und Welle um Welle,
wenn die Maschine sich wirft,
Abgesang. Mündung wird Quelle,
welche sich auftrinkt und schlürft.
Spelz, der den Abend verdunkelt.
Plump an dem Ufer der Schwan,
später von Sternen umfunkelt,
pfälzischer Leda Galan.

Endlich die Wagen, die Säcke,
platzend von Körnern wie eh.
Wieder der Pflug und die Egge,
Kalk auf den Feldern wie Schnee.
Frieden und nächtliche Kühle.
Uralte Steine, gesellt,
drehn ruhig sich in der Mühle.
Brot zur Erlösung der Welt.

Späte Zeit

Das hohe Luftmeer, trunken
Von wilder Gänse Ruf,
in grauem Gold versunken
bis über Haar und Huf
die Kühe, die an Hopfen,
an Pfaffenhut vorbei
und roten Spargeltropfen
hinwandern zwei und zwei.

Zwischen kretischen Hörnern die Sonne
und ein Glänzen von Bug zu Bug.

Minotaurus, der zeugenden Wonne,
Ach, wann ist es genug dir, genug?

Die aufgesprengten Schoten,
gebären fort und fort,
im Schlaf wird angeboten
der Nibelungenhort.
An Flut und Staub verhandelt
sind Krone, Ball und Ring
und schon in Schmerz verwandelt
und Abschied jedes Ding.

Ach, wer weiß noch, wie schnell sich verhärtet
eine Narbe, und wie es geschah,
daß die Lust sich nicht anders entwertet
wie ein Schwertknauf in Upsala?

So lenkte schon vor Tagen
aus des Peliden Zelt
der Vater seinen Wagen,
und fuhr ihn aus der Welt,
wie heute Holz und Rüben
ein Mann im Goldhelm fährt.
Die Frucht ist gutgeschrieben,
die Bitte ward gewährt.

Und was bleibt uns von Griechen und Goten
als in Upsalas Fenstern ein Schein:
Eine Saat pergamentener Schoten
und die Ulfilasbibel im Schrein.

Daphne

Du siehst, wo sich der Waldhang weitet,
die Espe zitternd niederwehn,
dem Brand des Himmels hingebreitet,
von Gras und Habichtskraut begleitet,
die ähnlich in den Winter gehn.

Doch auch das Dunkel einer Mauer,
wenn sie am Saum der Städte lebt,
berührt oft ihrer Krone Schauer,
an dem du dieser Zeiten Trauer
ermissest, da sie grundlos bebt.

Sie wurzelt mühsam im Gerölle,
das sie verfolgt, indem es hält —
und vor Begrenzung, Maß und Kelle
flieht Daphne in das Laubgefälle
und steht am Rande unsrer Welt.

Bertolt Brecht
1898–1956

O Falladah, die du hangest!

Ich zog meine Fuhre trotz meiner Schwäche
Ich kam bis zur Frankfurter Allee.
Dort denke ich noch: O je!
Diese Schwäche! Wenn ich mich gehenlasse
Kanns' mir passieren, daß ich zusammenbreche.
Zehn Minuten später lagen nur noch meine Knochen auf der Straße.

Kaum war ich da nämlich zusammengebrochen
(Der Kutscher lief zum Telefon)
Da stürzten sich aus den Häusern schon
Hungrige Menschen, um ein Pfund Fleisch zu erben
Rissen mit Messern mir das Fleisch von den Knochen
Und ich lebte überhaupt noch und war gar nicht fertig mit dem Sterben.

Aber die kannte ich doch von früher, die Leute!
Die brachten mir Säcke gegen die Fliegen doch
Schenkten mir altes Brot und ermahnten noch
Meine Kutscher, sanft mit mir umzugehen.
Einst mir so freundlich und mir so feindlich heute!
Plötzlich waren sie wie ausgewechselt! Ach, was war mit ihnen geschehen?

Da fragte ich mich: Was für eine Kälte
Muß über die Leute gekommen sein!
Wer schlägt da so auf sie ein
Daß sie jetzt so durch und durch erkaltet?
So helfet ihnen doch! Und tut es in Bälde!
Sonst passiert euch etwas, was ihr nicht für möglich haltet!

Die gute Nacht

Der Tag, vor dem der große Christ
Zur Welt geboren worden ist
War hart und wüst und ohne Vernunft.
Seine Eltern, ohne Unterkunft
Fürchteten sich vor seiner Geburt
Die gegen Abend erwartet wurd.
Denn seine Geburt fiel in die kalte Zeit.
Aber sie verlief zur Zufriedenheit.
Der Stall, den sie doch noch gefunden hatten
War warm und mit Moos zwischen seinen Latten
Und mit Kreide war auf die Tür gemalt
Daß der Stall bewohnt war und bezahlt.
So wurde es doch noch eine gute Nacht
Auch das Heu war wärmer, als sie gedacht.

Ochs und Esel waren dabei
Damit alles in der Ordnung sei.
Eine Krippe gab einen kleinen Tisch
Und der Hausknecht brachte ihnen heimlich einen Fisch.
(Denn es mußte bei der Geburt des großen Christ
Alles heimlich gehen und mit List.)
Doch der Fisch war ausgezeichnet und reichte durchaus
Und Maria lachte ihren Mann wegen seiner Besorgnis aus
Denn am Abend legte sich sogar der Wind
Und war nicht mehr so kalt, wie die Winde sonst sind.
Aber bei Nacht war er fast wie ein Föhn.
Und der Stall war warm und das Kind war sehr schön.
Und es fehlte schon fast gar nichts mehr
Da kamen auch noch die Dreikönig daher!
Maria und Joseph waren zufrieden sehr.
Sie legten sich sehr zufrieden zum Ruhn
Mehr konnte die Welt für den Christ nicht tun.

Von der Kindesmörderin Marie Farrar

I

Marie Farrar, geboren im April
Unmündig, merkmallos, rachitisch, Waise
Bislang angeblich unbescholten, will
Ein Kind ermordet haben in der Weise:
Sie sagt, sie habe schon im zweiten Monat
Bei einer Frau in einem Kellerhaus
Versucht, es abzutreiben mit zwei Spritzen
Angeblich schmerzhaft, doch ging's nicht heraus.
 Doch, ihr, ich bitte euch, wollt nicht in Zorn verfallen
 Denn alle Kreatur braucht Hilf von allen.

2

Sie habe dennoch, sagt sie, gleich bezahlt
Was ausgemacht war, sich fortan geschnürt
Auch Sprit getrunken, Pfeffer drin vermahlt
Doch habe sie das nur stark abgeführt.
Ihr Leib sei zusehends geschwollen, habe
Auch stark geschmerzt, beim Tellerwaschen oft.
Sie selbst sei, sagt sie, damals noch gewachsen.
Sie habe zu Marie gebetet, viel erhofft.
 Auch ihr, ich bitte euch, wollt nicht in Zorn verfallen
 Denn alle Kreatur braucht Hilf von allen.

3

Doch die Gebete hätten, scheinbar, nichts genützt.
Es war auch viel verlangt. Als sie dann dicker war
Hab ihr in Frühmetten geschwindelt. Oft hab sie geschwitzt
Auch Angstschweiß, häufig unter dem Altar.
Doch hab den Zustand sie geheimgehalten
Bis die Geburt sie nachher überfiel.
Es sei gegangen, da wohl niemand glaubte

Daß sie, sehr reizlos, in Versuchung fiel.
 Und ihr, ich bitte euch, wollt nicht in Zorn verfallen
 Denn alle Kreatur braucht Hilf von allen.

4
An diesem Tag, sagt sie, in aller Früh
Ist ihr beim Stiegenwischen so, als krallten
Ihr Nägel in den Bauch. Es schüttelt sie.
Jedoch gelingt es ihr, den Schmerz geheimzuhalten.
Den ganzen Tag, es ist beim Wäschehängen
Zerbricht sie sich den Kopf; dann kommt sie drauf
Daß sie gebären sollte, und es wird ihr
Gleich schwer ums Herz. Erst spät geht sie hinauf.
 Doch ihr, ich bitte euch, wollt nicht in Zorn verfallen
 Denn alle Kreatur braucht Hilf von allen.

5
Man holte sie noch einmal, als sie lag:
Schnee war gefallen, und sie mußte kehren.
Das ging bis elf. Es war ein langer Tag.
Erst in der Nacht konnt sie in Ruhe gebären.
Und sie gebar, so sagt sie, einen Sohn.
Der Sohn war ebenso wie andre Söhne.
Doch sie war nicht, wie andre Mütter sind, obschon –
Es liegt kein Grund vor, daß ich sie verhöhne.
 Auch ihr, ich bitte euch, wollt nicht in Zorn verfallen
 Denn alle Kreatur braucht Hilf von allen.

6
So laßt sie also weiter denn erzählen
Wie es mit diesem Sohn geworden ist
(Sie wolle davon, sagt sie, nichts verhehlen)
Damit man sieht, wie ich bin und du bist.
Sie sagt, sie sei, nur kurz im Bett, von Übel-
keit stark befallen worden, und allein
Hab sie, nicht wissend, was geschehen sollte
Mit Mühe sich bezwungen, nicht zu schrein.
 Und ihr, ich bitte euch, wollt nicht in Zorn verfallen
 Denn alle Kreatur braucht Hilf von allen.

7
Mit letzter Kraft hab sie, so sagt sie, dann
Da ihre Kammer auch eiskalt gewesen
Sich zum Abort geschleppt und dort auch (wann
Weiß sie nicht mehr) geborn ohn Federlesen
So gegen Morgen zu. Sie sei, sagt sie
Jetzt ganz verwirrt gewesen, habe dann
Halb schon erstarrt, das Kind kaum halten können
Weil es in den Gesindabort hereinschnein kann.
 Und ihr, ich bitte euch, wollt nicht in Zorn verfallen
 Denn alle Kreatur braucht Hilf von allen.

8

Dann zwischen Kammer und Abort – vorher, sagt sie
Sei noch gar nichts gewesen – fing das Kind
Zu schreien an, das hab sie so verdrossen, sagt sie
Daß sie's mit beiden Fäusten, ohne Aufhörn, blind
So lang geschlagen habe, bis es still war, sagt sie.
Hierauf hab sie das Tote noch durchaus
Zu sich ins Bett genommen für den Rest der Nacht
Und es versteckt am Morgen in dem Wäschehaus.
 Doch ihr, ich bitte euch, wollt nicht in Zorn verfallen
 Denn alle Kreatur braucht Hilf vor allem.

9

Marie Farrar, geboren im April
Gestorben im Gefängnishaus zu Meißen
Ledige Kindesmutter, abgeurteilt, will
Euch die Gebrechen aller Kreatur erweisen.
Ihr, die ihr gut gebärt in saubern Wochenbetten
Und nennt „gesegnet" euren schwangeren Schoß
Wollt nicht verdammen die verworfnen Schwachen
Denn ihre Sünd war schwer, doch ihr Leid groß.
 Darum, ich bitte euch, wollt nicht in Zorn verfallen
 Denn alle Kreatur braucht Hilf von allen.

Vom Schwimmen in Seen und Flüssen

1

Im bleichen Sommer, wenn die Winde oben
Nur in dem Laub der großen Bäume sausen
Muß man in Flüssen liegen oder Teichen
Wie die Gewächse, worin Hechte hausen.
Der Leib wird leicht im Wasser. Wenn der Arm
Leicht aus dem Wasser in den Himmel fällt
Wiegt ihn der kleine Wind vergessen
Weil er ihn wohl für braunes Astwerk hält.

2

Der Himmel bietet mittags große Stille.
Man macht die Augen zu, wenn Schwalben kommen.
Der Schlamm ist warm. Wenn kühle Blasen quellen
Weiß man: ein Fisch ist jetzt durch uns geschwommen.
Mein Leib, die Schenkel und der stille Arm
Wir liegen still im Wasser, ganz geeint
Nur wenn die kühlen Fische durch uns schwimmen
Fühl ich, daß Sonne überm Tümpel scheint.

3

Wenn man am Abend von dem langen Liegen
Sehr faul wird, so, daß alle Glieder beißen
Muß man das alles, ohne Rücksicht, klatschend
In blaue Flüsse schmeißen, die sehr reißen.
Am besten ist's, man hält's bis Abend aus.

Weil dann der bleiche Haifischhimmel kommt
Bös und gefräßig über Fluß und Sträuchern
Und alle Dinge sind, wie's ihnen frommt.

4

Natürlich muß man auf dem Rücken liegen
So wie gewöhnlich. Und sich treiben lassen.
Man muß nicht schwimmen, nein, nur so tun, als
Gehöre man einfach zu Schottermassen.
Man soll den Himmel anschaun und so tun
Als ob einen ein Weib trägt, und es stimmt.
Ganz ohne großen Umtrieb, wie der liebe Gott tut
Wenn er am Abend noch in seinen Flüssen schwimmt.

Vom ertrunkenen Mädchen

1

Als sie ertrunken war und hinunterschwamm
Von den Bächen in die größeren Flüsse
Schien der Opal des Himmels sehr wundersam
Als ob er die Leiche begütigen müsse.

2

Tang und Algen hielten sich an ihr ein
So daß sie langsam viel schwerer ward.
Kühl die Fische schwammen an ihrem Bein
Pflanzen und Tiere beschwerten noch ihre letzte Fahrt.

3

Und der Himmel ward abends dunkel wie Rauch
Und hielt nachts mit den Sternen das Licht in Schwebe.
Aber früh ward er hell, daß es auch
Noch für sie Morgen und Abend gebe.

4

Als ihr bleicher Leib im Wasser verfaulet war
Geschah es (sehr langsam), daß Gott sie allmählich vergaß
Erst ihr Gesicht, dann die Hände und ganz zuletzt erst ihr Haar.
Dann ward sie Aas in Flüssen mit vielem Aas.

Erinnerung an die Marie A.

1

An jenem Tag im blauen Mond September
Still unter einem jungen Pflaumenbaum
Da hielt ich sie, die stille bleiche Liebe
In meinem Arm wie einen holden Traum.
Und über uns im schönen Sommerhimmel
War eine Wolke, die ich lange sah
Sie war sehr weiß und ungeheuer oben
Und als ich aufsah, war sie nimmer da.

2

Seit jenem Tag sind viele, viele Monde
Geschwommen still hinunter und vorbei.
Die Pflaumenbäume sind wohl abgehauen
Und fragst du mich, was mit der Liebe sei?
So sag ich dir: ich kann mich nicht erinnern
Und doch, gewiß, ich weiß schon, was du meinst.
Doch ihr Gesicht, das weiß ich wirklich nimmer
Ich weiß nur mehr: ich küßte es dereinst.

3

Und auch den Kuß, ich hätt ihn längst vergessen
Wenn nicht die Wolke dagewesen wär
Die weiß ich noch und werd ich immer wissen
Sie war sehr weiß und kam von oben her.
Die Pflaumenbäume blühn vielleicht noch immer
Und jene Frau hat jetzt vielleicht das siebte Kind
Doch jene Wolke blühte nur Minuten
Und als ich aufsah, schwand sie schon im Wind.

Liturgie vom Hauch

1

Einst kam ein altes Weib einher

2

Die hatte kein Brot zum Essen mehr

3

Das Brot, das fraß das Militär

4

Da fiel sie in die Goss', die war kalte

5

Da hatte sie keinen Hunger mehr.

6

Darauf schwiegen die Vöglein im Walde
Über allen Wipfeln ist Ruh
In allen Gipfeln spürest du
Kaum einen Hauch.

7

Da kam einmal ein Totenarzt einher

8

Der sagte: Die Alte besteht auf ihrem Schein

9

Da grub man die hungrige Alte ein

10
So sagte das alte Weib nichts mehr

11
Nur der Arzt lachte noch über die Alte.

12
Auch die Vöglein schwiegen im Walde
Über allen Wipfeln ist Ruh
In allen Gipfeln spürest du
Kaum einen Hauch.

13
Da kam einmal ein einziger Mann einher

14
Der hatte für die Ordnung keinen Sinn

15
Der fand in der Sache einen Haken drin

16
Der war eine Art Freund für die Alte

17
Der sagte, ein Mensch müsse essen können, bitte sehr –

18
Darauf schwiegen die Vöglein im Walde
Über allen Wipfeln ist Ruh
In allen Gipfeln spürest du
Kaum einen Hauch.

19
Da kam mit einemmal ein Kommissar einher

20
Der hatte einen Gummiknüppel dabei

21
Und zerklopfte dem Mann seinen Hinterkopf zu Brei

22
Und da sagte auch dieser Mann nichts mehr

23
Doch der Kommissar sagte, daß es schallte:

24
Und jetzt schweigen die Vöglein im Walde
Über allen Wipfeln ist Ruh
In allen Gipfeln spürest du
Kaum einen Hauch.

25
Da kamen einmal drei bärtige Männer einher

26
Die sagten, das sei nicht eines einzigen Mannes Sache allein.

27
Und sie sagten es so lang, bis es knallte

28
Aber dann krochen Maden durch ihr Fleisch in ihr Bein

29
Da sagten die bärtigen Männer nichts mehr.

30
Darauf schwiegen die Vöglein im Walde
Über allen Wipfeln ist Ruh
In allen Gipfeln spürest du
Kaum einen Hauch.

31
Da kamen mit einemmal viele Männer einher

32
Die wollten einmal reden mit dem Militär

33
Doch das Militär redete mit dem Maschinengewehr

34
Und da sagten alle die Männer nichts mehr.

35
Doch sie hatten auf der Stirn noch eine Falte.

36
Darauf schwiegen die Vöglein im Walde
Über allen Wipfeln ist Ruh
In allen Gipfeln spürest du
Kaum einen Hauch.

37
Da kam einmal ein großer roter Bär einher

38
Der wußte nichts von den Bräuchen hier, das brauchte er nicht als Bär.

39
Doch er war nicht von gestern und ging nicht auf jeden Teer

40
Und der fraß die Vöglein im Walde.

41
Da schwiegen die Vöglein nicht mehr
Über allen Wipfeln ist Unruh
In allen Gipfeln spürest du
Jetzt einen Hauch.

Ballade vom Weib und dem Soldaten

Das Schießgewehr schießt, und das Spießmesser spießt
Und das Wasser frißt auf, die drin waten.
Was könnt ihr gegen Eis? Bleibt weg, 's ist nicht weis'!
Sagte das Weib zum Soldaten.

Doch der Soldat mit der Kugel im Lauf
Hörte die Trommel und lachte darauf:
Marschieren kann nimmermehr schaden!
Hinab nach dem Süden, nach dem Norden hinauf
Und das Messer fängt er mit Händen auf!
Sagten zum Weib die Soldaten.

Ach, bitter bereut, wer des Weisen Rat scheut
Und vom Alter sich nicht läßt beraten.
Ach, zu hoch nicht hinaus, es geht übel aus!
Sagte das Weib zum Soldaten.

Doch der Soldat mit dem Messer im Gurt
Lacht' ihr kalt ins Gesicht und ging über die Furt
Was konnte das Wasser ihm schaden?
Wenn weiß der Mond überm Schindeldach steht
Kommen wir wieder; nimm's auf ins Gebet!
Sagten zum Weib die Soldaten.

Ihr vergeht wie der Rauch, und die Wärme geht auch
Und uns wärmen nicht eure Taten!
Ach, wie schnell geht der Rauch! Gott behüte ihn auch!
Sagte das Weib vom Soldaten.

Und der Soldat mit dem Messer im Gurt
Sank hin mit dem Spieß, und mit riß ihn die Furt
Und das Wasser fraß auf, die drin waten.
Kühl stand der Mond überm Schindeldach weiß
Doch der Soldat trieb hinab mit dem Eis
Und was sagten dem Weib die Soldaten?

Er verging wie der Rauch, und die Wärme ging auch
Und es wärmten sie nicht seine Taten.
Ach, bitter bereut, wer des Weisen Rat scheut!
Sagte das Weib den Soldaten.

Vom armen B. B.

1

Ich, Bertolt Brecht, bin aus den schwarzen Wäldern.
Meine Mutter trug mich in die Städte hinein
Als ich in ihrem Leibe lag. Und die Kälte der Wälder
Wird in mir bis zu meinem Absterben sein.

2

In der Asphaltstadt bin ich daheim. Von allem Anfang
Versehen mit jedem Sterbsakrament:
Mit Zeitungen. Und Tabak. Und Branntwein.
Mißtrauisch und faul und zufrieden am End.

3

Ich bin zu den Leuten freundlich. Ich setze
Einen steifen Hut auf nach ihrem Brauch.
Ich sage: Es sind ganz besonders riechende Tiere
Und ich sage: Es macht nichts, ich bin es auch.

4

In meine leeren Schaukelstühle vormittags
Setze ich mir mitunter ein paar Frauen
Und ich betrachte sie sorglos und sage ihnen:
In mir habt ihr einen, auf den könnt ihr nicht bauen.

5

Gegen Abend versammle ich um mich Männer
Wir reden uns da mit „Gentlemen" an.
Sie haben ihre Füße auf meinen Tischen
Und sagen: Es wird besser mit uns. Und ich frage nicht: Wann?

6

Gegen Morgen in der grauen Frühe pissen die Tannen
Und ihr Ungeziefer, die Vögel, fängt an zu schrein.
Um die Stunde trink ich mein Glas in der Stadt aus und schmeiße
Den Tabakstummel weg und schlafe beunruhigt ein.

7

Wir sind gesessen, ein leichtes Geschlechte
In Häusern, die für unzerstörbare galten
(So haben wir gebaut die langen Gehäuse des Eilands Manhattan
Und die dünnen Antennen, die das Atlantische Meer unterhalten).

8

Von diesen Städten wird bleiben: der durch sie hindurchging, der Wind!
Fröhlich machet das Haus den Esser: er leert es.
Wir wissen, daß wir Vorläufige sind
Und nach uns wird kommen: nichts Nennenswertes.

9

Bei den Erdbeben, die kommen werden, werde ich hoffentlich
Meine Virginia nicht ausgehen lassen durch Bitterkeit
Ich, Bertolt Brecht, in die Asphaltstädte verschlagen
Aus den schwarzen Wäldern in meiner Mutter in früher Zeit.

Solidaritätslied

Auf, ihr Völker dieser Erde!
Einigt euch in diesem Sinn:
Daß sie jetzt die eure werde
Und die große Nährerin.
 Vorwärts und nicht vergessen
 Worin unsre Stärke besteht!
 Beim Hungern und beim Essen
 Vorwärts, nie vergessen
 Die Solidarität!

Schwarzer, Weißer, Brauner, Gelber!
Endet ihre Schlächterein!
Reden erst die Völker selber
Werden sie schnell einig sein.
 Vorwärts und nicht vergessen
 Worin unsre Stärke besteht!
 Beim Hungern und beim Essen
 Vorwärts, nie vergessen
 Die Solidarität!

Wollen wir es schnell erreichen
Brauchen wir noch dich und dich.
Wer im Stich läßt seinesgleichen
Läßt ja nur sich selbst im Stich.
 Vorwärts und nicht vergessen
 Worin unsre Stärke besteht!
 Beim Hungern und beim Essen
 Vorwärts, nie vergessen
 Die Solidarität!

Unsre Herrn, wer sie auch seien
Sehen unsre Zwietracht gern
Denn solang sie uns entzweien
Bleiben sie doch unsre Herrn.
 Vorwärts und nicht vergessen
 Worin unsre Stärke besteht!
 Beim Hungern und beim Essen
 Vorwärts, nie vergessen
 Die Solidarität!

Proletarier aller Länder
Einigt euch und ihr seid frei.
Eure großen Regimenter
Brechen jede Tyrannei!
 Vorwärts und nie vergessen
 Und die Frage konkret gestellt
 Beim Hungern und beim Essen:
 Wessen Morgen ist der Morgen?
 Wessen Welt ist die Welt?

Die Auswanderung der Dichter

Homer hatte kein Heim
Und Dante mußte das seine verlassen.
Li-Po und Tu-Fu irrten durch Bürgerkriege
Die 30 Millionen Menschen verschlangen
Dem Euripides drohte man mit Prozessen
Und dem sterbenden Shakespeare hielt man den Mund zu.
Den François Villon suchte nicht nur die Muse
Sondern auch die Polizei.
„Der Geliebte" genannt
Ging Lukrez in die Verbannung
So Heine, und so auch floh
Brecht unter das dänische Strohdach.

Über das Lehren ohne Schüler

Lehren ohne Schüler
Schreiben ohne Ruhm
Ist schwer.
Es ist schön, am Morgen wegzugehen
Mit den frisch beschriebenen Blättern
Zu dem wartenden Drucker, über den summenden Markt
Wo sie Fleisch verkaufen und Handwerkszeug:
Du verkaufst Sätze.

Der Fahrer ist schnell gefahren
Er hat nicht gefrühstückt
Jede Kurve war ein Risiko
Er tritt eilig in die Tür:
Der, den er abholen wollte
Ist schon aufgebrochen.

Dort spricht der, dem niemand zuhört:
Er spricht zu laut
Er wiederholt sich
Er sagt Falsches:
Er wird nicht verbessert.

Fragen eines lesenden Arbeiters

Wer baute das siebentorige Theben?
In den Büchern stehen die Namen von Königen.
Haben die Könige die Felsbrocken herbeigeschleppt?
Und das mehrmals zerstörte Babylon –
Wer baute es so viele Male auf? In welchen Häusern
Des goldstrahlenden Lima wohnten die Bauleute?
Wohin gingen an dem Abend, wo die Chinesische Mauer fertig war
Die Maurer? Das große Rom
Ist voll von Triumphbögen. Wer errichtete sie? Über wen
Triumphierten die Cäsaren? Hatte das vielbesungene Byzanz
Nur Paläste für seine Bewohner? Selbst in dem sagenhaften Atlantis
Brüllten in der Nacht, wo das Meer es verschlang
Die Ersaufenden nach ihren Sklaven.

Der junge Alexander eroberte Indien.
Er allein?
Cäsar schlug die Gallier.
Hatte er nicht wenigstens einen Koch bei sich?
Philipp von Spanien weinte, als seine Flotte
Untergegangen war. Weinte sonst niemand?
Friedrich der Zweite siegte im Siebenjährigen Krieg. Wer
Siegte außer ihm?

Jede Seite ein Sieg.
Wer kochte den Siegesschmaus?
Alle zehn Jahre ein großer Mann.
Wer bezahlte die Spesen?

So viele Berichte.
So viele Fragen.

Die Literatur wird durchforscht werden

Für Martin Andersen Nexö

I

Die auf die goldenen Stühle gesetzt sind, zu schreiben
Werden gefragt werden nach denen, die
Ihnen die Röcke webten.
Nicht nach ihren erhabenen Gedanken
Werden ihre Bücher durchforscht werden, sondern
Irgendein beiläufiger Satz, der schließen läßt
Auf eine Eigenheit derer, die Röcke webten
Wird mit Interesse gelesen werden, denn hier mag es sich um Züge
Der berühmten Ahnen handeln.

Ganze Literaturen
In erlesenen Ausdrücken verfaßt
Werden durchsucht werden nach Anzeichen
Daß da auch Aufrührer gelebt haben, wo Unterdrückung war.
Flehentliche Anrufe überirdischer Wesen
Werden beweisen, daß da Irdische über Irdischen gesessen sind.
Köstliche Musik der Worte wird nur berichten
Daß da für viele kein Essen war.

II

Aber in jener Zeit werden gepriesen werden
Die auf dem nackten Boden saßen, zu schreiben
Die unter den Niedrigen saßen
Die bei den Kämpfern saßen.

Die von den Leiden der Niedrigen berichteten
Die von den Taten der Kämpfer berichteten
Kunstvoll. In der edlen Sprache
Vordem reserviert
Der Verherrlichung der Könige.

Ihre Beschreibungen der Mißstände und ihre Aufrufe
Werden noch den Daumenabdruck
Der Niedrigen tragen. Denn diesen
Wurden sie übermittelt, diese
Trugen sie weiter unter dem durchschwitzten Hemd
Durch die Kordone der Polizisten
Zu ihresgleichen.

Ja, es wird eine Zeit geben, wo
Diese Klugen und Freundlichen

Zornigen und Hoffnungsvollen
Die auf dem nackten Boden saßen, zu schreiben
Die umringt waren von Niedrigen und Kämpfern
Öffentlich gepriesen werden.

Legende von der Entstehung des Buches Taoteking auf dem Weg des Laotse in die Emigration

1

Als er Siebzig war und war gebrechlich
Drängte es den Lehrer doch nach Ruh
Denn die Güte war im Lande wieder einmal schwächlich
Und die Bosheit nahm an Kräften wieder einmal zu.
Und er gürtete den Schuh.

2

Und er packte ein, was er so brauchte:
Wenig. Doch es wurde dies und das.
So die Pfeife, die er immer abends rauchte
Und das Büchlein, das er immer las.
Weißbrot nach dem Augenmaß.

3

Freute sich des Tals noch einmal und vergaß es
Als er ins Gebirg den Weg einschlug.
Und sein Ochse freute sich des frischen Grases
Kauend, während er den Alten trug.
Denn dem ging es schnell genug.

4

Doch am vierten Tag im Felsgesteine
Hat ein Zöllner ihm den Weg verwehrt:
„Kostbarkeiten zu verzollen?" – „Keine."
Und der Knabe, der den Ochsen führte, sprach: „Er hat gelehrt."
Und so war auch das erklärt.

5

Doch der Mann in einer heitren Regung
Fragte noch: „Hat er was rausgekriegt?"
Sprach der Knabe: „Daß das weiche Wasser in Bewegung
Mit der Zeit den mächtigen Stein besiegt.
Du verstehst, das Harte unterliegt."

6

Daß er nicht das letzte Tageslicht verlöre
Trieb der Knabe nun den Ochsen an
Und die drei verschwanden schon um eine schwarze Föhre
Da kam plötzlich Fahrt in unsern Mann
Und er schrie: „He, du! Halt an!

7

Was ist das mit diesem Wasser, Alter?"
Hielt der Alte: „Intressiert es dich?"
Sprach der Mann: „Ich bin nur Zollverwalter
Doch wer wen besiegt, das intressiert auch mich.
Wenn du's weißt, dann sprich!

8

Schreib mir's auf! Diktier es diesem Kinde!
So was nimmt man doch nicht mit sich fort.
Da gibt's doch Papier bei uns und Tinte
Und ein Nachtmahl gibt es auch: ich wohne dort.
Nun, ist das ein Wort?"

9

Über seine Schulter sah der Alte
Auf den Mann: Flickjoppe. Keine Schuh.
Und die Stirne eine einzige Falte.
Ach, kein Sieger trat da auf ihn zu.
Und er murmelte: „Auch du?"

10

Eine höfliche Bitte abzuschlagen
War der Alte, wie es schien, zu alt.
Denn er sagte laut: „Die etwas fragen
Die verdienen Antwort." Sprach der Knabe: „Es wird auch schon kalt."
„Gut, ein kleiner Aufenthalt."

11

Und von seinem Ochsen stieg der Weise
Sieben Tage schrieben sie zu zweit.
Und der Zöllner brachte Essen (und er fluchte nur noch leise
Mit den Schmugglern in der ganzen Zeit).
Und dann war's soweit.

12

Und dem Zöllner händigte der Knabe
Eines Morgens einundachtzig Sprüche ein.
Und mit Dank für eine kleine Reisegabe
Bogen sie um jene Föhre ins Gestein.
Sagt jetzt: kann man höflicher sein?

13

Aber rühmen wir nicht nur den Weisen
Dessen Name auf dem Buche prangt!
Denn man muß dem Weisen seine Weisheit erst entreißen.
Darum sei der Zöllner auch bedankt:
Er hat sie ihm abverlangt.

An die Nachgeborenen

I

Wirklich, ich lebe in finsteren Zeiten!
Das arglose Wort ist töricht. Eine glatte Sitrn
Deutet auf Unempfindlichkeit hin. Der Lachende
Hat die furchtbare Nachricht
Nur noch nicht empfangen.

Was sind das für Zeiten, wo
Ein Gespräch über Bäume fast ein Verbrechen ist
Weil es ein Schweigen über so viele Untaten einschließt!
Der dort ruhig über die Straße geht
Ist wohl nicht mehr erreichbar für seine Freunde
Die in Not sind?

Es ist wahr: ich verdiene noch meinen Unterhalt
Aber glaubt mir: das ist nur ein Zufall. Nichts
Von dem, was ich tue, berechtigt mich dazu, mich sattzuessen.
Zufällig bin ich verschont. (Wenn mein Glück aussetzt, bin ich verloren.

Man sagt mir: Iß und trink du! Sei froh, daß du hast!
Aber wie kann ich essen und trinken, wenn
Ich dem Hungernden entreiße, was ich esse, und
Mein Glas Wasser einem Verdurstenden fehlt?
Und doch esse und trinke ich.

Ich wäre gerne auch weise.
In den alten Büchern steht, was weise ist:
Sich aus dem Streit der Welt halten und die kurze Zeit
Ohne Furcht verbringen
Auch ohne Gewalt auskommen
Böses mit Gutem vergelten
Seine Wünsche nicht erfüllen, sondern vergessen
Gilt für weise.
Alles das kann ich nicht:
Wirklich, ich lebe in finsteren Zeiten!

II

In die Städte kam ich zur Zeit der Unordnung
Als da Hunger herrschte.
Unter die Menschen kam ich zu der Zeit des Aufruhrs
Und ich empörte mich mit ihnen.
So verging meine Zeit
Die auf Erden mir gegeben war.

Mein Essen aß ich zwischen den Schlachten
Schlafen legte ich mich unter die Mörder
Der Liebe pflegte ich achtlos
Und die Natur sah ich ohne Geduld.
So verging meine Zeit
Die auf Erden mir gegeben war.

Die Straßen führten in den Sumpf zu meiner Zeit.
Die Sprache verriet mich dem Schlächter.
Ich vermochte nur wenig. Aber die Herrschenden
Saßen ohne mich sicherer, das hoffte ich.
So verging meine Zeit
Die auf Erden mir gegeben war.

Die Kräfte waren gering. Das Ziel
Lag in großer Ferne
Es war deutlich sichtbar, wenn auch für mich
Kaum zu erreichen.
So verging meine Zeit
Die auf Erden mir gegeben war.

III
Ihr, die ihr auftauchen werdet aus der Flut
In der wir untergegangen sind
Gedenkt
Wenn ihr von unseren Schwächen sprecht
Auch der finsteren Zeit
Der ihr entronnen seid.

Gingen wir doch, öfter als die Schuhe die Länder wechselnd
Durch die Kriege der Klassen, verzweifelt
Wenn da nur Unrecht war und keine Empörung.

Dabei wissen wir doch:
Auch der Haß gegen die Niedrigkeit
Verzerrt die Züge.
Auch der Zorn über das Unrecht
Macht die Stimme heiser. Ach, wir
Die wir den Boden bereiten wollten für Freundlichkeit
Konnten selber nicht freundlich sein.

Ihr aber, wenn es so weit sein wird
Daß der Mensch dem Menschen ein Helfer ist
Gedenkt unsrer
Mit Nachsicht.

Schlechte Zeit für Lyrik

Ich weiß doch: nur der Glückliche
Ist beliebt. Seine Stimme
Hört man gern. Sein Gesicht ist schön.

Der verkrüppelte Baum im Hof
Zeigt auf den schlechten Boden, aber
Die Vorübergehenden schimpfen ihn einen Krüppel
Doch mit Recht.

Die grünen Boote und die lustigen Segel des Sundes
Sehe ich nicht. Von allem

Sehe ich nur der Fischer rissiges Garnnetz.
Warum rede ich nur davon
Daß die vierzigjährige Häuslerin gekrümmt geht?
Die Brüste der Mädchen
Sind warm wie ehedem.

In meinem Lied ein Reim
Käme mir fast vor wie Übermut.

In mir streiten sich
Die Begeisterung über den blühenden Apfelbaum
Und das Entsetzen über die Reden des Anstreichers.
Aber nur das zweite
Drängt mich zum Schreibtisch.

Deutschland

In Sturmesnacht, in dunkler Nacht
Ist ein Reis erblühet
In Ängsten bin ich aufgewacht
Und fand das Reis erblühet.

Der Hitlerspuk, der blutige Spuk
Wird auch einst sein verwehet:
„Die Hitlers kommen und gehen
Das deutsche Volk bestehet."

Der Hitler wird verjaget sein
Wenn wir uns nur bemühen.
Und unser liebes Deutschland
Wird wieder blühen.

Der Schneider von Ulm
(Ulm 1592)

Bischof, ich kann fliegen
Sagte der Schneider zum Bischof.
Paß auf, wie ich's mach!
Und er stieg mit so 'nen Dingen
Die aussahn wie Schwingen
Auf das große, große Kirchendach.

Der Schneider ist verschieden
Sagten die Leute dem Bischof.
Es war eine Hatz.
Seine Flügel sind zerspellet
Und er liegt zerschellet
Auf dem harten, harten Kirchenplatz.

Der Bischof ging weiter.
Das sind lauter so Lügen
Der Mensch ist kein Vogel
Es wird nie ein Mensch fliegen
Sagte der Bischof vom Schneider.

Die Glocken sollen läuten
Es waren nichts als Lügen
Der Mensch ist kein Vogel
Es wird nie ein Mensch fliegen
Sagte der Bischof den Leuten.

Der Kirschdieb

An einem frühen Morgen, lange vor Hahnenschrei
Wurde ich geweckt durch ein Pfeifen und ging zum Fenster.
Auf meinem Kirschbaum – Dämmerung füllte den Garten –
Saß ein junger Mann mit geflickter Hose
Und pflückte lustig meine Kirschen. Mich sehend
Nickte er mir zu, mit beiden Händen

Holte er die Kirschen von den Zweigen in seine Taschen.
Noch eine ganze Zeitlang, als ich wieder in meiner Bettstatt lag
Hörte ich ihn sein lustiges kleines Lied pfeifen.

Vom Sprengen des Gartens

O Sprengen des Gartens, das Grün zu ermutigen!
Wässern der durstigen Bäume! Gib mehr als genug. Und
Vergiß nicht das Strauchwerk, auch
Das beerenlose nicht, das ermattete
Geizige! Und übersieh mir nicht
Zwischen den Blumen das Unkraut, das auch
Durst hat. Noch gieße nur
Den frischen Rasen oder den versengten nur:
Auch den nackten Boden erfrische du.

Auf einen chinesischen Theewurzellöwen

Die Schlechten fürchten deine Klaue.
Die Guten freuen sich deiner Grazie.
Derlei
Hörte ich gern
Von meinem Vers.

Der Radwechsel

Ich sitze am Straßenrand
Der Fahrer wechselt das Rad.
Ich bin nicht gern, wo ich herkomme.
Ich bin nicht gern, wo ich hinfahre.
Warum sehe ich den Radwechsel
Mit Ungeduld?

Der Blumengarten

Am See, tief zwischen Tann und Silberpappel
Beschirmt von Mauer und Gesträuch ein Garten
So weise angelegt mit monatlichen Blumen
Daß er vom März bis zum Oktober blüht.

Hier, in der Früh, nicht allzu häufig, sitz ich
Und wünsche mir, auch ich mög allzeit
In den verschiedenen Wettern, guten, schlechten
Dies oder jenes Angenehme zeigen.

Die Lösung

Nach dem Aufstand des 17. Juni
Ließ der Sekretär des Schriftstellerverbands

In der Stalinallee Flugblätter verteilen
Auf denen zu lesen war, daß das Volk
Das Vertrauen der Regierung verscherzt habe
Und es nur durch verdoppelte Arbeit
Zurückerobern könne. Wäre es da
Nicht doch einfacher, die Regierung
Löste das Volk auf und
Wählte ein anderes?

Böser Morgen

Die Silberpappel, eine ortsbekannte Schönheit
Heut eine alte Vettel. Der See
Eine Lache Abwaschwasser, nicht rühren!
Die Fuchsien unter dem Löwenmaul billig und eitel.
Warum?
Heute nacht im Traum sah ich Finger, auf mich deutend
Wie auf einen Aussätzigen. Sie waren zerarbeitet und
Sie waren gebrochen.

Unwissende! schrie ich
Schuldbewußt.

Der Rauch

Das kleine Haus unter Bäumen am See.
Vom Dach steigt Rauch.
Fehlte er
Wie trostlos dann wären
Haus, Bäume und See.

Tannen

In der Frühe
Sind die Tannen kupfern.
So sah ich sie
Vor einem halben Jahrhundert
Vor zwei Weltkriegen
Mit jungen Augen.

Beim Lesen des Horaz

Selbst die Sintflut
Dauerte nicht ewig.
Einmal verrannen
Die schwarzen Gewässer.
Freilich, wie wenige
Dauerten länger!

Vergnügungen

Der erste Blick aus dem Fenster am Morgen
Das wiedergefundene alte Buch
Begeisterte Gesichter
Schnee, der Wechsel der Jahreszeiten
Die Zeitung
Der Hund
Die Dialektik
Duschen, Schwimmen
Alte Musik
Bequeme Schuhe
Begreifen
Neue Musik
Schreiben, Pflanzen
Reisen
Singen
Freundlich sein.

Ich benötige keinen Grabstein

Ich benötige keinen Grabstein, aber
Wenn ihr einen für mich benötigt
Wünschte ich, es stünde darauf:
Er hat Vorschläge gemacht. Wir
Haben sie angenommen.
Durch eine solche Inschrift wären
Wir alle geehrt.

Berthold Viertel
1885–1953

Auswanderer

Nun müssen wir von allem scheiden,
Was Kindheit uns und Wachstum war.
Wir sollen selbst die Sprache meiden,
Die unserer Herzen Wort gebar.

Die Landschaft werden wir verlassen,
Die uns auf ihren Armen trug.
Wir sollen diese Wälder hassen
Und hatten ihrer nie genug.

Wie je uns wieder anvertrauen
Dem Friedenshauche einer Flur,
Wenn Abendlicht und Morgengrauen
Befleckt sind mit der blutigen Spur?

Wenn in der Bäume gutem Raunen
Aufrauscht der Haß, der uns vertreibt!
Es lernten unsre Kinder staunen,
Warum man nicht zuhause bleibt?

Wir sind, mein Kind, nie mehr zuhause.
Vergiß das Wort, vergiß das Land
Und mach im Herzen eine Pause –
Dann gehn wir. Wohin? Unbekannt.

Gekritzel auf der Rückseite eines Reisepasses

Man ward mit keinem Paß geboren.
Die Sprache lernte man als Kind.
Am Ende ging der Sinn verloren
Der Worte, die gebräuchlich sind.

Was Heimat heißt, nun heißt es Hölle,
Der man zur rechten Zeit entkam.
Und neue Grenzen, neue Zölle,
Doch selten wo ein wenig Scham.

Das sind die Orte und die Zeiten.
Einst war man jung, nun wird man alt.
Doch immerzu muß man bestreiten
Die Reise und den Aufenthalt.

Das sind die Völker und die Reiche.
Man wandert aus und wandert ein.
Doch überall ist es das gleiche:
Die Hirne Wachs, die Herzen Stein.

Judengrab

Nicht in Jerusalem
Will ich gebettet sein.
Nicht am Berg Horeb
Raste mein Gebein.

Nein, in der Welt zerstreut,
Auf fremden Wegen
Soll man mich unbesorgt
Irgendwo niederlegen.

Nicht wo mein Vater blieb,
Nicht wo die Söhne wandern,
Begrabt mich, wo ich sterbe,
Bei allen andern.

Walter Mehring
* 1896

Die Ballade des Abenteurers

Abenteuernd, abenteuernd
Trotte ich durchs Land,
Bin nicht Euren Seelen, Euren
Herzen nicht verwandt.
Jegliche Verkleidung paßt mir,
Der ich bin in Ewigkeit,
Bald Trappist und bald voll Freßgier!
Meinen Namen fraß die Zeit!
Meiner alten Mutter Erde
Riß die Nabelschnur entzwei;
Die Chimäre, die mich nährte,
War des Alltags Einerlei!
Was hilft es Euren Wächtern:
Ich dringe doch herein:
Es tragen Eure Töchter
Ein Kind vom Stelldichein!
Abenteuernd, abenteuernd
Trotte ich durchs Land,
An Gefahren wund mich scheuernd;
Und der Leiden Hornhaut härtet meine Hand!

Abenteuernd, abenteuernd
Außer Rand und Band,
Mit der Wollust stets befeuernd,
Schüre ich den Brand!
Meine Träume sind das Eiland
Der enterbten Kreatur –
Bald ein Vieh und bald ein Heiland
Ringe ich mit der Natur!
Meine Garde sind die Kranken,
Das Gefängnis ist mein Schloß:
Und wir kommen, Euch zu danken,
Krückenlahm und hoch zu Roß!
Was hilft es Euren Wächtern,
Ich dringe doch herein:
Mit blut'gen Menschheitsschlächtern
So will ich Herrscher sein!
Abenteuernd, abenteuernd
Trotte ich durchs Land,
An Gefahren wund mich scheuernd;
Und der Leiden Hornhaut härtet meine Hand!

Abenteuernd, abenteuernd
Trotte ich durchs Land,
Und der Tod, den Bund erneuernd,
Frißt mir aus der Hand!
Jegliche Vermummung paßt mir,
Henkerkleid und Ordensstern.
Wird der Körper einst zur Last mir,
Diene fromm ich meinem Herrn!
Oft schon schlief ich unter Leichen,
Selig wie ein müdes Kind –
Oft auch mäste ich die Reichen,
Die lebendig Tote sind!
Was hilft es ihren Wächtern,
Sie müssen doch hinab!
Doch nie stirbt mein Gelächter!
Ich finde nie das Grab:
Abenteuernd, abenteuernd
Trotte ich durchs Land,
An Gefahren wund mich scheuernd –
Und der Leiden Hornhaut härtet meine Hand!

Singweise vom Paradies

Im Garten Paradiese / hatte jeder seinen Platz
Der Sandfloh und der Riese / und Katze Hund und Spatz
Die Vögel bezogen den Himmel
Die Maden wohnten im Schimmel
Der Igel in seinem Versteck
Und das ganze Schweinegewimmel
Das fühlte sich sauwohl im Dreck /
Ob Städte Wälder und Wiese / ich wohn' Dir bei, mein Schatz
Im Garten Paradiese / hatte jeder seinen Platz /
 Als Adam mit der Eva / da waren sie nicht getraut
 Als Adam längst Papa war / war Eva noch seine Braut
 Es gab nicht Not – es gab nicht Geld
 Es gab nur das Pläsier
 Wenn wir zwei uns vernarren
 Das kümmert die Welt einen Schmarren
 Denn die Welt
 Denn die Welt, das sind: wir!

Im Paradiesesgarten / hatte jeder sein Asyl
Für alle Rassen und Arten / war Raum für Leben und Spiel
Und wenn auf krummen und graden
Und auf verbotenen Pfaden
Das Land zu enge schien,
Dann gingen sie eben baden
Wie der Herr und die Frau Pinguin
In Himmel Wald und Wiese / bist du mein Domizil
Im Garten Paradiese / hatte jeder sein Asyl!
Im Paradies auf Erden / hatte jeder zu essen nach Lust

Daß keiner sonder Beschwerden / für keinen schinden mußt
Man süffelte Milch wie die Affen
Aus Kokosnuß-Karaffen
Und Wipfelgemüse des Walds
Die äste man wie die Giraffen
Mit aufgestocktem Hals /
Ach! Daß wir um Menschen zu werden / von den Tieren fortgemußt
Im Paradies auf Erden / konnt' jeder leben nach Lust!
 Als Adam mit der Eva / da waren sie nicht getraut
 Als Adam längst Papa war / war Eva noch seine Braut
 Es gab nicht Not – es gab nicht Geld
 Es gab nur das Pläsier
 Was kümmern uns die Narren
 Die Geld zusammenscharren
 Denn die Welt
 Denn die Welt, das sind: wir!

Die Sage vom großen Krebs

Es geht um – es geht um eine böse Mär
Vom Krebs im Mohriner See . . .
Ihn ketten zwei Jahrtausende schwer –
Und wär er frei
 Ging alles rückwärts und verquer
 rückwärts und verquer.
Läutet die Glocken bim bam bom

Hosiannah!
 Gott geb's,
Daß nimmermehr loskomm
Der Große Krebs!

Denn kröche der Krebs aus dem Morast,
Marschierte ein ganzes Heer
Das würgt und mordet, hetzt und haßt
Ihm hinterher.
 Im Krebsgang rückwärts und verquer
 rückwärts und verquer . . .
Marschierte das ganze Rückwärtser-Heer.

Hosiannah!
 Gott geb's,
Daß loskomm nimmermehr
Der Große Krebs!

Dann kreiste zurück die Jahrhundertuhr
Zur ewigen Mitternacht . . .
Und wenn die berauschte Kreatur
Vom Traum erwacht,
 Geht alles rückwärts und verquer
 rückwärts und verquer

Zu Hexenbränden und Judenpogrom . . .

Hosiannah!
 Gott geb's
Daß nimmermehr loskomm
Der Große Krebs!

Wohin er kröche, folgt seiner Spur
Die Pest vom Mohriner See
Und es regierte die Krebs-Diktatur
Und kommandiert:
 Das Ganze rückwärts und verquer
 rückwärts und verquer!
Nieder mit Euch! Kadaverfromm!

Hosiannah!
 Gott geb's
Daß nimmermehr loskomm
Der Große Krebs!

Ach, hör mich, Volk – welch Du hier lebst
Und zwischen Berg und See
Um täglich Brot und Freiheit krebst:
Laß ihn nicht frei –
 Sonst geht es rückwärts und verquer
 Rückwärts und verquer.
Wir alle, alle hinterher.
Und Euer Wille geb's
Daß loskomm nimmermehr
 nimmermehr
Der Große Krebs
Der Große Krebs!

[Berlin Februar 1933. Erschienen am Tage vor dem Berliner Reichstagsbrand in dem letzten Heft der „Weltbühne".]

Hans Schiebelhuth
1895–1944

Feld

Zerschossner Pappeln armselige Allee
Längs der Aisne, der silbernen Schlange des Tals.
Obstlaub verlodert. Häuserruinen lichtig jenseits des Kanals,
Eine kaputte Postkutsche marschtot an der Chaussee.

Granatkrater einer am andern im kreidnen Feld.
Weiß, mehlene Wege, Wehren, schutzschildverstellt.
Drahtverhaue, Äolsharfen, drin Novemberwind flennt.
Grau, Kalkbrocken, fallen Herbsttage nieder vom Firmament.

An den Mond

Du steigst über uns, gedunsen fahle Grimasse
Du grellst auf die grauen Nebelgebilde im Moor
Du gießest, Giftmischer, gelbes Licht in die klumpige Masse
Der Nacht, lauernd aus wirrem Gewölk hervor.

Du lockst sanft lächelnd, Lustmörder, und bist doch dem Wandrer gram
Du erscheinst geduckt, rote Larve, Gespenst über dunklem Dach
Du grinst, Brandstifter, durch der Gardinen Scham
Du verführst Irre, küssest entsetzliche Sünden wach.

Du erfüllst, glatte Maske, der Toren Herz mit Wahn
Du verwirrst Kinder und Kranke, höhnst Trinker und äffest die Weisen
Grausamer Sadist, du tust Hunden das Furchtbarste an,
Daß sie wütend und bellend an ihren Ketten reißen.

Klänge

hünti teituloloc derulah uwow ilünti himmul wahl mätat
hünti tit tarnfafeid windra
tanis ranis tulfufeid laufu
quüwabaid uschu gofobb ilünti
nocks mätat uschu callon tulfufeid tanis tit benense
äüwirr rasan urünti wahntam
wahntam benese ranis naure agoli tanis emätaut emätu jijidam
tarnfeit sansafit uschu gaur taituloc demlah
taraz jijida sasamschu gofobb benese äviwirr guk
mago maropampam essom atlantis tit uwow naura
jijidan callon orünti
tertuloloc dernlah urow
ilünti
himmul manal.

Der Hakenkreuzzug

Es ist ein Hakenkreuz auf dieser Welt!
Meidet jeden Meier!
Schwarz-weiß-rötet Eure Gesinnungen!
Nähert Euch dem Weltpopogrom!

Es ist ein Hakenkreuz auf dieser Welt:
Ich habe
Die christlichen Droschkenkutscher aufgefordert
Nicht mehr mit jüdisch-aussehenden
Chaisenpferden zu fahren.
Ich habe den Papst gebeten
In die Kommunistische Partei einzutreten
Und die Schöne Neue Kunst zu unterstützen.

Es ist ein Hakenkreuz auf dieser Welt:
Rotterdam, den 1. April 1920.
Amtlich wird verlautbart:
Der Kölner Dom soll zu einer
Kasimir-Edschmid-Gedächtnis-Kirche
Umgebaut werden;
Mit den Vorarbeiten ist bereits begonnen.

Der Zionist hat wohlgetan
Er zieht sein Kahn gen Kanaan
Es ist ein Hakenkreuz auf dieser Welt!

Spielt doch den Hakenkreuzbauern aus!
Haha, die rote Aß ist Trumpf!
Freunde nicht solche Töne!
Der Aar – des Ariers Zier –
Aufs Hakenkruzifix genagelt
Sei fürderhin des Vaterländlers Sinnbild!
O teutsches Mädchen birg es keusch am Busen
Der nimmermehr für Judas Sohn erglüh!

Siegfried lehnt sich geheimnisvoll an Simson!
Es ist ein Hakenkreuz auf dieser Welt!
Laßt Euch vom scheinheilgen Treiben
Bestechlicher Philosemiten
Nichts vormachen.
Meidet jeden Meier!
Schwarz-weiß rötet Eure Gesinnungen!
Klebt leimt und kittet alles!
Nährt Euch am Weltpopogrom!

Erich Kästner
1899–1974

Jahrgang 1899

Wir haben die Frauen zu Bett gebracht,
als die Männer in Frankreich standen.
Wir hatten uns das viel schöner gedacht.
Wir waren nur Konfirmanden.

Dann holte man uns zum Militär,
bloß so als Kanonenfutter.
In der Schule wurden die Bänke leer,
zu Hause weinte die Mutter.

Dann gab es ein bißchen Revolution
und schneite Kartoffelflocken;
dann kamen die Frauen, wie früher schon,
und dann kamen die Gonokokken.

Inzwischen verlor der Alte sein Geld,
da wurden wir Nachtstudenten.
Bei Tag waren wir bureau-angestellt
und rechneten mit Prozenten.

Dann hätte sie fast ein Kind gehabt
ob von dir, ob von mir – was weiß ich!
Das hat ihr ein Freund von uns ausgeschabt.
Und nächstens werden wir Dreißig.

Wir haben sogar ein Examen gemacht
und das meiste schon wieder vergessen.
Jetzt sind wir allein bei Tag und bei Nacht
und haben nichts Rechtes zu fressen!

Wir haben der Welt in die Schnauze geguckt,
anstatt mit Puppen zu spielen.
Wir haben der Welt auf die Weste gespuckt,
soweit wir vor Ypern nicht fielen.

Man hat unsern Körper und hat unsern Geist
ein wenig zu wenig gekräftigt.
Man hat uns zu lange, zu früh und zumeist
in der Weltgeschichte beschäftigt!

Die Alten behaupten, es würde nun Zeit
für uns zum Säen und Ernten.
Noch einen Moment. Bald sind wir bereit.
Noch einen Moment. Bald ist es so weit!
Dann zeigen wir euch, was wir lernten!

Kennst Du das Land, wo die Kanonen blühn

Kennst Du das Land, wo die Kanonen blühn?
Du kennst es nicht? Du wirst es kennenlernen!
Dort stehn die Prokuristen stolz und kühn
in den Büros, als wären es Kasernen.

Dort wachsen unterm Schlips Gefreitenknöpfe.
Und unsichtbare Helme trägt man dort.
Gesichter hat man dort, doch keine Köpfe.
Und wer zu Bett geht, pflanzt sich auch schon fort!

Wenn dort ein Vorgesetzter etwas will
– und es ist sein Beruf etwas zu wollen –
steht der Verstand erst stramm und zweitens still.
Die Augen rechts! Und mit dem Rückgrat rollen!

Die Kinder kommen dort mit kleinen Sporen
und mit gezognem Scheitel auf die Welt.
Dort wird man nicht als Zivilist geboren.
Dort wird befördert, wer die Schnauze hält.

Kennst Du das Land? Es könnte glücklich sein.
Es könnte glücklich sein und glücklich machen!
Dort gibt es Äcker, Kohle, Stahl und Stein
und Fleiß und Kraft und andre schöne Sachen.

Selbst Geist und Güte gibt's dort dann und wann!
Und wahres Heldentum. Doch nicht bei vielen.
Dort steckt ein Kind in jedem zweiten Mann.
Das will mit Bleisoldaten spielen.

Dort reift die Freiheit nicht. Dort bleibt sie grün.
Was man auch baut – es werden stets Kasernen.
Kennst Du das Land, wo die Kanonen blühn?
Du kennst es nicht? Du wirst es kennenlernen!

Nachtgesang des Kammervirtuosen

Du meine Neunte letzte Sinfonie!
Wenn du das Hemd* anhast mit rosa Streifen . . .
Komm wie ein Cello zwischen meine Knie,
und laß mich zart in deine Seiten greifen!

Laß mich in deinen Partituren blättern.
(Sie sind voll Händel, Graun und Tremolo.)
Ich möchte dich in alle Winde schmettern,
du meiner Sehnsucht dreigestrichnes Oh!

Komm, laß uns durch Oktavengänge schreiten!
(Das Furioso, bitte, noch einmal!)
Darf ich dich mit der linken Hand begleiten?
Doch bei Crescendo etwas mehr Pedal!

Oh deine Klangfigur! Oh die Akkorde!
Und der Synkopen rhythmischer Kontrast!
Nun senkst du deine Lider ohne Worte . . .
Sag einen Ton, falls du noch Töne hast!

*Anmerkung: In besonders vornehmer Gesellschaft
ersetze man das Wort „Hemd" durch das Wort „Kleid".*

Sachliche Romanze

Als sie einander acht Jahre kannten
(und man darf sagen: sie kannten sich gut),
kam ihre Liebe plötzlich abhanden.
Wie andern Leuten ein Stock oder Hut.

Sie waren traurig, betrugen sich heiter,
versuchten Küsse, als ob nichts sei,
und sahen sich an und wußten nicht weiter.
Da weinte sie schließlich. Und er stand dabei.

Vom Fenster aus konnte man Schiffen winken.
Er sagte, es wäre schon Viertel nach Vier
und Zeit, irgendwo Kaffee zu trinken.
Nebenan übte ein Mensch Klavier.

Sie gingen ins kleinste Café am Ort
und rührten in ihren Tassen.
Am Abend saßen sie immer noch dort.
Sie saßen allein, und sie sprachen kein Wort
und konnten es einfach nicht fassen.

Vorstadtstraßen

Mit solchen Straßen bin ich gut bekannt.
Sie fangen an, als wären sie zu Ende.
Trinkt Magermilch! steht groß an einer Wand,
als ob sich das hier nicht von selbst verstände.

Es riecht nach Fisch, Kartoffeln und Benzin.
In diesen Straßen dürfte niemand wohnen.
Ein Fenster schielt durch schräge Jalousien.
Und welke Blumen blühn auf den Balkonen.

Die Häuser bilden Tag und Nacht Spalier
und haben keine weitern Interessen.
Seit hundert Jahren warten sie nun hier.
Auf wen sie warten, haben sie vergessen.

Die Nacht fällt wie ein großes altes Tuch,
von Licht durchlöchert, auf die grauen Mauern.
Ein paar Laternen gehen zu Besuch,
und vor den Kellern sieht man Katzen kauern.

Die Häuser sind so traurig und so krank,
weil sie die Armut auf den Straßen trafen.
Aus einem Hof dringt ganz von ferne Zank.
Dann decken sich die Fenster zu und schlafen.

So sieht die Welt in tausend Städten aus!
Und keiner weiß, wohin die Straßen zielen.
An jeder zweiten Ecke steht ein Haus.
in dem sie Skat und Pianola spielen.

Ein Mann mit Sorgen geigt aus dritter Hand.
Ein Tisch fällt um. Die Wirtin holt den Besen.
Trinkt Magermilch! steht groß an einer Wand.
Doch in der Nacht kann das ja niemand lesen.

Kleine Stadt am Sonntagmorgen

Das Wetter ist recht gut geraten.
Der Kirchturm träumt vom lieben Gott.
Die Stadt riecht ganz und gar nach Braten
und auch ein bißchen nach Kompott.

Am Sonntag darf man lange schlafen.
Die Gassen sind so gut wie leer.
Zwei alte Tanten, die sich trafen,
bestreiten rüstig den Verkehr.

Sie führen wieder mal die alten
Gespräche, denn das hält gesund.
Die Fenster gähnen sanft und halten
sich die Gardinen vor den Mund.

Der neue Herr Provisor lauert
auf sein gestärktes Oberhemd.
Er flucht, weil es so lange dauert.
Man merkt daran: Er ist hier fremd.

Er will den Gottesdienst besuchen,
denn das erheischt die Tradition.
Die Stadt ist klein. Man soll nicht fluchen,
Pauline bringt das Hemd ja schon!

Die Stunden machen kleine Schritte
und heben ihre Füße kaum.
Die Langeweile macht Visite.
Die Tanten flüstern über Dritte.
Und drüben, auf des Marktes Mitte,
schnarcht leise der Kastanienbaum.

Die Entwicklung der Menschheit

Einst haben die Kerls auf den Bäumen gehockt,
behaart und mit böser Visage.
Dann hat man sie aus dem Urwald gelockt
und die Welt asphaltiert und aufgestockt,
bis zur dreißigsten Etage.

Da saßen sie nun, den Flöhen entflohn,
in zentralgeheizten Räumen.
Da sitzen sie nun am Telefon.
Und es herrscht noch genau derselbe Ton
wie seinerzeit auf den Bäumen.

Sie hören weit. Sie sehen fern.
Sie sind mit dem Weltall in Fühlung.
Sie putzen die Zähne. Sie atmen modern.
Die Erde ist ein gebildeter Stern
mit sehr viel Wasserspülung.

Sie schießen die Briefschaften durch ein Rohr.
Sie jagen und züchten Mikroben.
Sie versehn die Natur mit allem Komfort.
Sie fliegen steil in den Himmel empor
und bleiben zwei Wochen oben.

Was ihre Verdauung übrigläßt,
das verarbeiten sie zu Watte.
Sie spalten Atome. Sie heilen Inzest.
Und sie stellen durch Stiluntersuchungen fest,
daß Cäsar Plattfüße hatte.

So haben sie mit dem Kopf und dem Mund
Den Fortschritt der Menschheit geschaffen.
Doch davon mal abgesehen und
bei Lichte betrachtet sind sie im Grund
noch immer die alten Affen.

Der Handstand auf der Loreley
(Nach einer wahren Begebenheit)

Die Loreley, bekannt als Fee und Felsen,
ist jener Fleck am Rhein, nicht weit von Bingen,
wo früher Schiffer mit verdrehten Hälsen,
von blonden Haaren schwärmend, untergingen.

Wir wandeln uns. Die Schiffer inbegriffen.
Der Rhein ist reguliert und eingedämmt.
Die Zeit vergeht. Man stirbt nicht mehr beim Schiffen,
bloß weil ein blondes Weib sich dauernd kämmt.

Nichtsdestotrotz geschieht auch heutzutage
noch manches, was der Steinzeit ähnlich sieht.
So alt ist keine deutsche Heldensage,
daß sie nicht doch noch Helden nach sich zieht.

Erst neulich machte auf der Loreley
hoch überm Rhein ein Turner einen Handstand!
Von allen Dampfern tönte Angstgeschrei,
als er kopfüber oben auf der Wand stand.

Er stand, als ob er auf dem Barren stünde.
Mit hohlem Kreuz. Und lustbetonten Zügen.
Man fragte nicht: Was hatte er für Gründe?
Er war ein Held. Das dürfte wohl genügen.

Er stand, verkehrt, im Abendsonnenscheine.
Da trübte Wehmut seinen Turnerblick.
Er dachte an die Loreley von Heine.
Und stürzte ab. Und brach sich das Genick.

Er starb als Held. Man muß ihn nicht beweinen.
Sein Handstand war vom Schicksal überstrahlt.
Ein Augenblick mit zwei gehobnen Beinen
ist nicht zu teuer mit dem Tod bezahlt!

P. S. Eins wäre allerdings noch nachzutragen:
Der Turner hinterließ uns Frau und Kind.
Hinwiederum, man soll sie nicht beklagen.
Weil im Bezirk der Helden und der Sagen
die Überlebenden nicht wichtig sind.

Kurt Schmidt, statt einer Ballade

Der Mann, von dem im weiteren Verlauf
die Rede ist, hieß Schmidt (Kurt Schm., komplett).
Er stand, nur sonntags nicht, früh 6 Uhr auf
und ging allabendlich Punkt 8 zu Bett.

10 Stunden lag er stumm und ohne Blick.
4 Stunden brauchte er für Fahrt und Essen.
9 Stunden stand er in der Glasfabrik.
1 Stündchen blieb für höhere Interessen.

Nur sonn- und feiertags schlief er sich satt.
Danach rasierte er sich, bis es brannte.
Dann tanzte er. In Sälen vor der Stadt.
Und fremde Fräuleins wurden rasch Bekannte.

851

Am Montag fing die nächste Strophe an.
Und war doch immerzu dasselbe Lied!
Ein Jahr starb ab. Ein andres Jahr begann.
Und was auch kam, nie kam ein Unterschied.

Um diese Zeit war Schmidt noch gut verpackt.
Er träumte nachts manchmal von fernen Ländern.
Um diese Zeit hielt Schmidt noch halbwegs Takt.
Und dachte: Morgen kann sich alles ändern.

Da schnitt er sich den Daumen von der Hand.
Ein Fräulein Brandt gebar ihm einen Sohn.
Das Kind ging ein. Trotz Pflege auf dem Land.
(Schmidt hatte 40 Mark als Wochenlohn.)

Die Zeit marschierte wie ein Grenadier.
In gleichem Schritt und Tritt. Und Schmidt lief mit.
Die Zeit verging. Und Schmidt verging mit ihr.
Er merkte eines Tages, daß er litt.

Er merkte, daß er nicht alleine stand.
Und daß er doch allein stand, bei Gefahren.
Und auf dem Globus, sah er, lag kein Land,
in dem die Schmidts nicht in der Mehrzahl waren.

So war's. Er hatte sich bis jetzt geirrt.
So war's, und es stand fest, daß es so blieb.
Und er begriff, daß es nie anders wird.
Und was er hoffte, rann ihm durch ein Sieb.

Der Mensch war auch bloß eine Art Gemüse,
das sich und dadurch andere ernährt.
Die Seele saß nicht in der Zirbeldrüse.
Falls sie vorhanden war, war sie nichts wert.

9 Stunden stand Schmidt schwitzend im Betrieb.
4 Stunden fuhr und aß er, müd und dumm.
10 Stunden lag er, ohne Blick und stumm.
Und in dem Stündchen, das ihm übrigblieb,
brachte er sich um.

Im Auto über Land

An besonders schönen Tagen
ist der Himmel sozusagen
wie aus blauem Porzellan.
Und die Federwolken gleichen
weißen, zart getuschten Zeichen,
wie wir sie auf Schalen sahn.

Alle Welt fühlt sich gehoben,
blinzelt glücklich schräg nach oben
und bewundert die Natur.
Vater ruft, direkt verwegen:
„'N Wetter, glatt zum Eierlegen!"
(Na, er renommiert wohl nur.)

Und er steuert ohne Fehler
über Hügel und durch Täler.
Tante Paula wird es schlecht.
Doch die übrige Verwandtschaft
blickt begeistert in die Landschaft.
Und der Landschaft ist es recht.

Um den Kopf weht eine Brise
von besonnter Luft und Wiese,
dividiert durch viel Benzin.
Onkel Theobald berichtet,
was er alles sieht und sichtet.
Doch man sieht's auch ohne ihn.

Den Gesang nach Kräften pflegend
und sich rhythmisch fortbewegend
strömt die Menschheit durchs Revier.
Immer rascher jagt der Wagen.
Und wir hören Vatern sagen:
„Dauernd Wald, und nirgends Bier."

Aber schließlich hilft sein Suchen.
Er kriegt Bier. Wir kriegen Kuchen.
Und das Auto ruht sich aus.
Tante schimpft auf die Gehälter.
Und allmählich wird es kälter.
Und dann fahren wir nach Haus.

Eugen Roth
1895–1976

Bücher

Ein Mensch, von Büchern hart bedrängt,
An die er lang sein Herz gehängt,
Beschließt voll Tatkraft, sich zu wehren,
Eh sie kaninchenhaft sich mehren.
Sogleich, aufs äußerste ergrimmt,
Er ganze Reihn von Schmökern nimmt
Und wirft sie wüst auf einen Haufen,
Sie unbarmherzig zu verkaufen.
Der Haufen liegt, so wie er lag,
Am ersten, zweiten, dritten Tag.
Der Mensch beäugt ihn ungerührt
Und ist dann plötzlich doch verführt,
Noch einmal hinzusehn genauer –
Sieh da, der schöne Schopenhauer . . .
Und schlägt ihn auf und liest und liest,
Und merkt nicht, wie die Zeit verfließt . . .
Beschämt hat er nach Mitternacht
Ihn auf den alten Platz gebracht.
Dorthin stellt er auch eigenhändig
Den Herder, achtundzwanzigbändig.
E. T. A. Hoffmanns Neu-Entdeckung
Schützt diesen auch vor Zwangs-Vollstreckung.
Kurzum, ein Schmöker nach dem andern
Darf wieder auf die Bretter wandern.
Der Mensch, der so mit halben Taten
Beinah schon hätt den Geist verraten,
Ist nun getröstet und erheitert,
Daß die Entrümpelung gescheitert.

Letteritis

Ganz plötzlich wird es Dir bewußt:
Erkrankt ist Deine Leselust!
Nach welchem Buche Du auch faßt,
Keins, das zu Deiner Stimmung paßt!
Du gibst nichts hin – es gibt nichts her:
Bald ists zu leicht, bald ists zu schwer.
Mit leerem Herzen und Verstand
Starrst Du auf Deine Bücherwand:
Die altbewährte, edle Klassik
Ist Dir auf einmal viel zu massig
Und über die moderne Lyrik
Denkst Du schon beinah ehrenrührig.
Der Reißer selbst, in dessen Flut
Du sonst gestürzt voll Lesewut,
Wirft heut Dich an sein Ufer, flach;
Dein Drang zur Wissenschaft ist schwach;
Und das gar, was sich nennt Humor,
Kommt Dir gequält und albern vor.
Geduld! Laß ab von aller Letter!
Es wird sich ändern, wie das Wetter:
Schon morgen, unverhofft genesen,
Kannst Du dann lesen, lesen, lesen!

Weltlauf

Ein Mensch, erst zwanzig Jahre alt,
Beurteilt Greise ziemlich kalt
Und hält sie für verkalkte Deppen,
Die zwecklos sich durchs Dasein schleppen.
Der Mensch, der junge, wird nicht jünger:
Nun, was wuchs denn auf seinem Dünger?
Auch er sieht, daß trotz Sturm und Drang,
Was er erstrebt, zumeist mißlang,
Daß, auf der Welt als Mensch und Christ
Zu leben, nicht ganz einfach ist,
Hingegen leicht, an Herrn mit Titeln
Und Würden schnöd herumzukritteln.
Der Mensch, nunmehr bedeutend älter,
Beurteilt jetzt die Jugend kälter
Vergessend frühres Sich-Erdreisten:
„Die Rotzer sollen erst was leisten!"
Die neue Jugend wiedrum hält . . .
Genug – das ist der Lauf der Welt!

Nelly Sachs
1891–1970

Ihr Zuschauenden

Unter deren Blicken getötet wurde.
Wie man auch einen Blick im Rücken fühlt,
So fühlt ihr an euerm Leibe
Die Blicke der Toten.

Wieviel brechende Augen werden euch ansehn
Wenn ihr aus den Verstecken ein Veilchen pflückt?
Wieviel flehend erhobene Hände
In dem märtyrerhaft geschlungenen Gezweige
Der alten Eichen?
Wieviel Erinnerung wächst im Blute
Der Abendsonne?

O die ungesungenen Wiegenlieder
In der Turteltaube Nachtruf –
Manch einer hätte Sterne herunterholen können,
Nun muß es der alte Brunnen für ihn tun!

Ihr Zuschauenden,
Die ihr keine Mörderhand erhobt,
Aber die ihr den Staub nicht von eurer Sehnsucht
Schütteltet,
Die ihr stehenbliebt, dort, wo er zu Licht
Verwandelt wird.

Chor der Geretteten

Wir Geretteten,
Aus deren hohlem Gebein der Tod schon seine Flöten schnitt,
An deren Sehnen der Tod schon seinen Bogen strich –
Unsere Leiber klagen noch nach
Mit ihrer verstümmelten Musik.
Wir Geretteten,
Immer noch hängen die Schlingen für unsere Hälse gedreht
Vor uns in der blauen Luft –
Immer noch füllen sich die Stundenuhren mit unserem tropfenden Blut.
Wir Geretteten,
Immer noch essen an uns die Würmer der Angst.
Unser Gestirn ist vergraben im Staub.
Wir Geretteten
Bitten euch:
Zeigt uns langsam eure Sonne.
Führt uns von Stern zu Stern im Schritt.
Laßt uns das Leben leise wieder lernen.

Es könnte sonst eines Vogels Lied,
Das Füllen des Eimers am Brunnen
Unseren schlecht versiegelten Schmerz aufbrechen lassen
Und uns wegschäumen –
Wir bitten euch:
Zeigt uns noch nicht einen beißenden Hund –
Es könnte sein, es könnte sein
Daß wir zu Staub zerfallen –
Vor euren Augen zerfallen in Staub.
Was hält denn unsere Webe zusammen?
Wir odemlos gewordene,
Deren Seele zu Ihm floh aus der Mitternacht
Lange bevor man unseren Leib rettete
In die Arche des Augenblicks.
Wir Geretteten,
Wir drücken eure Hand,
Wir erkennen euer Auge –
Aber zusammen hält uns nur noch der Abschied,
Der Abschied im Staub
Hält uns mit euch zusammen.

Auf daß die Verfolgten nicht Verfolger werden

Schritte –
In welchen Grotten der Echos
seid ihr bewahrt,
die ihr den Ohren einst weissagtet
kommenden Tod?

Schritte –
Nicht Vogelflug, noch Schau der Eingeweide,
noch der blutschwitzende Mars
gab des Orakels Todesauskunft mehr –
nur Schritte –

Schritte –
Urzeitspiel von Henker und Opfer,
Verfolger und Verfolgten,
Jäger und Gejagt –

Schritte
die die Zeit reißend machen
die Stunde mit Wölfen behängen,
dem Flüchtling die Flucht auslöschen
im Blute.

Schritte
die Zeit zählend mit Schreien, Seufzern,
Austritt des Blutes bis es gerinnt,
Todesschweiß zu Stunden häufend –

Schritte der Henker
über Schritten der Opfer,
Sekundenzeiger im Gang der Erde,
von welchem Schwarzmond schrecklich gezogen?

In der Musik der Sphären
wo schrillt euer Ton?

Immer
dort wo Kinder sterben
werden die leisesten Dinge heimatlos.
Der Schmerzensmantel der Abendröte
darin die dunkle Seele der Amsel
die Nacht heranklagt –
kleine Winde über zitternde Gräser hinwehend
die Trümmer des Lichtes verlöschend
und Sterben säend –

Immer
dort wo Kinder sterben
verbrennen die Feuergesichter
der Nacht, einsam in ihrem Geheimnis –
Und wer weiß von den Wegweisern
die der Tod ausschickt:
Geruch des Lebensbaumes,
Hahnenschrei der den Tag verkürzt
Zauberuhr vom Grauen des Herbstes
in die Kinderstuben hinein verwunschen –
Spülen der Wasser an die Ufer des Dunkels
rauschender, ziehender Schlaf der Zeit –

Immer
dort wo Kinder sterben
verhängen sich die Spiegel der Puppenhäuser
mit einem Hauch,
sehen nicht mehr den Tanz der Fingerliliputaner
in Kinderblutatlas gekleidet;
Tanz der stille steht
wie eine im Fernglas
mondentrückte Welt.

Immer
dort wo Kinder sterben
werden Stein und Stern
und so viele Träume
heimatlos.

Hier unten aufgestellt
Kriegsgeräte, nachtgefärbt
unter dem Sternbild des Schützen,
Hieroglyphe großer Bereitschaft.

Und getrennt Oben und Unten
von Geburts- und Todesmeilen
ohne unser Verständnis.

Aber die Sehnsuchtspfeile gespitzt
hüben und drüben
und die gleichen erzenen Köcher
als Bewahrer des Aufbruchs.

Dornengekrönt

Hieronymus Bosch

Immer wieder
durch einen verhexten Handgriff
den Nabel der Liebe gesprengt.
Immer wieder

der Folterer über schwanengebogenem Rücken
die Geißel lange schon im Traume erprobt.

Immer wieder
die zerpeitschte Aura
über dem entblätterten Leib.

Immer wieder
die Sehnsucht, aller Gräber Frühlingsknospe
mit dem Steinzeitfinger zur Träne zerdrückt.

Immer wieder
die Blutschlange züngelnd
im Hautwams der Henker.

Immer wieder
die Blicke des Opfers zugedeckt
mit Gott – Auszug – Asche –

Hinter den Lippen
Unsagbares wartet
reißt an den Nabelsträngen
der Worte

Märtyrersterben der Buchstaben
in der Urne des Mundes
geistige Himmelfahrt
aus schneidendem Schmerz –

Aber der Atem der inneren Rede
durch die Klagemauer der Luft
haucht geheimnisentbundene Beichte
sinkt ins Asyl
der Weltenwunde
noch im Untergang
Gott abgelauscht –

Grabschrift

Für B. N. und J. M.

Wieder hat einer in der Marter
den weißen Eingang gefunden
Schweigen – Schweigen – Schweigen –

Die innere Sprache erlöst
welch ein Sieg –

Wir pflanzen hier Demut –

Nicht mit Zahlenschwertern
sind Berge zu versetzen
Solches sei den Liebenden überlassen

Und immer zwei Gegner
umnachtend die Erde die
in die Apokalypse verkaufte

Und immer die Verfolgten
mit durchschnittenem Schicksal
in den Flammen springend
mit Sintflutaugen
die Arche suchend rückwärts
in den Wandelgängen der Erinnerung

Ihr meine Toten
Eure Träume sind Waisen geworden
Nacht hat die Bilder verdeckt
Fliegend in Chiffren eure Sprache singt

Die Flüchtlingsschar der Gedanken
eure wandernde Hinterlassenschaft
bettelt an meinem Strand

Unruhig bin ich
sehr erschrocken
den Schatz zu fassen mit kleinem Leben

Selbst Inhaber von Augenblicken
Herzklopfen Abschieden
Todeswunden
wo ist mein Erbe

Salz ist mein Erbe

Hermann Kasack
1896–1966

Ölbaum

Abglanz des Mondes schläft in dem Silberstaub,
Der die Olive deckt.
Ich pflücke einen Zweig aus dem uralten Laub,
Das kein Blühen weckt.

Die Runenschrift der Ölbaumblätter spielt
Versöhnung, Glaube.

Die einen gleichen Zweig im Schnabel hielt,
Freundliche Taube –

Wohin bist du entflohen? Und was bleibt
Dem späten Erben?
Niemandes Antwort. Eine Spukhand schreibt:
Lebendes Sterben.

Totenfloß

Der Wind greift in die Uferbäume,
Es schauert kühl im Blätterschoß.
Das Licht des Abends füllt die Räume,
Aus Wassertiefen steigt ein Floß.

Mit Schemen ist es weiß befrachtet,
Den Boten der Vergangenheit.
Viel junge Augen sind umnachtet
Vom Schlaflied der Unendlichkeit.

Die schönen Mädchenmasken haben
Ein Marmorlächeln im Gesicht,
Und auf den Stirnen dunkler Knaben
Entzündet sich ein blaues Licht.

Als Traum noch einmal zu erglänzen,
Beugt ins Vergangne sich das Knie.
Doch eh sie sich zum Kuß ergänzen,
Erstarrt des Körpers Melodie.

Ich kannte ihrer. Doch sie wissen
Einander und auch mein nicht mehr.
Sie treiben, ihrer selbst entrissen,
Dahin und ohne Wiederkehr.

Zuweilen, wenn ich mondwärts spähe,
Bestürzt mich eines Windes Stoß,
Als zöge ihre fremde Nähe
Durch mich hindurch auf kühlem Floß.

Grab der Volumnier

Graf A. v. B. zum Gedächtnis

Unter der Stunde heitrem Gewicht
Dehnt sich der Umbrische Garten.
Hügel branden im silbernen Licht,
Wein und Früchte warten.

Der Zypressen düsterer Flor
Bringt den Himmel zum Schweigen.
Offen wölbt sich mir ein Tor,
In den Felsen zu steigen.

Aus dem rötlich-glatten Gestein
Weht eine Kühle entgegen,
Wo im wankenden Fackelschein
Wuchtige Schatten sich regen.

Alter Geschlechter frommer Kult
Läßt auch mich noch zaudern.
Sühnt nur Tod die Daseinsschuld?
Meine Pulse schaudern.

Und die steile Tiefe hinab
Soll ich auf sinkenden Treppen
Selber ins Etruskergrab
Neue Gabe schleppen.

Haben die Götter denn erlaubt,
Sie hierher zu tragen –
Grimmig wacht das Gorgonenhaupt
Über den Sarkophagen.

Ihre Geister sind entflohn,
Nicht entfloh der Jammer.
Ihm bring ich den jüngsten Sohn
In die Ahnenkammer.

Kränzt ihn auch des Lorbeers Laub
Manch Jahrtausend später:
Staub ist er von gleichem Staub
Wie die hohen Väter.

Jeder, der den Freiheitsschild
Hütet vor Vasallen,
Weiß, daß für sein Schicksal gilt:
Königlich zu fallen.

So soll nun sein junger Geist,
Erbe der Dämonen,
Der im Raum der Schatten kreist,
Hier verborgen wohnen.

Uns jedoch, die sterblich sind,
Mag der Tag bewirten.
Schon dringt durch den lichten Wind
Flötenruf des Hirten.

Und geheimnisvoll entrückt
Tönt mir eine Kunde:
Nur das Tödliche beglückt
Unsere Lebensstunde.

Friedrich Georg Jünger
1898–1977

Geleitspruch

Was sind Talismane, Amulette?
Hoffe nicht, daß dich ein Fremdes rette.

Feuer hebt dich, und du wirst nicht bangen,
Nicht vor Skorpionen, nicht vor Schlangen.

Was an dir ist von den Salamandern,
Wird die Flamme unverletzt durchwandern.

Heil wie du auf diese Welt gekommen,
Unzerstörbar wirst du fortgenommen.

Die Schlange

Deine Schlange ist bei dir,
Die stille, die stumme.
Die alle Kammern des Hauses kennt,
Deine Schlange ist bei dir.

Kehre wieder, was mag,
Die dich hütet im Umlauf,
Deine unverletzliche Wächterin wacht,
Deine Schlange ist bei dir.
Gib ihr zu trinken!

Vergiß nicht die Schüssel!
Fülle die Schale mit Wein und mit Milch,
Und laß sie dann trinken.
Deine Schlange ist bei dir.

Fischer in Moselkern

Die Fischer in Moselkern
Warfen ihr Netz aus
Und zogen es triefend, leer
Aus der Mosel herauf.

Im Grase lag ich und sah,
Wie das Netz stieg und fiel.
Stangenstich, Ruderschlag,
Uraltes Spiel.

Jeder Griff, jeder Schlag
Alt wie die Fischerzunft.
Jeder Zug mit dem Netz
Wiederkunft, Wiederkunft.

Die Zukunft

Wie ein Fisch, der in der roten Pfanne
Aufschnellt, winden sie in harten Leiden
Sich verzweifelt, doch der roten Pfanne,
Prophezei' ich, ihr entfliehet keiner.

Wieder mehrt Verzweiflung ihre Qualen,
Feiges Dulden. Wie ein heißes Lager
Ist die Angst, und tiefes Todesgrauen
Schnauben sie wie schwarzen Dunst ins Blaue.

Gibt es Rettung? – Rettung? – Welche Stimmen
Hör' ich rufen? Kraftlos wilde Schreie!
Wie die Städte brausen! Doch die Wüsten
Und die großen, wilden Wälder schweigen.

Schön ist die Vernichtung, wo das Niedre
Übermächtig herrscht. Und nimmer lieben
Götter das Gemeine, nicht den Aufruhr.
Ordnung lieben sie und hohe Schönheit.

Bald nun werden ihre weiten Hallen,
Ihre Säle hell von Feuer leuchten.
Widerstrahlend von der Erde Flammen
Werden sie, das Auge blendend, leuchten.

Erz ist euer Wagen, Flügel, Flosse.
In den Elementen hebt und senkt ihr
Euch wie Adler, seid dem schwarzen Löwen
Gleich und gleich den schnellen, kühnen Fischen.

Wie ein Hag von Rosen blüht das Feuer.
Duftlos brennt es. Rote Flammen stürzen
Auf die Städte, eherne Geschosse.
Wie der Wind, wie Staub verwehn die Klagen.

Aprikose erinnert

In einem Kindermund zergangen,
Kehrt ihr Vergehen wieder,
Doch gemehrt an Duft,
Und geht zurück in sich
Und rötet, rundet
Unter dem Flaum die neue Frucht.

Ein Nichtvorhandenes, bewahrt
In seines Innern
Vergessner Süße, unberührbar
Durch Raum und Zeit,
Dreht sie sich leise, ihr Erinnern
Bewegt kein Leid.

Zu solcher Speise
– Sie sättigt nichts –
Reifst, Aprikose,
Du des Gedichts.

Suchst du ein Ganzes noch,
Lies diese Zeile,
Und frag vergebens nicht:
Wo ist das Heile?

Frag nicht: wozu
Gibt es noch Dichtung?
Sie ist des Gegenstands
Vernichtung.

Ruth Schaumann
1899–1975

Ich steh' in Gottes Hand

Tod wirft vom Himmel nieder
Blitz, Flammen, Erz und Rauch,
Und singt er seine Lieder,
Ich selber singe auch:

Gegrüßt, der mich erschaffen,
Mich flirrend Körnlein Sand,
Und steht die Welt in Waffen,
Ich steh' in Gottes Hand.

Gegrüßt sein Sohn in Leiden,
Sein Geist in Liebe frei!
Und soll ich heut verscheiden,
Steht mir dreieinig bei!

Dann mag dem Tod gelingen
Sein Wurf durch Angst und Pein,
Ich selber werde singen
Und sterbend lebend sein.

Das Paradies

Ich bin dir lieb, ich bin dir wert,
Der schönste Engel trägt ein Schwert,
Es funkelt vor des Gartens Tor.
Sind wir darin, sind wir davor?

Sind wir darin, wie kann dann sein
Die Träne an den Wimpern mein?
Stehn wir davor, was gäbe kund
Das Lächeln über deinem Mund?

Es blüht ein Stern, es blitzt das Schwert –
Du bist mir lieb, du bist mir wert.
Sind wir davor, sind wir darin?
Ich weiß nur eines, daß ich bin.

Bäume schlafen

Bäume schlafen über kleinen Tieren,
Wellen über Fischen, die im Traume
Sich zum weißen und gekrausten Schaume
Unsichtbarer Quellen blau verlieren.

Über grauen Eiern schläft die Ammer
Und der Hirt im Kranze seiner Schafe
Und mein Schlummer blüht ob deinem Schlafe,
Du mein Kind, als deine leise Kammer.

Und der Hütte Strohdach sirrt wie Zeilen
Müder Grillen an der Wiese Neige,
Bis nur Einer wacht und das Gezweige
Weißer Sterne rauscht um sein Verweilen.

Leerer Abend

Mein Gott, was soll ich tun? Der Abend bricht herein.
Ich habe nichts vollbracht von allen meinen Werken.
Betrachte Hag und Herz, Du wirst die Säumnis merken
In Deinem hellen Schein.

Das Unkraut steht im Flor, die Ähren ohne Last,
Der blinde Spaten liegt auf den verwachsnen Pfaden.

Ich habe keinen Wein, Dich scheu hereinzuladen,
O meiner Seele Gast.

Verwandle denn mein Herz zu einem kleinen Brot,
Es wird ein schwarzes sein mit bitteren Gewürzen.
Nur laß mich Deinem Mund das trübe Lächeln kürzen,
Und sei es durch den Tod.

Oda Schaefer
* 1900

Äolsharfe

Äolsharfe war ich vordem.

Verfallen dem Winde,
Bebend und klagend
Wie seufzende Türen
In einsam verlassenem Haus,
Klirrend vor Zorn
Im Froste wie Schilfrohr,
Oder sommers ruhend in Leere –
Aber dann trat
Pan, der bräunliche Hirte,
Aus den Gebüschen des Schweigens,
Streifte mit zärtlicher Hand
Im Vorüber die Stumme,
Und ich tönte von neuem,
Zaghaft und wirr noch
Und voll Erinnern
An den schattigen Laubbaum,
Der einst ich gewesen,
Und die Syrinx gab Antwort,
Leise nur, wie ein Hauch von der Echo.

Ach, es vermögen mich nimmer zu rühren
Boreas, der Rauhe aus Norden,
Oder Zephir, die flüsternde Luft –
Davids Hände nur sollen mich spielen,
Wenn die böse Laune des Saul,
Laune der Welt,
Aufsteigt düster und schwer
Wie die blaue Wand des Gewitters.
Psalmen werde ich jubeln,
Singen die große,
Die herrliche Schöpfung
Und den erschütternden Namen,
Bis es erzittert, das goldene Holz,
Bis sie zerspringen, die Saiten –

Sanft verhüllt mich,
Die Zerstörte, Erweckte,
Ein Tuch aus Azur.

Das alles bin ich heute

Ich bin das Kind und bin
Der alte Mensch
Der bald den Stock wird brauchen
Im Alter Dreibein
Wie die Sphinx das Rätsel nannte.
Und auch das Mädchen
Bin ich noch
Von fünfzehn Jahren
Das so ernsthaft war
Und alle Bücher las
Und sterben wollte
Weil das Leben schmerzte.
Die junge Frau im Wochenbett
Dem Tode nah
Die leben wollte, nichts als leben
Und nochmals trinken diese süße Luft
Des Frühlings.
Dann später jene Unglückselige

Mit sich zerfallen
Nur Rettung suchend im Gedicht
Die Liebende
Die den Geliebten nie erreichte
Apollofalter hinter Glas.
Bis dann die Qual des Ich
Sich löste fast in Tränen
Der Stein dem Tropfen unterlag
Und dunkel groß erhob sich
das DU
Gebot des Gottes
Dem ich diene selbstvergessen.

Das alles bin ich heute
Und meine Summe
Ist die geheime Zahl
Der Ewigkeit.

Sappho

Es ist Nacht.
Die Dinge ruhn
Und haben ihre Namen
Abgetan.
Jetzt ist die Stunde
Da du sie neu erkennst
Und das Unsagbare
Benennen darfst.

Doch unbeschreiblich
Ist der Glanz
Der großen Augen
Dort im Dunkel
Das Lächeln
Der geschloßnen Lippen
Auf die sich
Der erhobne Finger legt.

Veränderung

Ich kann die Wolke nicht mehr Wolke nennen,
Den Himmel nicht mehr strahlender Azur,
Was wir so kannten, müssen neu wir kennen,
Auch von der Morgenröte schwand die sanfte Spur.

Die Sommerhimmel waren lächelnd blauer,
Die Wetterhäupter ruhten still im Süden aus,
Welch schlimme Fracht trägt nun der Regenschauer,
Und welcher Sturm bricht aus des Nordens Haus?

Ich seh den Mond gedoppelt schweben
Auf einem Flor, auf einer Nebelbank –
Gibt uns die Sonne noch das alte Leben,
Blutendes Auge Gottes abends, schwer und krank?

Theodor Kramer
1897–1958

Wien, Fronleichnam 1939

Wenige waren es, die Stellung nahmen
unterm Himmel, um zur Stadt zu gehn;
als sie singend ihres Weges kamen,
blieben viele auf den Steigen stehn.

Schütter quoll der Weihrauch und die Reiser
längs der Straße standen schier entlaubt;
klagend sang der kleine Chor sich heiser
und das Volk entblößte still das Haupt.

Manche kannten nur vom Hörensagen
noch den Umgang; doch dem baren Haar
tat es wohl, daß selbst in diesen Tagen
irgend etwas manchem heilig war.

Und indessen sie dem Zug nachstarrten,
salzigen Auges, Mannsvolk, Weib und Kind,
schwenkten aus den Fenstern die Standarten
alle das verbogne Kreuz im Wind.

Requiem für einen Faschisten

Du warst in allem einer ihrer Besten,
erschrocken fühl ich heut mich dir verwandt;
du schwelgtest gerne bei den gleichen Festen
und zogst wie ich oft wochenlang durchs Land.
Es füllte dich wie mich der gleiche Ekel
vor dem Geklügel ohne innern Drang,
vor jedem Wortgekletzel und Gehäkel;
nichts galt dir als der schöne Überschwang.

So zog es dich zu ihnen, die marschierten;
wer weiß da, wann du auf dem Marsch ins Nichts
gewahr der Zeichen wurdest, die sie zierten?
Du liegst gefällt am Tage des Gerichts.
Ich hätte dich mit eigner Hand erschlagen;
doch unser keiner hatte die Geduld,
in deiner Sprache dir den Weg zu sagen:
dein Tod ist unsre, ist auch meine Schuld.

Ich setz für dich zu Abend diese Zeilen,
da schrill die Grille ihre Beine reibt,
wie du es liebtest, und der Seim im geilen
Faulbaum im Kreis die schwarzen Käfer treibt.
Daß wir des Tods und Ursprungs nicht vergessen,
wann jeder Brot hat und zum Brot auch Wein,
vom Überschwang zu singen wie besessen,
soll um dich, Bruder, meine Klage sein.

Der Rost am schwarzen Gitter . . .

Den Rost am schwarzen Gitter,
im Pflasterstein den Spelt,
den mürben Mörtelsplitter,
der aus der Mauer fällt,
im Eck die Spinnenweben,
sie hab ich wach im Sinn,
wenn nachts die Blätter schweben
und ich betrunken bin.

Ich frier in feuchten Stuben,
die niemals ich betrat,
ich ängstig mich in Gruben
voll Blech und Stacheldraht,
ich höre Schritte klirren
und halt den Napf aus Zinn,
wenn nachts die Blätter schwirren
und ich betrunken bin.

Ihr Beeren überständig,
du dürres Malvenbrot,
ihr haltet mich lebendig,
ich wäre sonst schon tot;
ihr macht den Mund mir lallen,
macht zucken mir das Kinn,
wenn nachts die Blätter fallen
und ich betrunken bin.

Hermann Kesten
* 1900

Ein Jahr New York
Für Gina

Zuhause hatte ich eine Truhe
Für meine Träume und einen Schrank,
Und meine Träume hatten Schuhe,
Um auf Bäume zu steigen und auf Berge.
Sie waren Riesen und sind Zwerge –
Im Exil werden Träume krank.
Dort saß ich zu Pferd, hier auf der Bank
Zwischen Menschen aus Stein. Ach, in der Fremde
Fühlt man sich fremd im eignen Hemde.
Wohin mit Schmerzen und Träumen?
Ich renne, als würde ich was versäumen.
Schon hab' ich verloren ein ganzes Jahr.
Ich bin nicht, der ich drüben war.
Das widrige Gift, das Heimatlos
Macht die Qual der leeren Tage groß.
Die nackten Schmerzen wie Möwen schrein
Mit krummen Schnäbeln, wild und gemein.
Wohin mit den Träumen? Sie waren mein Fehler.
Gibt es für kranke Träume Spitäler?
Ich gehe vom Broadway zur Riverside.
In New York hat nur der Tote Zeit.
Meine Träume sprechen schon Slang. Ihr Duft
Ward schweflig gelb wie Manhattans Luft.

Im Central Park spucken Schwarze auf Weiße.
Ob ich noch morgen Kesten heiße?
Man wechselt den Namen, vertauscht sein Gesicht.
Man liebt nicht die andern, sich selber nicht.
How do you spell your name? Do you like
Apple pie? God? America? Lucky strike?
Träume gehn hier in einen Fingerhut.
Meine Träume sind tot. Ich fasse neuen Mut.

[1941]

Akropolis am Mittag

Vor mir Mont Parnass und rings das Meer.
Zwischen Parthenon und Propyläen
Sah ich die drei Parzen stehen,
Die Gesichter schön und leer.
Eine Stunde ist es her,
Daß den Sokrates sein Dämon trieb,
Daß Menander seine Possen schrieb.
Doch die Götter sind nicht mehr.
Unten lärmt Athen und leuchtet grell.
Seine Götter stehen in Museen,
Viele ohne Kopf und ohne Zehen.
Hellas, du verdarbst so schnell!
Tausend Inseln ragen aus dem Meer.
Am Hymettos summen noch die Bienen.
Eros spielt nicht mehr mit ihnen.
Eine Stunde ist es her:
Tantalus saß an der Götter Tisch.
Zeus kam aus den Wolken zu Semelen,
Und Prometheus konnte Feuer stehlen.
In Apollos Arm ward Daphne zum Gebüsch.
Die drei Parzen gleichen alten Grazien
Und Athen sieht aus wie vormals Thrazien.
Die noch gestern Göttersöhne waren,
Sind Barbaren.

[1950]

Ich war ein Baum

Als ich ein Kind war, gab es noch die Götter,
Den schwarzen Mann, Eisblumen auf dem Fenster,
Und ich notierte, ein erschrockner Spötter,
Die Lebenden sahn aus wie die Gespenster.

Mein Tag war endlos, Straßen voller Träume,
Ich sprach das Wort, erfüllt war jeder Traum,
Und mit mir gingen Wolken und die Bäume.
Ich selbst war eine Wolke, war ein Baum.

Auf meinen Zweigen sangen hundert Lerchen.
Ich war ein Baum, und ging von Ort zu Ort.
Die Welt war von mir ausgedacht, mein Märchen,
Und wurde wirklich, sprach ich nur das Wort.

Der Zauber lischt wie eine Kerze aus.
Ich bin kein Kind mehr. Welk sind alle Träume.
Es kracht schon im Gebälk. Es schwankt das Haus.
Wie ins Exil entschwanden meine Bäume.

Mein Tag zerbröselt wie ein mürbes Brot.
Die Welt wird lustiger mit jedem Tag.
Und morgen bin ich tot. Und du bist tot.
Heut schlägt die Uhr noch meinen Schlag.

[1971]

Albrecht Goes
* 1908

Die Schritte

Klein ist, mein Kind, dein erster Schritt,
Klein wird dein letzter sein.
Den ersten gehn Vater und Mutter mit,
Den letzten gehst du allein.

Seis um ein Jahr, dann gehst du, Kind,
Viel Schritte unbewacht,
Wer weiß, was das dann für Schritte sind
Im Licht und in der Nacht?

Geh kühnen Schritt, tu tapfren Tritt,
Groß ist die Welt und dein.
Wir werden, mein Kind, nach dem letzten Schritt
Wieder beisammen sein.

Landschaft der Seele

Kein Himmel. Nur Gewölk ringsum
Schwarzblau und wetterschwer.
Gefahr und Angst. Sag: Angst – wovor?
Gefahr: Und sprich – woher?
Rissig der Weg. Das ganze Feld
Ein golden-goldner Brand.
Mein Herz, die Hungerkrähe, fährt
Kreischend über das Land.

869

Lautespielender Engel

Stimme des Engels:
Sprich mich nicht an! Ich kann dir nichts erwidern.
Ich höre nur der Laute Lobgesang.
Ich hab ein Amt, begreif: den heilgen Liedern
Zu dienen, Klang bei Klang.

Doch fürchte nichts! Denn über allen Worten
Und allem, was geschieht und je geschah,
Klingt dieser Ton, und tönt an allen Orten.
Wags und stimm ein, und du bist ganz mir nah.

Die Seele nur

Ob unsre Toten, die wir eh und gestern
Dem Unausdenklichen anheimgegeben,
Ob irgend Kunde sie von uns empfangen,
Ob Antwort niederdringt zu unserem Leben?

Zur Gleichnisrede lädt die Schöpfung ein
Im Sterngeleuchte und im Wolkenwiegen,
Ich sehe Mückentanz und Immergrün
Und weiße Falter, die ein Grab umfliegen,

Das Flücht'ge denn, die Wandlung und die Dauer,
Zugleich den Riegel und zugleich die Pforte,
Die Pforte – und wohin? Geschrieben steht:
Im Spiegel sehn wir und im Dunklen Worte.

Wir wissen nichts – ob sie uns wissen, ob
Als die Befreiten sie den Tag uns segnen?
Die Seele nur – sie möchte ihnen heut schon
In einer andren Herrlichkeit begegnen.

Das Wagnis

Nicht den Fels zu erschüttern vermag ich, wie Orpheus vermochte,
Aber ich wage das Wort, wie das Wort er gewagt.
Steine schweigen, ich weiß. Doch, wenn ein Herz ich bewegte,
Wär ich, bewegt ich ein Herz, nicht von des Orpheus Geschlecht?

Reinhold Schneider
1903–1958

Allein den Betern kann es noch gelingen,
Das Schwert ob unsern Häuptern aufzuhalten
Und diese Welt den richtenden Gewalten
Durch ein geheiligt Leben abzuringen.

Denn Täter werden nie den Himmel zwingen;
Was sie vereinen wird sich wieder spalten,
Was sie erneuern über Nacht veralten,
Und was sie stiften Not und Unheil bringen.

Jetzt ist die Zeit, da sich das Heil verbirgt
Und Menschenhochmut auf dem Markte feiert,
Indes im Dom die Beter sich verhüllen,

Bis Gott aus unsern Opfern Segen wirkt
Und in den Tiefen, die kein Aug entschleiert,
Die trocknen Brunnen sich mit Leben füllen.

Entfremdet ist das Volk mir, nur sein Leiden
Bedrängt mich nachts, und furchtbar drückt die Not,
Daß ich nicht spreche nach des Herrn Gebot
Und schweigend seh das Heilige verscheiden.

Ob aller Augen sich am Glanze weiden,
Seh ich die Nacht, das Unheil und den Tod,
Und wie der Untergang im Siege droht
Und sich in falschen Ruhm Verderber kleiden.

Verkehrt sind alle Zeichen, stumm die Dichter.
Es bannt das Wort nicht mehr die Todesmächte,
Die deine Seele, Volk, in Fesseln schlagen.

Mein Volk, mein Volk, wie wird der ewige Richter
Dereinst uns wägen nach dem ewigen Rechte,
Wenn er nicht zählte, was wir stumm getragen!

Müßt ich den Tod nicht schauen, hielt' ein Traum
Von Macht und Größe meine Stirn umfangen,
Säh ich der Erde Reiche vor Dir prangen,
Beherrschter Meere glanzverhüllten Saum,

Und böt ich Dir verruchter Worte Schaum:
Du würdest fest an meinen Lippen hangen;
Doch ist die Wahrheit durch mein Herz gegangen,
Die herrlich niederstieg in Zeit und Raum.

Dies ist mein Schicksal, daß von Deinem Ende
Mein Mund die leidzerstörten Worte spricht,
Daß mir die Seele bebt vom Untergang.

In Todesbangen hebe ich die Hände,
Da schon der Himmel glüht, das Schwert zerbricht,
Und im Gebet verstummt mir der Gesang.

Albrecht Haushofer
1903–1945

Mutter

Ich sehe Dich in einer Kerze Licht
im Rahmen einer dunklen Pforte stehn.
Du spürst die Kühle von den Bergen wehn.
Du frierst ja, Mutter . . . dennoch weichst Du nicht.

Du schaust mir nach, der in die Nacht enteilt,
in dunklen Schicksals ungewisse Frist,
mit einem Lächeln, das nur Weinen ist,
mit einem Schmerz, den kein Vertrauen heilt.

Ich sehe Dich in Deiner Liebe Licht
im Zittern Deiner weißen Haare stehn.
Du spürst die große, dunkle Kühle wehn –

und langsam, langsam senkt sich Dein Gesicht.
Noch immer leuchtet fern der Kerze Schein –
Du frierst ja, Mutter . . . Mutter – geh hinein . . .

Schuld

Ich trage leicht an dem, was das Gericht
mir Schuld benennen wird: an Plan und Sorgen.
Verbrecher wär' ich, hätt' ich für das Morgen
des Volkes nicht geplant aus eigner Pflicht.

Doch schuldig bin ich anders als ihr denkt,
ich mußte früher meine Pflicht erkennen,
ich mußte schärfer Unheil Unheil nennen –
mein Urteil hab ich viel zu lang gelenkt . . .

Ich klage mich in meinem Herzen an:
ich habe mein Gewissen lang betrogen,
ich hab mich selbst und andere belogen –

ich kannte früh des Jammers ganze Bahn –
ich hab gewarnt – nicht hart genug und klar!
und heute weiß ich, was ich schuldig war . . .

Rattenzug

Ein Heer von grauen Ratten frißt im Land.
Sie nähern sich dem Strom in wildem Drängen,
Voraus ein Pfeifer, der mit irren Klängen
zu wunderlichen Zuckungen sie band.

So ließen sie die Speicher voll Getreide –
was zögern wollte, wurde mitgerissen,
was widerstrebte, blindlings totgebissen –
so zogen sie zum Strom, der Flur zuleide . . .

Sie wittern in dem Brausen Blut und Fleisch,
verlockender und wilder wird der Klang –
sie stürzen schon hinab den Uferhang – –

ein schriller Pfiff – ein gellendes Gekreisch:
Der irre Laut ersäuft im Stromgebraus . . .
die Ratten treiben tot ins Meer hinaus . . .

Zeit

Ich träumte viel bei Nacht und viel bei Tag.
Die Zeit ist ohne Wert. Ich kann vergessen,
der Stunde wie der Woche Gang zu messen,
wenn ich mich nicht auf sie besinnen mag.

Doch wittern auch die Träume wohl die Zeit. –
Erwach ich dann im Dienstgeklirr der Schlüssel,
vom Mittagsruf nach meiner Suppenschüssel,
und raffe mich, zum Täglichen bereit:

Dann weiß ich, aus den Träumen aufgestört,
wie einer fühlt in seinen letzten Stunden,
der an ein ruderloses Boot gebunden,

den Fall des Niagara tosen hört.
Die Wasser schlagen an des Bootes Rand.
Sie strömen rasch. Gebunden – ist die Hand . . .

Rudolf Hagelstange
* 1912

Aus: *Venezianisches Credo*

So aber würfeln Knechte um die Habe
und Schergen um das Leben des Entehrten,
dem sie Gewalt antun. Den Unbewehrten
wird Wiege schon und Mutterleib zum Grabe.

Die Knaben bluten aus auf ihrem Schilde,
und Jünglinge verseufzen ohne Klage.
Die Weiber fluchen heimlich schon dem Tage,
da sie gebaren. Ach, wem scheint der milde,

friedvolle Mond des Alters noch? Dem Armen
bleibt eine Hütte sonst, ein Bett dem Greisen.
Jetzt aber reicht kein menschliches Erbarmen

an seine Not. Nichts bleibt dem Weisen
und nichts dem Toren als ein Herz voller Trauer,
des Mundes Wehruf und der Reue Schauer.

Denn was geschieht, ist maßlos. Und Entsetzen
wölkt wie Gewitter über jedem Nacken.
Es jagt der Tod mit flammenden Schabracken
durch Tag und Nacht, und seine Hufe fetzen,

was Werk und Leben heißt, zu tausend Stücken.
Sein Geißelhieb weiß jeden Leib zu finden.
Sein Atem läßt die Sehenden erblinden,
und Baum und Strauch verfällt vor seinen Blicken.

Bis in die Träume flackert sein Gelächter,
und in die Zukunft reiht er die Gebeine,
ein Mordbesessener und an Blut Bezechter.

Wer baut, wenn noch bei letzten Brandes Scheine
ein Gott dem Würger in die Zügel fällt,
aus diesem Chaos eine neue Welt?

Memento

An den Wassern Babylons
haben wir nicht gesessen.
Aber keines Klagetons
Schwingung sei uns vergessen.

Vor den Mauern Jerichos
haben wir nicht geblasen.
Aber der stürzenden Mauern Stoß
schreckt uns noch unterm Rasen.

In den Tempeln Jerusalems
haben wir nicht gebetet.
Doch mit dem Blute Seths und Sems
ist unser tägliches Brot geknetet.

Die Schlacht auf den
Katalaunischen Feldern

Zum Abend schwieg das erzene Gedröhn.
Die Geier stießen nieder aus den Horsten,
umkreisend Fleisch und Bein, das weh geborsten,
und übertönend der Verwundeten Gestöhn.
Die Luft war warm vom Blute und wie Föhn.

Raubtieren gleich, verbissen und verkrallt,
lag Feind bei Feind auf der zerwühlten Erde,

einträchtig nur in letzter Streitgebärde,
die abgehauenen Fäuste um den Knauf geballt,
die Augen weit vom Hasse, starr und kalt.

Die Geier wollten landen. Aber sieh:
Wie Weizenbrot, das wir in Wasser tunken,
ward jäh ihr Flügelpaar so schwer und trunken,
daß nie gekannte Furcht die Gier, die sie
in ihren Kehlen stimmten, überschrie.

Denn in den Lüften wogt' es dumpf und wirr.
Die Geister der im Kampf gefallnen Streiter
erhoben sich und fochten ruhlos weiter.
Die Sphäre zitterte von dem Geschwirr
der Pfeil' und Speere und vom Schwertgeklirr.

Der Tag erlischt. Doch nicht erlischt der Streit.
In sein Gewoge mischen sich Dämonen.
Es wächst die Schlacht in neue Dimensionen.
Aus allen Gräbern der Vergangenheit
stößt Heer zu Heer und füllt den Himmel weit.

Längst ist des Tages Losung nicht mehr wahr.
Von den Standarten fielen Zeichen, Bänder.
Kein Name nennt der Toten Vaterländer.
Kein Feldherr führt befehlend eine Schar.
Feind ist, der gestern Kampfgenosse war.

Wer nennt das Katalaunische Gefild!
Nicht Styx und Lethe heißen hier die Flüsse,
die Grenzen sind. Nicht gelten die Beschlüsse
von Königen und Konsuln. Was hier gilt,
läßt Tote nicht als Tote auf dem Schild.

Denn noch die Toten in den Lüften schlagen weiter
die Schlacht auf Katalauniens Gefilden.

Grand Canyon

I

Grand Canyon Station. Es krümelt noch Schnee.
Dreihundert Yards hanghinauf: El Tovar Hotel.
(Man fährt dich im Bus, und das geht schnell.)
Touristen wenig; meist Geld-Hautevolee.
Du kaufst eine Karte ‚All expense day':
Breakfast, Lunch, Dinner; zwei Auto-Touren;
einen Geologen auf Schöpfungsspuren
und – nicht zu vergessen –: Indianertanzen.
(Vierzehn Dollar im ganzen.)
Ein gezähmter Hopi mit rotem Band
nimmt den Mantel, öffnet Türen und Hand.
Hinein (den Quarter)!

Good morning! – grüßt eine Reißbrettlady
gewinnend mit ihren Scholtz-Klinck'schen Zöpfchen.
An der Wand – Hallo! – ein elegischer Hirsch
mit einem Halstuch aus rosa Tüll
(es ist hier noch kühl im April).
Und auf den Tischen: die Primeltöpfchen.
Aber quand même
oder nevertheless:
irgendwie angenehm.
Marvellous.

Die Pampelmuse. Dann Leber mit Pilzen.
Ein erster Blick in das Baumkuchental.
Colorado River bräunelt fatal.
Du vermißt die Berge, die profilierten,
wohlproportionierten,
die Mönche, Jungfrau und Matterhörnchen.
Sie sitzen dir noch wie lästige Dörnchen
im europäischen Augenpaar.

Dennoch: gigantisch und original.
Hochplateau
von erlesenem,
noch nicht dagewesenem
Niveau.

II

Du stehst und siehst.
Sieh lange! Und verschmähs,
nach Göttern und Titanen auszuspähen,
Prometheus hier und Buddha anzusiedeln,
den Fasten-Christus in der Wüste . . .
Kein Engels-Fenster, Wotans-Thron,
kein Schiwa-, Brahma-, Zoroaster-Tempel
(die Eselsbrücken fader Denkmalspoesie)
solln deinem Ausgesetztsein einen Winkel bieten,
in den du flüchtest. Halt dich nicht
an einer Schleppe der Vergangenheit.
Sie reißt dir ab.

Ist Zeit noch Zeit, da – hätten sie Grabkammern
in dieses Steingewebe eingeschnitten –
Lenin und Cäsar, Sokrates und Moses,
nur ein paar Fuß der eine unterm andern,
beisammen liegen würden? Wieviel Male
hat dieser Fluß da unten
den Lichtweg eines Jahrmillionen
entfernten Sternes wiederholt, um nun
(vielleicht nur Schatten seiner selbst)
als Rune in dies Tal gekerbt zu sein . . .?

Schrift, die du nicht entzifferst. Farben,

die keine Netzhaut fängt. Und Formen,
die ein so überhastetes und klammes
Gefühl wie deines nicht begreift.
Hier ist Geschichte nur ein dünnes Eis
auf ungemeßnem See. Kulturen, Reiche
nur eines Schlittschuhs Spur. Darunter
beginnt Beginnen ohne je Beginn.
Terrassen und Arenen, Pyramiden,
Pagoden, Kathedralen – die Entwürfe
sind hier entworfen, hundert Formen
hier vorgeformt im Anonymen;
Substanzen, Arten eingegangen
ins Mineral des Seins.
Hier sind sie eines: Sandkorn, Vogel, Baum,
Fisch, Mensch, Insekt. Amorphes und Gestalt.
Materie.

Geläufig sind dir die Gestirne. Meere
befährst du, überfliegst du ohne Staunen.
Hier
würden dir
ein neues Denken, neue Sinne,
ein neues Herz erwachsen können,
schlügst du Wurzel. Doch wer kann
je in den Schoß zurück,
aus dem er stieg . . .

[Hopi: nordamerik. Indianerstamm. – Scholtz-Klinck: Frauenführerin im Dritten Reich.]

Lied der Jahre

Wer bin ich und wie halte ich die Jahre,
die glühn, verflackern, sinken wie der Mohn?
Wohin der Duft? Und wer bewahrt den Ton?
Hoch flog der Ball im Aufwind junger Jahre.
Nun fällt er schon . . .?

Ist dies verloren, ist es je geschehen?
Schlaf unter Sternen; Küsten meerumblaut;
der Ströme Wandern; Städte hochgebaut? –
Ich könnte wieder alte Straßen gehen . . .
Sie wären nicht vertraut.

Wer bin ich, da mir dies entsunken?
Und wer vor dem, das Zukunft mir gespart?
Und wer, vom Winde wach, vom Weine trunken,
inmitten dieses Schwarms und dieser Fahrt
von Seevögeln und von Geisterfunken?
Gib Antwort, Gegenwart!

Ich bin, ich atme – eines: Mund und Flöte.
Ich spiele mir ein Lied; ich bin das Lied.
Ich bin der Hauch, der durch die Höhlung zieht,
der Spieler und das Spiel, der Leib der Flöte,
der Flöte Lied.

Was frag ich nach dem Lied verschollner Jahre . . .
Ich bin. Ich atme. Hör ich nicht den Ton?
Hell schwebt die Wolke. Leuchtend brennt der Mohn.
Die Flöte harrt. Laß singen deine Jahre.
Ich hör sie schon.

877

Hans Egon Holthusen
* 1913

Tabula rasa

Ein Ende machen. Einen Anfang setzen,
Den unerhörten, der uns schreckt und schwächt.
Noch einmal will das menschliche Geschlecht
Mit Blut und Tränen diese Erde netzen.

Wir sind nicht mehr wir selbst. Wir sind in Scharen.
Wir sind der Bergsturz, der Vulkan, die Macht.
Der ungetüme Wille der Cäsaren
Wirft uns in großen Haufen in die Schlacht.

Was für ein Dämon, der uns ohn' Erbarmen
Ergreift und wringt und schleudert hin und her!
Wir häufen Tote, ratlos, wir verarmen
Von Jahr zu Jahr. O rasender Verzehr!

Wir brechen alle Brücken ab, zerstören
Sehr rasch und unbeirrbar, was uns frommt.
Aus allen Dächern Feuer! Wir beschwören
Die Zukunft, die mit der Verzweiflung kommt.

Wir reden ungereimtes Zeug. Wir haften
Nicht mehr am Wahren. Wunderlich vergällt
Ist uns der Schmerz. Noch unsre Leidenschaften
Sind Griffe in die Luft, die nichts enthält.

Und doch, wir leiden. Sprachlos. Aber wer,
Wer schweigt aus uns, und was wird uns verschwiegen?
Wer zählt die Trümmer unsrer Welt – und mehr:
Die Dunkelheiten, die dazwischen liegen?

Wer ist es, raunend in Verborgenheit,
Und wohnt in eines Menschenherzens Enge
Und keltert *einen* Tropfen Ewigkeit
Im dunklen Wirbel unsrer Untergänge?

Seliger Fischzug

Wie ein Fischer, der einen übermäßigen,
Netzzerreißenden Fang durch die Gründe des Meeres zieht,
Also schlepp ich mein Herz, mein kummerbeschwertes,
Diese von tausend lebhaften Schmerzen
Wie von silbernen Fischen bevölkerte Bürde des Herzens,
Mühsam durch die salzigen Fluten der Zeit.
Mühsam und selig. Denn du, Herr, deine erregende
Anwesenheit im schäbigen Gastrecht der Krippe

Wirbelt gewaltig empor, überflutet die Ufer des Schicksals,
Und das Meer deiner Freude, die steigende, schwellende,
Widersinnige Freude ist tiefer als jegliche Trauer:
Bodenlos, tiefer als alles, so tief, daß sogar der
Schlanke, entschlossene Taucher der reinen Verzweiflung
Niemals auf Grund kommt. Auch nicht der andre, sein rascher Verfolger,
Tollkühn, in der Hitze verzehrenden Mitleids.
Auch der Selbstmörder nicht und die grimmigen Ängste,
Die unsern Brüdern das Herz wie mit wölfischen Zähnen befallen,
Ängste der Mütter, der Söhne, der Henker und der Gehenkten.
Nicht der entsetzliche Blutsturz, den wir Geschichte
Nennen. Nicht die Verdammten des Krieges, nicht die Geblendeten,
Nicht die Gefangenen, denen die Hoffnung vertrocknet.
Nicht die da zittern und schreien nach Recht wie reißende Saiten,
Die das entfesselte Unrecht tödlich bespielte –,
Keiner der weitzersprengenden Schrecken am Rande der Seele,
Auch nicht das Letzte, der heisere Wehlaut des Menschen
Über sein steckengebliebenes und wie im Nebel verirrtes
Und für immer vereiteltes Dasein auf Erden: auch dies nicht.
Denn das Bad deiner Liebe, o Herr, diese kühne Verwandlung
Einer Woge von Leiden ins Weltmeer deines Erbarmens,
Steht uns schon fast bis ans Kinn, dicht unter dem singenden Munde,
Und das im Finstern schwankende Licht deiner Ankunft
Leuchtet uns zahllos vermehrt, in hundertmaliger Brechung,
Da wir es durch die Kristalle der süßesten Tränen erblicken.

Ballade nach Shakespeare

Warum wird Hamlet nimmermehr
Bei seiner Liebsten schlafen?
Sie haben ein Bett, und das Bett ist leer,
Das Schiff hat keinen Hafen.

Ophelia hat sich dargebracht,
Und Hamlet war eingeweiht,
Aber die Zeit ihrer Liebesnacht
War nicht in dieser Zeit.

Er ist nicht fern. Er hat seinen Sitz
Eine Sesselhöhe unter ihr.
Aber sein leidender, stäubender Witz
Ist voller Todesbegier.

Sein Geist, sein schrecklicher Mannesmut,
Schlafraubend, Grimm und Entbehren,
Eine Feuersäule, ein brennendes Blut,
Wie wird er die Bühne verheeren!

Dies alles umstellt ihn: Throne und Stufen,
Spiegel und spanische Wände.
Man hört ihn nach Gespenstern rufen,
Nach Schlaf und Tod und Ende.

Stürzt über Terrassen und Balustraden
Und tut seinem Schwerte Bescheid.
Er schleppt sich ab, mit Toten beladen,
Um nichts als Gerechtigkeit.

Du Schwert, das seinen kühnsten Stoß
Gegen die Hydra der Zeugung führt!
Verdorren muß Ophelias Schoß,
Wenn Hamlet ihn nicht berührt.

Und wenn die Liebe sie selig spricht,
Die Welt muß sich entzwein.
Die Welt in Tod und Tod zerbricht,
Manns Tod und Weibes Schrein.

Ophelias Geist, mit Mohn bestreut,
Geht zu den Nixen und Fischen.
Im Wasser treiben Kranz und Kleid,
Salbei und Wermut, Tod und Zeit
In grenzenlosem Vermischen.

879

Werner Zemp
1906–1959

Brennt meine Kerze wie eh
Im offenen Fenster sich spiegelnd,
Trübt, mich schwärzlich umflügelnd,
Nacht meiner Blätter Schnee?

Meer, das an uralter
Klippe trunken sich bricht –
Umschweift ein schimmernder Falter
Mein erschimmerndes Licht.

Daß ich ans Licht dich scheuchte,
Schaudernder Traum meiner Nacht:
Dir graut vor dem Tag meiner Leuchte,
Mir graut vor dem Flug deiner Pracht!

Eisenhut

Schon ist das Tor verrammt, die Frucht gemäht.
Kühl ward die Welt, kühl unser Blut,
Sank alles hin, was wir gesät,
Bis auf den Eisenhut.

Starr dein Gesicht, starr mein Gesicht,
Von starren Schatten überblaut,
Du siehst mich an und siehst mich nicht,
Ich lalle ohne Laut.

Ragend, uns überragend bald
Blaut, Helm an Helm, Gift, Akonit.
Aus Höllenhundes Schaum erblüht
Ein ganzer Wald.

Was bleibt, o Herr, ist frommer Dienst,
Wie ihn die Biene tut,
Bis sich mit Honig ihr verzinst
Dein Gift im Eisenhut!

Verse auf eine Pappel

I

Seit lehrend am Markte
Ich Worte mache,
Mahnt mich aufs neue,
Vielwipflig flehend
Ob meinem Dache,
Die schlanke Sibylle:

Sieh, in der Bläue,
Die niemals rasten,
Die funkelnden Tressen!
Es singt in der Stille,
Du hast es vergessen,
Es strömt im Verschwiegnen
Der flüsternde Brunnen:
O leises Lied!
Du darfst es nicht zeigen,
Es reift im Schweigen;
Wenn je es verstummte,
Soviel du gewonnen,
Du stürbest vor Reue.

Sieh diese Sträuße
Gleich Fingern von Händen
Sich öffnen im Winde:
Ich schwöre dir Treue.

II

So erhobst du dich in Nächten,
Wogtest gischtend vor dem Haus
Mit den aufgelösten Flechten.
War es Nacht? ich wills nicht wissen –
Ob den weißen, heißen Kissen
Sah ich dich im Licht von Blitzen
Blatt um Blatt bis in die Spitzen
Zaubergrün erglühn.

Tänzerin in Glanzgewittern,
Greller Wolken Flügelschlägen,
Warfst du dich dem Sturm entgegen
Wie ein liebend Weib.
Aus den windgepeitschten Flittern,
Zwischen seltnen Vogelnestern,
Gleißte, scheueste der Schwestern,
Jäh enthüllt, dein Leib.

Durch das Dröhnen loher Himmel,
Hufestampfen toller Schimmel
Jauchzt es, jauchzt es – welch ein Schrei:
Einmal, einmal es zu wagen!
Mag ein Blitzstrahl mich erschlagen
Löschend in der Nacht!

Peter Huchel
* 1903

Wendische Heide

Wendische Heide, weißes Feuer,
du Bütte Gold und Mittagsspuk,
die Grille huschte, schrillte scheuer
am Stein, der keinen Schatten trug.

Uralter Hirt, dein Volk zu hüten,
gingst du im Staub der Herde nach,
die lautlos zog, wo Wacken glühten
im öden Halmfeld heiß und brach.

Moosgrünes Fenn und Erlenruten,
der Bach, die letzte Tränke kam,
und weithin gelbe Ginstergluten,
wo stachlig hing der schwarze Bram.

Umkreist vom Hund, beschirmt von Widdern
sah ich die Herde weidend ziehn,
krummhörnig und in Feuern zittern
und Lämmer müd am Wege knien.

Verstreutes Volk in großer Helle,
erscholl nicht geisterhaft Gesang?
Umklirrt von leiser Widderschelle
stand einsam dort der Hirt am Hang.

Die Hirtenstrophe

Wir gingen nachts gen Bethlehem
und suchten über Feld
den schiefen Stall aus Stroh und Lehm,
von Hunden fern umbellt.

Und drängten auf die morsche Schwell
und sahen an das Kind.
Der Schnee trieb durch die Luke hell
und draußen Eis und Wind.

Ein Ochs nur blies die Krippe warm,
der nah der Mutter stand.
Wie war ihr Kleid, ihr Kopftuch arm,
wie mager ihre Hand.

Ein Esel hielt sein Maul ins Heu,
fraß Dorn und Distel sacht.
Er rupfte weich die Krippenstreu,
o bitterkalte Nacht.

Wir hatten nichts als unsern Stock,
kein Schaf, kein eigen Land,
geflickt und fasrig war der Rock,
nachts keine warme Wand.

Wir standen scheu und stummen Munds:
Die Hirten, Kind, sind hier.
Und beteten und wünschten uns
Gerät und Pflug und Stier.

Und standen lang und schluckten Zorn,
weil uns das Kind nicht sah.
Griff nicht das Kind dem Ochs ans Horn
und lag dem Esel nah?

Es brannte ab der Span aus Kien.
Das Kind schrie und schlief ein.
Wir rührten uns, feldein zu ziehn.
Wie waren wir allein!

Daß diese Welt nun besser wird,
so sprach der Mann der Frau,
für Zimmermann und Knecht und Hirt,
das wisse er genau.

Ungläubig hörten wirs – doch gern.
Viel Jammer trug die Welt.
Es schneite stark. Und ohne Stern
ging es durch Busch und Feld.

Gras, Vogel, Lamm und Netz und Hecht,
Gott gab es uns zu Lehn.
Die Erde aufgeteilt gerecht,
wir hättens gern gesehn.

Elegie

Es ist deine Stunde,
Mann auf Chios,
Sie naht über Felsen
Und legt dir Feuer ans Herz.
Die Abendbrise mäht
Die Schatten der Pinien.
Dein Auge ist blind.
Aber im Schrei der Möwe
Siehst du metallen schimmern das Meer,
Das Meer mit der schwarzen Haut des Delphins,
Den harten Ruderschlag des Winds
Dicht vor der Küste.

Hinab den Pfad,
Wo an der Distel
Das Ziegenhaar weht.
Siebensaitig tönt die Kithara
Im Sirren der Telegrafendrähte.

Bekränzt von welligen Ziegeln
Blieb eine Mauer.
Das Tongefäß zerbrach,
In dem versiegelt
Der Kaufbrief des Lebens lag.

Felshohe Gischt,
Felsleckende Brandung,
Das Meer mit der Haut des Katzenhais.
Am Kap einer Wolke
Und in der Dünung des Himmels schwimmend,
Weiß vom Salz
Verschollener Wogen
Des Mondes Feuerschiff.
Es leuchtet der Fahrt nach Ios,
Wo am Gestade
Die Knaben warten
Mit leeren Netzen
Und Läusen im Haar.

Chausseen

Erwürgte Abendröte
Stürzender Zeit!
Chausseen. Chausseen.
Kreuzwege der Flucht.
Wagenspuren über den Acker,
Der mit den Augen
Erschlagener Pferde
Den brennenden Himmel sah.

Nächte mit Lungen voll Rauch,
Mit hartem Atem der Fliehenden,
Wenn Schüsse
Auf die Dämmerung schlugen.
Aus zerbrochenem Tor
Trat lautlos Asche und Wind,
Ein Feuer,
Das mürrisch das Dunkel kaute.

Tote,
Über die Gleise geschleudert,
Den erstickten Schrei
Wie einen Stein am Gaumen.
Ein schwarzes
Summendes Tuch aus Fliegen
Schloß ihre Wunden.

An taube Ohren der Geschlechter

Es war ein Land mit hundert Brunnen.
Nehmt für zwei Wochen Wasser mit.
Der Weg ist leer, der Baum verbrannt.

Die Öde saugt den Atem aus.
Die Stimme wird zu Sand
Und wirbelt hoch und stützt den Himmel
Mit einer Säule, die zerstäubt.

Nach Meilen noch ein toter Fluß.
Die Tage schweifen durch das Röhricht
Und reißen Wolle aus den schwarzen Kerzen.
Und eine Haut aus Grünspan schließt
Das Wasserloch,
Als faule Kupfer dort im Schlamm.

Denk an die Lampe
Im golddurchwirkten Zelt des jungen Afrikanus:
Er ließ ihr Öl nicht länger brennen,
Denn Feuer wütete genug,
Die siebzehn Nächte zu erhellen.

*

Polybios berichtet von den Tränen,
Die Scipio verbarg im Rauch der Stadt.
Dann schnitt der Pflug
Durch Asche, Bein und Schutt.
Und der es aufschrieb, gab die Klage
An taube Ohren der Geschlechter.

Winterpsalm
Für Hans Mayer

Da ich ging bei träger Kälte des Himmels
Und ging hinab die Straße zum Fluß,
Sah ich die Mulde im Schnee,
Wo nachts der Wind
Mit flacher Schulter gelegen.
Seine gebrechliche Stimme,
In den erstarrten Ästen oben,
Stieß sich am Trugbild weißer Luft:
„Alles Verscharrte blickt mich an.
Soll ich es heben aus dem Staub
Und zeigen dem Richter? Ich schweige.
Ich will nicht Zeuge sein."
Sein Flüstern erlosch,
Von keiner Flamme genährt.

Wohin du stürzt, o Seele,
Nicht weiß es die Nacht. Denn da ist nichts
Als vieler Wesen stumme Angst.
Der Zeuge tritt hervor. Es ist das Licht.

Ich stand auf der Brücke,
Allein vor der trägen Kälte des Himmels.

Atmet noch schwach,
Durch die Kehle des Schilfrohrs,
Der vereiste Fluß?

Der Garten des Theophrast
Meinem Sohn

Wenn mittags das weiße Feuer
Der Verse über den Urnen tanzt,
Gedenke, mein Sohn. Gedenke derer,
Die einst Gespräche wie Bäume gepflanzt.
Tot ist der Garten, mein Atem wird schwerer,
Bewahre die Stunde, hier ging Theophrast,
Mit Eichenlohe zu düngen den Boden,
Die wunde Rinde zu binden mit Bast.
Ein Ölbaum spaltet das mürbe Gemäuer
Und ist noch Stimme im heißen Staub.
Sie gaben Befehl, die Wurzel zu roden.
Es sinkt dein Licht, schutzloses Laub.

Unter der Wurzel der Distel

Unter der Wurzel der Distel
Wohnt nun die Sprache,
Nicht abgewandt,
Im steinigen Grund.
Ein Riegel fürs Feuer
War sie immer.

Leg deine Hand
Auf diesen Felsen.
Es zittert das starre
Geäst der Metalle.
Ausgeräumt ist aber
Der Sommer,
Verstrichen die Frist.

Es stellen
Die Schatten im Unterholz
Ihr Fangnetz auf.

Psalm

Daß aus dem Samen des Menschen
Kein Mensch
Und aus dem Samen des Ölbaums
Kein Ölbaum
Werde,
Es ist zu messen
Mit der Elle des Todes.

Die da wohnen
Unter der Erde
In einer Kugel aus Zement,
Ihre Stärke gleicht
Dem Halm
Im peitschenden Schnee.

Die Öde wird Geschichte.
Termiten schreiben sie
Mit ihren Zangen
In den Sand.

Und nicht erforscht wird werden
Ein Geschlecht,
Eifrig bemüht,
Sich zu vernichten.

Ophelia

Später, am Morgen,
gegen die weiße Dämmerung hin,
das Waten von Stiefeln
im seichten Gewässer,
das Stoßen von Stangen,
ein rauhes Kommando,
sie heben die schlammige
Stacheldrahtreuse.

Kein Königreich,
Ophelia,
wo ein Schrei
das Wasser höhlt,
ein Zauber
die Kugel
am Weidenblatt zersplittern läßt.

Ölbaum und Weide

Im schroffen Anstieg brüchiger Terrassen
dort oben der Ölbaum,
am Mauerrand
der Geist der Steine,
noch immer
die leichte Brandung
von grauem Silber in der Luft,
wenn Wind die blasse Unterseite
des Laubs nach oben kehrt.

Der Abend wirft sein Fangnetz ins Gezweig.
Die Urne aus Licht

versinkt im Meer.
Es ankern Schatten in der Bucht.

Sie kommen wieder, verschwimmend im Nebel,
durchtränkt
vom Schilfdunst märkischer Wiesen,
die wendischen Weidenmütter,
die warzigen Alten
mit klaffender Brust,
am Rand der Teiche,
der dunkeläugig verschlossenen Wasser,
die Füße in die Erde grabend,
die mein Gedächtnis ist.

Begegnung

Schleiereule,
Tochter des Schnees,
dem Nachtwind unterworfen,

doch Wurzeln fassend
mit den Krallen
im modrig grindigen Gemäuer,

Schnabelgesicht
mit runden Augen,
herzstarre Maske
aus Federn weißen Feuers,
das weder Zeit noch Raum berührt,

kalt weht die Nacht
ans alte Gehöft,
im Vorhof fahles Gelichter,
Schlitten, Gepäck, verschneite Laternen,

in den Töpfen Tod,
in den Krügen Gift,
das Testament an den Balken genagelt.

Das Verborgene unter
den Klauen der Felsen,
die Öffnung in die Nacht,
die Todesangst
wie stechendes Salz ins Fleisch gelegt.

Laßt uns niederfahren
in der Sprache der Engel
zu den zerbrochenen Ziegeln Babels.

Brandenburg

"Ach, wie die Nachtviole lieblich duftet!"
Kleist, Prinz von Homburg

Hinter erloschenen Teeröfen
ging ich im Brandgeruch der Kiefernheide,
dort saß ein Knecht am Holzhauerfeuer,
er blickte nicht auf,
er schränkte die Säge.

Noch immer tanzt abends
der rote Ulan
mit Bauerntöchtern auf der Tenne des Nebels,
die Ulanka durchweht
von Mückenschwärmen über dem Moor.

Im Wasserschierling
versunken
die preußische Kalesche.

Der Ammoniter

Überdrüssig der Götter und ihrer Feuer
lebte ich ohne Gesetz
in der Senke des Tales Hinnom.
Mich verließen die alten Begleiter,
das Gleichgewicht von Erde und Himmel,
nur der Widder, die Moderhinke
schleifend über die Sterne, blieb mir treu.
Unter seinem Gehörn aus Stein,
das rauchlos glänzte, schlief ich nachts,
brannte Urnen jeden Tag,
die ich abends vor der Sonne
am Felsen zerschlug.
Nicht sah ich in den Zedern
die Katzendämmerung, den Aufflug des Vogels,
die Herrlichkeit des Wassers,
das über meine Arme rann,
wenn ich im Bottich schlämmte den Ton.
Der Geruch des Todes machte mich blind.

Ein Toscaner

Ist es die Stunde,
das Silber von den Dächern zu nehmen,
den Tau von den Blättern des Ölbaums zu schütteln?

Hinfällig
wie der Staub auf vergilbten Manuskripten
ist mein Leben geworden.

Nicht überschreite
die Säulen des Hercules.
Der Tod, der mürrische Maultiertreiber,

ich sah ihn gestern abend am Stall,
umschwirrt von Bremsen,
er weiß den Weg.

Bald deckt
das schwarze Profil der Berge
den Weinstock und die Brunnen zu.

Das Grab des Odysseus

Niemand wird finden
das Grab des Odysseus,
kein Spatenstich
den krustigen Helm
im Dunst versteinerter Knochen.

Such nicht die Höhle,
wo unter die Erde hinab
ein wehender Ruß, ein Schatten nur,
vom Pech der Fackel versehrt,
zu seinen toten Gefährten ging,
die Hände hebend waffenlos,
besprizt mit dem Blut geschlachteter Schafe.

Mein ist alles, sagte der Staub,
das Grab der Sonne hinter der Wüste,
die Riffe voller Wassergetöse,
der endlose Mittag, der immer noch warnt
den Seeräubersohn aus Ithaka,
das Steuerruder, schartig vom Salz,
die Karten und Schiffskataloge
des alten Homer.

Schottischer Sommer

Schottischer Sommer,
unter der Eiche
zopftrocken
sitzen die Weiber aus Cawdor,
manche verborgen im Licht der Wolken,
abgeblühte Nesseln im Sand.
Über die Felsen herab
Trompetenstöße, ein Klirren
wühlt die Brandung auf.

Nebel, der sie erzeugte,
bald ist es Winter,

dünnes, nie ruhendes Holz,
der Schnee fegt hin und her
und stäubt die Öde an.

Dürr und düster
vor der goldenen Naht des Abends
hocken sie auf zerrissenen Fellen.
Wenn der Mond
die Zeiger verrückt am Turm,
starren sie mit erloschenen Augen.
Unbewohnbar die Trauer,
die an den Klippen verebbt.

Melpomene

Bitterstachlig der Wald,
kein Küstenwind, kein Vorgebirge,
das Gras verfilzt, der Tod wird kommen
mit Pferdehufen, endlos
über die Steppenhügel, wir gingen zurück,
am Himmel suchend das Kastell,
das nicht zu schleifen war.

Feindselig die Dörfer,
die Hütten hastig geräumt,
im Dachgebälk geräucherte Haut,
Fangnetze und Knochenamulette.
Überall im Land nur böse Verehrung,
Tierhäupter im Nebel, Wahrsagerei
aus geschnittenen Weidenruten.

Später, im Norden,
hirschäugige Männer
jagten auf Pferden vorbei.
Wir begruben die Toten.
Mühsam war es,
die Axt ins Erdreich zu schlagen,
Feuer mußte den Boden auftauen.

Das Blut geopferter Hähne
wurde nicht angenommen.

Marie Luise Kaschnitz
1901–1974

Herbst im Breisgau

Drei Schritte von meinem Vaterhaus
Bin ich über meinen Schatten gesprungen.
Da hingen die Dächer firstab im Blau

Die Linden wurzelten im Wolkenbett
Die Toten flogen vom Weinberg auf
Seltene Vögel.

Gekleidet in die graue Wolle der Waldrebe
Steigt der Herbst von der Höhe.
Sitzt bei den Kindern am Wiesenfeuer.
Die braten die Frösche
Die knacken die Schenkel
Die schlagen wenn der Abend graut
Aus dem wilden schwarzen Kartoffelkraut
Funken wie Sterne.

Der Sog der Schwalben ist stärker als alles andre
Er zieht aus der glitzernden Wiese die Zeitlose auf
Und die Nebel die kommen und fliehen.
Weil die Stare so hoch im Himmel schrieen
Verlassen die Bienen den Efeu
Und die Nebel die kommen und fliehen.
Die Blätter der Linde lassen sich fallen
Und die Blätter der Rosen.
Ein Zug dorfaus
Die riesigen Sonnenblumen voraus
Die wilden schwarzen Medusen.

Dem Fels im Walde steigt der Nebel zu.
Begräbt am Hang die Buchen und den Wein.
Wo sonst die rauhen Wurzeln sich verschlingen
Hängt graues Tauwerk aus den Eisenringen.
Versteinte Muscheln färben sich opal
Meerüber kommen die verlornen Segelschiffe
Und Kinder gehen schlafen in der Grotte.
Feine Skelette legen sich zur Ruh.

Im Hohlweg zieht die kleine Prozession
Jesus aus Holz geschnitzt
Auf dem Esel aus Holz geschnitzt.
Jesus mit rosenroten Wangen
Die kleinen Räder knarren und singen
Eine Krone für mich eine Krone für Dich
Aus der roten Berberitze.

In den Springbrunnen fällt die Nacht
Wie ein Stein vom Himmel.
Schlägt dem Putto ins breite Gesicht,
Reißt ihm die Locken herunter.
Auf der Rose dem schwankenden Lächeln
Treiben die Fische tot.

Im grünen Osten steht der Fürst der Welt
Die Blüte in der Hand.
Im roten Westen steigt mit Lilienhänden

Das Fleisch gen Himmel.
Mein Bett das leichte Holz
Treibt auf dem versandenden Strome.
Die Uhren schlagen. Keine Stunde gilt.

Auferstehung

Manchmal stehen wir auf
Stehen wir zur Auferstehung auf
Mitten am Tage
Mit unserem lebendigen Haar
Mit unserer atmenden Haut.

Nur das Gewohnte ist um uns.
Keine Fata Morgana von Palmen
Mit weidenden Löwen

Und sanften Wölfen.

Die Weckuhren hören nicht auf zu ticken
Ihre Leuchtzeiger löschen nicht aus.

Und dennoch leicht
Und dennoch unverwundbar
Geordnet in geheimnisvolle Ordnung
Vorweggenommen in ein Haus aus Licht.

Notizen der Hoffnung

Nicht zu vergessender Stein
Der mir den Himmel aufriß
Brunnentief über den Erlen
Nicht zu vergessender
Singender Pfiff
Aus dem Herzen des Reisigfeuers.
Nicht zu vergessendes Wiegen
Ast über Ast
Der Knaben im Buchenskelett
Nicht zu vergessende Märzsonne
Ungebührliches Scheinen
Und purpurner Seidelbast
Tannenschonungsversteckt
Blühend für keinen.

Hiroshima

Der den Tod auf Hiroshima warf
Ging ins Kloster, läutet dort die Glocken.
Der den Tod auf Hiroshima warf
Sprang vom Stuhl in die Schlinge, erwürgte sich.
Der den Tod auf Hiroshima warf
Fiel in Wahnsinn, wehrt Gespenster ab
Hunderttausend, die ihn angehen nächtlich
Auferstandene aus Staub für ihn.

Nichts von alledem ist wahr.
Erst vor kurzem sah ich ihn
Im Garten seines Hauses vor der Stadt.
Die Hecken waren noch jung und die Rosenbüsche zierlich.
Das wächst nicht so schnell, daß sich einer verbergen könnte
Im Wald des Vergessens. Gut zu sehen war

Das nackte Vorstadthaus, die junge Frau
Die neben ihm stand im Blumenkleid
Das kleine Mädchen an ihrer Hand
Der Knabe der auf seinem Rücken saß
Und über seinem Kopf die Peitsche schwang.
Sehr gut erkennbar war er selbst
Vierbeinig auf dem Grasplatz, das Gesicht
Verzerrt von Lachen, weil der Photograph
Hinter der Hecke stand, das Auge der Welt.

Karte von Sizilien

Ich zeichne euch den Umriß. Einen Flügel
Wie von der Schulter einer Siegesgöttin.
Den Aufriß, eine Scholle Felsgebirge
Stehen geblieben unterm Glanz der Sonne
Indes mit Tang und Sand und Zug der Fische
Das Meer die süßen Ebenen bedeckt.
Das dunkle Strichwerk meint den Sturz der Hänge.
Flußtäler sieben bleiben ausgespart.
Ein Zackenkranz der Berg, wo Eis und Feuer
Heilige Hochzeit halten. Jetzt rückt näher
Am Abendtisch. Den Ölkrug heb ich auf.
Wo ich die Tropfen fallen lasse, wachsen
Wälder von schwarz und silbernen Oliven.
Wo ich das Brot zerkrümle, weht die Saat
Auf roten Hügeln, weiter Weg der Pflugschar.
Das weiße Salz im Osten ausgeschüttet
Meint Nahrung aus dem Meere, Salz und Fische
Aber das gelbe Mondviertel Citrone im Norden
Schatten der Laubendächer. Süßen Blühduft.

Die roten Pfeile, ausgestreckt im Meer
Dieser vom Festland, dieser von Afrika,
Dieser von Spanien, der aus der Peloponnes
Sind die Schiffswege der fremden Eroberer.
Nun hebt vom Gartenpfad die weißen Kiesel
Zu zweien, dreien. Glänzen sie Euch nicht
Tempeln und Domen gleich im Mondeslicht –
Doch stampf ich mit den Füßen, seht
Wie sie schüttern und tanzen
Wie im Beben der Erde der fällt, der steht.
Die Lampe rück ich fort und wieder her
Und wieder fort. Nun Licht. Nun Dunkelheit.
Glanz und Verderben, ewiger Widerstreit.
Wo ist der kleine Bauer, den ich mir
Aus Brot geknetet? Dieser steht noch immer
Die Hacke in der Hand. Ein wenig tiefer
Gebeugt als zu Beginn. Was ist das Ganze?
Brot, Blut und Stein. Ein Stückchen Abendland.

Genazzano

Genazzano am Abend
Winterlich
Gläsernes Klappern
Der Eselshufe
Steilauf die Bergstadt.
Hier stand ich am Brunnen
Hier wusch ich mein Brauthemd
Hier wusch ich mein Totenhemd.
Mein Gesicht lag weiß
Im schwarzen Wasser
Im wehenden Laub der Platanen.
Meine Hände waren
Zwei Klumpen Eis
Fünf Zapfen an jeder
Die klirrten.

893

Nicht gesagt

Nicht gesagt
Was von der Sonne zu sagen gewesen wäre
Und vom Blitz nicht das einzig richtige
Geschweige denn von der Liebe.

Versuche. Gesuche. Mißlungen
Ungenaue Beschreibung

Weggelassen das Morgenrot
Nicht gesprochen vom Sämann
Und nur am Rande vermerkt

Den Hahnenfuß und das Veilchen.

Euch nicht den Rücken gestärkt
Mit ewiger Seligkeit
Den Verfall nicht geleugnet
Und nicht die Verzweiflung.

Den Teufel nicht an die Wand
Weil ich nicht an ihn glaube
Gott nicht gelobt
Aber wer bin ich daß

Verlorene Zeit

Eine Kerze herabbrennen sehen
Bis sie von selber auslöscht
Bis im teigigen Wachsfluß
Ihr Dorn erstarrt

Eine Rose einschrumpfen sehen
Braunblättrige beperlt
Vom kalten Schweiß November
Und die junge Krebskranke die
Eben noch blühte

Und hängt jetzt ein Vogelskelett
In den Armen der Nonne

Schwarzer Kalender
O wieviel Zeit vertan
Frühlinge übergangen
Knospen geringgeschätzt

Wieviel kostbare Zeit vertan
An den Strohkönig Tod.

Mein Land

Ich habe mein Land abgesteckt
Mit gefrorenen Fischen
Und mit raschelndem Maiskolbenlaub
Meinen Weg ins Freie
Eisfarren zieh ich mir auf
An meiner Fensterscheibe
Für meine Besucher
Hauch ich ein kreisrundes Loch
Sie sehen meine Augen
Meine vergeblich
Winkenden Wimpern
Um Mitternacht fegt durch den Mais
Der Slalom der Geister.

Müllabfuhr

Meine Gedichte
Ins Schmierheft gekritzelt
Verworfen zerhackt
Mit neuen Gliedmaßen ausgestattet
Blau angestrichen rot

Mit Flitter behangen
Der Flitter heruntergerissen
Kargwort neben Kargwort.

Endlich das Ganze zerknüllt
Von der Hand in den Müll
Und fortgerollt mit Getöse
Am nächsten Morgen
Nur Worte noch zwei oder drei
Tanzen im Kielstaub
Leuchten auf in der Sonne.

Rose Ausländer
* 1907

Ein Tag im Exil

Ein Tag im Exil
Haus ohne Türen und Fenster

Auf weißer Tafel
mit Kohle verzeichnet
die Zeit

Im Kasten
die sterblichen Masken
Adam
Abraham
Ahasver

Wer kennt alle Namen

Ein Tag im Exil
wo die Stunden sich bücken
um aus dem Keller
ins Zimmer zu kommen

Schatten versammelt
um's Öllicht im ewigen Lämpchen
erzählen ihre Geschichten
mit zehn finstern Fingern
die Wände entlang

New Yorker Weihnachten

In erträumten Türmen
läuten Glocken Mirakel

Läden fiebern
aus Drehtüren rollen Lieder
in den Tumult

Tannen lächeln
elektrische Liebe

Taube weihnachtsweiß
deine Botschaft
in welchem Reich
freundlich aufgenommen
auf welcher Tanne wächst
dein Gefieder

895

Die verschollenen Könige
kommen heute nach New York
mit magischen Geschenken
Sie pilgern nach Harlem
zu den Spirituals
verbrüdern sich im Hafen
mit der Mannschaft gescheiterter Schiffe
verloben sich in der Bar
mit Branntweinbräuten

In imaginären Türmen
läuten Glocken Mirakel

Wann ziehn wir ein

Wann ziehn wir ein
ins besamte Wort
Löwenzahnhaus
feingesponnen
im luftfarbnen Licht

Kein Luftschloß
Wortall
jedes Wort
in der Kugel
ein Samen

Wann graben wir aus
den verschütteten Quell
werfen alle Münzen
in den Brunnen
schöpfen Wassersterne
für die Löwenzahnwiese

Wann ziehn wir ein
in den Löwenzahnstern
ins besamte Wort

Mühlen aus Wind

Das tägliche Brot
kommt uns teuer zu stehen

Mühlen aus Wind
mahlen Sandmehl

Am Rand einer Rinde
ernährt sich
die Not

Gib was du nicht hast
Liebe dem Nachbar

Was suchst du
im flüchtenden Wasser
Narziß

Der Brunnen

Im verbrannten Hof
steht noch der Brunnen
voll Tränen

Wer weinte sie

Wer trinkt
seinen Durst leer

Günter Eich
1907–1972

Aurora

Aurora, Morgenröte,
du lebst, oh Göttin, noch!
Der Schall der Weidenflöte
tönt aus dem Haldenloch.

Wenn sich das Herz entzündet,
belebt sich Klang und Schein,
Ruhr oder Wupper mündet
in die Ägäis ein.

Uns braust ins Ohr die Welle
vom ewigen Mittelmeer.
Wir selber sind die Stelle
von aller Wiederkehr.

In Kürbis und in Rüben
wächst Rom und Attika.
Gruß dir, du Gruß von drüben,
wo einst die Welt geschah!

Abgelegene Gehöfte

Die Hühner und Enten treten
den Hof zu grünlichem Schmutz.
Die Bauern im Hause beten.
Von den Mauern bröckelt der Putz.

Der Talgrund zeichnet Mäander
in seine Wiesen hinein.
Die Weide birgt Alexander,
Cäsarn der Brennesselstein.

Auch wo die Spinnen weben,
der Spitz die Bettler verbellt,
im Rübenland blieben am Leben
die großen Namen der Welt.

Die Ratten pfeifen im Keller,
ein Vers schwebt im Schmetterlingslicht,
die Säfte der Welt treiben schneller,
Rauch steigt wie ein feurig Gedicht.

Inventur

Dies ist meine Mütze,
dies ist mein Mantel,
hier mein Rasierzeug
im Beutel aus Leinen.

Konservenbüchse:
Mein Teller, mein Becher,
ich hab in das Weißblech
den Namen geritzt.

Geritzt hier mit diesem
kostbaren Nagel,
den vor begehrlichen
Augen ich berge.

Im Brotbeutel sind
ein Paar wollene Socken
und einiges, was ich
niemand verrate,

so dient es als Kissen
nachts meinem Kopf.
Die Pappe hier liegt
zwischen mir und der Erde.

Die Bleistiftmine
lieb ich am meisten:
Tags schreibt sie mir Verse,
die nachts ich erdacht.

Dies ist mein Notizbuch,
dies meine Zeltbahn,
dies ist mein Handtuch,
dies ist mein Zwirn.

Latrine

Über stinkendem Graben,
Papier voll Blut und Urin,
umschwirrt von funkelnden Fliegen,
hocke ich in den Knien,

den Blick auf bewaldete Ufer,
Gärten, gestrandetes Boot.
In den Schlamm der Verwesung
klatscht der versteinte Kot.

Irr mir im Ohre schallen
Verse von Hölderlin.
In schneeiger Reinheit spiegeln
Wolken sich im Urin.

„Geh aber nun und grüße
die schöne Garonne –"
Unter den schwankenden Füßen
schwimmen die Wolken davon.

Wiepersdorf, die Arnimschen Gräber

Die Rosen am Verwildern,
verwachsen Weg und Zaun, –
in unverwelkten Bildern
bleibt noch die Welt zu schaun.

Tönt noch das Unkenläuten
zart durch den Krähenschrei,
will es dem Ohr bedeuten
den Hauch der Zauberei.

Umspinnt die Gräberhügel
Geißblatt und Rosendorn,
hört im Libellenflügel
des Knaben Wunderhorn!

Die Gräser atmen Kühle
im gelben Mittagslicht.
Dem wilden Laubgefühle
versank die Stunde nicht.

Im Vogelruf gefangen,
im Kiefernwind vertauscht
der Schritt, den sie gegangen,
das Wort, dem sie gelauscht.

Dem Leben, wie sies litten,
aufs Grab der Blume Lohn:
Für Achim Margeriten
und für Bettina Mohn!

Nicht unter Stein und Ranke
schläft oder schlägt ihr Herz,
ein ahnender Gedanke
weht her von anderwärts.

Verstummen uns die Zeichen,
wenn Lurch und Krähe schwieg,
hallt aus den Sternbereichen
die andere Musik.

Schuttablage

Über den Brennesseln beginnt,
keiner hört sie und jeder,
die Trauer der Welt, es rührt der Wind
die Elastik einer Matratzenfeder.

Wo sich verwischt die goldene Tassenschrift,
im Schnörkel von Blume und Trauben,
wird mir lesbar, – oh wie es mich trifft:
Liebe, Hoffnung und Glauben.

Ach, wer fügte zu bitterem Scherz
so die Scherben zusammen?
Durch die Emaille wie durch ein Herz
wachsen die Brennesselflammen.

Im verrosteten Helm blieb ein Wasserrest,
schweifenden Vögeln zum Bade.
Verlorene Seele, wen du auch verläßt,
wer fügt dich zusammen in Gnade?

Es ist gesorgt

Es ist gesorgt,
daß die Armen nicht ohne Gebete einschlafen.
Der Güterzug spricht, was ihm vorgezeichnet ist.
Wort um Wort fällt der Wassertropfen ein.
Gegen Morgen liest der Wind
in dorrenden Blättern.

Nicht geführte Gespräche
für Peter Huchel

Wir bescheidenen Übersetzer,
etwa von Fahrplänen,
Haarfarbe, Wolkenbildung,
was sollen wir denen sagen,
die einverstanden sind
und die Urtexte lesen?

(So las einer
aus Eulenspiegels Büchern
die Haferkörner)
Vor soviel Zuversicht
bleibt unsere Trauer windig,
mit Regen vermischt,
deckt die Dächer ab,
fällt über jedes Lächeln,
nicht heilbar.

Zukunftstraum

Erdacht
vom Scharren alter Blätter
nachts,
die Platanenpyramide,
Brauchtum
aus künftigen Jahrhunderten,
neben den gezähmten Spinnen im Kerker,
den Plastiken aus Stacheldraht,
Patiencen gemalt mit Kot.

Erdacht
bei künstlichem Licht,
verwerfliche Träume,
weil sie Möglichkeiten verrufen:
die Verwendung von Klaviersaiten
in Justiz und Kunst,
die Platanenpyramide
geschmückt mit Erhängten.

Fußnote zu Rom

Ich werfe keine Münzen in den Brunnen,
ich will nicht wiederkommen.

Zuviel Abendland,
verdächtig.

Zuviel Welt ausgespart.
Keine Möglichkeit
für Steingärten.

Entwicklung

Verzögerungen erfinden,
Relais einbauen,
Umwege, Aufenthalte, Wartesäle.

Kann, soll und muß,
und kreuzungsfrei,
im Hundert, vom Hundert, auf Hundert.

Und schließlich einsilbig,
Buchstaben, Interjektionen
zusammenschrumpfend,

Hinweise auf Wörterbücher,
Journale, der Vorzug
von Sprachfehlern.

Armer Sonntag

Armer Sonntag.
Eilige Verse auf
die Ölwolken der Autobusse,
auf Schneisen im Ahornlaub,
die abgekartete Schönheit.

Armer Sonntag,
blaugestreift, blaugepunktet,
die Schaukeln sind ausgehängt,
ins Museum der Tröstungen
geifert die Sonne ein
und zeigt auf den fröhlichen Staub.

Armer Sonntag,
Stunde der Prächtigen,
keine verstohlene Wollust
im toten Winkel,
alle Segel gehißt und mit starren
Brustwarzen in die Gesundheit.

Kunsttheorien

Lottoscheine,
von Dickhäutern betrachtet,
die Sinnsprüche der Hauptfeldwebel.
Dies, oh Freund, ist mein Mohn.

Versmaße halten nicht vor.
Keine Lust mehr anzustehen
um die Aufenthaltserlaubnis
für erfundene Länder.
Lieber, laß uns die Einsätze
erhöhen, sicher sind
Kugel und Strick, die vergitterten
Fenster, sicher
die Farbflecken auf Papier
und alten Augen.

und Wirklichkeit

Mehrsprachig, Podiumsgespräche,
Lyrik
ihrem Wesen nach faschistoid,
Prozesse in Flattersatz,
Gewalt notwendig
um die Welt zu ändern,
befestigte Elfenbeintürme,
die realistische Schreibweise

dient der Macht,
verzweifelt
nach ungeschriebnen Sexualien gesucht,
and Mary means:
der Mett heiligt die Zwickel.

Optik

Wenn das Auge schlechter wird,
geht man näher heran,
um die Freunde zu erkennen.

Setzt eine Brille auf,
benutzt Kontaktgläser
und bemerkt

ganz nahe
das Schwarze
unterm Fingernagel des Feindes.

Wolfgang Weyrauch
* 1907

Oh, when the Saints go marching in

Oh, when the Saints go marching in,
besuchen sie das ärmste Kind
mit Puppen und mit Broten,
und wenn sie damit fertig sind,
ziehn sie zum Bürgermeister hin,
entsprechend den Geboten,

und nehmen dem, der alles hat,
und geben es der Sünderin
voll Flüchen und voll Zoten.
Es findet eine Teilung statt,
denn Fisch und Tuch und Holz und Gin,
die Äpfel und die Schoten

erhält der Bettelmann, der Dieb,
so daß der Mörder sich besinnt
und betet für die Toten,
und was am Ende übrig blieb,
wirft man dem Staube hin, dem Wind,
für Hufe und für Pfoten.

Oh, when the Saints go marching out,
dann ist die Stadt aus Hauch gebaut,
als seis im Paradiese,
doch gleich darauf ist alles stumm
und blind und taub, das Eigentum
der Wächter und Verliese.

Lidice und Oradour

Mein Kind, frag Deinen Vater, wo
er war, als Lidice und Oradour
im Brand sich krümmten, lichterloh.
Frag nach dem falschen Schlag der Uhr

bei Dir zuhaus und anderswo.
Den Lehrer frag: die Angelschnur
schlägt nach ihm aus. Der Wolf im Zoo
erschrickt vor Lidice und Oradour.

Dein Nachbar, der Geranien froh,
vergaß Euch, Lidice und Oradour,
das Feuerkind im Feuerstroh,
das Messer bei der Menschenschur.

Vom Hut aus Filz, vom Korb aus Stroh
kein Pflaster schluckt die rote Spur.
Mein Kind, mach es nicht ebenso,
geh, lies von Lidice und Oradour.

Die Gleichung

Die Buchen, der Wald,
der Wald, die Buchen,
Buchen mal Wald
gleich Buchenwald
Buchenwald gleich mir, mir mir,
der ich die Buchen
und den Wald beleidigte,
hieb, fällte,
äscherte, begrub,
die Gleichung ist richtig,
folgerichtig und einsehbar,
die Summe ist unendlich,

ein X ist darin enthalten,
das X ist ein Fragenbündel,
der Fragensteller fragt,
was habe ich unterlassen,
was mache ich in diesem Augenblick falsch,
wie kann ich die Zukunft verändern,
mich verändernd,
dadurch andre verändernd,
dadurch die Beleidigungen,
Hiebe, Fällungen, Äscherungen, Begräbnisse
verhindernd und ausschließend,
nur durch diese meine elenden Sätze?

Christine Lavant
1915–1973

Brand zu Brand und Eis zu Eis,
meine Kräfte zu den deinen,
nur ein Zeichen muß erscheinen,
daß der Herr von allem weiß
und im Bunde ist.

Fühlst du noch das ganze Elend?
Schau, ich stehe hier befehlend
und zugleich als Haselrute,
die im Zittern erst das Gute
aufspürt und ermißt.

So, da sind die Daumenballen,
die mein Steigen oder Fallen
weiterleiten in das große

Herz des Herrn, die Sammelrose
aller echten Kraft.

Höre auf, dich aufzubäumen,
Brand und Eis sind im Verschäumen,
trink den Rosensaft.

Es riecht nach Weltenuntergang
viel stärker als nach Obst und Korn,
der Vogel, der am Mittag sang,
dreht jetzt sein Opfer auf den Dorn,
ergreifend flach und ohne Schein
schiebt sich der Mond herein.

Hochsommernacht und so voll Frost!
Das Windrad geht verzweifelt um,
die Sterne scheinen nicht bei Trost,
denn jeder dreht sich wild herum,
bevor er zuckend untergeht
wie eben mein Gebet.

War das der zwölfte Stundenschlag
und mittendrin ein Hahnenschrei?
Es klang so nach dem Jüngsten Tag –
mein Herz tanzt jetzt als hohles Ei
vor meinem eigenen Gesicht,
und das ist das Gericht.

Ich bin sehr reich und kann nicht mehr verarmen,
dies Eigentum zerstören keine Kriege,
und wenn ich auch der Schenksucht unterliege
und der Verschwendung oder dem Erbarmen,
von diesen Gütern werd ich keines los.
Oft, abends, breite ich sie auf dem Schoß
wie Steine aus, wie Spitzen, Samt und Seide,
und meine Hände haben alle beide
genug zu tun, um alles zu umfassen.

Da ist der Tag, an dem du mich verlassen –
sehr dunkler Stein und dennoch ein Kristall!
Und hier der seidenweiche Spitzenfall,
das Wiedersehen, immerfort durchbrochen
vom Sehnsuchtssammet langer Wartewochen
und irisblauer, schwerer Schwermutseide.
Ach Gott, die Stunden, die ich jetzt erleide,
ganz matte Perlen schon vom Tod beschlagen, –
die sind so schwer, – wer hilft mir die ertragen?

Du gliederst in mir jetzt den Hungerhalm,
die Spindelstaude, den Distelkranz,
ich gehe damit durch den süßen Klee
und bade die Sohlen im Doppeltau
von heute und morgen.

Gekreuzte Knöchel, vereinter Blick,
die Hände geduldig über der Stelle,

wo Deine Verzauberung Wurzeln schlägt,
die Stirne auf hilfreicher Erde.

Du gliedere weiter da innen in mir,
mein Herz ißt den Hunger, Verwirrung und Hohn
und wächst so geheim, so am richtigen Ort
zur Blume, die Dich verheilt und heilt,
bis Du strahlend vom Marterwerk aufwachst
im Gefühl eines Heilands.

Christine Busta
* 1915

Das Hündlein
(Zu Matthäus XV./26–28 und Markus VII./24–30)

Ich bin das Hündlein aus dem Neuen Testament.
Ein Hühnerbein, ein magrer Schwanz von Fischen,
ein Brocken Brot fällt immer von den Tischen
der Tafelnden, die man die Kinder Gottes nennt.

Ich bin das Hündlein, das ein jeder Köter kennt,
und das sie zausen, wenn sie es erwischen,
bin Freund den alten Bettlern in den Nischen
und wedle tröstlich, wo ein armes Kindlein flennt.

Wer selber nur verachtet durch die Straßen rennt,
fährt gern den stolzen Heuchlern einmal zwischen
die Beine, wenn sie hinter Sündern zischen,
die Leid und Scham geheim zu Aschenhäuflein brennt.

Ich bin das Hündlein aus dem Neuen Testament.
An allen Ecken sieht man frech mich pissen.
Doch in den Frommen regt sich das Gewissen,
wenn wo ein Weib in Nöten meinen Namen nennt.

Einsamer Mittag

Fern verhallt das satanische Meckern der Ziegen.
Furchtbarer Pan, ich hab mich im Dickicht verstiegen!
Zwischen den glühenden Gräsern an meiner Wange
spür ich sie züngeln: Stille, die lidlose Schlange.

Der alte Fischer

Prüfend seiht er die Wasser des Stromes.
Er hat die Zeit im Netz:
den Morgen, den Mittag, den Abend,

die Schicksalszeichen des Jahrs:
das Treibholz des Frühlings,
eine Raufe Sturmheu vom Sommer,
verworfene Herbstfrucht.
Und immer wieder Geheimnis:
ein totes Kätzchen,
einen Kinderschuh,
eine algenversponnene Mütze.
Und viel Geduld.

Nur selten glänzt ihm noch
ein Fisch als Beute.
Der poltert seltsam
nachts in morscher Reuse.

Berührung

Feucht aus winterlichem Tagverbleichen
fiel ein erster Schneestern mir ins Haar:
still erneut sich so das Wasserzeichen,
dem ich lang ein blinder Täufling war.

Schnee im Advent

Leiser wird nichts verkündigt:
 so reden Liebende nachts,
die fern voneinander schlafen,
 und finden am Morgen die fremde
Erde wieder als Nest
 voll von himmlischem Flaum.

Krippensermon für unsere Zeit

Behängt nur die Ställe mit Flitter!
Die Wahrheit ist glanzlos:
fauliges Stroh, ein Brettertrog, tränendurchfeuchtet,
Ochs und Esel würden ihr Futter
daraus verschmähn.

Wachsam sitzen die Hirten am Grill,
es brutzelt die Nacht vom Geflügel.
Herodes kaut einen Zimtstern,
die Weisen sehn fern und schicken
Whisky nach Bethlehem.

Marginalien

Immer noch die Handschrift des Schöpfers,
wiedererkannt und unverstanden,
täglich aufs neue entziffert, gedeutet,
nie zuende.

Wir zeichnen uns ein an den Rand,
staunend,
fragend,

aufsässig,
müde.
Dunkler wird es
und kälter,
Zeit für die Lampe des Engels,
der nicht diktiert,
der uns *liest*.

Gedichte

Leben,
in Bernstein geborgen,
begraben.

Narben,
berührbar,
unverletzlich.

Aufgezeichnete
Zeit im Werden.
Kreide oder Achat.

Kurt Leonhard
* 1910

Präludium

luch ube duch	lach abe dach
uch dube luch	ach dabe lach
duch lube uch	dach labe ach
uch lube duch	ach labe dach
loch obe doch	lich iebe dich
och dobe loch	ich diebe lich
doch lobe och	dich liebe ich
och lobe doch	ich liebe dich

Philosopheme
(pseudokartesianisch)

Ich denke, also bin ich.
Ich bin, weil ich denke, daß ich bin.
Ich denke, daß ich bin, weil ich denke.
Ich bin, weil ich denke, daß ich nicht bin.
Ich denke, daß *ich bin, weil ich nicht denke*, daß ich nicht bin.
Ich bin, weil ich nicht denke.
Ich denke, also bin ich nicht.

Meine Sorge
> ist der schwere Käfer um den sich eine verirrte Ameise müht
> die Herdplatte auf der sich eine Fliege die Füße verbrennt
> das Gemeinwohl der Wasserflöhe wenn ihr Tümpel austrocknet

meine Sorge
> ist das Brot das zu Gold wird
> die Wissenschaft die den Geist in den Dienst verächtlicher Vorteile stellt
> die Technik die den Menschen in einen Einsiedlerkrebs verwandelt

meine Sorge
> ist das Abendessen das böse Träume bewirkt
> das Glück das die Liebe die Kunst die das Leben tötet
> das Aussterben der Drachen das die Ritter arbeitslos macht

meine Sorge
> ist ein Hunger der mich die Sattheit ertragen läßt

Ein dürrer Lorbeerkranz
hängt in der Küche
wenn es an Suppenwürze fehlt
zupft die Hausfrau ein paar Blättchen ab
und der alternde Mime
von seinem Broterwerb als kleiner Angestellter heimkehrend
schmeckt am kargen Familientisch
auf der Zunge die Vergänglichkeit
des Ruhmes
den der junge Postbeamte ersehnt
wenn er sein Publikum Schlange stehn läßt
und hinter dem Schalter
unbedingt ein Gedicht schreiben muß

wer ertrüge das Schlangestehen
ohne den Glauben
daß es nur vorläufig ist
wer ertrüge das Warten
ohne die Hoffnung
daß ein Wunder geschehn wird
wer ertrüge das Menschsein
ohne Geduld
vor den geschlossenen Schaltern
der Träume

weder die Kellnerin an der Theke im überfüllten Lokal
noch der Stundenlöhner im Lärm und Staub der Maschinen
auch nicht der Landarbeiter der im Winter arbeitslos wird
auch nicht der Bürogehilfe auf seinem Drehschemel
der sich heimlich das Abenteuer eines Krieges wünscht
um der tödlicheren Eintönigkeit zu entfliehen
auch nicht der Soldat der sein Studium unterbrach

und nach Jahren der Selbstentfremdung
nichts weiter mehr als ein eiliges Examen erstrebt

wohl gab es den Zimmermann
der als Zimmermann geboren war
weil seine Vorfahren Zimmerleute waren
wie auch seine Söhne und Enkel Zimmerleute sein würden
den Bauern der in seiner Arbeit Jahrhunderte überlebte
zu schweigen von dem Ritter
der das aus den Tiefen der Zeit überlieferte Schwert
empfing führte weitergab
Zimmermann Bauer und Ritter
lebten für die Ewigkeit
endgültig
von Gottes Gnaden

nicht einmal der Künstler
schafft heute mehr endgültige Werke
für die Ewigkeit
von Gottes Gnaden
er weiß
was wir schaffen
kann nur als vorläufig gelten
wer ertrüge das Menschsein
ohne das vorlaufende Wissen
wenns hoch kommt achtzig Jahr
das einzig endgültige Wissen
den Vorsprung der Seele
jetzt und in der Stunde
die den Schalter öffnet

Nachtgebet

denke nichts mehr
Held ohne Siege
mache dich leer
Haus ohne Wand
liege
und wiege
Staub in der Hand
schenke ihn her
Fürst ohne Land

Raum ohne Dinge

Ernst Meister
* 1911

Hasenwinter

Hurra, Soldaten der Felderangst!
Ihr, in Reih und Glied,
Köpfe in Tüten nach unten ...
Stillgehangen, Hasen!
trotz Winterwind.

Ja, der Winterwind
fegt, blank wie Nagezähne,
Silbergewölk über den spiegelnden Himmel.

Auf dem Gipfel
beginn ich die Schneelawine,
ein kleiner Anstoß genügt, und
meine Schuld, Vater des innigen Himmels,
rollt über den Berg

zu Tal, wächst
und zerschmettert
meine Eisblumenfenster, davor
sie hängen, die Hasen.

Aufgewacht, Soldaten der Felderangst!
Rührt euch –
Weißklee, blau eisig, blüht auf der Höh!
Kommt, hoppelt zu mir herauf,
laßt es euch schmecken unter
dem Winterwind, wascht euch das
Blut aus dem Fell,
meine Schuld,
und tummelt euch endlich mit mir
auf den blauen Weiden des Schnees!

Im Stalle zu B.

Bei dir im Stalle ist's warm.
Auf dem Felde schlug uns mit Geißeln der Winter.
Heiliges Kind, entsprungen der schneeigen Rose,
leuchtend auf Stroh,
benetzt vom Seime der Kälber,
dich zu sehen sind wir gekommen,
nicht um aufzubürden dir
unsere dornige Angst.

Und wir stehen
im Hauch der milchsanften Tiere
wie unter dem milden Süd.
Goldenes Öl rinnt vom Berg der Oliven ...

Auch sind Davids Harfentöne
zu dir gekommen wie Paten,
und ist es nicht, als weile Uria hier,
der treu einfältige Hauptmann,
dem der König das Weib nahm, Bathseba,
und es schwängerte auf Wolken Jehovas,
Uria, salomonische Weisheiten murmelnd?

Wie fern unsere stechende Angst,
da wir sehen, wie deine rosige Hand
aus dem Krippenstroh greift
nach des Mondes silbernem Horn ...

Unter Mariens prophetischem Himmel
wandern noch immer gute Gäste zu dir
über des Schnees Leichentuch.
Und kürzlich ist zu dir eingekehrt
Tonoko, das Kind, mit tödlichen Wunden geboren,
das Mädchen, unter dem giftigen Pilz
in Hiroshima zur Sekunde des Blitzes,
Tonoko, an der Hand des verschwiegensten Schweigens
aus dem Schweigelager von W.

Fermate

Zwinkernd mit Dornengebüsch:
Augen
hin über Hagebutten und
atmendes Meer.
In den Äther speit Gold
ein raubender Fisch.

Fermate: Braue,
aufgerichteter Horizont.
Sonne als Perle am Grund
und die Wracks
der untersten Tiefe besonnt.
Früheste Zeit und die fernste
gleichen sich sehr.

Komm, was sich Tod heißt,
über den funkelnden Strand!
Komm, hagebuttenrot,
komm, dornenbraun,
zeige dich, komm!
Scherzend mit dir,
bin ich den ältesten
Engeln verwandt.

Kehr dich
zu meinem Mund.
Ich sage dir
ein Schifferlied
unter die Wimpern:

Daß wir segeln
mit den Augenlidern
den Faden
der Küste entlang,
mit dem Licht im Gespräch.

Wirkliche Tafel

Wenn die Schieferwand bricht,
gewinn ich
die wirkliche Tafel,

schreibe den Berg darauf,
rieselnden Schieferberg.

Schwalben umstechen ihn
und den wachsenden Wein.

Ihr Nest:
die Achsel
des Herrn auf dem Weinberg,

die Achsel des Bettlers.

Atem der Steine

Ja, sie, die sich vergißt,
wenn der Sturm bricht
aus der steinernen Höhle,
Windgott, geharnischt;
vergessen: Sprache.

Getilgt; und wieder
geerbt in des Lebens
Rede von Traum und Leib . . .

Sie aber haben Gespräch:
Steine mit Steinen,
klirrendes, spröde
Lettern, mächtige,
in der Höhle Schlund,

und sie werfen,
was sie selber nicht sind,
Atem jäh
über den Erstaunten.

Sage vom Ganzen
den Satz, den Bruch,
das geteilte Geschrei, den
trägen Ton, der Tage
Licht.

Mühsam
im gestimmten Raum
die Zeit in den Körpern,
leidiges Geheimnis, langsam.
Tod immer.

(Und ich wollt doch
das Auge nicht missen
entlang den Geschlechtern nach uns.)

Sage: DIES ist kein anderes.
Sage: So fiel, in gemeiner Verwirrung,

der Fall. Sage auch immer:
Die Erfindung war groß.

Du darfst nur nicht
Liebe verraten.

Viele
haben keine Sprache.

Wär ich nicht selbst
satt von Elend, ich

bewegte
die Zunge nicht.

Gesang, ein
Ähnliches dem, das war
oder ein anderes –
und ich weiß doch
um nicht Singendes.

Nein, ich meine
nicht Steine, Blumen,
das Tier, sondern, menschlich,
die im ganz fertigen
Ungeschick, wonach

es gibt
Leiden,
vom Leiden allein
dessen Das.

Lang oder kurz ist die Zeit,
und das Wahre,
das sich ereignen wird,
heißt Sterben.

Danach bist du
gleichsinnig mit
der Erde, dem Himmel,
die sich nicht wissen.
(Aber wer bist du noch?)

Was eigentlich hieß denn das:
geboren, Zeit zu gebären
im Unterfangen des Bewußtseins –
wozu „ich"?

Stephan Hermlin
* 1915

Ballade von unserer Zeit
mit einem Aufruf an die Städte der Welt

Hört: unter uns hat sich eine seltsame Stimme erhoben.
Aus den verzweifelten Wäldern des Zwielichts, der Einsamkeit,
Aus den verpesteten Wüsten, die freudlose Stürme durchtoben,
Sagt eine ruhige Stimme beständig: Es ist an der Zeit!
Hört: unter uns hat sich eine seltsame Stimme erhoben!

Denn wir sind von jenem verfluchten Geschlecht, das durchquerte
Unerschrocken auf Brücken von Leichen im Dschungel den Fluß,
Das mit Blicken voller Gleichgültigkeit die durchspeerte
Brust einer jungen Mutter betrachtet und dessen Fuß
Niemals wankte, als auf Kadavern er Flüsse durchquerte.

Und unser Herz schlug weiter in den vergasten Städten.
Als von gespenstischen Dachgärten die Saxophone geweint,
Lächelten wir mit weißen Zähnen. Aus Lazaretten
Hörten wir die zermalmten Tiere: Freund oder Feind,
Und unser Herz schlug weiter in den vergasten Städten.

Hört den beleidigten Schwachen, ihr irdischen Richter, Städte!
Wäre euere Stimme gleich einer Säule erwacht,
Als es Zeit war, in unserer Mitte, jählings – sie hätte
Uns den Vernichtern entrissen und ihrer tierischen Nacht.
Hört den beleidigten Schwachen, ihr irdischen Richter, Städte!

Denn alle Türen stehn offen und hinter jeder der Mord
Mit spinnwebenen Händen und schwarzen Lippen, bereit,
Unsere Säuglinge zu zerschmettern am Pfosten, das Wort
Uns, den Schrei in die Gurgel zurückstoßen – und weit
Stehn alle Türen offen und hinter jeder der Mord.

Seht, unserer Frauen silberne Leiber sind überliefert
Wehrlos der Schande, die sie mit gelben Nägeln zerstückt,
Und unser holdestes Erbe von Geieraugen beziffert
Wird uns aus unseren furchtgeschlagenen Händen gerückt.
Schande ist unserer Frauen silberner Leib überliefert.

Und man lacht unserer Herzen hinter geöffneten Rippen
Mittags auf offenem Markt, wenn die schwarze Sonne versteint
Unser finsteres Blut auf zuckenden staubigen Lippen,
Auf denen nicht das leiseste Schluchzen mehr weint,
Und man lacht unsrer Herzen hinter geöffneten Rippen.

Wie der Staub verweht würden wir sein und unsere Taten
Ganz vergeblich und um vergessen zu werden getan,
Wenn ihr nicht werdet, um was schon so lang wir euch nahten,
Ungeheure! zu Städten, die Sturz und Auferstehn sahn.
Wie der Staub verweht würden wir sein und unsere Taten . . .

Hier aus den rattenerfüllten Kellern, gräßlichen Stollen
Brüll ich euch sterbend zu: Errettet uns aus der Haft!
Rettet uns aus dem sanften spitzfingrigen Griffe der tollen
Folterer und vor des Wahnsinns süßem mohnfarbnen Saft,
Hier in den rattenerfüllten Kellern und gräßlichen Stollen!

Macht eure Plätze leer und erwartend und stellt das Entsetzen
Riesig am Horizont auf und laßt einen lautlosen Sturm
Auf euern Schultern liegen – von rauschenden Bannern verletzen,
Imaginären, schreienden, laßt euern mächtigsten Turm!
Macht eure Plätze leer und umstellt euch mit stummem Entsetzen!

Denn seht dort eure Schwestern: der Feind peitscht ihre Fassaden,
Doch die geöffneten Flanken spein Haß. So stehen sie nackt.
Aus einem Wald von Fahnen wehen der Abschüsse Schwaden,
Halten die fleischlosen Kiefer den Feind an der Kehle gepackt –
So sind eure Schwestern: und peitscht auch der Feind die Fassaden!

Darum erwarten wir euch: die Schatten vom Städtegeschlechte.
So sind verschworen wir euerer Zukunft oder dem Fall
In die staubigen Gräber der Nacht. Doch unsere Rechte
Krönt euch mit Zuversicht. Und unsrer Stimme ersterbender Hall
Sagt euch von der Erwartung der Schatten vom Städtegeschlechte.

Terzinen

Die Worte warten. Keiner spricht sie aus:
Auf ihren Lidern eine Handvoll Nacht,
Ihr Haar wärmt Nest und Brut der Wintermaus.

Aus ihrem Säumnis ist mein Traum gemacht,
Mein langer Tag aus ihrer Endlichkeit.
Die Schwalben sind vom Winde überdacht.

Nur sie sind ganz allein im Fluß der Zeit,
Die Uhren schlagen ihre Namen fort,
Vermächtnis, Schwur und Mahnmahl ungeweiht.

Der Regen wäscht aus Tafeln Wort um Wort,
Rinnt auf Mont-Valérien und Plötzensee.
Die Schwalben liegen in der Hand des Nord.

Ich weiß noch, wenn ich dann im Dunkel steh:
Den Blick voll Bläue, Hand und Atemzug,
Die Abende von lauem Gold wie Tee.

Die Unerschrockenheit, die sich betrug,
Als sei die nächste Woche schon gewiß,
Die Stadt erfüllt mit Geisterfahnenflug,

Mit Fahnen, die der Wind der Zukunft spliß.
Geknebelt mit Gesängen gingen sie
Dahin. Jetzt schmilzt ihr Fleisch vom Rattenbiß

Sechs Fuß tief in des Wartens Euphorie,
Wenn sich die Regensäulen auf sie lehnen.
Der Schwalbensturz allein vergißt sie nie,

Die langsam treiben unter den Moränen.

Die Vögel und der Test

Von den Savannen übers Tropenmeer
Trieb sie des Leibes Notdurft mit den Winden,
Wie taub und blind, von weit- und altersher,
Um Nahrung und um ein Geäst zu finden.

Nicht Donner hielt sie auf, Taifun nicht, auch
Kein Netz, wenn sie was rief zu großen Flügen,
Strebend nach gleichem Ziel, ein schreiender Rauch,
Auf gleicher Bahn und stets in gleichen Zügen.

Die nicht vor Wasser zagten noch Gewittern
Sahn eines Tags im hohen Mittagslicht
Ein höheres Licht. Das schreckliche Gesicht

Zwang sie von nun an ihren Flug zu ändern.
Da suchten sie nach neuen sanfteren Ländern.
Laßt diese Änderung euer Herz erschüttern ...

Karl Krolow
* 1915

Pappellaub

Sommer hat mit leichter Hand
Laub der Pappel angenäht.
Unsichtbarer Schauder ist
Windlos auf die Haut gesät.

Zuckt wie Schatten Vogelbalg,
Spötterbrust, als winzger Strich:
Ach, schon wird es Überfall,
Wie sie blätterhin entwich!

Luft, die unterm weichen Flug
Kurzer Schwinge sich gerührt,
Schlägt wie blaue Geißel zu,
Die die dumpfe Stille führt.

Grüne Welle flüstert auf.
Silbermund noch lange spricht,
Sagt mir leicht die Welt ins Ohr,
Hingerauscht als Ungewicht.

Ode 1950

Nicht mehr das traurige Stichwort: – Bequeme Parabel
Ist die Rede vom Nichts wie von herbstlichem Laub, das zersetzt
Sich zu brüchigem Rost. Die unbarmherzige Vokabel
Schreckt nicht mehr als der Fisch des Tobias zuletzt,
Wenn sie verbraucht ist im Munde, die als gespenstische Mode
Wie ein Feuer im Heu war und noch einmal Geist wird als Ode.

 Aber was bleibt zu tun
 Vor der trägen Gewalt
 Des Daseins als auszuruhn,
 Listig und mannigfalt:
 Flüchten mit leichten Schuhn
 In die Fabelgestalt
 Oder auf äschernen Flüssen
 Langsam treiben, von Küssen
 Umarmenden Windes benommen,
 Der aus der Höhe gekommen.

Formel der Früchte: wer nennt sie? Auf tönenden Tischen
Der Tage gebreitet, in silbernen Schalen der Nacht!
Sinnlich und nah und zu greifen. Ich suche mit Worten inzwischen
Die Flüchtigen aufzuhalten: mit einer Algebra, zart erdacht
Aus atmenden Silben, einem Bündel Gedanken, die baden
Im steigenden Halbmond wie das Geflecht der Plejaden.

 Aber mit diesen
 Namen aus Zauber
 Ist nichts erwiesen:
 Der gurrende Tauber,
 Die süßen Geräusche
 – Erhört wie bewußtlos –
 Vergehen. Ich täusche
 Sie vor als ein Sinn bloß
 In Worten, in Zeichen,
 Die keinen erreichen.

Also wieder ein Abgrund? – Kein Abgrund: Versuchung schon eher
Und ein zärtlicher Hinterhalt, dem man erliegt,
Poetische Falle, gestellt, wenn im Mittag der Mäher
Oder im Abend aus Schilf es melodisch sich biegt,
Das Bewußtsein, die Fähigkeit, zuversichtlich und heiter
Gewähren zu lassen, den Geist aus den Geistern zu ziehn
Und die Zeit zu erkennen, die vorbeijagt – phantastischer Reiter
Durchs Gewölk der Geschichte, in dem die Verhängnisse fliehn.
Ich lasse die summenden Drähte, das klingende Gitter
Der Worte zurück auf dem Grunde des Seins. Er ist leuchtend und bitter.

Worte

Einfalt erfundener Worte,
Die man hinter Türen spricht,
Aus Fenstern und gegen die Mauern,
Gekalkt mit geduldigem Licht.

Wirklichkeit von Vokabeln,
Von zwei Silben oder von drein:
Aus den Rätseln des Himmels geschnitten,
Aus einer Ader im Stein.

Entzifferung fremder Gesichter
Mit Blitzen unter der Haut,
Mit Bärten, in denen der Wind steht,
Durch einen geflüsterten Laut.

Aber die Namen bleiben
Im Ohre nur ein Gesumm
Wie von Zikaden und Bienen,
Kehren ins Schweigen um.

Vokale – geringe Insekten,
Unsichtbar über die Luft,
Fallen als Asche nieder,
Bleiben als Quittenduft.

Der Nachmittag

Das Licht zieht Handschuhe an.
Tristan Tzara

Ein Blitzen von Olive,
Limone, lichtzerschnitten!
Nachmittags-Perspektive
Zeigt den Verfall der Tage.

Die Lider werden schwerer
Vom Silber sechster Stunde,
Die Schatten ungefährer
Auf geisterhaften Straßen.

Und unter Gegenständen,
Verlorener als Sage,
Die Schultern und die Lenden
Der Hügel unterm Winde.

Verdunstend wie ein Wasser
Im Glas: der alte Himmel.
Die Luft trägt Spuren nasser
Wildrosen der Gefühle.

Die Wahrheit ist der Abend,
Der kommt, im Arm das Dunkel,
Auf Maultierhufen trabend,
Und Lichter vor den Augen.

Vor dem Regen

Die Kreidestriche auf dem Asphalt
Warten auf den Regen.
Aber nocht entblößt der Tag
Seine leuchtende Schulter.
Die Zeit vergeht
Grün und heidnisch.
Tibulls Sulpicia
Zeigt sich minutenlang
In der Ahorn-Allee,
Während die Sommer-Stunde
Wie eine Zikade
In heißen Steinen sitzt.

Ein Arm weist in die Luft.
Da verfärbt sie sich zur Wolke.

Das Geräusch der ersten Tropfen
Erstickt überall
Die Erinnerungen des Laubes.

Eine Landschaft für mich

I

In ihr
Minerale und Adjektive
sammeln.

Baumschatten lassen
verschiedene Beschreibungen zu.

Der Mittag verzehrt in ihnen
einen Fisch
mit geometrischer Flosse.

Meine Landschaft
macht hungrig wie Wind.

Wer lange Arme hat,
reicht an den Himmel.

Ermüdete Vögel
schlafen auf der Luft.

Aus Gewohnheit
farbige Früchte in Händen
halten.

Tradition langer Dämmerungen.

Die Nacht glüht:
ein Haufen Holzkohle.

II

Die glaubhafte Schönheit
einer Rauchfahne.

Das Gewissen
hat die Stimme eines Echos
am Horizont.

Vierteltöne einer Melodie
aus Weidenholz:

das erregte Geräusch
verliert sich wie Mottenflug.

Die Fläche schwarzer Oliven,
gestern von Euklid geordnet.

Ich lasse sie
vor meinen Augen
im trockenen Licht schweben.

III

Über einem salzigen Strand
die Spiegelung von Ruderbooten.

Nasse Rosen riechen: –
eine Ankündigung des Todes.

Kreuzfahrten durch Grün:
sein Schweigen
ist unübertragbar.

Pflanzenstaub auf meinen Lidern.

Das zerbrechliche Gesicht von Tagen,
in denen Laub fällt.
Vorsichtig beugt man sich
über sie.

Die Selbstmordrosen duften
nach vergangenen Gedichten.

Verrufener Ort

Gerade eben noch
Rann das Wasser
Von den nassen Schindeln.
Eine Gruppe berittener Hirten
Bog um die Ecke
Und hielt die Mützen
Unter den Regen.

Nicht einmal eine Staubwolke
Blieb von ihnen zurück.
Immer noch riecht es hier
Nach kranken Tieren.
Das Echo von Pistolensalven
Schläft wie eine Erscheinung
An den Stallwänden.
Doch überschlägt sich keine Stimme mehr
Im Tode.
Der letzte Hahn
Wurde längst geschlachtet.
Sein kopfloser Schatten
Taumelt noch manchmal
Im Kreise.

Robinson

I

Immer wieder strecke ich meine Hand
Nach einem Schiff aus.
Mit der bloßen Faust versuche ich,
Nach seinem Segel zu greifen.
Anfangs fing ich
Verschiedene Fahrzeuge, die sich
Am Horinzont zeigten.
Ich fange Forellen so.
Doch der Monsum sah mir
Auf die Finger
Und ließ sie entweichen,
Oder Ruder und Kompaß
Brachen. Man muß
Mit Schiffen zart umgehen.
Darum rief ich ihnen Namen nach.
Sie lauteten immer
Wie meiner.

Jetzt lebe ich nur noch
In Gesellschaft mit dem Ungehorsam
Einiger Worte.

II

Ich habe zu rechnen aufgehört,
Wenn ich auch noch Finger habe,
Die ich nacheinander ins salzige Wasser
Tauchen kann.

Insekten und Tabakblätter
Kennen die Zeit nicht,
Die ich früher vergeudete.

Mein letzter Nachbar,
Der das Waldhorn blies
(Er hatte es einst einem Volkslied
Listig entwendet),
Kam auf See um.

Zuweilen fällt ein bißchen Sonne
Auf den Tisch, unter den ich die Füße
Strecke.
Ich brauche keine Sehnsucht mehr
Zu haben.

III

Diese Gewohnheit, irgendwo sehr lange
Auf einem Stuhl zu sitzen
Und zu horchen, ob es
In einem regnet

Oder in der Leber
Der Skorpion sich noch rührt!

Gezählt sind alle Blitze,
Alle Streichhölzer, die übrig blieben.

Bis man es leid ist
Und den letzten Wimpel
Im Meer versenkt.

Im Frieden

I

Frieden. Die ruhigen Leute
lassen ihr Haar wachsen.

Die rücksichtsvolle Prosa
ihres Umgangs.

Scharfe Luft, wenn eine
Halbwüchsige in einer
Kasernenruine pißt.

Meine Blume blüht
dauerhaft.

Liebet eure Feinde:
geregelte Gleichgültigkeit.

Ländliche Tage überall,
unschuldig wie Heuhaufen

aus der Kindheit
Restif de la Bretonnes.

Keine großen Geläute. Frieden.

II

Die schlechtbezahlte Tätigkeit
des Erkennens.

Ja, die Stadtränder mit den
schönen Betonmischmaschinen!

Hans und sein Glück
auf der tätowierten Brust.

Die übergelaufenen
Fallschirmspringer
sind seit langem gestorben.

Mein Freund, der Pastetenbäcker.

„Die Liebe erinnert uns
an unsere gute Erziehung".

Die errechnete Zukunft
ist eingetreten:
Langeweile.

III

Sich gehen lassen.

Nur noch auf einer Briefmarke
zu erkennen: der Staat.

Die Schwermut macht Fortschritte:
Schifferstündchen

unter langsam faulenden
Fischen.

Kleine Früchte, geformt
wie ein Tumor.

Sieg der Ellipse
über den Tod.

Dahinleben.

Sich vergewissern

Ich versuche,
mich zu vergewissern,
daß ich vorkomme.
Im selben Augenblick
gibt es mich, bartlos,
mit bleichem Zahnfleisch
hinter der Lippe
und halb geöffneten Augen,
aus Furcht, zu viel
zu sehen, was anders ist
als Haut und Haar,
die sich im Zusehen
verlieren.
Ich bin da. Meine
rechte Hand fällt mir
nicht durch die Tasche.
Ich führe sie über Papier,
um aufzuschreiben,
daß ich lebe.

Landschaften, früher

Landschaften
aus unsichtbarem Glas
oder in der Bauhaus-Zeit,
genau und ohne Humor –
ich besehe Bilder
von früher und lese,
daß es das gab,
während ich mir Neues
merken muß
und an mir entlang sehe
und an alte Zeiten denke,
an die Kunst, Kunst zu machen
in Gedichten mit anhaltenden,
später immer vorsichtigeren
Gefühlen –

Landschaften aus
unsichtbarem Glas,
Hauptsachen überall,
während ich weit
nach unten reiche,
der Erde zu, unter die Erde
und mich mit mir
neu einrichte, ohne Bilder,
kunstlos, ohne Jahreszeiten,
mit an den Beinen
hoch kriechender Kälte,
selber ein Stück
trockener Landschaft,
noch sichtbar.

Jeder auf seine Weise

Vorerst bleibt alles beim alten –
eine Mechanik des Erinnerns.
Die Kindheit roch nach Kathreiners Malzkaffee.
Jeder läuft auf seine Weise

der Realität davon.
Mein Rechenheft damals
war voll gezeichneter Schwalben.
Man sagt, daß im Uhrwerk
der Tod sitze.
Ich wollte mir nicht
die Augen waschen.
Ich wollte behalten,
was ich gesehen hatte.

Hilde Domin
* 1912

Ziehende Landschaft

Man muß weggehen können
und doch sein wie ein Baum:
als bliebe die Wurzel im Boden,
als zöge die Landschaft und wir ständen fest.
Man muß den Atem anhalten,
bis der Wind nachläßt
und die fremde Luft um uns zu kreisen beginnt,
bis das Spiel von Licht und Schatten,
von Grün und Blau,
die alten Muster zeigt
und wir zuhause sind,
wo es auch sei,
und niedersitzen können und uns anlehnen,
als sei es an das Grab
unserer Mutter.

Mit leichtem Gepäck

Gewöhn dich nicht.
Du darfst dich nicht gewöhnen.
Eine Rose ist eine Rose.
Aber ein Heim
ist kein Heim.

Sag dem Schoßhund Gegenstand ab
der dich anwedelt
aus den Schaufenstern.
Er irrt. Du
riechst nicht nach Bleiben.

Ein Löffel ist besser als zwei.
Häng ihn dir um den Hals,
du darfst einen haben,
denn mit der Hand
schöpft sich das Heiße zu schwer.

Es liefe der Zucker dir durch die Finger,
wie der Trost,
wie der Wunsch,
an dem Tag
da er dein wird.

Du darfst einen Löffel haben,
eine Rose,
vielleicht ein Herz
und, vielleicht,
ein Grab.

Bitte an einen Delphin
für Christine Busta

Jede Nacht
mein Kissen umarmend wie einen sanften Delphin
schwimme ich weiter fort.

Sanfter Delphin
in diesem Meer von Herzklopfen,
trage mich,

wenn es hell wird,
an einen gütigen Strand.
Fern der Küste von morgen.

Von uns

Man wird in späteren Zeiten von uns lesen.

Nie wollte ich in späteren Zeiten
das Mitleid der Schulkinder erwecken.
Nie auf diese Art
in einem Schulheft stehn.

Wir, verurteilt
zu wissen
und nicht zu handeln.

Unser Staub
wird nie mehr Erde.

Das Gefieder der Sprache

Das Gefieder der Sprache streicheln
Worte sind Vögel
mit ihnen
davonfliegen.

Ich will dich

Freiheit
ich will dich
aufrauhen mit Schmirgelpapier
du geleckte

(die ich meine
meine
unsere
Freiheit von und zu)
Modefratz

Du wirst geleckt
mit Zungenspitzen
bist du ganz rund bist
Kugel
auf allen Tüchern

Freiheit Wort
das ich aufrauhen will
ich will dich mit Glassplittern spicken
daß man dich schwer auf die Zunge nimmt
und du niemandes Ball bist

Dich
und andere
Worte möchte ich mit Glassplittern spicken
wie es Konfuzius befiehlt
der alte Chinese

Die Eckenschale sagt er
muß
Ecken haben
sagt er
Oder der Staat geht zugrunde

Nichts weiter sagt er
ist vonnöten
Nennt
das Runde rund
und das Eckige eckig

Abel steh auf

Abel steh auf
es muß neu gespielt werden
täglich muß es neu gespielt werden
täglich muß die Antwort noch vor uns sein
die Antwort muß ja sein können
wenn du nicht aufstehst Abel
wie soll die Antwort
diese einzig wichtige Antwort
sich je verändern
wir können alle Kirchen schließen
und alle Gesetzbücher abschaffen
in allen Sprachen der Erde
wenn du nur aufstehst
und es rückgängig machst
die erste falsche Antwort
auf die einzige Frage
auf die es ankommt
steh auf
damit Kain sagt
damit er es sagen kann

Ich bin dein Hüter
Bruder
wie sollte ich nicht dein Hüter sein
Täglich steh auf
damit wir es vor uns haben
dies Ja ich bin hier
ich
dein Bruder
Damit die Kinder Abels
sich nicht mehr fürchten
weil Kain nicht Kain wird
Ich schreibe dies
ich ein Kind Abels
und fürchte mich täglich
vor der Antwort
die Luft in meiner Lunge wird weniger
wie ich auf die Antwort warte

Abel steh auf
damit es anders anfängt
zwischen uns allen

Die Feuer die brennen
das Feuer das brennt auf der Erde
soll das Feuer von Abel sein

Und am Schwanz der Raketen
sollen die Feuer von Abel sein

Drei Arten Gedichte aufzuschreiben

1

Ein trockenes Flußbett
ein weißes Band von Kieselsteinen
von weitem gesehen
hierauf wünsche ich zu schreiben
in klaren Lettern
oder eine Schutthalde
Geröll
gleitend unter meinen Zeilen
wegrutschend
damit das heikle Leben meiner Worte
ihr Dennoch
ein Dennoch jedes Buchstabens sei

2

Kleine Buchstaben
genaue
damit die Worte leise kommen
damit die Worte sich einschleichen
damit man hingehen muß
zu den Worten

sie suchen in dem weißen
Papier
leise
man merkt nicht wie sie eintreten
durch die Poren
Schweiß der nach innen rinnt

Angst
meine
unsere
und das Dennoch jedes Buchstabens

3

Ich will einen Streifen Papier
so groß wie ich
ein Meter sechzig
darauf ein Gedicht
das schreit
sowie einer vorübergeht
schreit in schwarzen Buchstaben
das etwas Unmögliches verlangt
Zivilcourage zum Beispiel
diesen Mut den kein Tier hat
Mit-Schmerz zum Beispiel
Solidarität statt Herde
Fremd-Worte
heimisch zu machen im Tun

Mensch
Tier das Zivilcourage hat
Mensch
Tier das den Mit-Schmerz kennt
Mensch Fremdwort-Tier Wort-Tier
Tier
das Gedicht schreibt
Gedicht
das Unmögliches verlangt
von jedem der vorbeigeht
dringend
unabweisbar
als rufe es
‚Trink Coca-Cola‘

Rudolf Hartung
* 1914

Mit wirbelndem Weiß

Mit wirbelndem Weiß verweht das Jahr seine Spur,
aber die grauen Wölfe des Frosts schnüffeln vergeblich:
es pocht das grüne Blut im erinnerten Sommer,
singt die gerettete Amsel im unvordenklichen Laub –
o vernimm's, und aus rauhem Dezember
heb auch dies firnige Feld zum Geist des Holunders hinüber –
unter den weißen Dolden schläft es sich gut.

Noch nicht vergossen ist das grüne und das rote Blut,
wie lange schon vermählt in meinem Herzen,
im Atem des Gedenkens vermindert und geschwellt:
Vollmond und Sichel
im Schneegestöber der ruhmlosen Jahre.

Gewährte Frist

Zweige, herabgebogen,
und Ranken, dornbewehrt.
Die Sperlingsschwärme stieben,
Wasser glänzt unversehrt.

Die Diemen auf den Feldern,
ein Schuttberg, schon begrünt,
da unsere Schatten wachsen,
und was das Reden sühnt:

Schweigen und leiser Atem,
die Maske vorm Gesicht.
Es kann uns keiner kennen –
nicht hier ist das Gericht.

Weiß man nicht

Eigentlich weiß man ja nicht warum
man Gedichte schreibt: Wörter sucht und
verwirft den Rhythmus drosselt oder
beschleunigt wie der Autofahrer das Tempo
dieses Ding zur Anschauung bringt und ein
andres zurücknimmt weiß man nicht warum
man Stunden und Tage opfert.

während man geduldig oder verzweifelt
sucht was man nicht kennt und was
niemandem frommt während andere
nützliche Arbeit verrichten in Büros und am
Fließband – weiß man nicht anachronistischer
Alchimist nach welchem Golde
man forscht und dennoch weiter-
experimentiert bis man schließlich

aufhören darf wenn am Ende
Grund und Figur ihren gerechten
Anteil haben im Text und man beim letzten
Darübergehen an keiner
Stelle mehr einbricht

Max Hölzer
** 1915*

Als fiele Schnee im Zimmer
Als bleichten wir im Schnee-Schatten
Zu schön versteint das Geschlecht
Die Lippen weiße Lava
Falten eines Sterns zu küssen
Ein Eisblumengewächs die Zunge
Magnetnadel tanzend nahe der Haut
Wir heben bestäubte Finger vor die Augen

Im Himmel erstarrt ein fahles Pferd
Über dem Meer der Balkon
Götzenbrust verflüchtet
Ein Kleid aus Glas trübe und hart
Dohlen-Eis fließt über Kämme

Für Hans Arp

Nacht der Abflüge

Was strömt zurück

Mild brennt es wie in alten Lampen

Wolken entwurzelten Weines
 Küsse einer Toten

Der Blitz schlug in die Scheune ein, die Druckerei,
die Lettern schmolzen und breiteten einen Spiegel
über den Sand.

Zeit

klare Quelle

versiege nicht

Hans Peter Keller
* 1915

Du oder ich oder wer

Jeder lebt von sich getrennt.
Sieht er sich draußen, zieht er nicht den Hut.
Obschon es ihm auf den Nägeln brennt.
Gut.

Besser einen Umweg machen.
Wenns geht, auf du mit Bettler Strolch Polizist
oder was sonst zum Lachen
vorhanden ist.

Narren setzen nachts auf die Glücksfontänen
auf die Sterntraufen.
Du oder ich oder wer: sollten wir Tränen
kaufen?

Fahnenflucht

ein Mann meines Alters und Namens
kennt das

er trat vor den Spiegel
das Visier offen

nicht lang hielten die Augen
dem Blick stand

Überläufer
– zu wem?

aber das Warten

die Luft die ich ausatme gestiftet
meinen Enkeln

dieser jener
geht aus der Wohnung
geht zu Fuß
oder

Gangart gleichgültig

fährt über Land reist auf dem Wind
so viel
Ecken in der Welt jede
ein Treffpunkt

aber das Warten das setzt Moos an
im Augenlicht

muß getränkt werden

Johannes Bobrowski
1917–1965

Ebene

See.
Der See.
Versunken
die Ufer. Unter der Wolke

der Kranich. Weiß, aufleuchtend
der Hirtenvölker
Jahrtausende. Mit dem Wind

kam ich herauf den Berg.
Hier werd ich leben. Ein Jäger
war ich, einfing mich
aber das Gras.

Lehr mich reden, Gras,
lehr mich tot sein und hören,
lange, und reden, Stein,
lehr du mich bleiben, Wasser,
frag mir, und Wind, nicht nach.

Holunderblüte

Es kommt
Babel, Isaak.
Er sagt: Bei dem Pogrom,
als ich Kind war,
meiner Taube
riß man den Kopf ab.

Häuser in hölzerner Straße,
mit Zäunen, darüber Holunder.
Weiß gescheuert die Schwelle,
die kleine Treppe hinab –
Damals, weißt du,
die Blutspur.

Leute, ihr redet: Vergessen –
Es kommen die jungen Menschen,
ihr Lachen wie Büsche Holunders.
Leute, es möchte der Holunder
sterben
an eurer Vergeßlichkeit.

Brentano in Aschaffenburg

Zeichen.
Ein Pfirsichbaum
in die Gitter geflochten
unter der Mauer. So bröckelt
heller der Stein.

Ach ein Blatt
gegen die Röte umher:
Mauer, Kirche und Gartenhaus.
Treppen. Die Straße hinab.
Draußen die Wiesen.

Kühl. Lüfte aus Grün.
Vor den offenen Himmel
gebettet der Strom. Im fallenden
Wind das Geheul.

– – –

„Weh, ohn Opfer . . .“
Der Staub auf der Stiege
rötlich, es kommt ein Mann,
dick, die Hand auf dem Herzen,
er schließt an der eichenen Tür.

Hölderlin in Tübingen

Bäume irdisch, und Licht,
darin der Kahn steht, gerufen,
die Ruderstange gegen das Ufer, die schöne
Neigung, vor dieser Tür
ging der Schatten, der ist
gefallen auf einen Fluß
Neckar, der grün war, Neckar,
hinausgegangen
um Wiesen und Uferweiden.

Turm,
daß er bewohnbar
sei wie ein Tag, der Mauern
Schwere, die Schwere
gegen das Grün,
Bäume und Wasser, zu wiegen
beides in einer Hand:
es läutet die Glocke herab
über die Dächer, die Uhr
rührt sich zum Drehn
der eisernen Fahnen.

Dorfmusik

Letztes Boot darin ich fahr
keinen Hut mehr auf dem Haar
in vier Eichenbrettern weiß
mit der Handvoll Rautenreis
meine Freunde gehn umher
 einer bläst auf der Trompete
 einer bläst auf der Posaune
Boot werd mir nicht überschwer
hör die andern reden laut:
dieser hat auf Sand gebaut

Ruft vom Brunnenbaum die Krähe
von dem ästelosen: wehe
von dem kahlen ohne Rinde:
nehmt ihm ab das Angebinde
nehmt ihm fort den Rautenast
 doch es schallet die Trompete
 doch es schallet die Posaune
keiner hat mich angefaßt
alle sagen: aus der Zeit
fährt er und er hats nicht weit

Also weiß ichs und ich fahr
keinen Hut mehr auf dem Haar
Mondenlicht um Brau und Bart
abgelebt zuendgenarrt
lausch auch einmal in die Höhe
 denn es tönet die Trompete
 denn es tönet die Posaune
und von weitem ruft die Krähe
ich bin wo ich bin: im Sand
mit der Raute in der Hand

Immer zu benennen

Immer zu benennen:
den Baum, den Vogel im Flug,
den rötlichen Fels, wo der Strom
zieht, grün, und den Fisch
im weißen Rauch, wenn es dunkelt
über die Wälder herab.

Zeichen, Farben, es ist
ein Spiel, ich bin bedenklich,
es möchte nicht enden
gerecht.

Und wer lehrt mich,
was ich vergaß: der Steine
Schlaf, den Schlaf
der Vögel im Flug, der Bäume
Schlaf, im Dunkel
geht ihre Rede –?

Wär da ein Gott
und im Fleisch,
und könnte mich rufen, ich würd
umhergehn, ich würd
warten ein wenig.

Schattenland

Die Raschelstimmen,
Blätter, Vögel, drei Wege
kam ich
vor einem großen Schnee.
Auf dem Ufer, Grannen und Kletten
im Ringelhaar, mit ihren Hunden
Ragana schrie nach dem Fährmann, im Wasser
stand er, mitten im Fluß.

Einmal,
folgend den Nebeln,
über die Senke mit goldenen Flügeln
zogen die Trappen, sie setzten
auf die Gräser den hornigen Fuß,
Licht flog, der Tag ihnen nach.

Kalt. Auf der Spitze des Grashalms
die Leere weiß
bis an den Himmel. Der Baum
aber alt, dort ist
ein Ufer, Nebel mit dünnen
Gelenken gehn auf dem Fluß.

Finsternis, wer hier lebt,
spricht mit des Vogels Stimme.
Ausgefahren sind
Windlichter über den Wäldern.
Kein Atem hat sie bewegt.

Wenn verlassen sind

Wenn verlassen sind
die Räume, in denen Antworten erfolgen, wenn
die Wände stürzen und Hohlwege, aus den Bäumen

fliegen die Schatten, wenn aufgegeben ist
unter den Füßen das Gras,
weiße Sohlen betreten den Wind –

der Dornbusch flammt,
ich hör seine Stimme,
wo keine Frage war, ein Gewässer
geht, doch mich dürstet nicht.

Nachtfischer

Im schönen Laub
die Stille
unverschmerzt.
Licht
mit den Händen
über einer Mauer.
Der Sand tritt aus den Wurzeln.
Sand, geh rot
im Wasser fort,
geh auf der Spur der Stimmen,
im Finstern geh,
leg aus den Fang am Morgen.
Die Stimmen singen silberblaß,
bring fort,
in Sicherheit,
ins schöne Laub die Ohren,
die Stimmen singen:
tot ist tot

Osten

Alle meine Träume
gehn über Ebenen, ziehn
unbetretenen Wäldern
windhell entgegen, kalten
einsamen Strömen, darüber
fernher Rufe schallen
bärtiger Schiffer –

Dort sind alle Gesänge
ohne End, im geringsten
Ding steht Gefahr, vieldeutig, –
nicht zu halten mit dem und
jenem Namen: Gefilde,
Moor, eine Schlucht; wie Verhängnis
schlägt sie hinab, bleibt, gemieden, –
dort um die niederen Hügel
fliehn die Pfade davon.

Worte gelten nicht.
Aber ein Streicheln, Grüße,
Blitz unterm dunkelnden Lid
und in der Brust jenes Ziehn;
noch als Umarmungen stärker.

Händler kommen von weit. Die
unter uns wohnen, sind Fremde.
Unsicher gehn sie, fragend,
ziellosen Straßen nach, hängen
Fähren und Brücken immer
an, als wär dort Gewisses –

Wir aber kennen uns leicht.
Unsere Gespräche steigen
alle aus gleichem Grunde.
Und im Erwarten ewig
wohnt uns das Herz.

935

Nachtlied

Vogel, komm,
grüner Vogel,
hoch aus dem Sternbild komm,
unter mein Laubdach, Vogel,
wir reden mitsammen

von den Ufern atmender
Ströme, der schwarzen Erde
im Waldland,
der Götter Haus,

wo sich der Mensch beginnt,
über sich sieht er das Licht,
findets im andern
Aug: so lernt er zu singen.

Vogel,
grüner Vogel,
unter dem Laubdach laß uns
reden davon.

Rainer Brambach
* 1917

Niemand wird kommen

Niemand kam über das Feld,
nur Regengewölk, Wind.
Niemand wird kommen, der sagt:

Lehmgestalt, steig aus dem Graben,
ich habe deine Gedanken gehört.
Gehe! Die schöne Welt erwartet dich.

Niemand ruft: He, noch nicht unterwegs?
Dein Freibrief ist gültig,
leicht lesbar die Schrift der Redlichkeit.

Ich sah als Kind auf dem Jahrmarkt
den Tanzbären sich drehen,
hielt mich später am Tage versteckt,
kenne einige Gefängnisse inwendig
und auswendig die Sprache der Henker.

Niemand. Regengewölk, Wind.

Granit

Über Granit gebeugt – aus südlichen Brüchen.
Während dein Hammer fällt
steigt dir ein Milchglashimmel ins Auge
während dein Meißel die Rinne gräbt
schmeckst du den Staub versteinerter Wälder.

Über Granit gebeugt –
O Ginster und Aloe schiefergrau verschwommen
während dein Knie sich
an die ausgetrockneten Ebenen preßt
– aus südlichen Brüchen
während dein schweißnasser Rücken gestreift wird
vom kühlen Hauch nördlichen Sommers.

Willy Bartock
* 1915

Die Wermutpensionäre

Die Bänke im Rosenrondell
stehen wie gähnend in kühler, einsamer Leere;
die Nacht hat auf ihren Sitzen
feuchte Schleier liegen gelassen.
Kaum aber ist die Sonne zur Stell'
und trocknet mit warmen Strahlenspitzen
die Bänke, die nassen,
dann kommen die Wermutpensionäre.

Die mit den Steinstaublungen,
die die ganze Nacht mit der Luftnot gerungen,
die aus den Kostgängerstuben,
die längst den letzten „Zuhause"-Gedanken begruben,
die aus den Altersheimen,
die satt sind von Morgensuppe und frommen Reimen.

Die einsamen, armen Schlucker mit den kleinen Renten
setzen sich nieder und halten in zitternden Händen
das billige Glück in Flaschen, für eine Mark zehn
in jedem Lebensmittelgeschäft zu erstehn.
Da sitzen sie alle zusammen, die nutzlosen Alten,
und haben nur noch sich und den Sonnenschein
und ein paar Stunden Zeit
und Angst vor der Einsamkeit
und den rosenroten Rausch vom Wermutwein.

Langsam kommt seltsam fremdes Leben in die Gestalten,
werden die Gesten fahrig und groß
und die Blicke so weit oder trunken verklärt:
Sie sind für Stunden die Last der Einsamen los,
sie schweigen und schwätzen und lachen und winken
und schimpfen und singen und trinken und trinken.

Mancher Vorübergehende denkt empört:
Natürlich – da sitzen und saufen sie wieder,
die alten versoffenen Wermutbrüder!
Mancher aber, dem sie Wink und Zuruf schenken,
mag der eigenen Zukunft gedenken
und verspürt ein minutenkurzes Erbarmen:
Wer weiß, wie oft sie noch sitzen und trinken
und uns aus ihrer Einsamkeit winken –
wie bald wird manchen der Tod umarmen . . .

Niederrhein

Ich will dir
kein verlogenes Loblied singen.
Dein geborgtes Sonnenlicht
soll mich nicht mehr blenden,
dein Reichtümer schleppender Buckel
mich nicht mehr bestechen.

Du bist weit gekommen.
Du bist tief gesunken.
Du kamst von heiteren Weinhöhen
und sankst in dumpfe sklavische Niederung.
Die Dome und Burgen sind längst
entsetzt stehengeblieben.
Schwefelrauchend, rußrülpsend und ölkotzend
drängen sich Kamine, Waschtürme
und mannsdicke Rohre
an deinen betäubten Strand.

Den toten Fischen will ich
angewidert einen Nachruf spenden,
die verreckten an dem ekligen Gebräu,
das du rechts und links deiner Straße
aus zahllosen Abwässerkanälen säufst.
Deine letzten Töchter
Ruhr, Emscher und Lippe kriechen,
von dauernder Schändung ermüdet,
in dein schmutziges Altenbett.

Du wehrst dich nicht mehr,
Gewaltiger, Vergewaltigter, Vergifteter.
Deine Sommer stinken zum Himmel.

Deine Winter sind ätzend traurig.
Selbst das Meer sträubt sich,
dich zu empfangen ...

Josef Büscher
* 1918

Angstlied

Bestellt bin ich und werde dafür bezahlt,
der Apparatur zu dienen, die mir nicht gehört,
die wie ein Gott mein Menschenleben
bestimmt, beherrscht, verbraucht, verzehrt.

Lärm ist ihr Atem, Arbeitshetze
und Lichtreiz, der die Sinne plagt.
Sie brütet Gier und Unbehagen,
Verzehrrausch, der sich nichts versagt.

Ich habe Angst, zu ihr zu gehn.
Ich brauche sie, soll ich bestehn.

Ich habe Angst, ich komm zu spät.
Der andere pflückt, was ich gesät.

Ich habe Angst, ich komm zu kurz.
Versagen, das ist der Todessturz.

Ich habe Angst. Doch dreh ich mich.
Als Zahnradzacke kreise ich.
Lichtreiz und Lärm und Leistungswillen:
Wir winden uns und schrauben uns im Leerlauf,
Gier ist nicht zu stillen.

Ich habe Angst.
Ich drehe mich.
Im Leerlauf kreise ich.
O hintergründige, gemeine Angst.

Versammlung

Die Melodie ist abgedroschen.
Die Worte schmecken fade und nach kaltem Rauch.
Die alten Ideale sind erloschen.
Geblieben nur – ein inhaltleerer Brauch.

Man diskutiert.
Man wüßte weitaus Besseres zu tun.

Das Leben ist perfektioniert.
Man zahlt ja Beitrag – und man möchte ruhn.

Wer hat noch Ohren,
wenn irgendwo ein anderer spricht?
Wir armen Toren
begreifen uns ja selber nicht.

Sind wir noch Menschen,
sind wir schon Insekten,
volltrunken in dem Rausche des Perfekten?

Und denkt bei uns nur noch der Funktionär,
sonst keiner mehr?

Michael Guttenbrunner
* 1919

Der Erschlagene

Von den Wassern der Erde
hat er getrunken,
zu moosgrünen Quellen
hat er sich niedergebeugt
verbrannten Mundes,
des Todes fürchtig schon
und noch voll Gier.
Oft lag er, verlechzend,
langhingestreckt,
die Erde schlagend
mit seines Herzens Schlag.

Die Bodenständlinge

Die Sänger dieser Lande
sind des heimatlichen Speckes Sänger,
und sie vergleichen sich ein jeglicher
mit einem Baum;
ich hab es oft gehört und weiß es nun wohl,
daß ihre Wurzeln erdverbunden sind.
Wenn aber große Zeiten anbrechen,
die das dicke Ende in sich tragen,
dann feiern sie, um nicht vors Gewehr zu müssen,
die besoffenen Eintagsworte
der jeweiligen Tyrannen.
Wenn's aber vorbei ist,
dann singen sie wieder, als ob nichts gewesen wäre,
die Sau am Spieß

und Kraut und Rüben der Heimat.
Ihnen fehlt jedes Wort
für die Geschlagenen und Entrechteten,
von deren Blute Europas Henker trieften.
Ich allein singe heute vom Krieg.
Denn ungetilgter Schulden Samen ist wieder gereift,
und neue Drohung verdunkelt die Welt.
Als die Partisanen zum Kampfe aufbrachen
und die Freiheit ihre Morgensterne
im Dunkel der Wälder entzündete,
da rüsteten sich die Wüsten,
da griffen Wälder
mit grüner Kraft zu den Waffen.
Aber die Landsknechte und ihre Schreibknechte
sprachen nur von Banditen.
Von Ratten zerfressen
wurde des deutschen Schlachthauses
babylonischer Turm.
Aber höher von Jahr zu Jahr
hob die Menschheit ihr Haupt voll Blut und Wunden,
bestrahlt von Siegeshoffnung.
Nun aber blickt neue Gefahr
medusenhäuptig auf West und Ost.
Wen müßte man nicht alles
zum Teufel jagen?
Von den heimatlichen Sängern
werdet ihr's nie erfahren.

Vorbeimarschierend

Das schönste Singen, das ich je gehört,
kam aus den Kehlen russischer Soldaten,
verhungernder – sie konnten kaum mehr stehn.
„Singt! Wenn ihr singt, dann kriegt ihr was zu fressen!"
So sangen sie. Ich, dort vorbeimarschierend,
hörte noch lange sterbenden Gesang.

Paul Celan
1920–1970

Der Sand aus den Urnen

Schimmelgrün ist das Haus des Vergessens.
Vor jedem der wehenden Tore blaut dein enthaupteter Spielmann.
Er schlägt dir die Trommel aus Moos und bitterem Schamhaar;
mit schwärender Zehe malt er im Sand deine Braue.
Länger zeichnet er sie als sie war, und das Rot deiner Lippe.
Du füllst hier die Urnen und speisest dein Herz.

Corona

Aus der Hand frißt der Herbst mir sein Blatt: wir sind Freunde.
Wir schälen die Zeit aus den Nüssen und lehren sie gehn:
die Zeit kehrt zurück in die Schale.

Im Spiegel ist Sonntag,
im Traum wird geschlafen,
der Mund redet wahr.

Mein Aug steigt hinab zum Geschlecht der Geliebten:
wir sehen uns an,
wir sagen uns Dunkles,
wir lieben einander wie Mohn und Gedächtnis,
wir schlafen wie Wein in den Muscheln,
wie das Meer im Blutstrahl des Mondes.

Wir stehen umschlungen im Fenster, sie sehen uns zu von der Straße:
es ist Zeit, daß man weiß!
Es ist Zeit, daß der Stein sich zu blühen bequemt,
daß der Unrast ein Herz schlägt.
Es ist Zeit, daß es Zeit wird.

Es ist Zeit.

Todesfuge

Schwarze Milch der Frühe wir trinken sie abends
wir trinken sie mittags und morgens wir trinken sie nachts
wir trinken und trinken
wir schaufeln ein Grab in den Lüften da liegt man nicht eng
Ein Mann wohnt im Haus der spielt mit den Schlangen der schreibt
der schreibt wenn es dunkelt nach Deutschland dein goldenes Haar Margarete
er schreibt es und tritt vor das Haus und es blitzen die Sterne er pfeift seine Rüden herbei
er pfeift seine Jüden hervor läßt schaufeln ein Grab in der Erde
er befiehlt uns spielt auf nun zum Tanz

Schwarze Milch der Frühe wir trinken dich nachts
wir trinken dich morgens und mittags wir trinken dich abends
wir trinken und trinken
Ein Mann wohnt im Haus der spielt mit den Schlangen der schreibt
der schreibt wenn es dunkelt nach Deutschland dein goldenes Haar Margarete
Dein aschenes Haar Sulamith wir schaufeln ein Grab in den Lüften da liegt man nicht eng

Er ruft stecht tiefer ins Erdreich ihr einen ihr andern singet und spielt
er greift nach dem Eisen im Gurt er schwingts seine Augen sind blau
stecht tiefer die Spaten ihr einen ihr andern spielt weiter zum Tanz auf

Schwarze Milch der Frühe wir trinken dich nachts
wir trinken dich mittags und morgens wir trinken dich abends

wir trinken und trinken
ein Mann wohnt im Haus dein goldenes Haar Margarete
dein aschenes Haar Sulamith er spielt mit den Schlangen

Er ruft spielt süßer den Tod der Tod ist ein Meister aus Deutschland
er ruft streicht dunkler die Geigen dann steigt ihr als Rauch in die Luft
dann habt ihr ein Grab in den Wolken da liegt man nicht eng

Schwarze Milch der Frühe wir trinken dich nachts
wir trinken dich mittags der Tod ist ein Meister aus Deutschland
wir trinken dich abends und morgens wir trinken und trinken
der Tod ist ein Meister aus Deutschland sein Auge ist blau
er trifft dich mit bleierner Kugel er trifft dich genau
ein Mann wohnt im Haus dein goldenes Haar Margarete
er hetzt seine Rüden auf uns er schenkt uns ein Grab in der Luft
er spielt mit den Schlangen und träumet der Tod ist ein Meister aus Deutschland

dein goldenes Haar Margarete
dein aschenes Haar Sulamith

So bist du denn geworden
wie ich dich nie gekannt:
dein Herz schlägt allerorten
in einem Brunnenland,

wo kein Mund trinkt und keine
Gestalt die Schatten säumt,
wo Wasser quillt zum Scheine
und Schein wie Wasser schäumt.

Du steigst in alle Brunnen,
du schwebst durch jeden Schein.
Du hast ein Spiel ersonnen,
das will vergessen sein.

Brandung

Du, Stunde, flügelst in den Dünen.

Die Zeit, aus feinem Sande, singt in meinen Armen:
ich liege bei ihr, ein Messer in der Rechten.

So schäume, Welle! Fisch, trau dich hervor!
Wo Wasser ist, kann man noch einmal leben,
noch einmal mit dem Tod im Chor die Welt herübersingen,
noch einmal aus dem Hohlweg rufen: Seht,
wir sind geborgen,
seht, das Land war unser, seht,
wie wir dem Stern den Weg vertraten!

Sie kämmt ihr Haar wie mans den Toten kämmt:
sie trägt den blauen Scherben unterm Hemd.

Sie trägt den Scherben Welt an einer Schnur.
Sie weiß die Worte, doch sie lächelt nur.

Sie mischt ihr Lächeln in den Becher Wein:
du mußt ihn trinken, in der Welt zu sein.

Du bist das Bild, das ihr der Scherben zeigt,
wenn sie sich sinnend übers Leben neigt.

Zu zweien

Zu zweien schwimmen die Toten,
zu zweien, umflossen von Wein.
Im Wein, den sie über dich gossen,
schwimmen die Toten zu zwein.

Sie flochten ihr Haar sich zu Matten,
sie wohnen einander bei.
Du wirf deinen Würfel noch einmal
und tauch in ein Auge der Zwei.

Mit wechselndem Schlüssel

Mit wechselndem Schlüssel
schließt du das Haus auf, darin
der Schnee des Verschwiegenen treibt.
Je nach dem Blut, das dir quillt
aus Aug oder Mund oder Ohr,
wechselt dein Schlüssel.

Wechselt dein Schlüssel, wechselt das Wort,
das treiben darf mit den Flocken.
Je nach dem Wind, der dich fortstößt,
ballt um das Wort sich der Schnee.

Sprachgitter

Augenrund zwischen den Stäben.

Flimmertier Lid
rudert nach oben,
gibt einen Blick frei.

Iris, Schwimmerin, traumlos und trüb:
der Himmel, herzgrau, muß nah sein.

Schräg, in der eisernen Tülle,
der blakende Span.
Am Lichtsinn
errätst du die Seele.

(Wär ich wie du. Wärst du wie ich.
Standen wir nicht
unter *einem* Passat?
Wir sind Fremde.)

Die Fliesen. Darauf,
dicht beieinander, die beiden
herzgrauen Lachen:
zwei
Mundvoll Schweigen.

Matière de Bretagne

Ginsterlicht: gelb, die Hänge
eitern gen Himmel, der Dorn
wirbt um die Wunde, es läutet
darin, es ist Abend, das Nichts
rollt seine Meere zur Andacht,
das Blutsegel hält auf dich zu.

Trocken, verlandet
das Bett hinter dir, verschilft
seine Stunde, oben,
beim Stern, die milchigen
Priele schwatzen im Schlamm, Steindattel,
unten, gebuscht, klafft ins Gebläu, eine Staude
Vergänglichkeit, schön,
grüßt dein Gedächtnis.

(Kanntet ihr mich,
Hände? Ich ging
den gegabelten Weg, den ihr wiest, mein Mund
spie seinen Schotter, ich ging, meine Zeit,
wandernde Wächte, warf ihren Schatten – kanntet ihr mich?)

Hände, die dorn-
umworbene Wunde, es läutet,
Hände, das Nichts, seine Meere,
Hände, im Ginsterlicht, das
Blutsegel
hält auf dich zu.

Du
du lehrst
du lehrst deine Hände
du lehrst deine Hände du lehrst
du lehrst deine Hände
 schlafen

Selbdritt, Selbviert

Krauseminze, Minze, krause,
vor dem Haus hier, vor dem Hause.

Diese Stunde, deine Stunde,
ihr Gespräch mit meinem Munde.

Mit dem Mund, mit seinem Schweigen,
mit den Worten, die sich weigern.

Mit den Weiten, mit den Engen,
mit den nahen Untergängen.

Mit mir einem, mit uns dreien,
halb gebunden, halb im Freien.

Krauseminze, Minze, krause,
vor dem Haus hier, vor dem Hause.

Psalm

Niemand knetet uns wieder aus Erde und Lehm,
niemand bespricht unsern Staub.
Niemand.

Gelobt seist du, Niemand.
Dir zulieb wollen
wir blühn.
Dir
entgegen.

Ein Nichts
waren wir, sind wir, werden
wir bleiben, blühend:
die Nichts-, die
Niemandsrose.

Mit
dem Griffel seelenhell,
dem Staubfaden himmelswüst,
der Krone rot
vom Purpurwort, das wir sangen
über, o über
dem Dorn.

Tübingen, Jänner

Zur Blindheit über-
redete Augen.
Ihre – „ein
Rätsel ist Rein-
entsprungenes" –, ihre
Erinnerung an
schwimmende Hölderlintürme, möwen-
umschwirrt.

Besucher ertrunkener Schreiner bei
diesen
tauchenden Worten:

Käme,
käme ein Mensch,
käme ein Mensch zur Welt, heute, mit
dem Lichtbart der
Patriarchen: er dürfte,
spräch er von dieser
Zeit, er
dürfte
nur lallen und lallen,
immer-, immer-
zuzu.

(„Pallaksch. Pallaksch.")

Stehen, im Schatten
des Wundenmals in der Luft.

Für-niemand-und-nichts-Stehn.
Unerkannt,
für dich
allein.

Mit allem, was darin Raum hat,
auch ohne
Sprache.

Fadensonnen
über der grauschwarzen Ödnis.
Ein baum-
hoher Gedanke
greift sich den Lichtton: es sind
noch Lieder zu singen jenseits
der Menschen.

Wortaufschüttung, vulkanisch,
meerüberrauscht.

Oben
der flutende Mob
der Gegengeschöpfe: er
flaggte – Abbild und Nachbild
kreuzen eitel zeithin.

Bis du den Wortmond hinaus-
schleuderst, von dem her
das Wunder Ebbe geschieht

und der herz-
förmige Krater
nackt für die Anfänge zeugt,
die Königs-
geburten.

Einmal,
da hörte ich ihn,
da wusch er die Welt,
ungesehn, nachtlang,
wirklich.

Eins und Unendlich,
vernichtet,
ichten.

Licht war. Rettung.

Als Farben, gehäuft,
kommen die Wesen wieder, abends, geräuschvoll,
ein Viertelmonsun
ohne Schlafstatt,
ein Prasselgebet
vor den entbrannten
Lidlosigkeiten.

Die nachzustotternde Welt,
bei der ich zu Gast
gewesen sein werde, ein Name,
herabgeschwitzt von der Mauer,
an der eine Wunde hochleckt.

Ein Blatt, baumlos,
für Bertolt Brecht:

Was sind das für Zeiten,
wo ein Gespräch
beinah ein Verbrechen ist,
weil es soviel Gesagtes
mit einschließt?

Ilse Aichinger
* 1921

Außer Landes

Bücher aus fremden Büchereien,
die erstarkten Tauben.
Käme es auf die Orte an,
die wir zu verlassen
im Stand sind,
mit ihrem Himbeergesträuch,
den Tüchern,
die sich schon im Winde falten,
sie wechseln still hinter uns,
während wir bleiben
auf den warmen Rücken
den Gärten, steinern
oder aus Sand.

Winterantwort

Die Welt ist aus dem Stoff,
der Betrachtung verlangt:
keine Augen mehr,
um die weißen Wiesen zu sehen,
keine Ohren, um im Geäst
das Schwirren der Vögel zu hören.
Großmutter, wo sind deine Lippen hin,
um die Gräser zu schmecken,
und wer riecht uns den Himmel zu Ende,
wessen Wangen reiben sich heute
noch wund an den Mauern im Dorf?
Ist es nicht ein finsterer Wald,
in den wir gerieten?
Nein, Großmutter, er ist nicht finster,
ich weiß es, ich wohnte lang
bei den Kindern am Rande,
und es ist auch kein Wald.

Spaziergang

Da die Welt aus Entfernungen entsteht,
Treppenhäuser und Moore,
und das Erträgliche sich verdächtig macht,
so laßt es nicht zu,
daß hinter euern Ställen die Elstern
kurz auffliegen und glänzend

in die glänzenden Weiher stürzen,
daß euer Rauch noch steigt
vor den Wäldern,
lieber wollen wir warten,
bis uns die goldenen Füchse
im Schnee erscheinen.

Gebirgsrand

Denn was täte ich,
wenn die Jäger nicht wären, meine Träume,
die am Morgen
auf der Rückseite der Gebirge
niedersteigen, im Schatten.

Hanns Cibulka
* 1920

Zwischenzeit
In memoriam
Ossip Mandelstam

Sie werden deine Zunge,
die den Blitz
des Gedankens aussprach,
an den Türpfosten nageln,
eine Warnung
den andern.

Metallene Fäuste
werden nach den Sternen greifen
aber der Mensch
wird Deportationen
erdulden.

Herz und Wort
werden getrennt
wie die Liebenden am Himmel
und das Dogma
wird eingebrannt
in die schreienden Flanken
des Lebens.

Günther Deicke
* 1922

Wehe dem Sohn, der nicht klüger wird
als der Vater.

Das Haus, das die Bauleute verlassen,
verfällt.

Der Lehrsatz, den wir nicht weiterentwickeln,
gerät in Vergessenheit.

Die Entdeckung, die kein Geheimnis mehr birgt,
ist den Kommenden wertlos.

Die Revolution
findet im Hörsaal statt.

Erich Fried
* 1921

Gründe

„Weil das alles nicht hilft
Sie tun ja doch was sie wollen

Weil ich mir nicht nochmals
die Finger verbrennen will

Weil man nur lachen wird:
Auf dich haben sie gewartet

Und warum immer ich?
Keiner wird es mir danken

Weil da niemand mehr durchsieht
sondern höchstens noch mehr kaputtgeht

Weil jedes Schlechte
vielleicht auch sein Gutes hat

Weil es Sache des Standpunktes ist
und überhaupt wem soll man glauben?

Weil auch bei den andern nur
mit Wasser gekocht wird

Weil ich das lieber
Berufeneren überlasse

Weil man nie weiß
wie einem das schaden kann

Weil sich die Mühe nicht lohnt
weil sie alle das gar nicht wert sind"

Das sind Todesursachen
zu schreiben auf unsere Gräber

die nicht mehr gegraben werden
wenn das die Ursachen sind

17.–22. Mai 1966

Aus Da Nang
wurde fünf Tage hindurch

täglich berichtet:
Gelegentlich einzelne Schüsse

Am sechsten Tag wurde berichtet:
In den Kämpfen der letzten fünf Tage
in Da Nang
bisher etwa tausend Opfer
[Da Nang: Stadt in Vietnam.]

Falls es vorübergeht

Die geringste
Folge des zweiten Weltkriegs
ist die Frage
wenn man einem Deutschen begegnet:

War er dabei
damals vor vielen Jahren
wen hat er umgebracht
in Auschwitz oder in Rußland?

Die geringste
Folge des Kriegs in Vietnam
wird die Frage sein wenn man
einem Amerikaner begegnet:

War er dabei
damals vor vielen Jahren
in Saigon oder in Da Nang
wen hat er umgebracht?

Presseklub

Finde dir Freunde
die deine Meinung
teilen
Es lohnt sich

auch wenn du findest
daß sie nicht ganz
einer Meinung mit dir sind
und daß es sich lohnt

etwas
von deiner Meinung
zu opfern
dem guten Einvernehmen

Freundschaft
wird fest und verläßlich
durch solches
Entgegenkommen

Rechthaberei
ist weniger mächtig
und nützlich
als Eintracht

Hast du einmal
eine Meinung
gehabt?
Dafür hast du jetzt Einfluß

Beim Nachdenken über Vorbilder

Die uns
vorleben wollen

wie leicht
das Sterben ist

Wenn sie uns
vorsterben wollten

wie leicht
wäre das Leben

Vordruck

Links ist Platz geblieben
auf den man schreiben kann
Rechts steht . . . *sind unser Unglück*
Wie fing die Zeile an

Die *Juden* ist kaum mehr zu lesen
ausradiert oder verblaßt:
Schreibt *Chinesen* schreibt *Nordvietnamesen*
schreibt alle hin die ihr haßt

Schreibt einfach *Die Bolschewisten*
Das geht dann weiter so:
De Gaulle und *Die Neutralisten*
Die vom afro-asiatischen Zoo

Die Ostermarschierer Die Roten
Die Polacken Die Gastarbeiter
die Lebenden und die Toten
nur immer weiter

Tote lebende Bilder

Dennoch die Schwerter halten
vor die Stunde der Welt
Gottfried Benn

Statische Schwerter
und dennoch nicht mehr zu halten

Arme Stunde der Welt
der man Schwerter vorhält

Arme Welt
der so die Stunde verhalten wird

Und wie verhält es sich
mit den Haltern der Schwerter

und mit den immer noch vielen
die sich an sie halten?

Solange einer der Schwerter hält
noch geehrt wird

und mehr noch einer
der redet vom Halten der Schwerter

deren Stunde geschlagen hat
außer in deutschen Reimen

bleibt eure Dichtung Rüstkammer
klanglos verrostender Klingen

zwischen euch und die Zukunft gehalten
zwischen euch und ehrliche Worte

zwischen euch und das Leben
als unbelehrbares Dennoch

das klirrt durch gezählte Stunden
der ungehaltenen Welt

Beschreibung einer Landschaft

Farben der Kindheit
Vögel gegen die Sonne
helles Gras vor dem Wald
mein einziges Sehen und Hören

Je öfter ich euch beschreibe
je mehr ich euch suche
desto weiter und blasser
desto formloser weicht ihr zurück

Ich höre das Rauschen
meiner Worte vom Rauschen des Waldes
ich sehe das Grau und das Grün
von Gesichtern und Kleidern

Die loben mein gutes Gedächtnis
und horchen mich aus
sie essen das Licht und den Schatten
sie trinken den Wind

Ländlich

Hier ist es schön
Die Mädchen wie die jungen
Bäume und manche Bäume
wie tanzende Mädchen

Hier will ich mir
ein Herz fassen und versuchen
mich zu fassen
und mich zu suchen

und fast ohne Angst denn
ich weiß daß
ich hier
nicht bin

Gespräch über Bäume
Für K. W.

Seit der Gärtner die Zweige gestutzt hat
sind meine Äpfel größer
Aber die Blätter des Birnbaums
sind krank. Sie rollen sich ein

In Vietnam sind die Bäume entlaubt

Meine Kinder sind alle gesund
Doch mein jüngerer Sohn macht mir Sorgen
er hat sich nicht eingelebt
in der neuen Schule

In Vietnam sind die Kinder tot

Mein Dach ist gut repariert
Man muß nur noch die Fensterrahmen
abbrennen und streichen. Die Feuerversicherungsprämie
ist wegen der steigenden Häuserpreise erhöht

In Vietnam sind die Häuser Ruinen

Was ist das für ein langweiliger Patron?
Wovon man auch redet
er kommt auf Vietnam zu sprechen!
Man muß einem Ruhe gönnen in dieser Welt:

In Vietnam haben viele schon Ruhe
Ihr gönnt sie ihnen

Neue Naturdichtung

Er weiß daß es eintönig wäre
nur immer Gedichte zu machen
über die Widersprüche dieser Gesellschaft
und daß er lieber über die Tannen am Morgen
schreiben sollte
Daher fällt ihm bald ein Gedicht ein
über den nötigen Themenwechsel und über
seinen Vorsatz
von den Tannen am Morgen zu schreiben

Aber sogar wenn er wirklich früh genug aufsteht
und sich hinausfahren läßt zu den Tannen am Morgen
fällt ihm dann etwas ein zu ihrem Anblick und Duft?
Oder ertappt er sich auf der Fahrt bei dem Einfall:
Wenn wir hinauskommen
sind sie vielleicht schon gefällt
und liegen astlos auf dem zerklüfteten Sandgrund
zwischen Sägemehl Spänen und abgefallenen Nadeln
weil irgendein Spekulant den Boden gekauft hat

Das wäre zwar traurig
doch der Harzgeruch wäre dann stärker
und das Morgenlicht auf den gelben gesägten Stümpfen
wäre dann heller weil keine Baumkrone mehr
der Sonne im Weg stünde. Das
wäre ein neuer Eindruck
selbsterlebt und sicher mehr als genug
für ein Gedicht
das diese Gesellschaft anklagt

Lyrischer Winter

Auch hier im nassen Gras
zwischen den besseren Häusern
wo das weißliche Grau vielleicht schon Rauhreif ist
oder noch Nebel
und Pilzgeruch die Pilze überdauert
im Moder unter den Farnen
auch hier ist Natur und daher auch
Nahrung für Dichter
die wächst bei den Pilzen nach denen sie riecht und ist
genießbar oder doch
je nach dem Kochrezept
nicht giftiger als ihr's gewohnt seid
Drum kommt und grast hier

Kommt und äset im Grünen
im Wintergras
ach ihr Edlern

die ihr euch fernehieltet den mittelgroßen Gefühlen
gegen teure Kriege
die billig zu haben sind

Seid weise ihr Klugen
Selbst den goldenen Mittelweg
dem ihr die Treue bewahrt habt
und der euch von seinem Gold gibt
verlaßt nun (er läuft euch nicht fort)
Kommt: das Gras sei euch teuer

Hier könnt ihr eure Natur haben! Hier genießt ihr
die Vorzüge aller Nachzügler die da glauben
sie selber sinds die sich zügeln
Kommt: Es ist höchste Zeit! Hier gewinnt ihr wieder
die alte Kraft: Hier seht ihr die Blätter fallen
nicht den Verdacht. Hier erwacht ihr
aus der Betäubung vor der selbst die angeblich freie
Wahl der Taubheit euch Meister des Überwinterns
nur ungenügend geschützt hat
Hier könnt ihr das Gras wachsen hören
oder es welken sehen und könnt den Wind treten
oder betreten in den spröden Leib der Natur
windige Eier legen

Was bleibt geht stiften

Kurt Marti
* 1921

der name

vielleicht
dass heisenberg
wirklich die weltformel fand
das wird sich noch weisen

 aber wann aber wann
 wird die heiligung
 jenes namens erscheinen
 der mehr ist
 als welten und formeln?

vielleicht
dass die herren der erde
wirklich nicht nur das unrecht erstreben
das wird sich noch weisen

aber wann aber wann
wird die heiligung
jenes namens erscheinen
der die erde verwandelt
in eine sonne des rechts?

vielleicht
dass die christen
wirklich das licht sind der welt
das wird sich noch weisen

aber wann aber wann
wird die heiliggung
jenes namens erscheinen
der finsternis sprengt
mit explosionen des lichts?

ostern o stern

I o
 (stern
 restn
 nestr)

ostern o sternte
nestnieder
o sterne ostern
uns wieder

 o
 (nestr
 restn
 stern)

II ostern
 restostern nestostern – wer wälzt uns
 den christlichen plunder vom grabe
 des herrn?

 ostern
 o stern o morgen o morgenstern still im abend
 des christlichen still im christlichen abend
 lande

warnung

kleiner mann hab acht
was man mit dir macht

laß dein hirn nicht rosten
denn du kennst den schlich

geht es um die kosten
braucht man sicher dich

darum sei nicht dümmer
als man grad noch muß
zahlen muß man immer
meist zahlst du zum schluß

sei es mit dem leben
sei es nur mit geld
zahlen muß man eben
denn so ist die welt

kleiner mann hab acht
was man mit dir macht

machtverhältnis

die ohne macht
machen
die mächtigen

was
machten
die mächtigen
machten
die ohne macht
nicht
was die mächtigen
machen?

mächtiger sind
als die mächtigen
die ohne macht

demokratisches modell

stimme stimme
stimme stimme
ja nein
stimm stimm
damit es stimmt denn du bestimmst
stimmend stimmt ihr
ja und nein
überein

Aus: *Leichenreden*

in dieser stunde des abschieds
da rund 2854 menschen an hunger sterben

 überall in der welt

da napalm vom himmel herabfällt

 in vietnam

da kinder im arm ihrer mütter verenden

 in biafra

da menschen gejagt sind wie flüchtiges wild

 im südlichen sudan

da leute verhört und in ohnmacht getrampelt werden

 im lager dionys bei athen

da flieger eine siedlung mit bomben belegen

 in portugiesisch-angola

da ein häftling in seiner zelle erwürgt wird

 in haiti

in dieser stunde des abschieds
lasset uns glücklich preisen
jeden
dem in frieden zu sterben vergönnt

 [1968]

als sie mit zwanzig
ein kind erwartete
wurde ihr heirat
befohlen

als sie geheiratet hatte
wurde ihr verzicht
auf alle studienpläne
befohlen

als sie mit dreißig
noch unternehmungslust zeigte
wurde ihr dienst im hause
befohlen

als sie mit vierzig
noch einmal zu leben versuchte
wurde ihr anstand und tugend
befohlen

als sie mit fünfzig
verbraucht und enttäuscht war
zog ihr mann
zu einer jüngeren frau

liebe gemeinde
wir befehlen zu viel
wir gehorchen zu viel
wir leben zu wenig

welche wohltat
einmal auch sagen zu dürfen:
nein er war nicht tüchtig
und wechselte oft die stelle
nein er war nicht fleißig
und arbeitete nur
sofern es nicht anders ging

sonst aber
las er lieber SPORT oder PLAYBOY
setzte sich nachmittags schon ins kino
(EDDIE CONSTANTINE war sein liebling)
schlürfte cognac in straßencafés
meditierte die anmut der frauen
oder die tauben am turm

im frühling fuhr er
durch zart- und frechgrünes land
den sommer verlag er
gut geölt und behaglich im schwimmbad
später im herbst dann streifte er
manchen stillen waldrand entlang
ehe er für den winter
eine beschäftigung suchte
und eine freundin
weil er die festferientage
nicht allein zu verbringen liebte

welche wohltat
in einer welt
die vor tüchtigkeiten
aus den fugen gerät:
ein mann der sich gute tage
zu machen wußte
ehe nach einigen bösen
jetzt
der letzte tag für ihn kam

ihr fragt
wie ist
die auferstehung der toten?
 ich weiß es nicht

ihr fragt
wann ist
die auferstehung der toten?
 ich weiß es nicht

ihr fragt
gibts
eine auferstehung der toten?
 ich weiß es nicht

ihr fragt
gibts
keine auferstehung der toten?
 ich weiß es nicht

ich weiß
nur
wonach ihr nicht fragt:
 die auferstehung derer die leben

ich weiß
nur
wozu Er uns ruft:
 zur auferstehung heute und jetzt

wie gemsen wie fische

wunsch
da jedermann teilt
gebet von gebetslosen auch:
daß der tod uns einst treffe
plötzlich und sanft
von einer sekunde zur andern
leichter behender
wie gemsen im fels
wie fische im meer
ließe sich leben
wüßten wir diesen
wunsch uns gewährt

gebirgspsalm nachts

schneeflächig nachts
wo glanzhell gesäbel
da niemand der ausbog
mondda schattüber
schleifwind im auffels
zungen aus schnee
und sirrend streicht stille
durch blattwerk aus händen
in wirbeln weißüber
bis schwärze das hochbein
tannab und ins tobel
wo stimmen im aufwind
und narrende schatten
gejagten gewölks –
empor denn die blicke
woher uns wie hilfe
jetzt lichtstille blendet
ekstasen aus schnee und gestein
aus indifferenzen und windton
aus schründen und mond
wie es war
wie es ist
wie es bleibt
von urschub
zu urschub

Hans Carl Artmann
* 1921

vorsommerliches rondo

in meiner kammer raunt das weiche kupfer der nacht
der mond im fenster ist eine warme knospe aus bernstein
der efeuschwere wind weidet im roten oleander meiner gärten
der fremde gast in der herberge verlöscht das sanfte öl seiner ampel
wenn du durch die nacht kommst ist wildfarn und steinnelke um deinen fuß
der fremde gast in der herberge verlöscht das sanfte öl seiner ampel
der efeuschwere wind weidet im roten oleander meiner gärten
der mond im fenster ist eine warme knospe aus bernstein
in meinem fenster raunt das weiche kupfer der nacht

verwundet ist der lachs
im tulpenfeld
mit warmer röte
der waldmond zieht
die holde kreiselbahn
mit einem wehlaut
falscher leitgedanken
entdacht der spröde auerhahn
die sommernacht
die sterne schwirren ab
von ihrer pfeilschnur
stumm und scharf

soldaten ach soldaten ja
die müssen früh aufstehn
um auf der lauer zu liegen
oder auch schildwach stehn;
und kommt der herr hauptmann
spätnächtlich noch vorbei
so denkt er sich granaten mord
blitz pulver potz und blei –
soldaten ach soldaten ja
sind vogelfrank und frei . . .

wenn man dann hie und manchmal
die schlacht nicht übersteht –
soldaten ach soldaten ja
die wissen wie das geht –
da schwirrt der todesengel
trägt uns beim schnurrbart fort . .

der hauptmann schreibt
trostbrieflein heim –
setzt artig wort um wort
bringt hübsch den tod
in vers und reim . .
schreibt alles vom granatenmord
von blitz potz pulver blei –
soldaten ach soldaten ja
die stürben oft dabei . . .

ich kann viele bäume malen
mit buntem laub träumend überhangen
hinter einem blutdunklen zaun

mein herbstmatter tag
ist aus blassen schönen chrysoprassteinen
voll noch aber schon irgendwie
verklungen
über einen vielleicht blau
gewordnem wald

meine wiesen aber
aus reichwuchernder zeitlose
blicken still nach einem abend
der nie beginnt

von den rötlichen blättern der buche
pflücke ich
und knüpfe daraus ein helles
durchscheinendes band
das ich ganz leicht um ein feines
schmales knöchelchen
binden will

jetzt kommt es darauf an ob ich auf meinem
seiltänzerseil den richtigen fußhalt finde

ich bin kein jäger kein hasentöter sechzig
kinder möchte ich zeugen keine hasen töten

unter meiner oberhose trage ich die unterhose
ich besitze eine rote eine gelbe eine lila

ich besitze ein oberhemd unterhemd keines
einen apfelbaum besitze ich leider nicht

ich liebe mädchen ich lehre sie neue sprachen
ich bin ein sprachenlehrer für die mädchen

ich beherrsche das feine nahuatl das quiché
das aymarà das guarani das araucano o ja

ich bin ein spezialist für indianische idiome
ich gebe es zu es bedarf viel guter balance

mein seiltänzerseil trage ich in einer tasche
meine tasche ist nicht von mäusen angenagt

ich komme eben aus stockholm und reise strax
nach paris ich komme nicht weit an diesem abend

ich bin kein jäger kein hasentöter sechzig
mädchen möchte ich packen und keine hasen töten

ich lecke den wind wie eine blaue briefmarke
für den nächsten eilbrief an meine liebste

aus der luft springe ich auf die place vendôme
wie ein behender akrobat aus federn und draht

plötzlich im letzten sommer bin ich in malmö
auf einer vespa fahre ich krabben aus ich tus

wenn frischer seewind an deine knöchel kommt
verblauen dir die socken wie eine hübsche ferne

durch die leutnantsgasse rollt ein faß äther
das ist gut abgedichtet da läuft nichts aus

die krabben sind sauberenthülste schöne tiere
enthülste krabben werden keinen flieder fressen

der seewind trägt ein interessantes telegramm
er weht aus dem fischhafen ich folge ihm hurtig

plötzlich im letzten sommer kaufe ich eine mütze
ich setze sie auf schief gerade und in den nacken

durch die leutnantsgasse rollt ein leckes faß
ein seemannsleben aus feingestanzten blechankern

die krabben werden in weiße duftende sahne getan
alle nachbarn nehmen ziegelsteine aus den wänden

meine vespa läßt den morgen wie glasperlen klirren
der flieder ist ein zartbewegter salzstreuer o ja

in allen ziegelwänden der stadt entstehen löcher
die nachbarn gucken sie erwarten sich ein telegramm

landschaft 18

die süsse der nachtigall hat den wald durchbrochen sie
dringt an mein ohr auf wellen des abends kam sie ob sie

gezielt ist wer weiß es ich aber nehme sie wie eine
tasse schöner milch ich trinke der nacht zu sie allein

ist s die mich kleidet in diebstracht wenn ich liebe
suche in mulden auf hügeln unter einem verborgenen baum

ja ich atme das nest das noch ungebaute ein forst auch
in samen der plötzlich erwächst und steht mit hütenden

schatten darin ich in ihrem namen ergreife was zu halten
ist wie liebliche macht der brüste und enge des leibes

oh und die sorgsame stille der hände wenn der mond sich
verspinnt an geschlossenen blüten von blumen du dafydd

verstehst das hast diese sprache gelehrt in zeilen der
vorzeit wie wenn ich jetzt nicht begriffe hader fürchtete

oder das schnauben des hahnreis gerechte götter es steht
ein wiederschein des walds in ihren augen als ob ein hauch

von grün zwei helle teiche rührte mein gang ist frei und
aufrecht wer will dem wehren ich frage nicht ich nehme

seht, die flinke fledermaus,
wie sie durch die wolken saust,
wie sie drin im mondlicht schwebt,
s mäulchen ganz von blut verklebt.
fängt sie euch an eurem haar,
ists geschehen ganz und gar
gleich um euch, sie trägt euch fort,
durch die luft nach fremdem ort,
wo ein schlößlein ist ihr hort.
drinnen wohnt sie ganz allein,
hat ein rotes kämmerlein,
lebt vom blut der äderlein,
schon seit vielen hundert jahr,
bringt sie kinder in gefahr,
und in transsylvania,
wo sie schon so mancher sah,
heißt sie fräulein drakula.

Helmut Heißenbüttel
* 1921

Gedicht über Hoffnung

Halluzination großer fremder Städte Stadt
starrt aus eingefallen Ecke Silberburg-Rosen-
bergstraße Novembersonne Gerüst Ahnung
dicht bevor Wiederkehr entgegen Halluzina-

tion letzter Gänge Licht-Schatten-Kolonnen
täglich rostrot bewischt Gerüst durch Mauer-
blenden hindurch Koordinaten und spät Re-
genschieferglanz Fransenstreif abends Ver-

folgung und Angst und Ermatten Erfindung
und Weglosigkeit hell fremd groß Stadt die
Städte des Paradieses was zu kommt uns hell
fremd groß und keine Spur hinterlassen

Spritzfleck endgültig asphalt- und schatten-
gelackt später Umkehr Aufhebung Geschehen
Umkehr Geschehen Schattenbild Vorwurf
Metall rotgelackt dezemberbraun selbst eine

Möve im Binnenland später Kupferhalden
Dohlen Mastenfeld Regenfächer und kleine
Figuren auf langhingezogenen Prospekten der
Schrecken der nicht zu erwarten Begegnung

kreiselnder Dohlenfahnen schräg Mengen von
übereinander gestapelten Bahnsteigen plötz-
lich staniolfarben Kalkleuchten Lichterbündel
Lichterbündelbänder Bandfeld dazwischen end-

gültig durch Mauerblenden hindurch Doppel-
sinn Wortdinger Schlagholz Sprache verviel-
facht multipel sooft auf der andern entledigt
dessen was äußerst Nachtigall mitten im Winter

so what

die Ehrlichen haben sich als korrupt erwiesen
die Biedermänner haben sich als Angeber erwiesen
die Vitalität erweist sich als Impotenz
Keuschheit erweist sich als triebübersteuert
die Nüchternen haben sich als süchtig erwiesen
die Verantwortung besaßen erwiesen sich als verantwortungsscheu

Großmut erweist sich als Kleinlichkeit
Disziplin erweist sich als Konfusion
Wahrheitsliebe hat sich als verlogen erwiesen
Furchtlosigkeit erweist sich als Feigheit
Gerechtigkeit als Grausamkeit
die das Leben bejahen erweisen sich als lichtscheues Gesindel

die korrupt sind sind die einzig Ehrlichen
die Angeber allein sind Biedermänner
die Impotenz allein ist vital
Triebübersteuerung ist die einzige Art von Keuschheit
Süchtigkeit allein ist nüchtern
die Verantwortungsscheuen sind die einzigen die Verantwortung besitzen
die Kleinlichen sind die einzig Großmütigen
Konfusion allein ist diszipliniert
die Lüge ist die einzige Wahrheit
Feiglinge allein sind furchtlos
die grausam sind allein sind gerecht
das lichtscheue Gesindel ist das einzige das das Leben bejaht

wer ehrlich ist ist korrupt
wer einen Biedermann vorstellen will gibt an
wer als vital gelten will sorgt für Impotenz
wer als keusch gelten will übersteuert seine Triebe
wer nüchtern ist ist süchtig
wer Verantwortung tragen will ist verantwortungsscheu
wer als großmütig gelten will sollte kleinlich sein
wer auf Disziplin hält ist konfus
wer die Wahrheit sagt lügt
wer keine Furcht hat ist ein Feigling
wer gerecht sein will ist grausam
wer das Leben bejaht gehört zum lichtscheuen Gesindel

ehrlich korrupt oder korrupt ehrlich
biedere Angabe oder angeberische Biederkeit
vitale Impotenz oder impotente Vitalität
triebübersteuernde Keuschheit oder keusche Triebübersteuerung
süchtig vor Nüchternheit oder nüchtern süchtig
verantwortungsbewußte Verantwortungsscheu oder verant-
wortungsscheues Verantwortungsbewußtsein
großmütig kleinlich oder kleinliche Großmut
disziplinierte Konfusion oder konfuse Disziplin
wahre Lüge oder verlogene Wahrheit
furchtlos feige oder feige Furchtlosigkeit
gerechte Grausamkeit oder grausam gerecht
lichtscheue Lebensbejahung oder lebensbejahend lichtscheu

so what

die Zukunft des Sozialismus

niemand besitzt was
niemand beutet aus
niemand unterdrückt
niemand wird ausgebeutet
niemand wird unterdrückt
niemand gewinnt was
niemand verliert was
niemand ist Herr
niemand ist Sklave
niemand ist Vorgesetzter
niemand ist Untergebener
niemand ist einem was schuldig
niemand tut einem was

niemand besitzt nichts
niemand beutet niemand aus
niemand unterdrückt niemand
niemand wird von niemand ausgebeutet
niemand wird von niemand unterdrückt
niemand gewinnt nichts
niemand verliert nichts
niemand ist Herr von niemand
niemand ist Sklave von niemand
niemand ist niemands Vorgesetzter
niemand ist niemands Untergebener
niemand ist niemand was schuldig
niemand tut niemand was

alle besitzen alles
alle beuten alle aus
alle unterdrücken alle
alle werden von allen ausgebeutet
alle werden von allen unterdrückt
alle gewinnen alles
alle verlieren alles
alle sind Herr von allen
alle sind Sklave von allen
alle sind Vorgesetzte von allen
alle sind Untergebene von allen
alle sind allen alles schuldig
alle tun allen alles

alle besitzen nichts
alle beuten niemand aus
alle unterdrücken niemand
alle werden von niemand ausgebeutet
alle werden von niemand unterdrückt
alle gewinnen nichts
alle verlieren nichts

alle sind Herr von niemand
alle sind Sklave von niemand
alle sind niemands Vorgesetzte
alle sind niemands Untergebene
alle sind niemand nichts schuldig
alle tun niemand nichts

Einfache grammatische Meditationen

a [Tautologismen]
der Schatten den ich werfe ist der Schatten den ich werfe
die Lage in die ich gekommen bin ist die Lage in die ich gekommen bin
die Lage in die ich gekommen bin ist ja und nein
Situation meine Situation meine spezielle Situation
Gruppen von Gruppen bewegen sich über leere Flächen
Gruppen von Gruppen bewegen sich über reine Farben
Gruppen von Gruppen bewegen sich über den Schatten den ich werfe
der Schatten den ich werfe ist der Schatten den ich werfe
Gruppen von Gruppen bewegen sich über den Schatten den ich werfe und verschwinden

b
die Schwärze des Wassers und das Punktuelle der Lichter
die Schwärze des Wassers und das Gelegentliche der Reflexe
Gegenden und Gegenden und Landschaften
Landschaften die ich gefärbt habe und Landschaften die ich nicht gefärbt habe
das Gelegentliche der Schatten und die Chromatik des Hellen
die Schwärze des Schwarzen und die Chromatik der hellen Flecke
gelb rot rotgelb und rot rot rot
Gegenden und Landschaften und oder
oder und oder oder

c [konjunktivisch]
bis zur Mitte der Hälfte
weniger als zu wenig
am wenigsten
als ob als ob
wahrscheinlich wahrscheinlich
auf sich genommen nicht auf sich genommen
unentschieden
vorläufig vorläufig

d
Schraffuren von Spiegelungen und Reflexe und Nachmittage
Nachmittage und Nachmittage und Nachmittage
Nachmittage sind gebräuchlicher als Vergangenheiten
Nachmittage sind nicht häufiger als Vergangenheiten
der Nachmittag mit dem ich benenne ist benennbarer als Vergangenheiten
langsam entfernte Nachmittage durch eine Schraffur von Spiegelungen
fortgegangene Fortgänge verweisen
gesprungene Spiegelflächen und gesprungenere Nachmittage
gesprungenere Nachmittage und gesprungenere Nachmittage

e
kleine schwarze Senkrechte überqueren langsame schwarze Waagerechte
Regenförmiges überquert Regenförmiges
Scharen von Wänden
kleine schwarze traurige unaufhörlich wandernde Rechtecke
zögernde Diagonalen
sich überquerende gerade endliche Strecken
jedenfalls gegebenenfalls und ich rede rede
Rede überquert Rede und es gibt es gibt es nicht nicht
Rede überquert Rede und es gibt es gibt es nicht nicht und nie nie

f [partizipial]
wartend wartend gewartet haben
gewartet werden
rumgekriegt nicht rumgekriegt rumgekriegt worden sein
widerrufene Widerrufe
quergespannte Geräusche
quergespannte Geräusche aus endlichen Zeitpunkten
widerrufene Widerrufe auf Widerruf richtend auf
aufgerichtet gerichtet auf aufgerichtete Richtung
aufgerichtete Richtungen aus unendlichen Zeitpunkten

Schlager antik

der göldnen Sternen Reihungen erbleichen
Orion fällt bestürzt und die Plejaden weichen
die totgesagt war Liebe bricht herein
und Tag und Nächte sind mit sich allein
verrückt schau ich die Zeit die läuft zurück
ich schau was ist wie ein Theaterstück
gewisser Ungewißheit Traurigkeit
füllt die in sich zurück gekehrte Zeit
Oktober hat noch einmal dies durchtagt
und Zukunft sich erfüllt wie es vorausgesagt
der Ruhe Geist ist in den Stunden
der prächtigen Natur mit Tiefigkeit verbunden
in traurigem Gesang erkennt
sich meines Schmerzes süßes Instrument
geblieben ist was mir nicht war gewohnt
hier unter diesem wechselweisen Mond
und was ich noch zu sagen wüßte
ist nicht was ich zu sagen sagen müßte
wenn aber Liebende die weinend wollten scheiden
nach unerhörter Sehnsucht langen Leiden
ans Herz sich dennoch dürften wieder pressen
zu küssen würden sie sich hier vergessen

negative Dialektik 1

im nein das ja
im ja im nein das nein
im nein im ja im nein das ja
im ja im nein im ja im nein das nein
im nein im ja im nein im ja im nein das ja
im ja im nein im ja im nein im ja im nein das nein

ach wie kanns möglich sein

negative Dialektik 2

nein
nein?
nein nein
nein nein?
nein nein nein
nein nein nein?
nein nein nein nein
nein nein nein nein?
nein nein nein nein nein
nein nein nein nein nein?
nein nein nein nein nein nein
nein nein nein nein nein nein?
nein nein nein nein nein nein nein
nein nein nein nein nein nein nein?
nein nein nein nein nein nein nein nein
nein nein nein nein nein nein nein nein?
nein nein nein nein nein nein nein nein nein
nein nein nein nein nein nein nein nein nein?
nein nein nein nein nein nein nein nein nein nein
nein nein nein nein nein nein nein nein nein nein?
nein nein nein nein nein nein nein nein nein nein nein
nein nein nein nein nein nein nein nein nein nein nein?
nein nein nein nein nein nein nein nein nein nein nein nein
nein nein nein nein nein nein nein nein nein nein nein nein?
nein nein nein nein nein nein nein nein nein nein nein nein nein
nein nein nein nein nein nein nein nein nein nein nein nein nein?

naja

Eugen Gomringer
*1925

das schwarze geheimnis
ist hier
hier ist
das schwarze geheimnis

schweigen schweigen schweigen
schweigen schweigen schweigen
schweigen schweigen
schweigen schweigen schweigen
schweigen schweigen schweigen

worte sind schatten

worte sind schatten
schatten werden worte

worte sind spiele
spiele werden worte

sind schatten worte
werden worte spiele

sind spiele worte
werden worte schatten

sind worte schatten
werden spiele worte

sind worte spiele
werden schatten worte

fliegt

fliegt
 strömt entgegen
fliegt
 breitet sich aus
fliegt
 umhüllt
fliegt
 verdünnt sich
fliegt
 löst sich auf
fliegt

rund

rund
beginnt rund

ründet sich groß
ründet sich auswärts
ründet sich einwärts
ründet sich aus

wendet sich

ründet sich neu
ründet sich auswärts
ründet sich einwärts
ründet sich voll

vollendet sich
rund

Franz Mon
*1926

Geschnürter Wind

wortsiebtel weit im rücken geblieben
sehr weit vorn in der schlinge

einiger tage lichtempfindliche haut schützt
vor dem anprall brüchiger lippen

nah so nah ist's darum nicht zu greifen:
insekt zwischen den backenzähnen zerbrächs

reden die rede flinker eidechsen quer
über die fährten die mehrere tage gehäuft haben

wortsiebtel: eines wespenleibs ring lose vorn über
den fahrbahnen die laufen sogleich in ihm zusammen
wird nur das rad in der hand
nicht bewegt

wirds dunkler an den dreimaldrei fahrbahnen auf dieser haut
wie greifen die sprünge springender aus

in den schwanz gebissen

wer zuerst lacht lacht zuerst noch
wer zuzweit lacht lacht zweimal
wer gleich lacht lacht doppelt
wer zuerst kommt mahlt am besten
wer zuzweit kommt sieht doppelt
wer nicht kommt lacht am schluß noch
wer zuletzt kommt beißt die hunde

vor allen dingen

wer ist dran
du
ich, wieso ich
ich war schon
ich auch
wann denn
gleich nach dir
gelogen. ich war nämlich auch noch nicht
ich aber. ich habe ja genau deinen hals gesehen
und wie sah er aus
grün
stimmt
also, wer ist dran
wer fragt
ich habe schon
und bekamst du eine antwort
versehentlich

schachzabel

reim dich oder ich freß dich
selberessen macht fett
dann mach endlich die zähne auseinander
gleich und gleich gesellt sich gern
und wohin mit der suppe
ist sowieso kein haar mehr drin
ich seh noch eins

ein haar macht noch keine suppe
dann kämmen wir uns noch schnell vor dem essen
und wer kocht
hunger
der feinschmecker? der kotzt, aber kocht nicht
wir lassen ihn mitessen. du wirst sehen, wie er spurt
ich habe aber keine spur von hunger
das macht nichts. ich esse dich mit

Claus Bremer
* 1924

zwei tabellen und eine variation

fugen	aus	märchen
fugen	märchen	aus
aus	fugen	märchen
aus	märchen	fugen
märchen	fugen	aus
märchen	aus	fugen

aus gold	ohren	die wüsten
aus gold	die wüsten	ohren
ohren	aus gold	die wüsten
ohren	die wüsten	aus gold
die wüsten	aus gold	ohren
die wüsten	ohren	aus gold

fugen	aus	märchen
aus gold	märchen	aus
aus	aus gold	märchen
ohren	märchen	aus gold
märchen	aus gold	ohren
die wüsten	ohren	aus gold

[1959]

Friedrich Achleitner
* 1930

ruh
und
ruh
und
ruh
und
ruh
und ruh und ruh und ruh und
ruh
und
ruh
und
ruh
und
ruh

Gerhard Rühm
* 1930

jänner
feber
märz
april
machen was der mensch nicht will
märz april
sind abgeschossen
juni juli
schon verflossen
flossen flossen
doch der mensch hat beine
und so kommt auch der august
(ich hätt es bald nicht mehr gewusst)
september
oktober
november
und schließlich der dezember
zember zember

es grünt
ein grünes
grün
so grün

dass alle grünen
grüner
grünen

o grünt
nicht mehr

sonett

erste strophe erste zeile
erste strophe zweite zeile
erste strophe dritte zeile
erste strophe vierte zeile

zweite strophe erste zeile
zweite strophe zweite zeile
zweite strophe dritte zeile
zweite strophe vierte zeile

dritte strophe erste zeile
dritte strophe zweite zeile
dritte strophe dritte zeile

vierte strophe erste zeile
vierte strophe zweite zeile
vierte strophe dritte zeile

stille
irgendwer sucht mich
stille
 wer sucht mich
stille
 sucht mich
stille
 ich

dunkel hell

stein kühl fallen
regen leicht schweben
mensch schwer fallen
sonne heiss schweben
 schwebt heiss stein
 fiel schwer regen
 schwebt leicht mensch
 fiel kühl sonne
 stein leicht schweben
 regen kühl fallen
 mensch heiss schweben
 sonne schwer fallen
 fiel schwer stein
 schwebt heiss regen
 fiel kühl mensch
 schwebt leicht sonne

Ernst Jandl
* 1925

ottos mops

ottos mops trotzt
otto: fort mops fort
ottos mops hopst fort
otto: soso

otto holt koks
otto holt obst
otto horcht
otto: mops mops
otto hofft

ottos mops klopft
otto: komm mops komm
ottos mops kommt
ottos mops kotzt
otto: ogottogott

fünfter sein

tür auf tür auf
einer raus einer raus
einer rein einer rein
vierter sein dritter sein

tür auf tür auf
einer raus einer raus
einer rein einer rein
zweiter sein nächster sein

tür auf
einer raus
selber rein
tagherrdoktor

wasser ka
kalt kur
wasser ka
kalt kur
kaltwasser kukuku
wasserkalt ka
kaltwasserkalt kurkurkur
wasserkaltwasser naturnatur so
kaltwasserkaltwasserkalt natur soso
wasserkaltwasserkaltwasser sebastian
ka wasserheil
ku kaltwasserheil
ka kaltwasserheilwasserheil
ku heilwasserwasserkalt
ka heilkalt
kur ka
kur kur
kur ka
kur kur
wasserkaltwasserkaltwasser kukuku
kaltwasserkaltwasserkalt knei
wasser p
wasser p
wasser p
wasser knei
kalt p
kalt p
kaltkaltkalt kneipp sebastian
sebastian

lichtung

manche meinen
lechts und rinks
kann man nicht
velwechsern.
werch ein illtum!

sommerlied

wir sind die menschen auf den wiesen
bald sind wir menschen unter den wiesen
und werden wiesen, und werden wald
das wird ein heiterer landaufenthalt

nasal

ich möcht so was für meine sorgen
a ha
so was schönes für mein gemüt
a ha
a ha
so was was sagt: morgen wird alles besser
a ha
so was was sagt: auch heut ist sehr viel gut
a ha
a ha
so was was mich ausdehnt möcht ich halt
a ha
so was man so sagt: gedankenflug
a ha
a ha
und wie gesagt: für mein gemüt
so was was in der seele aufgeht und
dort blüht
a ha
a ha

motorradfahrer

griff und griff mit ellbogen und ellbogen haltend
der motorradfahrer bedient seine maschine
hände unterarme und beine spreu sind
geschieden vom weizen bedient er seine maschine

fragen möchte wie kamen abhanden diese
abhanden hände beine unterarme wie kamen
aber nicht gestattet ist noch aktuell gefrage
sind doch spezialausführung maschine und krüppel

vater komm erzähl vom krieg
vater komm erzähl wiest eingerückt bist
vater komm erzähl wiest gschossen hast
vater komm erzähl wiest verwundt wordn bist
vater komm erzähl wiest gfallen bist
vater komm erzähl vom krieg

lassen
 lässt
blasen
 sein
lassen
 blaues
blasen
 band
lassen
 wieder
blasen
 flattern
lassen
 durch
blasen
 die
lassen
 lüfte
blasen
 lassen
frühling
 blasen
lässt
 lassen
sein
 blasen
blaues
 lassen
band
 blasen
wieder
 lassen
flattern
 blasen

Friederike Mayröcker
* 1924

Gesponnener Zucker

Braut und Bräutigam mit dem Eiffelturm nach Chagall
auf der Bank auf der Vogelbank auf der Federbank
mit dem maßlosen vierbeinigen Eiffelturm
Weichteile aus Stahl
und die Rollfähre in die stimmungsvollen Lüfte

jenseits der Seine
wir wissen schon wo
denn der Frühling kann aus den Büschen kommen
mit den Baßgeigen mit den Luren mit den Lieblingsglöcknern
an gewöhnlichen Häusern läuten wie an einer Sturmglocke
durch die Dachglasblase Glasblase mit dem Stachel
der einmal ein Wetterhahn war
der Wetterhahn ist zur Wetterhenne geflogen
und der schwarze Bräutigam fragt die weiße Braut:
willst du das Hühnerei des Wetterhahns ausbrüten
das Entenei mit dem Reiherschnabel mit dem Wollhut und Lappenbart
das uns so hübsch befördert

so weiß vom Brautschleier bis zu den Fußsohlen
in der einen Hand einen Strauß Salbei wie einen Fächer aufgebunden
den Fächer Salbei mit der Hand auf den Schenkel gedrückt
die andere Hand ist verkürzt und unter der Mitte
dorthin legt der Bräutigam seine Hand
was für liebe Ohren du hast sagt der Bräutigam

und alle Musik aus den Käferbäumen
den Singvögelchen-Kehlen
den Brautfeldern und den Kirchenstämmen
die sich im Westwind biegen
wird zu einer Flüssigkeit
und mit einem großen Trichter
gießen sie diese Flüssigkeit
in den Kopf der weißen Braut
jetzt bin ich nur in meinem Kopf sagt sie
denn ich kann alle Musik in meinem Kopf rinnen hören
auch die gelben Blumen von der Wiese
und die Pappelkätzchen

dann stelzen sie vorüber
drei Wippvögel oder Schwiegerschwestern
stark parfümiert und auf Wurmsuche
auch mit der Anfertigung von kritischen Aufsätzen beschäftigt
über die letzte Harfenmusik im Schlehdorn
sie haben braune Augen und erschlaffte Gesichtsmuskel
aber von einigen Wangenfedern verdeckt
und große Zähne
und herrliche Beine
und sie lachen drollig
und über die Kieselwege davon

Ode an einen Ort

Heimstätte meiner Träume: Hütte Thron Türme Gebälk
 Glocken Taubenschwarm vielflügelig verbrieft
 geschnäbelt ins graue Licht
 ätzend den Trauerhimmel
 mit Botschaft von dir zu mir:

Schleife Ungeduld neu aufgebunden und mit Augengewichten beschwert
 tränengeblendet
 während feuer-trinkende Kannen

auf in den versengten Julihimmel (durchbrochen
 Windungen/rasende Gefühle
 weit verstreut Blumen –
 setz deinen Fuß auf mein Haupt
 Herr!)

quellende Sträuße Ginster/Kamillen (wie Staub . .)
der Wald –

 . . und zu den Teichen!

Im Lampion eines Junimonds
in den drei Parzen der italienischen Kriegsmarine
lautlos kreuzend in Gabicce Mare
im Braunwuchs des spanisch-imitierenden Städtchens Gradara
in den Kornfeldern
 in den Ölbäumen
 in den Gluten
 im Zypressengang abwärts

im gelben zickzack den Wanderstab Sonne umklammert

im unsichtbaren Venedig
im einzigen Lindenblatt
Papierschere namens November

ruht immer wieder

(im Schatten einer Marquise)

DAS LAMM GOTTES

Durch die Gitterstäbe meines Herzens
scheint die Welt mir seltsam fremd

auf und nieder hier und dorthin
doch die Tore sind versperrt

immer kleiner sind die Kreise
immer mutloser der Ausbruch

manchmal bleiben Menschen stehen

werfen ein paar leise Worte
werfen einen Blick herein

seltener kommst du vorbei

du hast meine Tür verriegelt
du hast alles abgesperrt

manchmal wirfst du eine Rose
wie ein Stückchen rohes Fleisch

im Vorübergehn herein.

Walter Höllerer
* 1922

O sieh den roten Mohn, erschrick

Daß du es hast und doch nicht hast
Und daß du weitergehst und suchst:
Das kam, das ging, das war zu Gast

Und kam woher? und endet wo?
Und ging wohin? und spricht nun weit
Vom Berg verdeckt die Worte so,

Als wär'n sie alt. Und sind doch nie
Mehr voll gesagt –
Und wußte es die Priesterin, die

Im Nebel stand, im Qualm der Nacht?
Und der in Ketten vor dem Tod?
Achill vielleicht in seiner Schlacht?

Und du, in feuchten Klee gepreßt,
Wenn neben dir die Garbe schrie,
Hieltst du es fest?

Hieltst du ihm stand, den Frauen nah?
Und wenn es war in dem Gesicht
Des Sterbenden, als dies geschah

Am letzten Tag des letzten Kriegs?
Und warst nur immer froh des Siegs,
Wenn es vorbei, vorüber war,

Und änderte dich nie und nie
Und streifte hin und ließ dich so
Wie vorher sein und ließ dich wie

Ein Tier am Weg mit stumpfem Blick?
Und schwankst und tölpelst schattenwärts:
O sieh den roten Mohn, erschrick,

Daß du es hältst, daß du es hast
Und daß dus seist,
Und nicht als Fremder weiterreist –

Du warst nur selten dir zu Gast.

Der lag besonders mühelos am Rand

Der lag besonders mühelos am Rand
Des Weges. Seine Wimpern hingen
Schwer und zufrieden in die Augenschatten.
Man hätte meinen können, daß er schliefe.

Aber sein Rücken war (wir trugen ihn,
Den Schweren, etwas abseits, denn er störte sehr
Kolonnen, die sich drängten), dieser Rücken
War nur ein roter Lappen, weiter nichts.

Und seine Hand (wir konnten dann den Witz
Nicht oft erzählen, beide haben wir
Ihn schnell vergessen) hatte, wie ein Schwert,
Den hartgefrorenen Pferdemist gefaßt,

Den Apfel, gelb und starr,
Als wär es Erde oder auch ein Arm
Oder ein Kreuz, ein Gott: ich weiß nicht was.
Wir trugen ihn da weg und in den Schnee.

Widerspiele

Der Lattich blüht am Zaun.
Der weite Platz ist griebenbraun.
Er schwelt den Winter aus.

Im März. Die Sonne schien
Gelbglänzend, aber faul.
Der Fuhrmann schlug den Karrengaul.

Der Lattich war mein Haus,
Das Latticheck.
Wir spielten dort zu zweit Versteck

Der zog den Müll, den Schutt.
Nach Staub rochs und Palmin,
Und ihre Puppe warf ich ihr kaputt.

So schlafen so wachen

So schlafen, in der offnen Hand
Den Obolos für Stunden noch,
Für einen Tag, der unbekannt,
Fürs Fremdeste der Nacht.

So fortgehn, daß der Elephant,
Der schwer Ägypten trug nach Rom,
Nicht aufbegehrt. Das Glöcklein uns
Nicht mehr beschwert.

So wachen, daß im Pantheon
Die ich nie hörte, Worte sind.
Daß Schwalben kommen mitternachts,
Und daß wir lächelnd sehn: sie sinds.

So bleiben, daß die Wagen nur
Den Kreis umstehen, ohne Fahrt,
So schlafen mit dem Obolos
Für seinen Tag in meiner Hand.

Völlig versteckt im Frühwind

1

Daß ich mehr einnahm,
 mitnehm, mitführ als ein Fluß
Als das Rascheln auf meinen Lippen
Als das Brennen in meinen Augen
 Als Hände mitnehmen:

 Schwarz schwarz und
 die Strömung und Käfersurren
Niemand niemand wenn ich nicht spreche wird aufsehn
Daß die Wolken einen Schacht freigeben zu einem Schwarm von Wolken,
Daß die Tore der Wolken aufbrechen in einen Regen,
Daß eine hellgraue Fläche hinausschwimmt in ein
 kaukasisches Vogelbild.

Nicht die Blätter
 Nicht die verregnete Flucht der Haut um die Augenwinkel,
 Nicht der Druck einer Secunde, die mich rechtfertigt (vier
 und dreißig Jahre und die Wochen von Jahren)
 (vier und dreißig mal tausend Versuche, Müdigkeit)
 (vier und dreißig mal Absprünge)
 (außerdem noch zehn Finger mit Ruß Schweiß Lehm roten Stellen)

Nicht durch dich aber unmöglich ohne dich.
 Unmöglich wenn nicht jetzt in dieser Vergänglichkeit,

Unmöglich wenn nicht (ich presse den Zufall,
ich schmeck' ihn, kann ihn nicht ausschalten), wenn nicht

Mit diesen Lippen und diesen Augen du fragst du trägst
deiner Haut die Antwort auf: es fallen – hör doch –
Staub fällt fallen Gitter bröckeln Mauern – hör doch – und

Flächen ausgespannt ohne Spärlichkeit
Flächen aneinandergestellt daß die Ränder
Neu anrolln zu Flächen und über den Flächen
Die leicht mit Körnern bestreute melierte ahnungslose
Welt – ich
führ dich zu diesem Strand

2

Ob es ein Geviert ist auf einem Haus auf einem Berg
Oder ein Garten der uns nicht gehört
der verfallen wird
Oder ein Gegenübersitzen ein Streifen im Zimmer
Zum ersten Mal im Leben ohne Ängstlichkeit
Zum ersten Mal bellen meine Sätze nicht

Ein großer blauer Teppich und die Muster
Verschwimmen wenn du Modelle formst
Mit deinen Fingern: wenig bekannte,
Und läßt sie brennen im Blau als ein anderes Blau und läßt
Sie brennen

Was sich anschwemmt bleibt mehr nun in unserer Hand
Fleisch und Gebein am Strand von Charles River
Und die zerstückten Betten Nacht um Nacht

Kein Argument trübt mich
hält mir die Hände an
Hör mich
Ein Bündel von Linien

3

Gerüst
Völlig versteckt im Frühwind
Leicht gepanzert; – im Morgenzug
Schläft fast alles
Fahren wir von Arbeit zu Arbeit
Durch Industriegelände im Schwefeldampf
Gelb die Signale gelb die Augen gelb
Schläft fast alles
Dicht über der Brüstung vor einem ergrauten Tuch
Murmelt was wischt es weg mit der Hand
Über die Augen die schwer werden
Schläft fast alles
Schläft hin träumt hin zieht sich hin
Gepanzert und versehrt

Komm, es ist wichtig
 morgen von zehn bis bis
 oder von 15 bis bis dreißig aber dann
übermorgen
 Komm, es ist wichtig
Du wirst nicht wünschen daß ich murmelt was

Ich und deine Belegschaften
 weiterleben
mit den Drähten fortlaufen

Seh ich die Augen vorbeifliehn
Bleib ich erstaunt zurück
Bleib ich

Wolfgang Bächler
* 1925

Schwarz und Weiß
(Noord-Holland)

Wie Tiere aus nächtlichen Welten,
schwarzbäuchig und weiß gefleckt,
sind Kühe unter den Zelten
der Wolken ins Grün gestreckt.

Schwärme von Möwen und Krähen
kreuzen sich diagonal.
Westliche Winde blähen
die Segel auf dem Kanal.

Mit Dünensand überwehen
sie Gräber der Widerstandszeit.
Die Flügel der Mühlen drehen
den Staub durch die Ewigkeit.

Revolte im Spiegel

Der Maske satt, in die er jeden Morgen schlüpft,
müde des Abziehbildes einer hohlen Sicherheit,
müde den Mann zu stellen, sich ins Zeug
zu legen, sich zu setzen in die Nesselsessel,
müde sich einzuspielen, aufzuspielen,
aufzupumpen und wieder, immer wieder anzupassen,
einzupassen, korrekt, adrett, gewandt, gefaßt,
gesetzt, gewitzt, gewiegt, gewinnend,

987

riß er sich die Krawatte von der Brust
und schneiderte sie um zu einer Puppenschürze
für seine Tochter, zerschnitt er seinen Hut
in parallele Bänder für seinen kleinen Sohn
und ließ die Adern und die Muskeln schwellen,
bis die Manschetten platzten
und der Kragenknopf zersprang.

Sodann versetzte er seinem Spiegelbild
Kinnhaken und genau gezielte Tiefschläge
auf den Magen, in die Milz und Leber,
trat auf die Scherben, stampfte sie
zu Staub und leckte sich zufrieden
das Blut von seinen Fäusten.

Die Erde bebt noch

Die Erde bebt noch von den Stiefeltritten.
Die Wiesen grünen wieder Jahr für Jahr.
Die Qualen bleiben, die wir einst erlitten,
ins Antlitz, in das Wesen eingeschnitten.
In unsren Träumen lebt noch oft, was war.

Das Blut versickerte, das wir vergossen.
Die Narben brennen noch und sind noch rot.
Die Tränen trockneten, die um uns flossen.
In Lust und Fluch und Lächeln eingeschlossen
begleitet uns, vertraut für immer, nun der Tod.

Die Städte bröckeln noch in grauen Nächten.
Der Wind weht Asche in den Blütenstaub
und das Geröchel der Erstickten aus den Schächten.
Doch auf den Märkten stehn die Selbstgerechten
und schreien, schreien ihre Ohren taub.

Die Sonne leuchtet wieder wie in Kindertagen.
Die Schatten fallen tief in uns hinein.
Sie überdunkeln unser helles Fragen.
Und auf den Hügeln, wo die Kreuze ragen,
wächst säfteschwer ein herber neuer Wein.

Nüsse
Für Margarethe und Volker Schlöndorff
(Donnini, Herbst 1974)

Das blonde Haar der Toten
wächst aus der harten Erde,
vergilbt zu unseren Füßen.
Der Nußbaum wirft uns
welke Blätter zu.

Doch in den Nüssen
bilden sich Gehirne aus.
Bald werden wir die Schädel knacken,
die Gehirne aus den Schalen lösen
und zerbeißen, Geschmack
der Weisheit dieser Erde auf der Zunge.

Bürgerkriege

Hinter mir fielen die Türen
des Waldes zu.
Ich schloß sie ab,
um das Geräusch der Stille
nicht mehr zu hören,
schloß die Stimmen ein,
die um mich waren
und in mir waren.

Ich floh
in den beruhigenden Lärm
der Stadt
und las die Schlagzeilen,
las in der S-Bahn
vom Fortgang der Bürgerkriege
in Vietnam, Laos, Kambodscha,
Palästina, Irland, Amerika.

Die Stimmen durchdrangen
die Wände der S-Bahn,
die Wände des Lärms.
Schüsse durchschlugen
die Türen, die Fenster.
Die Schüsse trafen die Stimmen,
trafen, verwundeten mich.

Depression

I

Nun schließen sich wieder die Wege,
auf denen ich unterwegs war.
Es bleibt keine Frist mehr,
verloren zu gehen.

Die Erde entzieht sich meinen Schritten.
Ich sinke durch Sumpf auf eine Wolke,
die sich in keinen Himmel mehr hebt.

Ich höre nur noch das Geräusch
meiner Schritte,
die nicht mehr vorwärtskommen.
Ich steige hinunter, ich stapfe,
ein Schatten im Schatten.

II

Ich habe das Tischtuch zerschnitten,
den Tisch zerbrochen,
der für mich gedeckt war,
aus Angst, zu essen, zu trinken.

Ich habe das Feuer zertreten,
das für mich geschürt war,
um nicht mit mir warm zu werden.

Ich habe den Schlaf zerschnitten
mit den Messern meiner Gedanken
an Schuld und Versagen und Reue,
aus Angst vor den Träumen.

Nur wache ich
zwischen den Scherben und Asche
im Kalten allein.
Nur noch die Sohlen brennen
und zischen im Tau,
der sie löscht.

Ausbrechen

Ausbrechen
aus den Wortzäunen,
den Satzketten,
den Punktsystemen,
den Einklammerungen,
den Rahmen der Selbstbespiegelungen,
den Beistrichen, den Gedankenstrichen
– um die ausweichenden, aufweichenden
Gedankenlosigkeiten gesetzt –
Ausbrechen
in die Freiheit des Schweigens.

Heinz Piontek
* 1925

Herbstliche Koppel

Der Herdengalopp
paukt mir scharf in den Ohren,
ich fühle den Herbst
mit schmerzenden Poren.

Am Zaun der Wacholder
wächst dunkel zusammen,
wann wird ihn ein neuer
Sommer entflammen?

Oktoberpferde –
bestürzende Schar!
Wie Reif hängt der Schweiß
schon im Mähnenhaar.

Noch seh ich am Bachholz
sie wild sich vereinen,
bald werden sie nächstens
im Traum mir erscheinen.

Gespenstisch im Auge
den Schimmer des Quarzes:
ein weißes, ein rotes,
ein fahles, ein schwarzes.

Wenn die Nacht kommt

Die dünne Birnholzplatte stützt
das mürbe Armgelenk,
wie ich den lauen Tag genützt,
des bin ich eingedenk.

Das schwarze Zifferblatt verschweigt,
was ich erraten muß.
Die Schläfe in die Hand geneigt,
schreib ich den Zeilenschluß.

Woran mein Leben einst zerbricht,
ist es noch unbedacht?
Der Zeiger springt im Tabakslicht.
Ich warte auf die Nacht.

für Günter Eich

Herbst – vom Bodensee aus

Flachgeschrägtes Traubenufer,
scharf erscheint's im See,
hör die Ochsenkehle brummen
her zum Segelschnee.

Trügt der schnelle Herbst das Auge,
wenn die Beere platzt?
Wenn er mich mit Lust durchschauert
und im Traum beschwatzt?

Auf dem Lack des Wasserspiegels
glimmert Fock und Bord.
Das geöffnete Vertrauen
trägt mich mit sich fort.

Kananäische Geschichte
fällt am Heck mir ein:
Speisemeister prüft die Krüge –
Wasser ward zu Wein.

Unablässiges Gedicht

Geschrieben, vergessen –
am Schuh reißt der Bast.
Nichts je besessen,
was du vergeudet hast.

Leuchtspur der Städte,
Orangen im Rock.
Zeit springt wie grüne Glätte
vom Rosenstock.

Vieles verschwiegen:
Wacholderhauch,
das graue Fell der Ziegen
schleift östlichen Rauch.

Da es ersonnen:
Was gilt es dir?
Die Welt bleibt begonnen
auf dünnem Papier.

Papier, schwarz im Feuer,
ein Ruch dann von Leim,
aus Luft bald ein neuer
flüchtiger Reim.

Nichts je besessen –:
das machte dich reich.
Schreiben, vergessen
gilt gleich.

Winterrätsel

Das Eis hat einen Fluß verklärt
und zeigt die blanken Narben.
Das Laub gestürzt. Das Licht bewehrt
mit überklaren Farben.

Es ist die alte Rätselzeit.
Der Ost entreißt dir Tränen.
O standhafte Verschwiegenheit
von frostverträuten Kähnen!

Frag zu – bald hast du ausgefragt
im Dorn vor grünen Spiegeln –:
wie Luft, die Schnee vom Strohdach jagt
und rüttelt an den Riegeln.

Um 1800

Zierlich der Kratzfuß
der Landeskinder,

während wer fürstlich
aufstampft.

Gedichtzeilen.
Stockschläge.

Viele träumen,
daß man sie verkauft.

Die Tinte leuchtet.

Deutschlands
klassische Zeit.

An die Schüler Heisenbergs

Spanisch
mag euch meine Arbeit
vorkommen.

Mit dem Gänsekiel.

Von den Ergebnissen eurer
unbegreiflichen Apparaturen
denke ich:

Überholbar.

Nichts wissend,
zeigen wir uns gegenseitig
die kalte Schulter.

Getrennt
nähern wir uns dem
übereinstimmenden Grund.

Schreiben

Gedachte Linien:
Flugschneisen.

Wörter als Leitton
in der Ohrmuschel.

Möglichkeiten,
die Häfen zu erreichen.

Man setzt sein Leben
aufs Spiel.

Einfache Sätze aus dem Jahr 68

1

Jemand läßt durchblicken, daß er
gegen die Zeit ist.

Jemand protestiert mit seinem Transparent
gegen Transparente.

Andere haben gleichschenklige
Dreiecke im Kopf.

Die Aufklärung nimmt zu.
Es wird dunkel.

Neue Bücher ergeben neue
Transparente.

Die Zukunft soll
rothaarig sein.

Über die Zukunft
sprechen wir morgen.

2

Jemand weiß Bescheid.
Er ist Schüler.

Alte Leute erzählen immer nur
alte Geschichten.

Ein Seminarist und eine Wucherin
in St. Petersburg:

Klassiker, gut für
Kreuzworträtsel.

Nichts ist so lästig wie
was gut ist.

Man kann nicht immer nur
auf Fliegen Jagd machen.

Mode wird bald
die Axt unterm Mantel.

Alle sprechen vom Überfluß.

Es soll wieder
überflüssige Menschen geben.

3

Täglich verliert jemand seine Unschuld
unter Schlagstöcken.

Täglich verstehen wir uns weniger.

Tageszeitungen kommen noch
täglich.

Der Frieden eine Komödie.

Es hat keinen Sinn mehr
auszuwandern.

Einfache Sätze werden
nicht einfacher.

Sprachtabus

Was habe ich mit euch zu schaffen,
heute, bei diesem unbotmäßigen
Morgenleuchten?

Ich räume dir Platz ein, Seele,
dem Sinnbild Gold und Herbstwind weise,
wähle ruhig auch dich, Ferne,
altdorferblaues Wort.

Ich greife auf das verschlissene Glück
des Vertrauens zurück,
die mit Schweigen bedachte Freundschaft
unter den Menschen

oder Wehlaute der Liebe,
die man den Groschenschreibern überläßt.

Aus Oktavbänden hole ich mir den Gesang
in pfirsichfarbenen Röcken
Vorübergegeisterter.

Ja, ich sage,
daß wir das Schöne nicht fürchten müssen:

den Honig, den Apfel,
den Schwan –

daß Umarmungen nicht geschmäht werden können
von schwerer Folter.

Noch im Winter wird
Staunen sein
und Zärtlichkeit.

Du Wortschatz der Stammelnden und Toten!
Ankommen soll es mir heute
auf eine Kraftprobe
deinetwegen –

Der Geist und die Braut sprechen:
Komm.

Heinz-Winfried Sabais
* 1922

Ecce Homo

Ich bin sehr alt,
ich lag lange vor Troja.
Ich warf den Anker
als Odyss Ogygia betrat.
Er fragte: Kennst du
den Heimweg? Ich
sparte den Atem.
Er hatte längst
Kalypsos Zehenspur
im Sand entdeckt.

Ich bin sehr alt,
saß inmitten der Menge
auf Golgatha, sah
den König der Juden
gekreuzigt, hörte
seine Bitte um Vergebung
für seine Mörder.
Wohin immer ich ging
seitdem – seine sanfte Passion
folgt mir nach.

Ich bin sehr alt,
fuhr als Zimmermann
auf der Santa Maria.
Ein Zweig im Wasser
bedeutet da, die Erde
sei eine Kugel.
Wir gingen an Land
und brachten den Wilden
das Kreuz.
Sie tanzten.

Ich bin sehr alt,
Danton verkehrte
in meinem Antiquariat.
Als sie die nackte
Göttin der Vernunft
auf den Altar setzten
und ihre Ewigkeit glaubten,
sann ich skeptisch
der Schönheit
ihrer Brüste nach.

Ich bin sehr alt,
studierte tausend Jahre
die Bibel.
Eines Tages schoß
mein Gewehr auf die Fenster
des Zaren. Ein Mann
schrie mit mir:
Gerechtigkeit! – Ich kam
später nach Workuta. Er
wurde in Kronstadt erschossen.

Ich bin sehr alt,
stand Posten
in Omsk (Alamos). Ein Freund,
den ich anrief,
erschrak. Ich ließ
ihn ohne Kontrolle
passieren. Sein Steckbrief
stand morgens
in allen Gazetten.
Der Krieg fiel aus.

Die Zeit, sage ich,
ist bloß die Straße,
ich gehe.
Die Epochen, sage ich,
sind kleine Zufälle,
ich bleibe.
Ich verbrauche Geschichte
wie Schuhwerk.
Ich heiße
Ich.

Sozialistische Elegie

I

Wir, geboren im Proletariat,
als es das gab, in Hinterhöfen der Vorstadt,
Enge, Zwang, Stallwärme ohne
Grundkapital, unverzinslich,
Menschenmaterial zum alsbaldigen
Verbrauch bestimmt: Lernen,
um nützlich zu sein; Bildung
amüsiert feine Leute. Blutjung
dressiert auf Massengrab. Trotzdem,
trotz Kniebeugen, trotz Demütigungen,
Selbstbestimmung von innen,
abgelistete Lust, mein
abgelistetes Leben, es sei,
wie es wolle, mein Leben!
Laßt tausend Blumen, tausend
obszöne Flüche blühn über den
mörderischen Kollektivismen
dieses elenden Jahrhunderts!
Faschismus, Kommunismus und
ewig so weiter, merde, danke!
Aller Macht den parlamentarischen
Fuß in die Tür und, gut gerechnet,
das soziale Gesetz in die Kasse!
Und die Menschenrechte
nirgendwo eine Minute
aus den Augen gelassen.
Würde des Menschen,
meine, deine, seine, ihre,
unsere, eure, ihre, immer
konkret genommen und auch
gegeben, altmodisches Maß
dessen, was ist, unverzichtbar:
Lieber sterben als kriechen.

II

Das wär's dann gewesen:
Marschbefehle quer
durch Europa. Töten
oder getötet werden.
Geduckte Solidarität
mit den Leidenden.
Melancholie unter Blutsturz
und Lüge und Haß.
Montaigne im Tornister,
das hielt vor. Erziehung
durch Rückzüge, Fluchten
von Sieg zu Sieg. Unsere
Lehre für's Leben:

Die besinnungslose
Maschinerie der Gewalt,
geschmiert mit verkommenen
Idealen. Optimismus war
Nächstenverrat. Die klügste
Technik des Überlebens:
Alles aufgeben, loslassen,
verlieren, um sich selbst
zu behalten. Augenblicke
allein, zu zweit, zu viert,
mehr geht nicht. Das Fazit:
Systemglück ist organisiertes
Unglück, die heile Welt
ein Krematoriumstraum.
Nichts lohnt, nichts, garnichts,
um zu töten, sich töten zu lassen.
Dies als Erfahrung.

III

Das wär's dann gewesen:
Menschheitsbeglücker mühsam
genug überlebt, die braunen,
die roten, gleichviel. Schutt
geschippt, durchgehungert,
gebettelt. Die Ehe, die Arbeit,
Pflichten entdeckt, die lieben
Kleinen gepäppelt, Bücher
geschrieben an Anonymus, an
neuen Städten gebaut, Praxis.
Auch Vernunft, das Heitere, Freie
hochgehalten in Dreck und
in Speck. Gewiß, keine Linie, nur
die sprunghafte Abfolge sehr
einzelner Punkte im Ungefähr.
Aber Geschichte ist nicht auf dich,
nicht auf eine Generation hin
angelegt. Dir gehört allein
deine Lebenszeit, die einzige, und
das dämmert sehr langsam.
Wenig genug erworben:
Bücher, Bilder, Auskommen
für ein Jahr und zu viel
moralischen Überschuß,
unverzehrbar durch Stimmungen.
Nein, mit Immobilien nichts im Sinn,
nie immobil sein. Man
muß sich entziehen können,
jetzt, immer. Auf, Graukopf,
in die Wälder, fort,

wenn die Lemminge kommen!
Frei wie ein Vogel sein,
vorbereitet bis zuletzt,
auf Vogelfreiheit, die einzige,
die nichts kostet, allenfalls
deinen Kopf.

IV

Das ist sie, das wird sie gewesen sein:
die ausgeblutete Generation,
historisch eingestaucht zwischen
tyrannische Väter
(„Gott mit uns!")
und fanatisierte Enkel,
(Marx mit uns!).
Theorieüberfressener Rausch,
der simple Totalität will
statt schwierige Wahrheit,
dummt sich rasend selbst fort –
zum nuklearen Eklat!
Noch sind wir da, herbstkühl,
die skeptischen Kulis,
sind bald dagewesen.
Und werden bleiben:
Flüchtige Spurenelemente
von Humanität in diesem
und jenem, für eine Weile;
bald eine manipulierte Sage,
ein abgefälschtes Lächeln
im sozialen Beton, zuletzt
Makulatur, nichts, garnichts.

V

Nehmt euch selbst auf den Arm,
Nachgeborene, Schafe im Wolfspelz,
auf eurem lärmenden Marsch
von KZ zu KZ.
Vielwissende, Unwissende!
In allen perfekten Systemen,

geglaubten, gedachten,
heckt Inquisition.
Euer geschlossenes Weltbild,
ein Zuchthaus: Ein Rückfall in
„selbstverschuldete Unmündigkeit".
Viele Tore stehen offen für Toren,
kein Ausgang; es gibt nur
Fluchtwege über die Mauer.
In Marx steckt Stalin,
wie die Puppe in der Puppe.
Wollt ihr den tierischen
Totentanz noch einmal
tanzen? Warum? Wozu?
Noch eine GULAG-Gesellschaft?
Es lebe Eduard Bernstein
und der strikte Sozialstaat!
Das braucht allerdings
Arbeit, kein Opium.
Schwitzt aus, Lemminge, was ihr
auswendig gelernt habt,
die berauschende Illusion!
Eure Majakowskis preisen
den Mord, – den Selbstmord
schon in der eigenen Schläfe.
Eure Revolution wird
euch fressen, Mahlzeit,
wie Blutwurst aus Büchsen.
An eurer Eisglut, ihr schafft es,
wird Europa vergletschern, oder
es glückt euch (verstohlen),
euch selbst zu entkommen.

VI

Möchte euch unser Staub
dereinst leicht sein,
ein nützlicher Hustenreiz
für eure Computer. Und
ein antikes Ärgernis
euren chinesischen Chefs.

(für Joseph Breitbach)

Kay Hoff
* 1924

Alte Leute

Das ist nicht nötig.
Wir sind es nicht anders gewöhnt.
So ist es. So war es immer.

Das spinnt sich so hin.
Schließlich und endlich,
wir haben immer gegessen,
was auf den Tisch kam. So war es.
So ist es. Wie es so ist es.
So haben wir das gelernt.
Die Sonne ist nicht mehr so hell.
Die Rechnung kommt immer am Ende,
schließlich und endlich. Schnee
bleibt nicht weiß. So war es
immer: weiß und grau und zuende,
am Ende. Wie es so ist es.
Wir haben immer gegessen,
was auf den Tisch kam.
Wir sind es nicht anders
sind es gewöhnt.

Notiz 4

Erleuchtete Fenster,
ohne Traum: Gardinen,
Übergardinen, Watt.
Meßbar ist Trunkenheit,
strafbar, Rot die Farbe
von Feuerwehr, Sonntag,
Sozialismus. Ich fürchte,
es ist nichts zu ändern.

Schloßpark Burgsinn

Nichts haben sie zugelernt,
die steinernen Augen.
Rost brach die Gitterrosen,
Moos überkam die Mauern.
Sie beharren auf ihrem Blick.
Aber es singen nicht mehr
dieselben Amseln, die Sommeruhr
geht schneller und schneller,
wir wissen nicht, wann wir leben.

Auschwitz, heute (1)

Aufgereiht: Bürgerrot
aus dem Steinbaukasten,
brav. Richt Euch!
Arbeit macht frei.
Gitter, Blumenschmuck,
winkelgerecht, Galgen.
Steine ohne Gedächtnis,
Material. Die Trauerweide
am täglichen Morgenweg,
Küßchen, zur Kommandantur.
Ordnung muß sein.
Noch immer Rangierloks,
Geleise. Sonne darüber,
der gleiche Himmel.

Auschwitz, heute (2)

Sprich leise:
Block XI:
Im Mittelgang
summt, defekt,
eine Neonröhre.
Tote sind Fotos,
endgültig. Niemand
wird alarmiert.
Sprich leise:
Deutsch
klingt vertraut.

Ingeborg Bachmann
1926–1973

Die große Fracht

Die große Fracht des Sommers ist verladen,
das Sonnenschiff im Hafen liegt bereit,
wenn hinter dir die Möwe stürzt und schreit.
Die große Fracht des Sommers ist verladen.

Das Sonnenschiff im Hafen liegt bereit,
und auf die Lippen der Galionsfiguren
tritt unverhüllt das Lächeln der Lemuren.
Das Sonnenschiff im Hafen liegt bereit.

Wenn hinter dir die Möwe stürzt und schreit,
kommt aus dem Westen der Befehl zu sinken;
doch offnen Augs wirst du im Licht ertrinken,
wenn hinter dir die Möwe stürzt und schreit.

Die gestundete Zeit

Es kommen härtere Tage.
Die auf Widerruf gestundete Zeit
wird sichtbar am Horizont.
Bald mußt du den Schuh schnüren
und die Hunde zurückjagen in die Marschhöfe.
Denn die Eingeweide der Fische
sind kalt geworden im Wind.
Ärmlich brennt das Licht der Lupinen.
Dein Blick spurt im Nebel:
die auf Widerruf gestundete Zeit
wird sichtbar am Horizont.

Drüben versinkt dir die Geliebte im Sand,
er steigt um ihr wehendes Haar,
er fällt ihr ins Wort,
er befiehlt ihr zu schweigen,
er findet sie sterblich
und willig dem Abschied
nach jeder Umarmung.
Sieh dich nicht um.
Schnür deinen Schuh.
Jag die Hunde zurück.
Wirf die Fische ins Meer.
Lösch die Lupinen!

Es kommen härtere Tage.

Alle Tage

Der Krieg wird nicht mehr erklärt,
sondern fortgesetzt. Das Unerhörte
ist alltäglich geworden. Der Held
bleibt den Kämpfern fern. Der Schwache
ist in die Feuerzonen gerückt.
Die Uniform des Tages ist die Geduld,
die Auszeichnung der armselige Stern
der Hoffnung über dem Herzen.

Er wird verliehen,
wenn nichts mehr geschieht,
wenn das Trommelfeuer verstummt,
wenn der Feind unsichtbar geworden ist
und der Schatten ewiger Rüstung
den Himmel bedeckt.

Er wird verliehen
für die Flucht von den Fahnen,
für die Tapferkeit vor dem Freund,
für den Verrat unwürdiger Geheimnisse
und die Nichtachtung
jeglichen Befehls.

Im Gewitter der Rosen

Wohin wir uns wenden im Gewitter der Rosen,
ist die Nacht von Dornen erhellt, und der Donner
des Laubs, das so leise war in den Büschen,
folgt uns jetzt auf dem Fuß.

Anrufung des großen Bären

Großer Bär, komm herab, zottige Nacht,
Wolkenpelztier mit den alten Augen,
Sternenaugen,
durch das Dickicht brechen schimmernd
deine Pfoten mit den Krallen,
Sternenkrallen,
wachsam halten wir die Herden,
doch gebannt von dir, und mißtrauen
deinen müden Flanken und den scharfen
halbentblößten Zähnen,
alter Bär.

Ein Zapfen: eure Welt.
Ihr: die Schuppen dran.
Ich treib sie, roll sie

von den Tannen im Anfang
zu den Tannen am Ende,
schnaub sie an, prüf sie im Maul
und pack zu mit den Tatzen.

Fürchtet euch oder fürchtet euch nicht
Zahlt in den Klingelbeutel und gebt
dem blinden Mann ein gutes Wort,
daß er den Bären an der Leine hält.
Und würzt die Lämmer gut.

's könnt sein, daß dieser Bär
sich losreißt, nicht mehr droht
und alle Zapfen jagt, die von den Tannen
gefallen sind, den großen, geflügelten,
die aus dem Paradiese stürzten.

Nebelland

Im Winter ist meine Geliebte
unter den Tieren des Waldes.
Daß ich vor Morgen zurückmuß,
weiß die Füchsin und lacht.
Wie die Wolken erzittern! Und mir
auf den Schneekragen fällt
eine Lage von brüchigem Eis.

Im Winter ist meine Geliebte
ein Baum unter Bäumen und lädt
die glückverlassenen Krähen
ein in ihr schönes Geäst. Sie weiß,
daß der Wind, wenn es dämmert,
ihr starres, mit Reif besetztes
Abendkleid hebt und mich heimjagt.

Im Winter ist meine Geliebte
unter den Fischen und stumm.
Hörig den Wassern, die der Strich
ihrer Flossen von innen bewegt,
steh ich am Ufer und seh,
bis mich Schollen vertreiben,
wie sie taucht und sich wendet.

Und wieder vom Jagdruf des Vogels
getroffen, der seine Schwingen
über mir steift, stürz ich
auf offenem Feld: sie entfiedert
die Hühner und wirft mir ein weißes
Schlüsselbein zu. Ich nehm's um den Hals
und geh fort durch den bitteren Flaum.

Treulos ist meine Geliebte,
ich weiß, sie schwebt manchmal
auf hohen Schuh'n nach der Stadt,
sie küßt in den Bars mit dem Strohhalm
die Gläser tief auf den Mund,
und es kommen ihre Worte für alle.
Doch diese Sprache verstehe ich nicht.

Nebelland hab ich gesehen,
Nebelherz hab ich gegessen.

Strömung

So weit im Leben und so nah am Tod,
daß ich mit niemand darum rechten kann,
reiß ich mir von der Erde meinen Teil;

dem stillen Ozean stoß ich den grünen Keil
mitten ins Herz und schwemm mich selber an.

Zinnvögel steigen auf und Zimtgeruch!
Mit meinem Mörder Zeit bin ich allein.
In Rausch und Bläue puppen wir uns ein.

Reklame

Wohin aber gehen wir
ohne sorge sei ohne sorge
wenn es dunkel und wenn es kalt wird
sei ohne sorge
aber
mit musik
was sollen wir tun
heiter und mit musik
und denken
heiter
angesichts eines Endes
mit musik
und wohin tragen wir
am besten
unsre Fragen und den Schauer aller Jahre
in die Traumwäscherei ohne sorge sei ohne sorge
was aber geschieht
am besten
wenn Totenstille

eintritt

Freies Geleit

Mit schlaftrunkenen Vögeln
und winddurchschossenen Bäumen
steht der Tag auf, und das Meer
leert einen schäumenden Becher auf ihn.

Die Flüsse wallen ans große Wasser,
und das Land legt Liebesversprechen
der reinen Luft in den Mund
mit frischen Blumen.

Die Erde will keinen Rauchpilz tragen,
kein Geschöpf ausspeien vorm Himmel,
mit Regen und Zornesblitzen abschaffen
die unerhörten Stimmen des Verderbens.

Mit uns will sie die bunten Brüder
und grauen Schwestern erwachen sehn,
den König Fisch, die Hoheit Nachtigall
und den Feuerfürsten Salamander.

Für uns pflanzt sie Korallen ins Meer.
Wäldern befiehlt sie, Ruhe zu halten,
dem Marmor, die schöne Ader zu schwellen,
noch einmal dem Tau, über die Asche zu gehn.

Die Erde will ein freies Geleit ins All
jeden Tag aus der Nacht haben,
daß noch tausend und ein Morgen wird
von der alten Schönheit jungen Gnaden.

Artur Granitzki
* 1906

Die Anrufung des großen Bären

Kann mir nicht gelingen
da ich die Landessprache
seiner Oberflächenparasiten
nicht gelernt habe

Auch weiß ich nicht
ob die Läuse am Schwanzende
von den Flöhen auf der Nasenspitze
verstanden werden

Allerleirauh
ist auch kein Pelzwerk für mich
um mir einen lyrischen Mantel zu schneidern

Wenn ich hinauf zu den Sternen
zu flöten versuche grinst mir der Mond
: Halt dich am Zaun der Himmel ist hoch

So stehe ich nun und vernutze
kein einziges Wort von dem ich sagen muß
:Ich weiß nicht was soll es bedeuten

Wenn mir die Worte verkleidet kommen
so nehme ich sie nackt
und lasse sie eindeutig
und ganz verbindlich fragen

Ob man Zementstaub streut
in Augen und Ohren
damit wir uns den Schädel einrennen
an der nächsten Bunkerwand

In dieser Landschaft aus Beton

[Allerleihrauh: Märchengestalt, versteckt als Dienstmagd ihren Adel unter ‚allerlei Rauch' (Pelzwerk). Titel einer Sammlung von Kinderreimen, hsg. v. H. M. Enzenberger 1961.]

Ehe du eintrittst

in das Haus der Arbeit,
prüfe,
was du zu bieten hast:
Schweiß oder Gedanken.

Versuche zu wählen
und vermeide
den Eingang für Dienstboten und Lieferanten.
Arbeit adelt

sagen immer die andern,
die dir raten:
Sich regen bringt Segen!
Nie sollst du fragen:

für wen?
Wenn auch das Faustrecht
nur getarnt
über dir Herr ist,

wird doch,
nicht der größere Denker,
immer noch
der kalte Rechner

deinen Schweiß
und auch deine Träume
nutzbringend verwerten

oft auch für dich,
aber immer für sich
und die Seinen.

Unparteiische Betrachtung

Links zu lächeln ist doch keine Schande,
auch rechts zu lächeln ist es nicht.
Als Verbrechen gilt dies hier, das andere dort zulande.
Darum grinse still mit rundem Mondgesicht.

Mit dem rechten Ohr mach winke, winke,
am linken Ohr geballt die Faust.
Mit hundert Sachen laß sie sinken,
wenn du die andre Farbe schaust.

Für den Fall, daß doch der Erde
verordnet wird ein Bombentest,
wünsche ich, daß Frieden werde
dem verblieb'nen Rest.

Bist du unter denen, die nicht starben,
dann reich dem Bruder deine Hand
und pfeife auf die Farben.
Die Erde ist dein Vaterland!

Doch hör im Geiste ich schon heulen,
indes die Erde noch vom großen Feuer dampft,
den Sieger, der mit neuen Urweltkeulen
die Konkurrenz total zerstampft.

Dagmar Nick
* 1926

Vision

Die Städte werden Asche sein,
das Land ein nackter Schattenriß.
Die Städte werden Asche sein,
und zögernd wird der Feuerschein
ersticken zwischen dem Gebein
der schweigenden Nekropolis.

Die Toten werden auferstehn
aus Erde, Rauch und Meeresschaum.
Die Toten werden auferstehn
und durch die leeren Räume gehn,
als wäre alles, was geschehn,
ein Traum.

Nachtwache

Ich will nicht deine Träume stören.
Die stummen Nächte bleiben dein.
Ich will nur deine Atemzüge hören
und bei dir sein.

Und wachen, weil des Mondes Schimmer
dein Antlitz ganz veränderte,
weil kaltes Licht das fremdgewordne Zimmer
umränderte.

Und warten, bis ein Stern zersplittert
und hinter deine Stirne fällt.
Erwache nicht: es ist mein Herz, das zittert,
weil es dich hält.

Geh über Nacht

Schlage die Tür zu
und vergrabe den Schlüssel
in keiner Erinnerung.
Nimm keinen Abschied.
Du hast deine Hoffnung

getränkt mit Galle:
jetzt steht der Schierling
mannshoch.

Schlage den Weg ein,
den du vergessen wirst.
Geh über Nacht.
Nimm Aufenthalt,
wo du nicht bleiben wirst,
decke dich zu
mit dem Schatten der Sterne.
Gib keine Antwort.

Den Generälen ins Soldbuch

Ordnet die Himmel neu,
ihr Herrscher der Heerscharen,
setzt den Monden,
die ihr mit euren Sonden beleidigt,
neue Gezeiten,
teilt die Sonnensysteme
unter euch auf,
ihr braucht Raum für die Toten,
fügt ins Sternbild der Zwietracht
den Kainsstern, das Brudermal,
Grabmal für einen tausend Gemordete,
der Messias wird euch nicht hindern,
künftige Stahlsärge
in den Staub der Planeten zu senken
im Namen der Väter und der Söhne
und der geheiligten Hybris,
ordnet die Himmel neu,
die uns verheißen sind,
aber vergeßt nicht die Hölle,
ihr Herrscher der Heerscharen,
eine neue Hölle für uns,
die wir zu überleben hofften
am Rande des Chaos.

Niemandsland

Wo die Landschaft nicht aufhört
Himmel zu sein,
wo unsere Schatten sich
anrühren
Nacht für Nacht
mit gefesselten Flügeln
auf dem schmalen Grat
zwischen Drüben und Hier,
wo wir sind
und nicht sind,
traumlos und ohne Gewähr
im Bannkreis des Blutes –
liegen wir
an den pulsenden Ufern,
geschlagen und unter
gefällten Standarten –
Ohnmacht und Schuld.

Elisabeth Borchers
* 1926

eia wasser regnet schlaf

I
eia wasser regnet schlaf
eia abend schwimmt ins gras
wer zum wasser geht wird schlaf
wer zum abend kommt wird gras
weißes wasser grüner schlaf
großer abend kleines gras
es kommt es kommt
ein fremder

II
was sollen wir mit dem ertrunkenen matrosen tun?
wir ziehen ihm die stiefel aus
wir ziehen ihm die weste aus
und legen ihn ins gras

 mein kind im fluß ist's dunkel
 mein kind im fluß ist's naß

was sollen wir mit dem ertrunkenen matrosen tun?
 wir ziehen ihm das wasser an
 wir ziehen ihm den abend an
 und tragen ihn zurück

 mein kind du mußt nicht weinen
 mein kind das ist nur schlaf

was sollen wir mit dem ertrunkenen matrosen tun?
 wir singen ihm das wasserlied
 wir sprechen ihm das grasgebet
 dann will er gern zurück

III
es geht es geht
ein fremder
ins große gras den kleinen abend
im weißen schlaf das grüne naß
und geht zum gras und wird ein abend
und kommt zum schlaf und wird ein naß
eia schwimmt ins gras der abend
eia regnet's wasserschlaf

Genug davon

Die letzten Sterne fallen aus
die Pappeln ziehen fort
das Gras bleibt grundlos treu

Die Lichter werden nicht mehr warm
der Schlaf ist kahl geschoren
und weiße Möwen sind nun schwarze Raben

Das alles ist ein Kinderspiel
ich kenn mich aus in Kinderspielen
Es brennt es brennt

Täglich

Ich lebe
mit Tischen und Stühlen
mit Städten die sich öffnen und schließen
mit einer Erde die auf dem Wasser schwimmt

Ich lebe
mit Kindern die sich den Tod holen
mit Kraut und mit Unkraut

Ich lebe
mit dem Schiff in der Flasche
ein Auge geht auf
das andere unter

Ich lebe
von der Hand in den Mund
da fehlt die Hand
da fehlt der Mund

Abläufe

Der Blick in die Dunkelheit,
die Entscheidung aufzustehn.
Wo waren wir stehngeblieben?
Automatische Gänge
und Frühstück.

Ich zwinge mich:
Die winzigen Lichter am Hochhaus,
das Grollen des Flugzeugs.
Ist das vielleicht Poesie?

Verwunderung über die Ampel.
Was war bis hierher?

Mit Fremdem befaßt.
Das ist Menschenraub,
denke ich, richtig,
überquere die Straße,
an haltenden Wagen vorbei.

Alles ist auswendig gelernt.
Mauern, Bäume, der Hund,
und der Aufzug,
auch die Gesichter.
Kein Abschweifen durch Wahrnehmungen.

Auf dem Schreibtisch
die vertrauten Anordnungen.
Fahren wir fort.

Der Blick in die Dunkelheit.
Wo waren wir stehngeblieben?
Das ist eine Nacht.
Und wieder
Nacht.

Das Reich der Lichter

Wenn das Haus im Dunkel steht
und ein Licht angeht
in den Fenstern, in zweien,
schon von fern ist es zu sehn,
im blassen Rot eines Seidenkissens,
das knistert, wenn man die Hand
darauf legt.
Dann kommt und geht
die Angst, die ein Kind hat,
wenn ein Haus im Dunkel steht.

Christa Reinig
* 1926

Robinson

Manchmal weint er wenn die worte
still in seiner kehle stehn
doch er lernt an seinem orte
schweigend mit sich umzugehn

und erfindet alte dinge
halb aus not und halb im spiel
splittert stein zur messerklinge
schnürt die axt an einen stiel

kratzt mit einer muschelkante
seinen namen in die wand
und der allzu oft genannte
wird ihm langsam unbekannt

Verwandlung

Ich wandle unter meinen händen
den tisch den teller und das brot
bis sie sich mir entgegenwenden
und sich verwandeln in den tod

ich danke allen starken dingen
mein herz ging strahlend in sie ein
es ging als wucht sie zu bezwingen
und kam als weisheit sie zu sein

schnee fällt in meinen mantelkragen
und steigt aus meinem atemhauch
kommt wie ein kleid von stein zu tragen
und geht ins dunkel wie ein rauch

Die ballade vom blutigen Bomme

Hochverehrtes publikum
werft uns nicht die bude um
wenn wir albernes berichten
denn die albernsten geschichten
macht der liebe gott persönlich
ich verbleibe ganz gewöhnlich
wenn ich auf den tod von Bomme
meinem freund zu sprechen komme

möge Ihnen nie geschehn
was Sie hier in bildern sehn

Zur beweisaufnahme hatte
man die blutige krawatte
keine spur mehr von der beute
auf dem flur sogar die leute
horchen was nach außen dringt
denn der angeklagte bringt
das gericht zum männchenmachen
und das publikum zum lachen

seht die herren vom gericht
schätzt man offensichtlich nicht

Eisentür und eisenbett
dicht daneben das klosett
und der wärter freut sich sehr
kennt den mann von früher her
Bomme fühlt sich gleich zu haus
ruht von seiner arbeit aus
auch ein reicher mann hat ruh
hält den sarg von innen zu

jetzt geht Bomme dieser mann
und sein reichtum nichts mehr an

Sagt der wärter: grüß dich mann
laß dirs gut gehn – denk daran
wärter sieht auch mal vorbei
mach mir keine schererei
essen kriegst du nicht zu knapp
Bomme denn dein Kopf muß ab
Bomme ist schon sehr gespannt
und malt männchen an die wand

nein hier hilft kein daumenfalten
Bomme muß den kopf hinhalten

Bomme ist noch nicht bereit
für abendmahl und ewigkeit
kommt der pastor und erzählt
wie sich ein verdammter quält
wie er große tränen weint
und sich wälzt – Bomme meint:
das ist alles intressant
und mir irgendwie bekannt

denn was weiß ein frommer christ
wie dem mann zumute ist

Auf dem hof wird holz gehauen
Bomme hilft das fallbeil bauen
und er läßt sich dabei zeit
schließlich ist es doch soweit
daß es hoch und heilig ragt

Bomme sieht es an und sagt:
das ist schärfer als faschismus
und probiert den mechanismus

wenn die schwere klinge fällt
spürt er daß sie recht behält

Aufstehn kurz vor morgengrauen
das schlägt Bomme ins verdauen
und da friert er – reibt die hände
konzentriert sich auf das ende
möchte gar nicht so sehr beten
lieber schnell aufs klo austreten
doch dann denkt er: einerlei
das geht sowieso vorbei

von zwei peinlichen verfahren
kann er eins am andern sparen.

Wäre mutter noch am leben
würde es auch tränen geben
aber so bleibt alles sachlich
Bomme wird ganz amtlich-fachlich
ausgestrichen aus der liste
und gelegt in eine kiste
nur ein sträfling seufzt dazwischen
denn er muß das blut aufwischen

bitte herrschaften verzeiht
solche unanständigkeit

Doch wer meint das stück war gut
legt ein groschen in den hut

Vor der Abfahrt

Sie kamen und suchten
unter der Bank, im Gepäcknetz
suchten sie jemand.
Danke, sagten sie zu mir.

Auf dem Dach, zwischen den Rädern
suchten sie jemand.
Unter meiner Mütze
suchten sie nicht.

Starr war die Erde.
Da nahm ich den Schnee.
In meiner Manteltasche
nahm ich den Schnee mit.

Rom

Ich frühstückte und ging
und war vielleicht von vielen eine,
die überdauern würde,
aber soweit dachte ich kaum.

Ich hielt mich fest in dem Gedanken,
daß ich schon tot sei, folglich:
unübernhaufenschießbar.
Was ausgestreckt lag, widersprach nicht.

Die Uhr stand still.
Ich zählte an den Fingern:
jetzt der, dann der, dann die, dann ich
und aß zu Mittag.

An diesem Mittag bebte Rom,
ein Dolce unterm Glassturz.
Erst als der Abend kühl war,
umfaßte ich mein linkes Handgelenk.

Günter Grass
* 1927

Bohnen und Birnen

Bevor die grünen Dotter welken, –
die Hennen brüten einen frühen Herbst, –
jetzt gleich, bevor die Scherenschleifer
den Mond mit hartem Daumen prüfen,
der Sommer hängt noch an drei Fäden,
den Frost verschließt ein Medaillon,
noch eh der Schmuck, verwandt dem Regen wandert,
noch eh die Hälse nackt, vom Nebel halb begriffen,
bevor die Feuerwehr die Astern löscht
und Spinnen in die Gläser fallen,
um so der Zugluft zu entgehen,
vorher, bevor wir uns verkleiden,
in ärmliche Romane wickeln,
laßt uns noch grüne Bohnen brechen.
Mit gelben Birnen, einer Nelke,
mit Hammelfleisch laßt uns die grünen Bohnen,
mit schwarzer Nelke und mit gelben Birnen,
so wollen wir die grünen Bohnen essen,
mit Hammelfleisch mit Nelke und mit Birnen.

Kinderlied

Wer lacht hier, hat gelacht?
Hier hat sich's ausgelacht.
Wer hier lacht, macht Verdacht,
daß er aus Gründen lacht.

Wer weint hier, hat geweint?
Hier wird nicht mehr geweint.
Wer hier weint, der auch meint,
daß er aus Gründen weint.

Wer spricht hier, spricht und schweigt?
Wer schweigt, wird angezeigt.
Wer hier spricht, hat verschwiegen,
wo seine Gründe liegen.

Wer spielt hier, spielt im Sand?
Wer spielt, muß an die Wand,
hat sich beim Spiel die Hand
gründlich verspielt, verbrannt.

Wer stirbt hier, ist gestorben?
Wer stirbt, ist abgeworben.
Wer hier stirbt, unverdorben
ist ohne Grund verstorben.

Normandie

Die Bunker am Strand
können ihren Beton nicht loswerden.
Manchmal kommt ein halbtoter General
und streichelt Schießscharten.

Oder es wohnen Touristen
für fünf verquälte Minuten –
Wind, Sand, Papier und Urin:
Immer ist Invasion.

Die Seeschlacht

Ein amerikanischer Flugzeugträger
und eine gotische Kathedrale
versenken sich
mitten im Stillen Ozean
gegenseitig.
Bis zum Schluß
spielte der junge Vikar auf der Orgel. –
Nun hängen Flugzeuge und Engel in der Luft
und können nicht landen.

Zugefroren

Als es kälter wurde,
das Lachen hinter den Scheiben blieb,
nur noch als Päckchen und Brief
zweimal am Tage ins Haus kam,
als es kälter wurde,
rückte das Wasser zusammen.

Wer etwas versenken wollte,
der Dichter vielleicht einen Hammer,
der Mörder drei mittlere Koffer,
der Mond ein Pfund weißen Käse,
wer etwas versenken wollte,
stand vor verriegeltem Teich.

Kein Lot gab mehr Antwort,
kein Stein, der durchfiel,
grünschielende Flaschen lagen dem Eis an,
bodenlos und vergeblich rollte der Eimer,
kein Lot gab mehr Antwort,
und alle vergaßen, wie tief.

Wer Glas zerbricht,
die Jungfrau nicht schon am Sitzen erkennt,
wer hinter dem Spiegel ein Ei aufstellt
und vor dem Spiegel die Henne,
wer Glas zerbricht,
weiß immer noch nicht, was der Frost verbirgt.

Kleine Aufforderung zum großen Mundaufmachen – oder der Wasserspeier spricht

Wer jene Fäulnis,
die lange hinter der Zahnpaste lebte,
freigeben, ausatmen will,
muß seinen Mund aufmachen.

Wir wollen nun den Mund aufmachen,
die schlimmen Goldzähne,
die wir den Toten brachen und pflückten,
auf Ämtern abliefern.

Um dicke Väter
– jetzt, da auch wir schon Väter und immer dicker –
absetzen und ausspeien zu können,
muß man den Mund aufmachen;

wie unsere Kinder bei Zeiten
den Mund aufmachen, die große Fäulnis,
die schlimmen Goldzähne, die dicken Väter
ausspeien werden, absetzen werden.

Plötzliche Angst

Wenn sich im Sommer bei östlichem Wind
Septemberstaub rührt und in verspäteter Zeitung
die Kommentare Mystisches streifen,

wenn sich die Mächte umbetten wollen
und zur Kontrolle neue Geräte
öffentlich zeugen dürfen,

wenn um den Fußball Urlauber zelten
und der Nationen verspielter Blick
große Entscheidungen spiegelt,

wenn Zahlenkolonnen den Schlaf erzwingen
und durch die Träume getarnter Feind
atmet, auf Ellbogen robbt,

wenn in Gesprächen immer das gleiche Wort
aufgespart in der Hinterhand bleibt
und ein Zündhölzlein Mittel zum Schreck wird,

wenn sich beim Schwimmen in Rückenlage
himmelwärts nur der Himmel türmt,
suchen die Ängstlichen rasch das Ufer,

liegt plötzliche Angst in der Luft.

Peter Hacks
* 1928

Vanitas

Habichtschatten überm Hühnerstalle.
Das Gemälde ist von Hondecoeter.
Ja, so schweben sie, die Sterbegötter,
Unerraten bis zum Niederfalle.

Manchmal vor durchsonntem Blau
Ahnt man ihre bösen Silhouetten.
Eines Tags dann sieht man sie genau.
Aber dann ist wenig mehr zu retten.

Eitel, spricht die Weisheit im Barocke,
Ist das Leben und vom Tod gerändert.
Auch bei uns hat sich das kaum geändert.
Nur wir hängens nicht mehr an die Glocke.

Vernunftreiche Gartenentzückung

Die Kartoffel auch ist eine Blume.
Und mit gelben Federn blüht der Mais.
Und gereicht es nicht dem Dill zum Ruhme,
Wie er zierlich Frucht zu tragen weiß?
Ihr in eurem Prunk und Wohlgeruche,
Stolze Rosen, bleiche Lilien,
Ließet nagen uns am Hungertuche.
Nur was nützet, ist vollkommen schön.

Der Heine auf dem Weinbergsweg

Der Heine auf dem Weinbergsweg
Hat einen goldnen Zeh
Und einen goldnen Daumen.
Der Zeh tut ihm nicht weh.

Die Kinder, wenn sie steigen
Aufs Knie dem Dichtersmann,
Fassen sie erst die Zehe
Und dann den Daumen an.

O deutsches Volk, erobere
Dir deiner Meister Knie.
Dann wetzt du ab die Patina
Vom Gold der Poesie.

Johannes Poethen
* 1928

Risse des Himmels

Gerüste der uhr
über den rissen des himmels –

Jenseits dieser motoren
ist nur die asche der möndin

Geborgen im planquadrat
explodieren die sonnen.

Wer spricht brücken über den tod?

Schleier der uhr
über den rissen des himmels.

Manchmal löst sich ein stern
im getriebe des lichts
der vorhang aus zahlen bebt

Und ein erstes wort wirft lange schatten.

Doch in den zelten dämmernder namen
wächst vergessen der junge tod.

Wir wohnen in stummen gesprächen
mit dem nachbarn des fleisches
zwischen den spiegeln

Ihre schatten fallen
über erloschene gesichte

Wir wohnen in sicherem schlaf
hinter dem rücken der zahl

Sie fängt im straßennetz
alle orakelvögel ab.

Wir fördern im bergwerk des sterbens
die steine zum spiel mit dem tod.

Neben zwei leibern
die verschlungen sind ins eine spiel
kniet das fremde auge

Hämmert im schläfentakt
gegen die stäbe des hirns.

Auge
im eis gereift
neben dem blühenden tod.

Im labor der träume
wird das lied dieser stunde gehämmert

Stunde des flüchtigen doms
stunde der zahlenkette
auf die alle sterne
gereiht sind

Einsame stunde der stirn
unter dem nächtlichen messer
das aus den rissen des himmels ragt.

Im labor der träume
stirbt der tod.

Krug

Jenseits der scheibe zerbricht
unter wimpern den spiegel
neben dem vorhang ein krug
mit geöffnetem mund.
Stirn im aufsehn
bewegte den rahmen –

Jenseits der scheibe zerbricht
hinter dem vorhang
der krug am schützenden lid.

Blindheit

In meiner blindheit
taste ich bildern nach
die mir entfliehen

Flucht der säulen
fluchten heiliger tiere
flüchtiges öl –

Auf dem grund
auf dem grunde der blindheit
fühl ich weiße fläche
– letzte leinwand gegen den tod –

Und male mich sehend.

Ich bin nur in wörtern

ich habe kein anderes alibi
so entwerfe ich mir den atemraum

wer spräche mich frei
wer erlöste mich aus dieser annahme

ich wasche buchstaben
ich kratze silben rein
ich tauche sätze unter

ich nehme sätze an
mich nehmen sätze an

ich entwerfe atemraum
ich bin in wörtern.

Günter Bruno Fuchs
1928–1977

Dämmerung

Wer hat im Treppenhaus gerufen,
wer saß am Fensterbrett und blickte stumm?
Mein Traum, das Pony mit den sanften Hufen,
erschrak so sehr und warf den Kopf herum.

Die Zeit befiehlt, im Zimmer wach zu liegen.
Die Nacht ist wieder heimwehkrank.
Sie spricht zu mir: Die Fledermäuse fliegen
und stürzen manchmal auf das Blech der Fensterbank.

Vielleicht schon früh, im Morgengrauen,
grüßt mich das Lied vom Ararat:
ein armer Engel wird in meine Stube schauen,
der auch im Treppenhaus gerufen hat.

Der Irre ist gestorben

Im Wartesaal, wenn die Züge
Verspätung hatten,
erzählte er Märchen aus Tausend-
undeiner Nacht.

Er verstand es nie,
richtig zu grüßen. Auf guten Tag
sagte er immer: Vielleicht.

Man weiß: er zog seinen Hut
vor den Hunden.
Seine Königskrone aus Zeitungspapier
trugen die Kinder nach Hause.

Der Fünfzeiler im Ortsteil der Zeitung
schloß mit den Worten: Es war
seine letzte Nacht,
als er im Park auf den Baum stieg.

Gerüchte gehen, er habe vergessen
sich festzuhalten,
als er den Friedensappell
an die Welt sprach.

Herbst-Werbung

1

Hier sehen Sie den Herbst! Ein Freund
jeder Familie, die Hausfrau
schätzt seinen sparsamen
Blätterverbrauch. Ohne Nachnahme
stellt er sich ein, und wenn du
genug von ihm hast,
erstattet er dir selbstverständlich
den vollen Betrag. (Riskiere den Herbst
in bequemen Monatsraten!)

2

Warum sollte
die Polizei böse sein
oder grimmig werden
gegen den Herbst? Sie feiert ohnehin
ihre Feste, wie's ihr gefällt,
und wer ihre großen Stunden nur kennt,

weiß nicht, wie angenehm
die kleinen sind.

3
Nein nein, der Herbst,
von Meisterhand geschaffen,
hat es nicht nötig, Modell zu stehn
für altdeutsche Möbel
in Nußbaum. Bei ihm ist sowieso
jedes Stück schöner
als das andre. Er bringt siebentausend
Angebote, manche auch
farbig.

Beizeiten
sorgt er für Ordnung,
und träumende Straßenfeger
bekommen von ihm kostenlose Antwort
auf viele Fragen.

Schularbeiten

Der Fortschritt
hat keene Lust, sich
zu kümmern um
mir. Und wat mir anjeht, habick
keene Lust, mir
um den Fortschritt
zu kümmern. Denn
unsereins
war ja
als Mensch
wohl zuerst da.

So, mein Kind, das
schreibste
in dein Schulheft
rein.

*Brief des Vaters
an den klugen Briefkasten*

Eigentlich sollte mein Sohn
Kälte-Ingenieur werden, aber da kamen dann
die Spaziergänge mit den Papierblumen
dazwischen. (Er war als Zwanzigjähriger
in ein Kinderfest geraten.)

Jeden Abend versuche ich nun, seinen Firlefanz
madig zu machen. Ich lache ihn aus, biete ihm
Maulschellen an, hol ihn ans Fenster, sage zu ihm: Steh

nicht so da! Gefällt dir unsere Autobahn
oder gefällt sie dir nicht?

Vergangene Woche sprang er aufs Fensterbrett, flog
 siebzehn Runden hin und über Wilmersdorf
und verschwand in der Nacht.

Morgens (beim Frühstück) wieder unbegreifliches
 Zeug: er habe Herrn von Lilienthal interviewt,
dem ja die Vögel das Fliegen verdanken
 und die letzten fünfzig Jahre
so manchen Gruß aus der Luft.

(Was meint er damit? Und woher
 die Fähigkeit zu fliegen? Bitte
antworten Sie mir. Ich bin es gewohnt, mich abzufinden
 mit Tatsachen.)

Hans Magnus Enzensberger
* 1929

Gedicht für die Gedichte nicht lesen

Wer ruft mit abgerissenem Mund
aus der Nebelkammer? Wer schwimmt,
einen Gummiring um den Hals,
durch diese kochende Lache
aus Bockbier und Blut?
 Er ist es,
für den ich dies in den Staub ritze,
er, der es nicht entziffert.

Wer ist ganz begraben von Zeitungen
und von Mist? Wer hat Uran im Urin?
Wer ist in den zähen Geifer
der Gremien eingenäht? Wer
ist beschissen von Blei?
 Siehe,
er ists, im Genick die Antenne,
der sprachlose Fresser mit dem räudigen Hirn.

Was sind das für unbegreifliche Ohren,
von wüstem Zuckerguß triefend,
die sich in Kurszettel wickeln
und in den Registraturen stapeln
zu tauben mürrischen Bündeln?
 Geneigte,
Ohren verstörter Verräter, zu denen
rede ich kalt wie die Nacht und beharrlich.

Und das Geheul, das meine Worte
verschlingt? Es sind die amtlichen
schmierigen Adler, die orgeln
durch den entgeisterten Himmel,
um uns zu behüten.
 Von Lebern,
meiner und deiner, zehren sie,
Leser, der du nicht liest.

Ins Lesebuch für die Oberstufe

Lies keine Oden, mein Sohn, lies die Fahrpläne:
sie sind genauer. Roll die Seekarten auf,
eh es zu spät ist. Sei wachsam, sing nicht.
Der Tag kommt, wo sie wieder Listen ans Tor
schlagen und malen den Neinsagern auf die Brust
Zinken. Lern unerkannt gehn, lern mehr als ich:
das Viertel wechseln, den Paß, das Gesicht.
Versteh dich auf den kleinen Verrat,
die tägliche schmutzige Rettung. Nützlich
sind die Enzykliken zum Feueranzünden,
die Manifeste: Butter einzuwickeln und Salz
für die Wehrlosen. Wut und Geduld sind nötig,
in die Lungen der Macht zu blasen
den feinen tödlichen Staub, gemahlen
von denen, die viel gelernt haben,
die genau sind, von dir.

Bildzeitung

Du wirst reich sein
Markenstecher Uhrenkleber:
wenn der Mittelstürmer will
wird um eine Mark geköpft
ein ganzes Heer beschmutzter Prinzen
Turandots Mitgift unfehlbarer Tip
Tischlein deck dich:
du wirst reich sein.

Manitypistin Stenoküre
du wirst schön sein:
wenn der Produzent will
wird dich Druckerschwärze salben
zwischen Schenkeln grober Raster
mißgewählter Wechselbalg
Eselin streck dich:
du wirst schön sein.

Sozialvieh Stimmenpartner
du wirst stark sein:
wenn der Präsident will

Boxhandschuh am Innenlenker
Blitzlicht auf das Henkerlächeln
gib doch Zunder gib doch Gas
Knüppel aus dem Sack:
du wirst stark sein.

Auch du auch du auch du
wirst langsam eingehn
an Lohnstreifen und Lügen
reich, stark erniedrigt
durch Musterungen und Malz-
kaffee, schön besudelt mit Straf-
zetteln, Schweiß,
atomarem Dreck:
deine Lungen ein gelbes Riff
aus Nikotin und Verleumdung
Möge die Erde dir leicht sein
wie das Leichentuch
aus Rotation und Betrug
das du dir täglich kaufst
in das du dich täglich wickelst.

An alle Fernsprechteilnehmer

Etwas, das keine Farbe hat, etwas,
das nach nichts riecht, etwas Zähes,
trieft aus den Verstärkerämtern,
setzt sich fest in die Nähte der Zeit
und der Schuhe, etwas Gedunsenes,
kommt aus den Kokereien, bläht
wie eine fahle Brise die Dividenden
und die blutigen Segel der Hospitäler,
mischt sich klebrig in das Getuschel
um Professuren und Primgelder, rinnt,
etwas Zähes, davon der Salm stirbt,
in die Flüsse, und sickert, farblos,
und tötet den Butt auf den Bänken.

Die Minderzahl hat die Mehrheit,
die Toten sind überstimmt.

In den Staatsdruckereien
rüstet das tückische Blei auf,
die Ministerien mauscheln, nach Phlox
und erloschenen Resolutionen riecht
der August. Das Plenum ist leer.
An den Himmel darüber schreibt
die Radarspinne ihr zähes Netz.

Die Tanker auf ihren Helligen
wissen es schon, eh der Lotse kommt,
und der Embryo weiß es dunkel
in seinem warmen, zuckenden Sarg:

Es ist etwas in der Luft, klebrig
und zäh, etwas, das keine Farbe hat
(nur die jungen Aktien spüren es nicht):
Gegen uns geht es, gegen den Seestern
und das Getreide. Und wir essen davon
und verleiben uns ein etwas Zähes,
und schlafen im blühenden Boom,
im Fünfjahresplan, arglos
schlafend im brennenden Hemd,
wie Geiseln umzingelt von einem zähen,
farblosen, einem gedunsenen Schlund.

Die Verschwundenen

für Nelly Sachs

Nicht die Erde hat sie verschluckt. War es die Luft?
Wie der Sand sind sie zahlreich, doch nicht zu Sand
sind sie geworden, sondern zu nichte. In Scharen
sind sie vergessen. Häufig und Hand in Hand,

wie die Minuten. Mehr als wir,
doch ohne Andenken. Nicht verzeichnet,
nicht abzulesen im Staub, sondern verschwunden
sind ihre Namen, Löffel und Sohlen.

Sie reuen uns nicht. Es kann sich niemand
auf sie besinnen: Sind sie geboren,
geflohen, gestorben? Vermißt
sind sie nicht worden. Lückenlos
ist die Welt, doch zusammengehalten
von dem was sie nicht behaust,
von den Verschwundenen. Sie sind überall.

Ohne die Abwesenden wäre nichts da.
Ohne die Flüchtigen wäre nichts fest.
Ohne die Vergessenen nichts gewiß.

Die Verschwundenen sind gerecht.
So verschallen wir auch.

Historischer Prozeß

Die Bucht ist zugefroren.
Die Fischkutter liegen fest.
Das besagt nichts.
Du bist frei.
Du kannst dich hinstrecken.
Du kannst wieder aufstehen.
Es ist nicht schade um deinen Namen.
Du kannst verschwinden
und wiederkommen.
Das ist möglich.
Auch wenn einer stirbt

kommen noch Briefe für ihn.
Es ist nicht viel zu vereiteln.
Du kannst schlafen.
Das ist möglich.
Über Nacht wird der Eisbrecher da sein.
Dann laufen die Kutter aus.
Die Fahrtrinne ist schmal.
Über Nacht friert sie wieder zu.
Das besagt nichts.
Es ist nicht schade um deinen Namen.

Ein letzter Beitrag zu der Frage ob Literatur?

Liebe Kollegen, ich versteh euch nicht.
Warum zitiert ihr immerfort Hegels Ästhetik und Lukács?
Warum bringt ihr euch Tag für Tag
auf den historischen Stand?
Warum ärgert ihr euch über das
was im *Kursbuch* steht?
Woher diese Angst, Klassiker zu werden
oder im Gegenteil?
Und warum fürchtet ihr euch davor
Clowns zu sein?
dem Volk zu dienen?

Umsatzsteuer zahlen
die Gesellschaft verändern
Fußnoten machen, aber nicht zuviele

Klischees vermeiden
kritisches Bewußtsein entwickeln:

Liebe Brüder in Apoll,
das ist ja alles ganz schön.
Aber warum habt ihr soviel Angst
daß die Kritiker Kuckuck rufen
daß die Medien
daß die Arbeitswelt
daß der Trend?
Schon gut schon gut,
ich weiß ja.
Aber das ist doch alles kein Grund.

Ich sage euch:
Fürchtet euch nicht!
Greift in die Tasten.
Greift wohin ihr wollt!

„Nimm dir den Rauch von meinen Lippen,
nimm dir den Duft von meiner Brust,
laß mich an deinen Rosen nippen . . .“
Mir gefällt sowas.
Wenigstens im Moment.
Euch nicht.
Macht was anderes!

Mit taktischem Geschick den Tigerberg erobern
oder
Frau Brigitte berät Sie in allen Lebenslagen.
Auch leere Seiten dürfen gedruckt werden,
Sehtexte auf Wursthäuten,
Posters für eine bessere Welt.

Fürchtet euch nicht!
Krümmt euch vor Anstrengung
oder schiebt eine ruhige Kugel,
aber habt keine Angst.
Es kommt nicht auf uns an.
Dafür werden wir doch bezahlt.

Warum gebt ihr nicht zu
was mit euch los ist
und was euch gefällt?
Ein einziges Mal,
nur ein Vierteljahr lang,
zur Probe!
Dann wollen wir weitersehen.

Niemand tut euch was.

[Kursbuch: von Enzensberger herausgegebene Zeitschrift.]

Zwei Fehler

Ich gebe zu, seinerzeit
habe ich mit Spatzen auf Kanonen geschossen.

Daß das keine Volltreffer gab,
sehe ich ein.

Dagegen habe ich nie behauptet,
nun gelte es ganz zu schweigen.

Schlafen, Luftholen, Dichten:
das ist fast kein Verbrechen.

Ganz zu schweigen
von dem berühmten Gespräch über Bäume.

Kanonen auf Spatzen, das hieße doch
in den umgekehrten Fehler verfallen.

F. C. (1810–1849)

Ein heiteres Kind: soviel wissen wir. Die Schlösser in der Provinz
waren damals noch ganz aus Holz. In der Hauptstadt
haperte es mit dem Pflaster. Die Abende waren still.
Kienspäne, Handlaternen und Fackeln.

Sie mästen mich, als ob ich ein Pferd wäre. Immerhin,
der Zar schenkt ihm einen Diamanten. Sonst erinnert nicht viel
an diese Jahre: ein paar Billets, Schleifen, gepreßte Veilchen
unterm Glas der Vitrine, Warschauer Souvenirs.

Die Abreise nach dem Westen hat sich verzögert. *Meine Partituren
sind kopiert, meine Taschentücher gesäumt.* Paris
hat Pflastersteine genug für viertausend Barrikaden.
Die Kutschen sind unpünktlich. Es ist ein blutiges Jahr.

Doch die Säle sind ausverkauft. Lorbeerkränze, Bankette. *Alles,
was ich bisher gesehen habe, scheint mir unerträglich veraltet.*
Empfänge bei Rothschilds und Radziwills. Sein Anschlag diskret
bis zum Erlöschen: *Die Hämmer berühren kaum die Saiten,* sagt Berlioz.

In der Passage des Panoramas zischen die Gasflammen. Dort
begegnen einander zwei Emigranten. Zum Großen Herbstsalon
in der Hauptstadt des neunzehnten Jahrhunderts erscheint
ein Philosoph aus Berlin. Man spricht über Mode. *Wie groß*

und poetisch wir sind in unsern Lackschuhen und Kravatten.
Ist das ein Zitat? Frühstück im Café Anglais. Die Gehröcke von Dautremont:
malvenfarben. Die Wäsche Batist. Die Gesichtsfarbe *fast durchsichtig.*
Zum Abschied sagt B.: *Die entscheidenden Schläge*

werden mit der linken Hand geführt. Aber was sind die entscheidenden Schläge?
Die Anbeterinnen: *gebildete Amseln,* Hochadel. Über sein Privatleben
wäre jedes Wort zuviel. *Ich bin für Konzerte ungeeignet. Der Atem
der Leute erstickt mich.* Minutiöser Arbeiter. Legitimist. Dandy.

Mißtraut jedem Lob. Vergleicht sich mit einer Zypresse. *Das Klavier
ist mein zweites Ich.* Die Kritiker sehen „Fortschritte".
Er gibt sich abweisend, nüchtern, spricht von reiner Technik.
Doch für die Barcarole schreibt er *voce sfogato* vor: frei und rücksichtslos.

Die Gräfinnen sagen: *Er hustet sehr anmutig.* Diese Müdigkeit
ist schwer erklärlich. Bäder in Enghien. Reizbarkeit.
Im Kehlkopf sitzt etwas Tödliches. Der erste Blutsturz,
die Februar-Revolution: *Mein Konzert mußte ausfallen.*

Stattdessen eine Reise nach England. Er spielt vor der Queen.
Der Rasen ist angenehm, *aber der Kohlengeruch!*
(Mangel an Engagement.) Die Ökonomie seiner Arbeiten:
unter Blumen eingesenkte Kanonen – eingesenkt, oder verschüttet?

Haben Sie Schmerzen, fragt der Arzt. (Blick auf die Place Vendôme.)
Antwort: *Nicht mehr.* Über ein schlechtes Gewissen
verfügte er nicht. Seine linke Hand war gut.
Die Unerbittlichkeit, mit der er, Zeit seines Lebens,

für das Überflüssigste eintrat, ist schwer zu erklären.

[F. C.: Frédéric Chopin.]

Karl Alfred Wolken
* 1929

Sommernachtstraum der Schlaflosen

Wir sind die, die schlecht schlafen in den Nächten.
So überschwemmt von Zeit, die wir verlachten,
sind wir die, die nun nicht mehr länger fechten,
die weder hassen, weder fürchten noch verachten.
Wie wild auch dieser buhlt und jener schändet,
die Pferde peinigt, Feuer anlegt, tötet,
erst Fliegen, dann die Güte seines Herzens –
des Daseins Grund war allezeit gerötet
und wir, erfahrne Kreatur, die niemand hütet,
nackt in den Wind ans Galgenholz gehenkt,
ertragen es mit Nachsicht, denn es wütet
das Gute und das Böse gleich beschränkt.
Die Nacht träuft in die Blutbahn keine Gnaden,
der Morgen und der Schlaf sind beide weit.
Sie wälzt den Alpdruck und mit Pein beladen

den Nacken nieder, bis die Seele schreit.
Sie foltert auch die Schar der Folterknechte,
die kummervoll die Finsternis durchspähn,
und schüttet Dornen über Tolle und Gerechte
und hilft dazu, die Welt nicht zu verstehn.
Das Licht in ihr, nicht Mond, nicht Horden Sterne,
das Licht, das aus gebrochnen Augen bricht,
wirft uns die Ohnmacht der gespaltnen Kerne
wie bittre Gallenschwärze ins Gesicht –
wozu denn da noch seinen Schild erheben?
Ganz unnütz, neuen Waffen zu vertraun!
Die schwarzen Engel, die uns fürchten, schweben
verfinstert hinterm schwarzen Zuchthauszaun –
da ist von wahrem Glauben nichts zu sagen:
wir sind an seiner Flut vorbeigetaucht.
Uns unbeschenkten Zweiflern bis zum Schragen
brennt wohl ein Licht, jedoch die Fackel raucht.
O Galgenholz, aus dir schnitz ich die Flöte
und hochgemut führ ich sie mir zum Mund,
daß diese Finsternis an meinem Lied erröte
und an dem Holze ginge sie zugrund!

Wir lachen wohl

Wir lachen wohl im Deutschland dieser Tage:
den halben Ländern, dem zerrissnen Land –
doch gibt es etwas andres, das heißt: Klage,
und Klage heißt: Wir sind im Mark verbrannt.

Verbrannt im Mark im Deutschland dieser Tage,
und lachen wir, so ist ein Ton dabei,
, ein hoher Wehlaut, wenn ich „lachen" sage
und lache selbst und träum von einem Schrei,

den keiner schreit, auch ich nicht, denn ich lache:
Zerrissener in dem zerrissnen Land.
Lach wie ein Narr um eine liebe Sache,
die mir zerbrach – und klaub sie aus dem Sand.

Und heb sie hoch und denke: ach, vorzeiten,
wie war's denn da? Und frage: wie wird's sein?
Und frag nicht weiter, laß die Sache gleiten –
und lach so leise wie ein mürber Stein.

Und roll wie er und reiß mich wund an Drähten,
frag zögernd wieder – und hör wieder nichts.
Und wo ich hinkomm, muß ich mich verspäten –
und steh doch immer vor den Schranken des Gerichts.

Man herrscht mich an? Ach, Alptraum aller Sünder:
ich herrsch mich an, weil ich mich blutig fand –

und geh durchs Land und kraule seine Kinder,
die Unschuld, und bleib doch im Mark verbrannt.

Und darf ich endlich weg von diesen Schranken
und dürfte klagen – ach, dann darf ich's nicht!
Spricht man mich frei, so kommen die Gedanken,
und ich bin Töter, Toter und Gericht.

Kurt Küther
* 1929

Im Betrieb

Ich ziehe die Gesellschaftsjacke aus,
streife den Betriebsrock über,
bin nicht mehr Ehemann und Vater.
Hinter der Stempeluhr
gilt ein anderes Gesetz.
Doch ich erinnere mich:
DIE WÜRDE DES MENSCHEN IST UNANTASTBAR.

Das ist hier die Frage.

Artisten

Bei uns in der Fabrik
da gibt es einen
der steht ganz oben

Bei uns in der Fabrik
da gibt es einige
die stehen in der Mitte

Bei uns in der Fabrik
da gibt es viele
die stehen ganz unten

Der Obere
steht auf den Köpfen
der Mittleren

Die Mittleren
stemmen sich auf die Schultern
der Unteren

Die Unteren
müssen
auf ihren eigenen Füßen stehn

Wer will ihnen wehren
zu bestimmen
wer auf ihren Schultern
zu stehen hat

Josef Reding
* 1929

Ermunterung

Fragt, fragt, fragt,
bis man euch gesagt:
warum die Sonnenuhr nicht tickt,
warum ein Neinsager nicht nickt,
ob Ohren Augenlider haben,
ob man versichert Unglücksraben?
Fragt, fragt, fragt!

Fragt, fragt, fragt,
bis man euch gesagt:
ob nur der ein guter Mann,
der am schnellsten schießen kann,
ob nur das 'ne gute Frau,
die am blanksten putzt den Bau?
Fragt, fragt, fragt!

Fragt, fragt, fragt,
bis man euch gesagt:
wie Vater eure Mutter nahm,
wie Mutter schließlich euch bekam,
warum man Grenzen noch errichtet,
warum man Ernten heut vernichtet?
Fragt, fragt, fragt!

Fragt, fragt, fragt,
bis man euch gesagt:
warum der eine ist pampsatt,
der andere nichts zu beißen hat,
warum die einen höher stehn,
die anderen aber barfuß gehn?
Fragt, fragt, fragt!

Friede

„Bloß keinen Zank
und keinen Streit!"
Das heißt auf englisch
ganz einfach
PEACE
und auf französisch
PAIX
und auf russisch
MIR
und auf hebräisch
SHALOM
und auf deutsch
FRIEDE
oder:
„Du, komm,
laß uns
zusammen spielen,
zusammen sprechen,
zusammen singen,

zusammen essen,
zusammen trinken
und zusammen
leben,
damit wir
leben."

krippenrede für die 70er jahre

also werd nicht so
wie dieser da
in unklaren familien
verhältnissen
unterwegs geboren
na ja dafür kann
er nichts
ist keine schande
doch auch nichts
rühmliches
aber dann
als er dreißig war
hatte er
keine ausbildung
kein auskommen
keine rücklagen
keine wohnung
kein reittier
oder fahrzeug
und auch für die ehe
war er offenbar
untauglich
was blieb ihm da
übrig als über
land zu ziehen
langhaarig
schmuddelig
barfüßig
eine klicke
von fans bei sich
die ihre familien
und berufe im stich
gelassen hatten
und dann wiegelte
er das volk auf
mit doppeldeutigen
reden und
gefährlichen geschichten
in denen die staatslenker
und die geistlichen
die heerführer
und überhaupt alle
die was hatten
schlecht wegkamen
drei jahre hat
man den
edelgammler
aus dem
zufallsgeburtsort
bethlehem so
gewähren lassen bis
er überschnappte
und handgreiflich
wurde gegen die
börsianer und
devisenwechsler
die seit jeher
ihren angestammten
platz im tempel
hatten da war
zapfenstreich
sense
ex
hinterlassen hat er
ein paar handbreiten
verschwitztes leinen
da war er
dreiunddreißig
im gleichen alter
wie vater der damals
schon die prokura in
henschels drahtzieherei
kriegte jetzt weißt
du bescheid und mir
soll keiner nachsagen
daß ich mich nicht
traue die wahrheit
zu sagen
auch
über diesen da.

Walter Helmut Fritz
* 1929

Früh im Jahr

Wie die Ferne
gegen die Augen stößt.

Der Hang,
den du entlanggehst:
ein Gesims über dem Weg.

Weißdorn,
blühend schon.

Aber der Tag
ist verletzt.

Man weiß nicht
wodurch.

Vorwände

Zwischen uns und den Frieden
haben wir Vorwände geschoben.
Sonst würden wir ihn entdecken,
mitten auf der Ebene,
über der unaufhörlich Schnee fällt,
verlassen und bereit, sich zu nähern.

Columbus

Neulich
bin ich Columbus begegnet,
in einer Seitenstraße Genuas,
nicht weit von seinem kleinen Haus.

Er war gerade
von seiner dritten Reise zurückgekommen.

An die Existenz
eines neuen Festlandes
habe er im Grunde
nicht geglaubt, sagte er.

Die Alten
hätten ja nichts davon gewußt.

Vielmehr habe er zeitweise
den Eindruck gehabt,
er nähere sich dem Paradies.

Beobachtungen an Strömungen
hätten ihn auf den Gedanken gebracht.

Aber Kastilien war doch schöner,
meinte er.

Wenn er tatsächlich
eine neue Küste gefunden habe,
werde er es erst später verstehen.

Wenigstens besteht die Möglichkeit,
fügte er hinzu.

Bäume

Wieder hat man in der Stadt,
um Parkplätze zu schaffen,
Platanen gefällt.
Sie wußten viel.
Wenn wir in ihrer Nähe waren,
begrüßten wir sie als Freunde.
Inzwischen ist es fast
zu einem Verbrechen geworden,
nicht über Bäume zu sprechen,
ihre Wurzeln,
den Wind, die Vögel,
die sich in ihnen niederlassen,
den Frieden,
an den sie uns erinnern.

Also fragen wir beständig

Also fragen wir beständig
Bis man uns mit einer Handvoll
Erde endlich stopft die Mäuler –
Aber ist das eine Antwort?

Als Heinrich Heine das schrieb

als er mit letzten Amüsements
dem Verhängnis zuvorzukommen suchte

bei Gesprächen
das gelähmte Augenlid mit dem Finger hob

mit dem Opernglas
die Menschen auf der Straße beobachtete

da schleppte er sich
hinter sich selbst her

erfuhr er Last und Überlast

hatte er verstanden,
daß man immer zu spät sieht,
wann etwas aufzuhören beginnt

stellte er sich die Frage,
ob alles unabänderlich sei

ach diese Vogelscheuche Vergänglichkeit.

Günter Kunert
* 1929

Meine Sprache

1
Ich spreche im Slang aller Tage derer
Noch nicht Abend ist
In der verachteten und verbissenen der
Sprache die jedermann entspricht.

2
Diese
Von Erstellern entstellte die von Betreuern
Veruntreute von Durchführern früh schon
Verführte die
Mehr zur Lüge taugt denn zur Wahrheit
Ach welche
Unter der erstarrten Syntax sich regt
Wie unter Abfall wie unter Schutt wie
Unter Tonnen von Schlacke.

3
Sprache
Die mehr scheinen will als sein
Aufgebläht

Von sang- und klanglosen tingelnden
Dinglosen Dingwörtern;
Schwabbelnde Gallerte
Quillt sie aus den öffentlichen Mündern
Und Mündungen tropft von
Den Lippen der Liebenden
Trieft aus Radios
Triumphiert.

4
Nichtssagend und blutleer und kraftlos
Ein Kind des Landes finde ich sie
Darniederliegend.

5
Und hebe sie auf
Und nehme sie an mich: Die beste mir
Der nichts besseres hat
Und ein Vermögen dem der durch nichts sonst
Zu leben vermag
Als durch sie.

Film – verkehrt eingespannt

Als ich erwachte
Erwachte ich im atemlosen Schwarz
Der Kiste. Ich hörte: Die Erde tat sich
Auf zu meinen Häupten. Erdschollen
Flogen flatternd zur Schaufel zurück.
Die teure Schachtel mit mir dem teuren
Verblichenen stieg schnell empor.
Der Deckel klappte hoch und ich
Erhob mich und fühlte gleich: Drei
Geschosse fuhren aus meiner Brust
In die Gewehre der Soldaten die
Abmarschierten schnappend
Aus der Luft ein Lied
Im ruhig festen Tritt
Rückwärts.

Daystream

Das ist keine fragile einsame Sänfte
aus Zirruswolken; nicht Selbstvergessen
durchs Narkotikum der Auspuffgase, danach der See
von Plagen überquert ist; auch nicht
das Einfache, das schwer zu machen, sondern
einfach da ist und hier wie überall:
angekündigt von blanker Bö, die Straßen entgiftet,
Scheiben zerklirrt, Hüte abschlägt: Kopf hoch –
wer noch einen hat!
Unsichtbarer Saint Lawrence voller Stromschnellen:
Daystream.
Daystream nimmt jeden mit, wie Straßenbahnen,
wie Nymphomane, aus Hitze und Kälte gepaart,
vermischt mit pulverisiertem Platin:
dem Dunst großer Städte im Frühjahr,
mit der harmonischen Dissonanz von Herzschlag und Beat,
dem hochkarätigen Sender, kommt von weit,
von weit Daystream, und schäumt überraschend
ins meist mürrische Seelenbecken,
füllt das Individuum, krank von Individualität
(ein Preßstoffprodukt), spült es durch, saugt es auf,
schwemmt es mit, o Kork voll Blut und Wunden,
fröhlich gekreuzigt auf rotierendem Daystream,
Duftkatarakt, gespeist
von vielen Quellen: Benzin, Parfüm, Achseln
duldsamer Frauen, ihrem Gestrüpp und dem
irdener Erde:
Geruch der Windrose, Pflanze der Sehnsucht
nach Reisen, reisend an Ort und Stelle
auf Daystream
in der privateigenen Psyche buntem Innern:

Gebrochenes Glas, Wind pfeift durch.
Kurzfristig verwechselt
mit dem Atem Gottes, mit dem Anhauch der Welt,
mit dem Odem heiterer Katharsis,
Geflüster, Luftzug, daraus
ein unbegreifliches Wort sich gebildet:
Daystream.

Straßen

Straßen: begehbar, gesperrte, verschlammte, zu viele,
ansteigend, abfallend, grade und krumme zum Ziele,
gepflastert und steinig, nicht endend, so scheint es;
bis man da anlangt, ist man schon Aas und beweintes,
hat einen Platz an der Straße erhalten, doch unter
dem Boden. Drüber und weiter und unaufhaltsam und munter
gehen und laufen, marschieren, die leben, die blicken
nicht rechts, links und rückwärts, spüren die Tücken
der Straßen erst später, selber schon müde vom Laufen
harren des Zieles noch, und ohne Verschnaufen
tappen sie weiter, stürzen wo nieder und fragen vergebens
den leeren Himmel: Ob denn das Leben der Sinn alles Lebens.

Vorschlag

Ramme einen Pfahl
in die dahinschießende Zeit.
Durch deine Hand rinnt der Sand
und bildet Formlosigkeiten,
die sogleich auf Nimmerwiedersehen
in sich selbst einsinken:
vertanes Leben.

Was du nicht erschaffst, du
bist es nicht. Dein Sein nur Gleichung
für Tätigsein: Wie will denn,
wer nicht Treppen zimmert,
über sich hinausgelangen?
Wie will heim zu sich selber finden,
der ohne Weggenossen?

Hinterlaß mehr als die Spur
deiner Tatze, das Testament
ausgestorbner Bestien, davon die Welt
übergenug schon erblickt.

Ramme einen Pfahl ein. Ramme
einen einzigen, einen neuen Gedanken
als gemeines Denkmal
deiner einmaligen Gegenwart
in den Deich
gegen die ewige Flut.

Schillers Bett

Schillers Bett steht im Schillerhaus
der Goethestadt. Vor dem Bett stehen Touristen:
Wir wollen sein, wissen nicht was, ehrfürchtig
zumindest oder wenigstens verschämten Gähnens Herr,
müde vor der winzigen Ruhestätte: zu klein
für meinen Freund Reinhard,
sein magerer Leib liegt, der leinenen Jacke,
der Brille entkleidet,
jetzt
sich räkelnd im Grunewald und
wuchert der Erde zu, Schiller
hierin folgend.

Ein einig etwas wollen wir sein, nicht eineiig.
Keine Zwillinge. Keine deutschen Siamesen.

Vor dem Bettchen, der fahlen Decke, entfärbten
Kränzchen, dem Schleifchen, stellt sich
nicht her, was wir nie waren: ein einig Volk.

Ein Volk von einigen Herrschaften, vielen
Knechtschaften, versippt nur wie Habicht und Huhn.

Brüder aber
sind Lettau in Berlin und ich in Berlin
und alle,
verdammt zum Erwachen aus Tellschen Träumen.

[Lettau: Reinhard L., Schriftsteller, * 1929 in Erfurt.]

Mangelhafter Trost

I

Das Pulver nicht erfunden haben.
Die Welträtsel nicht gelöst.
Eine Strecke im Mikrokosmos überblickt,
ohne zu wissen, geht es ab oder aufwärts,
denn es geht immer entweder oder, denn
es ist eine Wippe, die Glauben verlangt:
glaub ab, glaub auf.

2

Selbst für die Erfinder des Pulvers,
selbst für die Welträtsellöser heißt die Lösung:
Kein Leben nach dem Vorbei,
keines im Namen, keines im Wort, keines
in keines Namen,
weder unten noch oben, sondern gar keins':
Wissenssache, die Fremdgut bleibt immerdar.

3

An regnerischen Nachmittagen
unter der Last der Sterblichkeit
stöhnen und lechzen
nach dem, was wie ein Niagara
lärmend und unaufhaltsam vorm Fenster vorbeirauscht:
Leben, unfaßbar und sinnfern.

4

Für die Erfinder des Pulvers sogar.

So soll es sein

Zwecklos und sinnvoll
soll es sein
zwecklos und sinnvoll
soll es auftauchen aus dem Schlamm
daraus die Ziegel der großen Paläste
entstehen um wieder zu Schlamm zu zerfallen
eines sehr schönen Tages

zwecklos und sinnvoll
soll es sein
was für ein unziemliches Werk
wäre das
zur Unterdrückung nicht brauchbar
von Unterdrückung nicht widerlegbar
zwecklos also
sinnvoll also

wie das Gedicht.

Peter Rühmkorf
* 1929

De mortuis oder: üble Nachrede

Langsam schließen sich die Wunden der Jugend, und
 nichts will an ihre Stelle treten.
Auch das Leiden an der Menschheit
wird ja mal zum bloßen Routinefall;
nun, dann kokelt die alte Seele wohl so allmählich zu Ende,
es geht immer so weiter mit uns,
und wenn es weiter so weitergeht wie bisher,
ist bald Schluß.

Jetzt, zum Beispiel, haben wir auch die Linden schon wieder
 im Rücken.
(Wer spricht noch vom Flieder?)
Man wagt fast gar nicht mehr *Ich* zu sagen bei soviel
 Geschäftigkeit.
Bald,
wenn mit unaufhaltsamen Blättern
der Herbst
abwinkt
und auch die Drosseln ihre Lieder einziehn,
heizt du die hohle Brust
– Jetzt Kohlen kaufen! –
mit Nietzschewörtern.

Kein Grund zum Aufgeben, Meister!
Auch das Alter ist noch ein durchaus vollgültiger
 Lebensabschnitt,
und solange der Stuhlgang gesichert ist,
der Tag doch nicht unerfüllt –
Ah – natürlich,
und dann noch der Trick mit dem Einerseits-andrerseits,
schleimlösende Dialektik:
das lernt man doch auch erst in, sagen wir, vorgeschrittenen
 Jahren.
Wenn die Spannkraft nachläßt.
Und der Mund sich auftut:
grau
und von Liedern leer.

[De mortuis: Über die Toten.]

Wildernd im Ungewissen

Wildernd im Ungewissen,
im Abflußrohr der Zeit;
etwas Größe unter den Nagel gerissen,
etwas Vollkommenheit.

Wir haben um neunzehn Uhr Syringen gebrochen
und brachen Duft und Gram . . .
Flieder, mein lieber Mann, wir haben Flieder gerochen,
wenn der Mond über Deutschland kam.

Im wenig Dauerhaften,
von Wind und Schein verführt –
weiß ich, ob wir die Sterne verkraften
bis man uns abserviert?

Bis wir abtreten müssen:
Schotter des Schicksals über die Fläche gestreut –
Etwas Größe unter den Nagel gerissen,
etwas Vollkommenheit.

Grimm- und Grützlied

Über meiner Schiebermütze
setzt der Tag den goldenen Stander;
hab ich Grimm und hab ich Grütze,
da ist Gutes beieinander.

Rasch verblasener Gefühle
heute Hoffen, morgen Tief:
Das ist Mai auf meiner Mühle,
Lunte an den Bürgerbrief.

Zög uns nicht der Wanst zurück,
glaubt nur, was wir steigen könnten!
schön, mit fliegenden Talenten
in das ungestalte Glück!

Der sich so zur Lust erkeckt,
hat sich bald für Wind verschwendet;
wenn der Herbst die Sträucher pfändet,
wird das Bettuch abgeleckt.

Einer zahlt in barem Spaß:
Haare lassen, Federn raffen –
Ach, mein Fell und keine Waffen!
Ach, dein Rock und kein Verlaß!

Siebenschöne, Tausendteure,
weich und aller Lügen wert,
wo ich noch mein Herz befeure,
wird das Licht schon umgekehrt.

Lirum-larum-Löffelsteiß,
wie erschlichen, so zerfahren –
daß ich diesen Witz bewahre,
mach ich mir im Dunkeln weiß.

Auf eine Weise des
Joseph Freiherrn von Eichendorff

In meinem Knochenkopfe
da geht ein Kollergang,
der mahlet meine Gedanken
ganz außer Zusammenhang.

Mein Kopf ist voller Romantik,
meine Liebste nicht treu –
Ich treib in den Himmelsatlantik
und lasse Stirnenspreu.

Ach, wär ich der stolze Effendi,
der Gei- und Tiger hetzt,
wenn der Mond, in statu nascendi,
seine Klinge am Himmel wetzt! –

Ein Jahoo, möcht ich lallen
lieber als intro-vertiert
mit meinen Sütterlin-Krallen
im Kopf herumgerührt.

Ich möcht am liebsten sterben
im Schimmelmonat August –
Was klirren so muntere Scherben
in meiner Bessemer-Brust?!

[in statu nascendi: im Zustand des Entstehens.]

Hans-Jürgen Heise
* 1930

Ritus

1

Zögert nicht
jagt mich davon

Denn wer stets ins Dunkle sieht
muß bald
Dunkles reden
 Eure Kinder aber
sollten sie nicht
vom Licht nur hören

Darum aus Menschlichkeit
Jagt mich davon

2

Baut mir
eine dornige Hütte
außerhalb des Dorfes
unten am Fluß

Und dort sperrt mich ein
mit meinem Gram

bis ich mir
das Bild meines Toten
aus der Seele gewaschen habe

Gottfried Benn

Privatim ein Bürger
mit Kitschhang und Homburg
ein Mann der fast weibisch
an Schnittblumen roch
 zu weich
 zu sensibel
trotz Morgue nie ein Schlachter
brutal nur aus Notwehr
höflich aus Angst

Kein Kluger durch Wissen
ein Tiefer aus Leiden
Was dem Fiebernden Schweiß ist
das war ihm der Vers

Sonst lebte er bieder
ein Hautarzt mit Homburg
ein Spießer mit Bierdurst

Nur als Künstler ein Wolf

[Morgue: Leichenschauhaus; Titel der ersten Gedichtsammlung Benns (1912).]

1040

Kleine Genesis

I

Wenn der Fluß und
die Empfindung Fluß
in das Wort Fluß münden
ist die Schönheit
die abstrakte Göttin
eine Wasserader

Eine Quelle
die zwischen zwei
Feldsteinen
austritt

Die einem Mann der sich
nach dem Schuhriemen bückt
klar
gegen die Handflächen drängt

II

Sekunde
in der sich Fisch und Wasser
in der Metapher
‚tödlich atmendes Aquariumgrün‘
durchdringen

Eigene Transparenz
selbst-
erschaffener Himmel

Blitz
der das Bewußtsein schwefelt
der mit schockierender Flüchtigkeit
die Nacht widerlegt

Sie folgten

Sie folgten
im Schlaf der Raupe
fanden
die Seide

Im Wald wird der Küstenwind grün

Die andern – die Ballenträger
das Land
seine Male Der lange

staubige
Weg (das Joch im Museum
sieht harmlos aus)

Müdigkeit

Die ungeschleifte Festung
in den Augen der Katze
Rinnsale von Sommern
entsalzener Schnee

Nicht berührt
von dem
der ihn wirft
ist der Schatten
Und eine schrille
Müdigkeit hält wach

Bei Büsum

Bei Büsum wo ein Fisch
im Maul der Katze schlief
Ich eignete dir den Mond zu Der Kellner
gab uns Falschgeld heraus
Wir gingen durchs Watt
(Deine Augen lagen
am Boden bei den übrigen
Muschelschalen)

Horst Bienek
* 1930

Was dich verwandelt

Was dich verwandelt,
Vielleicht ist es dies:
Wind, Gras, Meer oder Sand,
Oder das Paradies,
Geritzt in die Felsenwand,
Aus dem dich verwies
Eine gekreuzigte Hand?
Ob dich verwandelt
Thessalisches Land,
Das dir ein Traum verhieß
Oder das Goldene Vlies,
Das sich dein Auge erfand?
Oder verwandelt
Dich, todumspannt,
Der dich trommelnd pries
Oder der unerkannt
Das Messer ins Herz dir stieß?
Oder verwandelt
Sich erst dein Leib,
Da dich der Atem verließ?

Sehr fern

Was geschah
geschah sehr fern
 einige von uns haben
 die Schüsse gehört

Die Urteile sind vollstreckt

Auch wir standen auf der Liste
Sie sagen: wir leben noch

Zeichen und Sätze

Rauch in der Luft
 oder Feuer im Meer
 oder Blitze im Wald
Zeichen von gestern

Wir haben sie vergessen
niemand sieht sie
 wir reden miteinander
 Worte
 oder Sätze
 oder Rauch
 oder Feuer
 die Gemeinsamkeit der Worte ist der Satz
 die Gesamtheit der Sätze ist die Sprache

Wir reden
sind eingemauert
 in Sprache
 reden
 verweilen beieinander
 im Dunkel
und das Moos wächst uns in den Mund

Die Zeit danach

I

Es gibt eine Zeit
 und die Zeit danach
von welcher Zeit wollen wir reden?

II

Als das Reh neben dem Löwen weidete
als der Apfel reifte für den der den Apfelbaum düngte
als wer den Fisch fing ihn auch essen durfte
das war eine Zeit
 paradiesische Zeit
 von der wir gern
predigen hörten

Als wir zusammengedrängt lagen auf hölzernen Pritschen
als die Dunkelheit unsere schwitzenden Leiber einsperrte
als uns der Hunger den Schlaf und den Traum zerspellte

das war eine Zeit
finstere Zeit
die wir unseren Feinden
nicht wünschten

Als der Schrei des Wachmanns uns auf den Appellplatz jagte
als wir mit stumpfen Geräten die Kohle aus der Erde gruben
als wir in den schwarzen Versteinerungen eine Antwort suchten
warum diese Zeit
so war
von der wir lieber
in den Lesebüchern gelesen hätten

Als wir heimkehrten in die Städte ohne Erinnerung
als – unerkannt – wir uns unter ihre Bewohner mischten
als wir einbrachen in ihre Häuser und den Argwohn zurückließen
das war eine Zeit
schmerzliche Zeit
die wir mit unserer Trauer
zuschütteten

III

Wir sind auf dem Weg von der einen Zeit
in die andere
doch wohin wir auch gehen
wir kommen nicht an
manchmal brechen wir in die Knie
und der Regen näßt unsre Gesichter
wir singen
man hört uns nicht
(denn die Müdigkeit
schweißt uns die Lippen zusammen)
unsere Gesten sind zaghaft
man begreift sie nicht
(denn die Verzweiflung
schlägt uns die Arme vom Rumpf)
wir gehen weiter
auf dem Weg von der einen Zeit
in die Zeit danach

IV

Mitleidig wirft man uns Wörter in den Schoß

Franz Josef Degenhardt
* 1931

Für wen ich singe

Ich singe nicht für euch,
ihr, die ihr eure Riemen enger schnallt,
wenn es um Höheres geht.
Ihr, bis zum Rand voller Gefühlsmatsch,
ihr, die ihr nichts so haßt
wie eure eigenen verschwärten Leiber,
die ihr euch noch in Fahnen wickelt,
Hymnen singt,
wenn euch der Strahlengürtel schnürt.
Und nicht für euch,
ihr high-life-Spießer mit der
Architektenideologie,
ihr frankophilen Käselutscher,
ihr, die ihr nichts so liebt
wie eure eignen parfümierten Pöter,
ihr, die ihr euch nicht schämt
den Biermann aufzulegen,
weil der so herrlich revolutionär ist.
Nein, für euch nicht.

Ich singe nicht für euch,
ihr vollgestopften Allesfresser mit der
Tischfeuerzeugkultur.
Ihr, die ihr eure Frauen so wie
Steaks behandelt und vor
Rührung schluchzt, wenn eure fetten Köter
sterben. Die ihr grinst, wenn ihr an
damals denkt,
wie über einen Herrenwitz.
Und nicht für euch,
die ihr nur lebt, weil hier zuviel
und anderswo zuwenig Brot
herumliegt. Tempelstufenhocker,
ihr, die ihr nichts so liebt
wie eure eignen ungewaschnen Bäuche,
die ihr mit blödem
Haschisch-Lächeln eure
gesetzlosen Gesetze vor euch hin lallt.
Nein, für euch nicht.

Ich sing für euch,
die ihr die feige Weisheit eurer Heldenväter
vom sogenannten
Lauf der Welt in alle Winde schlagt
und einfach ausprobiert,
was richtig läuft. Die ihr den Lack, mit dem
die Architekten überpinseln,
runterbrennt
von allem rissigen Gebälk.
Für euch,
die ihr die fetten Köter
in die Sümpfe jagt, nicht schlafen könnt,
wenn ihr an damals denkt, und alle
Allesfresser schnarchen hört
und nicht auf Tempelstufen hocken wollt,
solang der Schlagstock noch
die weiße Freiheit regelt,
Napalm noch die Speise für die Armen ist,
ich sing für euch.

Deutscher Sonntag

Sonntags in der kleinen Stadt,
wenn die Spinne Langeweile
Fäden spinnt und ohne Eile
giftig-grau die Wand hochkriecht,
wenn's blank und frisch gebadet riecht,
dann bringt mich keiner auf die Straße,
und aus Angst und Ärger lasse
ich mein rotes Barthaar stehn,
lass' den Tag vorübergehn,
hock am Fenster, lese meine
Zeitung, decke Bein mit Beine,
seh, hör und rieche nebenbei
das ganze Sonntagseinerlei.

Da treten sie zum Kirchgang an,
Familienleittiere voran,
Hütchen, Schühchen, Täschchen passend,
ihre Männer unterfassend,
die sie heimlich vorwärts schieben,
weil die gern zu Hause blieben.
Und dann kommen sie zurück
mit dem gleichen bösen Blick,
Hütchen, Schühchen, Täschchen passend,
ihre Männer unterfassend,
die sie heimlich heimwärts ziehn,
daß sie nicht in Kneipen fliehn.

Wenn die Bratendüfte wehen,
Jungfraun den Kaplan umstehen,
der so nette Witzchen macht.
Und wenn es dann so harmlos lacht,
wenn auf allen Fensterbänken
Pudding dampft, und aus den Schenken
schallt das Lied vom Wiesengrund
und daß am Bach ein Birklein stund,
alle Glocken läuten mit,
die ganze Stadt kriegt Appetit:
Das ist dann genau die Zeit,
da frier ich vor Gemütlichkeit.

Da hockt die ganze Stadt und mampft,
daß Bratenschweiß aus Fenstern dampft.
Durch die fette Stille dringen
Gaumenschnalzen, Schüsselklingen,
Messer, die auf Knochen stoßen,
und das Blubbern dicker Soßen.
Hat nicht irgendwas geschrien?
Jetzt nicht aus dem Fenster sehn,
wo auf Hausvorgärtenmauern
ausgefranste Krähen lauern.
Was nur da geschrien hat?
Ich werd so entsetzlich satt.

Wenn Zigarrenwolken schweben,
aufgeblähte Nüstern beben,
aus Mustiktruhn Donauwellen
plätschern, über Mägen quellen,
hat die Luft sich angestaut,
die ganze Stadt hockt und verdaut.
Woher kam der laute Knall?
Brach ein Flugzeug durch den Schall?
Oder ob mit 'm Mal die Stadt
ihr Bäuerchen gelassen hat?
Die Luft riecht süß und säuerlich.
Ich glaube, ich erbreche mich.

Dann geht's zu den Schlachtfeldstätten,
um im Geiste mitzutreten,
mitzuschießen, mitzustechen,
sich für wochentags zu rächen,
um im Chor Worte zu röhren,
die beim Gottesdienst nur stören.
Schinkenspeckgesichter lachen
treuherzig, weil Knochen krachen
werden. Ich verstopf die Ohren
meiner Kinder. Traumverloren
hocken auf den Stadtparkbänken
Greise, die an Sedan denken.

Dann ist die Spaziergangstunde,
durch die Stadt, zweimal die Runde.
Hüte ziehen, spärlich nicken,
wenn ein Chef kommt, tiefer bücken.
Achtung, daß die Sahneballen
dann nicht in den Rinnstein rollen.
Kinder baumeln, ziehen Hände,
man hat ihnen bunte, fremde
Fliegen – Beine ausgefetzt –
sorgsam an den Hals gesetzt,

daß sie die Kinder beißen solln,
wenn sie zum Bahndamm fliehen wolln.

Wenn zur Ruh die Glocken läuten,
Kneipen nur ihr Licht vergeuden,
wird's in Couchecken beschaulich.
Das ist dann die Zeit, da trau ich
mich hinaus, um nachzusehen,
ob die Sterne richtig stehen.
Abendstille überall. Bloß
manchmal Lachen wie ein Windstoß
über ein Mattscheibenspäßchen.
Jeder schlürft noch rasch ein Gläschen
und stöhnt über seinen Bauch
und unsern kranken Nachbarn auch.

Sonntags in der kleinen Stadt,
sonntags in der deutschen Stadt.

Die alten Lieder

Wo sind eure Lieder,
eure alten Lieder?
fragen die aus andren Ländern,
wenn man um Kamine sitzt,
mattgetanzt und leergesprochen
und das high-life-Spiel ausschwitzt.

Ja, wo sind die Lieder,
unsre alten Lieder?
Nicht für'n Heller oder Batzen
mag Feinsliebchen barfuß ziehn,
und kein schriller Schrei nach Norden
will aus einer Kehle fliehn.

Tot sind unsre Lieder,
unsre alten Lieder.
Lehrer haben sie zerbissen,
Kurzbehoste sie verklampft,
braune Horden totgeschrien,
Stiefel in den Dreck gestampft.

Adieu, Kumpanen
Für Wolfgang Neuss

Ich werd' jetzt ziehn, Kumpanen, und kann mich erholen
von diesem Land, vom Rhein gespalten bis nach Polen;
dem Land, von meinem roten Sangesbruder Biermann drüben
mit einem Arsch verglichen – das wir trotzdem lieben.
Auch wenn wir beide nicht von Maas bis Memel singen:
von diesem Land mit seinen hunderttausend Dingen,
den schönen Mädchen, Wäldern, Bieren, vollen Scheunen,
den Führungskräften, Sonntagsworten und den Todeszäunen.
Aus diesem Land zieh' ich jetzt fort, kann mich verschnaufen.
Kumpanen, darauf wollen wir noch einen saufen.
Adieu, Kumpanen, ich zieh' in ein andres Land.

Ich würg' schon lang an diesen brei'gen Sonntagssprüchen,
und diesen Führungskräfteschweiß kann ich nicht länger riechen.
Mir schlägt das Brüllen jener Leute auf den Magen,
die – humbatätärä – sich auf die Schenkel schlagen.
Der Klassenzimmermief, der rüberweht von Osten,
die Oberlehrerhymnen bringen mich zum Kotzen.
Und wenn es knattert in der Nacht, sag' ich mir: „Schlafe!"
Ich seh' zwar Zäune, doch was springt und fällt, sind keine Schafe.
Daß jeder dahin, wo er leben will, kann laufen,
Kumpanen, darauf wollen wir noch einen saufen.
Adieu, Kumpanen, ich zieh' in ein andres Land.

Daß unsre Mädchen nicht in Kitteln aufmarschieren,
und daß die Führungskräfte nach Marihuana gieren,
und daß die Jäger euch nicht in die Zäune treiben,
und daß die Sonntagsworte in den Kehlen steckenbleiben,
daß unsre Kinder nicht vom Rumpelstilzchen träumen,
daß auch das Bier läuft, ohne allzuviel zu schäumen,
und daß Taranteln alle Oberlehrer küssen,
daß sie zu ihren eignen Hymnen twisten müssen,
und daß die Händler nicht den letzten Baum verkaufen,
Kumpanen, darauf wollen wir noch einen saufen.
Adieu, Kumpanen, ich zieh' in ein andres Land.

Kumpanen, ihr aus den Provinzen vor den Zäunen,
verfreßt euch nicht, trotz eurer übervollen Scheunen.
Das In-den-Spiegel Gucken, Grinsen, Zwiebelschneiden,
ein bißchen Job und Jazz und Sex und Krach vermeiden:
Das alles reicht nicht mehr. Man ist schon bei den Proben.
Die Henker bürsten grinsend ihre alten Roben.
Verstellt die Weichen, wenn sie Züge rückwärts schalten,
so lang, bis sie sich wieder an den Fahrplan halten.
Daß wir uns wiedersehn in gleichen, freien Haufen:
Kumpanen, darauf wollen wir noch einen saufen.
Adieu, Kumpanen, ich zieh' in ein andres Land.

Wolf Biermann
* 1936

Die Ballade von dem Drainage-Leger
Fredi Rohsmeisl aus Buckow

I

Das ist die Ballade von Fredi Rohsmeisl
Drainage-Leger auf den Äckern um Buckow
Gummistiefel hoch bis zum Bauch
Sein Häuschen links am Fischerkietz.
Bei Lene Kutschinsky war Tanz

Er hat auseinander getanzt
Mit seiner Verlobten – das war verboten
Na schön . . .

Junge, ich hab Leute schon tanzen sehn
Junge, das war manchmal schon nicht mehr schön.
Aber schadet uns das?
Nein.

2

Und als er so wild auseinander tanzt
Die Musik war heiß und das Bier war warm
Da hatten ihn plötzlich zwei Kerle am Arm
Und schmissen ihn auf die Taubengasse.
Und schmissen ihn über den Lattenzaun
Und haben ihn in die Fresse gehaun
Und er hatte noch nichts getan
Und hatte den hellblauen Anzug an.

Junge, ich hab Leute schon schlagen sehn
Junge, das war manchmal schon nicht mehr schön.
Aber nützt uns das?
Nein.

3

Da hat Fredi Rohsmeisl beide verrammt
Zwei links zwei rechts er traf genau
Und waren zwei große Kerle die zwei
Halb Buckow sah ihm zu dabei.
Das Überfallauto kam antelefoniert
Hat Fredi halb tot gehaun
Das haben die Buckower Männer gesehn
Und auch die Buckower Fraun.

Junge, ich hab Leute schon zusehn sehn
Junge, das war manchmal schon nicht mehr schön.
Aber nützt uns das?
Nein.

4

Dann kriegte er einen Prozeß an Hals
Als Konterrevolutionär
Wo nahm der Staatsanwalt nur das Recht
Für zwölf Wochen Knast her?!
Seitdem frißt ihn ein stiller Zorn
Und nach dem zehnten Bier
Erzählt er Dir seine große Geschichte
Von hinten und auch von vorn.

Junge, ich hab Leute schon weinen sehn
Junge, das war manchmal schon nicht mehr schön.
Aber nützt uns das?
Nein.

5

Und er findet noch kein Ende
Und er ist voll Bitterkeit
Und er glaubt nicht einen Faden
Mehr an Gerechtigkeit.
Er ist für den Sozialismus
Und für den neuen Staat
Aber den Staat in Buckow
Den hat er gründlich satt.

> Junge, ich hab Leute schon fluchen sehn
> Junge, das war manchmal schon nicht mehr schön.
> Aber nützt uns das?
> Nein!

6

Da gingen einige Jahre ins Land
Da gingen einige Reden ins Land
Da änderte sich allerhand
Daß mancher sich nicht wiederfand.
Und als der zehnte Sputnik flog
Da wurde heiß auseinander getanzt
Der Staatsanwalt war selbst so frei.
Und Fredi sah ihm zu dabei.

> Junge, ich hab Leute sich ändern sehn
> Junge, das war manchmal schon einfach schön.
> Aber nützt uns das? (Ja.)

Spielzeug

Mit der Eisenbahn
lernen wir
zur Oma fahrn.
Das macht Spaß
Mit der Puppe
essen wir
gerne unsere Suppe
Das macht Spaß
Mit dem Ball
schmeißen wir
Peters Bären um
der ist dumm
Mit den Muschikatzen
lernt der Paul
die Anne kratzen
Das macht Spaß
Mit dem Panzer lernen wir:
Wie man
Eisenbahn,
Puppe, Suppe,

Ball und Bär,
Muschikatzen
und noch mehr
Anne, Pappa,
Haus und Maus
einfach kaputt macht.

Warte nicht auf beßre Zeiten

Manchen hör ich bitter sagen
‚Sozialismus – schön und gut
Aber was man uns hier aufsetzt
Das ist der falsche Hut!'
Manchen seh ich Fäuste ballen
In der tiefen Manteltasche
Kalte Kippen auf den Lippen
Und in den Herzen Asche

Wartest du auf beßre Zeiten
Wartest du mit deinem Mut
Gleich dem Tor, der Tag für Tag
An des Flusses Ufer wartet
Bis die Wasser abgeflossen
Die doch ewig fließen

Manche raufen sich die Haare
Manche seh ich haßerfüllt
Manche seh ich in das Wolltuch
des Schweigens eingehüllt
Manche hör ich abends jammern
‚Was bringt uns der nächste Tag
An was solln wir uns noch klammern
An was? An was? An was?'

Wartest du auf beßre Zeiten . . .

Manche hoffen, daß des Flusses
Wasser nicht mehr fließen kann
Doch im Frühjahr, wenn das Eis taut
fängt es erst richtig an
Manche wollen diese Zeiten
wie den Winter überstehn
Doch wir müssen Schwierigkeiten
Bestehn! Bestehn! Bestehn –

Warte nicht auf beßre Zeiten
Warte nicht mit deinem Mut . . .

Viele werden dafür sorgen
daß der Sozialismus siegt
Heute! Heute, nicht erst morgen!
Freiheit kommt nie verfrüht
Und das beste Mittel gegen
Sozialismus (sag ich laut)
ist, daß ihr den Sozialismus
AUFBAUT!!! Aufbaut! (aufbaut)

Wartet nicht auf beßre Zeiten
Wartet nicht mit eurem Mut
Gleich dem Tor, der Tag für Tag
An des Flusses Ufer wartet
Bis die Wasser abgeflossen
Die doch ewig fließen
die doch ewig fließen

Ermutigung

Peter Huchel gewidmet

Du, laß dich nicht verhärten
In dieser harten Zeit
Die all zu hart sind, brechen
Die all zu spitz sind, stechen
und brechen ab sogleich

Du, laß dich nicht verbittern
In dieser bittren Zeit
Die Herrschenden erzittern
– sitzt du erst hinter Gittern –
Doch nicht vor deinem Leid

Du, laß dich nicht erschrecken
In dieser Schreckenszeit
Das wolln sie doch bezwecken
Daß wir die Waffen strecken
Schon vor dem großen Streit

Du, laß dich nicht verbrauchen
Gebrauche deine Zeit
Du kannst nicht untertauchen
Du brauchst uns, und wir brauchen
Grad deine Heiterkeit

Wir wolln es nicht verschweigen
In dieser Schweigezeit
Das Grün bricht aus den Zweigen
Wir wolln das allen zeigen
Dann wissen sie Bescheid

Peter Härtling
* 1933

So war noch keiner

so war noch keiner ausgefahren
die gepflückte hand am segel aufgehangen

wenn sie aufschauten
sahen sie die sonne
das meer bekämpfen

kamen reißende strudel das meer zu jagen
kamen sengende stürme das meer zu trinken

wo später unter giftigen wolken
wieder einander alle sahen
jäh und nicht mehr blind

doch der ausgefahren war
hob die zerfetzte hand vor die brust
und verdammte das meer

die sonne löschte er
mit seinen tränen

Wandlung

plötzlich wird der fremde mann
hell und heiter
sieh er kann

seine leiter
an den himmel lehnen
und den schönen
auch bizarren
wolkenfrauen
dinge sagen
unverständlich
selbst für dich

Olmütz 1942–1945

vom bischofsberg die haube –
verwest denn hier kein stein?
das kind spielt in der laube
– ein wappenbild mit taube –
das kind spielt: ich bin klein.

die mutter springt ins feuer,
die gasse stülpt sich um –
ein bischof im gemäuer
speist säulenungeheuer –
das kind spielt: ich bin dumm.

der vater bannt das wasser,
der sprungreif bricht entzwei –
ein schwarzer aderlasser
versammelt tausend hasser –
das kind denkt zweierlei:

es denkt: die wassergasse
der fluß erstarrt zu stein
und eine winterblasse
prinzessin taucht hinein.

es denkt: die flüchterflüche
nun wandert auch das haus.
der zaubrer in der küche
spült jedes lächeln aus.

vom bischofsberg der segen –
kein bild wird jetzt gemalt.
wir wollen die puppen in gräber legen
und unsern knochenmann freundlich pflegen –
das kind spielt: ich bin alt.

Harald Hartung
* 1932

Möglicher Sommer

I
Ich erkläre dir die Berge
als erstarrte Wellen

und du erklärst mir das Meer als
bewegtes Gebirge

Wirklich wir sind zwischen Steinen
und helles Wasser fällt

in ein Becken: du tauchst ein und
folgst dem abfließenden

Wasser in Richtung auf eine
warme salzige Flut.

II
Siehst du wie die gelbe
Kabine die Schneise
aufwärts entschwebt

dem Tragmast zu und wie
die andere sichtbar
wird gelb immer

größer wird und beide
einander begegnen
in der Mitte

bei der Gitterstütze
So auch wir möchte ich
sagen aber

ich sags nicht (sag dus) es
war wie auf der Mitte
der Punkte dein Blick.

III
Wie Brandungsgeräusche (sagst du)
Jedenfalls klatschen die Wellen
gegen das Wiesenufer. Das
macht der Majolawind (sag ich)
der am Paß die Wolken auspreßt

den Himmel „hier im heiligen
Sils" blankfegt wie Nietzsche ihn sah.
Du mit deinem Nietzsche deinem
Adorno: die Kuh im Boot das
ist als Bild ganz schön doch den Stier

der Europa hätte er sich
besser gespart und wer schifft schon
triumphal übern Acheron?
Aber es ist schön schön und un-
beschreiblich wie der See in die

Wiesen übergeht wie greifbar
als weiße Kuben die Häuser
stehn in dem harten Licht und wie
bei den Scheunen das Heu riecht (wie
Tabak tatsächlich wie Tabak)

Doch was erklären wir hin und
her: wir vergessen (sagst du) daß
wir uns nicht kennen den Tag lang
und schiffbrüchig treiben (sag ich)
nachts im verworrenen Geräusch.

IV
Der mögliche Sommer
wirklich geworden ist auch nur

eine Möglichkeit: die
doppelte Buchführung unsrer

Gefühle sagt: das Kind
im Gras das da Gras rupft es ist

unser Kind und wir sind
beide nicht abgetrieben nicht

wiedergekommen nie
wirklich fortgewesen und so

haben unsre trägen
Bewegungen alle ihr Ziel.

Hier zwischen den leeren Birken
sage ich
 Die Vögel schnattern

(bloß weil das Licht so dünn ist: wie
schwer es ist
 aufrichtig zu sein)

Es sind nicht die Vögel es ist
mein Schweigen
 die Unfähigkeit'

dir zu sagen wer ich bin und
was diese
 Worte bedeuten.

Die Vögel (sagst du) singen und
warum nicht?
 Sie sind schon weiter.

Eine Unzufriedenheit wie
vor der Liebe oder wie das
Öffnen des Munds und du weißt nicht
wozu: der angefangne Satz

zuendegeführt war er nicht
was zu sagen war. Nach Liebe
die schöne Erschöpfung, du schweigst
weil noch alles zu sagen ist.

Horst Bingel
* 1933

Gegend, austauschbar

Diese Gegend ist
mies wir haben viel Gemeinsames
die Liebe zu Katzen und Hunden
und die Unlust am Morgen wenn
in dieser Gegend
ein Mensch stirbt pflanzen
sie Bäume der Tod
ist nicht irgendwer
gestern die Schule war gerade aus
wurde ein Junge überfahren
45 Minuten lag er
auf dem Trottoir wenn ich nicht
Angst hätte aufzufallen
hätte ich dem Jungen
eine Decke gebracht.

Feinsliebchen

Wenn wir drei, du, das Bärchen und ich
mit dem Zeppelin bald verreisen
und du Deutschland von oben siehst,
so ganz klein, gedrängt, etwas ängstlich,
so ohne Blasmusik, ohne Bier und Trara,
wenn wir drei, du, das Bärchen und ich
dreitausend Jahre später landen,
werden sie strammstehen, stolz sein,
und all die kleinen Eselchen, grau,
zwei Ohren, ein Häubchen auf,
sie drehen nicht das Wasserrad,
denn mit dem Zipfel, dem Häubchen
kann man fliegen, manchmal fliegen auch,
der Zeppelin, der Zeppelin,
er rührt sich nicht, er dreht sich nicht,
wir werden landen, ein Kleiner und so weiter,
wir bringen uns 'ne Pauke mit,
und die jungen Mädchen denken: Soldaten,
sie drehen aus den Zipfeln
und drehen, knüpfen, schütteln:
Über allen Gipfeln ist Ruh,
aussteigen, zu Hause.

Für Marie Luise Kaschnitz

Fahnenland

Du mußt still-
halten, stecke ins Hemd
die weiße Fahne.
Sie weben die Fahnen
einmal bunt, weiß,
weiß und bunt die Fahnen-
tücher in diesem Land.
Wirf die Masten
nicht weg, du wirst sie
aufs neue brauchen, denn
sie weben die Fahnen,
die Fahnen so bunt
in diesem Land.

Günter Herburger
* 1932

Ehegedicht

Geliebt haben wir uns,
daß das Gras um uns sich entzündete,
doch die Glut schadete uns nicht,
so selbstvergessen waren wir.

Verfolgt haben wir uns,
daß wir uns bis ins Mark trafen,
doch die Wunden schlossen sich wieder,
da kein Blut aus ihnen kam.

Seitdem wir uns aber geeinigt haben,
zusammen alt zu werden,
verwandelt sich die Liebe in Behutsamkeit,

und das Blut, das mitunter
nun aus Rissen quillt, schmerzt
Tropfen um Tropfen wie heißes Wachs.

Vergnügen

An Drachen hängen
und über Schneefelder fliegen.
An Drachen hängen
und aufwärts mit den Beinen
das Wasser am Strand meiden.
An Drachen hängen

und sich selbst lieben
hoch in der Luft,
ich habe es schon versucht.

Schöner aber ist jene Arbeit,
die es noch nicht gibt,
wenn wir Arm in Arm Autos bauen
wie Schlösser aus erstarrtem Schneckenschleim,
die sich in die Erde bohren
im Rückwärtsgang,
wir gehen nicht mehr heim,
wir schuften im Akkord
und erfinden in einem fort.

Oder aber wenn wir Nachtigallen züchten,
die sich durch Düngemittelberge fressen,
das Gift, das Äcker rein halten soll,
in ihre Schnäbel pressen
und dann lassen sie es hinten
als Glücksklee wieder auf die Erfe fallen.
Klar schäumen Flüsse,
es rinnen Küsse vom Tau zu den Pflanzen,
zu den Tieren und uns,
wer sich zusammentut und richtig wählt,
den erwartet Gunst.

Fleiß soll kein Schimpfwort mehr sein,
wenn Religion oder Hohn aus Mangel
sich gegenseitig schlachten wollen.
Der Preis stellt sich von selber ein,
sobald wir die vollen Fabriken und Schienen
in Besitz nehmen, nicht mehr erschöpft,
sondern aus Freude die Güter,
die phantastisch aussehen und nützlich bleiben,
auf die Rampen rollen,
wo Waschmaschinen sich vor Schmutz verneigen
und Stifte sich in unserem Wissen baden,
da jeder Handschlag vorwärtsbringt.

So einfach könnte es sein,
wie ein Reim,
wie ein müheloser Kuß,
Voraussetzung ist,
daß man Arbeit und Werte
neu verteilen muß.

Ziele

Als ich gelernt hatte, wie man schießt,
Einzelfeuer oder Salven abgibt,
wie man mit schwerem Gepäck
sich ungesehen durch Wiesen bewegt,

wie man Brücken sprengt,
Kettenfahrzeuge steuert,
die Zeit an Hand von Sonne, Wolken
und dem Stand der Halme berechnet,
wie man ohne Nahrung tagelang
nur mit Wasser und Atemübungen auskommt,
wie man befiehlt, Befehle auch ausführt,
was es bedeutet, einen Feind zu haben,
den man erst kennenlernt,
und daß ich seitdem auch weiß,
wie die lateinischen Namen für Pflanzen
und jene für Mineralien lauten,
die wir in den Äther zu jagen vermögen,
nachdem ich in Schlafsälen groß geworden bin,
wo jedes Körnchen auf Grund der Enge
Bedeutung hat, da wir, die wir dort wohnen,
noch nicht von dieser Dichte überzeugt sind
und deshalb auf jede Unterbrechung der Gewohnheit
mit Flüchen, Schreien, Handkantenschlägen,
Stiefeltritten und Parolen antworten –

seither habe ich mein ganzes Wissen
und phantastisch nutzloses Können,
das ich mir erzwungenermaßen erwerben mußte,
obwohl ich Sehnsucht nach Gemeinsamkeit
und einer Art kosmischer Gewißheit hatte,
auf die Füße gestellt, bis es schmerzte.
Ich ging zu den Elendesten, den Idioten von Geburt an,
die man waschen und festhalten muß,
weil sie sonst um sich schlagen vor Angst;
ging zu den Dümmsten und Dicksten,
die in den Hochhäusern wohnen am Rande der Stadt
und vor Wut, daß sie so geworden sind,
ihre eigenen Namensschilder aus den Klingelbrettern reißen
und sonntags die Fernsehapparate aus den Fenstern stürzen;
ging in die Waisenspitäler, wo die Kinder
ihre Stirnen gegen die Gitterbetten schlagen
und die Schwestern sich gegenseitig Morphiumspritzen
verabreichen, bis aus Windeln Wolken werden;
ging in die Büsche, wo die Sexualmörder,
die jahrelang glühende Liebesbriefe geschrieben
und an Küchentischen Zuhaus vorgelesen haben,
worauf sie immer wieder ausgelacht wurden,
nun Karten spielend in den Hecken auf ein Opfer warten,
an dem sie sich endlich erfüllen könnten;
ging auf die Autobahnen, um Tafeln zu errichten,
auf denen stand, daß die Ferien hier stattfänden,
hier, hier, im eigenen, reichen Land,
was lächerlich war, denn wieso sollte man
etwas zu lieben beginnen, was einem mißfiel?
Ging zuletzt zu einer Vogelwarte,
wo weißhaarige Wissenschaftler, die längst

mit dem Leben, das vorhanden war, abgeschlossen hatten
und mir erklärten, wir müßten wieder von den Tieren lernen,
nicht mehr von uns.

Bisher war ich verwirrt, dann voll Zorn gewesen,
nun aber weiß ich, daß die Berge, die versetzt werden
aus Glauben, noch klein sind im Gegensatz zu den
selbst verwirkten Taten aus Unglauben.

Arnfried Astel
* 1933

Schwärmerei

Meine Enkel werden
mich altmodisch nennen,
wenn ich im Frühjahr
von Lokomotiven schwärme,
diesen Vögelmaschinen
alten Kalibers
und mit Volldampf.

„Dem lebendigen Geist"

Alte Grabschriften
in Heidelberg suchend
fand ich diese Inschrift
über dem Portal
unserer neuen Universität.

Pflege des Käfigs

Hinter den Stäben
seiner Zeilen
sitzt der Dichter
mit einer Feile.
Nicht um Freiheit
zu gewinnen
feilt er an den Versen.
Das Gitter hat
Rost angesetzt.
Er schabt daran.

Grünanlage

Die Überlebenden
planieren die Erde.
Sie sorgen
für eine schönere
Vergangenheit.

Hölderlin

Ich habe Leute
über Hölderlin
reden hören, die
mit ihm nicht
geredet hätten.
Mit denen will
ich nicht reden.

Zwei gegen drei

Der Zeigefinger zeigt auf die Zustände.
Mittel-, Ring- und kleiner Finger
verweisen auf mich zurück.
Jetzt springt der Daumen
dem Zeigefinger bei.
Zwei gegen drei. Aber die beiden
halten sich wacker.

Reiner Kunze
* 1933

Sensible Wege

Sensibel
ist die erde über den quellen: kein baum darf
gefällt, keine wurzel
gerodet werden

Die quellen könnten
versiegen

Wie viele bäume werden
gefällt, wie viele wurzeln
gerodet

in uns

Düsseldorfer Impromptu

Der Himmel zieht die erde an
wie geld geld

Bäume aus
glas und stahl, morgens
voll glühender früchte

Der mensch
ist dem menschen
ein ellenbogen

Ungarische Rhapsodie 66

(für Tibor Déry)

Der schaffner kam in der uniform
eines postillions

In der schwarzen ledertasche auf der hüfte hatte er
die Donau diesen schweren
doppelbrief, versiegelt
mit einem mohnfeld wie
mit einem blutfleck

Budapest schimmerte durch den umschlag
wie vor dem gewitter

Ich durfte nicht öffnen, doch
lange las ich auf der pußta nachts
die steile schrift der blitze

Fast ein Frühlingsgedicht

Vögel, postillione, wenn
ihr anhebt kommt der brief
mit dem blauen siegel, der dessen briefmarken
aufblühn dessen text
heißt:

Nichts
währt
ewig

Zimmerlautstärke

Dann die
zwölf jahre
durfte ich nicht publizieren sagt
der mann im radio

Ich denke an X
und beginne zu zählen

Wolf Biermann singt

Im zimmer kreischt die straßenbahn,
sie kreischt von Biermanns platte,
der, als er die chansons aufnahm,
kein studio hatte

Er singt von Barlachs großer not,
die faßt uns alle an,
denn jeder kennt doch das verbot
und hört die straßenbahn

Nocturne

Schlaf du kommst nicht

Auch du
hast angst

In meinen gedanken erblickst du
den traum deinen
mörder

Arno Reinfrank
* 1934

Vorübergehende Siege

Wir haben euch nie geliebt,
ihr goldenen Herrscher.

Euere Drohungen zerflattern.
Die Wälle zerschmeißt der Wind.

Euer Name allein schon
schrickt die Tauben vom Hof.

Das bißchen Legende vergessen bald
wir, Kinder müheloser Freuden.

Wir feiern die Tage,
an denen Tod euch befiel.

Wir leben weiter und mit uns,
die wir mehr liebten als euch.

Seht, Herrscher von Babel bis heute,
euere Siege waren vorübergehende nur.

Das weißumrissene Quadrat

Noch bleiben auf der Elemententafel
Quadrate weiß für neue Formeln,
in die hinein die Poesie der Fakten
Gott als Metapher für das Unerforschte stellt.

Da steht Er flüchtig ohne Dimensionen,
den größten der Brahmanen sichtbar
nicht länger als ein Elektronenblitz
und mathematisch nicht zu fassen.

Das Unsagbare kann auch der Poet
nicht sagen, aber sagen kann er wohl,
daß es unsagbar ist in dem Quadrat,
das weiß die Wissenschaft Ihm offenhält.

Volker von Törne
* 1934

Lied für Kulis und Kumpels

Der hat keinen Reis und der kein Brot:
wir haben schon alles gefressen.
Ist die Menschheit denn ganz verroht
zwischen New York und Essen?

Du hast kein Haus und ich kein Land:
wir haben nur Hagel und Regen.
Mich hat man geblendet und dich verbrannt.
Wir wollen zusammenlegen!

Du hast kein Hemd und der keinen Rock:
Wir haben nichts zu verlieren.
Wir hauen uns Holz aus des Henkers Block,
damit unsre Kinder nicht frieren.

: Ab heute reden wir ungefragt:
laßt euch den Wein nicht verwässern!
Die Welt ist schlecht, ist leicht gesagt:
wir müssen sie verbessern!

Auf dem Boden des Grundgesetzes

1.

Mein Vater ist vor Leningrad erfroren.
Als er im Schneesturm lag, hat's ihn entsetzt.
Ich schütz vorm Ostwind meine Ohren.
Ich bin es nicht, der hier zum Aufruhr hetzt.

2.

Ich bin in diese Zeit verschlagen,
noch nicht verkauft, doch schon geschätzt.
Ich tue, was die Herrn mir sagen.
Ich bin es nicht, der hier zum Aufruhr hetzt.

3.

Man sagt mir: Leben! Oder: Leben lassen!
Wenn man den Fuß auf meinen Nacken setzt,
geb ich mir Müh, mich anzupassen.
Ich bin es nicht, der hier zum Aufruhr hetzt.

4.

Ich habe Kalk geschleppt und Kies gefahren,
ich habe Stein auf Stein gesetzt.
Ich habe kein Haus: ich konnte mir keins ersparen.
Ich bin es nicht, der hier zum Aufruhr hetzt.

5.

Am Abend füllt uns meine Frau den Teller,
zuerst den Kindern und sich selbst zuletzt.
Ich les die Zeitung, und ich esse schneller.
Ich bin es nicht, der hier zum Aufruhr hetzt.

6.

Durch meine Träume rasseln nachts die Schinderkarren.
Den Henker seh ich, der sein Fallbeil wetzt.
Die Krähen hör ich an den Himmeln schnarren.
Ich bin es nicht, der hier zum Aufruhr hetzt.

7.

Ich frag mich oft, warum ich hier noch bleibe.
Noch ist kein Preis auf meinen Kopf gesetzt.
Noch halt ich mir die Polizei vom Leibe.
Ich bin es nicht, der hier zum Aufruhr hetzt.

Helga M. Novak
* 1935

meine Sprache

ich erinnere mich
an unsere erste Begegnung
als deine Laute
an Hungerwintertagen
aus den Kehlen der Bäumefäller quollen
vermischt mit Wodkadampf
habe ich dich eingesogen

ich erinnere mich
an deinen Klang
der nachts um zehn erscholl
als wir wie ausgespannte Zugpferde
aus dem Fabriktor stießen

du bist uns gefolgt
in die Freiheit der Neonstadt
in die Freiheit der kesselheißen Straßenbahnen
in die dreidimensionale Buntheit der Schaufenster

du hast den Wickelrock der Lügen
gesprengt mit einem Witz
aber unsere Seufzer Flüche Schreie
trugen deinen Mantel
und glitten im Zickzack an den Häuserwänden hoch

und folgten mir
in die Freiheit eines Hinterhofs
bestirnt von einem Mandelbaum

Lernjahre sind keine Herrnjahre

mein Vaterland hat mich gelehrt:
achtjährig
eine Panzerfaust zu handhaben
zehnjährig
alle Gewehrpatronen bei Namen zu nennen
fünfzehnjährig
im Stechschritt durch knietiefen Schnee
zu marschieren
siebzehnjährig
in eiskalter Mitternacht Ehrenwache
zu Stalins Tod zu stehen
zwanzigjährig
mit der Maschinenpistole gut zu treffen

dreiundzwanzigjährig
meine Mitmenschen zu denunzieren
sechsundzwanzigjährig
das Lied vom guten und schlechten
Deutschen zu singen

wer hat mich gelehrt
Nein zu sagen
und ein schlechter Deutscher zu sein?

einem Funktionär ins Poesiealbum

wo du gehst stand eine Kiefer
ich habe sie abgeschlagen
wo du hinsiehst steht ein Winderhitzer
ich habe die Steine hineingetragen

von der Gichtbühne fielen
anfangs die Männer vergiftet
herunter ich habe die Leitung
für die Abgase gelegt
du hast niemals mit mir
elektrische Kabel entjutet

zwischen den Eisenströmen
zwischen den rangierenden Zügen
unter den klappernden Masseln
traf ich dich nicht

die kinderreiche Stadt die du
durchschreitest habe ich erbaut
ich erinnere mich nicht

an dein Gesicht als wir
auf der Barackeninsel hausten

die nächtlichen Tänze der Zimmerleute
hast du nicht gesehn die Schreie
der Weiber nicht gehört denen sie
die Röcke übern Köpfen zusammenbanden

in all den Jahren standest du
auf Tribünen hieltest Reden
über Frieden Schießen Mehrarbeit Normen
auch als ich in die Uniform stieg
marschierte ich vorüber
an deinem weisen politischen Glotzen

ich habe am Ende
eine Frage:
wem gehört eigentlich
das Volkseigentum?

Ballade von Herr und Hund

die Herren haben uns nicht fest im Griff
darum dressieren sie sich wilde Hunde
ein Kapitän verlor sein überladnes Schiff
schon hat ein Köter seine große Stunde

ins Schlauchboot retten sich Herr und Hund
doch an die straffen Leinen draußen
klammern sich mit frosterstarrter Hand
heulend und zähneklappernd zwei Matrosen

das tobt das bricht das schleudert sie hoch
belauert von den Augen einer Töle
dann zieht es sie runter in ein quirlendes Loch
der Kapitän schreit wütend Befehle

auch als er den Hund auf die beiden hetzt
lassen sie nicht los und haben Schaum auf der Zunge
und betteln während das Vieh ihre Hände zerfetzt
und betteln noch mit Wasser in der Lunge

„der Hund wiegt so schwer wie ein Menschenleben
leg ihn doch um und schmeiß ihn heraus
so braucht nur noch einer an der Leine zu kleben
und wir tauschen einander dann aus"

umsonst beschwören sie den Kapitän
der Hund reißt ganze Stücke aus den Kerlen
bis sie erschöpft und himmelschreiend untergehn
die tauchen seitdem nach Perlen

der Herr und sein Hund sind dem Tode entronnen
und eine Seemannswitwe ging vor Gericht
und hat geklagt und zu prozessieren begonnen
sie war auf Schmerzensgeld erpicht

der Prozeß zog sich hin und erwies sich als teuer
drauf schickte die Witwe ihr einziges Kind
beim Kapitän vorbei wegen der letzten Heuer
zum Unglück stieß er auf denselben Hund

am Ende hat der Kapitän die Frau beschimpft
weil sie angeblich die Arztkosten scheute
der Junge war nicht gegen Tollwut geimpft
so fahrlässig sind die armen Leute

Christoph Meckel
* 1935

In diesen Tagen

1

Wir sind geboren für eine Zeit,
die unsern Vätern lichte Zukunft schien,
doch uns ruhmlos gegenwärtig ist
und die uns, falls wir sie überleben,
finster vergangen sein wird.

2

In diesen Tagen lebe ich
in Kerkern der Flüchtigkeit, nicht besser
und sicherer als in Kartenhäusern,
eingerichtet, daß kein Verlust mich schmerze
und mein Lachen nicht zur Grimasse werde.

Das Zwielicht meiner Tage weist
Untiefen der Wahrheit auf, in die ich nichts
an Traum und Zuversicht versenken kann,
in diesen Tagen lebe ich
von der Hoffnung auf Hoffnung, eingerichtet,
daß keine Furcht und kein Verzweifeln mich schmerze.

3

Ich werde den Tod der Amsel
vor meinem Fenster nicht beklagen
doch beklagen den Tod eines jeden,
der starb vor der Zeit, im septemberentbundenen
maßlos entfesselten Herbst, der menschen-
und völkerfressend im Sommer über uns kam,
als nichts zerbrochen oder verweltkt werden wollte.

4

Doch mir ist Grund gegeben, zu hoffen,
daß der oder jener in den Blütezeiten
des Wetterwendischen sich verbergen kann,
Chamäleon, in des Dunkels und Halbdunkels Farbe
dem großen Raubtier nicht sichtbar
in Ruß und Rauch der zerbrochenen
Himmel auf Erden.

Und mir ist Grund gegeben, gut zu denken
von der kommenden Sintflut,
wird sie das Ungeschiedene doch,
das uns zittern und zweifeln macht, scheiden
in des einen Tod und des andern Überleben,
das sicher sein wird,
solange die Wasser dann sinken . . .

Lied zur Pauke

Laut verlacht verlaust verloren
Blut geschluckt und Kopf geschoren
abgetan und ausverkauft und
quergelegt und Haar gerauft und

angepfahlt und abgeschlacht und
alle Knochen klein gemacht und
übern Kopf die Haut gezogen
und mit Eisen aufgewogen

krummgepeitscht und gradgestaucht und
angespuckt und Herz verhaucht und
Hundeschnauzen festgebissen
und die Arme abgerissen

ausgedörrt und kleingezwängt und
Steine um den Hals gehängt und
Riemen um den Bauch geschlungen
und mit Knüppeln umgesprungen

Pflock ins Fleisch und Tritt in Bauch und
aufgehängt in Schnee und Rauch und
Zahn und Zähne ausgeschlagen
und das Gold nach Haus getragen.

Soweit wär er hergestellt nun
abgeschoben in die Welt nun
daß er seine Beine hebe!
daß er weiterlauf und lebe!

Ode an mächtige Mannschaften

Schlagt die Fenster nicht ein: sie werden offen stehn,
denn vor euch ist schon immer der Wind bei mir gewesen
und hat in meinen Zeitungen geblättert,
bevor er auf die Berge ging und das Strauchwerk schürte.

Schlachtet meine Fische und Papageien
und prüft, wie tief unter Wasser die Eisberge fahren,
und hängt, was ihr findet, an eure großen Glocken,
das alles kostet euch nichts.

Beliebt es euch, kriecht in meine Hundehütte
und sucht eure Beute in allen Kuckucksuhren –
auf meinem Teppich hat nie ein Engel geschlafen,
und meine Koffer sind leer von Vogelnestern.

Reißt das Sägmehl aus meinen toten Eulen
und grabt, beliebt es euch, unter dem Apfelbaum,
reißt das Sägmehl aus meinen toten Eulen
und grabt, beliebt es euch, unter dem Apfelbaum –

Lied von den Parolen

Der da nimmt den Mund voll Worte
und die gehn von Hand zu Hand
an der allerstärksten Sorte
hat er sich das Maul verbrannt
heut noch an zu großen Brocken
kaut er und sein Hals ist trocken
seine Wahrheit ist vergriffen
doch er wird nicht ausgepfiffen.

Die verramschten Töne nähren
einen Worte-Held nur schlecht
seht, es kann nicht ewig währen
daß er schweigt und radebrecht
die verschrotteten Vokabeln
sausen noch durch seine Fabeln
laut von Ehre bis Profit
was den Völkern einst orakelt
wird mit Lorbeer aufgetakelt
den er von den Gräbern zieht.

Der den Mob beschwört, befehligt
und der frißt ihm aus der Hand
der ihn öffentlich beseligt
mittels Geld und Vaterland
schön bewimpelt, groß verkündet
kalte Kriege, die er gründet
ein Fanal, womit er winkt
seine Donner und Appelle
dirigiert er an die Stelle
wo man auf der Stelle hinkt
und wenn die Parolen rasseln
hört man Bums und Beifall prasseln
noch bevor sein Amen klingt.

Hört den Inhalt seiner Fabeln
und man frißt ihm aus der Hand
noch an christlichsten Vokabeln
hat er sich das Maul verbrannt
wieder an zu großen Brocken
schluckt er und sein Hals ist trocken
seine Wahrheit ist vergriffen
doch er wird nicht ausgepfiffen.

Rede vom Gedicht

Das Gedicht ist nicht der Ort, wo die Schönheit gepflegt wird.

Hier ist die Rede vom Salz, das brennt in den Wunden.
Hier ist die Rede vom Tod, von vergifteten Sprachen.
Von Vaterländern, die eisernen Schuhen gleichen.
Das Gedicht ist nicht der Ort, wo die Wahrheit verziert wird.

Hier ist die Rede vom Blut, das fließt aus den Wunden.
Vom Elend, vom Elend, vom Elend des Traums.
Von Verwüstung und Auswurf, von klapprigen Utopien.
Das Gedicht ist nicht der Ort, wo der Schmerz verheilt wird.

Hier ist die Rede von Zorn und Täuschung und Hunger
(die Stadien der Sättigung werden hier nicht besungen).
Hier ist die Rede von Fressen, Gefressenwerden
von Mühsal und Zweifel, hier ist die Chronik der Leiden.
Das Gedicht ist nicht der Ort, wo das Sterben begütigt
wo der Hunger gestillt, wo die Hoffnung verklärt wird.

Das Gedicht ist der Ort der zu Tode verwundeten Wahrheit.
Flügel! Flügel! Der Engel stürzt, die Federn
fliegen einzeln und blutig im Sturm der Geschichte!

Das Gedicht ist nicht der Ort, wo der Engel geschont wird.

Rudolf Langer
* 1923

Ortswechsel

Der Wölbung vom Sommer vertrauen,
einer zarten Hand, der Rose, dem Hoftor,
einem Liebeswort, in den Mund gesprochen.

Mit den Gefahren der Bäume leben,
ihre Ruhe teilen, die Früchte sammeln,
mit guten Nachbarn Grüße tauschen.

Spät noch vor dem umgarteten Hause sitzen,
wo die Vögel vom Morgen
in ihren Träumen schweigen.

Keine Angst mehr vor Ortswechsel haben,
den Abtransport von Erinnerungen
und Gewohnheiten verweigern können.

Ohne Morphium gegen den Passantenblick auskommen,
kein Schuß in das Gedächtnis,
kein Aufschub für das Altern nötig.

Der Wölbung vom Sommer vertrauen,
seiner endgültigen Wahl,
dem befreundeten Ort.

Die Zeit zu vergessen

Die Vergangenheit zieht in den Keller
zu den entkorkten Flaschen,
dem alten Telefonbuch mit den
ungültigen Verbindungen im Alphabet.
Ich weiß, daß die Zukunft
im nächsten Schrittwechsel liegt,
ungefähr alles, was ich vorhabe,
etwas Musikalisches an sich hat,
darin das Tempo bestimmt wird.
Aber was lebt, stiftet der Augenblick:
der Händedruck, das Gespräch, der Kuß –
mir ist manchmal schwebend leicht,
sicher genug, um die Zeit
zu vergessen, die jetzt geschieht.

Richard Anders
* 1928

Traum vom Tod Georg Heyms

Von einer Sekunde
von einer Eisscholle
zur anderen springend
während von einer Sekunde
zur anderen
eine Eisscholle von der anderen treibt
eine Sekunde von der anderen treibt
ein Himmelskörper vom anderen treibt
weiß er
daß zwischen Eisschollen
und Sekunden
und Himmelskörpern
der Abstand endlich
endlos wird
und er
wie weit er auch springt
über kurz oder lang
einmal zu kurz springt

Stille

Kein Photo
über der Couch
zwinkert
aus seinem Oval

Hinter Gardinen
altert das Pflaster
atemlos
die Vorstadt hinauf

Die Alte

Sie stelzt
aus dem Treppenhaus
zieht den Steckschlüssel
ab

Nach Jahren
schweißig im Bett
ist sie halbdunklen
Hirns ganz ausgetrocknet

Nun steht sie da
die Schönheit von
1905

Benommen von
Lindenduft
blickt sie den langen
Grabstein der Häuserfront
hoch

Sarah Kirsch
* 1935

Hirtenlied

Ich sitz über Deutschlands weißem Schnee
der Himmel ist aufgeschlitzt
Wintersamen
kommt auf mich wenn nichts Schlimmres
Haar wird zum Helm
die Flöte splittert am Mund

Der Wald steht schwarz es kriecht
Draht übern Felsen es riecht
nach Brand da hüte ich
die vier Elemente am Rand des Lands

Meine Federn am Kleid
mein ängstlicher Schuh
seid ruhig ruhig tragt
mich nicht fort

Ich knote an Bäume mich lieg unter Steinen
streu Eis mir ins Hemd ich schneide
das Lid vom Aug da bleibe ich wach:
Meine tückische Herde
die sich vereinzelt die sich vermengt
meine dienstbare tückische Herde
wird Wolke sonst: winters noch
ist sie zerkracht

Dann werden wir kein Feuer brauchen

Dann werden wir kein Feuer brauchen
es wird die Erde voll Wärme sein
der Wald muß dampfen, die Meere
springen – Wolken die milchigen Tiere
drängen sich: ein mächtiger Wolkenbaum

Die Sonne ist blaß in all dem Glänzen
greifbar die Luft ich halte sie fest
ein hochtönender Wind
treibts in die Augen da weine ich nicht

Wir gehn bloßen Leibs
durch Wohnungen türenlos schattenlos
sind wir allein weil keiner uns folgt niemand
das Lager versagt: stumm
sind die Hunde sie wehren nicht
den Schritt mir zur Seite: ihre Zungen
aufgebläht ohne Ton sind taub

Nur Himmel umgibt uns und schaumiger Regen Kälte
wird nie mehr sein, die Steine
die ledernen Blumen unsere Körper wie Seide dazwischen
strahln Wärme aus Helligkeit
ist in uns wir sind silbernen Leibs

Morgen wirst du im Paradies mit mir sein

Der Milchmann Schäuffele

Der Milchmann Schäuffele aus Böhmen
fährt einen kleinen Wagen der ist wie ein Haus
wenn es regnet wird er nicht naß nur wenn er anhält
tropft Wasser von seinem Hut, da gibt
er reichlich ins Maß in Emailletöpfe bauchige Gläser

1073

Schäuffele hat eine Glocke und einen Riemen dran
kommt er hört mans deutlich
 Schäuffele
was hast du für ein Pferd?
Ich denk einen Apfelschimmel sagt er
 morgens
die weiße Milch nachmittags weil ich Zeit hab keine Familie
helf ich auf dem anderen Wagen fahr die gestorben sind
Schäuffele
du bekommst zweierlei Zaumzeug eine
blaue Schürze die nach Käsen riecht
einen schwarzen Rock weil man muß Farbe bekennen und
einen runden glänzenden Hut dem hängt
ein Wölkchen Räucherwerk an
 ist gut
sagt der Milchmann obwohl
das Rauchwerk mir wenig gefällt, er steigt
auf den kleinen milchfarbnen Wagen
zählt die Kannen die Käserollen die
schöneckigen Butterstücke, nimmt die Zügel sieht her
o sagt er unter dem Dach vor, das ist wichtig wo
fahr ich hin auf deinem Papier, nach vorn die Zeit oder zurück
was wird dann aus mir?
 Schäuffele
gäbs einen Grund dich gradaus fahrn zu lassen – da ist
keine Ausnahme für dich und das Pferd, Schäuffele fahr
 vorsichtig daß
du die Milch nicht vergießt
 was ich tun kann
wär dir Familie zu geben eine gute Frau ein Enkelkind
ich bitt dich sagt er
 allein
ist die Fahrt schon böse genug
 so rollt er
die Straße hinab gibt Milch in Emailletöpfe bauchige Krüge
das Pferd geht langsam wegen der Milch, es geht
mit hängendem Kopf von der Nachmittagsarbeit
das Zaumzeug ist rot das Zaumzeug ist schwarz
 Schäuffele
wird man den Wagen zerschlagen das Zugtier blenden, bald
wird viel Milch verlaufen durch die
denen er reichlich im Regen gab

Im Kreml noch Licht

Das ist Lenins weiße Katze Sie frißt ungeratnes Schreibwerk
Jede Nacht macht sie Patrouille Stößt die Tinte mit der Pfote
Ihre ernsten grünen Augen Um daß nichts zu lesen ist:
Sehen pünktlich aus dem Fenster Mascha kann durch alle Türen

Und wenn Posten davor stehen
Kneift sie ihre Augen zu
Steuert mit dem Sichelschwanz
Sicher durch die schwarzen Stiefel

Zeigt das Glockenspiel den Tag an
Führt ihr Weg zur Bibliothek
Sie verkneift ein spitzes Niesen
Sitzt auf ihrem Lieblingsbuch

Und erinnert sich der Zeiten
Wie der eignen Pfotenspuren
Als ihr Herr sie leis vermahnte
Und ein neues Blatt anfing

Der Droste würde ich gern Wasser reichen
für Helga

Der Droste würde ich gern Wasser reichen
In alte Spiegel mit ihr sehen, Vögel
Nennen, wir richten unsre Brillen
Auf Felder und Holunderbüsche, gehn
Glucksend übers Moor, der Kiebitz balzt
Ach, würd ich sagen, Ihr Lewin –
Schnaubt nicht schon ein Pferd?

Die Locke etwas leichter – und wir laufen
Den Kiesweg, ich die Spätgeborne
Hätte mit Skandalen aufgewartet – am Spinett
Das kostbar in der Halle steht
Spielen wir vierhändig Reiterlieder oder
Das Verbotne von Villon
Der Mond geht auf – wir sind allein

Der Gärtner zeigt uns Angelwerfen
Bis Lewin in seiner Kutsche ankommt
Schenkt uns Zeitungsfahnen, Schnäpse
Gießen wir in unsre Kehlen, lesen
Beide lieben wir den Kühnen, seine Augen
Sind wie grüne Schattenteiche, wir verstehen
Uns jetzt gründlich auf das Handwerk Fischen

Wiepersdorf

1

Hier ist das Versmaß elegisch
Das Tempus Praeteritum
Eine hübsche blaßrosa Melancholia
Durch die geschorenen Hecken gewebt

2

Hinter Jüterbog öffneten sich
Der erste, der zweite Himmel, ließen herab-
Strömen, was sich gesammelt hat, siehe
Es wurde ein mächtiger blasenschlagender
Landregen draus, es goß sogar Schwefel.

Später in Wiepersdorf, als zwischen zwei
Windhosen die Möglichkeit war sich zu ergehen
Das liebe freie Land
Rechts ins Auge zu fassen, war Freude
Freude. Die schönen Fenster im Malsaal
Öfters sechs mal vier kleine Scheiben, die Flügel
Von zierlichen Knebeln gehalten. Innen
Bizarres altes schlängelndes zipfelbemütztes
Kakteengewirr, außen
Maifrischer Park.
Die Steinbilder lächeln – ich ging
Gleich bis zum Zeus, der hielt den Blitz an der Stelle
Wo der Park mit dem Wald schläft. Englischer Rasen
Den bläuliches Waldgras verstrickt hat, es reckt
Noch ein Fliederbusch wirklich!
Vergißmeinnichtblaue Finger zum Himmel und
Selbstverständlich Unmassen Vögel ringsum
In Büsche und Bäume geworfen. Ich staunte
Vor Stunden noch enge im Hochhaus
In der verletzenden viereckigen Gegend, nun
Das – ich dachte bloß noch: Bettina! Hier
Hast du mit sieben Kindern gesessen, und wenn
Landregen abging
Muß es genauso geklappert haben Ende Mai
Auf die frischaufgespannten Blätter – ich sollte
Mal an den König schreiben

5

Ehrwürdiges schönes Haus
Mit dem zwiefachen Dach – doppelt
Allein bin ich da und dem Wetter, dem hellen
Dem knatternden Hagel, so mildem Mond
Ausgesetzt. Ach ich gedenke
Der rührenden Zeit, als fast eines Bruders
Zärtliche Hand mich morgens geweckt hat und fröhlich
Ein Tag der Zwilling des vorigen war. Was bin ich
Inzwischen umhergefahren. Und eifrig
War ich bemüht, Apollon zu fassen und gleichfalls
Ein hübsch klopfendes menschliches Herze erbeuten –
Vergebens. Deshalb
Hab ich nur mich, einen winzigen Knaben und die sich mehrende
Anzahl der Jahre und hin und wieder
Schön schwimmendes Wolkengetier

9

Dieser Abend, Bettina, es ist
Alles beim alten. Immer
Sind wir allein, wenn wir den Königen schreiben
Denen des Herzens und jenen
Des Staats. Und noch
Erschrickt unser Herz
Wenn auf der anderen Seite des Hauses
Ein Wagen zu hören ist.

Im Sommer

Dünnbesiedelt das Land.
Trotz riesigen Feldern und Maschinen
Liegen die Dörfer schläfrig
In Buchsbaumgärten; die Katzen
Trifft selten ein Steinwurf.

Im August fallen Sterne.
Im September bläst man die Jagd an.
Noch fliegt die Graugans, spaziert der Storch
Durch unvergiftete Wiesen. Ach, die Wolken
Wie Berge fliegen sie über die Wälder.

Wenn man hier keine Zeitung hält
Ist die Welt in Ordnung.
In Pflaumenmuskesseln
Spiegelt sich schön das eigne Gesicht und
Feuerrot leuchten die Felder.

Kurt Bartsch
* 1937

Poesie

Die Männer im Elektrizitätswerk
Zünden sich die Morgenzigarette an.
Sie haben, während ich nachtsüber schrieb
Schwitzend meine Arbeitslampe gefüttert.
Sie schippten Kohlen für ein Mondgedicht.

Chausseestraße 125

Brecht sitzt wie eh und je
Im Schaukelstuhl und Schnee
Fällt auf die Gräber hin
Brecht schaukelt her und hin
Und lutscht an der Zigarr
Die nie erkaltet war
Rauch steigt schwarz aus dem Dach
Der Winter ist schon schwach
Die Mütze hängt am Nagel
Es fallen Stein und Hagel
Bald gibt es Blattsalat
(Bis man genug von hat)
Brecht schaukelt noch ein Stück
Er hat noch einmal Glück
Dann ist es abends acht
Kein Licht ist angemacht
Da seh ich einmal her
Der Schaukelstuhl ist leer.

Sozialistischer Biedermeier

Zwischen Wand- und Widersprüchen
Machen sie es sich bequem.
Links ein Sofa, rechts ein Sofa
In der Mitte ein Emblem.

Auf der Lippe ein paar Thesen
Teppiche auch auf dem Klo.
Früher häufig Marx gelesen.
Aber jetzt auch so schon froh.

Denn das ‚Kapital' trägt Zinsen:
Eignes Auto. Außen rot.
Einmal in der Woche Linsen.
Dafür Sekt zum Abendbrot.

Und sich noch betroffen fühlen
Von Kritik und Ironie.
Immer eine Schippe ziehen
Doch zur Schippe greifen nie.

Immer glauben, nur nicht denken
Und das Mäntelchen im Wind.
Wozu noch den Kopf verrenken
Wenn wir für den Frieden sind?

Brüder, seht die rote Fahne
Hängt bei uns zur Küche raus.
Außen Sonne, innen Sahne.
Nun sieht Marx wie Moritz aus.

Peter Handke
* 1942

Die neuen Erfahrungen

1966 /
in Bayreuth /
vor einer Aufführung der Oper „Tristan und Isolde" /
steckte ich /
auf einem Parkplatz /
zum ersten Mal /
eine Münze /
in einen Parkautomaten /:
das war eine neue Erfahrung für mich /
und weil man stolz ist /
auf neue Erfahrungen /
war ich stolz /
auf die neue Erfahrung;

Ich fragte mich:
„Wann habe ich zum ersten Mal eine Tür mit eigenen Händen geschlossen? /
Und wo habe ich zum ersten Mal in einem Stück Brot eine Ameise mitgegessen? /
Und unter welchen Umständen habe ich Wasser zum ersten Mal dampfen sehen? /
Und wo habe ich zum ersten Mal unter einem Zellophansack keine Luft mehr gekriegt? /
Und wann habe ich zum ersten Mal einen Brief EXPRESS aufgegeben?"

Einmal /
in welchem Jahr? /
erwachte ich /
zum ersten Mal in einem fremden Raum /
und bemerkte zum ersten Mal /
daß ich in einem Raum war.

Einmal /
an welchem Ort? /
rief mich jemand /
– „Schnell! Schnell!" /
zu sich /
über einen Weg /
und als ich zurückrief /
– „Ja! Ja!" /
und dann lief /
und dann ankam /
bemerkte ich zum ersten Mal /
daß ich /
früher als ich ankam /
gelaufen war.

1948 /
an der bayrisch-österreichischen Grenze /
im Ort Bayrisch-Gmain /
„in einem Haus mit welcher Nummer?" /
sah ich /
auf einem Bettgestell /
unter einem Leintuch /
hinter Blumen /
zum ersten Mal /
einen Menschen /
der tot war.

In Österreich /
später /
„Wann?" /
Ich weiß nicht /
„Unter welchen Umständen?" /
Als ich einmal aufschaute /
und die Mutter erblickte /
die in einiger Entfernung /
„In welcher Entfernung?" /
In Entfernung von mir /
am Tisch stand /
und bügelte /
überkam mich /
weil ich sie dort /
ERBLICKTE /
zum ersten Mal /
SCHAM /
so daß der Abstand /
zum Tisch /
ein Schamabstand wurde.

1952 /
im Sommer /
als ich /
(vom Leichenschmaus zum Andenken an die gerade beerdigte Großmutter nach Hause ge-
schickt, um einem Trauergast die vergessenen Zigaretten zu holen) /

den leeren /
stillen /
Raum /
betrat /
in dem die Tote /
drei Tage lang /
aufgebahrt war /
und /
in dem stillen /
leeren /
Raum /
nichts erblickte /
als eine kleine schmutzige Lache /
aus einer Vase /
auf dem Fußboden /
hatte ich /
zum ersten Mal /
im Leben /
Angst /
vor dem Tod /
und nur weil man sagte /
daß es einem in der Todesangst /
kalt über den Rücken rinnt /
konnte ich mich /
indem ich mir /
zum Schutz /
die Worte die man sagte vorhielt /
der Todesangst /
noch einmal /
erwehren.
Später /
sah ich /
(nachdem ich immer von *gefährlichen* Irren gehört hatte) /
zum ersten Mal /
einen *un*gefährlichen Irren /:
verschüttete ich zum ersten Mal /
COCA COLA /
in den Schnee /
an der Großglockner-Hochalpenstraße /:
sah ich zum ersten Mal /
in einem Film /
auf den Befehl: HÄNDE HOCH! /
einen Einarmigen /
die Hand /
heben /:
sah ich /
zum ersten Mal /
eine Schaufensterpuppe /
mit Brillengläsern /:
hatte ich /
(als ich mich aussprechen sollte) /
zum ersten Mal /
keinem mehr etwas zu sagen.

Jetzt frage ich mich:

Wann werde ich zum ersten Mal von jemandem hören, der einen Regenschirm mit in den Tod nehmen konnte?

Heute /
(obwohl es heißen könnte: „Ich sehe es *wie* zum ersten Mal") /
sehe ich /
nicht zum ersten Mal /
ein Bild /
auf dem ein Vertreter der Obrigkeit /
einem durch die Obrigkeit Vertretenen /
nachsetzt /
und *nicht* zum ersten Mal /
lese ich davon /
daß jemand so lange geprügelt wurde /
bis er bereit war /
auszusagen /
daß er nicht geprügelt worden war /
aber /
wirklich zum ersten Mal /
sehe ich heute /
in der Straße in der ich wohne /
vor dem HOTEL ROYAL /
auf dem Gehsteig /
einen großen Fußabstreifer liegen /
und sah vor einigen Tagen /
zum ersten Mal /
das Innere einer Rolltreppe /
und sah /
zum ersten Mal /
einen gerade geangelten Fisch /
in der Faust /
eines Königs /
und sah /
zum ersten Mal /
zum ERSTEN MAL /
den Kaffee /
aus der Tasse /
jäh überschwappen /
auf das weiße Tischtuch /
im TRANSEUROPAEXPRESS.

Der Rand der Wörter 1

Der Stadtrand	:	Der Rand der Stadt
Der Gletscherrand	:	Der Rand des Gletschers
Der Grabenrand	:	Der Rand des Grabens
Der Schmutzfleckrand	:	Der Rand des Schmutzflecks
Der Feldrand	:	Der Rand des Feldes
Der Wegrand	:	Der Rand des Weges
Der Trauerrand	:	Der Rand der Trauer

Der Rand der Wörter 2

Wir sitzen am Rand des Feldwegs und reden.
Die größte Not ist lange vorbei, denn am Gletscherrand lagern die Leichen ab.
Wer steht am Rand des Feldes, am Rand des Highway? – Cary Grant!
Am Grubenrand liegt, vom Spaten gespalten, ein Engerling.
Der Rand des Schmutzflecks trocknet schon.
Es wird bitter kalt, und dem Captain Scott fängt die Wunde vom Rand her zu eitern an.
Am Rand der Erschöpfung reden wir alle in Hauptsätzen.
Von den schmutzigen Taschen des Toten haben die Fingernägel des Plünderers einen Rand.
Wir sitzen am Rand des Feldwegs, am Rand des Feldes, und reden, und reden.
Wo der Rand der Wörter sein sollte, fängt trockenes Laub an den Rändern zu brennen an,
und die Wörter krümmen sich unendlich langsam in sich selber:
„Diese Trauerränder!"
Dieser Rand der Trauer.

Jürgen Becker
* 1932

Natur-Gedicht

in der Nähe des Hauses,
der Kahlschlag, Kieshügel, Krater
erinnern mich daran –
nichts Neues; kaputte Natur,
aber ich vergesse das gern,
solange ein Strauch steht

Im Frühling

Grünes, verschwindend; und mehr
verschwindet: Fachwerk, Gewißheit, Stille
in Seitenstraßen
 – was, wieder, belebt
die Wüste im Kopf
 – Kein Fragezeichen;
oder ein Fragezeichen
 auf leerem Papier.
Die Ratlosigkeit, auf wenigen Gesichtern,
nein,
 ich nehme wahr
wenige Gesichter. Und ich nehme,
verschwindend,
 weniger wahr; weniger
gibt es, Grünes, Gewißheit,
 und
es ist kein Beweis, die Nachricht
von Gestern, Krise, Hoffnungen heute.

Gedicht, sehr früh

In der Frühe um fünf weckt mich
das Geräusch eines einzelnen, kreisenden Flugzeugs;
ich kämpfe noch, an den Rändern
des Schlafs, um den Rest eines Traums;
kreischend die Vögel, ehe zu dröhnen
beginnt mein vollbeschäftigtes Land;
fürchterlich wird der Sommer, glücklich die Nachbarn
auf Grundstücken in der Nähe der Autobahn;
resigniert haben einige, vorbei sei
die schönste Zeit, und das zählt nicht;
gestern abend hörte ich sprechen Leute
in Gärten, Geräusche des Alterns;
vor vielen Jahren erfand ich nach jeder Täuschung
die nächste, dann wußte ich mehr;
so fängt der Tag an, die Volkswagen schnarren,
Wirkliches mit der Zeitung, anderswo noch Schnee.

Dezember-Gedicht

und dies ist Dezember; in diesem Jahr
ein Monat mit Streik, Krieg, etcetera,
 und wieder
ist diese Sache, die wir
 Christnacht, Weihnachten
nannten,
 einst, als eine Sache wie
 Ökonomie
noch wie ein Märchen war.
 Nun, frage ich,
ist dies das älteste Beispiel für
 Täuschungen
in der Kindheit („Engel-Haar" auf den Teppichen,
und als das Fenster klappte, sieh mal, „war
das Christkind fortgeflogen"), und,
 frage ich,
glaubten wir denn
 gar nichts mehr, seitdem –
Immerhin, keine Sirenen am Heiligen Abend,
und so war Stille
 („Kriegs-Weihnacht") einmal
kein Märchen;
 – konkret, wie diese Erinnerung.
Aber, wo
 ist der Schnee jetzt: die alten Bilder
sind Bilder mit Schnee
 (das Beispiel
Erinnerung Landschaftsmalerei), oder
das Rot auch der Abendhimmel

(„Christkind
bäckt Kuchen") –
 dieses braune Geniesel,
nun, in der Ölluft,
 dies ist Dezember.
Feuilletons wider die Heuchelei, fromm
wird die Hamburger Presse am Sonntag;
Advent.
 Dies ist Saison, und am Heiligen Abend
sehen wir Beckett, wieder, Drittes Programm.
Weihnachten, also,
 ist eine Sache der Medien,
und der Hessische Rundfunk plant
eine Sendung
 mit Lyrik
für diesen Termin, und ich schreibe
 Lyrik
für diesen Termin;
 bloß, wie
erkläre ich dir, was einmal war,
zum Beispiel
 „Hohe Nacht der klaren Sterne"
oder die Sache mit
 Krippe, Esel und Ochs –
Wörter, hörst du, die Wörter.
 Die Wörter
für Bäume, Sterne, Schnee, den Umsatz und
das Evangelium, das Erinnerte, die Zeit
vor zweitausend Jahren
 und diese Saison.
Rückenschmerzen; schwieriger Etat. Aber
wir singen,
 nein, deine krächzende Stimme –
also, dann still,
 und vielleicht
noch (Bilder, Dezember)
 der Schnee.

Bruno Hillebrand
* 1935

Und über allem
der Duft des Sommers
das schrieb jemand
der ist jetzt über
zweitausend Jahre tot
Herr Theokrit der
über dem Spiegel des Wassers

den Erntesegen sah
in Flur und Garten
ruhig betrachtend
Schlehenzweige
die zu Boden hängen
hörend Vogelmusik
der ist jetzt zweitausend
und mehr Jahre tot
aber man las ihn
dann wieder beispielsweise
in Schwaben warum
sollte das nicht
noch einmal

der Duft des Sommers
über und über
warum nicht

Über den Winterschnee
gebeugt in Trauerschlitten
zu den Dörfern die verlassen
in Schweigen gehüllt
Frost um den Pelz
hier will ich bleiben

wo über den Wäldern
die klare Nacht steht
unberührt von Menschen
die in den Städten
sich morden

die Hügel schützen
das vergessene Tal

ich will bleiben
und in den Gärten pflanzen
Blumen und Bäume – wer weiß
für wen und ob sie jemals kommen
aber bereitet soll es sein

Nicolas Born
* 1937

Vaterhaus

Da steht nicht nur keine Linde
aber wer hinkommt
findet's schön grün

es wächst eine ganze Menge
von früher herüber

So große Söhne kommen
an Weihnachten
in ihren Autos die Frauen
winken schon und schnallen sich ab

Der Fernzug von gestern
ist heute noch nicht vorbei
und unbegreiflich
im Radio noch immer
ein Wolgalied

Auf dem Tisch die Obstschale
auch auf dem Bild
an der Wand die gefüllte
Obstschale

Für Nichtraucher gibt es Aschenbecher
im Keller Werkzeug für alle Fälle
im Duft der Blumen
werden Alte alt

Das Dach ist undicht
die Wanduhr tut es noch
auf der Fensterbank liegen Zeitungen
der letzten drei Tage

Die Familie

Die Familie versteht sich von selbst.
Die Kinder fühlen sich der jungen
die Eltern der älteren Generation zugehörig.
Die Familie bewohnt Stadt und Land
ihren genauen Wohnsitz kann man ermitteln.
Eine Familie unterscheidet sich von der anderen
man muß sie beim Namen nennen.
Gewöhnlich gibt es in der Familie Streitigkeiten
dabei geht es um dieses oder um jenes
die Streitigkeiten werden mehr oder weniger ausgeräumt.
Die netteste Form der Streitigkeit
ist die Meinungsverschiedenheit.
Wenn Angehörige gegeneinander tätlich werden
dann stimmt am Milieu etwas nicht.
Wenn etwas aus der Familie nicht veräußert wird
dann bleibt es in der Familie.
Wer in der Familie das letzte Wort hat
das hängt von den Umständen ab
früher hatte es meistens der Vater
im Zuge zeitbedingter Veränderungen
hat es die Mutter mehr und mehr an sich gerissen.

Einige Mitglieder der Familie haben Geschlechtsverkehr
andere nicht oder vielleicht.
Das liebste Fest ist der Familie das Weihnachtsfest
die Familie ist vollzählig und ißt gut
man tauscht Geschenke und ist nett zueinander
daß man nett zueinander ist
hält die Mutter für das schönste Geschenk.
Die Familie hat einen Familienverbrauch
und einen Pro-Kopf-Verbrauch
sie ist nicht ausgesprochen religiös
glaubt aber an ein höheres Wesen.
Die Familie lebt lieber im Sommer als im Winter
in Kälteperioden rückt sie zusammen
ist der Himmel blau fährt sie ins Grüne.
Sie ist gegen Kriegs- und Nachkriegszeiten
und fürchtet sich vor unehelichen Kindern.
Die Familie hat die Ansicht daß vieles nicht stimmt
ist aber im großen und ganzen zufrieden.

Rolf Dieter Brinkmann
1940–1975

Selbstbildnis im Supermarkt

für Dieter Wellershoff

In einer
großen
Fensterscheibe des Super-

markts komme ich mir selbst
entgegen, wie ich bin.

Der Schlag, der trifft, ist
nicht der erwartete Schlag
aber der Schlag trifft mich

trotzdem. Und ich geh weiter

bis ich vor einer kahlen
Wand steh und nicht mehr weiter
weiß.

Dort holt mich später dann
sicher jemand

ab.

Einen jener klassischen

schwarzen Tangos in Köln, Ende des
Monats August, da der Sommer schon

ganz verstaubt ist, kurz nach Laden
Schluß aus der offenen Tür einer

dunklen Wirtschaft, die einem
Griechen gehört, hören, ist beinahe

ein Wunder: für einen Moment eine
Überraschung, für einen Moment

Aufatmen, für einen Moment
eine Pause in dieser Straße,

die niemand liebt und atemlos
macht, beim Hindurchgehen. Ich

schrieb das schnell auf, bevor
der Moment in der verfluchten

dunstigen Abgestorbenheit Kölns
wieder erlosch.

Landschaft

1 verrußter Baum,
nicht mehr zu bestimmen
1 Autowrack, Glasscherben
1 künstliche Wand, schallschluckend

verschiedene kaputte Schuhe
im blätterlosen Gestrüpp

„was suchen Sie da?"

1 Essay, ein Ausflug in die Biologie
das Suchen nach Köcherfliegenlarven, das gelbe

Licht 6 Uhr nachmittags

1 paar Steine

1 Warnschild „Privat"
1 hingekarrtes verfaultes Sofa
1 Sportflugzeug

mehrere flüchtende Tiere,
der Rest einer Strumpfhose an
einem Ast, daneben

1 rostiges Fahrradgestell

1 Erinnerung an
1 Zenwitz

Nach Shakespeare

Die Winterhand fällt ab
und liegt im Garten, wo nun
ein hölzernes Gerüst errichtet
ist. Die dunklen Sommer

fallen wie die Hand.
Du frierst im Kopf.
Der Herbst mit seinen
toten Fischen auf dem

Grund der Flüsse ist
wie die Bude mit der alten
Frau, die sitzt und liest
die Tageszeitung, bis jemand

kommt und eine von den kalten
Frikadellen kauft, die in der
fettbespritzten Glasvitrine
liegen. Der Passant zahlt,

ißt, wirft den Knochen
nach dem unsichtbaren Engel.
Und Frühling kommt, verstreut
die Autolichter durch

blechernes Laub am Abend,
der mit den hölzernen Gerüsten
niedersinkt am Fluß.

Beat Brechbühl
* 1939

Baukran

Dieser wortlose leicht gehbehinderte
Storch, er legt
ein Ding
von da nach da,
von hier nach dort.
Er ist ein gelber
Hinundhergeher.

Mittags und abends
verläßt ein Mann das Gehirn
und steigt die rote Leiter
herab.

Chemische Fabrik im Frühlingswind

Gelbe Berge gelbe giftgelbe
Eierstöcke
gelber Ausfluß
gelbe Heißluft.

Der Frühling ist in diesem
Magen zum Kotzen
tag/nacht flimmern die
Darmwände vom gelben Wasser,
die Leute mit den gelben
Lungen, mit schwefel-
starren Herzen,
sie schlafen in ausgepflasterter
Haut.

Und eine duftende Decke
(der Aktionäre) legt sich
auf unseren Mund. Die Lippen
sind von Säure zerfressen.
Die Zähne lösen sich
auf.

Hurra der Frühling
Hurra.

Auf der Suche
nach den Enden des Regenbogens

Dieser unabsehbare Farbenrausch
dieses einzige schwarzsamtene
nichtverdiente
Glücksgefühl es sind vielleicht
Frauen aus Tönen Debussys
oder Farben die klingen oder
Glas das in Töne zerfällt
oder Smaragde die in vollen Zügen ver-
sprühen wir sinken in die Berge ab durch
Meere hindurch oder wir sinken in die
längste Reise oder wir segeln dreimal um
den Himmel herum was tuts
es ist alles endlos schön und
ohne Kritik. Wir gaben uns völlig auf
wir wurden eine ratlose Seligkeit
es war alles wie dieser Tisch dieser Fluß
dieser Gedanke dieser Kontinent
Die Katze erschreckt vor der Maus zu-
tode Eine Taube will uns adoptieren
die Fische springen in den Mund und
schwimmen im Magen weiter die Politiker
beten Künstler an und die Götter packen
ganz behutsam
ihre prächtigen Kleider
und ihr Opfer zusammen
und lassen sich von Blumen
ersetzen.

Feinriechender Moder
überrollt den Rausch.
Das Erwachen ist schrecklich. Wie
Stacheldraht im Kopf. Wie in
Scheiben gerissen.
Dazu haben wir unterwegs
auch noch
die Enden des Regenbogens
verloren.

F. C. Delius
* 1943

Nach dem Manöver

Mein Freund schreibt aus Koblenz:
 Mein Freund schreibt aus Erfurt:
Wir schießen nicht gern,
 Wir schießen,
aber wir schießen.
 aber wir schießen nicht gern.

Von beiden Seiten getroffen,
frag ich, euer Pappkamerad:
Wem ergebe ich mich?

Schulreform

Nach einem Schulausflug wurde
ein Lied vergessen im Wald.

Nun singt es im Urtext
unter dem Beifall der Förster:
Alle Vögel sind
Amsel, Drossel, Fink.

Bis es im nächsten Frühjahr
abgeholt und
samt dem Tenor des Lehrers
wieder eingestellt wird in den Schuldienst.

Uwe Timm
* 1940

Die gute alte Zeit

da rollten noch die Räder für den Sieg
da gab es noch Kanonen statt Butter
da gab man noch Gold für Eisen
da gab es noch ein Volk
da gab es noch ein Reich
da gab es noch einen Führer
da waren wir noch schnell wie Windhunde
da waren wir noch hart wie Kruppstahl
da waren wir noch zäh wie Leder
da hieß unsere Ehre noch Treue
da gab es noch Kraft durch Freude
da machte Arbeit noch frei

Lob der Idylle

Schön ist es
am Abend an einem See der holsteinischen Schweiz
– vielleicht unter herbstfarbenen Buchen –
den Sonnenuntergang zu genießen
wissend
daß der Milchpfennig auch nach der Bundestagswahl gezahlt wird
 während auf den Feldern die Knechte
 die Ernte einfahren

 schöner
am Morgen auf der Terrasse einer Villa
– zum Beispiel auf dem Falkensteiner Ufer –
in aller Ruhe die Vier Jahreszeiten von Vivaldi
mit einem Bourbon-Whisky hinunterzuspülen
wissend
daß die Tariflöhne nicht gekündigt werden
 während in den Maschinenhallen die Arbeiter
 mit geübten gleichmäßigen Griffen die Gewinde fräsen

 schöner noch
an einem Novembernachmittag vor der Küste Teneriffas
beim Surfing den Blick auf die schneebedeckte Kuppe
des Pico de Teide zu richten
wissend
daß die Aktien steigen
 während die Kumpel vor Ort mit kraftvollen Stößen
 den Kohlenhobel an das Flöz schieben

 am schönsten
in der Nacht auf einer Safari in Südafrika
das gleichmäßige Äsen
eines weißen Nashorns zu beobachten
wissend
daß der Boy den afrikanischen Hummer im Wasser siedet
 während die südafrikanischen Streitkräfte mit dem CIA
 für Ruhe und Ordnung im Lande sorgen

 Beunruhigend aber der Gedanke
daß es Leute gibt
die keinen Sinn für Schönheit haben

Mathias Schreiber
* 1943

Im Schlepptau

Im Schlepptau von Gedichten
ein Kahn ohne Motor
schwimmend durch alte Spiegel
mit dem Schiffskinn voran
Wellen zerlegend
wasserglasklar
verschwommen
fahr ich auf Grund

Demokratie

Ich will
du willst
er will
was wir wollen
geschieht
aber was geschieht
will keiner von uns

Fließband
für H. G. Wallraff

Ich stehe am Fließband
wo es hinläuft
weiß der Teufel
ob die Schrauben, die ich drehe
für Wasserhähne oder Daumen
sind, Pausen gibt es
nicht, nur flatternde
Finger, die greifen nach Schrauben
und Leere, zerreißen
die Stunden zu Lohn

Ich stehe am Fließband
und schweiße die Teile
zu Röhren zusammen
in die ich dann gucke
ich schweiße die Röhren
wer weiß wohin ich schweiße
die Sehnsucht ins Eisen ich schweiße
am Fließband die Bänder nehmen
den Atem mir weg
das Fließband das zieht mich

das zieht mich noch aus
dann fließ ich auf Bändern
dann nimmt mich das Fließband
ich falle
dann aus

Landschaft bei Dormagen

Auf der sauber verputzten Friedhofsmauer
hockt der Mittag und zeigt
einem Grab den Vogel.

Der Himmel wasserblau
wie die Todesblase
einer Riesenqualle.

Die Autobahn schwitzt.
Sie macht die Beine breit,
dazwischen
verbleites Grün.
Die Sonne fährt hundert.

Hier werden optimistische
Hochhäuser gebaut.
Ein Rübenfeld erhängt sich
an der letzten Krüppelbirke.
Die Chemie hebt empört
ihren stinkenden Zeigefinger.

Wer von der Stadt aus
in den Erholungspark will,
muß den Friedhof passieren.

Jürgen Theobaldy
* 1944

Weiche Körper

Wieder die Gedanken an weiche Körper.
Eine Woche allein in hohen hellen Räumen
und du kriegst einen neuen Blick
für Kaffeelöffel, Kugelschreiber und Socken.
Draußen scheint die Sonne wie Musik.
Ein Kind schreit im Treppenhaus.
Die langen Tage voller Leiden, die noch
kommen werden. Ich bin nicht, wie manche von euch,
vorbereitet auf „ein Leben ohne Überraschung".
Im Augenblick sind es die Gedanken
an weiche Körper. Sie steigen von den Schuhen

in den Kopf und lösen Hoffnung aus, Hoffnung . . .
Oh, öffne dich, Symbolgeschichte des Frühlings
für diese kleine verletzliche Handschrift!

Zu Besuch

Ein warmer Regen am Abend
und ich höre dich lächeln, obwohl du
nicht hier bist. Die Bäume vorm Haus
sind leiser geworden; ich trete
vom Fenster weg. Hinter mir im Sessel
mein Vater, den Bademantel über der Weste
um Kohlen zu sparen. Geschichten
aus einem fremden Leben, fremder
als Geschichtsbücher. Inflationen
Hungersnöte, drei Ehen; Kellner
Vorführer von Propagandafilmen, Heizer
bei den Amerikanern. Ratschläge, die ich
nicht annehmen kann. Drüben geht Licht an.
Mein Vater, der immer noch spart. Jetzt geht
der Fernseher an. Ich höre dich lächeln.
Die Möbel werden dunkler, und gegen Jahresende
sinkt die Rente, oder, wie sie
in Mannheim sagen: das alles bleibt dir
in den Kleidern hängen; das geht
nicht mehr heraus. Das ist schwer
schwer wie ein warmer Regen am Abend
wie dein Lächeln, das ich höre
obwohl du nicht hier bist.

Karin Kiwus
* 1942

Freie Fahrt

Sind wir nicht selbstverständlich
sicher gestartet auf jeder Bahn
haben wir nicht ohne Panne
die Maschinen gelenkt und blind
jeden beliebigen Punkt der Erde erreicht
im Verkehrsnetz unserer Gesellschaft?

Wie in aller Welt und warum
dieses Unwetter
über dem sonnigen Erlebnishorizont
die Kollision mit dem eigenen Schatten
der Sturz durch ein Luftloch im freien Fall
und die Notlandung auf dem schlingernden Wolkenfeld?

Machen wir hier Station im Raum
wie Pilger
über Land zu immer dem gleichen Ziel
wie Zugvögel
unterwegs auf immer der gleichen Route
wie unbekannte Körper
im Anflug auf immer die gleichen fixen Ideen?

Verfolgen wir doch den Kurs zurück
und erkennen unter uns tief
unfreiwillig nur eine einzige Spur
den aufgezwungenen roten Faden
das eiserne Lasso unserer Nabelschnur!

Werden wir jetzt den Aufwind
wahrnehmen wieder abheben
die Angstbeschleunigung übergehen
und das Stolpern der Motoren
werden wir jetzt die Augen
weit offenhalten und geradeausstarren
auf die Rückenlehne unseres Vordermanns:

Your life-jacket is under your skin

An die Dichter

Die Welt ist eingeschlafen
in der Stunde eurer Geburt

allein mit den Tagträumen
erweckt ihr sie wieder

roh und süß und wild
auf ein Abenteuer

eine Partie Wirklichkeit lang
unbesiegbar im Spiel

Erich Arendt
* 1903

Barcelona, März 1938

Aufseufzt die Nacht. Ein schwarzer Meteor
fällt tödlich aus den kalten Sternenräumen.
Die Dächer heben sich in Angst empor,
und Mütter fahren schreiend aus den Träumen.

Die Kinder aber sind nicht aufgewacht,
da schlagen schon auf sie die schweren Blöcke
der Mauern ein – und blutgetränkte Röcke
zerreißen unterm Steingewicht. Die Nacht

ist wie von weißen Dolchen aufgewühlt:
Scheinwerfer, die am Himmel zornig ziehen.
Die Bucht ans alte Bollwerk bangend klopft;

Staub weht aus Trümmern, schnell vom Meer verspült.
Und während hoch die Mörder über Wolken fliehen,
das Blut der Kinder schwarz von dunklen Balken tropft.

Pieter Breughel

Ein Galgen steht inmitten aller Freude.
Die malt er stärker als die Grausamkeit
der Welt, darüber einen Himmel erdenbreit.
Den spannt er wie ein Banner auf aus Seide.

Denn wie sind Krieg und Unrecht sonst zu tragen!
Der Herren Hoheit wird beim Geld zu Stahl.
Es trägt das Volk allein die ganze Qual.
Beschlossen ist das Leben mit den Erdentagen.

Das Kreuz im Tal war immer schweigend leer.
Gewaltig aber kämpft der Arm der Mühlen schwer
ums Brot: o Hungerleben, unsre Hölle!

Und keinen Himmel gabs, der Trost verhieß,
und keine Stirn, die sich verklären ließ.
Nur Mensch und Erde sind. Zum Jenseits keine Schwelle.

Cava Acquera
für Werner Gilles

Flüstern des Steins, hoch
unter dem fischhäutigen Mond.
Weiß war der Tag. Unbiegsam
die steinerne Schlange Licht
auf den Wegen. Weiß
wie die Lippe der Tod.
Und wo sich finden, ersehnend,
die schmalen Gipfel von fern
– Alter und Stille wachsend
im einsamen Raum –,
von Fels hin zu Fels zählt
mit zeitlosem Finger die Zeit ...
Ihre großen Silben der Nacht!

Hast du die Höhlung bestanden,
die um die Leiber der Tag bog,
da dein Schatten vergeblich
den Rand zu erreichen versuchte
der endlos spannenden See
– tödliches Silber tödliche Schwärze! –
da zum Staubkorn er wuchs
dir unter dem Fuß zusammen:
du hältst am Abend dein Herz
in der Hand. Und weiß
wie der Tod ist dein Herz.
Im Aug der mondenen Nacht
glänzt die längst vertraute,
die schwarze Perle dir.

Nach dem Prozeß Sokrates

Steingrauer Tag,
der sein Lid senkt.
Knie nicht
in den Schatten!

Spreu
schleifen die Stunden,
Spreu, abermillion, die
Halt nicht machen

vor deiner Stirn
– Trauerschafott –
schneller und schneller,
ohne Geheimnis, und –
kein blutender Kern.

Verzweifelt
die wilden Hoffnungsfahnen,
sie blichen im jäh
verdämmernden Rot.

Gleichgeschaltet
mit abwaschbaren Handschuhn
gleichgeschaltet durch die
gezeichneten Finger
das erschöpfte
tausendströmige Herz.

Die da handeln, an Tischen,
mit deiner Hinfälligkeit,
allwissenden Ohrs, ledernen
Herzens ihr Gott, sie
haben das Wort:

Worte, gedreht und
gedroschen: Hülsen
gedroschen, der
zusammengekehrte Rest.

Gehend im Kreis
der erschoßnen Gedanken
– wie war
doch der Atem groß! –
halt versiegelt den Mund, daß
der Knoten
Blut
nicht Zeugnis ablege!

Wo Freude und Recht
gemeuchelt lag,
an der Wand
der Geschichte
stets noch: Du!

Gehend im Kreis – doch
der Meteor
Verfinsterung jagt
am ummauerten Himmel.

 knie nicht –

Blutwimper, schwarz:
das Jahrhundert.

Worterklärungen

Vorbemerkung

Hier werden ganz knappe Erklärungen gegeben. Sie sollen nur erste Verständnisschwierigkeiten, die bei einigen Wörtern auftauchen können, rasch beseitigen helfen. – Die Schreibweise der Wörter, die aus der Antike stammen, folgt (zumeist den Gedichten entsprechend) in diesem Verzeichnis nicht einheitlich der Lautgestalt nur einer der alten Sprachen Griechisch und Latein. So erscheinen z. B. die Endungen -os und -us und die Buchstaben k und c; ae, oe werden ä, ö geschrieben. – Die zahlreichen Namen aus der Hirtendichtung (Doris, Thyrsis u. a.) sind nicht aufgenommen worden. – Das Zeichen * vor einem Wort verweist auf das entsprechende Stichwort.

Acheron: Fluß im *Hades, der griechischen Unterwelt.
Achill: der größte griechische Held des Trojanischen Krieges in *Homers „Ilias". Er tötete Hektor im Zweikampf.
Adept: ein als Schüler in eine Geheimlehre Eingeweihter.
Admet: König von Pherä in Thessalien, Gemahl der *Alceste, Liebling des Apoll; der Gott diente ihm eine Zeitlang als Hirte.
Adonis: in der griechischen Sage ein schöner Jüngling, den Aphrodite liebte; auf der Jagd von einem Eber getötet.
Adorno: Theodor Wiesengrund A., 1903–1969, Philosoph und Soziologe, führender Kopf der „Kritischen Theorie".
Ägis: die wunderbare Schutzwaffe des *Zeus, die er *Athene verliehen hat, unterschiedlich vorgestellt als Schild, Panzer, Fell u. ä.
Aeneide: die „Aeneis ' des *Vergil, das Epos über Aeneas, den Vergil zum Nationalhelden Roms erhob.
Äolus: der griechische Gott der Winde.
Äon: Zeitraum, Weltalter, Ewigkeit.
Afrikanus: Beiname *Scipios.
Akonit: Pflanzengattung „Sturmhut" und Name eines Arzneimittels.
Akrokorinth: die Burg von Korinth.
Aktäon: Held im griechischen Mythos, der auf der Jagd Artemis im Bade überraschte, von ihr in einen Hirsch verwandelt und von seinen eigenen Hunden zerrissen wurde.
Akrostichon: eine Dichtungsform, bei der die Anfangsbuchstaben (-silben oder -wörter) der Verse oder Strophen einen Namen oder Spruch ergeben.
Alba: Herzog von A., 1507–1582, spanischer Feldherr und Staatsmann, ging nach 1567 mit brutaler Härte gegen den Aufstand der Niederländer vor.
Alceste: Gattin des Admet, nahm für ihren Mann den Tod auf sich, wurde von Hercules aus dem Hades befreit.
Alcid: der Alkide (Nachkomme des Alkeus) = Hercules.
Alexander: A. der Große, 356–323 v. Chr., König von 336–323, besiegte die Thebaner und begann 334 als Oberfeldherr der Griechen den Feldzug gegen die Perser und besiegte sie, errichtete ein riesiges Reich.
Alkmenens Sohn: Hercules war Sohn des Zeus und der Alkmene, der Gattin des Amphitryon.
Altdorfer: Albrecht, um 1480–1538, Maler und Graphiker, Ratsherr und Stadtbaumeister in Regensburg.
Amalthea: die Ziege, die den Jupiter als Kind auf Kreta säugte, oder eine Nymphe, die ihn aufzog.
Amathunt: Stadt auf Zypern, *Amathusia.
Amathusia: Beiname der *Venus; Amathus (Amathunt): Stadt auf Zypern mit einem Tempel der Venus.
Ambra: wohlriechende Ausscheidung vom Pottwal, Rohstoff für die Parfümerie.
Ammoniter: Völkerschaft im Ostjordanland, mit den Isrealiten verwandt, aber oft mit ihnen verfeindet.
Amor: *Eros.
Amphitrite: Göttin des Meeres, übertragen: das Meer.
Anadyomene: ‚die Auftauchende', Beiname der *Aphrodite wegen ihrer Geburt aus dem Meer.
Anakreon: um 500 v. Chr., griechischer Dichter von Teos, sang von Liebe und Wein.
Andromache: Gattin *Hektors.
Anio: linker Nebenfluß des Tiber, heute Aniene oder Teverone.
Anjouine: Herrscher Anjous (Grafschaft und Herzogtum in Frankreich); Karl von A. gewann 1246 die Provence und 1265 das Königreich Neapel.

Aphrodite: die Göttin der Liebe und der Schönheit (römisch: Venus); Name: ‚die aus dem Schaum Auf-
getauchte'; Sage von ihrer Geburt aus dem Meere: bei der Verstümmelung des Uranos (*Titanen)
seien Blutstropfen ins Meer gefallen und daraus A. gezeugt worden.

Apollon: griechischer Gott des Lichtes, der Dichtung und der Musik, Heilkunde und Weissagung; er
war der Schutzherr der *Musen, auch strafender Bogenschütze und Todesgott.

Ararat: Vulkanberg im Ararat-Hochland, das im Westen zur Türkei, im Osten zur Sowjetunion gehört.
Ursprünglich wurde angenommen, daß die Arche Noahs auf dem Ararat gelandet sei. Der biblische
Text meint jedoch das Land Ararat.

Ares: Sohn des Zeus und der Hera, der Gott des Krieges; bei den Römern: Mars.

Arion: griechischer Dichter und Sänger um 600 v. Chr.; auf dem Rücken eines Delphins wurde er ein-
mal aus der See gerettet.

Arkadien: Landschaft auf der Peloponnes (Griechenland). In der alten Schäferdichtung Land der einfa-
chen, glücklichen Hirten.

Artemis: Tochter des Zeus und der Leto, Schwester Apolls, jungfräuliche Jägerin und Herrin der Tiere,
Baumgöttin, Schützerin der Jugend u. a. m.

Assur: Hauptstadt des Reiches Assyrien; zahlreiche Kriegszüge und rücksichtslose Eroberungen der As-
syrer, im 8. Jahrhundert Auslöschung Israels durch Deportation.

Athene: auch Pallas A., die Lieblingstochter des Zeus, Schutzgöttin der Stadt Athen und der Künste
und des Handwerks; ihr heiliges Tier ist der „Vogel der Nacht" (Hölderlin), die Eule.

Atlas: Sohn des Titanen Iapetos, Bruder des Prometheus; er steht am Westrand der Welt und stützt
mit seinen Schultern die Säule, die den Himmel trägt.

Aurora: die Morgenröte (griechisch: Eos).

Avernus: See in Kampanien, unweit Cumae; hier nach der Sage der Eingang zur Unterwelt.

Baal: Gott der westsemitischen Völker, verehrt als Sturm- und Fruchtbarkeitsgott.

Bacchus: griechischer und römischer Gott = *Dionysos, Gott der Fruchtbarkeit und der Ekstase; *Se-
mele.

Bajadere: indische Tänzerin; als Tempeltänzerin übt sie auch religiöse Prostitution aus.

Bathseba: Gattin des Hethiters *Uria, dann des *David, Mutter des Salomo.

Behemoth: ‚Großtier', im Alten Testament Name des Nilpferdes, in der jüdischen Apokalyptik ein Tier
der Endzeit, bei manchen Kirchenvätern Symbol des Satans.

Bellarmin: Gestalt aus Hölderlins Roman „Hyperion oder Der Eremit in Griechenland"; vielleicht von
Hölderlin auch als Name für seinen Freund Isaak von Sinclair benutzt.

Berenike: Gemahlin des Ptolemaios III. von Ägypten. Sie opferte für die Heimkehr ihres Mannes ihr
Haupthaar den Göttern (danach der Name des Sternbilds), 221 v. Chr. vom eigenen Sohn ermordet.

Berecynthia: Beiname der Kybele, der phrygischen Göttin, die als ‚Große Mutter' auf den Bergen ver-
ehrt und mit der kretischen Zeusmutter Rheia gleichgesetzt wurde.

Bernstein: Eduard B., 1850–1932, sozialistischer Politiker und Schriftsteller, verfolgte sozialreformeri-
sche Ziele, nicht revolutionären Umsturz.

Bezoar: altes Medikament.

Boreas: der Nordostwind; der Norden.

Brahma: in indischer Religion der Weltschöpfer.

Brennus: Anführer der Gallier gegen die Römer 390 v. Chr.

Bromius: Beiname des Dionysos.

Bronteus: einer der Kyklopen, der Riesen, die Zeus die Donnerkeile bereiten halfen; Bronteus' Wolken-
dach: der Himmel.

Brutus: Marcus Iunius B., 85–42 v. Chr., Haupt der Verschwörung gegen Caesar und einer seiner Mör-
der 44 v. Chr.

Byssus: feinfädiges Gewebe aus Leinen, zum Einhüllen ägyptischer Mumien der Pharaonenzeit benutzt.

Catull: Gaius Valerius C., geb. 84 v. Chr. in Verona, bedeutender römischer Lyriker, starb früh im Alter
von etwa 30 Jahren.

Cephissus: Name mehrerer Flüsse in Griechenland; einer kommt vom Kithäron und fließt in die Ebene
von Eleusis.

Cerberus: der Wachhund der Unterwelt, läßt keinen wieder zurückkehren; wurde von Dionysos be-
zähmt, als er seine Mutter Semele aus dem Hades holte.

Ceres: die Erdmutter, Göttin des pflanzlichen Wachstums und des Totenreiches (griechisch: Demeter).

Ceres' Tochter: *Persephone.

Chaldäer: semitisch-aramäischer Volksstamm, seit etwa 1000 v. Chr. in Babylonien ansässig.

Charis: *Chariten.

Chariten, Charitinnen: Göttinnen der freudebringenden Gaben: Anmut, Schönheit, Festlichkeit; im Gefolge der Aphrodite und des Apoll.

Charybdis: Meeresstrudel, gegenüber der Skylla, übertragen: Bezeichnung der Habgier.

Cherub: Lichtengel, halb tier-, halb menschengestaltiges götterähnliches Wesen in der nächsten Umgebung Gottes.

Chiliastisch, Chiliasmus: die Erwartung des Tausendjährigen Reiches nach der geglaubten Wiederkunft Christi.

Chios: Insel im ägäischen Meer, galt als Heimat Homers.

Chloe: Beiname der Demeter.

Cicero: Marcus Tullius C., 106–43 v. Chr., berühmtester römischer Redner und Anwalt.

Cocytus: der Jammerstrom, mythischer Fluß der Unterwelt.

Corday: Charlotte de C. d'Armont, 1768–1793 (hingerichtet), erstach am 13. 7. 1793 J.-P. Marat, wollte damit dem Terror ein Ende machen.

Cupido: der altrömische Liebesgott (= Amor, Eros).

Cynthia: Mädchenname, Beiname der Diana.

Cypria: Venus; Beiname der Aphrodite nach einer ihrer Hauptkultstätten, der Insel Kypros (Zypern).

Cypripor: Cupido.

Cypros: Zypern.

Cythere: Beiname der Göttin Venus (nach der griechischen Insel Kythera).

Dagon: westsemitischer Getreidegott, Vorgänger des Baal.

Daguerre: Louis Jacques Mandé D., 1787–1851, französischer Maler, erfand 1837 die Daguerrotypie, das älteste photographische Verfahren.

Damoetas: bekannter Hirte in Vergils Hirtendichtung, Meister auf der Hirtenflöte.

Dante: D. Alighieri, 1265–1321, italienischer Dichter, Hauptwerk „Divina Commedia" („Die göttliche Komödie"), 1302 verbannt, weil er für die Unabhängigkeit von Florenz gegen Einmischungsversuche des Papstes eintrat.

Danton: Georges D., 1759–1794 (hingerichtet), französischer Revolutionär, zerschlug zusammen mit Robespierre 1793 die gemäßigtere Partei der Girondisten.

Daphne: Nymphe, von Apoll geliebt und verfolgt; als er sie fast eingeholt hatte, wurde sie auf ihr Gebet hin in einen Lorbeerbaum (griech.: daphne) verwandelt. Auch Mädchenname in der Schäferdichtung.

Darius: Name persischer Könige; D. I. herrschte von 521–485 v. Chr. und reorganisierte das Reich, versuchte Europa zu unterwerfen, sein Heer unterlag den Griechen unter Militiades 490 bei Marathon.

David: israelitischer König, ca. 1004–965 v. Chr., Sieger über den Riesen Goliath, vereinigte Juda und Israel zu einem Reich, machte Jerusalem zur Hauptstadt; gilt als Verfasser vieler Psalmen.

Delacroix: Eugène D., 1798–1863, französischer Maler.

Delos: Insel im ägäischen Meer, Geburtsort Apolls und Dianas, Sitz eines Orakels, bedeutendste Stätte des Apollonkultes.

Delphi: wichtigste griechische Orakelstätte.

Demeter: griechische Göttin des Erdsegens und der Fruchtbarkeit (römisch: Ceres).

Deukalion: im griechischen Mythos der Stammvater der Hellenen, Sohn des Prometheus, Gemahl der Pyrrha, rettete sich mit ihr in einem hölzernen Kasten aus der Sintflut, durch die Zeus das Menschengeschlecht vernichten wollte.

Diana: die römische Mondgöttin, identisch mit *Artemis.

Dionysos: der Gott des Weines, der Fruchtbarkeit, der Ekstase; sein ekstatischer Kult war nicht lange vor der geschichtlichen Zeit in Griechenland eingezogen. Von göttlicher Raserei ergriffen, tanzten die Frauen als Bacchantinnen (Bakchen) durch Wälder und Berge.

Diotima: Gestalt aus Platons „Symposion"; bei Hölderlin auch Name für Susette Gontard (1769–1802), die Frau des Frankfurter Bankiers Jakob Friedrich Gontard (1764–1843), wo Hölderlin als Hauslehrer 1796–1798 tätig war.

Dithyrambe: ursprünglich altgriechisches Kultlied auf Dionysos; allgemein: Loblied, feierliches Gedicht.

Divan: *Hafis.

Doge: Oberhaupt der Freistaaten Venedig (seit 697) und Genua (seit 1339); das Amt wurde 1797 aufgehoben.

Dryade: Baumnymphe.

Duino: Schloß an der Adria in der Nähe von Triest, wo Rilke im Januar 1912 die „Duineser Elegien" begann.

Dumas: Alexandre D. der Ältere, 1802–1870; Alexandre D. der Jüngere, 1824–1895; französische Schriftsteller; D. der Ältere verfaßte eine riesige Reihe von Abenteuerromanen.

Ecce Homo: ‚Siehe (welch) ein Mensch!', Worte des Pilatus, mit denen er den dornengekrönten Jesus dem Volk vorstellte.

Edschmid: Kasimir E., 1890–1966, Schriftsteller, begann als expressionistischer Autor.

Elias: isrealitischer Prophet, vertrat in der 1. Hälfte des 9. Jahrhunderts v. Chr. den Ausschließlichkeitsanspruch Jahwes. Auf ihn wurden Legendenmotive übertragen, und man erzählte von seiner Entrückung im Feuerwagen.

Elysium: ein paradiesischer Ort (Inseln der Seligen) am Westrand der Welt; dorthin wurden die Lieblinge der Götter, ohne zu sterben, entrückt.

Empusen: weibliche Dämonen, die den Männern ihre Lebenskräfte aussaugen. In der Einzahl kann auch Cupido damit gemeint sein.

Epikur: 341–270 v. Chr., griechischer Philosoph.

Erato: Muse der Liebesdichtung.

Erinnyen: ‚die Zürnenden', die griechischen Rachegöttinnen.

Eros: (römisch: Amor, Cupido) der Liebesgott, Sohn des Ares und der Aphrodite. Wen er mit seinem Pfeil trifft, der verfällt in Liebe.

Euklid: großer Mathematiker in Alexandria um 300 v. Chr.

Eumeniden: ‚die Wohlgesinnten', beschönigender Ausdruck für die *Erinnyen.

Euripides: um 480–406 v. Chr., griechischer Tragödiendichter, der jüngste der drei großen Tragiker Aischylos, Sophokles und E.

Evan: ‚euan' rufend, jubelnd die Orgien feiern.

Evoë: Jubelruf der Bacchantinnen. *Dionysos.

Flaccus: Quintus *Horatius Flaccus.

Flora: die Göttin der blühenden Pflanzenwelt.

Ganymed: der schöne Mundschenk des Zeus; er wurde von dessen Adler in den Olymp entführt.

Ganymeda: *Hebe.

Gontard: Susette G. *Diotima.

Gorgo: in der griechischen Sage weibliches Ungeheuer mit grauenvollem Kopf; ihre Haare waren Schlangen, ihr Blick versteinerte jeden.

Grazien: römischer Name der griechischen *Chariten.

Gulag: Aleksandr Solschenizyn, russischer Schriftsteller, schildert in seinem Buch „Der Archipel GULAG" (1974) die Verfolgung von russischen Bürgern zwischen 1918 und 1956.

Hades: herrscht mit seiner Gattin Persephone über die Schatten der Toten, mitleidlos und unbezwinglich. Bezeichnung auch für die Unterwelt selbst (jedoch nicht im klassischen Griechisch).

Hafis: Beiname des persischen Dichters Schams od-Din Mohammed, ca. 1327–1390, besang Wein, Liebe, Naturschönheit, verspottete Heuchler; seine Gedichte wurden in einem Divan (persisch: Versammlung, Gruppe, Liedersammlung) gesammelt, ins Deutsche übersetzt von J. v. Hammer-Purgstall (1812).

Hebe: die Göttin der Jugendschönheit, Tochter des Zeus und der Hera. Sie schenkte den Göttern Nektar ein.

Hekate: in der Unterwelt hausende Göttin des Spuks und des Zaubers.

Hektor: Hauptheld der Troer in Homers „Ilias". Berühmt ist die Szene des Abschieds von Frau und Söhnchen vor der Schlacht (6. Buch).

Hekuba: griechisch: Hekabe, Gemahlin des Troerkönigs Priamos, Mutter von Hektor und Paris; tötete später die Kinder des thrakischen Königs Polymester, der ihren Sohn Polydoros ermordet hatte, und blendete ihn; nach der Sage wurde sie in einen Hund verwandelt.

Helios: der Sonnengott.

Heloten: die rechtlosen Hörigen im antiken *Sparta.

Herakles: *Hercules.

Hercules: der berühmteste griechische Heros, Sohn des Zeus und der Alkmene; er vollbrachte die berühmten zwölf Arbeiten und weitere große Taten; Ideal eines Helden, der durch unablässiges Mühen und Kämpfen das Höchste erreicht. Säulen des Hercules: Abila und Kalpe, Ceuta und Gibraltar.

1104

Herme: im Altertum Pfeiler mit dem Kopf des Hermes, dann auch anderer Götter und berühmter Männer.

Hermes: griechischer Gott der Herden, der List und des Betrugs, des Handels, auch Mittler zwischen Ober- und Unterwelt.

Hesperien: altgriechischer Name des Abendlandes.

Hesperus: der Abendstern; bei den alten Griechen Führer des Brautzuges; als fliegender Knabe mit Fakkel dargestellt.

Hierophant: altgriechischer Weihepriester, bes. der Mysterien in Eleusis.

Himera: im Altertum westlichste Griechenstadt an der Nordküste Siziliens.

Hippodrom: die elliptische Bahn für Pferde- und Wagenrennen.

Hippogryph: Fabeltier, halb Pferd, halb Adler, vom italienischen Dichter Boiardo erfunden.

Homer: der erste griechische Dichter; über seine Person gibt es keine sichere Nachricht, hat um 800 v. Chr. gelebt („Ilias", „Odyssee").

Hondecoeter: Melchior d'H., 1636–1695, niederländischer Maler, malte Geflügelhöfe mit einheimischen und exotischen Vögeln.

Horatius: Quintus H. Flaccus, 65–8 v. Chr., bedeutender römischer Dichter: Oden, Satiren, Briefe (darunter eine „ars poetica", „Dichtkunst").

Horen: die Jahreszeiten als Göttinnen, jungfräuliche Töchter des Zeus und der Themis.

Hyakinthos: vorgriechischer Gott, der das Sterben und Wiederaufleben der Natur im heißen Sommer verkörperte; Liebling des Apoll, der ihn durch einen unglücklichen Diskuswurf tötete; aus dem Blut entsproß die Hyazinthe.

Hydra: im griechischen Mythos eine neunköpfige Wasserschlange, der für jeden abgeschlagenen Kopf zwei neue nachwuchsen; Herakles tötete sie.

Hymen, Hymenaios: griechischer Gott der Eheschließung; auch das Hochzeitslied selbst, in dem der Refrain „Hymen, o Hymenaie" gesungen wurde.

Hymettos: Berg südöstlich von Athen, schon im Altertum berühmt durch seinen Marmor und den dort gewonnenen Honig.

Hyperion: Sohn der Erde und des Himmels, einer der *Titanen, Vater des Helios, der Luna, der Aurora.

Ilium: Ilion, *Troja.

Ionien: in alter Zeit der Bereich der kleinasiatischen Städte der Ionier mit den Inseln Chios und Samos; damals kulturell bedeutend.

Iris: im griechischen Mythos die Verkörperung des Regenbogens, eine Botin und Dienerin der Götter.

Isis: altägyptische Göttin; ihr Kult verbreitete sich auch nach Griechenland und Rom.

Ismenos: Fluß in Böotien bei Theben.

Ister: griechischer Name für die Donau.

Isthmus: die Landenge von Korinth.

Jahwe: Name Gottes im Alten Testament.

Janitscharen: bis 1826 Kerntruppe des türkischen Heeres.

Joab: Feldmarschall des isrealitischen Königs David.

Jehova: *Jahwe.

Jovis: Genitiv zu Jupiter.

Julepsaft: erfrischendes Getränk, meist aus Ananas oder Pfefferminz.

Jupiter: der älteste und höchste Gott der Römer, dem griechischen Zeus gleichgesetzt.

Kadmos: sagenhafter Gründer und erster König von Theben, dem Geburtsort des Dionysos.

Kalmus: Schilfrohr.

Kalypso: Nymphe, die auf der Sageninsel Ogygia den schiffbrüchigen Odysseus liebte, ihn aber auf Geheiß des Zeus entlassen mußte.

Kamönen: altrömische Quellgöttinnen, den griechischen *Musen gleichgesetzt.

Karthago: alte Hauptstadt des Reiches der Karthager nordöstlich von Tunis; Kriege mit den Römern; Zerstörung der Stadt durch die Römer 146 v. Chr.

Kassandra: Tochter des *Priamus; Apoll liebte sie und verlieh ihr die Sehergabe; sie erwiderte seine Liebe nicht; deshalb wandelte er das Geschenk zum Fluch: sie sollte stets die Wahrheit vorhersagen, aber nie Glauben finden.

Kastor: K. und Pollux, die Dioskuren, Zwillingsbrüder, Söhne des Zeus; vollbrachten viele Heldentaten, wurden als Nothelfer angerufen.

Katalaunische Felder: Ort der Schlacht von 451 zwischen den Hunnen unter Attila und den mit den Westgoten verbündeten Römern; liegt zwischen Châlons und Troyes.

Kithäron: Gebirge zwischen Böotien, Attika und Megaris.

Kolin: Stadt im mittleren Böhmen, wo die Österreicher am 18. 6. 1757 die Preußen Friedrichs II. besiegten.

Kothurn: hochsohliger Bühnenschuh der antiken Tragödie; übertragen: erhabener (auch steifer) Stil.

Krösus: letzter König von Lydien, der 560 v. Chr. den Thron bestieg; berühmt wegen seines Reichtums.

Kronide: Sohn des *Kronos, Beiname des Zeus.

Kronion: Zeus, der Sohn des Kronos.

Kronos: ein *Titan, jüngster Sohn des Uranos und der Gaia, Vater von Zeus.

Kronstadt: russischer Kriegshafen am Finnischen Meerbusen; 1917 einer der Ausgangspunkte des bolschewistischen Umsturzes; 1921 Erhebung (bes. von Matrosen) gegen die beginnende Einparteiherrschaft der Bolschewiki.

Kybele: phrygische Fruchtbarkeitsgöttin, als ‚Große Mutter‘ verehrt, mit der Zeusmutter Rheia gleichgesetzt; sie wurde mit ekstatischen Tänzen gefeiert.

Laokoon: trojanischer Priester, den zwei aus dem Meere auftauchende Schlangen zusammen mit seinen Söhnen töteten.

Lao-tse: chinesischer Philosoph, dem das Werk „Tao-te-king“ zugeschrieben wird, wahrscheinlich um oder nach 300 v. Chr. (oder 6. Jahrhundert v. Chr.). Das Leben des L. ist legendenhaft ausgeschmückt. „Tao-te-king“ besteht aus 81 kurzen, z. T. gereimten Abschnitten.

Leda: Gemahlin des spartanischen Königs Tyndareos, gebar dem Zeus Helena. Zeus war ihr als Schwan genaht; Leda mit dem Schwan häufiges Motiv in antiker und neuerer Kunst.

Lemuren: römische Totengeister.

Lesbia: nach der Dichterin Sappho aus Lesbos die Geliebte in Catulls Gedichten; danach oft benutzter Name in der Liebesdichtung.

Lethe: der Strom des Vergessens in der Unterwelt.

Lidice: Ort in Mittelböhmen, wurde am 10. 6. 1942 von der SS als Vergeltung für das Attentat auf Heydrich zerstört, die Männer wurden erschossen, die Frauen in Konzentrationslager gebracht, die Kinder auf deutsche Familien verteilt.

Linos: mythischer Sänger, Sohn des Apoll, von Herakles erschlagen.

Lukács: Georg (von) L., 1885–1971, bedeutender marxistischer ungarischer Literaturhistoriker und -theoretiker.

Lukrez: Titus Lucretius Carus, ca. 98–55 v. Chr., schrieb das epische Lehrgedicht „De rerum natura“ („Von der Natur der Dinge“), in dem er die materialistische Lehre des Epikur darstellte.

Luna: Mond, römische Mondgöttin.

Lyäos: Beiname des Dionysos (Bacchus).

Mänaden: die ekstatischen Frauen im Gefolge des Dionysos.

Mäonide: der Lydier, bes. als Name des Homer.

Mahomet: Mohammed, ca. 570–632, Stifter des Islam.

Majakowskij: Wladimir M., 1893–1930, sowjetrussischer Schriftsteller, Repräsentant futuristischer Dichtung und anerkannter Poet des siegreichen Proletariats, berühmt wegen seiner neuen sprachlichen Ausdrucksformen.

Manen: die Guten, bei den Römern die Seelen der Verstorbenen.

Marat: Jean-Paul M., 1744–1793, französischer Revolutionär, Präsident des Jakobinerklubs, von Charlotte Corday ermordet.

Maro: Publius *Vergilius Maro.

Mars: Gott der alten Italiker und der Römer, Gott des Krieges, aber auch des Frühlings.

Martisfahnen: Fahnen des *Mars.

Mastodon, Mastodonten: Rüsseltiergattung der jüngeren Teritiärzeit.

Medusen: Medusa = *Gorgo.

Melpomene: *Muse der Tragödie.

Memphis: Hauptstadt des alten Ägypten.

Menander: ca. 342–293 v. Chr., der bedeutendste Dichter der ‚neuen Komödie‘ in Athen.

Milton: John M., 1608–1674, englischer Dichter.

Minerva: römische Göttin (griechisch: Athene); Minervas Kinder: die Athener (Athene war die Stadtgöttin Athens).

Minos: sagenhafter König auf Kreta, nach seinem Tode wegen seiner Gerechtigkeit Richter in der Unterwelt. M. II., Enkel des vorigen, erbaute das Labyrinth.

Minotaurus: Ungeheuer, halb Stier, halb Mensch, geboren von der Frau des *Minos aus der Liebe mit einem Stier.

Mirabeau: Gabriel de Riqueti Graf von M., 1749–1791, 1791 Präsident der Nationalversammlung, berühmter französischer Redner und Schriftsteller.

Montaigne: Michel Eyquem, 1533–1592, berühmt durch seine „Essais", die verschiedenartige moral- und lebensphilosophische Fragen behandeln; bedeutendes Werk des französischen Späthumanismus.

Mulciber: Beiname des Vulcanus, des Gottes des Feuers und der mechanischen Fertigkeiten und Kräfte.

Musen: neun Göttinnen der Künste und Wissenschaften: Klio (Geschichte), Kalliope (Epos, Elegie), Melpomene (Tragödie), Thalia (Komödie), Urania (Astronomie, heilige Poesie), Erato (Liebeslied, Tanz), Euterpe (Musik, Lyrik), Terpsichore (chorische Lyrik, Tanz), Polyhymnia (Tanz, Pantomime, ernsthaftes Lied).

Myrmidonen: bei Homer die Gefolgsleute des *Achill aus Pyhthia in Thessalien.

Najaden: Wassernymphen.

Nausikaa: Tochter des Phäakenkönigs Alkinoos, besonders anmutige Gestalt in Homers „Odyssee".

Nekropolis: ‚Totenstadt', Begräbnisstätte im Altertum.

Nephrit: zähes Gestein aus feinen Strahlsteinfasern.

Nereus: ein Meergott, zeugte mit seiner Gemahlin Doris die 50 Nereiden.

Nero: 37–68, römischer Kaiser 54–68.

Numidisch: Numidien war im Altertum das Hinterland der nordwestafrikanischen Küste.

Obelisk: vierkantiger Steinpfeiler, der sich nach oben verjüngt und in einer pyramidenförmigen Spitze endet.

Obolus: altgriechisches Gewicht und Münze.

Odysseus: der listenreiche Held in Homers „Odyssee".

Ogygia: Insel der *Kalypso.

Olymp: Gebirge in Griechenland, an der Grenze Thessaliens und Makedoniens, galt den alten Griechen als Sitz der Götter.

Olympia: heiliger Bezirk am Fluß Alpheios in Elis (Peloponnes), Kultstätte des Zeus und der Hera, Schauplatz der Olympischen Spiele; sie stärkten (wie andere gesamthellenische Feste) das Zusammengehörigkeitsgefühl der Griechen.

Ophelia: von Hamlet geliebte Tochter des Polonius in Shakespeares „Hamlet", den Hamlet irrtümlicherweise ersticht; sie verfällt in Wahnsinn und ertrinkt im Fluß.

Oradour: O.-sur-Glane, Ort in Frankreich, wurde 1944 als Repressalie gegen die französische Widerstandsbewegung von der SS niedergebrannt; der größte Teil der Bevölkerung kam ums Leben.

Oreaden: Bergnymphen.

Orest: Sohn Agamemnons; ihm oblag die Blutrache an Ägisth und der Mutter Klytämnestra, den Mördern des Vaters.

Orion: im griechischen Mythos Sohn des Poseidon, ein mächtiger Jäger; Sternbild.

Orkus: der Gott des Todes; das Totenreich, die Unterwelt.

Orontes: Fluß in Vorderasien, durchfließt Syrien und mündet in der Türkei ins Mittelmeer.

Orpheus: der älteste griechische Sänger, bezauberte mit der ihm von Apoll verliehenen Leier die ganze Natur. Persephone gab ihm seine gestorbene Gattin Eurydike wieder; doch beim Aufstieg aus der Unterwelt schaute er sich gegen das Verbot nach ihr um, und sie wurde ihm wieder genommen.

Päan: Chorlied zu Ehren Apolls.

Paktol: Fluß in Lydien, der auf dem Tmolos entsprang, wegen seines Goldreichtums bekannt.

Palladio: Andreas P., 1508–1580, italienischer Baumeister; durch seine Bauten und Lehrschriften maßgebender Lehrmeister des europäischen Klassizismus.

Pan: alter Gott der Hirten und des Kleinviehs im arkadischen Bergland, Sohn des Hermes, mit Ziegenfüßen, liebte die Hirtenflöte, stellte den schönen Nymphen nach. In der Mittagsstille jagte er gern durch plötzliche, unerwartete Laute ‚panischen Schrecken' ein. Das griech. Wort ‚pan' bedeutet ‚all'; so wurde Pan auch als ‚Allgott' angesehen.

Pandora: im griechischen Mythos die erste Frau auf Erden, die Zeus aus Zorn über den Feuerraub des Prometheus zum Unheil der Menschen von den Göttern schaffen ließ. In ihr Tongefäß hatten die Götter alle Leiden eingesperrt; sie öffnete neugierig den Deckel, und Unglück und Plagen verbreiteten sich über die Welt; nur die Hoffnung blieb zurück.

Pantheon: alle verehrten Gottheiten; auch: ein allen Göttern geweihtes Heiligtum.

Paphius: cyprisch, Beiname der *Venus.

Paria: in Indien eine niedrige Kaste von Webern, Landarbeitern, Dienern; allgemein: ein Ausgestoßener, Entrechteter.

Parnass: Gebirge nördlich von Delphi, Sitz Apollons und der Musen.

Parthenon: griechisch: Jungfrauengemach; der Marmortempel der ‚Athena Parthenos‘ auf der Akropolis von Athen.

Parzen: römische Schicksalsgöttinnen, den griechischen Moiren gleichgesetzt. Die eine (Klotho) spinnt den Lebensfaden, die andere (Lachesis) bewahrt ihn, die dritte (Atropos) durchschneidet ihn.

Patmos: Insel im ägäischen Meer, wo der Apostel Johannes seine Offenbarung geschrieben haben soll.

Patroklus: Freund des Achill, zog vor Troja in der Rüstung des Achill in den Kampf und fiel bei der Verfolgung der Troer. Achill feierte für ihn Leichenspiele und Totenopfer.

Penaten: die Hausgötter der Römer.

Pergamus: die Burg von *Troja.

Persephone: Tochter der Demeter, von Pluton, dem Herrscher der Unterwelt, geraubt.

Persepolis: antike Königspfalz in Persien; P. war eine Festung mit Zugang über eine Doppeltreppe.

Pharao: Titel der altägytischen Könige.

Pharos: Bezeichnung für Leuchtturm, weil im Altertum der Leuchtturm von Pharos, einer Insel bei Alexandria, als eines der sieben Weltwunder galt.

Phidias: berühmtester Bildhauer des Altertums, 5. Jahrhundert v. Chr. in Athen; Goldelfenbeinstatuen des Zeus in Olympia und der Athene im Parthenon auf der Akropolis von Athen.

Philipp von Spanien: P. II., 1527–1598, Sohn Kaiser Karls V., König von Spanien 1556–1598.

Philoktet: ein Held, dem Herakles seinen Bogen schenkte; auf dem Zug gegen Troja wurde er wegen einer übelriechenden Wunde auf Lemnos ausgesetzt, später aber nach Troja geholt; er tötete Paris, worauf Troja fiel.

Philomele: Nachtigall.

Phöbus: Beiname Apolls, ‚der Lichte‘.

Phryne: die bekannteste Hetäre (käufliche, tlw. hochgebildete Geliebte) im Athen des 4. Jahrhunderts v. Chr.

Pierinnen: die *Musen. Pierien, eine Landschaft in Makedonien, galt als Sitz der Musen.

Pindar: ca. 518–446 v. Chr., der bedeutendste griechische Chorlyriker.

Platon: 428/7–347 v. Chr., griechischer Philosoph; Platons Garten, die Akademie, lag nordwestlich von Athen beim Hain des Heros Akademos.

Plejaden: im griechischen Mythos die sieben Töchter des Atlas und der Pleione, von Zeus als Siebengestirn an den Himmel versetzt.

Pogrom: hetzerisch-gewalttätiges Vorgehen gegen eine Bevölkerungsgruppe, bes. gegen Juden.

Pollux: *Kastor.

Polybios: ca. 201–120 v. Chr., Geschichtsschreiber, Freund des jüngeren Scipio, stellte die Zeitgeschichte bis 144 dar, um die weltgeschichtliche Bedeutung des römischen Aufstiegs zur Weltmacht aufzuweisen.

Pomona: Göttin der Baumfrüchte.

Port: Hafen; allgemein: Endpunkt, Ziel (lateinisch: portus).

Poseidon: der griechische Gott des Meeres und der Gewässer.

Posilipo: Hügelzug südwestlich von Neapel.

Priamus: König von *Troja, Vater u. a. des Hektors und der Kassandra.

Priapus: Gott der Furchtbarkeit, der Obstgärten und Weinberge; wird dargestellt mit aufgerichtetem männlichem Glied als Fruchtbarkeitssymbol; sein einfaches holzgeschnitztes Bild wurde oft als eine Art Vogelscheuche in die Pflanzungen gestellt.

Prometheus: im griechischen Mythos einer der *Titanen; raubte gegen den Willen des Zeus das Feuer und brachte es den Menschen; deshalb wurde er an einen Felsen geschmiedet, und ein Adler hackte ihm die immer nachwachsende Leber aus; später von Herakles befreit.

Properz: Sextus Propertius, ca. 47–15 v. Chr., römischer Dichter, berühmt durch seine vier Bücher „Elegien“.

Propyläen: die Toranlage der Akropolis.

Prytane: Prytanen waren in griechischen Städten der zehnte Teil des Rates, der die laufenden Geschäfte verwaltete.

Pygmalion: ein König von Kypros, verliebte sich der Sage nach in eine von ihm geschaffene Mädchenstatue. Aphrodite erweckte das Mädchen zum Leben, P. nahm es zur Frau.

Pyrrha: Gemahlin des *Deukalion.

Pythia: die weissagende Priesterin des Orakels zu Delphi.

Python: im griechischen Mythos ein Drache, der in Delphi das Orakel seiner Mutter Gaia bewachte. Apoll tötete ihn.

Restif de la Bretonne: Nicolas Edme R., 1734–1806, französischer Schriftsteller, Verfasser sittengeschichtlicher Romane mit drastischen erotischen Szenen.

Reveille: Weckruf.

Rialto: Ponte di Rialto, Brücke über den Canal grande in Vendig, 1587–1591 erbaut.

Sallust: Gaius Sallustius Crispus, 86–34 v. Chr., römischer Geschichtsschreiber.

Salomo: König des Israel und Juda umfassenden Reiches (ca. 965–926 v. Chr.); seine Regierungszeit galt als goldenes Zeitalter Israels, er selbst als Ideal eines weisen und mächtigen Herrschers. Ihm werden einzelne Texte des Alten Testamentes zugeschrieben.

Samos: fruchtbare griechische Insel vor der Westküste Kleinasiens, bekannt durch Weinbau.

Sand: George S., 1804–1876 (auf Schloß Nohant), französische Schriftstellerin, befreundet u. a. mit Chopin.

Sappho: um 600 v. Chr., bedeutendste griechische Lyrikern, in Mytilene auf Lesbos.

Sarazenen: im Altertum Name eines Teils der Araber, im Mittelalter zunächst ausgedehnt auf alle Araber, dann auf alle Muslime der Mittelmeerwelt, bes. auf die Gegner der Kreuzfahrer.

Saturn: altrömischer Gott, dessen Name als Gott der Saaten gedeutet wurde; der Sage nach alter König Italiens, unter dem ein goldenes Zeitalter geherrscht habe.

Satyren: mutwillige und lüsterne Wesen im Gefolge des Dionysos; sie hatten Menschengestalt, aber Pferdeohren, Pferdeschwanz und Pferdehufe.

Saul: der erste israelitische König, etwa 1020–1000 v. Chr.

Saul(us): der ursprüngliche Name des Apostels Paulus, geb. um 10 n. Chr., der um 34 bei Damaskus durch eine wunderbare Erscheinung zum Jünger Jesu bekehrt wurde.

Scipio: Publius Cornelius S. Aemilianus, der jüngere Africanus, zerstörte 146 v. Chr. Karthago, Freund des Historikers Polybios.

Sem: im Alten Testament der älteste Sohn Noahs und Ahnherr der Semiten.

Semele: Tochter des *Kadmos; ihr Geliebter, Zeus, erschien ihr einmal unter Donner und Blitz in seiner wahren Gestalt; sie verbrannte unter dem göttlichen Strahl, ihre sechsmonatige Leibesfrucht, aus der Dionysos hervorging, wurde gerettet, weil Zeus sie sich in seinen Schenkel einnähte.

Selene: die Mondgöttin (römisch: Luna).

Serail: Palast.

Seraph: im Alten Testament sechsflüglige Wesen, die Jahwe (Jehova: Gott) umschweben.

Seth: im Alten Testament der dritte Sohn Adams und Stammvater der vorsintflutlichen Sethiten.

Sibyllen: im Altertum Name für weissagende Frauen.

Sieben Weise: griechische Staatsmänner und Philosophen des 7. und 6. Jahrhunderts v. Chr.: Thales, Pittakos, Bias, Solon, Kleobulos, Myson, Chilon. Ihnen wurden bestimmte Sprüche zugeschrieben.

Sils: Ort im schweizerischen Engadin, 1881–88 Sommeraufenthalt Nietzsches.

Simson: ein mit übermenschlichen Kräften ausgestatteter Kämpfer des israelitischen Stammes Dan (Altes Testament); seine Geliebte Delila beraubte ihn durch Abschneiden seines langen Haupthaars seiner Stärke, er fiel den Feinden in die Hände und wurde geblendet.

Sirenen: im griechischen Mythos Mischwesen aus Vogel- und Mädchenleibern. Sie locken auf einer sagenhaften Insel die Vorüberfahrenden durch betörenden Gesang an und töten sie dann.

Skäisches Tor: das westliche Tor von *Troja.

Skythen: im Altertum Völkergruppe zwischen Don und Donau, gefürchtet als Bogenschützen.

Sokrates: 469–399 v. Chr., griechischer Philosoph, der selbst nichts geschrieben hat und durch die Schriften seiner Schüler, bes. Platons und Xenophons, bekannt ist.

Solon: athenischer Staatsmann, 594 v. Chr. beauftragt, Verfassung und Gesetze auszuarbeiten.

Sparta: griechischer Staat der Antike, bekannt durch die harte Erziehung der Söhne zu Kriegstüchtigkeit und Gehorsam.

Stampa: Gaspara Stampa, 1523–1554, italienische Dichterin.

Styx: Unterweltfluß.

Sulpicia: 6 Elegien der Sulpicia, einer Nichte von Tibulls Gönner Messala, stehen unter den Werken *Tibulls.

Sykophant: verleumderischer Ankläger.

Syrinx: eine in ein Rohr verwandelte Nymphe; Hirtenflöte.

Tantalus: mächtiger König in Kleinasien, Vater von Pelops und Niobe; schlachtete seinen Sohn Pelops und setzte ihn den Göttern als Speise vor; in die Unterwelt verbannt. Homer erzählt, er stehe dort bis zum Kinn in einem See und herrliche Früchte hingen über ihm, aber wolle er danach greifen, weiche der Ast zurück, und wenn er trinken wolle, verschwinde das Wasser.

Tejos: Teos, ionische Stadt auf der lydischen Küste, Geburtsort des *Anakreon.

Tempe: im Altertum vielgerühmtes Tal: der Durchbruch des Peneiosflusses zwischen den Bergen Olymp und Ossa.

Thebe: eine Nymphe, die Geliebte des böotischen Flußgottes Asopos.

Theben: bedeutender Stadtstaat im alten Griechenland, von Alexander d. Gr. 335 v. Chr. völlig zerstört. Die 7 Stadttore gehören in den Bereich der Sage.

Themis: Göttin der ungeschriebenen sittlichen Rechtsordnung.

Theokrit: Anfang 3. Jahrhundert v. Chr., dichtete in bukolischen Idyllen ein idealisiertes Hirtenleben.

Theophrast: ca. 372–287 v. Chr., Schüler des Aristoteles und nach dessen Tod Leiter seiner Philosophenschule; unter seinen Schriften auch zwei botanische Werke.

Theseus: Nationalheld der attischen Sage, König in Athen.

Thespis: ältester bekannter griechischer Tragiker; um 534 v. Chr. vielleicht Aufführung der ersten Tragödie in Athen.

Thule: im Altertum ein sagenhaftes Land im hohen Norden; sprichwörtlich: äußerstes Land am Nordrand der Welt.

Thyrsus: der mit Efeu und Weinlaub umwundene Stab, den *Bacchus und die Bacchantinnen trugen.

Tibull: Albius Tibullus, † 19 v. Chr. in jungem Alter, Elegiendichter der augusteischen Zeit; Hauptthematik seiner Gedichte: das ruhige Glück des Landlebens und die Liebe zu Delia.

Tibur: Stadt in Latium, berühmt wegen ihrer schönen Lage, am Anio (heute Tivoli); von Horaz in seinen Oden vielfach gepriesen.

Timoleon: 4. Jh. v. Chr., befreite Syrakus vom Tyrannen Dionysios II. und ganz Sizilien von den Karthagern.

Titanen: ursprünglich die 6 Söhne und 6 Töchter des Uranos (Himmel) und der Gaia (Erde). Unter Führung des jüngsten von ihnen, Kronos, stürzen sie Uranos. Kronos erleidet das gleiche Schicksal durch seine Kinder, die Kroniden. Es kommt zur Titanomachie, dem Kampf der Titanen (unter Kronos) gegen die Kroniden (unter *Zeus).

Travertin: Tuffstein.

Triton: ein Meergott, der auf Geheiß des Vaters Neptun auf einer Muscheltrompete bläst, um das Meer aufzuregen oder zu besänftigen.

Tritonien: Schwertliliengewächse.

Troja: Hauptort von Troas (antiker Name der Landschaft östlich der Dardanellen in Westanatolien), in der griechischen Sage Schauplatz des Trojanischen Krieges, in dem die Griechen unter Agamemnons Führung um die von Paris geraubte Helena kämpften; Troja wurde nach zehnjähriger Belagerung von den Griechen erobert und zerstört.

Tuberose: Nachthyazinthe, ein Liliengewächs.

Tyndariden: Nachkommen des Tyndareus, meist: *Kastor und Pollux.

Ulysses: *Odysseus.

Upsala: Stadt in Schweden mit wertvoller Bibliothek; dort liegt die gotische Bibelübersetzung des Ulfilas (um 311–383), der „Codex argenteus".

Urania: Muse der Astronomie, auch der heiligen Poesie, *Musen; im griechischen Mythos auch Beiname der Aphrodite als Göttin der edlen Liebe im Unterschied zu ‚Aphrodite Pandemos‘ als Göttin bloßer Sinnlichkeit.

Uranide: *Kronos als Sohn des Uranos, des ältesten Gottes des griechischen Weltentstehungsmythos.

Uria: im Alten Testament Heerführer König Davids, Gatte der von David verführten Bathseba; wurde auf Davids Befehl, den er in einem Brief gab, den U. selbst unwissentlich überbrachte (Uriasbrief), im Kampf an die gefährlichste Stelle beordert, wo er umkam.

Venus: die römische Göttin der Liebe; ursprünglich eine altitalische Göttin des Gartenbaus.

Vergil, Virgil: Publius Vergilius Maro, 70–19 v. Chr., berühmter Dichter Roms: „Bucolica" (Hirtengedichte), „Georgica" (Lehrgedichte über Ackerbau, Baumkultur, Vieh- und Bienenzucht), „Aeneis" (Heldenepos).

Villon: François V., 1431–1463, französischer Dichter, aus ärmlichsten Verhältnissen stammend, Vaganten- und Gaunerleben.

Wallenstein: Albrecht v. W., 1583–1634, Feldherr im Dreißigjährigen Krieg, Oberbefehlshaber der kaiserlichen Truppen; als ihn der Kaiser des Hochverrats bezichtigte, fielen die Truppen von ihm ab; in Eger mit seinen letzten Getreuen Illo, Terzky und Kinsky von kaiserlichen Offizieren ermordet.

Wiepersdorf: Gut Wiepersdorf in der Mark; vornehmlich hier lebte Achim von Arnim mit seiner Frau Bettina (der Schwester Clemens Brentanos) seit 1814 bis zu seinem Tode 1831.

Workuta: Stadt in der Sowjetunion, 160 km nördlich des Polarkreises; von 1943 bis in die fünfziger Jahre Zwangsarbeitslager.

Xenophon: ca. 430–354 v. Chr., griechischer Schriftsteller und Historiker.

Zephir: sanfter Wind, bes. Westwind.

Zeus: der mächtigste der griechischen Götter, Sohn des Kronos (daher Kronide); im Kampf mit ihm und den *Titanen begründete Z. die Herrschaft der olympischen Götter; seine Waffe war der Blitz, sein Symboltier der Adler.

Zion: Name eines Hügels in Jerusalem und des Tempelberges, auch Bezeichnung für Jerusalem selbst; im übertragenen Sinne: das auserwählte Volk.

Zola: Emile Z., 1840–1902, französischer Romanschriftsteller.

Alphabetisches Verzeichnis der Autoren

Alphabetisches Verzeichnis der Gedichtüberschriften und Gedichtanfänge

1137